Román Orozco

Román Orozco

Román Orozco

CUBA ROJA

*Cómo viven los cubanos
con Fidel Castro*

A Mari, Lola y Pili.
A mi madre, que no podrá leerlo.
A mi padre, a quien se lo leerán.

Printed in Colombia -------- Impreso en Colombia

ISBN: 84-7679-269-7——Depósito Legal: B-20662-1993

Impreso en Colombia Por Canal Ramirez Antares
Carrera 4a.No. 25B-50- 2823483 - 2823482
Fax:3342014 - A.A. 9512 - Santafé de Bogotá, D.C.

PARA JAVIER VERGARA

Indice

Prólogo 9
Agradecimientos 11
Oturaniko 13

PRIMERA PARTE
El Poder

1. El Partido 21
2. El poder del pueblo 71
3. Los uniformados 91
4. Los ojos y los oídos de la Revolución 157
5. Fidel 165
6. El relevo 207
   Raúl: El número dos 208
   Aldana: El tercero en discordia 232
   Lage y Robaina: Los jóvenes lobos 244
7. Los jóvenes 255

SEGUNDA PARTE
La Oposición

8. Los disidentes 285
9. Los Derechos Humanos 315
10. Disentir en La Habana 333
    Gustavo Arcos: A golpe de Martí 334
    Elizardo Sánchez: ¡Vete p'al carajo! 340
    María Elena Cruz Varela: ¡Que le sangre la boca! ... 346
11. Los exiliados 357
12. Los líderes del exilio 399
    Jorge Mas Canosa: La ambición 400
    Carlos Alberto Montaner: La astucia 407
    Francisco Aruca: La osadía 414

TERCERA PARTE
La Economía

13. La Opción Cero 425
14. El frente económico 483
15. Los antisociales 525
16. Los mitos 547

CUARTA PARTE
La Sociedad

17. La religión 577
18. La santería 603
19. El amor 633
20. Los creadores 669

QUINTA PARTE
El Mundo

21. Los españoles 717
22. Los soviéticos 781
23. Los yanquis 815

Ire Aiku Lese Orunmila 871
Indice Onomástico 881
Indice de Siglas 903
Anexos 907

PROLOGO

Federico García Lorca escribió desde La Habana: «Si me pierdo que me busquen en Granada o en Cuba». Granada y Cuba son también las patrias del autor de este libro, Román Orozco, tocado además por la gracia manchega.

A Orozco le gusta Cuba. Se nota. Le entra por los poros nada más poner pie en el aeropuerto de La Habana.

Este libro no es una peregrinación apresurada, hecha de varaderos y mulatas, sólo de azúcar, tabaco, mercado negro, ron y cocoteros. Es un trabajo hercúleo que recoge cantares, letrillas, rumbas, intrigas, dogmas, habaneras y poemas, el color, el olor y el dolor, el amor, el poder, el querer y el joder, patria y muerte, venceremos. O perderemos.

Es una inmersión total en la isla mulata de españoles y africanos. El país más español de América. Lo que pasa frente a lo que le pasa al autor, la perfecta combinación del reportaje. Un libro bien pensado, vivido, que no deja cabo suelto.

Todo está aquí ordenado, siempre al borde del vértigo, desde esas columnas de Alejo Carpentier en las que asoman los orishas, los dioses yorubas, hasta las calles de Miami. Un retrato de la familia y del mando, los secretos de la santería, la receta de los afrodisíacos, la oposición, los uniformados, las claves de la supervivencia, los españoles, los soviéticos y los yanquis, los soplones del régimen, los antisociales, la paranoia, los burócratas y los pasotas, Mueve la cintura Iné, los chistes, la economía y la filosofía, la verdad y la vida.

A Orozco nada de lo cubano le resulta ajeno, y lo explica con mucho cuidado y mucho equilibrio. La Cuba dulce por fuera y amarga por dentro de Nicolás Guillén.

El autor va siempre más allá de los largos discursos del líder, del culto a la personalidad y de la nómina de los que mandan. Es la historia y la intrahistoria.

«Las latas de la guerra de Cuba en los periódicos son insoportables», escribía en 1886 Miguel de Unamuno, que lamentó la informacionería y la hechología y «el relato de los crímenes excesivos». A Unamuno, a punto ya el 98, le duelen la Castilla dermoesquelética y la aventura colonial de Cuba. «Hasta el último nombre y la última peseta», que decía Antonio Maura.

El rector de Salamanca se queja del espíritu apelmazado y ramplón, de «la nueva variante del eterno artículo político de fondo que es para desanimar a quien no se haya agarbanzado hasta el punto de enamorarse de la lata».

Empirismo huero, huero conceptismo. «Nada del hecho vivo en los diarios, en su atmósfera —añade el autor del *Sentimiento trágico de la vida*—, nada que sea palpitante, sugestivo, que enseñe con su mera exposición». Cuba palpita en las páginas del libro de Román Orozco, que es de una apabullante riqueza. Una respuesta, casi cien años después, a las críticas de don Miguel al periodismo de la época.

Nuestro hombre en La Habana consigue poner en práctica en una tierra tan llena de paradojas (indolencia y pasión, por ejemplo) el consejo del viejo Pierre Lazareff, «explicar las ideas por los hechos y los hechos por los hombres». El director del *France Soir* de París pedía todos los días a sus redactores: «Cuenten historias, hagan vivir a los hombres»...

Todo eso se ve en este libro. Más se ganó en Cuba, ¿verdad, Román?

Manuel Leguineche
Premio Nacional de Periodismo

AGRADECIMIENTOS

Durante casi dos años de plena dedicación a esta "Cuba Roja" recibí el apoyo incondicional y a veces hasta entusiasta de muchas personas, tanto del interior de la isla, como de fuera.

Sería imperdonable olvidarme de algunas, pero me temo que esas cosas siempre ocurren. Vaya por delante mi profundo agradecimiento a Luis Méndez Asensio, quien realizó una impagable corrección del manuscrito y enriqueció con sus comentarios el mismo.

Gracias mil a mi entrañable amigo Juan Tomás de Salas. Sin su paciencia y comprensión, esta obra se habría frustrado. Justino Sinova se empeñó en que debía recoger en un libro lo poco que sabía de Cuba. Ello me dio la oportunidad de aprender algo más sobre la isla. Pero sin el definitivo empujón que me dio Manuel Leguineche, tomando una cerveza en el madrileño Parque del Niño Jesús, nunca me habría lanzado a esta aventura apasionante.

Gracias sentidas también a Pilar Pérez Menéndez, intrépida gerente de una aventura que fundamos juntos, *Cambio 16/América*, quien con su amor y conocimiento por Cuba me orientó y animó en los momentos de desánimo ante lo titánico de la obra emprendida. Ella es responsable de muchos de los versos seleccionados para este libro. Gracias a José Manuel Martín Medem con quien coincidí en varios viajes a La Habana. El entonces infatigable corresponsal de Radio Nacional me ayudó con acertadas sugerencias.

No puedo olvidarme de mis muchos amigos que viven en Cuba. En primer lugar, de Mauricio Vicent, compañero del alma, y su esposa Siria Pérez. En su casa encontré amigos y conocimientos sin fin sobre la vida cotidiana de Cuba. En su casa conocí a personas a las que debo mucho: Cecilia, Olguita, Julio, Jorge, Juan Manuel y tantos otros.

La Embajada española en La Habana fue siempre refugio y fuente. Hice muy buenos amigos, como Ignacio Estévez y su esposa, María. Ignacio Rupérez y Fidel Sendagorta, ya lejos de La Habana, me ofrecieron datos y opiniones. El nuncio en La Habana, el español Faustino Sainz, siempre supo escuchar con paciencia y orientarme en la tarea emprendida.

A Juan Jesús Aznares y Gerardo González —y sus esposas, excelentes anfitrionas— y a todos los compañeros de la agencia española EFE en Cuba les debo buena parte de su tiempo y ayuda. Sus archivos me fueron valiosos. Otros periodistas, éstos cubanos, me abrieron sus puertas: Luis Báez, Gustavo Robreño, Gabriel Molina, Félix Pita Astudillo, y algunos más de las provincias del interior que supieron comprender lo dificultoso de un trabajo como el que realicé. Algunos funcionarios del Centro de Prensa Internacional (CPI) de La Habana me solucionaron citas y problemas.

En el hotel Victoria me sentí como en casa en los muchos meses que pasé allí. A todos los que trabajan en este pequeño hotel, gracias. Lo mismo que a docenas de funcionarios de todos los niveles que entrevisté, en La Habana y en provincias, y a los centenares de desconocidos a los que asalté a preguntas por toda la isla.

En fin, gracias a dos buenos amigos de Miami, José de Córdova y Sergio López Miró, de los periódicos *The Wall Street Journal* y *The Miami Herald*, respectivamente. Me ilustraron muy bien sobre el exilio de Miami, ellos que fueron llevados al exilio siendo unos niños.

Gracias a Alicia Hernández, la secretaria más eficaz que conocí. Ella me proporcionó innumerables datos del archivo de *Cambio 16* en Madrid. Gracias a todos los que no cité, pero que se las merecen sobradamente. Gracias por ultimo a Miguel Arzoz, Valentín Cerecedo, Juan Enrique García y Roberto Parras, compañeros de *Cambio 16*, que aportaron sus conocimientos técnicos para la realización física del libro.

Jordi Socías y Mikel Garay supieron con maestría poner la guinda a la tarta: ellos son responsables del diseño de la portada.

OTURANIKO

Doscientos setenta babalawos se reunieron en el barrio 10 de Octubre de La Habana los días 30 y 31 de diciembre de 1990 y el 1 de enero de 1991. Cuando los sacerdotes de Ifá terminaron su congreso, muchos de ellos llevaban en sus rostros señales de preocupación.

La palabra que los sagrados orishas habían elegido para el naciente año era "Oturaniko".

Quiere decir en lengua yoruba "pérdida de estabilidad".

Babalawos, sacerdotes de Ifá, yorubas. Millones de cubanos sienten por ellos un enorme respeto. Representan sus viejas creencias religiosas de la Regla de Ocha, que los esclavos negros llevaron a Cuba.

Hoy, tras el reconocimiento formal de que los creyentes de cualquier religión pueden ingresar en el Partido Comunista de Cuba (PCC), la santería, como se conoce popularmente a este sincretismo religioso que mezcla milenarias creencias africanas con el catolicismo, es practicada por cientos de miles de cubanos.

Por ello, la palabra "Oturaniko" se extendió como reguero de pólvora por todo el país.

En los primeros días del año fui invitado a presenciar un "asentamiento de santo", en el que una joven comunista ingresaría en la Regla de Ocha para hacerse santa. La casa donde tuvo lugar la ceremonia, que puede durar hasta siete días, se convirtió en una especie de estación de autobuses donde entraban y salían santeros, babalawos, yumbonas e iyalochas.

Allí me informaron del famoso término "Oturaniko" y de su

significado que tanto parecía apesadumbrar a los babalawos. Quiere decir "pérdida de estabilidad".

Es decir, 1991 iba a ser el año de la "pérdida de estabilidad" a todos los niveles: políticos, sociales y personales. Sólo había una forma de conjugar ese mal fario que los babalawos, interpretando el oráculo Ifá, un complejo y milenario sistema adivinatorio, habían vislumbrado para los siguientes doce meses: estar advertidos del peligro y prepararse para hacerle frente.

No soy creyente de la Regla de Ocha, aunque respeto a quienes sí lo son. Pero, curiosamente, el año que yo había elegido para escribir este libro iba a estar marcado precisamente por la inestabilidad no sólo de Cuba.

Durante dos años y medio, desde 1988 hasta finales de 1990, había visitado en numerosas ocasiones la isla como corresponsal de prensa. Invertiría casi la mitad del siguiente año, el año del "Oturaniko", en profundizar en mi conocimiento de Cuba.

Recorrí de punta a punta la isla. Desde Cabo San Antonio a Punta Maisí. Viajé solo por las carreteras cubanas, atestadas de personas sin medios de transporte que pedían "botella", como llaman en Cuba a la práctica del "auto stop". Aprendí mucho de todos ellos.

Y me reí también.

El cubano se crece en las dificultades y tiene a mano siempre un chiste cuando las cosas se ponen difíciles. Recuerdo que alguien me contó un chiste sangrante al atravesar un campo lleno de docenas de bueyes que araban la tierra o tiraban de pesadas carretas, lo que daba al paisaje isleño un aspecto medieval. Dice así:

—Vamos tan p'atrás, tan p'atrás que a este paso vamos a conocer a José Martí personalmente.

Este libro es el relato en vivo de la Cuba que yo vi y de la que me contaron en primera persona muchos de sus protagonistas, unos en altos puestos de dirección y otros ciudadanos sencillos de las sierras cubanas.

Estuve varias veces con Fidel Castro en el Palacio de la Revolución, escuche docenas de sus discursos y hablé también con campesinos de la Sierra Maestra. Entrevisté a docenas de militantes del Partido Comunista y de la Unión de Jóvenes Comunistas (UJC) para penetrar en el secreto de su organización. Visité cuarteles y escuelas militares. Vi disparar baterías antiaéreas a bellas mulatas en Holguín y me sorprendió la alta presencia femenina en el Batallón Fronterizo que rodea a la Base de Guantánamo. Hablé con coroneles y comandantes para saber cómo es el poderoso Ejército cubano.

Entré una y mil veces en las casas de los disidentes y escuché de labios de María Elena Cruz Varela, antes de ser encarcelada, algunos de sus más feroces poemas.

Visité docenas de hoteles de todo tipo y condición. Unos mixtos, es decir, para cubanos y extranjeros, que llevaban nombres tan exóticos —¡en mitad del Caribe!— como el de la ciudad de Holguín: Pernick, en memoria de una ciudad búlgara. Un país, Bulgaria, que fue ejemplo —malo— para la Cuba de los setenta. De los búlgaros copiaron muchas cosas los cubanos. Luego las someterían a revisión en el famoso Proceso de Rectificación de Errores y Tendencias Negativas. En el Pernick escuché pasodobles españoles interpretados por Pire Zaldívar, un músico jubilado que seguía tocando por amor al arte.

Recorrí las zonas donde las jineteras cubanas ofrecen sus encantos a los turistas por un frasco de colonia, y me hizo gracia cómo las llaman en provincias: "satas".

Salía de un cuartel provincial de Holguín, de las Milicias de Tropas Territoriales, acompañado de un periodista local, Ezequiel Hernández, cuando una joven muy atractiva nos pidió botella.

—¡Sigue —me ordenó Ezequiel— es una "sata"!

Cuando regresé a mi casa busqué la palabra sata en el más viejo diccionario que tengo de Cuba, el "Novísimo Pichardo", publicado en 1836 por Esteban Pichardo. Significa "mujer coqueta". Me gustó este poema con el que Pichardo ilustra su definición:

> *Al ponerse ella una bata*
> *y un pañuelito en la sién*
> *era la negra más sata,*
> *la negra María Belén.*

Hablé del racismo entre los cubanos, los negros, los mulatos y los blancos. Aunque la segregación racial no tiene ni punto de comparación con ninguna otra sociedad donde haya diferentes razas, una joven blanca difícilmente tendrá relaciones con un negro. La población cubana, de 10.700.000 habitantes, se reparte de esta forma, de acuerdo con el Atlas Iberoamericano de Mercedes Pereña, publicado en México en 1991: 50 por 100 de origen europeo, 12 por 100 africano y 38 por 100 mulato.

Unos y otros, negros y blancos, sufren los graves problemas que vive la isla. El Período Especial en Tiempo de Paz no distingue el color de la piel.

Los cubanos ya sufrían lo suyo con el bloqueo iniciado por los Estados Unidos en 1961. Treinta años después, Roberto Torricelli, hasta entonces un desconocido congresista demócrata por New Jersey promueve una ley que resulta aprobada a finales de septiembre de 1992 según la cual los Estados Unidos tomarán represalias económicas contra los países que comercien con Cuba. Las subsidiarias de compañías norteamericanas no podrán mantener relaciones comerciales con la isla. El bloqueo se extendía, por orden de Washington, a terceros países.

Asistí a la llegada de Mijail Gorbachov a la isla, y el derrumbe del bloque socialista europeo, que dejó huérfana a Cuba, tanto en lo económico como en lo político. El derrumbe del socialismo este-europeo provocaría lo que los cubanos han bautizado como "el segundo bloqueo". El decisivo comercio de Cuba con los ex países socialistas prácticamente desapareció o quedó bajo mínimos.

También viví los días tensos en que un tribunal de La Habana condenó a muerte a Eduardo Díaz Betancourt, un exiliado de Miami que entró en la isla formando parte de un comando que pretendía atentar contra puntos estratégicos. También sentí el dolor que aún muestran muchos dirigentes cubanos cuando recuerdan al fusilado general Arnaldo Ochoa.

Vi bailarinas, muchas. Y cantantes, bastantes. Acudí las tardes de los domingos al Carlos Marx, el mayor teatro de La Habana, a escuchar desde música campesina a rock cubano. Presencié una actuación de Enrique, Kiki, Corona, en la que docenas de jóvenes jugaban con preservativos inflados como si fueran globos, mientras el cantante desgranaba la letra de una de las canciones favoritas de Fidel Castro:

> *Es la hora de gritar Revolución*
> *es la hora de tomarse de las manos...*

Visité universidades y campamentos agrícolas. Círculos infantiles y hospitales. Vi crecer la delincuencia y la aparición de los llamados "merólicos", o fronterizos y lumpen. Cuando fui por primera vez a La Habana en esta etapa —había hecho un viaje previo en 1978— el peso cubano se cotizada en el mercado negro a tres por un dólar. En el verano de 1992 se situó en 40 pesos por dólar. El deterioro de la economía era atroz.

Vi subir y bajar a importantes líderes: Roberto Robaina, dirigente de la juventud comunista, entraba con pie firme en el Buró Político, mientras Carlos Aldana, al que todo el mundo, menos él, consideraban el número tres del régimen, era cesado de todos sus cargos presuntamente por haber sido timado por un cubano que se hacía pasar por representante de multinacionales electrónicas.

Visité redacciones de periódicos, de emisoras de radio y de televisión. Y en una de ellas me contaron este chiste, que como muchos otros actúan como válvula de escape de la población, sometida a una feroz censura de prensa:

"A Napoleón le es concedido revivir por unas horas y conversar con tres líderes políticos del mundo.

Le dice al norteamericano George Bush:

—Si hubiera tenido su poderío militar, no habría perdido la batalla de Waterloo.

Al siguiente, el soviético Mijail Gorbachov:

—Si hubiera tenido su visión política, no habría ido a Waterloo.
Por último, a Fidel Castro:

—Si hubiera tenido su prensa, el mundo nunca habría sabido que fui derrotado en Waterloo".

El cubano se ríe de su sombra y bromea con cualquier cosa. Raúl Castro dijo en voz alta manejando un garrote vil que hay en el Museo del Castillo del Morro:

—¡Tráiganme a Bush!

Era una broma, pero cuando vio que estaba registrando en un magnetófono sus palabras me dijo:

—¡No me irá a publicar eso!

Los chistes que me contaron en Miami, ciudad por la que inevitablemente pasa este libro, son mucho más salvajes. Hablé horas y horas —¡cómo le gusta hablar al cubano!— con docenas de opositores a Castro en la ciudad de Florida: desde el conservador Jorge Mas Canosa, hasta el liberal Francisco Aruca, pasando por el centrista Carlos Alberto Montaner y los históricos y duros Hubert Matos o Nazario Sargen.

Escuché Radio Martí, la emisora anticastrista financiada por los Estados Unidos, y Radio Rebelde, la mítica emisora fundada por el "Che" Guevara en la Sierra en 1958. Vi surgir Tele Martí. Castro me confesaría esos días que es preferible que Cuba se convierta en un Sagunto, o en una Numancia, antes que rendirse a los yanquis. Elogió el heroísmo de los campesinos españoles que derrotaron a Napoleón y me dijo que, gracias a ellos, yo era español y no francés.

Visité iglesias, hablé con obispos y sacerdotes. Con santeros. Con pintores, actores y escritores. Con soviéticos y con yanquis. Con españoles que invierten en Cuba.

Y hablé con muchos cubanos de uno de sus pasatiempos favoritos: el amor. Ellos y ellas me contaron sus secretos de alcoba. Supe del alto índice de infidelidad y de divorcios. Ir a una clínica a abortar es casi tan normal como ir a Copelia a tomarse un helado. Conocí a jóvenes con poco más de veinte años y media docena de interrupciones de embarazos en su haber.

Las mujeres me hablaron del machismo de sus maridos, y los maridos se mostraron celosos de sus mujeres.

Entré en las cocinas de las humildes casas cubanas, en donde no abundaba nada, pero en donde tampoco nadie se estaba muriendo de hambre. Eso sí, las colas para obtener alimentos eran cada vez más agobiantes. Los productos alimenticios cada vez eran menos variados. Las cantidades, de pan, por ejemplo, eran cada vez más escasas. El transporte era un tormento. Conocí a gente que tardaba el mismo tiempo en ir y volver al trabajo como en toda la jornada laboral.

Cuba, a pesar de todo, sobrevivía. ¿Por cuánto tiempo?

Creo que ni los babalawos de todo el país podrían adivinarlo. Por el momento, otoño de 1992, la isla se preparaba para una guerra. Robaina decía en México que en la isla se crecía hacia abajo: el país estaba siendo perforado como un queso gruyère. Túneles y refugios antiaéreos eran construidos por voluntarios. Fidel desplegaba las banderas al grito de la "guerra de todo el pueblo". La consigna: "Que la isla se hunda antes de ser entregada al enemigo".

El enemigo tiene nombre y apellidos: Estados Unidos y el capitalismo.

Recuerdo un artículo del escritor y periodista colombiano Antonio Caballero en el periódico madrileño *Diario 16*:

—Fidel Castro no es el último dictador comunista, como dicen por ahí. Es el último adversario histórico de los Estados Unidos.

Y mientras las cosas sigan así, será difícil que algo se mueva en la Cuba Roja de Fidel.

En todo caso, podría haber una mayor pérdida de estabilidad. "Oturaniko", dirían los orishas yorubas.

PRIMERA PARTE

EL PODER

1

EL PARTIDO

Mi patria es dulce por fuera
y muy amarga por dentro;
mi patria es dulce por fuera
con su verde primavera,
con su verde primavera,
y un sol de hiel en el centro.
Nicolás Guillén
(*Mi patria es dulce por fuera...*)

Sus grandes manos acarician las cabezas de los cinco micrófonos. Es un gesto cientos de veces repetido. Los sube, los golpea suavemente, los mira. Hay una extraña e íntima relación entre este hombre de sesenta y seis años y los micros.

A veces les habla irritado. Otras bromea. Como el 10 de octubre de 1991:

—Tengo entendido que en los anteriores congresos había un trajecito, dos trajecitos, pero esta vez no. Cada cual que venga con lo que tenga y veo que han venido bien: se puede apreciar un colorido más bello, cada uno con su blusa o su guayabera. Mucho mejor que si el compañero Machadito nos hubiera mandado diseñar seis o siete modelos de trajes para el Congreso, si hubiéramos tenido tela. Entonces pareceríamos un cuerpo uniformado.

Los 1.800 delegados del IV Congreso del Partido Comunista de Cuba (PCC) rompen en risas y aplausos. Incluido José Ramón Machado Ventura, un médico de sesenta y dos años al que el orador le dice cariñosamente "Machadito".

Para Machadito, un hombre serio, de rostro adusto, poblado bigote, despejado cráneo que oculta con algunos cabellos de lado a lado, la referencia que le hacen en público no le debe agradar mucho. Pero el orador puede decirle cuanto quiera. Es su jefe supremo. Su líder indiscutible. Aquel para el que ha trabajado durante toda su vida en importantes funciones dentro del Partido.

A Fidel Castro, José Ramón Machado Ventura le permite todo.

En los últimos diecinueve meses, Machadito ha estado volcado en la organización del Congreso más difícil que jamás hayan celebrado los comunistas cubanos. Miembro del Buró Político y responsable de la organización y control del Partido, Machado Ventura ve al fin inaugurarse un Congreso aplazado varios meses ante la grave crisis que atraviesa Cuba.

Pero al fin, ahí está Fidel, susurrando, gritándole una vez más a los micrófonos en el discurso inaugural de apertura. Y ahí están los 1.800 delegados estrenando el teatro Heredia, en Santiago de Cuba, la Ciudad Héroe.

Faltan los invitados extranjeros de partidos hermanos, que en los tres Congresos anteriores realzaban con su presencia las sesiones plenarias. Faltan los periodistas. Centenares de periodistas occidentales que habían solicitado cubrir el desarrollo de un Congreso considerado clave para el futuro de la isla.

Y faltan los trajecitos y las otras cosillas que Machado se ocupaba de hacer llegar a los delegados en anteriores Congresos. Pero no hay tela. Faltan muchas cosas en Cuba en estos días duros tras el "desmerengamiento" del socialismo en Europa, ex Unión Soviética incluida. Fidel ha inventado la palabra: desmerengamiento. El merengue rojo que se derrite. Se viene abajo. Se ablanda. Ahora todos los dirigentes del país hablan del "desmerengamiento".

No estaban aquellos tiempos ni para gastos extras ni para testigos inoportunos. Este es un "Congreso en armas". Y a puerta cerrada. Lo está diciendo el primer secretario, Fidel, desde la amplia tribuna de oradores.

Machadito se queda mirando el escenario del teatro Heredia. Este año, se han sintetizado al máximo los símbolos que definen al Partido: sólo dos imágenes, Carlos Marx y José Martí. Sus gigantescos rostros encierran una frase de Fidel: "Nuestro deber más sagrado: salvar la Patria, la Revolución y el Socialismo". Así será el Partido: marxista, martiano, fidelista. Ahí están los tres padres: el padre del socialismo, el padre de la independencia cubana y el padre de la Revolución.

Antes de que Fidel subiera al estrado y entablara su particular juego con los micrófonos, el secretario provincial del Partido en

Santiago de Cuba, Esteban Lazo Hernández, ha tomado la palabra.

Lazo, un economista de cuarenta y ocho años, es un hombre de color, prieto prieto, dicen en Cuba, es decir, muy negro. Alto, fuerte. Su humanidad impone.

Certifica lo que todos ven en el escenario: este Congreso ratificará su línea marxista y martiana. Pase lo que pase. Aunque Cuba se quede sola en el mundo defendiendo el socialismo. Hay fuertes aplausos. Lazo presenta a los principales dirigentes del país. Falta Raúl Castro.

Desde La Habana, a través de la televisión, sigo el Congreso.

—Es inútil viajar a Santiago de Cuba. No hay hoteles, y no podrás hablar con los delegados.

Un funcionario del Comité Central me había recomendado que no fuera a Santiago. Que siguiera las sesiones del Congreso a través de la televisión y *Granma*, el órgano oficial del PCC. De las sesenta horas de debate, la televisión cubana ofrecerá la mitad, en diferido, salvo la sesión de apertura y clausura. Tiempo tendré después de hablar con algunos de los asistentes.

Pero en ese momento estoy solo en la habitación del hotel Victoria. Sé que Fidel y su hermano Raúl coinciden en contadas ocasiones. Sólo cuando es absolutamente imprescindible aparecen juntos en actos públicos. Me pregunto si la sesión de apertura del IV Congreso no lo es.

El moreno Lazo me da la respuesta en unos minutos: Raúl Castro, ministro de las Fuerzas Armadas Revolucionarias (FAR), y otros altos jefes militares que son delegados al Congreso están ausentes. Se encuentran en sus puestos de mando, listos para defender a la Patria, como reza la consigna escrita en letras gigantes en el escenario.

—La guardia no puede ser bajada ni un minuto —vocifera Lazo.

Y recuerda que este "Congreso en armas" cuenta entre sus 1.800 delegados con 600 que lucharon en misiones internacionalistas. Son gente preparada para el combate. Con experiencia en una guerra real, como la de Angola. Las consignas de "Patria o Muerte, Socialismo o Muerte", tantas veces repetidas, cobran en esta ocasión una fuerza especial. Se teme lo peor ante un mundo unipolar en el que la única gran potencia que queda, Estados Unidos, es el peor enemigo de Cuba.

Unas horas más tarde, en una de sus muchas intervenciones, Fidel citará una frase lapidaria de Julio Antonio Mella, uno de los dos fundadores del primer partido de ideología comunista de la isla:

—El descanso de un revolucionario es la tumba (1).

Bajo esas condiciones económicas —no hay tela para unos trajecitos, no hay invitados, no hay periodistas— y esas premisas políti-

cas se celebra el esperado IV Congreso de los comunistas cubanos.
Muchas esperanzas de cambio, de apertura, se habían puesto en él.

El primer secretario de la Unión de Jóvenes Comunistas (UJC),
Roberto Robaina, que jugó un papel importante en el Congreso,
en el que ascendió a miembro de pleno derecho del Buró Político, me dirá en su despacho de La Habana un mes después de celebrado el Congreso:

—¿Que no hubo cambios? ¡Claro que los hubo! Lo que sucede
es que no hemos dado la noticia que quieren nuestros principales
enemigos: ¡El Partido Comunista de Cuba acepta el pluripartidismo! ¡El Partido Comunista acepta que Fidel se someta a un referéndum! ¡Menudos titulares para la prensa yanqui!

Efectivamente, esos titulares no salieron. Robaina me dice en
ese tono campechano que tanto le gusta utilizar:

—Mira, chico, basta que una cosa le interese mucho a los yanquis para que deje de interesarnos a nosotros. Eso es lo que nos
ha enseñado la vida: que sus intenciones hacia nosotros nunca
fueron buenas.

Hay otro símbolo histórico que Fidel se encargará de recordar
desde la tribuna del teatro Heredia: el 10 de octubre. En esa misma fecha, en la que se inicia el Congreso, pero ciento veintitrés
años antes, Carlos Manuel de Céspedes, se reúne con un grupo de
independentistas en el ingenio azucarero de La Demajagua. Hacen sonar las campanas y se encaminan al cercano poblado de
Yara, gritando "¡Viva Cuba Libre!". Ese 10 de octubre de 1868 co-
menzaría la llamada "Guerra de los Diez Años" contra la metrópoli, España.

Gran aficionado a la historia, Castro ha dejado sentir su gusto
por la misma en la sociedad cubana. Cuba es un país en el que
continuamente se celebran aniversarios de algún acontecimiento
histórico: el Grito de Yara, la Guerra Chiquita, la Guerra Necesaria, la Independencia, el nacimiento y la muerte de José Martí, y
ya más recientes, el asalto al Cuartel Moncada, el desembarco del
Granma, el triunfo revolucionario, la muerte de Camilo Cienfuegos, la del "Che", la victoria de Playa Girón, la declaración de una
Cuba socialista...

Si la inauguración del Congreso coincidió con el inicio de la
primera de las tres guerras por la independencia, el importante
documento en el que se convocaba al IV Congreso del PCC será
hecho público el 15 de marzo, día en que se conmemora la "Protesta de Baraguá".

Cualquiera de los 600.000 turistas que en los dos últimos años
haya visitado Cuba, o cualquiera que haya observado fotografías
recientes de la isla, habrá detectado la presencia de enormes vallas
publicitarias, grafitis, pancartas, con este eslogan: "¡El futuro de
nuestra Patria será un eterno Baraguá!".

El general mulato Antonio Maceo, nacido en Santiago de Cuba, se negó a aceptar la rendición pactada por el resto de los generales cubanos en 1878 que ponía fin a la "Guerra de los Diez Años». Para este militar autodidacta, hijo de un granjero mulato originario de Venezuela que emigró a Cuba y se instaló en la entonces provincia de Oriente, no se podía aceptar una "paz sin independencia y sin abolición de la esclavitud" (2).

Así se lo hizo saber al general español Arsenio Martínez Campos en el pueblo de Baraguá. Y así nació la leyenda de la "Protesta de Baraguá", el espíritu de Baraguá, que en palabras del llamamiento al IV Congreso es la "expresión de intransigencia revolucionaria, fidelidad a los principios y decisión de enfrentar y vencer las mayores adversidades".

Desde la enorme tribuna, Fidel sigue acariciando los micrófonos:

—Somos el único país socialista en medio del occidente... Somos un islote de Revolución entre el Atlántico y el Pacífico... Somos un islote de Revolución en este hemisferio... ¡Y qué odio nos tienen algunos por aceptar ese desafío!

He escuchado docenas de discursos de Fidel Castro. Le he visto emocionarse en ocasiones, irritarse en otras, bromear, contar chistes, amenazar. Pocas veces se emociona tanto como cuando recuerda lo que fue la Unión Soviética. Lo que la madrecita Rusia, la cuna de las revoluciones comunistas que en el mundo han sido, significó para Cuba. Incluso cuando ha de culpar a la ex URSS por la falta de cumplimiento de los acuerdos comerciales con su antigua aliada, Cuba. Incluso en esos momentos, afloran en Fidel dos sentimientos encontrados: rabia porque el comunismo ha fracasado en lo que fue la segunda potencia del mundo, y cariño por quien durante treinta y dos años fue su mejor socio y aliado. Hablará también del "hecho tristísimo" que significa la disolución por decreto del Partido Comunista soviético.

El discurso de este 10 de octubre en Santiago de Cuba tendrá un carácter marcadamente económico. Y triste. Fidel reconocerá que "muchas veces por razones diplomáticas, o por razones de alta política, no exhibimos públicamente información detallada de las dificultades y los problemas".

Pero ahora no. Hoy no. Los 1.800 delegados asistentes al Congreso recibirán una avalancha de datos, cifras, acuerdos y convenios incumplidos por parte de los ex socios comunistas de Europa. El resumen global: en 1990 se pactaron con la Unión Soviética importaciones por un total de 5.131 millones de rublos, de los que se recibieron 3.828 millones y con retraso; para 1991 se acordó un total de 3.940 millones de rublos en productos exportables a Cuba, que no llegarían en su totalidad. (Castro equiparó el rublo con el dólar al dar estas cifras. Ver capítulo "La Opción Cero".)

Con este negro panorama, se inició el IV Congreso de los comunistas cubanos. En cinco días habrían de decidir el rumbo del Partido para los próximos años.

El trayecto hasta Santiago había demorado mucho más tiempo. El 24 de febrero de 1990 se ponía en marcha la maquinaria del PCC. Ese día se reunió en el Palacio de la Revolución de La Habana el Comité Central. Como siempre, presidido por Fidel y Raúl, con todos los miembros del Buró Político y del Secretariado.

El primer acuerdo fue el de convocar para el primer semestre de 1991 el IV Congreso del Partido. El llamamiento debería hacerse público unos días después, el 15 de marzo, "en el 112 aniversario de la Protesta de Baraguá". El Comité Central aprobó también el lema central del Congreso, el mismo que miles de turistas verían en los dos siguientes veranos distribuidos por toda la isla sin saber exactamente qué significaba: "El futuro de nuestra Patria será un eterno Baraguá" (3).

El llamamiento al Partido es uno de los documentos clave en la más reciente historia de Cuba. Primero, por el contenido en sí de este largo texto de 24 folios (más de 7.000 palabras), que ocupaban una doble página de *Granma*, cuando la crisis del papel aún no era tan acuciante y el órgano del PCC se imprimía todavía en el denominado formato sábana.

En segundo lugar, por la gigantesca movilización que produjo en todo el país. Los datos oficiales son espeluznantes: tres millones y medio de personas participaron en 80.000 asambleas que tuvieron lugar en 48.585 núcleos del Partido distribuidos en los 169 municipios de la isla. En las cuadras (manzanas), en las fábricas, en los centros de enseñanza, en los hospitales, en cualquier lugar donde había al menos tres comunistas se celebraba una asamblea.

El resultado de la movilización merece pasar al libro *Guinness* de los récords: los cubanos hicieron 1.200.000 propuestas, que pacientemente fueron agrupadas en 500 temas distintos por el Equipo Nacional de Estudios de Opinión del Pueblo del Comité Central. Además se eligieron 46.353 precandidatos a delegados al Congreso y 11.158 aspirantes al Comité Central.

El día que conocí a Darío Machado Rodríguez (no confundir con José Ramón Machado Ventura) fue como si me hubiera tocado la lotería. De repente descubrí que también en Cuba hay expertos en sondeos de opinión. De repente descubrí que el Gobierno cubano, como los de todo el mundo, ausculta a sus ciudadanos para medir el nivel de aceptación de su política. Pero con una diferencia: esas encuestas no se hacen públicas o si aparecen es en *El Militante Comunista*, una publicación para el uso exclusivo de los miembros del Partido. Por supuesto, nadie más puede realizar este tipo de sondeos. Machado, por lo tanto, era una fuente inagotable de información.

Fue una mañana de mayo de 1991. Poco más de un año después de que se lanzara el llamamiento al Congreso. Lo primero que me dijo Darío es que actualizara el nombre del departamento que dirige. El Equipo Nacional de Estudios había pasado a llamarse Centro de Estudios Sociopolíticos y de Opinión, un organismo adjunto al Comité Central.

Por las manos de Machado pasaron cientos de miles de folios que fueron clasificados por un equipo de treinta y cinco personas, más cien "activistas" del Partido que colaboraron expresamente en este proceso que consumió más de un año. Los millones de palabras fueron procesados en nueve ordenadores y en una CID 300, una computadora de fabricación cubana.

—Trabajamos a ritmo de contingente: dieciséis horas al día —recuerda el funcionario.

Del despacho de Darío salieron cincuenta gruesos informes, con el resumen temático de las actas de las 80.000 asambleas, que le fueron entregados a la Comisión Organizadora del Congreso. Los núcleos del Partido habían hecho dos actas: la original fue remitida al Centro de Estudios Sociopolíticos y la otra a los Comités municipales del Partido. Muchos de los planteamientos recogidos pudieron ser resueltos antes de la celebración del Congreso.

No era la primera operación de este tipo que se hacía en Cuba, pero sí la más espectacular. La Constitución de la República de 1976 también fue sometida a un proceso similar. Sólo que en aquella ocasión se hicieron 25.000 propuestas de modificación, frente al millón largo recibidas tras la convocatoria al IV Congreso. De los 141 artículos de la Carta Magna cubana, 60 fueron modificados con base en esas propuestas populares.

—El salto ha sido gigantesco. La convocatoria al IV Congreso no se hizo para cubrir un expediente democrático y decir: miren, en Cuba se debate.

¿Qué fue lo que movilizó a tanto cubano?

El llamamiento es un compendio de los problemas, y virtudes, de la Cuba socialista. Tras reafirmar el espíritu de Baraguá, de intransigencia revolucionaria, se da un repaso al enemigo público número uno de la isla, los Estados Unidos:

—Lo que piensen y digan los cabecillas del imperialismo y sus ideólogos sobre nuestro país, nuestra sociedad y nuestro sistema, nos importa un bledo. Carecen por completo de moral para juzgar al socialismo. Las meretrices no pueden presumir ni hablar como vírgenes vestales (4).

El llamamiento señala que el contenido más importante del Congreso versará sobre "el perfeccionamiento de la sociedad cubana y sus instituciones democráticas y la profundización del proceso de rectificación". El III Congreso, celebrado en febrero de 1986, acuñó un concepto que se mantendrá hasta hoy: el proceso de rectificación de errores y tendencias negativas. Para Castro, que habla con frecuencia de este tema, el PC cubano había copiado esquemas ajenos, de otros partidos comunistas europeos, que desviaron el curso autóctono de la revolución. Había pues que rectificar.

Fruto de la rectificación es la puesta en marcha del llamado "programa alimentario", que pretende elevar la producción de alimentos y a ser posible hacer a Cuba autosuficiente; la revitalización de las microbrigadas, compuestas por voluntarios que básicamente se dedicaron a construir viviendas; la organización de los "contingentes", grupos de trabajadores de alta productividad; la intensificación del turismo, como vía para conseguir divisas convertibles.

Los dirigentes del Partido piden a la población que discuta abiertamente sobre la organización del trabajo, el aprovechamiento de la fuerza laboral. Se hará una crítica a las "deficiencias que aún subsisten" en el terreno de la disciplina y el bajo rendimiento en la jornada laboral: se hablará de la productividad, la calidad en la producción y los servicios, los costos, la racionalidad de las plantillas de funcionarios y demás trabajadores.

Otros temas a debatir en el terreno económico serán la descentralización de las decisiones económicas y la mejora de la gestión empresarial.

El Partido será también objeto de discusión. Se propone a la población que analice las estructuras, los métodos y el estilo de trabajo aplicados por el Partido. Los comunistas deberán luchar contra la desigualdad y la discriminación y una de ellas es la imposibilidad de que los creyentes de cualquier credo puedan ingresar en el Partido.

También se somete a discusión "el irreal afán de unanimidad, muchas veces falsa, mecánica y formalista, que puede conducir a la simulación, a la doble moral o al acallamiento de opiniones". Por ello, se propone "el reconocimiento de la diversidad de criterios".

Se impone romper con el dogmatismo, los formalismos y las liturgias, y se afirma el concepto de partido único, martiano y marxista-leninista.

Se pide a la prensa que continúe "auspiciando un clima de apertura" y que se desarrolle "un periodismo más profundo, analítico y crítico".

El Poder Popular, nombre con el que en Cuba se denomina a los órganos de la administración municipal, provincial y nacional, desde los ayuntamientos al Congreso, que recibe el nombre de Asamblea Nacional del Poder Popular, debe ser fortalecido y democratizado.

Por último, entre otras muchas cosas, se pide un análisis en torno a la necesaria renovación de los cuadros dirigentes, "sobre la base exclusiva del mérito y la capacidad". Siempre que sea posible, se pretende que simultáneamente estén representadas "las tres generaciones que hoy protagonizan la Revolución: la generación histórica, con la autoridad emanada de su sacrificio y su madurez; la generación intermedia, con el aval del papel desempeñado en la consolidación y el desarrollo del socialismo; y la generación joven, con su vitalidad, ímpetu, desarrollo intelectual y aliento renovador".

El documento era suficientemente sugestivo como para concitar esperanzas de cambios profundos. En los meses siguientes hablé con numerosas personas, tanto partidarias del sistema, como indiferentes. La mayoría confiaba en que el sistema iniciara una apertura. Pero no los disidentes del interior de la isla.

Ocho días antes de que se inaugurara el Congreso, el Comité Cubano Pro Derechos Humanos, cuya cabeza visible es Gustavo Arcos Bergnes, hacía público en La Habana un mensaje dirigido a los delegados en el que apelaba "a su conciencia patriótica". La más antigua organización defensora de los derechos humanos de la isla hablaba en su nota sobre "la ineficacia de las sociedades regidas por un partido único", y cómo en todo el mundo "las ideas democráticas se abren paso con mayor fuerza cada día". Sobre Cuba reflexionaba este grupo disidente:

—Mientras la nación agoniza bajo el caos económico y social y la población carece de las más elementales libertades y derechos, ustedes van a celebrar un Congreso a puerta cerrada para decidir el futuro del país, arrogándose una vez más el papel rector de nuestra sociedad. ¿No sería más democrático y más beneficioso para todos los cubanos que ellos mismos decidieran en un plebiscito su propio destino?

En aquellos días visité a Gustavo Arcos en su casa de La Habana. El antiguo compañero de Castro en el asalto al Cuartel Moncada, convertido hoy en uno de sus más encendidos críticos, resaltó el hecho de que al Congreso no se permitiera el acceso de la prensa:

—Temen que alguno de los delegados tenga el valor y el patriotismo de expresar en voz alta la necesidad de un cambio.

El otro disidente más conocido de la isla, Elizardo Sánchez Santa Cruz, presidente de la Comisión Nacional de Derechos Humanos y Reconciliación Nacional, me advertiría de la absoluta legalidad que asistía a los comunistas para celebrar su Congreso a puerta cerrada. Pero ello reflejaba "la vulnerabilidad del sistema político imperante que se muestra totalmente incapaz de hacer frente a cualquier crítica o análisis por parte de la prensa".

Algún temor parecían tener los cubanos de a pie, que no se mostraban muy convencidos de que realmente se les diera la oportunidad de expresarse abiertamente en las asambleas previas al

Congreso, tal como les pedía el llamamiento. Unas asambleas a las que no sólo asistirían los militantes del Partido, sino todo el que lo deseara. El PCC tiene alrededor de 600.000 militantes y a las 80.000 asambleas acudieron tres millones y medio de personas.

El llamamiento proponía luchar contra la falsa unanimidad. Sin embargo, hubo unanimidad. La avalancha de críticas que se esperaba, no se produjo en un primer momento. Fue necesario que el Buró Político del Partido, máximo órgano ejecutivo del mismo, hiciera pública una larga nota el mes de mayo de 1990 en la que se urgía a la población a intervenir con mayor decisión en las asambleas de los núcleos del Partido, ya fueran en los barrios o en las fábricas.

—El Partido, a diferencia de momentos anteriores, no está llamando sólo para dar a conocer un documento, a respaldar o rebatir su aplicación en un lugar específico, sino que convoca a todos los militantes, a todas las organizaciones y al pueblo a reflexionar a escala de la sociedad en su conjunto, y a proyectar las ideas hacia el análisis de los defectos e insuficiencias que de un modo u otro se hacen patentes (5).

La dirección del Partido, y del país, pretende en realidad realizar una gigantesca encuesta entre la población para "conocer aquellas insatisfacciones e inquietudes" que hay en la isla. Es una verdadera "consulta real en la que pueden expresarse diferentes puntos de vista", dice la nota del Buró. "La calidad de las reuniones que se efectúen no podrá ser medida, como erróneamente hemos hecho en otras ocasiones, por la unanimidad que se logre o por la ausencia de planteamientos que puedan ser considerados problemáticos o divergentes", se insiste.

Sólo de esa manera, la dirección del país podrá "conocer con mucha mayor objetividad cuáles son los verdaderos estados de ánimo, opiniones e inquietudes que existen en el país".

Se pretende que la gente diga dónde le duele. Ya sea en la escasez de alimentos o el pésimo funcionamiento del transporte colectivo; incluso la propia política interna del hasta hace poco intocable Partido Comunista. En ese sentido está escrito este párrafo del "Acuerdo del Buró Político sobre el proceso de discusión del llamamiento al IV Congreso del Partido":

—En lo concerniente al funcionamiento interno del Partido, el debate puede abarcar cualquier aspecto, tales como la política de crecimiento, las modalidades de ingreso, los métodos para la confección de las candidaturas y la elección de los órganos y organismos de dirección, con el sentido claro de hallar alternativas más democráticas que aseguren que los cuadros y dirigentes gocen del mayor respaldo de la militancia.

Se insiste con más fuerza en la necesaria "alianza estratégica entre marxistas y cristianos" y se anticipa que "tampoco debe sorprendernos que las tendencias dominantes en la catástrofe de Europa del Este emerjan, de una u otra forma, en este debate".

Le pregunto a Darío Machado, el director del Equipo Nacional de Estudios de Opinión, quién sería elegido miembro del Comité Central en el IV Congreso, ese por el que estaba trabajando tantas horas extras:

—¿No tenía miedo la gente a hablar con libertad?

—No, no. Pocos países se hubieran lanzado a un debate tan popular como el que hicimos nosotros, en las condiciones en que vivíamos en el primer semestre de 1990: se acababa de producir la invasión de Panamá a fines del año anterior, y después de eso los Estados Unidos comenzaron a "calentar" la región. Numerosos buques de guerra llegaron a la base de Guantánamo (6) y comenzaron a hacer maniobras frente a nuestras costas. Nosotros tuvimos que replicar y poner en marcha el "Escudo Cubano". En esas maniobras movilizamos a un millón de personas. Las actas que nos llegaban de las primeras asambleas reflejaban el momento que vivía el país: eran de total reafirmación patriótica y de apoyo incondicional a la Revolución y al Partido.

Pasados esos días de tensión, y con el texto del Buró Político circulando los casi cincuenta mil núcleos del Partido, las asambleas cambiaron de la noche a la mañana.

A la mesa de Darío Machado comenzaron a llegar actas en las que se hablaba sobre todo: el funcionamiento del Partido, la economía, el trabajo y la política de salarios, la excesiva burocracia, la salud, la educación, los graves problemas en los servicios, tanto gastronómicos como generales.

Pero si, como dice Darío Machado, el Buró Político «no convocaba a las masas para que éstas cantaran loas a la obra del Partido", tampoco las convocaba para "hablar en contra del socialismo, sino en favor de él; no para destruirlo, sino para perfeccionarlo".

—Reafirmamos a plenitud la idea del Partido único, martiano y marxista leninista —recordaba el Buró.

Meses antes de que se celebrara el IV Congreso, Carlos Aldana Escalante me recibía en su despacho de secretario del Comité Central. Responsable del Departamento Ideológico, antiguo Departamento de Orientación Revolucionaria (DOR), Aldana había leído ya una gran parte de los cincuenta tomos preparados por la oficina de Darío Machado en donde se resumían los cientos de miles de propuestas hechas por la población cubana.

Como tantos otros altos funcionarios cubanos, Aldana, un hombre de cincuenta años, robusto, de grueso bigote, graduado en Ciencias Políticas, me citó en la noche y pocas horas antes de que mi avión saliera de La Habana. Era la vieja herencia de los años pasados en Sierra Maestra: moverse de noche y descansar de día.

Aldana me explicó que en ese millón largo de propuestas estaban recogidas todas las opiniones y sugerencias, aunque no resultaran aprobadas en los núcleos del Partido o fueran apoyadas por una sola persona.

—Después de analizar todas las actas, podemos adelantar que hay tres temas sobre los que existe un consenso mayoritario entre la población: el socialismo, el Partido único y el respeto al liderazgo histórico, es decir, a Fidel.

"La gente habló sin pelos en la lengua", afirma Aldana. Y por ello "se han hecho propuestas profundas y también otras que son banalidades».

—Por ejemplo —dice Aldana—, hay opiniones sólidas sobre cómo perfeccionar el socialismo, o cómo mejorar el sistema de participación popular. También hay quien sugiere que por qué no fundamos dos o tres partidos políticos que nos apoyen y de esa manera tranquilizamos a nuestros críticos de Occidente. Así podríamos decir que tenemos pluripartidismo. Comprenderá que, en el fondo, esa propuesta denota una gran ingenuidad.

El apoyo al sistema de partido único es absolutamente mayoritario, afirma Aldana. Reconoce que hay alguna propuesta de crear un partido ecologista. Darío Machado me daría más tarde un dato significativo: los planteamientos que analizaron la posibilidad del pluripartidismo en Cuba no llegaron ni al 0,5 por 100.

Le pregunté a Aldana:

—Si meses antes de que se celebre el Congreso ya hay, como dice, un consenso mayoritario en esos tres puntos clave, mantenimiento del socialismo, del partido único y permanencia de Fidel al frente del país, ¿qué cambios de importancia se aprobarán?, ¿no será, como dice la disidencia cubana, que lo que ustedes piensan es maquillar el sistema?

Aldana contestó:

—Algunos dicen que nosotros queremos maquillar el sistema, que queremos remendar el sistema. Pero no queremos ni maquillarlo, ni remendarlo. Queremos hacerlo más eficaz, más democrático, más participativo, más eficiente.

Este alto funcionario del Partido, elegido miembro del Buró en el IV Congreso, fija la posición del régimen en torno al pluripartidismo y las expectativas creadas en el exterior en esta forma:

—Si a nosotros nos dejaran en paz, si Cuba fuera aceptada tal como es, el margen que tiene nuestro sistema de autoperfeccionamiento en un sentido democrático y participativo es quizá de los más altos del mundo. Pero bloqueados, acosados, calumniados, sometidos a todo tipo de presiones, a nosotros no se nos puede pedir que avancemos en ese camino más allá de lo que nos aconseja el sentido común y nuestra necesidad de supervivencia.

Aldana, un intelectual que ha incursionado en el campo de la poesía, la literatura y el periodismo, ironiza:

—Sería un verdadero ejemplo de pluripartidismo a escala internacional que Cuba fuera aceptada como es. Porque pluralismo no es que todos seamos de la misma manera, que todos tengamos el mismo sistema de gobierno, las mismas concepciones políticas...

Gira la conversación en torno a lo mucho que se especula en el exterior sobre los cambios que podría introducir el IV Congreso. Aldana afirma tajante: "no queremos engañar a nadie, no estamos ofreciendo algo que después no vamos a cumplir; los cambios que propugnamos y que espero tengan el apoyo del Congreso, no van a ser aplaudidos en Estados Unidos, no van a ser aplaudidos por esos ideólogos que pretenden comprender a Cuba a través de lo sucedido en la Europa oriental".

Aldana pide respeto para su país, para la forma en que está buscando el perfeccionamiento de su sociedad.

— No pretendemos ser los dueños de la verdad, ni negamos la validez de otras experiencias. No pretendemos ni queremos ser un modelo. Nosotros nos consideramos una experiencia histórica concreta en desarrollo...

Una experiencia que resulta de la desaparición de los dos ingredientes básicos que diferencian a una democracia burguesa/occidental de una socialista: el pluripartidismo y la economía de mercado.

Aldana traza en la soledad de la noche del 2 de enero de 1991 el esquema que da origen a esa "experiencia histórica en desarrollo":

—La base del sistema de dominación neocolonial de Estados Unidos en Cuba fue el pluripartidismo y la economía de mercado. Yo no impugno de oficio el pluripartidismo *per se*, pero tal como se desarrolló en Cuba no sólo fue un fracaso para ofrecer alternativas de poder a las fuerzas populares, sino que se convirtió en el instrumento para impedirlo a toda costa. En Cuba llegó a crearse un profundo desprecio hacia todo lo que fuera política. Por otro lado, nosotros mismos, las fuerzas que dieron lugar a la Revolución, actuábamos por separado. Eramos tres fuerzas independientes, con tres direcciones y tres estructuras diferentes, y en determinado momento de este proceso fuimos a una convergencia.

Efectivamente, tres grupos se hallan en el origen del actual Partido Comunista de Cuba: el Movimiento 26 de Julio que funda Fidel Castro tras el asalto al Cuartel Moncada, en Santiago de Cuba, en 1953; el Partido Socialista Popular (PSP), fundado en 1925 por Carlos Baliño y Julio Antonio Mella, y el Directorio Revolucionario, una organización estudiantil formada en 1955 para combatir al dictador Fulgencio Batista y que se sumaría más tarde a la lucha guerrillera.

Dos años después del triunfo revolucionario, los tres grupos se fusionan en las llamadas Organizaciones Revolucionarias Integradas (ORI). Dos años más tarde, las ORI se transforman en el Partido Unido de la Revolución Socialista, la antesala del actual Partido Comunista de Cuba (PCC), que nace en 1965.

La idea de "partido único, martiano y marxista leninista" bulle en la cabeza de los dirigentes cubanos desde los inicios de la Revolución. Para los cubanos de la oposición, el castrismo se ha apoderado de José Martí Pérez, hijo de españoles, que se convertirá en el "Apóstol" de la independencia de Cuba. Para los fidelistas, Martí les pertenece y en sus raíces se hunde la Revolución cubana y el Partido Comunista.

En el I Congreso del PCC, en 1975, Fidel Castro se encargará de recordarlo:

—Bajo la guía de Martí se organizó un partido para dirigir la Revolución. Esta idea, que paralelamente desarrolla también Lenin, para llevar a cabo la revolución socialista en el viejo Imperio de los zares, es uno de los más admirables aportes de Martí al pensamiento político (7).

Fidel fijará la mirada en los delegados de aquel primer Congreso y les dirá bien claro:

—Se organizó en nuestra Patria un solo partido revolucionario.

José Martí fundó el Partido Revolucionario Cubano (PRC) el 10 de abril de 1892, entre los exiliados cubanos que entonces residían en Florida. El Partido fue concebido como "un Partido de frente único" que agrupara a todos los independentistas.

Para disgusto de los anticastristas, Fidel ha sido siempre un fervoroso admirador de Martí. Mucho más les disgusta que el dirigente cubano relacione a Martí con otro ilustre contemporáneo, hoy flor de olvido en medio mundo, incluida su propia patria: Lenin. En ese I Congreso, Fidel explicará cómo Lenin había calificado la guerra entre Cuba y España como "la primera guerra imperialista". Y es en ese sentido que "se dan la mano dos hombres convergentes: José Martí y Vladimir Ilich Lenin". Fidel redondea su pensamiento:

—El uno, símbolo de la liberación nacional contra la colonia y el imperialismo, el otro forjador de la primera revolución socialista. Liberación nacional y socialismo, dos causas estrechamente hermanadas en el mundo moderno (8).

Vilma Espín, la guerrillera Deborah que se casó en 1959 con Raúl Castro, me habló unos meses antes de la celebración del IV Congreso, del momento culminante en el que Fidel declaró el carácter socialista de su revolución.

—Abrazamos el socialismo y nuestro pueblo abrazó el socialismo, el día en que la aviación norteamericana asesinó a siete cubanos inocentes.

Era un sábado 15 de abril de 1961. Dos bombarderos B-26 de la aviación de los Estados Unidos, que la CIA (Agencia Central de Inteligencia) repintó para hacerlos pasar como aviones cubanos de las FAR, bombardearon y dispararon sobre Ciudad Libertad, el antiguo campamento militar conocido como Columbia, convertido ahora en escuela. En ese momento, Ciudad Libertad era un populoso barrio de las afueras de La Habana. Siete personas murieron y cincuenta y dos resultaron heridas (9).

Entre los siete muertos, hay un joven artillero, Eduardo García Delgado, al que alcanzó la metralla de los aviones norteamericanos. Con su propia sangre, escribió en una pared cercana el nombre de Fidel. Aquella fotografía dio la vuelta al mundo, igual que el poema que Nicolás Guillén escribió en homenaje al joven soldado, tres días después del ataque:

> *Cuando con sangre escribe*
> *Fidel este soldado que por la Patria muere*
> *no digáis miserere:*
> *esa sangre es el símbolo de la Patria que vive.*

Al día siguiente tiene lugar una gigantesca manifestación de duelo en los funerales por las víctimas. En el cementerio Colón, de La Habana, muy cerca de la Universidad, Fidel Castro sorprenderá al mundo con esta declaración:

—Lo que el enemigo no puede perdonarnos es que hayamos hecho una Revolución socialista ante las narices de los Estados Unidos y que defendamos con estos fusiles esta Revolución socialista.

Era la primera vez que Castro relacionaba revolución y socialismo y el mundo aún se pregunta hoy si Fidel era comunista antes o después de iniciar la lucha contra el dictador Fulgencio Batista en Sierra Maestra.

Vilma Espín, una de las históricas de la Revolución cubana, que sin embargo no será reelegida para el Buró Político en el IV Congreso, rememora aquellos tensos días:

—Fidel declaró el carácter marxista de la Revolución con los fusiles en la mano. Y al día siguiente, 17 de abril, el pueblo acudió a defender la Revolución socialista en Playa Girón con esos mismos fusiles.

El 17 de abril de 1961 se produjo la invasión por parte de tropas cubanas entrenadas por la CIA en Playa Girón. Situada en el corazón de la Ciénaga de Zapata, al sur de la isla, una zona infectada de mosquitos en donde habitan docenas de miles de cocodrilos, Playa Girón es hoy visita obligada del turismo revolucionario. Pero las cosas de Cuba: el día que visité el Museo de Playa Girón estaba a oscuras por falta de energía eléctrica.

Castro, que sospechaba de la inminencia del ataque, derrotó a los exiliados cubanos en poco menos de setenta y dos horas. La fallida invasión patrocinada por la CIA sellaría el carácter socialista de la Revolución castrista.

Sonríe Vilma, presidenta de la Federación de Mujeres de Cuba (FMC), y miembro del Comité Central desde 1965, cuando recuerda que en aquella época la prensa norteamericana "decía grandes mentiras, presentando a los comunistas como una especie de monstruos que se tragan a la gente".

Treinta años después de aquel anuncio, y cuando todos los regímenes socialistas de Europa han saltado hecho pedazos, Cuba sigue siendo socialista. Y lo es en gran parte por el férreo partido que representa absolutamente todo en la sociedad cubana. Así lo confirma Fidel en su discurso de apertura del IV Congreso, en el teatro Heredia, ante la mirada atenta de José Martí, con su rostro serio, de amplia frente y grueso mostacho:

—El poder no es nada sin el Partido, el Gobierno no es nada sin el Partido, la Revolución no es nada sin el Partido... No existe la más remota intención, ni idea, de rebajarle autoridad al Partido.

La oposición cubana, tanto del interior como del exterior, ha pedido repetidas veces que se modifique el artículo 5 de la actual Constitución. En él se define el carácter dirigente y de vanguardia del Partido Comunista (10).

Pero Fidel ha dejado bien claro que antes de modificar la Constitución en ese aspecto, pasarán por encima de su cadáver. Lo dijo en uno de sus discursos de 1990:

—No lo vamos a quitar de la Constitución, aunque sólo fuera por una cuestión de elemental decoro... La Constitución es hija de la Revolución y no la madre de la Revolución; la Constitución es hija del Partido y no la madre del Partido... Mantendremos, además, inconmovible el principio de partido único (11).

Resuelto desde las alturas ese punto clave del futuro político de la isla, ¿qué fue lo que decidió realmente el IV Congreso del Partido?

Un par de semanas antes de la apertura del Congreso, el presidente de la Xunta de Galicia, Manuel Fraga Iribarne, hizo una controvertida visita a la isla. Fidel Castro ofreció una cena al histórico líder de la derecha española en el Palacio de la Revolución, al término de la cual habló con los periodistas españoles que se encontraban presentes. Una vez más repitió una frase que había acuñado hacía meses:

—En el Congreso puede haber cambios revolucionarios, pero no recambios.

Recordé la frase que me había dicho el disidente Gustavo Arcos en esos días, analizando las posibilidades de apertura del Congreso:

—Si hay cambios, serán cambios cosméticos. Pero el pueblo lo que desea realmente es un cambio, pero de sistema.

De hecho, el Partido había ido cambiando desde que el 15 de abril de 1990 se hizo el Llamamiento al Congreso. Como me diría

Darío Machado, existían algunas propuestas en las que había tal nivel de unanimidad que se pusieron en marcha mucho antes de que los 1.800 delegados del IV Congreso se reunieran en Santiago de Cuba, sin los trajes de Machadito, sino cada cual con su guayabera.

Una de las quejas mayoritarias de la población era el excesivo burocratismo y la abultada nómina del propio aparato del Partido. El 14 de octubre de 1990, el diario oficial *Granma* publicaba una larga nota con las "medidas sobre estructura y funcionamiento del Partido", aprobadas por la Comisión organizadora del IV Congreso unos días antes (12).

De un plumazo, el 50 por 100 de los funcionarios del Partido, tanto a nivel provincial como del Comité Central, fueron reubicados, como se dice en Cuba. Una parte de esos funcionarios fue destinada a "fortalecer otros frentes en que su presencia resulta mucho más útil". Los demás "compañeros, también valiosos y experimentados, pasarán a tareas productivas o de servicios".

En los últimos tres años he visitado con alguna frecuencia la sede del Comité Central, situada a los pies del impresionante monumento a José Martí, en la Plaza de la Revolución. El corazón del poder en Cuba

Bajo la sombra de la gigantesca pirámide de hormigón, acero y mármol de 112,75 metros de alta, en forma de estrella de cinco puntas —la misma de la bandera nacional, la misma que hiciera famosa el mítico comandante "Che" Guevara en su boina guerrillera, cuya imagen suele presidir los multitudinarios actos de esta Plaza, desde un gigantesco retrato adosado a la parte posterior del Ministerio de Comunicaciones— se levantan los principales edificios en los que reside el poder político y militar del país.

Presidiéndolo todo, la estatua en mármol blanco de 18 metros de altura de José Martí, el padre de la independencia cubana. "El Apóstol". "El Maestro". A todos estos calificativos se hace acreedor este escritor y pensador político que ejerció una enorme influencia en la América hispana del siglo pasado. La gigantesca figura, en actitud pensativa, ha presidido los actos más trascendentales de la revolución. Aquí Fidel ha convocado a sus masas y aquí ha realizado los más importantes anuncios al país.

El conjunto escultórico, de 78,5 metros de diámetro, comenzó a construirse en 1952. Con el triunfo de la Revolución, en 1959, se le cambió el nombre de Plaza Cívica por el de Plaza de la Revolución José Martí.

A sus espaldas hay un bloque de tres edificios adosados, destinados por el gobierno de Batista a ser sede de los tribunales cubanos. Allí se encuentran, en el centro, el Palacio de la Revolución, utilizado para ceremonias especiales, visitas de Estado, recepciones. El antiguo Palacio, donde residían los presidentes cubanos hasta la llegada de Fidel al poder, se encuentra en La Habana Vieja y es un bello edificio blanco, convertido en el Museo de la Revolución. Fidel jamás quiso utilizarlo como residencia propia.

A la derecha del actual Palacio de la Revolución, está el Comité Central del Partido, que como los otros tenía tres plantas originariamente, reconvertidas ahora en cuatro. A la izquierda del Palacio, la sede del Consejo de Estado, máximo órgano de gobierno del Estado cubano.

A pocos metros del Consejo de Estado, separado por la avenida Rancho Boyeros, que enlaza con el aeropuerto José Martí, se encuentra el importante Ministerio de las Fuerzas Armadas Revolucionarias (MINFAR), a cuyo frente está Raúl Castro.

Tropas del Ejército custodian los accesos al Comité Central. Las medidas de seguridad son muy rigurosas. No se permite la entrada a no ser que se tenga cita previa con algún funcionario. En la recepción del edificio no se puede depositar ningún paquete a no ser que se le entregue en mano a la persona a la que está destinado.

Sentado en uno de los seis sillones de la amplia sala de entrada, observo en una de mis últimas visitas al Comité Central, en octubre de 1992, que el trasiego de personas ha disminuido sensiblemente. Hay menos gente y menos luz. Tengo una cita nocturna con Carlos Aldana. El salón y los pasillos principales están prácticamente a oscuras.

Como tantos otros edificios públicos, la sede del Comité Central cumplía con lo decretado por el gobierno: toda la población debe reducir en un 10 por 100 su consumo de energía eléctrica, bajo amenaza de multas y cortes del fluido eléctrico. Los aparatos de aire acondicionado quedaron fuera de servicio en muchas oficinas.

Uno de los ayudantes de Aldana me conduce por los corredores enormes de la planta tercera, donde tiene su despacho el miembro del Buró Político. Hay una escasa iluminación. Le comento a este importante funcionario del aparato cubano si es cierta la cifra de siete mil personas trabajando para el Comité Central, como se ha publicado en algunos medios norteamericanos. La risa de Aldana estalla en la quietud de la noche:

—¡Eso es una locura! En este Comité Central jamás hubo una plantilla superior a los trescientos funcionarios profesionales del Partido. Ahí no estoy contando secretarias y personal auxiliar. Y ni siquiera esa cifra de trescientos cuadros llegó a cubrirse nunca.

A los trescientos funcionarios profesionales del Comité Central habría que sumarles los que trabajan en los Comités provinciales y los municipales.

Aldana me informa que en los provinciales trabajaban entre 60 y 70 personas, según las provincias, y en los Comités municipales entre 10 a 12. Como en Cuba hay 14 provincias y 169 municipios, el número de los funcionarios de plantilla del Partido en todo el país no llegaría a los 3.000. Para esa fecha en que hablo con Aldana, a los pocos días de clausurado el IV Congreso, esa cifra se había reducido a la mitad, y en algunos puntos más de la mitad. El responsable de organización del Partido, José Ramón Machado Ventura, declarará que el Comité Central redujo el número de sus funcionarios y del llamado "aparato auxiliar" en un 60 por 100.

—Creemos que aún podemos seguir reduciendo ese número. Y no sólo para ahorrar presupuesto, sino porque es sano que en la dirección del Partido haya personas que no sean profesionales de éste, que traigan el aire fresco de lo que se vive en las fábricas, en las instituciones. Estamos retornando a ese momento que yo llamaría "original" que tuvimos hasta 1973, cuando el Partido era una cosa muy pequeñita...

Ese año, los cubanos prácticamente calcaron el diseño del aparato búlgaro. ¿Por qué Bulgaria? Dice Aldana:

—Pensábamos entonces que Bulgaria significaba una síntesis de la experiencia soviética y su entorno social y geográfico tenía cierta semejanza con Cuba. Asumimos no sólo la estructura, sino también criterios, concepciones de trabajo, que dieron lugar a una sovietización. Renunciamos mucho a la experiencia original cubana, que era abierta, sencilla, funcional.

La cifra de 7.000 funcionarios, que escucho esa noche en el despacho de este dirigente, podría resultar de la suma de todos los funcionarios que trabajan en las distintas organizaciones de masas del país: además del PCC, la Unión de Jóvenes Comunistas (UJC), la Federación de Mujeres de Cuba (FMC), los Comités de Defensa de la Revolución (CDR) o los miembros del Poder Popular.

Las medidas acordadas por la Comisión organizadora del IV Congreso incluyeron también la drástica reducción del Secretariado del Comité Central, que pasó a tener nueve departamentos, de los diecinueve existentes. Dejando a un lado al primer y segundo secretarios, los hermanos Fidel y Raúl Castro, respectivamente, sólo quedan tres secretarios dedicados profesionalmente a las tareas del Partido: José Ramón Machado Ventura, Carlos Aldana y Julián Rizo Alvarez, todos ellos elegidos miembros del Buró Político en el IV Congreso.

El primero, Machado Ventura, dirigirá el Departamento de Organización, resultado de la fusión de los anteriores departamentos de Organización, Asuntos Generales, Atención a las Organizaciones de Masas y Organos Estatales y Judiciales. También controlará el Departamento de Política de Cuadros, el de Industria Básica y el de Consumo y Servicios. A este último se le sumó el antiguo de Salud Pública.

Carlos Aldana se ocupará del Departamento Ideológico, producto de la unificación del Departamento de Orientación Revolucionaria y el de Cultura. También dirigirá el Departamento de Educación, Ciencias y Deportes, así como el de Relaciones Internacionales, en el que se han fusionado Relaciones Exteriores y el Departamento de América, que dirigía el famoso y temido comandante Manuel Piñeiro, alias "Barbarroja". Ha sido uno de los grandes cuadros, un histórico, víctima de la reducción de plantillas.

Por último, Julián Rizo Alvarez, de sesenta años, otro histórico que ha jugado un importante papel en la organización del IV Congreso, tendrá a su cargo el nuevo Departamento Agroalimentario, en el que se han fundido el Azucarero, el Agropecuario y el Económico. También se le añaden las actividades relacionadas con la Industria Alimentaria y la Pesca, y el de Construcción, Transporte y Comunicaciones.

Importante también fue la decisión de suprimir el Departamento Militar, que es sustituido por una Comisión Militar, adscrita directamente al Buró Político. También desaparece el Departamento de Administración y Servicios, que pasa a ser una oficina de rango menor.

Como consecuencia de estos cambios, son cesados dos importantes miembros del Secretariado, Jorge Risquet Valdés y el general de Brigada Sergio Pérez Lezcano.

Otras medidas acordadas para eliminar burocracia y papeleo fueron las de otorgar facultades a los núcleos del Partido para imponer sanciones, siempre que no impliquen la separación de la organización. Antes, las sanciones a un militante tenían que ser aprobadas primero en el núcleo al que pertenecía el sancionado y después en el órgano superior. También se eliminaron los segundos secretarios a nivel municipal y provincial y los miembros suplentes de los burós.

Darío Machado, el hombre que vio pasar ante sus ojos el millón largo de propuestas al Congreso, destaca que la población se quejaba del "comisionismo" y del "reunionismo", esa tendencia, afirma este politólogo del Comité Central, a reunirse por cualquier cosa para crear una comisión que a su vez se reunirá para estudiar un problema.

—Los ciudadanos reclamaron mayor efectividad, que se tomen decisiones y no que se "eleven" hacia la comisión superior.

Hay palabras en Cuba que realmente hacen gracia. Una es resolver. Un cubano se pasa la vida resolviendo. Tiene mil aplicaciones: se resuelve la compra de un alimento escaso, y se resuelve una cita amorosa. ¿Ya resolviste?, preguntarán los amigos. Otras palabras del lenguaje cubano que hay que aprender son "orientación", "elevación" y "planilla".

Cuando un organismo o persona no se atreve a jugársela, "eleva" el problema a la instancia superior o espera "la orientación" de las alturas. Lo mejor que le puede suceder a un funcionario timorato es que "baje la orientación". Su felicidad será plena si esa "orientación" es del líder máximo, Fidel. No habrá miedo a equivocarse.

En una ocasión le pregunté a Aldana por las relaciones hispano-cubanas, muy deterioradas después de que 18 cubanos penetraran en la Embajada española de La Habana en busca de asilo político, en julio de 1989. Aldana me dijo:

—Mire, en nuestro sistema yo no soy el único que se ocupa de las relaciones exteriores. Habría que citar en primer lugar al vicepresidente, Carlos Rafael Rodríguez, al ministro Isidoro Malmierca...

—Ya sé, ya sé. Pero ¿sabe qué? Cuando uno pide un dato o una opinión a los funcionarios de nivel medio, la mayoría contesta: pregúntale a Aldana, que después de Fidel es el que más sabe de todo.

No puede contener la risa. Y dice medio en broma, medio en serio:

—¡Esos son unos huevones, que de esa manera se quitan de encima la responsabilidad de dar su propia opinión!

En Guantánamo conocí el retrato perfecto del funcionario del Partido que no abre la boca si no tiene la orientación a mano.

Es de mediana estatura, pero musculoso. Mulato claro, y se llama Marcos Antonio Charón Frometa. Fue mi primer contacto con un funcionario ortodoxo de provincias, cuando inicié un viaje a través de toda la isla en abril de 1991.

Charón, por otra parte una persona educada e incluso amable, convirtió mi visita por la provincia de Guantánamo en un infierno. Y eso que la más oriental de las provincias cubanas es de una belleza impresionante, con sus verdes montañas, valles silenciosos, y la primera ciudad fundada por los conquistadores españoles en 1512, Nuestra Señora de la Asunción de Baracoa.

Funcionario del Comité Provincial del Partido, encargado de los asuntos de prensa, Charón había sido designado para que me concertara citas de trabajo y me acompañara a algunos lugares de interés periodístico. Al poco rato de conocerlo supe que Charón había dividido su vida en dos antes y dos después. Antes y después de la Revolución y antes y después de la visita del comandante, el compañero Fidel Castro, a la ciudad de Guantánamo, en 1985, coincidiendo con el XXXIII aniversario del asalto al Cuartel Moncada. ¡Y de esto hacía ya seis años!

En nuestro primer contacto, Charón me puso al día:

—Cuando el compañero Fidel vino a Guantánamo, dijo que el problema de la provincia era triple: no llueve, la gente de las montañas se bajan al llano y la tierra se saliniza.

En los cuatro días que permanecí en aquella provincia, Charón me obligó a escuchar cuatro versiones prácticamente calcadas de otros tantos funcionarios en distintos sitios de Guantánamo, siempre sobre el Plan Director.

Así, supe que "después" de que Fidel estuviera en Guantánamo se tuvo conocimiento de que había 80.000 hectáreas con problemas de salinidad, que producen 210.000 toneladas al año de sal, que cuando el Plan Director rinda sus frutos, la zona de las salinas pasará a producir 100.000 quintales de hortalizas y no las magras 3.000 conseguidas en 1990. Y que las hortalizas son: lechuga, ajos, kimbimbó (parecido a la berenjena), remolacha, cebolla, pimientos. Cuando se culmine el Plan Director, habrá un teléfono por cada dos viviendas y media...

— ¿Cuántos hay ahora, Charón?

No sabe. No contesta. Charón no abre la boca si no está "orientado". Una tarde de domingo, aburrido como una mona en el hotel Guantánamo, situado frente al Comité Provincial, le pregunté a Charón dónde me recomendaba ir para charlar con gente joven, ver cómo se divertían en una capital de provincias. Charón no sabía nada.

Me las arreglé como pude. Visité algunos clubes, semivacíos. Encontré cierto ambiente en un pequeño parque de las afueras. No me extrañó. Allí había una "pipa" de cerveza (un camión-cisterna) y los jóvenes podían comprar hasta un cubo entero. La cerveza era oscura y amarga. Poco refinada. Con el calor, al poco rato estaba como un consomé. Tomé unos tragos con algunos de los chicos que había por allá. Me informaron que los fines de semana nunca faltaba la "pipa" de cerveza. Era su única diversión. Sólo que había un problema, me comentó un joven mulato que se llamaba Antonio:

—Yo de aquí me tengo que ir a casa a dormir, pues termino casi borracho y los lunes tengo que madrugar para ir al trabajo.

Quienes sufren son las novias. Está mal visto en esta provinciana ciudad que ellas compartan el trago con sus novios en mitad del parque y a media tarde. Así que el domingo por la tarde las dejan en casa.

Los chicos me informaron que Guantánamo tiene fama de ser una de las provincias que más cerveza consume.

Al día siguiente, le pedí a Charón el dato de cuántas pipas de cerveza se reparten los fines de semana. Aún lo espero.

En mis viajes a Cuba he detectado que cuanto más se adentra uno en el interior de la isla, cuanto más alejado se encuentra uno de la capital o más rural es la zona, los funcionarios del Partido son más ortodoxos, más dogmáticos, más intelectualmente intransigentes y más datos ocultan al visitante, aunque sean tan inofensivos como saber cuánta cerveza se bebe un fin de semana o cuántos coches de caballo, por otro lado maravillosos, realizan funciones de taxi en la ciudad de Guantánamo, o cuántos teléfonos existen por habitante.

La otra palabra maldita es "planilla".

Darío Machado me cuenta que había un excesivo número de cuadros que sólo se dedicaban al control de otros organismos. A esto lo llaman en el Centro de Estudios Sociopolíticos del Comité Central que dirige Machado, el fenómeno de "la pirámide invertida". Muchos cuadros arriba y muy pocos abajo, en la base, que es donde se necesitan. Es decir, había más generales que soldados. Más jefes que indios.

Para ahorrar «planillas», se comenzaron a fusionar organismos. Por ejemplo, el Comité Estatal de Precios, el Comité Estatal de Finanzas y el Comité Estatal de Estadísticas. De los tres salió un solo organismo. Docenas de modelos de "planillas" se han eliminado. La "planilla" es un cuestionario en el que se demandan datos y más datos, a veces reiterativos y en la mayoría de los casos inservibles.

Todos estos cambios previos al Congreso eran sin embargo pequeñas escaramuzas de una guerra que se esperaba fuera titánica. Pero no lo fue.

La desilusión que produjo el desenlace del IV Congreso fue grande y no sólo en el extranjero ni entre los disidentes del interior.

En aquellos días conocí a algunos militantes de la Unión de Jóvenes Comunistas (UJC) que seguían un curso en la escuela de cuadros del Partido "Nico López". Uno de ellos resumió así el Congreso: "Más de lo mismo".

El presidente de la Comisión Cubana de los Derechos Humanos, Elizardo Sánchez, afirmaba días después que el Congreso había defraudado a amplios sectores de la población, incluidos algunos militantes del Partido, quizá porque habían puesto en él demasiadas esperanzas. Pero no sorprendió a los disidentes:

—Conocíamos perfectamente la nula disposición del Gobierno cubano a introducir cambios fundamentales en el sistema.

Para el disidente Elizardo Sánchez se cumplió lo que temía:

—El Congreso se convirtió en una ceremonia de corte leninista, donde se discutieron documentos preelaborados y se tomaron decisiones conocidas ya por todo el mundo.

En los meses previos al Congreso, dos temas se daban por cantados: la admisión de creyentes en el Partido y la elección por sufragio directo de los diputados a la Asamblea Nacional del Poder Popular. Los dos fueron aprobados y, por sabidos, apenas si causaron impacto en la opinión pública.

La Constitución cubana, aprobada en referéndum en 1975, prohíbe la discriminación por motivo de raza, color, sexo u origen nacional. Pero no dice nada de las creencias religiosas.

Los Estatutos vigentes hasta la celebración del IV Congreso —la mayoría de sus artículos tendrán validez hasta que se redacten los nuevos— no hacen una referencia directa a la prohibición de que un creyente pueda solicitar el ingreso en el Partido. Sólo del contenido del apartado e) del artículo 15 puede deducirse esa prohibición implícita.

Al hablar de los deberes de un militante, se lee, entre otros que éste debe "luchar con energía... contra las supersticiones y otras reminiscencias ideológicas y negativas del pasado" (13).

En la práctica, el Partido rechazaba sistemáticamente a los creyentes. "La planilla" de ingreso, o el "cuéntame-tu-vida", como le llaman popularmente los cubanos, tiene entre sus muchas preguntas una referida a las creencias religiosas o de otro tipo del aspirante. El que manifestaba tenerlas, era excluido. (Ver capítulo "La religión.)

La resolución sobre los Estatutos aprobada por el IV Congreso incluye un anexo modificando algunos artículos de los Estatutos vigentes. Mientras son redactados y aprobados los nuevos, hecho que se esperaba para finales de 1992, el anexo entró en vigor de forma inmediata. El punto 13 de ese anexo suprime "en la práctica" el que se niegue "a un revolucionario de vanguardia el derecho a aspirar a ser admitido en el Partido" (14).

El segundo acuerdo de importancia tomado por el Congreso sería el de proponer a la Asamblea Nacional del Poder Popular la elección directa por todos los ciudadanos de los diputados nacionales y los delegados de las Asambleas provinciales. Hasta ahora, ambos eran elegidos por las Asambleas municipales. La Asamblea Nacional debía reunirse en julio de 1992 para modificar la Constitución, tanto en lo referente al tema religioso, como a la propia composición y forma de elección del máximo órgano legislativo cubano. (Ver capítulo «El poder del pueblo».)

¿Eso era todo? Para una parte importante de la prensa internacional, el Congreso del Partido Comunista fue un pequeño fiasco. Si Cuba seguía siendo un país socialista de partido único y gobernado por Fidel, Cuba seguía exactamente igual que hace treinta y tres años. Porque a la postre, ¿modificaba sustancialmente el régimen el hecho de que un católico pudiera ingresar en el Partido? ¿Cambiaba en algo el sistema cubano por el hecho de que los diputados pudieran ser electos de forma directa por los vecinos, sin que hubiera distintos partidos políticos con distintas posiciones ideológicas de donde escoger?

Ese fue el argumento que se aireó en la prensa occidental y esa fue la cuestión que le planteé a Aldana. El alto funcionario del Partido me explicó un aspecto crucial:

—Hay un punto que apenas si ha sido destacado: se respetará la pluralidad de opiniones dentro del Partido...

—¿Qué sucederá a partir de ahora cuando una persona esté en desacuerdo con alguna cuestión y decida defender su punto de vista?

Aldana sonríe.

—Hasta ahora, si estabas en desacuerdo, se sometía a votación y si perdías, pues ya te fastidiaste.

A partir del IV Congreso, un militante podrá plantear cuantas veces quiera en las asambleas en las que participe sus puntos de vista divergentes y podrá exigir que conste su desacuerdo. Aunque por disciplina, tendrá que acatar la decisión de la mayoría. Hasta entonces, el militante con un punto de vista distinto sólo podía plantearlo una vez y, si no recibía el apoyo de la mayoría, debía olvidar el asunto de por vida. Como dice Aldana, "ese es el centralismo democrático clásico". Pero, continúa, "en el caso de un partido único es muy importante respetar la pluralidad de opiniones en el seno de la organización".

—Pero dígame, señor Aldana: ¿cuál es la consecuencia práctica? Por que yo puedo someter mi punto de vista a votación una y otra vez, pero si nunca prospera...

—Una muy importante: la gente va a ser mucho más honesta, no se guardará sus opiniones, saldrán a la luz puntos de vista discrepantes pues la gente se sentirá respaldada por las nuevas normas de juego.

Esas nuevas normas de juego tardarán un tiempo en calar entre los militantes. Aldana reconoce que para llegar a esa decisión se discutió mucho en el seno del Partido. No todo el mundo estaba de acuerdo. Y afirma que lo que le sucede a ese militante que una y otra vez somete a votación su punto de vista y pierde, y ha de acatar la decisión de la mayoría, "sucede en el partido más burgués del mundo".

—Lo que resalta de este acuerdo es que a partir de ahora el militante va a poder defender su opinión en contra de todas las demás, y eso no va a constituir en modo alguno una razón para excluirlo del Partido y mucho menos para criticarlo. Tienes un punto de vista y lo defiendes. Ya está. Así se evita que la gente tenga doble moral, que oculte su pensamiento real, que comience a hablar por detrás...

La doble moral. El tema de la doble moral preocupa tanto a los dirigentes cubanos que incluso la más importante emisora del régimen, «Radio Rebelde», ha dedicado programas enteros para debatirlo. ¿Es sincera la gente en Cuba cuando muestra su acuerdo con la Revolución? No hay manera de saberlo. Lo que sí es cierto es que, conscientes de que esa doble moral se practica, los dirigentes cubanos quieren que la gente hable, pero en el seno del Partido, no en las calles, ni con el vecino amigo, a puerta cerrada.

El paso de un centralismo democrático clásico, como lo denomina Aldana, a otro en el que el militante pueda sostener y defender indefinidamente opiniones distintas, ¿podría desembocar en la aparición de tendencias en el seno del PCC? ¿Se autorizarían por la dirección del Partido? ¿Podría haber corrientes de opinión organizadas en el seno del Partido?

En absoluto. El responsable de la ideología del Partido, Carlos Aldana, lo ve de manera muy distinta:

—Para plantearnos si admitimos las tendencias, primero tienen que existir esas tendencias. Es decir, si tales tendencias no existen, no tenemos por qué inventarlas. Ahora bien, y permítame decirlo entre paréntesis, nosotros discutimos mucho más de lo que la gente cree en el exterior. Pero las diferencias de criterio, que sí existen, diferencias de opinión, de enfoque, no dan lugar a tendencias porque no trascienden de la discusión concreta de un problema.

Precisamente para evitar que se generen esas corrientes o tendencias internas es por lo que se modificarán los estatutos. "La forma más sabia de evitar el surgimiento de tendencias —sostiene Aldana— es favorecer una verdadera libertad de expresión y opinión dentro del Partido". Pero teniendo siempre en cuenta los principios inamovibles sobre los que se sustenta el régimen: el Partido es único, la sociedad a la que se aspira es la socialista y Fidel Castro es el líder indiscutido.

Le pregunto a Aldana si en esas discusiones en el seno del Partido y en la propia dirección han dado lugar al nacimiento de un ala más conservadora y otra más reformista o liberal, tal como se especula en el exterior...

—Mire, entre nosotros esas clasificaciones no existen...

—Pero, señor Aldana, se especula con que usted representaría un línea más aperturista, más renovadora, frente a la que encabezaría Machado Ventura. ¿Qué hay de cierto en ello?

Aldana vuelve a sonreír una vez más. Sin citar ni un solo nombre, sin aludir a ningún compañero de la dirección, Aldana admitirá que las diferencias surgen sobre temas puntuales. Y uno muy importante es qué acciones tomar tras el "desmerengamiento" de los socialismos del Este europeo.

Para Aldana, existen "compañeros más apegados a las prácticas tradicionales". A esos compañeros les produce cierto temor que surjan nuevas alternativas que cuestionen esas prácticas tradicionales.

—Es la sospecha de la oreja peluda, es decir, que lo que ha ocurrido en la Europa del Este podría ocurrir aquí si aplicamos determinadas renovaciones. Pero, en mi opinión, lo que sucedió en esos países no fue que se renovaron, sino todo lo contrario, que no lo hicieron.

Las diferencias más importantes que surgen en las alturas del régimen cubano se refieren al funcionamiento del Partido; a la relación del Partido con la Administración, en el sentido de hasta dónde se debe dejar libre a la Administración para que pueda desarrollarse y hasta qué punto se la debe controlar con directrices políticas.

También se reflejan esas diferencias en la forma misma del debate: no imponer las cosas, no partir del principio de que "nosotros estamos en posesión de la verdad, y al carajo", como dice Aldana. Para este dirigente ha llegado la hora de saber escuchar, de rectificar, de aceptar la diversidad. Pero quiere dejar bien claro que "sería un error muy grande defender la existencia de renovadores y conservadores".

—Nosotros nos reímos mucho cuando leemos sobre la existencia de los renovadores y los conservadores. Vemos entonces la diferencia que hay entre lo que se opina fuera y la naturaleza real de nuestras discusiones, que por otro lado son muy sensatas.

—Señor Aldana, esa diferencia entre lo que se escribe fuera y lo que se dice aquí, ¿no se debe a que ustedes informan poco, que es muy difícil el acceso a la dirigencia de Cuba?

Sonríe de nuevo. Tocado.

—Lo admito, lo admito. Pero puede tener una explicación. La política de hostigamiento que padece Cuba nos ha llevado a que muchas cosas no trasciendan, que la gente no las conozca. En ese sentido, creo que el proceso que se abrió con la discusión del Llamamiento al IV Congreso servirá para que se conozcan mejor nuestras opiniones y puntos de vista.

Un dirigente que reconoce haber tenido problemas por actuar de forma abierta, llamar al pan, pan y al vino, vino, es Roberto Robaina González. Primer secretario de la Unión de Jóvenes Comunistas (UJC) es, con sus treinta y seis años, el miembro más joven que jamás haya tenido el Buró Político del PCC.

—En la alta dirección del país, con Fidel, con Raúl, en el Buró Político, he encontrado una tremenda comprensión. No puedo decir lo mismo sobre las estructuras intermedias: ahí es donde tengo problemas, ahí es donde todavía ven en los jóvenes fantasmas, siguen viendo fantasmas.

El despacho de Robaina, muy cerca del Museo de la Revolución, en la parte antigua de La Habana, es amplio, pero no suntuoso. Se nota que allí se trabaja en grupo. Entra y sale gente del despacho que muestra a Robertico, como le llaman cariñosamente, un nuevo diseño para una camiseta, o un eslogan que habrá de pintarse en media Habana.

Las celebraciones de los grandes acontecimientos en Cuba están casi siempre protagonizadas por Fidel Castro. No fue así el 28 de diciembre de 1990. Esa noche, ante una multitud apiñada en las afueras de La Habana, donde se estaban construyendo las instalaciones deportivas de los IX Juegos Panamericanos que habrían de tener lugar al verano siguiente, Roberto Robaina fue la estrella.

En presencia de Fidel Castro y de otros altos dirigentes del país, Robaina fue el encargado de pronunciar el discurso que conmemoraba el XXXII aniversario del triunfo de la Revolución. Al terminar de hablar Robaina, el comandante Castro dijo que él no tenía nada que añadir "porque Robertico lo ha dicho todo". Ese gesto de un hombre incapaz de permanecer callado ante un micrófono, fue considerado un espaldarazo al líder juvenil y a su política entre los jóvenes.

Robaina aprovechó el envite. En aquella tribuna Robertico denunció a los que todavía ven fantasmas. "Algunos de ellos estaban detrás de mí", recuerda unos meses después Robaina. Esos fantasmas del propio Partido y también los de fuera hicieron creer en su día que Robaina representaba una alternativa de poder. Incluso se dijo que cuando se enroló en la guerra de Angola lo hacía por desavenencias con Fidel. Esas dudas, esos fantasmas, están ahora mucho más difuminados.

Por ello, Robaina se olvida de fantasmas e intenta conectar con los jóvenes, hablándoles en su propio idioma y de los temas que les preocupan:

—A los jóvenes ya no les llega recordarles continuamente que triunfamos en el 59, que disfrutan de educación y salud gratis, hablarles del bloqueo. Ellos ya nacieron con la salud, con la educación gratis y además nacieron en una Cuba ya bloqueada.

Hay que movilizarlos de una manera distinta. Fuera discursos grandilocuentes. "Tenemos que pasar de las grandes declaraciones de principios, de las grandes movilizaciones, a la materialización de proyectos concretos." Exhibe como ejemplo que la gente joven está cansada de que le hablen de los problemas de la agricultura, pero en cambio va encantada al campo a trabajar de forma voluntaria.

El dirigente juvenil destaca que uno de los temas más debatidos a nivel de gobierno es el del tiempo libre de los jóvenes. Qué ofrecerles. Para Robaina se trata de "un problema importantísimo y estratégico. Relegar esa necesidad de la juventud cubana "es algo que nos puede hacer mucho daño, que nos hizo mucho daño".

Disiente también este joven ex profesor de matemáticas de que el mal funcionamiento de los servicios se deba exclusivamente a un problema de suministros. Y dice una frase que levanta espinas:

—Aquí se reitera mucho el tema de que somos un país bloqueado. Que tenemos muchas necesidades. Pero hay mucha gente que se ha recostado en las necesidades y el bloqueo. Por ello nosotros hemos querido demostrar que, a pesar del bloqueo, si se le echa cabeza, se pueden hacer cosas.

Exhibe como ejemplo el llamado "Plan Malecón". El Malecón de La Habana es un hermoso paseo marítimo de seis kilómetros y medio, bordeando el mar, que aquí es Atlántico y no Caribe. Las hermosas casas de finales del siglo pasado estaban casi para el derribo. Los jóvenes se sentaban en el muro de contención del paseo y su única diversión era besuquearse o mirar el mar.

Un día, Robaina decidió revitalizar el malecón. Pintó las casas de vivos colores rosa, amarillo, azul, lila. Abrió pequeños bares —sin bebidas alcohólicas— se inventó heladerías rodantes y hasta construyó El Castillito, un amplio local con discoteca, sala de vídeos, computadoras, pista de patinaje. Y todo a precio de coste.

Para los representantes del viejo estilo, todas estas actividades del joven Robertico no encajan en lo que ellos entienden debe ser un Partido Comunista. Pero el espaldarazo recibido día tras día por Fidel Castro y también por su hermano Raúl convencieron a los críticos de Robaina que había que dejarle hacer. Su elección como miembro del Buró y el hecho de ser designado en el IV Congreso como moderador de la ponencia que estudio el Programa del Partido fueron definitivos para que los cazafantasmas aceptaran sus nuevas formas de hacer política.

La irrupción en las altas esferas del aparato cubano de gente como Roberto Robaina produjo necesariamente la salida de otros más veteranos. En Cuba a este proceso se conoce como el de "las tres generaciones".

La histórica, la intermedia y la joven.

—Sería torpe decir que las tres generaciones se llevan tan bien que piensan exactamente igual —me dijo hablando de este tema Robertico Robaina—. Personalmente, no creo en eso. Basta que haya tres generaciones, educadas en forma y tiempos distintos, para que evidentemente existan puntos de vista desde una óptica diferente.

Pero advierte el más joven de los altos dirigentes cubanos: "Independientemente de las edades, de las generaciones, prefiero defender el talento, que prive la capacidad sobre la edad". Y advierte:

—Renovación no significa quitar a Fidel. Mientras nosotros sintamos que Fidel sigue como hasta ahora, no tenemos por qué sustituirlo. Fidel es nuestro. Y que la gente recuerde que no estamos eligiendo al secretario general de otro Partido, sino al de nuestro Partido.

Lo que le preocupa a Robertico es cómo realizar el relevo sin que se produzcan procesos traumáticos. Para este joven instalado en la cúpula y que tiene el privilegio de ver a los históricos de la Revolución trabajando junto a él, aquella generación tiene una gran ventaja: llegó muy joven al poder. Fidel Castro tenía treinta y dos años cuando entró triunfante el 8 de enero de 1959 en La Habana, y su hermano Raúl, número dos del régimen, tan sólo veintisiete.

—Eso significa que en ese grupo hay todavía mucha gente con

capacidad y si lo hacen bien, p'al diablo, que se queden —dice Robaina poniendo énfasis en sus palabras.

La generación histórica está por encima de los cincuenta y cinco años, y fueron en su inmensa mayoría combatientes en Sierra Maestra. La intermedia se situaría en la franja de los cuarenta y cinco a los cincuenta y cinco años; la guerra contra el dictador Fulgencio Batista los encontró demasiado jóvenes.

Algunos de ellos se sumaron al Ejército rebelde siendo unos adolescentes. Es el caso de Carlos Aldana, quien peleó con dieciséis años en la Columna 13, "Ignacio Agramonte". Aldana es uno de los pocos civiles —aunque realizó estudios militares en la Unión Soviética y fue jefe de despacho del ministro de las FAR Raúl Castro— del actual Comité Central que peleó con menos de veinte años en la guerrilla.

Por el contrario, prácticamente todos los generales que forman parte del Comité Central y tenían cuando la insurrección contra Batista entre quince y veinte años, formaron parte de la guerrilla.

Es el caso de Ulises del Toro, jefe del Estado Mayor y primer sustituto del ministro de las FAR; del ministro del Interior, Abelardo Colomé Ibarra; de los viceministros del Interior, Carlos Fernandez Gondín y Romarico Sotomayor García; los jefes de los tres Ejércitos, el occidental, Leopoldo Cintra Frías; el central, Joaquín Quintas Sola, y el oriental, Ramón Espinosa Martín.

Además, están los generales Rogelio Acevedo, cincuenta años; Urbelino Betancourt, cincuenta y un años; Néstor López, cincuenta y cuatro años; Rubén Martínez, cincuenta años; Samuel Rodiles, cincuenta y cuatro años, y el contralmirante Pedro Miguel Pérez, cincuenta y tres años (15).

Esa generación intermedia fue llamada por "algunos cretinos", como recuerda Robaina, "la generación perdida". Aunque dice el líder juvenil: "No creo que esté tan perdida, ahí está Aldana". Pero es cierto que esa segunda hornada de revolucionarios cubanos creció cuando "la generación histórica estaba en sus plenas facultades y es muy difícil brillar al lado de quienes han brillado mucho antes y por muchas cosas".

Por último, estaría la nueva generación, la generación del propio Robaina. Dice con cierta pena:

—Lamentablemente, la gente personifica esa generación en mí, cuando esa generación ha dado gente como Carlos Lage, como Yadira García, como Alfredo Jordán, que trabajan junto a Fidel, y eran del Buró Nacional de la UJC, o científicos como Concepción Campa, y otros muchos líderes juveniles.

Es difícil decirle a alguien "tu tiempo se acabó". Pero eso es lo que se hace en el Partido Comunista de Cuba cuando un alto funcionario va a dejar de serlo. "Tronó", dice la gente en Cuba. "A fulano lo tronaron".

Desde el II Congreso del Partido, celebrado en 1980, se impuso la práctica de mantener una conversación amplia con el miembro del Comité Central que va a ser cesado. Lo cuenta Aldana:

—Nadie se entera de su cese de improviso. Se razona ante el compañero que va a dejar el Comité Central. Es una sana tradición que me parece magnífica. Me parece excelente jugar limpio, con las cartas boca arriba.

Los ceses no siempre se producen por haber cometido errores, por edad o por enfermedad, sostiene Aldana. Hay unos que sí han cometido errores y otros que no. "Sencillamente, cumplieron su mandato y llega gente nueva", dice Aldana.

José Ramón Machado Ventura, el miembro del Buró responsable de la organización del Partido, declaró meses antes de la celebración del IV Congreso al diario *Granma* (16) sobre "lo llamativo que ha sido la liberación (cese) de tres primeros secretarios de provincias":

—Cuando los compañeros llevan tanto tiempo en esta responsabilidad llega un momento en que le hace daño a ellos mismos y al propio lugar. Además, ¿es correcto dejar que los compañeros cometan errores para cambiarlos?

Le pregunté a Aldana quién decide los que deben seguir y los que no. El proceso de elaboración de los candidatos sigue este camino: el Comité Central anterior eligió una Comisión Organizadora del Congreso, compuesta por 72 miembros. Estaban los veintiséis miembros del Buró Político, dos miembros del Secretariado, catorce miembros del Comité Central y treinta miembros del Partido que no pertenecían al Comité Central (CC) anterior. La entrada de tantos militantes del Partido no miembros del CC se hizo "para evitar que el Comité Central se reeligiera a sí mismo".

Esta Comisión Organizadora eligió de entre sus miembros un Comité de Candidaturas, que fue posteriormente ratificado por el pleno del IV Congreso. El Comité de Candidaturas fue el que redactó la lista final de militantes que fueron votados para el Comité Central. De los 11.158 candidatos al Comité Central propuestos por los 48.585 núcleos del Partido, los Comités provinciales fueron haciendo una criba hasta entregar a la Comisión de Candidaturas una lista de 600 aspirantes.

El Comité Central surgido del IV Congreso, compuesto por 225 miembros, se renovó en su mitad más uno: entraron 113 nuevos militantes y permanecieron 112 del Comité anterior. Antes del IV Congreso, el Comité Central tenía 146 miembros titulares y 79 suplentes.

El Congreso acordó la eliminación de miembros suplentes, tanto en el Comité Central como en el Buró Político. Este estaba formado por 14 miembros titulares y 10 suplentes. Actualmente lo componen 25 personas. (Ver anexos.)

En Cuba se venía hablando de renovación en la cúpula del Partido, pero pocos imaginaban que la única mujer miembro del Buró, Vilma Espín Guillois, no iba a ser reelegida.

Vilma, una ingeniera civil de cincuenta y ocho años, apenas si ejerció su profesión. Desde muy joven se sumó al Movimiento 26 de Julio (M-26 de Julio), fundado por Fidel Castro tras el asalto al Cuartel Moncada en 1953. Sufrió la vida clandestina en la provincia de Oriente, bajo el alias de "Deborah", de donde es oriunda. Peleó en el Segundo Frente Oriental Frank País que comandaba el que habría de ser su marido, Raúl Castro. Aunque la prensa de Miami denuncia que el matrimonio se disolvió hace algún tiempo, oficialmente Vilma y Raúl siguen juntos. Al ser Fidel un jefe de Estado soltero, muchas veces Vilma ha actuado como "primera dama" de Cuba.

Presidenta de la Federación de Mujeres de Cuba (FMC) desde su fundación en 1960, fue la primera mujer elegida para el Buró Político, primero en 1980 como miembro suplente y en 1985 como miembro de pleno derecho. Su salida del Buró Político tiene que ver con el futuro de la Federación de Mujeres (FMC). Para muchos, la FMC habría cumplido ya su misión histórica, sacar a la mujer cubana de la cocina y colocarla al mismo nivel social y laboralmente del hombre y estarían pensando en su disolución.

Con Vilma, otros históricos quedaron apeados del máximo órgano de poder en Cuba. Pedro Miret Prieto, de cincuenta y cinco años, participante en el asalto al Cuartel Moncada, guerrillero en Sierra Maestra. Jorge Risquet Valdés-Saldaña, de sesenta y cinco años, guerrillero también en la sierra y uno de los hombres de más peso en el desaparecido Secretariado del Comité Central. La caída de Risquet coincide con el ascenso de Carlos Aldana, quien se encargó de finalizar las negociaciones que condujeron a la paz en la guerra de Angola, en 1988, iniciadas por Risquet.

Armando Hart Dávalo, de sesenta y cuatro años, ministro de Cultura y uno de los más importantes organizadores de la lucha clandestina contra Batista en los últimos años de la dictadura, tampoco resultó reelegido. Al igual que José Ramón Fernández, de sesenta y cinco años, un cubano de ascendencia asturiana pero al que todo el mundo en Cuba conoce como "el gallego Fernández". Es vicepresidente del Comité Ejecutivo del Consejo de Ministros y buen amigo y colaborador de Fidel Castro, quien le encarga atender a visitantes distinguidos, como el caso del presidente de la Xunta de Galicia, Manuel Fraga Iribarne.

Por último, otro histórico, Julio Camacho Aguilera, de sesenta y ocho años, responsable militar del M-26 de julio en la lucha clandestina contra Batista, su último cargo importante había sido el de embajador en Moscú, hasta 1990.

La salida del Buró Político de esta media docena de fieles y veteranos servidores de la Revolución es considerada por Carlos Aldana como "un acto consciente y deliberado de renovación en la dirección política del país y de preparación de la transición a un futuro, cuando ya los dirigentes históricos hayan desaparecido". Todos ellos, sin embargo, se mantienen en sus otros cargos, ministerios y organizaciones de masas.

—El problema es: si no hay renovación, el Comité Central llegaría a tener 500 miembros y el Buró 70. Y eso es absurdo. El único modo de renovarlo es que algunos lo abandonen.

La decisión de "tronar" a esos seis altos dirigentes del Buró fue "un acto político muy importante para nuestra sociedad", en palabras de Aldana.

—Es la primera vez que resultan removidos de la alta dirección del Partido tantas figuras veteranas de nuestra Revolución. Es una determinación política: no queremos llegar a tener una dirección de viejos luchadores revolucionarios enquistados en la cúpula del poder.

Le hago la pregunta inevitable. Machado Ventura habla del "daño que se hacen a ellos mismos" los compañeros que llevan mucho tiempo en cargos de responsabilidad, pero él mismo lleva veintiséis años en el Comité Central y dieciséis en el Buró.

—¿Y Fidel Castro, señor Aldana?

No duda un instante:

— El compañero Fidel ha sido reelegido democráticamente en los cuatro Congresos por mayoría absoluta.

Muchos especialistas han especulado con la salida de esas figuras históricas. Algunos han apuntado que Fidel Castro ya no aguantaba que gentes como Armando Hart, el veterano luchador clandestino, le llevara la contraria en las reuniones del Buró. Por ello salieron. No es lo mismo que hable Vilma Espín, pionera de la lucha en la sierra, que Roberto Robaina, que tenía tres años cuando triunfó la Revolución. La edad media de los miembros del Buró Político pasó de los 59,3 años de edad el elegido en el III Congreso, a los 49,4 años del actual. Diez años más joven (17).

Le planteé el tema al propio Robaina:

—Creo que en el actual Buró hay gente con el suficiente talento como para propiciar la mayor de las discusiones. Yo mismo he tenido el privilegio de discutir con la dirección del país cuestiones relativas a las leyes militares, a las leyes laborales, paternalismo exagerado, al papel del Partido. A nosotros los jóvenes no nos han llevado al Buró simplemente para conformarnos y que nos quedemos callados. Prueba de ello es que tanto Fidel como Raúl estuvieron de acuerdo en designarme para que yo dirigiera los debates sobre el Programa del Partido.

Robaina dirigió esos debates y hubo gente, recuerda, que le dijo después:

—¡Chico!, ¿cómo te atreviste a parar (poner de pie) a un ministro?

—Muy sencillo —contesta Robaina—. Yo sé que ese ministro
sabe de un tema y le digo sencillamente: levántese y hable. La gente en el país, en el Partido, está acostumbrada a que Fidel lo cierre
todo, lo decida todo. Pero eso no puede ser. Fidel no puede estar
al mismo tiempo ni en las catorce provincias del país, ni en los
veinte altos organismos de la nación.

A Robaina, que habla de Fidel como de un padre —y de hecho
en alguno de sus discursos así le ha llamado—, le preocupa que la
gente esté pendiente "de la orientación de Fidel".

—Me pregunto ¿cuándo vamos a resolver las cosas sin que esté
Fidel? ¿Cuándo vamos a lograr que esas neuronas tan preciadas de
Fidel se dediquen a problemas más estratégicos? ¿Cuándo vamos a
perder el miedo a equivocarnos los que estamos en el medio?

Robaina se muestra casi indignado en este punto. El prefiere
que le critiquen por cometer un error y no que no le censuren
porque no hace nada. "Ese es un problema grave y real que tenemos aquí". Con ese lenguaje mucho menos convencional que el
resto de los dirigentes cubanos, Robaina me dice:

—Mira, compay, hay que hacer las cosas. Y si viene el comandante, se le dice: Mire, comandante, hicimos esto. ¿Que nos equi-
vocamos? ¡Pues dos tablazos y a otra!

Una de las medidas acordadas por el IV Congreso fue la eliminación del Secretariado del Comité Central, que había quedado
reducido a su mínima expresión tras el recorte a que se sometió
todo el aparato del Partido. Para Aldana, que fue miembro del Secretariado desde 1986, la desaparición de éste es una consecuencia lógica al abandonar el PC cubano la forma de organización y
estructuras copiadas del Este europeo.

El Secretariado cumplió en su origen una función histórica de
equilibrio político entre las tres fuerzas que integraron el Partido
Comunista de Cuba. A partir de 1975, tras el I Congreso, el Secretariado inicia una función más clásica, de enlace entre el Buró Político y el Gobierno. En la teoría; afirma Aldana, todo es perfecto.
Pero en la práctica, "el Secretariado se fue convirtiendo en un su-
praministerio, en una estructura que estaba por encima de los poderes estatales, porque es expresión de la hegemonía del Partido
sobre el resto de los poderes". Por ello se suprimió.

Sin embargo, el Congreso dio poderes especiales al Comité
Central. La llamada "resolución que faculta al Comité Central del
Partido para tomar las decisiones en correspondencia con la situación que vive el país" concede "facultades excepcionales" con "el
objetivo supremo de salvar la Patria, la Revolución y el socialismo".

La resolución fue adoptada por "el considerable grado de incertidumbre" que existe en el mundo externo, y que podría incidir en el futuro inmediato de Cuba.

Además, el propio Comité Central aprobó conceder los mismos poderes que éste tiene a la Conferencia Nacional del Partido, un órgano intermedio entre el Congreso y el Comité. Se trata, en opinión de Carlos Aldana, de que el Partido esté en disposición de tomar decisiones de urgencia, sin necesidad de convocar a un nuevo Congreso. Esas decisiones estarían relacionadas con la situación de la economía, los necesarios cambios constitucionales, la promoción de una nueva legislación para combatir los delitos económicos, etc.

Mientras tanto, la mecánica del día a día en el seno del Partido, una vez eliminado el Secretariado, recae en las manos de tres supervivientes del mismo: José Ramón Machado Ventura, Carlos Aldana Escalante y Julián Rizo Alvarez.

Los tres se reparten las funciones del antiguo Secretariado, aunque ya sin la estructura orgánica de éste. Machado controlará toda el área de la organización; Aldana, el Departamento Ideológico (que incluye los medios de comunicación del Estado) y las Relaciones Internacionales, y Rizo, un licenciado en Ciencias Políticas, de sesenta años, que ejercía el cargo de miembro del Secretariado responsable del sector azucarero y agrícola, entenderá de todos los asuntos relacionados con la economía del país.

El Buró Político creará grupos de trabajo por temas, a los que se convocará a los miembros más afectados por los mismos.

Desde esta cúpula se controla a los "más de 600.000 militantes y aspirantes al Partido" (18) distribuidos por todo el país. El crecimiento de los militantes del PCC, que no es un partido de masas, pasó de 55.000 en 1969 a 202.807 en 1975, cuando se celebra el I Congreso. En 1981, Machado Ventura da la cifra de 434.143 miembros (19).

Un Partido definido en los Estatutos vigentes como de "vanguardia organizada marxista-leninista" que agrupa a "los mejores hijos del pueblo seleccionados". También "es la fuerza dirigente superior de la sociedad y del Estado" y "en su seno no tienen cabida manifestaciones de fraccionalismo o espíritu de grupo".

Los deberes de los militantes son duros, propios de un partido rígido que sólo admite a los muy revolucionarios. Entre ellos se citan: la adhesión sin límites a la causa revolucionaria del proletariado; estar dispuesto a ofrendar por ella hasta su propia vida; ser ejemplo en el trabajo y en la responsabilidad política; guardar celosamente los secretos del Partido y del Estado; no establecer jamás relaciones de amistad con detractores de la Revolución, ni por personas que se caractericen por su conducta antisocial.

La resolución sobre los Estatutos aprobada en el IV Congreso destaca estos otros deberes del militante: combatir la exaltación de la ideología burguesa, el individualismo pequeño burgués, la supervivencia de prejuicios raciales, el escepticismo, la falta de fe en el socialismo, las tendencias liberaloides, el derrotismo, el hipercriticismo, el oportunismo, la simulación y la doble moral...

Estos militantes deben cumplir el Programa del Partido "aunque lluevan raíles de punta", como diría en el pleno del IV Congreso Roberto Robaina, moderador de los debates sobre este importante documento del PCC.

¿Hay militantes así?

Quise conocerlos en sus propios centros de trabajo. Bajar de la cúpula a la base. Precisamente, en Santiago de Cuba.

La empresa que visité en mayo de 1991 tiene un nombre tan largo como alguna de sus naves: Revolución En Todos los Ordenes de la Medicina. Claro que para abreviar se utilizan sólo sus siglas: RETOMED. Lo primero que pregunté fue por el que bautizó así a esta empresa constructora de aparatos médicos y 537 empleados.

—La idea surgió de un discurso que pronunció Fidel en el acto inaugural de la fábrica, hace ahora diez años —informa el subdirector, Norge Silva.

En RETOMED se fabrica un riñón artificial que ha alcanzado considerable prestigio, así como incubadoras, camas de hospital, aparatos de estomatología o equipos de laboratorio.

Pero me interesa más la vida de los militantes del Partido y cómo se estructura en la base que los aparatos médicos, por importantes y necesarios que éstos sean.

Raúl Pérez García es el secretario del Comité del Partido, que tiene cinco núcleos. Para constituir un núcleo del Partido se requiere que haya al menos tres militantes. Si el centro de trabajo tiene más de 50 militantes y aspirantes, se constituye un Comité que dirige los distintos núcleos. En RETOMED hay 52 militantes. (La UJC tiene otros 129 militantes. Casi un 34 por 100 de los trabajadores son comunistas. La fábrica la elegí yo, no fue previamente seleccionada por la dirección del Partido en Santiago de Cuba.)

Raúl Perez, y posteriormente durante un recorrido que hice por las instalaciones de RETOMED otros militantes del Partido, habla casi casi como si leyera los·Estatutos. Ya había advertido que fuera de La Habana los militantes son más rígidos, más ortodoxos.

Por ejemplo, me dice Raúl Pérez:

—Los militantes del Partido convulsionamos a la base para acelerar la producción.

Eso sí, advierte, la convulsionan por métodos persuasivos. Menos mal. Le pregunto a Raúl Pérez si el resto de los trabajadores no ven a los militantes del Partido como una especie de segundo guardián —además de los jefes de taller, los administradores— que controla al que se hace el vago o no rinde lo suficiente.

Me dice que en absoluto y me pasea por las naves y me presenta a militantes del Partido de la pura base, algunos de los cuales ocupan las tareas más humildes de esta fábrica en donde hay 130 ingenieros.

Interviene el subdirector:

—Al contrario, al militante del Partido no sólo no se le ve como a un vigilante más sino como a un compañero más, que además es "ejemplo".

Me interesa ese tema. Los Estatutos hablan de la ejemplaridad del militante. Un trabajador ejemplar, elegido en asamblea por el resto de sus compañeros, no necesitará el aval de tres militantes para ingresar al Partido, por ejemplo.

Recuerdo que en La Habana, Darío Machado, el director del Centro de Estudios Sociopolíticos y de Opinión del Comité Central, me informó de que en las discusiones previas al IV Congreso, en las bases del Partido, se pidió volver al método de seleccion de los miembros del PCC en las asambleas de ejemplares.

De hecho, nunca se había anulado la necesidad de "la consulta a las masas", como las llama Machado. Está en el artículo 3 de los Estatutos vigentes en mayo de 1992. Sólo que en los orígenes de la Revolución primero se consultaba a las masas si fulano de tal era digno de ingresar en el Partido y últimamente la consulta se realizaba cuando ya fulano había sido admitido.

El lenguaje que se utiliza en estos niveles del Partido sobre estos temas es absolutamente esotérico. Por ejemplo, a la solicitud de ingreso de una persona y su correspondiente análisis, se le denomina "proceso de crecimiento". Como si uno fuera un recién nacido y día a día creciera a los ojos del Partido, se hiciera adulto, un buen adulto, y fuera acogido en el seno del mismo.

Ese proceso puede durar varios meses. El aspirante será investigado en su centro de estudios, en su barrio, en su centro de trabajo, en las organizaciones a las que haya pertenecido. Si ha cambiado de domicilio, o de trabajo varias veces, el proceso de crecimiento se alargará hasta ocho o diez meses.

En todos esos sitios, según Darío Machado, se investigará sobre "la actitud, la calidad humana, las relaciones sociales y humanas, la participación en actividades de la Revolución, su actitud ante el trabajo voluntario en su cuadra (manzana), ante las Milicias de Tropas Territoriales".

Militantes del Partido van preguntando por todas estas cuestiones a los Comités de Defensa de la Revolución (CDR), que son los guardianes de la cuadra; a los sindicatos, a los comités del Partido de los sitios donde ha trabajado el aspirante, a los compañeros de trabajo. Darío me cuenta que a veces un proceso de crecimiento tiene hasta cuarenta "verificaciones" distintas

Previamente, el aspirante habrá tenido que ser avalado por tres miembros del Partido que lo conozcan por lo menos desde tres años antes. Si es miembro de la UJC, esa militancia le sirve de aval. En el IV Congreso, como queda dicho, se decidió que si una asamblea de trabajadores aprobaba al candidato, éste no necesitaba avales.

Después de que ha sido investigado en cuantos sitios ha estudiado, residido o trabajado, el núcleo del Partido comienza a deliberar si fulano es o no digno de ingresar en el Partido.

—El sentido es que el militante prestigie al Partido, no que el militante se aproveche o haga uso del prestigio del Partido —dice Darío Machado.

Cuando el núcleo da el visto bueno al ingreso, éste debe ser confirmado por el organismo superior, el Comité Municipal. Entonces, fulano se convierte en "aspirante" oficial del PCC. En esa situación deberá estar un año como máximo.

"La condición de aspirante —dice el artículo 9 de los Estatutos— se otorga con el objetivo de que la organización de base lo prepare para su vida de militante, para que estudie el programa, los Estatutos y otros documentos fundamentales del Partido."

Puede darse el caso de que un candidato reúna condiciones para ingresar en el Partido, pero tenga algunos "señalamientos", como se dice en el argot partidista. Es decir, defectos. El secretario de RETOMED me pone el ejemplo de que se muestre "autosuficiente". En ese caso, se conversa con el candidato y se le impone "un plan de medidas" que van desde pedirle que incremente más sus días de trabajo voluntario en la agricultura o que finalice unos estudios interrumpidos en la Universidad.

La forma más común de ingresar en el Partido es desde la militancia en la Unión de Jóvenes Comunistas. En el mismo Santiago visité el "Combinado 30 de Noviembre". (De nuevo el gusto cubano por los aniversarios: el 30 de noviembre de 1956 se produjo la insurrección de Santiago, al mando de Frank País, en apoyo a los expedicionarios del Granma, que con Fidel a la cabeza, desembarcarían en las costas cercanas de la ciudad el 2 de diciembre.)

El Combinado se dedica a la producción de todo tipo de tuercas, tornillos y clavos. Es la única fabrica de este tipo en la isla. Me interesaba saber qué proceso seguía un joven de la UJC cuando deseaba ingresar en el Partido.

En el despacho del director del Combinado, Gilberto Nordé Rojas, hablo con Francisco Olmedo, de veintinueve años, ingeniero mecánico y miembro del Comité de la UJC. Presiden la conversación un busto de Lenin y fotos de los comandantes muertos Camilo Cienfuegos y Ernesto "Che" Guevara, quien inauguró la fábrica cuando era ministro de Industria.

Hay en la fábrica 96 miembros de la UJC y 86 del Partido. El total de trabajadores es de 785, lo que arroja un 23 por 100 de militancia comunista. El pasado año, 1990, siete jóvenes fueron "avalados" por la UJC para su entrada en el Partido. Ingresaron tres.

—¿Qué pasó con los otros cuatro? —pregunto, intrigado.

Francisco Olmedo responde:

—No quisieron ingresar.

Pensé que era al contrario. Muestro mi extrañeza e interviene el director:

—El militante del Partido sabe que le van a caer las mayores tareas. Piden voluntarios para la zafra (20) y sabe que tiene que ir. Por ello algunos simplemente rehúsan ingresar.

Ya en el Partido, y trabajando en una empresa como RETOMED, el militante deberá ser un ejemplo para los demás trabajadores y el primero en ofrecerse voluntario para cualquier tarea. "Así arrastrará a los demás", puntualiza el secretario del Partido, Raúl Pérez.

Un militante que no cumpla debidamente, que no sea ejemplo, que no esté siempre listo para la lucha y la defensa de la Revolución, puede ser sancionado.

Los artículos 19 y 20 de los Estatutos contienen una relación de menor a mayor de las distintas sanciones a que puede ser sometido un militante. Si la falta es leve, se pueden tomar estas dos medidas: señalamiento crítico individual o crítica y autocrítica en el seno del Partido, y si fuera necesario, en el colectivo laboral. Estas medidas no son consideradas sanciones, a efectos del expediente del militante.

Si se trata de un incumplimiento de los Estatutos o alguna otra falta más grave, se le aplicarán por graduación estas sanciones: amonestación, separación del cargo en el Partido, inhabilitación temporal para ocupar cargos en el Partido, suspensión temporal hasta de un año de sus derechos como militante, separación de las filas del Partido, expulsión.

El secretario de RETOMED, Raúl Pérez, me explica algunas de las sanciones más habituales en su empresa: tener tres faltas de puntualidad en la llegada al trabajo o tres ausencias injustificadas.

Cuando le digo que tanto el transporte como los teléfonos son un tormento en Cuba, me dice:

—Bueno, compañero, ¡tampoco matamos a un trabajador porque llegue tarde!

Cuando un militante ha sido "desactivado" —otra palabra para el diccionario político cubano— es decir, ha sido separado del Partido, puede volver a solicitar el ingreso pasados dos años. Raúl Pérez me informa que no siempre la desactivación se produce por una mala conducta del militante. Puede ser porque tanto física como mentalmente no pueda cumplir con las obligaciones de la militancia. Y pone como ejemplo la enfermedad de la madre, a la que el militante debe prestarle más atención. En ese caso "se desactiva al compañero".

En RETOMED se ha dado un caso reciente de separación. Un

militante abrió el automóvil de un trabajador y tomó prestados unos casetes para radio. Los devolvió al día siguiente. Pero fue considerado motivo suficiente para "desactivarlo".

En la UJC de RETOMED se ha dado el caso de un desactivado: no redactó un informe que le encargaron y no pagaba la cuota mensual. Las cuotas que pagan los militantes, tanto del Partido como de la UJC, están en función del salario, pero no pasa de un 0,5 por 100 del mismo.

Raúl Pérez me dice para aclararme los conceptos:

—Yo puedo ser separado si me voy a los puños con un compañero. Pero si me pegan a mí por defender a Fidel, "me gano un mérito".

Cuando se produce la expulsión, es de por vida. En RETOMED no recuerdan ninguna. El militante ha de cometer faltas graves, que de hecho entran en el campo del delito común, como "andar con drogas o divisas, o traicionar a la patria".

El proceso de rectificación de errores y tendencias negativas iniciado el 19 de abril de 1986, tras el III Congreso, puso orden en el sistema de salarios "y primas que en la práctica eran subterfugios para incrementos salariales no justificados por la cantidad y calidad de la producción" (21).

Pero la filosofía marxista-leninista contiene otro mensaje inapelable: "¡De cada cual, según su capacidad; a cada cual, según su trabajo!" (22).

En RETOMED, al igual que en las miles de empresas cubanas, los trabajadores son estimulados. "Recibe los incentivos quien los merece", me dice Raúl Pérez, el secretario del Comité. El estímulo consiste en un premio, normalmente en especies: una casa, un automóvil, un televisor en color o blanco y negro, una radio, una bicicleta o un fin de semana en la playa. Esos son los más habituales en esta empresa santiaguera.

¿Quién decide el premio? La "Comisión de Artículos", que ha sido elegida por la Asamblea de los Trabajadores de RETOMED. El Sindicato, al que no es obligatorio afiliarse, salvo para los militantes del PCC o la UJC, organiza esta Comisión en la que siempre están presentes representantes de las organizaciones políticas de la empresa: Sindicato, Partido, Juventudes y la Administración.

Para optar a un estímulo, el trabajador debe reunir una serie de "méritos". Se consiguen de la forma más variada: si un trabajador hace por escrito, que entrega al Sindicato, la promesa de no faltar ni un solo día al trabajo en un mes, recibe un mérito; si hace una guardia obrera, es decir, patrulla durante una noche por la fábrica para que no se produzcan robos, se gana otro mérito; si consigue una "innovación" (invento) que sustituya algún producto de importación, consigue un mérito; si se ofrece voluntario para trabajar en la agricultura, recibe un mérito... Si te pegan por Fidel...

Con esfuerzo y paciencia, el trabajador reúne sus méritos y cuando cree tener los suficientes solicita mediante un escrito al Sindicato se le conceda un estímulo, en función de los méritos obtenidos. Lógicamente, una casa exige más méritos que una bicicleta.

La Comisión de Artículos estudia la demanda del estímulo y la aprueba o rechaza. Pero es la Asamblea de Trabajadores la que dirá la última palabra, pudiendo modificar lo acordado por la Comisión.

Sentado en el despacho del subdirector de RETOMED, Norge Silva, en presencia del secretario del Comité del PCC, pregunto quién dirige realmente la fábrica, si el Partido o el administrador (en Cuba se usa más la palabra "administrador" que la de "director").

El subdirector explica que semanalmente se reúne el Consejo de Dirección Semanal Ampliado, en donde se estudia el plan de trabajo. Aunque es estrictamente administrativo, se invita al mismo a los representantes de las tres organizaciones de la empresa, el Partido, el Sindicato y la Juventud. La administración expone el plan de trabajo y las organizaciones políticas lo estudian.

—¿Y si hay desacuerdo?

Contesta el secretario del Comité, Raúl Pérez:

—Lo analizamos mutuamente, y resolvemos. Lo importante es que el Partido da un "aseguramiento político" a la administración.

Los Estatutos del Partido, en su artículo 70, señalan que las organizaciones de base no deben dirigir administrativamente los centros de trabajo. Pero sí "tienen el derecho y el deber de controlar la actividad de dirección y administración, sean o no militantes o aspirantes del Partido los directores o administradores".

En la práctica, se quejaron algunos administradores de empresas que conocí, muchos de ellos se plegan a la voz del Partido.

José Ramón Machado Ventura, responsable de organización del Partido, hablaba en el periódico *Granma* sobre este tema, el 10 de febrero de 1991. Ese día aprendí una nueva palabra de la jerga política cubana: "desadministración". Decía el órgano del PCC:

"Un aspecto significativo es la llamada desadministración, que propugna eliminar un vicio entronizado en los últimos veinte años, durante los cuales los aparatos partidistas suplantaron a las direcciones de empresas productivas y de servicio con la consecuente ironía, entre otras muchas, de que el Partido devenía en "el patito feo" de muchos lugares, pues cargaba con todas las culpas" (23).

Abandono la empresa RETOMED con varias sensaciones. Difusas unas, nítidas otras.

Antes de despedirme, le pido al secretario del Comité del Partido, Raúl Pérez García, sus datos personales: cuarenta años, mecánico ajustador, casado y con dos hijos.

—¿Usted vive mejor que los demás operarios de la fábrica?

Se sorprende un poco y luego sonríe:

—Mire, compañero, si quiere le invito a mi casa.

Y me explica: al ser secretario, no puede sumar tantos méritos como otros compañeros, pues puede ir menos "a la agricultura", que es donde más se obtienen. Por tanto, no tiene automóvil, que es para lo que más méritos se necesita, junto con la casa.

—Pero me van a dar una bicicleta y además me la va a entregar Fidel. ¡Será el estímulo más grande de toda mi vida laboral!

Cuando salí del despacho del subdirector me quedé leyendo algunos letreros. En la puerta de la UJC se leía: "Estudio, trabajo, fusil".

En el tablón de anuncios del Sindicato, una nota alarmante: "Nuestro problema: se está incumpliendo con la guardia obrera. Primer trimestre del 91: 46 por 100. Cuerpo de Vigilancia de la Producción: llegaron a tener tres turnos, hoy ninguno".

En todas las empresas, sean industriales o agrícolas, se realizan las llamadas "guardias obreras", como las hay también de estudiantes. Vigilan en las noches para que no se produzcan robos. Los delitos han crecido alarmantemente desde 1989, cuando comenzaron los problemas económicos serios en la isla. (Ver capítulo "La Opción Cero".)

Y la última imagen: una bellísima mulata, delgada, alta, llamada Magda Pérez Matos. Veintisiete años. Es ingeniera electrónica. Pero estaba fregando el suelo en la sala CAD CAM. Disculpándose me dijo:

—La compañera encargada de la limpieza se enfermó y yo la reemplazo. ¡Hay que mantener la higiene!

Ella y yo sabemos que es una verdad a medias. Magda se dedica al diseño en computadora y la producción de diversas piezas en modernos equipos españoles. Pero ¿para qué diseñar nada, si hace meses que los soviéticos no les surten las materias primas?

La misión principal de un militante del Partido Comunista es defender la Revolución incluso con la vida.

Pero sin llegar a tanto, hay otras muchas maneras de servir a la Revolución. La joven ingeniera Magda Pérez Matos la defiende barriendo su sala de trabajo. Otros afinando la oreja.

La información ha ganado muchas guerras. Los comunistas cubanos quieren ganar la suya.

El sociólogo Darío Machado Rodríguez dirige un equipo de personas que se dedican a investigar qué es lo que opina el pueblo. Y para ello cuenta con más de 10.000 militantes del Partido. Son los activistas.

De hecho, el centro que dirige Darío se llamaba hasta la remodelación del Comité Central, Equipo Nacional de Estudios de

Opinión del Pueblo, y dependía del Departamento de Orientación Revolucionaria (DOR), hoy Departamento Ideológico, cuyo máximo responsable es Carlos Aldana.

Organismo poco conocido, incluso para muchos cubanos, el antiguo Equipo Nacional y sus correspondientes pares provinciales, han cumplido veinticinco años de existencia en mayo de 1992.

Un año antes de este aniversario, Machado me explicó el contenido del trabajo que realiza el Centro de Estudios Sociopolíticos: analizar la opinión pública sobre los temas de actualidad más diversos; estudiar y procesar las opiniones de la población "cuando el Partido somete documentos o iniciativas a consulta de las masas"; realización de encuestas de opinión.

El trabajo más importante que recuerda Darío, un licenciado en Ciencias Políticas, de cuarenta y cinco años, ha sido el procesamiento del 1.200.000 propuestas hechas por las asambleas del Partido.

Darío trabaja como en cualquier otro centro sociólogo del mundo: con encuestas de opinión, análisis de la repercusión de documentos e iniciativas del Partido, entrevistas grupales y "observaciones participantes", así llamadas porque los entrevistadores permanecen en el lugar de estudio observando durante días el ambiente mezclándose con los trabajadores.

Los resultados, habitualmente, no se harán públicos. Servirán al Partido para pulsar la opinión y remediar los aspectos negativos. Así, informa Machado, en los últimos años por su oficina han pasado millones de opiniones. La salud, los servicios, la educación y la actividad política constituyen el centro principal de sus investigaciones.

Y en la recogida de esos miles de datos y opiniones es donde entran en juego los activistas.

—¿Cuántos activistas, Darío?

No me puede dar una cifra exacta, afirma, porque no controla en cada momento el número de activistas de los municipios. Pero afirma:

—Son varios miles. Difiere según épocas, pero yo diría que siempre nos movemos en unas cifras de 10.000 a 15.000 activistas. Algunos de ellos llevan muchísimos años haciendo esta labor.

¿En qué consiste el trabajo de un activista?

Siempre se dijo que los Comités de Defensa de la Revolución (CDR) eran los ojos y los oídos de la Revolución. Formados por los propios vecinos, los CDR vigilan cuadra a cuadra, como le llaman en Cuba. Manzana por manzana. Se ingresa en ellos a los catorce años y prácticamente toda la población cubana está adscrita a los CDR. Casi siete millones de personas.

Pero esa es una vigilancia masiva. Los miles de activistas de Darío son mucho más cualificados y trabajan directamente para el

Partido. Siempre son militantes del Partido o de la UJC. Tienen un trabajo propio, pero ya sea en su trabajo, en las colas, o entre sus vecinos, el oído está alerta. A Darío no le gusta que los compare con policías secretos.

—Normalmente, la gente no los conoce, pero a veces se identifican o si llevan mucho tiempo trabajando sus compañeros de trabajo o sus vecinos saben que son activistas y les informan directamente.

La información que recoge el activista es de todo tipo: desde quejas por el mal funcionamiento de una escuela, a la falta de agua en un barrio, o robos en tal o cual fábrica.

Una vez conocido el comentario, el dato o el robo, el activista lo comunica de inmediato al equipo municipal de opinión del pueblo donde es analizado con urgencia. Este equipo pasa el dato al buró municipal y se le pone remedio al problema, si es que lo tiene.

Machado destaca la rapidez con que llega a la dirección del Partido, sea local o nacional, la información del activista. Porque el Partido tiene otra vía de recogida de opiniones, a través de sus núcleos, que las envían al Comité municipal. Pero éste se reúne sólo una vez al mes y las soluciones se demoran más.

—La virtud de la información recogida por los activistas es que son datos desinhibidos, directos. Se sabe qué opina el pueblo en sus propias palabras. Tiene el defecto de que no es un estudio de opinión, una encuesta científicamente realizada. Pero es un sistema de información que maneja el Partido desde hace veinticinco años y que ha resuelto numerosos problemas.

Con la escasez de papel en la isla, es cada vez más difícil conseguir el diario *Granma*. Es sorprendente para el extranjero ver colas de hasta cincuenta personas para comprar el periódico. Pero es más difícil aún conseguir la revista *El Militante Comunista*, una publicación mensual dirigida a los cuadros y organizaciones del Partido.

Vi algunos ejemplares en mis viajes a Cuba. En una de ellas, la correspondiente al mes de septiembre de 1990, el todavía Equipo Nacional de Estudios de Opinión del Pueblo, que dirige Darío Machado, daba a la luz una encuesta titulada "¿Cuál es nuestro clima sociopolítico?" (24).

Era la cuarta de ese tipo y la primera que se hacía pública. Darío Machado había comenzado a hacer encuestas semestrales en las que se sondeaba a la población sobre la actividad económico-laboral, lo político, lo social, el estado de ánimo, las expectativas, las cualidadades de los dirigentes, en mayo de 1989.

No dice Darío Machado el número de encuestados, pero sí que se realiza en las catorce provincias del país por personal del Departamento de Metódica y Aplicación. Asegura también Machado que por "límites objetivos de personal" no puede realizarse este tipo de sondeos con la frecuencia que a él le gustaría.

En esta encuesta, el 89 por 100 de los interrogados sitúa a Fidel Castro como "la personalidad más importante de la política mundial actual". Para los encuestados, los tres problemas fundamentales de Cuba en el momento de realizarse la encuesta, mayo de 1990, son: el abastecimiento de los productos alimenticios e industriales (36 por 100), la "teleagresión" de los Estados Unidos a través de Tele Martí (12 por 100) y los problemas económicos del país (10 por 100). (Ver anexos.)

El "estado de ánimo" de los cubanos es excelente, según la encuesta. El 93 por 100 se siente "confiado en la Revolución" y el 83 por 100 está satisfecho en su trabajo o estudio.

La puntuación más baja la alcanza la confianza puesta en el socialismo mundial, con un 49 por 100.

Se pregunta a los cubanos que digan si son verdaderos o falsos los planteamientos agrupados bajo el título "El ejercicio de la democracia". La puntuación más alta la obtiene el inciso: "¿La gran mayoría de los ciudadanos se sienten libres?", que es respaldado nada menos que por un 95 por 100. Le sigue "¿Se respetan los derechos de los ciudadanos?", con un 94 por 100. La puntuación más baja es para el planteamiento "¿Todo el mundo tiene derecho al trabajo?", con un 83 por 100.

Al interrogante de si creen que en el país hay privilegios, el 61 por 100 contesta que no, un 26 por 100 que sí, un 11 que no sabe y un 2 no da respuesta alguna. En cambio, el índice de los que creen que hay "acomodación" es mucho más alto: el 42 por 100 cree que los cuadros se instalan en sus cargos y se olvidan de lo demás, mientras que el 46 por 100 no lo cree así. Un 10 por 100 no contesta.

Darío Machado comenta en la revista *El Militante Comunista*:

—Es importante aclarar que en estos resultados no se descarta una dosis de simulación o doble moral, es decir, que el encuestado responda lo que piensa que se espera que él responda y no lo que él personalmente piensa.

Esa doble moral podría aparecer a pesar de que, como informa el director del Centro de Estudios Sociopolíticos, "se asegura al encuestado el anonimato" y se le explica que no tiene que responder obligatoriamente a las preguntas. Aunque el comportamiento del entrevistador "es amable y neutral" es imposible excluir respuestas influidas por la simulación.

La interrogante es: Si en muchos países del mundo están fallando las encuestas precisamente porque el encuestado oculta o falsea su respuesta, ¿qué valor tiene una encuesta en Cuba realizada por el Partido Comunista cubano? En un régimen como el de Cuba, donde las libertades individuales están recortadas en aras de la defensa del socialismo, ¿se atreven la mayoría de sus ciudadanos a expresar libremente su opinión en una encuesta?

Sea cual fuere la respuesta, estos datos tienen el valor de ser de los poquísimos que el Gobierno cubano ha hecho públicos. En parte confirman algunas sospechas, como que la mayoría de las quejas se dirigen hacia la escasez de alimentos y los malos servicios, pero hay también algunas sorpresas.

En contra de lo que muchos dirigentes mantienen, sobre la inminencia de un ataque a la isla por parte de Estados Unidos, no lo cree así la mayoría de los encuestados. El 58 por 100 no piensan que se produzca una agresión norteamericana. Un 34 por 100 sí la cree factible.

En el terreno de las expectativas el mejoramiento del transporte es el punto más oscuro para los cubanos, aunque hay una mayoría (58 por 100) que opina que mejorará en el futuro.

En cuanto a las cualidades de los líderes, los cubanos destacan en los tres primeros lugares que deben ser revolucionarios (43 por 100), honestos (27 por 100) y "cumplidor-serio-responsable" (20 por 100). En el último lugar colocan que sea "humano", con un 10 por 100 y muy abajo también que sea "capaz-inteligente".

Comparada con dos anteriores encuestas similares, se observa que de mayo de 1989 a mayo de 1990, el estado de ánimo baja de 4,6 puntos a 4,2. (Este cuadro no se ofrece en porcentajes, sino en puntos que van del 1 al 5, en donde 5 sería muy favorable.)

Por último, la encuesta refleja lo que todo el mundo sabe. Las mayores quejas se dirigen hacia el suministro de alimentos, los servicios públicos y las viviendas. La pregunta sobre la calidad de las construcciones es la única de toda la encuesta en la que el "regular" es superior al "bueno": un 45 por 100 frente a un 44.

Además de los datos que recoge este Centro de Estudios Sociopolíticos, el Partido Comunista tiene otras vías de recogida de información desde la base: el llamado Buzón de Opinión del Pueblo y los Comités de Control y Revisión. El buzón está instalado en la sede de los Comités Municipales y en él se depositan las quejas de los vecinos.

Los Comités de Control funcionan en los tres niveles, municipal, provincial y nacional, según Machado, aunque los Estatutos del Partido sólo hablan de los Comités Provinciales y del Nacional. Pero de hecho hay personas en los municipios que canalizan por esa vía las informaciones recogidas. No dependen de la oficina de Darío Machado, sino directamente del Comité Central. Sus miembros son elegidos por éste y reciben también miles de informaciones al año.

Según esas informaciones, el Comité de Control tiene facultades para exigir responsabilidades individualmente a los militantes y dirigentes que incumplen los reglamentos o hacen mal su trabajo; también a los que "violen los principios, la disciplina, la legalidad socialista o la moral comunista, y a los que presenten o toleren desviaciones ideológicas o abusen del poder".

A su vez, los Comités de Control pasan información sobre los militantes o dirigentes que "han cometido errores, faltas, violaciones o no reúnan las condiciones políticas necesarias", a los organismos interesados en esas personas, con el objeto de que adopten las medidas que estimen oportunas.

Por último, controlan las finanzas del Partido y escuchan las apelaciones de los militantes sancionados.

A todos estos canales de información con los que cuenta el Partido, hay que sumar los clásicos de cualquier Estado moderno: la policía y los servicios de inteligencia, más algunos especiales creados en los últimos meses, como el Sistema Unificado de Vigilancia, que engloba a prácticamente todas las organizaciones policiales y de masas del país, y que patrullan campos y fábricas, básicamente para evitar los robos, cada vez más frecuentes.

Con esa enorme masa de información, que, afirman sus más allegados, Fidel Castro devora con fruición, se elabora la política del Partido Comunista de Cuba. Un partido férreo, disciplinado, que al menos por lo visto hasta ahora sigue fielmente a su líder máximo. Si hay un Boris Yeltsin dentro del Partido, debe estar escondido bajo la gigantesca pirámide de más de 100 metros de altura hecha de hormigón, acero y mármol, en la Plaza de la Revolución, que da sombra al cuartel general del Partido, el edificio del Comité Central.

En mayo de 1992, todo parecía indicar que Fidel Castro contaba con el firme apoyo de los 600.000 militantes del Partido y otros tantos de la UJC, su joven guardia roja. Desde que cayó Nicolae Ceaucescu en Rumanía, el último de los países socialistas en sobrevivir al efecto dominó, muchos cubanólogos apostaron por las horas que le quedaban a Castro.

Año y medio después, cuando se produce el fallido intento de golpe de Estado en la ex Unión Soviética, con las consecuencias posteriores, caída de Mijail Gorbachov, desmembramiento de la URSS, cuasi paralización del comercio con Cuba, nadie daba un centavo por Castro. Pero Castro sigue ahí. En la trinchera del teatro Heredia. Incansable en su discurso de apertura del IV Congreso del Partido Comunista. Casi cinco horas hablando.

Luchar. Resistir. Cuando pregunta a los 1.800 delegados qué quedaría de la Revolución "si el imperialismo pudiera poner de rodillas a Cuba", surge un alarido desde las butacas del Heredia:

—¡Fidel, antes la muerte!

Cinco días después, la noche del lunes 14 de octubre de 1991, Fidel clausurará el Congreso en la plaza Antonio Maceo, abarrotada por miles de santiagueros. La inmensa mayoría está allí desde la una de la tarde. Acaban de realizar una "marcha del pueblo combatiente" para caldear los ánimos.

Cuando aparece Fidel, sobre las ocho de la tarde, amenaza lluvia. A su izquierda está la estatua recién inaugurada de Antonio Maceo, el general mulato al que apodan "El Titán". Detrás, una docena de gigantescos machetes de acero de más de 10 metros de altura y varias toneladas de peso, que simbolizan los machetes de los mambises, los guerrilleros de la independencia de Cuba.

El primer sustituto del ministro de las FAR, y jefe del Estado Mayor, general Ulises Rosales del Toro, ha declarado previamente que todo el país se halla "listo para la defensa en la primera etapa". Es el primer eslabón de la llamada "guerra de todo el pueblo" para la que se preparan los cubanos.

En ese ambiente, Fidel toma una vez más la palabra. Promete que será breve: "no no voy a ser extenso". Recuerda los hechos históricos de la llamada Ciudad Heroica, Santiago, y de sus héroes. Cuando comienza a llover y el agua empapa su enorme figura vestida de verde olivo, la multitud le grita:

— ¡Sigue, Fidel! ¡Adelante, Fidel!

El final del discurso es espeluznante.

—Somos invencibles. Porque si tenemos que morir todos los del Buró Político, moriremos todos los del Buró Político, y no seremos por ello más débiles...

Así, irá repasando todos y cada uno de los niveles del Partido:

—Si tenemos que morir todos los del Comité Central, moriremos...; si tenemos que morir todos los delegados del Congreso, moriremos...; si tenemos que morir todos los militantes del Partido, moriremos...; si tenemos que morir todos los militantes de la juventud, moriremos... Y si para aplastar a la Revolución tuviesen que matar a todo el pueblo, ¡el pueblo, detrás de sus dirigentes y de su Partido, estará dispuesto a morir!

Los miles de santiagueros que le escuchan gritan:

—¡Síííí! ¡Síííí!

Enardecido, Fidel está a punto de dar el toque final a su discurso. Con una sorpresa:

—Hoy no digo ¡Socialismo o muerte!, porque habrá socialismo a cualquier precio. Y no digo ¡Patria o muerte!, porque seremos capaces de arrancarles la vida a aquellos que quieran arrebatarnos la Patria!

Apago el televisor. Echo mano de los documentos del Partido, de la Resolución sobre el Programa que acaba de ser aprobada en Santiago. A los que escuchan por vez primera a Fidel, les parece que el continuo llamado a la muerte es de su exclusividad. No es así (25).

Ese lenguaje de Fidel tiene una larga tradición entre los políticos y héroes de la isla. Leo en la Resolución sobre el Programa esta frase del general Maceo: "Quien intente apropiarse de Cuba recogerá el polvo de su suelo anegado en sangre, si no perece en la lucha".

El texto recién aprobado, el programa que ha de ser norte y guía de los 600.000 militantes del Partido, termina así:

"Nuestro pueblo entregará todas sus energías, su talento y su voluntad a:

– Hacerle imposible la vida al enemigo e impedirle a toda costa establecer su orden imperial.

– Liquidar al enemigo, fundamentalmente a sus jefes.

– Ser implacables con los que capitulen y traicionen.

– Imponer nuestra voluntad al enemigo, hacerlos desistir de su pretensión de restablecer el capitalismo en Cuba y luchar hasta derrotarlo y expulsarlo del suelo sagrado de la Patria".

No. No es sólo Fidel el que habla de muerte. El joven fundador en 1925 del primer Partido Comunista que hubo en la isla, Julio Antonio Mella, dijo ya entonces:

—¡El descanso de un revolucionario es la tumba!

NOTAS

(1)   *Este es el Congreso más democrático*. Editora Política. La Habana, 1991.

(2)   ¡El futuro de nuestra Patria será un eterno Baragún! *Granma*, 16 de marzo de 1990. La Habana

(3)   *Granma*, 25 de febrero de 1990.

(4)   Todas las citas sobre la convocatoria del IV Congreso están recogidas del texto aparecido en *Granma* el 16 de marzo de 1991.

(5)   Todas las citas recogidas del "Acuerdo del Buró Político sobre el proceso de discusión del llamamiento al IV Congreso del Partido" han sido tomadas del folleto titulado *Cuarto Congreso del PCC*. Editora Política. La Habana, 1990.

(6)   La Base de Guantánamo está situada al este de la isla, en la provincia que lleva su mismo nombre. Está ocupada por los Estados Unidos desde 1901.

(7)   *Primer Congreso del Partido Comunista de Cuba. Informe Central*. Editorial Pueblo y Educación. La Habana, 1978.

(8)   *Primer Congreso del Partido Comunista de Cuba. Informe Central*. Editorial Pueblo y Educación. La Habana, 1978.

(9)   Tad Szulc: *Fidel, un retrato crítico*. Ediciones Grijalbo. Barcelona, 1987.

(10) El artículo 5 de la Constitución dice: "El Partido Comunista de Cuba, vanguardia organizada marxista-leninista de la clase obrera, es la fuerza dirigente superior de la sociedad y del Estado que organiza y orienta los esfuerzos comunes hacia los altos fines de la construcción del socialismo y el avance hacia la sociedad comunista". *Constitución de la República de Cuba*. Editora Política. La Habana, 1986.

(11) Rectificación. *En la trinchera de la Revolución*. Editora Política. La Habana, 1990.

(12) Todas las citas y datos referidos a este tema están tomados del diario *Granma*. La Habana, 14 de octubre de 1990.

(13) *Estatutos del Partido Comunista de Cuba*. Editora Política. La Habana, 1986.

(14) Todas las citas recogidas sobre los acuerdos del IV Congreso están tomadas del libro *Este es el Congreso más democrático*. Editora Política. La Habana, 1991.

(15) Elaboración propia y Pablo Alfonso: *Los fieles de Castro*. Ediciones Cambio. Miami, 1991.

(16) *Granma*. Resumen Semanal, 10 de febrero de 1991.

(17) Fuentes: Agencia Información Nacional (AIN). Manuel Sánchez Pérez: *¿Quién manda en Cuba?* Ediciones Universal. Miami, 1989. Pablo Alfonso: *Los fieles de Castro*. Ediciones Cambio. Miami, 1991, y elaboración propia.

(18) *Granma Internacional*, 20 de octubre de 1991. La Habana.

(19) Jaime Suchlicki: *Historical Dictionary of Cuba*. The Scarecrow Press, Inc. Metuchen, N. J., London, 1988.

(20) Zafra: cosecha de la caña de azúcar.

(21) *Este es el Congreso más democrático*. Editora Política. La Habana, 1991.

(22) *Programa del Partido Comunista de Cuba*. Editora Política. La Habana, 1987.

(23) *Granma*, 10 de febrero de 1991. La Habana.

(24) Todos los datos referidos a esta encuesta están tomados de *El Militante Comunista*, septiembre de 1990, La Habana.

(25) *Este es el Congreso más democrático*. Editora Política. La Habana, 1991.

2

EL PODER DEL PUEBLO

> La palma que está en el patio,
> nació sola;
> creció sin que yo la viera,
> creció sola;
> bajo la luna y el sol,
> vive sola.
>
> **Nicolás Guillén**
> (*Palma sola*)

Nunca había bebido un "España en llamas". Lo probé en las Navidades de 1988, en el bar del Victoria. Me lo preparó uno de los viejos camareros del hotel, de los de antes de la Revolución.

Lo saboreé mientras a través de Tele Rebelde vivía una de las experiencias más sorprendentes que puede tener un periodista: seguir una sesión plenaria de la Asamblea Nacional del Poder Popular (ANPP). Mientras me iba echando al cuerpo pequeños sorbos del explosivo "España en llamas", a base de brandy Terry, "el de la malla", le dicen en Cuba, sidra El Gaitero, y algún que otro ingrediente que pertenece al secreto de la casa, miraba la televisión.

Enfundado en el traje de gala de las grandes ocasiones, camisa blanca, corbata negra, el comandante Fidel Castro dialogaba, creo recordar, con el entonces ministro de Transportes, cuyo nombre se mezcló con el colonial cóctel "España en llamas", y nunca jamás pude recordarlo.

Preguntaba Fidel:

—Dime, ¿y qué es un taxi piquera?, ¿qué es un taxi rutero?

Ante el medio centenar de diputados, aquel ministro respondía de la mejor forma posible al continuo bombardeo de su comandante en jefe. Este no paraba:

—Yo me pregunto: ¿no sería mejor suprimir el taxi? Porque si un taxi lleva una persona y una guagua pequeñita, de diez pasajeros, lleva diez personas, ¿no estamos ahorrando mucho más con la guagua que con el taxi?

El ministro asentía. Fidel entró en una detallada explicación sobre la diferencia de los motores ZIL-130 y el ZIL-6, uno que funciona con gasolina y otro con gasoil. ¿Cuál de los dos motores fabricados en la todavía socialista Rumanía es más ahorrativo?

El ministro iba saliendo del paso lo mejor que podía.

Cuando acabó la sesión, esperé a que dos camareras finalizarán su particular discusión sobre si la Nochebuena era la noche "en que Cristo dio una cena a alguien", o, como decía la más mayor, era "la noche en la que nació un niño".

Entre el "España en llamas", lo que vi de la sesión plenaria de la Asamblea Nacional, el supino desconocimiento de las camareras en torno a las festividades de fin de año —la Revolución prohibió por decreto las fiestas religiosas— y un último cóctel que me preparó el barman, éste de origen cubano, revolucionario y recién inventado por él mismo, que bautizó como XXX Aniversario (granadina, jugo de lima, ron Carta Blanca, y rociándolo todo ron Añejo) viví unas entretenidas Navidades. Las primeras de cuatro que habría de pasar en los siguientes años.

Y es que en esas fechas se celebra invariablemente una de las dos sesiones plenarias de la Asamblea Nacional del Poder Popular, el Parlamento cubano. Además del aniversario del triunfo revolucionario.

La impresión que me llevé entonces es que tanto en sus diálogos con los 510 diputados que integran la Cámara como con los invitados especiales que son llamados para aclarar dudas, aportar datos, presentar informes, es que Fidel aparentemente sabe de todo, es capaz de discutir y polemizar sobre todo, y dispone de una envidiable memoria.

Lo malo es que quien debe responder a sus preguntas a veces sufre más que un opositor a notarías. Castro es implacable.

Lo primero que pensé es que quizá aquel día Fidel tenía ganas de polemizar. Conocía de su afición a la oratoria y de sus históricos discursos de hasta nueve horas de duración. E incluso de su maratoniana entrevista de dieciséis horas seguidas para la televisión italiana. Pero desconocía esa faceta suya del tercer grado al que somete a sus interlocutores en las sesiones plenarias de la Asamblea.

Con los años tendría la oportunidad de ver a Castro intervenir en todo tipo de debates junto a los especialistas en temas tan dispares y aparentemente ajenos a un parlamento como: el bagacillo predigerido, la sacharina empacada, el pastoreo racional Voisin, el riego por microjet, el biofertilizante azotobacter, la vacuna antimeningocítica tipo B, o la retinosis pigmentaria.

¿Son esos temas dignos de ser debatidos en un parlamento que sólo se reúne dos veces al año en sesiones de cuarenta y ocho horas que excepcionalmente se alargan un día mas?

Desde luego que no. No en un parlamento normal. ¿Se imaginan la Cámara de los Comunes británica discutiendo si es mejor alimentar a las ovejas de los High Lands con miel urea o con bagazo hidrolizado?

En absoluto. Pero ocurre que el Parlamento cubano es muy distinto al del resto del mundo, los problemas de Cuba son hoy prácticamente únicos en Occidente y Fidel Castro es un personaje irrepetible.

La Constitución vigente fue proclamada el 24 de febrero de 1976 mediante referéndum nacional. La anterior, de corte liberal, databa de 1940. Un total de 5.473.534 cubanos, que representaban el 97,7 por 100 de los ciudadanos con derecho a voto, aprobó la primera Carta Magna de la Revolución nueve días antes, el 15 de febrero. En ella puede leerse, en distintos apartados del artículo 73, algunas de las atribuciones que le corresponden a la Asamblea Nacional: discutir y aprobar los planes nacionales de desarrollo económico y social y aprobar los principios del sistema de planificación y de dirección de la economía nacional (1).

Debido a ello, por el amplio y moderno salón de plenos del Palacio de Convenciones, situado en el elegante barrio de Siboney, donde antes vivían los millonarios cubanos y hoy la mayoría de los diplomáticos extranjeros, desfilan obreros, campesinos, científicos, médicos, que van pormenorizando los logros alcanzados en el ultimo semestre en sus respectivas áreas de trabajo.

Los dirigentes cubanos están orgullosos de sus instituciones. Y no sólo eso. Creen, o así lo afirman, que su sistema es una democracia mucho mejor que la de cualquier otro país. Sobre todo, Estados Unidos.

El argumento que utilizan todos ellos para defender esta premisa es más o menos el mismo. Por ejemplo, éste que me dio unos meses después de mi primera experiencia con el "España en llamas" y con mi primer pleno de la Asamblea Nacional del Poder Popular Vilma Espín, miembro del Comité Central y una de las mujeres que más poder ha tenido en la Cuba revolucionaria:

—El socialismo es la única sociedad que puede darnos posibilidades para que el ser humano pueda sentirse libre, y que exista una democracia real. No la que existe, por ejemplo, en los Estados Unidos, que la llaman democracia, pero allí sólo votan al presidente el 26 por 100 de los ciudadanos, y aquí vota todo el mundo...

—Señora Vilma: ¿me está usted diciendo que lo que existe en Estados Unidos no es una democracia?

—No. La llaman democracia representativa, pero es muy falsa. Porque allí los negros y una serie de sectores de la población están discriminados. Incluso los dueños de los Estados Unidos, que son los indígenas, están totalmente aplastados.

Unos cuatro años más tarde, Fidel Castro definía para el comandante sandinista Tomás Borge, metido a periodista desde que su partido perdió las elecciones, su concepto de la democracia:

—Mira, Tomás, en muy breves palabras, las democracia, como ya la definió Lincoln, es el gobierno del pueblo, para el pueblo y por el pueblo (2).

Castro amplió al comandante-periodista nicaragüense que la democracia "implica la defensa de todos los derechos de los ciudadanos, entre ellos el derecho de la independencia, el derecho a la libertad, el derecho a la dignidad nacional, el derecho al honor; para mí la democracia significa la fraternidad entre todos los hombres".

Para Fidel, ese particular concepto de democracia no se da en los sistemas burgueses capitalistas:

—¿Cómo se puede hablar de democracia en un país donde hay una minoría con inmensas fortunas y otros que no tienen nada: cuál es la igualdad, la fraternidad que puede existir entre el pordiosero y el millonario?

Por ello, concluye Fidel: "Pienso que nuestro sistema es incomparablemente más democrático que cualquier otro, incomparablemente más democrático que el de Estados Unidos".

Fidel anuda invariablemente economía de mercado y democracia, los dos talones de Aquiles cercenados en Cuba, en opinión de los opositores al régimen.

En septiembre de 1991, cuando el presidente de la Xunta de Galicia, el conservador Manuel Fraga Iribarne, visitó Cuba, tuve la oportunidad de escuchar al propio Fidel hablar de la democracia ante un reducido grupo de españoles.

—¿En Grecia había democracia? —se interrogaba Castro—. Obviamente, no: había esclavos y ciudadanos sin derechos. Existía una colonia esclavista y sin embargo todos hemos admirado la democracia griega.

Fidel, jugando con la historia, decía que en la Edad Media existía la economía de mercado, mas no había democracia. Igual que en los tiempos de Napoleón Bonaparte. O en el Chile del dictador Augusto Pinochet, en Corea del Sur o en Taiwán. Y como hablaba para españoles, puso la guinda del pastel:

—Bajo la dictadura de Franco había una supereconomía de

mercado, un extraordinario desarrollo capitalista e industrial y sin embargo en España no había democracia.

Fidel concluye que no hay ninguna relación entre economía de mercado y democracia, como pretenden en los países occidentales, para los que no puede existir la una sin la otra.

Treinta años más joven que Fidel, Roberto Robaina es uno de los pocos dirigentes cubanos a los que se les puede preguntar si el régimen que existe en su país es una dictadura, sin temor a que te suelte un exabrupto.

—¿Es ésta la última dictadura que queda en Occidente?

Son poco más de las seis de la mañana y Robaina ya tiene humor para soltar una carcajada. Hace pocos días que ha sido clausurado el Congreso del Partido y está haciendo las maletas para viajar a España, donde sabe que le van a preguntar por la dictadura cubana, el dictador Castro, las violaciones de los derechos humanos en su país, la falta de comida y libertad, la cerrazón cubana por ser los últimos de Occidente de mantener un sistema que ha resultado un fracaso en toda Europa.

El más joven miembro del Buró Político, al que todos llaman Robertico Robaina, aguanta eso y más.

Repito la pregunta:

—¿Es o no la última dictadura?

—Mira compay, en este país la palabra dictadura va unida a algo que le hizo mucho daño al pueblo. Ninguno de nosotros puede asociar este régimen que tenemos con otro (el de Fulgencio Batista) que torturó, que "desapareció" a personas, que se enriqueció, que se corrompió. Para nosotros, eso es una dictadura. Evidentemente, lo que hay ahora en Cuba nada tiene que ver con todo eso.

—Si en su opinión no es una dictadura, ¿es acaso un régimen autoritario?

—Mira, ni autoritario, ni totalitario, ni dictatorial. Simplemente es nuestro régimen, un régimen socialista. Un régimen que molesta a muchos porque lleva treinta y dos años de vida. Pero lo que hay que mirar no es el tiempo que lleva sino lo que ese régimen nos ha dado.

Un régimen socialista que Robaina definió al corresponsal de la Cadena SER española en esta área americana, Luis Méndez, como "socialismo tropical", aunque a Robaina le gusta más que se conozca como "socialismo a la cubana".

—Nosotros no tenemos por qué asociarnos al socialismo que fracasó —le dijo Robaina a Méndez—. Lo que se hundió no fueron las ideas socialistas, sino una manera muy esquemática, muy dogmática de asumir los criterios de una sociedad.

Unos meses después, en el mes de abril de 1992, Fidel clausura el VI Congreso de la UJC, de la que Robaina es su primer secretario, y suelta una frase que da la vuelta al mundo:

—El socialismo no muere a consecuencia de sus errores... El socialismo no muere de muerte natural, muere asesinado por la espalda (3).

A Fidel le enerva que le pregunten por qué falló el socialismo. Fue una de las cuestiones que le plantearon en la isla de Cozumel, en el mes de octubre de 1991. El IV Congreso del Partido acababa de ser clausurado y el dirigente cubano acudió a la isla del Caribe mexicano para explicar a sus colegas Carlos Salinas de Gortari, César Gaviria y Carlos Andrés Pérez, presidentes de México, Colombia y Venezuela, respectivamente, e integrantes del influyente Grupo de los Tres (G-3) latinoamericano, el alcance de las reformas introducidas por el Congreso comunista.

—¿Por qué falló el comunismo? —repreguntaba Castro al periodista que le había interrogado—. Bueno, es una pregunta complicada. Como si yo dispusiera de una Academia de Ciencias y de Historia con, al menos, setecientos investigadores, que pudieran hacer un análisis de todo lo que pasó en el Este de Europa.

Fidel, acompañado por cuatro importantes dirigentes cubanos, entre ellos Carlos Aldana y Carlos Lage, el hombre que lleva todos los asuntos económicos de la isla, volvió a cuestionar al interrogador:

—¿Por qué falló el socialismo? Es como si yo te pregunto por qué falló el capitalismo en América Latina, por qué falló el capitalismo en China, por qué falló el capitalismo en África, por qué falló el capitalismo en Bangladesh? Es como si yo te pregunto por qué mueren todos los días 40.000 niños en los países del Tercer Mundo.

El responsable del Departamento Ideológico del Comité Central, Carlos Aldana, tampoco es de los que se asustan de las palabras fuertes. Habla de su particular concepto de la democracia:

—Nosotros aspiramos a una democratización sucesiva de nuestro sistema. La cuestión estriba en los que no admiten que dentro de nuestro sistema existe una alternativa de democratización. Si se parte de que la única noción de democracia auténtica es la occidental, entonces llegamos a un punto de ruptura total, de diálogo de sordos.

Aldana se extiende en el concepto de dictadura. "Los marxistas clásicos, tradicionales, ortodoxos, no tuvieron reparos en calificar a la sociedad socialista como una dictadura del proletariado. Y en un sentido científico puro, todas las sociedades de clase son dictaduras. Es más, yo diría que todas las sociedades liberales burguesas son dictaduras: las dictaduras de los ricos."

Una de las quejas que sistemáticamente les plantean los dirigentes cubanos a sus visitantes, sean políticos, intelectuales o periodistas, es que en el mundo exterior se ataca a Cuba porque no se celebran elecciones libres. Pero replican que celebran comicios desde que se aprobó la Constitución en 1976, y que la Asamblea Nacional ha sido renovada en tres ocasiones, desde que se constituyo por vez primera el 2 de diciembre de ese año.

—Hay una gran ignorancia sobre nuestro actual sistema electoral —se quejaba Castro en su visita a la isla de Cozumel.

Los poderes del Estado cubano descansan en la Asamblea Nacional del Poder Popular, en donde son elegidos los máximos órganos ejecutivos del país, el Consejo de Estado y el Consejo de Ministros.

La Asamblea Nacional elige también al presidente, vicepresidente y demás jueces del Tribunal Supremo, así como al fiscal general y los vicefiscales generales de la República. Por supuesto, tiene prácticamente las mismas facultades clásicas que cualquier otro parlamento: legislar, controlar los otros poderes del Estado, declarar el estado de guerra, conceder amnistías o convocar referéndums, entre otras.

Sus 510 diputados se elegían de forma indirecta. La reforma constitucional fue propuesta por el Partido Comunista en su IV Congreso, y debía ser aprobada por la Asamblea Nacional en julio de 1992. Al menos, esos eran los calendarios fijados por el Gobierno en junio de 1992.

Desde mayo de 1990, una Comisión parlamentaria estudiaba todo el paquete de reformas constitucionales, bajo la dirección del presidente de la Asamblea Nacional, Juan Escalona Reguera.

Escalona alcanzó renombre internacional por ser el fiscal que actuó en el juicio contra el general Arnaldo Ochoa en julio de 1989, que se saldó con el fusilamiento de éste y otros tres oficiales, encontrados culpables del delito de traición a la Patria y tráfico de drogas. Ministro de Justicia en aquel entonces, Escalona, un abogado de sesenta y dos años, fue elegido presidente de la Asamblea Nacional en 1990 con la misión de modernizarla.

Los cambios que debía aprobar la Asamblea Nacional incluían: una nueva ley electoral, el paso de un Estado ateo a otro laico y nuevas fórmulas de inversión de capital extranjero en Cuba. También debía eliminar toda referencia a la desaparecida Unión Soviética y otros países socialistas europeos a los que se les citaba en el preámbulo y en el artículo 12 de la Carta Magna.

Hasta la esperada reforma electoral, los diputados nacionales eran elegidos por los delegados de las Asambleas Provinciales del Poder Popular. Estos a su vez resultaban elegidos por los delegados de las Asambleas Municipales, de los que hay unos 10.000 en toda la isla, quienes a su vez habían sido escogidos directamente por los vecinos.

Sobre el papel, el diseño del proceso electoral cubano podría ser aceptable: los vecinos de cada una de las 14.000 circunscripciones del país, que son pequeños núcleos electorales, eligen a un candidato a delegado municipal entre sus vecinos.

Los 169 municipios cubanos, según su tamaño, pueden tener de 30 a 200 circunscripciones. El candidato debe residir en la circunscripción por la que es elegido, debido a lo cual es sobradamente conocido en su barrio.

Los aspirantes a delegados surgidos de estas reuniones se someten a una votación directa y secreta de todos los habitantes del municipio mayores de dieciséis años, que es cuando se alcanza la mayoría de edad en Cuba. Sólo para ser candidato a diputado nacional se exige una edad mínima de dieciocho años. De esa elección surge la Asamblea Municipal. Esta elección tiene lugar cada dos años y medio. Una de las propuestas de reforma era ampliar este mandato a cinco años, el mismo que tienen los diputados nacionales.

El cargo de delegado municipal no tiene remuneración alguna y el delegado sigue con su trabajo habitual. Desarrolla las mismas funciones que un concejal en España, salvo que tras el triunfo de la Revolución se eliminaron las palabras alcalde y concejal por considerarlas residuo de la época colonial española. Se utiliza la palabra "delegado" quizá para recordar de alguna manera que el padre de la independencia, José Martí, no aceptó ser llamado "presidente" del Partido Revolucionario Cubano, que fundó en La Florida en 1892 y que dirigió el proceso independentista que culminó en 1898. Martí exigió ser llamado "delegado del Partido".

La Asamblea Municipal a su vez elige, de entre sus miembros o no, a los delegados de la Asamblea Provincial y éstos a los diputados de la Asamblea Nacional.

Se conforma así un Parlamento o Congreso Nacional con 510 diputados elegidos de forma indirecta.

¿Dónde estaba la criba? La nominación a candidato por circunscripción la puede realizar cualquier vecino. En una asamblea de su barrio, cualquier asistente puede proponer la candidatura de cualquier vecino. La Asamblea discute su biografía y cualidades y lo postula o no. No está permitido proponer candidatos a nombre de una organización.

Cuando están constituidas, tanto la Asamblea Municipal como la Provincial, se eligen los respectivos Comités Ejecutivos. ¿Quién puede ser aspirante a esos puestos ejecutivos?: los que apruebe la Comisión de Candidaturas, que está formada por representantes de las organizaciones políticas y de masas presididos por el representante municipal o provincial del Partido Comunista. Ninguno de ellos se ha sometido a votación popular, salvo en el seno de sus organizaciones partidarias (4).

Hasta ese momento, cualquier vecino podía proponer a otro. Cuando la responsabilidad va siendo mayor, son órganos ajenos a las propias Asambleas Municipales, bajo el control del Partido Comunista, los que deciden quiénes pueden o no ser elegidos.

El mismo procedimiento se utiliza para la selección de los aspirantes a delegados provinciales y a diputados nacionales.

Así, aunque existen no militantes en los órganos del Poder Popular, conforme aumenta la importancia del organismo, crece la presencia de comunistas. Si a nivel municipal un 50 por 100 de los delegados son miembros del Partido Comunista, en la Asamblea Nacional los militantes son un 90. De ellos, el 55 por 100 proviene de las Asambleas Municipales (5).

Como me decía en una ocasión Elizardo Sánchez Santa Cruz, presidente del grupo disidente del interior de la isla Comisión Cubana de Derechos Humanos y Reconciliación Nacional, "antes o después, el Partido decide quién sigue o no adelante".

En abril de 1989, cuando el entonces presidente de la ex Unión Soviética Mijail Gorbachov visitó la isla, conocí al que en aquellos años llamaban el "Boris Yeltsin" de Cuba, con apellidos que recuerdan al viejo dictador español, Francisco Franco Bahamonde. Yeltsin, que llegaría a ser presidente de la nueva Rusia, había conquistado un puesto en las elecciones celebradas al Parlamento ruso, entonces dominado por los comunistas, desde donde empezó a dinamitar el sistema.

Se trata de Roberto Bahamonde, un ingeniero agrónomo de cincuenta y seis años, que se presentó en mi hotel sin previo aviso ni cita, cosa muy habitual entre los disidentes cubanos: huelen al periodista extranjero que ha llegado para cualquier acontecimiento y aprovechan la ocasión para exponer sus problemas.

Roberto Bahamonde llegó con una gruesa carpeta debajo del brazo. Comenzó a sacar papeles. Al principio no creía mucho en lo que me decía hasta que comprobé la veracidad de su historia:

—En la asamblea de mi barrio para elegir candidatos a delegados municipales presenté mi candidatura. Pero la presidenta de la asamblea no me la aceptó.

Era el 9 de marzo. Bahamonde recurrió a los tribunales e inesperadamente para él, le dieron la razón. La asamblea de su barrio tuvo que celebrar una nueva sesión y en una segunda votación Bahamonde obtuvo 31 votos a favor frente a los 60 de su oponente, Gerardo Aldama, un veterano militante del Partido Comunista.

—Lo más importante es que hubo 59 abstenciones —me contó y demostró con papeles Roberto Bahamonde—. Si la votación hubiera sido secreta, en vez de a mano alzada, seguro que habría ganado.

La Constitución afirma que el voto ha de ser libre y secreto. Y el folleto editado por el Departamento de Orientación Revolucionaria (DOR), titulado *Organos del Poder Popular*, así lo dice en su página 10 cuando habla del "derecho electoral": "De acuerdo con lo establecido en la Constitución de la República, en toda elección y en los referendos el voto es libre, igual y secreto.

Pero Bahamonde no era un vecino cualquiera de una barriada de La Habana, sino un disidente miembro del Partido Pro Derechos Humanos de Cuba y había sufrido tres detenciones desde 1971.

—Hace cinco años, un disidente como yo no habría sacado un solo voto —decía todavía eufórico por su triunfo ante los Tribunales este ingeniero que se ganaba la vida como fotógrafo callejero.

Tres años más tarde, cuando volví a encontrar a Bahamonde en una de las calles de la ciudad, me contó que ya no lo dejaban ni hacer fotos. Había intentado jugar con el sistema, aprovechar sus rendijas y colarse. No tuvo éxito entonces y aún anda quejándose de la falta de democracia que hay en el proceso de elección de los miembros del Poder Popular a todos los niveles.

Unos días después, mantuve una entrevista con Vilma Espín, guerrillera en Sierra Maestra y casada con el número dos del régimen, Raúl Castro. Recordaba el incidente con Bahamonde.

—¡Ah!, sí. ¡El que sacó 31 votos!

Le pregunté a Vilma si el Gobierno cubano debía promocionar la existencia de este tipo de candidatos, gente que disentía del régimen, pero que aceptaba y utilizaba sus reglas del juego. Se quedó un tanto sorprendida:

—Pero si aquí no es el Gobierno ni el Partido los que seleccionan a los candidatos, sino el pueblo...

—Pero normalmente son gente del sistema, gente del Partido...

—¡No, no! ¿Quién le dijo a usted eso? Dígale a la persona que le fue con ese cuento que es muy mentirosa.

Vilma, una mujer de cincuenta y seis años en cuyo rostro aún quedan rastros de una belleza envidiable, soltó una alegre carcajada y dijo:

—¡Aquí el pueblo es el que selecciona a los candidatos!

Para los dirigentes cubanos, este sistema que califican como el más democrático del mundo tiene sus ventajas. Primero, el Partido no es el que postula a los candidatos, como sucede habitualmente en casi todas las leyes electorales del mundo. Son los propios ciudadanos los que proponen a este o aquel vecino para que los represente.

Los aspirantes a ser elegidos en las circunscripciones tienen todos, de acuerdo con la ley, iguales derechos y posibilidades para darse a conocer, independientemente de su posición social, política o laboral, y de sus ingresos. En los tablones de anuncios de los Comités de Defensa de la Revolución (CDR), en locales comerciales y de servicios, en los centros de trabajo y en lugares concurridos por el público, se colocan una especie de pasquines con la fotografía, "de igual tamaño y calidad", dice la ley, y las biografías de los aspirantes.

Los vecinos tienen la oportunidad de leerlas y discutir los méritos de cada aspirante en sus reuniones de barrio.

La ley ordena también que como mínimo cada cuatro meses los ya electos delegados, sean del nivel que sean, deben someterse al llamado "proceso de rendición de cuentas". Ante sus electores de circunscripción, el delegado o diputado hará un balance de lo realizado desde la última rendición de cuentas. En cualquier momento, por voto de la mayoría de los electores, el representante puede ser revocado. Los representantes provinciales y nacionales pueden ser removidos también de sus cargos por el voto mayoritario de sus respectas asambleas.

En Ciego de Avila, una provincia agrícola de centro de la isla, cené una noche con el presidente de la Asamblea Provincial del Poder Popular, Sergio Ríos Cruz, y el primer secretario del Partido de la provincia, Alfredo Hondal González, actual miembro del Buró Político del Comité Central.

Sergio Ríos contaba que no era tan fácil llegar a diputado:

—Te tienes que someter a varias elecciones y varias asambleas en donde te investigan de arriba abajo. Primero, la Comisión de candidaturas, luego la Asamblea Provincial, la votación secreta, más los cuarenta y cinco días que pasaste con tu fotografía pegada en medio municipio y los vecinos comentando en sus asambleas si ese tipo robó o no, si tiene este u otro problema.

Con la anunciada reforma constitucional, el sistema se va a democratizar algo más. Básicamente el proceso es el mismo, salvo que ya no serán los delegados municipales quienes elijan a los delegados provinciales y éstos a su vez a los diputados nacionales.

Serán los propios vecinos en sus circunscripciones quienes elijan de forma directa y secreta a los tres escalones de la representación del Poder Popular: municipal, provincial y estatal. Según la ley vigente antes de la reforma, se elegía un diputado nacional por cada 20.000 habitantes o fracción superior a 10.000. Los delegados provinciales se elegían uno por cada 10.000 habitantes o fracción superior a los 5.000.

La reforma mantendrá la facultad exclusiva de postular en el seno de las Asambleas Municipales y provinciales, que son las encargadas de decidir quiénes son aspirantes a los cargos de representación superior.

La resolución aprobada por el IV Congreso del PCC en octubre de 1991, en la que se "recomendaba" —el Partido no tiene capacidad para dictar leyes o modificar la Constitución— a la Asamblea Nacional que se modificara la Ley Electoral, afirmaba que se tomaba esa decisión después de tener en cuenta "la madurez política de nuestro pueblo" (6).

La reforma incluía conceder mayores poderes a los órganos del Poder Popular, hasta ahora supeditados en muchas ocasiones a las decisiones del Partido. Se proponía también que se estudiara la posibilidad de que las organizaciones políticas y de masas pudieran proponer entre sus miembros precandidatos para los cargos municipales, provinciales o nacionales.

Así, el Partido Comunista, la Unión de Jóvenes Comunistas (UJC), la Federación de Mujeres de Cuba (FMC), los CDR, o cualquier otra organización profesional, como la Unión de Escritores y Artistas de Cuba (UNEAC), podrán seleccionar candidatos y darles su apoyo.

Eso, claro está, no es el pluripartidismo.

¿Cuál es la actitud de la disidencia más o menos organizada del interior de la isla ante los cambios en la Ley Electoral?

Los dos principales dirigentes, Gustavo Arcos Bergnes y Elizardo Sánchez Santa Cruz, responsables de las dos más importantes organizaciones defensoras de los derechos humanos, se mostraban partidarios de participar en los procesos electorales, "si se crean las condiciones para elecciones auténticamente libres", en opinión del primero.

—La corriente socialdemócrata que yo represento estará dispuesta a presentar una lista de candidatos. Y creo que los comunistas serán derrotados —decía Elizardo Sánchez, un ex profesor de filosofía marxista.

También Gustavo Arcos afirmaba que él participaría siempre que se dieran una serie de condiciones, como el reconocimiento de las organizaciones de oposición, la posibilidad de que pudieran organizar una campaña electoral que los diera a conocer en la isla, la liberación de todos los presos políticos y la aceptación del Gobierno cubano de un observador de las Naciones Unidas que supervisara los comicios.

Sánchez Santa Cruz añadía a esta lista de condiciones el libre acceso a los medios de comunicación, todos en poder del Estado. Pero en realidad, los dos veteranos disidentes con más de diez años de cárcel cada uno a sus espaldas, tenían pocas esperanzas de que el régimen no ya aceptara, sino siquiera escuchara sus demandas.

En una conversación con Carlos Aldana, miembro del Buró Político y responsable del Departamento Ideológico del Comité Central —que incluye los medios de comunicación— reconocía que los "independientes" podían alcanzar algunos triunfos en determinados municipios. Ponía el ejemplo de que si un municipio como Guanabacoa, población a unos 20 kilómetros al Este de La Habana, con un alto porcentaje de trabajadores, tenía 50 delegados municipales, podría haber 10, 15 ó 20 que no apoyaran al sistema, pero consideraba difícil que la mayoría no fuera revolucionaria.

Fidel lo había dicho poco después del Congreso: si la Revolución pierde la calle, pierde el poder.

Aldana me reconocería en esas fechas:

—Nosotros no hemos pensado nunca que tenemos el ciento por ciento de la población, ni en los momentos mejores de la Revolución.

Afirma este dirigente que saber la verdad siempre es bueno y que sería bueno que muchos independientes se presentaran a las elecciones para conocer cuántos resultarían elegidos. Y advierte que son muchos los que critican el sistema, algunos aspectos del sistema, lo que no significa que están en contra o "que desean que vengan los de Miami a gobernar aquí, o que restauremos el capitalismo o que prefieran renunciar a las conquistas sociales de la Revolución".

¿Quiénes serían los que están en contra del sistema, además de las escasas docenas de disidentes conocidos?

Aldana reflexiona ante la dificultad de dar una cifra que se aproxime a la realidad. "¿Todos los que se quieren ir a Miami están en contra de la Revolución?", se pregunta. Parece que no, que muchos de los que desean abandonar el país tienen razones familiares y económicas antes que de rechazo hacia el sistema político. Muchos de los que desean salir quieren también regresar. Es decir, tienen la necesidad de ver a sus familiares, permanecer con ellos un tiempo, y volver a su país.

Para Aldana, los verdaderos adversarios del régimen son otros. En sus propias palabras:

—Los delincuentes, el lumpen, la gente que pretende vivir sin trabajar, la gente floja, no hecha ni dispuesta a sacrificios, si tienen la oportunidad de votar votarían en contra de nosotros.

Ese núcleo de personas se ubicaría en los círculos periféricos de las grandes ciudades. Pero, mantiene Aldana, con una salvedad: no todos los miembros de una familia piensan igual.

—En esos ambientes hay gente sana, obreros modestos, humildes, de buena intención y un familiar que se ha corrompido, que se ha vuelto un bandido, que se ha jodido, que quiere medrar a toda costa. Ese es nuestro adversario.

A pesar de que en los últimos cuatro años hablé con centenares de personas en Cuba, a lo largo y a lo ancho de ese caimán dormido como bautizara el "Che" Guevara a esta isla del Caribe, no me atrevería a decir qué porcentaje está a favor y cuál en contra del régimen cubano. Lo que en Cuba llaman doble moral o simulación, se acentúa siempre frente a un extranjero.

Sin embargo, sí puedo anotar un dato: publicaciones nada sospechosas de procastrismo, como la norteamericana *Time* o la británica *The Economist*, han escrito en alguna ocasión reciente que Castro ganaría unas elecciones libres si éstas tuvieran lugar.

Wayne Smith, ex jefe de la Sección de Intereses de Estados Unidos en La Habana, nombre que recibe la que fuera Embajada tras la ruptura de relaciones diplomáticas entre los dos países en 1961, declaraba a *Time* que "Castro es carismático, aunque su popularidad se haya erosionado algo". Director actualmente del Departamento de Estudios Cubanos de la Escuela de Estudios Internacionales John Hopkins, el ex embajador Smith es tajante al afirmar:

—Podría ganar unas elecciones libres todavía hoy (7).

Hay cosas indudables: como reconoce Aldana, el ciento por ciento de la población no está con el régimen. Eso es seguro. También que se hacen muchas críticas al funcionamiento del sistema, a los administradores del sistema, pero no al sistema en sí mismo.

Lógicamente, los grupos disidentes son los más drásticos: la democracia en Cuba no existe; el Partido Comunista tiene la exclusividad de la vida política; los órganos representativos del Poder Popular están controlados por los comunistas, a través de las muchas y diversas organizaciones de masas.

Ante ese muro, sólo queda echar mano de las encuestas. Un dicho cubano afirma que "se puede jugar con la cadena, pero no con el mono". Con ello, cuando se aplica a la vida política, se pretende insinuar que se puede criticar el sistema, pero no a Fidel. Por la misma razón, el cubano es más objetivo a la hora de criticar al Poder Popular que al Partido Comunista.

Valga como botón esta encuesta realizada por la revista *Bohemia* entre 957 personas en nueve de las catorce provincias del país, que fue reproducida en *Granma Internacional* el 5 de agosto de 1990 (8).

La encuesta revela que la inmensa mayoría, tres cuartas partes, conoce a su delegado, pero un 41 por 100 no confía en él. Y por una causa muy grave que denuncia *Bohemia:* el favoritismo en el manejo de los recursos del Estado.

Una estudiante universitaria de Cienfuegos, Merlys Ramírez, dice a la revista cubana:

—Por la forma en que actúa mi delegado municipal pudiera llegarse a la conclusión de que en nuestro país los dirigentes tienen privilegios para resolver sus problemas. En mi cuadra (manzana) el alcantarillado está tupido (atascado) y ello provoca inundaciones y que el agua se meta en las casas. El problema se ha planteado pero no se resuelve, porque —dicen— el Gobierno no tiene presupuesto. Sin embargo, la construcción de la casa del delegado avanza viento en popa y en su cuadra se hicieron las aceras, mientras en la nuestra y en otras siguen sin hacerse.

Para casi la mitad de los encuestados, el 48,6 por 100, el delegado es un simple "recadero" pues no tiene suficiente autoridad para resolver los problemas de su circunscripción. Permanentemente ha de estar informando de ellos a los organismos superiores, que terminan por echarlo todo al saco roto del olvido.

—El delegado tiene que tomar decisiones propias, sin embargo muchos cuadros lo consultan todo con el Partido —declara otro estudiante de Cienfuegos.

Es difícil a corto plazo que el Partido deje de jugar ese papel preeminente y casi omnipresente en la sociedad cubana, aunque teóricamente la reforma constitucional pretende potenciar a los representantes del Poder Popular.

En la cena que sostuve en mayo de 1991 en una casa de protocolo de la provincia agrícola de Ciego de Avila con el primer secretario del Partido, Alfredo Hondal González, y el presidente de la Asamblea Provincial del Poder Popular, Sergio Ríos Cruz, pude oler dónde estaba el poder.

Llegué a la residencia puntual como un británico. El presidente del Poder Popular estaba ya en la misma, viendo un partido de béisbol, pasión heredada de los Estados Unidos. Con unas cervezas de por medio, conversamos sobre el funcionamiento del Poder Popular a nivel provincial. Qué tipo de cuestiones abordaba y todas esas cosas. Ríos Cruz se mostraba educado y seguro de sí mismo. Un buen anfitrión en su casa quien, al ver que Hondal Rodríguez se retrasaba, comenzó a disculparlo.

En el momento en que el alto dirigente del Partido, hoy miembro del Buró Político, hizo acto de presencia, Ríos Cruz pareció transfigurarse: cedió la presidencia a Hondal y se situó en un segundo plano, dejando todo el protagonismo al miembro de la dirección del Partido.

Les pregunté, ellos que trabajan codo con codo, cómo eran sus relaciones políticas. Por supuesto que dijeron que excelentes. Pero se vio claramente que mientras el primer secretario del PCC estaba perfectamente informado por una red de militantes del Partido, de la UJC, de los sindicatos, que existían en la base, en las fábricas y en el campo, Ríos Cruz se movía en un mar de burocracia.

—El Partido marca la estrategia —dijo Hondal.

—Y la Asamblea ejecuta —puntualizó Ríos.

A Darío Machado, el director del Centro de Estudios Sociopolíticos y de Opinión, le comenté esta anécdota en La Habana. Machado, miembro del Comité Central, me dijo que es la propia Constitución la que señala el papel de "fuerza rectora del Partido en la sociedad cubana; es decir, no sólo es un hecho político, sino un mandato jurídico".

—El secretario del Partido en una provincia es una autoridad real, que tiene el aval de un Partido con arraigo en las masas, y representa también a esas masas...

Le interrumpo a Darío:

—Con una diferencia: el secretario del Partido no ha sido elegido en las urnas y el del Poder Popular sí...

Darío se queda un momento pensativo. Y responde que sí, que

de alguna forma ha sido elegido cuando ha sido aprobado por la asamblea de ejemplares en su centro de trabajo. Pero parece claro que la presencia absoluta del Partido está siendo rectificada para dotar a los representantes del Poder Popular de más facultades para decidir en los temas de su competencia.

Que suelen ser, a nivel municipal, todos los relacionados con las escuelas, la salud, las obras públicas. En definitiva, los mismos que los de cualquier municipio occidental.

Con la intención de dotar de mayor efectividad a los órganos del Poder Popular, se crearon los Consejos Populares meses antes de la celebración del IV Congreso del Partido. En espera de que se aprobaran los cambios constitucionales, que deberán incluir también el de que la República de Cuba es un Estado laico y no ateo, como hasta ahora, los Consejos Populares establecieron la figura del "delegado profesional".

La experiencia se llevó a cabo en determinados municipios del país, para estudiar su funcionamiento, entre ellos en La Habana. Los Consejos están integrados por un grupo de delegados de circunscripciones aledañas que nombran a un presidente para esa zona el cual se dedica única y exclusivamente al trabajo del municipio y recibe por ello un salario.

Esos Consejos Populares tienen más poder ante los Comités Ejecutivos de las Asambleas Provinciales o Municipales. Aunque no son pocos los que se preguntan si no habría sido mejor simplemente obligar a los Comités Ejecutivos a funcionar con mayor eficacia, en lugar de crear otro organismo intermedio.

El entramado jurídico del poder en Cuba se deriva de la Asamblea Nacional, que es la que elige por votación a los 31 miembros del Consejo de Estado, incluidos el presidente, un primer vicepresidente, cinco vicepresidentes y los 24 miembros restantes.

El Consejo de Estado tiene los mismos poderes de la Asamblea Nacional mientras ésta no sesiona. El presidente del Consejo de Estado es a su vez jefe de Estado, presidente del Consejo de Ministros y primer ministro. Es por ello que Fidel Castro acumula todos esos cargos, a los que se le suman el de primer secretario del PCC y comandante en jefe. El poder total.

¿Un dictador?

En su visita a Cozumel Castro habló de eso:

—El Consejo de Estado es un órgano colegiado. Yo no nombro ministros, ni embajadores, ni nada. Los nombra el Consejo de Estado. Tengo autoridad, no voy a decir que no la tengo. Y tengo influencia por mi historia, pero este Gobierno cubano no es ni siquiera presidencialista.

Por supuesto para sus adversarios políticos y para muchos que simplemente ven a Cuba el último reducto de un sistema fracasado Fidel Castro es un dictador.

Y no lo es para sus más directos colaboradores. Como Roberti-co Robaina, el joven miembro del Buró Político y líder de las Juventudes Comunistas:

—Ese dictador del que hablan en el extranjero no es el Fidel que yo conozco. Ese al que llaman dictador no nombra ni a un ministro. Lo que deben hacer todos los que le llaman dictador es venir y ver cómo se relaciona con su pueblo. Los que dicen que no se somete a elecciones como ellos las entienden, tienen que ver con nuestro sistema de elecciones, que no digo que sea perfecto, pero en ello estamos, en perfeccionarlo. Lo que sucede es que todos esos que nos recomiendan elecciones lo que quieren es que pongamos a Fidel en una papeleta de voto junto a otros candidatos y que además pierda.

Le pregunté a Aldana si le ofendía que dijeran que Fidel es un dictador. No le molestó la pregunta en sí, aunque le molesta "en el contexto en el que se dice y la connotación que se le da".

—Eso es un dogma, en última instancia. Resulta que es un dictador porque no ha sido elegido según los cánones que hoy resultan hegemónicos en el mundo. Pero sí según nuestras propias leyes. Y en todo caso: ¿qué cosa es el rey Fahd de Arabia Saudita?, ¿qué son los emires árabes?, ¿por qué no se dice el dictador Fahd o el dictador de Omán?

—Eso mismo digo yo: ¿por qué no se dice?

—¡Ah!, sencillamente: no son ni más ni menos que los grandes jeques del petróleo, y ¿quién va a querer buscarse problemas con ellos? Se soslaya la realidad. Se hace la vista gorda al hecho de que en esos países se corta la mano al ladrón y se lapidan a las presuntas adúlteras, y se siguen aplicando leyes totalmente irracionales. Sin embargo, se dice: Fidel, el dictador. Desde luego que nos ofende. Nadie intenta hacer comprender el esfuerzo que realizamos para democratizarnos, para desarrollarnos.

Apasionado, Aldana se acalora con el tema. Más que nada porque cree que a Fidel y al régimen cubano se les colgó la etiqueta, "dictador", "dictadura", y nadie hace ni el más mínimo esfuerzo por estudiar a esa persona, ni a ese régimen.

—¿Me puede decir de qué privilegios disfrutamos nosotros los dirigentes, de qué prebendas? Sin embargo, yo puedo afirmar categóricamente que en treinta años de Revolución, aquí no ha habido un desaparecido. Y han sido treinta años de enfrentamiento con los Estados Unidos, con la CIA (Agencia Central de Inteligencia), con el Pentágono (Cuartel General del Departamento de la Defensa de Estados Unidos), con las bandas armadas contrarrevolucionarias de los años sesenta. Por ello, esas valoraciones de dictador, de dictadura son sumamente injustas, sin que yo pretenda una revolución idílica. Como dijo el "Che", una revolución es un cataclismo social.

Desde 1990 se empezó a especular en los círculos periodísticos internacionales que Fidel Castro podría abandonar alguno de sus cargos. Incluso él mismo llegó a insinuar en alguna ocasión, muy informalmente, que el día que se cansara abandonaba alguno de sus puestos de responsabilidad.

Ello dio motivo a que en los meses previos al IV Congreso se corriera el rumor de que los comunistas cubanos iban a proponer en la Asamblea Nacional la remodelación del aparato del Estado, creando, entre otros, el cargo de primer ministro, que también ejerce Fidel. Le salieron muchas novias a ese puesto, pero todas se quedaron compuestas.

Días después de clausurado el Congreso se le preguntó a Castro en la isla de Cozumel qué había de cierto en el rumor de que se nombraría un primer ministro y que él abandonaría algunos de sus cargos. Fidel sonrió y dijo:

—Personalmente, no soy un hombre apegado a los cargos. Cumplo mis deberes, es más, me considero un esclavo del deber y del trabajo. Hago lo que puedo mientras pueda o mientras nuestro pueblo quiera.

Y citó una de sus frases favoritas del padre de la Patria: José Martí:

—Toda la gloria del mundo cabe en un grano de maíz.

Unas semanas antes, en septiembre de 1991, Fidel había hablado del mismo tema con ocasión de la visita del presidente de la Xunta de Galicia, Manuel Fraga Iribarne, a Cuba. Eran las dos de la madrugada. Fidel ofreció un cóctel al político español en el Palacio de la Revolución de La Habana.

María Eugenia Yagüe, la reportera española mucho más agresiva que el colega mexicano que interrogó a Fidel en Cozumel, le preguntó si no se sentía cansado, agobiado, de llevar tantos años al frente de un país boicoteado... ¿No le fatiga eso, comandante?

Fidel, que sabía exactamente lo que María Eugenia quería preguntarle, la miró fijamente unos instantes, sonrió, paseó la mirada por los demás periodistas que le rodeábamos, volvió a enfilar a María Eugenia y le preguntó poniendo un punto de sorpresa en su voz:

—¿Dices si estoy cansado de la política o del bloqueo?

Es la eterna táctica de Fidel: desarmar al periodista. Esta vez no lo consiguió y María Eugenia Yagüe fue mucho más al grano. Le contestó en dos palabras:

—Del poder

Fidel repitió lo que ya había escuchado otras veces: que él es un esclavo de su deber. María Eugenia lo acorralaba, como si estuviera en "Protagonistas" entrevistando a un torero que ponía contra la barrera

—¿No le apetece jubilarse?

Era la ocasión que esperaba este Espartaco de la dialéctica. Fidel se crece con preguntas directas y difíciles.

—¿A ti te gustaría jubilarte? Tú eres aún muy jovencita, ¿pero tú conoces a un científico que se jubile, a un escritor que se jubile? Yo, no. Habla con García Márquez (Gabriel). ¿Conoces un artista que se jubile?

—Todos quieren morir en el escenario —le contestó María Eugenia.

—No —replica Fidel—. Aman a su profesión y quieren seguir en su profesión. Yo también amo mi profesión y voy a seguir en ella hasta el final. No sé dónde estaré. Pero, ¿que me jubile de la política, de la Revolución, de mis ideas? ¡Jamás! Voy a seguir luchando por ellas.

Seguirá luchando hasta la muerte. Hasta que todo el mundo sea socialista, como dijo bromeando a un pequeño grupo de españoles cuando el presidente del Principado de Asturias, Juan Luis Rodríguez-Vigil Rubio, visitó la isla en noviembre de 1991:

—Cuando todo el mundo sea socialista, debemos dejar que por lo menos quede un país capitalista.

—¿Para qué comandante?

—Para comprar repuestos.

Yo pido desde aquí que ese país sea España. Así el administrador del hotel Victoria podrá comprar brandy Terry, el de la malla, y sidra El Gaitero, y quizá entonces el viejo barman me vuelva a hacer un "España en llamas" en mis próximas Navidades en La Habana.

NOTAS

(1)   Todos los datos recogidos sobre el funcionamiento de los órganos del Poder Popular proceden de *Organos del Poder Popular,* de Raúl Ruiz. Unión de Empresas de Medios de Propaganda del Departamento de Orientación Revolucionaria. La Habana, 1979.

(2)   *Excelsior,* 30 de abril de 1992, México D. F.

(3)   *Granma.* Suplemento especial. Martes, 7 de abril de 1992, La Habana.

(4)   *Organos del Poder Popular.*

(5)   Jaime Suchlicki: *Historical Dictionary of Cuba.* The Scarecrow Press, Inc. Metuchen, N. J. and London, 1988.

(6)   Todas las referencias sobre esta resolución están tomadas de *Este es el Congreso más democrático.* Editora Política. La Habana, 1991.

(7)   *Time,* 5 de marzo de 1990, Nueva York.

(8)   Todos los datos de esta encuesta están recogidos de *Granma Internacional,* 5 de agosto de 1990. La Habana. Ver datos totales de la encuesta en anexos.

3

LOS UNIFORMADOS

Al combate corred, bayameses,
que la patria os contempla orgullosa.
No temáis una muerte gloriosa
que morir por la patria es vivir.
(*Himno Nacional de Cuba*)

Sentado a la derecha de Fidel, ha escuchado atentamente a los veintisiete miembros del Consejo de Estado que han tomado la palabra antes que él. Vestido con el traje de gala de general de Ejército, el máximo grado militar que se alcanza en Cuba, camisa blanca, corbata negra, tiene ante sí unos papeles que mira de vez en cuando.

Su rostro, siempre serio, al menos en público, está mucho más tenso, adusto, el 9 de julio de 1989. Las gafas ocultan sus pequeños ojos, levemente enrojecidos por el sueño y el cansancio.

Y por el dolor.

Las blancas paredes del salón del Palacio de Convenciones sólo se ven manchadas por el escudo de Cuba. Tras la robusta figura de Fidel, también con el uniforme de gala, se ha colocado la bandera cubana.

Han hablado desde el más viejo hasta el más joven. Desde el veterano comunista y vicepresidente, Carlos Rafael Rodríguez, de setenta y nueve años, al primer secretario de la Unión de Jóvenes Comunistas (UJC), Roberto Robaina González, treinta y seis años. Todos han mostrado su acuerdo con la sentencia ratificada por el Tribunal Supremo Popular.

Le ha llegado su hora. Sólo quedan por hablar él y su hermano Fidel. Veintiocho pares de ojos están pendientes de quien dicen es el "hombre duro del régimen".

Raúl Castro Ruz se ajusta las gafas y habla con firmeza. Gira levemente la cabeza a su izquierda, para posar ligeramente su mirada sobre su hermano y luego sobre el resto de los presentes.

—Compañero presidente, compañeros del Consejo de Estado...

Todos adivinan lo que va a decir. No hay ninguna duda. El fue quien unos días antes, el 25 de junio, leyó el informe ante el Tribunal de Honor de las Fuerzas Armadas Revolucionarias que debía juzgar la conducta de uno de los militares más prestigiosos de Cuba.

Ninguno de los presentes espera, y mucho menos los millones de cubanos que siguen a través de la televisión la sesión del Consejo de Estado, la confidencia tan íntima que el militar de mayor graduación de Cuba hará a todo el país segundos antes de terminar su breve intervención:

—Ustedes me conocen, saben que no soy un sensiblero...

Ha hecho un inciso. Como si le costara trabajo descubrir una pequeña debilidad:

—... una de estas madrugadas, casi al salir el sol, cuando concluíamos, presidida por Fidel, una larguísima jornada, en los momentos en que ya veíamos la gravedad del problema por haber descubierto el tema de las drogas, con la cabeza atormentada, con el sueño ausente, mientras me paseaba por mi propio despacho, fui a cepillarme los dientes en el baño que está detrás del mismo, y mirándome en el espejo vi que corrían lágrimas por mis mejillas (1).

El silencio de la sala del Consejo de Estado se podía cortar con cuchillo.

Raúl Castro, el implacable militar, el ortodoxo comunista, llorando. ¿Por qué? ¿Qué podría provocar las lágrimas en un hombre como éste, guerrillero desde los veinticinco años, ministro de las Fuerzas Armadas Revolucionarias a los veintiocho, que tomó decisiones drásticas que afectaron a docenas de vidas en su larga carrera al frente del Ejército cubano?

Muy sencillo: uno de los hijos más preciados de la Revolución, uno de los cinco cubanos que en treinta y tres años de Revolución lucía sobre su pecho la máxima distinción que otorga la Patria, "Héroe de la República de Cuba", ha sido condenado a muerte acusado de alta traición: el general de división Arnaldo T. Ochoa Sánchez.

El dolor de Raúl Castro es comprensible y doble: de un lado, como máximo dirigente del Ejército cubano —su hermano es comandante en jefe, pero él lo ha moldeado con su manos las FAR desde que se fundaron el 16 de octubre de 1959—, y de otro, como amigo que era del general Ochoa.

Desde que el 12 de junio es arrestado el general Ochoa, hasta el día anterior a sus emotivas palabras, el 8 de julio, Raúl Castro ha vivido entre las cuatro paredes de su despacho de ministro de las FAR. Veintisiete días prácticamente recluido. Sólo ha realizado dos salidas al exterior: una para hacerse un chequeo médico sin importancia y otra para participar el 29 de junio en el Pleno del Comité Central del Partido Comunista de Cuba (PCC), del que es segundo secretario. Y precisamente, para debatir el mismo problema: el caso del general Ochoa.

Su hermano Fidel Castro, presidente del Consejo de Estado, ha pasado con él, en su despacho de las FAR, en esos veintisiete días, ciento cincuenta y tres horas. Una media de cinco horas y cuarenta minutos por día. Los dos hermanos, asistidos, rodeados esas largas jornadas por miembros del Departamento de Contrainteligencia Militar.

En realidad, el martirio de Raúl Castro había comenzado un par de semanas antes, el 23 de mayo. Para esa fecha ya tenía el convencimiento, al igual que su hermano Fidel, al igual que los generales del Estado Mayor, de que el general Ochoa había cometido graves irregularidades en los últimos años de su vida militar.

Ese 23 de mayo, Raúl y sus generales están firmemente convencidos de que el general Ochoa ha aprovechado sus dos últimos destinos en el exterior, Angola y Nicaragua, para realizar negocios ilícitos.

En Angola, de donde hacía seis meses que había regresado, había utilizado su puesto como jefe de la Misión Militar cubana para dedicarse a "la candonga". Al trueque.

Su ayudante, el capitán Jorge Martínez Valdés, con algunos de sus hombres y, desde luego, con el consentimiento del general, entregaban a ciudadanos angolanos los avituallamientos de los 50.000 soldados cubanos que libraban allí una dura batalla: latas de sardinas, ron, sal, carne, harina, pescado seco, pantalones, televisores, ventiladores. A cambio, recibían marfil, caoba, diamantes e incluso dinero en metálico, dólares.

El general Ochoa entregaba parte de las ganancias al Ejército. Se ufanaba de saber hacer negocios ante sus superiores. Raúl le había dicho en más de una ocasión que se dedicara a lo suyo, que era dirigir una dura batalla contra las tropas de la Unión Nacional para la Independencia Total de Angola (UNITA), la guerrilla derechista angoleña, apoyada por Sudáfrica.

Pero gran parte de ese dinero iba a parar a una cuenta secreta en Panamá. Otra buena parte la gastaba Ochoa en regalos a sus amistades. Por ejemplo, a las jovencitas cubanas que disfrazadas con el uniforme de soldados internacionalistas eran transportadas 15.000 kilómetros, desde de La Habana a Luanda, para que algunos oficiales no se sintieran tan solos en aquel maldito país africano.

Raúl y sus generales, al igual que Fidel, habían llegado a la conclusión de que el general Ochoa debía ser detenido. Lo meditaron largamente desde el 23 de mayo hasta el 12 de junio. Incluso Raúl tuvo dos conversaciones con Ochoa antes de su detención.

La primera, el 29 de mayo. Con Raúl estaban dos de sus más fieles generales, Abelardo Colomé Ibarra y Ulises Rosales del Toro. Raúl le informa a Ochoa que no podrá ser nombrado definitivamente jefe del Ejército Occidental, uno de los tres cuerpos de Ejército cubano, que controla la importante zona donde está la capital, La Habana. Le explica que se han observado algunas irregularidades en su estancia en Angola. Se le habla de sus negocios de trueque. De la candonga.

Fidel y Raúl habían convenido en no hablarle de sus actividades amorosas, de su vida íntima.

—Podría pegarse un tiro —recordará días más tarde Fidel.

Raúl recordará también:

—Fui completamente sincero cuando después de la primera y larga conversación —tres horas— con él, le abracé y le dije que pasara lo que pasara, hoy, mañana y siempre, seríamos sus hermanos.

Cuatro días más tarde, el general Ochoa solicitará una entrevista a su ministro, Raúl Castro. Pide que sea a solas. Sin testigos.

Raúl habla con su hermano Fidel. Este le dice:

—Pregúntale si tiene una cuenta corriente en el exterior.

En esas fechas, el mando cubano piensa que todas las irregularidades del general Ochoa consisten en comerciar ilícitamente con alimentos del Ejército.

El día 2 de junio, Raúl recibe de nuevo a Ochoa. El ministro le pregunta:

—¿Tienes alguna cuenta en el exterior?

—¡Ah! Sí, unos fonditos.

—Pero, ¿cuánto tienes? —insiste el ministro.

—Nada, una bobería.

Cuando Ochoa sale del despacho, en la cabeza de Raúl anida una idea que le atormenta: el asunto es más grave, tiene dinero en algún lugar del extranjero.

El servicio de contrainteligencia cubano se pone en marcha y no tarda en descubrir una cuenta con 200.000 dólares a nombre de Arnaldo T. Ochoa en Panamá. Se consulta con los jefes del Estado Mayor y se toma la decisión de detenerlo, antes de que se pegue un tiro o escape.

—Las faltas de Ochoa eran serias —recordará tres años más tarde Raúl Castro—. Pero cuando se le detiene no nos imaginábamos todavía nada de drogas. Fue como la caja de Pandora, la abrimos y creíamos que había un ratoncito dentro y nos salió un tigre: me refiero a las drogas (2).

Nadie lo hubiera sospechado. Hijo de un campesino de la región oriental de la isla, Arnaldo Ochoa se alistaría en el Ejército

Rebelde en 1958 con sólo dieciocho años. Combatió junto al mítico comandante Camilo Cienfuegos en la Columna Antonio Maceo.

Al triunfar la Revolución, el 1 de enero de 1959, Ochoa tiene ya el grado de capitán. En el combate se ha distinguido por su arrojo y valentía.

En 1965, en plena efervescencia revolucionaria, es enviado a Venezuela para ayudar a la guerrilla de Fabricio Ojeda y Elías Manuit. Dos años más tarde, la decisiva actuación del entonces ministro del Interior venezolano, Carlos Andrés Pérez, le obliga a abandonar el país. La guerrilla venezolana es desarticulada.

Después de una estancia en La Habana es enviado a Moscú. Como tantas otras jóvenes promesas de la Revolución, perfecciona sus conocimientos militares en la Academia Militar M. V. Frunze. Junto con la también soviética Academia General K. E. Voroshilov, es uno de los dos centros donde se forma la élite militar cubana.

Angola lo espera. El país africano que lucha por su independencia y por la instauración de un régimen socialista, contará durante quince años con el apoyo del Ejército cubano. Angola será el comienzo de la gloria del general Ochoa y también de su miseria.

En 1976 es destinado a la ex colonia portuguesa al mando de 12.000 hombres. Tras una breve estancia en Cuba, es designado jefe de las tropas cubanas en Etiopía. Allí dirigirá la importante batalla de Ogaden contra Somalia.

De regreso a su país, el general de división Arnaldo Ochoa, que es miembro del Comité Central del PCC desde 1965, y diputado en la Asamblea Nacional del Poder Popular, ocupa uno de los doce puestos de viceministro de las FAR, responsable del entrenamiento para el combate.

En 1983 de nuevo es destinado a una "misión internacionalista", esta vez en la vecina Nicaragua, gobernada entonces por los sandinistas. En la patria de Augusto Sandino, el general Ochoa realizará algunas operaciones comerciales irregulares como la venta de armas a los sandinistas que luego no fueron entregadas. A pesar de todo, cuando regresa de nuevo a Cuba, es recibido con todos los honores y condecorado el 1 de enero de 1984 con la máxima distinción del país: "Héroe de la República de Cuba". También recibirá la Orden de Máximo Gómez, el jefe militar que dirigió la guerra de independencia contra España.

La resolución 251 del Consejo de Estado, el mismo organismo que sólo cinco años después confirmará su sentencia de muerte, justifica la concesión del título de "Héroe de la Patria" con estas palabras:

—Participó en varias misiones internacionales con particular espíritu de sacrificio, actuación brillante como jefe de las tropas en Etiopía, así como por su honestidad, desinterés, espíritu de sacrificio, pureza, deseo de superación y heroísmo (3).

Al recibir tan alto honor, que sólo otros cuatro cubanos —entre los que no están los hermanos Castro— pueden exhibir, Fidel Castro dijo:

—La vida del compañero Arnaldo Ochoa es un vivo ejemplo y los méritos por los cuales hombres del más humilde origen se han convertido en dirigentes y jefes que cultivan auténticos rasgos de modestia y sencillez y gozan de la admiración, el respeto y el cariño de las masas (4).

Ochoa está en la cumbre. El analista en temas militares cubanos Rafael Fermoselle lo señala, junto con el también general Abelardo Colomé Ibarra, como las dos figuras más rutilantes del Ejército cubano, siempre claro está después de Fidel y Raúl.

Angola lo espera de nuevo. Esta vez, 1987, como jefe de la misión militar cubana. Durante su última estancia allí tendrá lugar la importante batalla de Cuito Cuanavale, al sur de Luanda, donde 40.000 soldados cubanos infringieron una decisiva derrota a las tropas sudafricanas, lo que provocó el fin de la guerra.

Regresa a La Habana a comienzos de 1989. A sus cuarenta y nueve años, con un brillante historial en misiones internacionales, Venezuela, Etiopía, Nicaragua, Angola, al general Ochoa le aguarda uno de los más importantes cargos en el seno de la milicia: jefe del Ejército Occidental.

El ministro Raúl Castro le ha comunicado ya su nuevo puesto. Pero también le ha llamado la atención sobre su vida un tanto desordenada.

En esos apacibles días de abril y mayo en La Habana, Ochoa da fiestas, recibe amigos en su casa. Los anticastristas de Miami dirán después que Fidel y Raúl Castro sospechaban que el prestigioso, joven, victorioso, apuesto general, conspiraba contra ellos.

Lo dijo también Henry Kissinger, ex secretario de Estado de los Estados Unidos, devenido en conferenciante profesional e itinerante con honorarios que superan las cinco cifras en dólares.

—El juicio contra el general Ochoa es un aviso para todos los (cubanos) que tienen la estatura suficiente como para poder convertirse en un oponente de Fidel Castro (5).

Para Kissinger, el enjuiciamiento de Ochoa y otros trece militares cubanos, "es la respuesta de Castro a la perestroika de Mijail Gorbachov", el entonces presidente de la Unión Soviética.

Fidel Castro, dos años después, le diría al periodista italiano Gianni Miná que ni Ochoa era el número tres del escalafón militar cubano, ni sabía ni tenía que ver nada con la perestroika:

—Ochoa no era un hombre con ese tipo de inquietudes. No se preocupaba mucho por esos problemas de tipo ideológico... Era un hombre de acción, que no leía mucho (6).

El 12 de junio es un día aciago para Ochoa y en parte también para su padrino Raúl Castro. Elementos de la contrainteligencia cubana lo detienen. Ya se han producido las dos entrevistas con el ministro de las FAR, Raúl Castro, sin que haya habido ninguna señal de arrepentimiento o de colaboración por parte del laureado general.

A partir de ese día, los acontecimientos se sucederán a velocidad vertiginosa. Una tras otra, irán cayendo pruebas de los delitos cometidos por Ochoa sobre la mesa de Fidel y de Raúl hasta que se decide juzgarlo.

Primero, como a todo alto oficial del Ejército, ante un Tribunal de Honor integrado por cuarenta y cinco generales y dos almirantes,. Raúl se encargará de presentar el informe. Saldrán a relucir el contrabando de marfil y diamantes realizado en Angola; el envío de su ayudante, el capitán Jorge Martínez Valdés, a Medellín, en donde se entrevista con el capo de la droga Pablo Escobar Gaviria; malversaciones y manipulaciones de dinero del Ejército, y por último, su relación con el coronel Antonio de la Guardia Font, más conocido como Tony, jefe del misterioso Departamento MC del Ministerio del Interior.

Raúl insistirá en que el daño causado por el general Ochoa no ha afectado a las FAR, toda vez que sólo él y su ayudante el capitán Martínez están involucrados. Con voz firme, pedirá al casi medio centenar de generales que decidan si el general de División Arnaldo Ochoa es digno de seguir ostentando el título de "Héroe de la República", así como el resto de sus condecoraciones, su grado de general, su condición de miembro de las FAR y del Comité Central del PCC.

Las deliberaciones duraron dos días. Poco antes de que el Tribunal de Honor emitiera su decisión, el general Ochoa tomó la palabra:

—Creo firmemente en mi culpabilidad. Si aún puedo servir, aunque sea de mal ejemplo, la Revolución me tiene a su servicio. Si esta condena, que puede ser por supuesto el fusilamiento, llegara, en ese momento sí les prometo a todos que mi último pensamiento será para Fidel, por la gran Revolución que le ha dado a este pueblo.

Su declaración de culpabilidad durará veinte minutos. Durante todo ese tiempo, Ochoa sólo mirará al suelo y al techo.

—Me desprecio a mí mismo. No tengo razones para vivir —dirá en voz baja.

Después, los 47 jefes militares decidirán por unanimidad que el general Ochoa sea desposeído de todos sus títulos, honores y cargos. Además, se ponía al ya ciudadano Arnaldo T. Ochoa Sánchez a disposición de un Tribunal Militar Especial, compuesto por otros 13 generales de División, que lo juzgaría por "alta traición a la Patria".

Con Ochoa fueron juzgados otros 13 oficiales de las FAR y del

Ministerio del Interior (MININT). Un general, Patricio de la Guardia Font, de cincuenta y un años, y su hermano gemelo el coronel Tony de la Guardia; el ya citado ayudante de Ochoa, el capitán Jorge Martínez Valdés, y el mayor Amado Padrón Trujillo, ex cónsul de Cuba en Panamá.

También el coronel Antonio Rodríguez Estupiñán, el teniente coronel Alexis Lago Arocha y los capitanes Antonio Sánchez Lima, Eduardo Díaz Izquierdo, Miguel Ruiz Po, Gabriel Prendes Gómez, Leonel Estévez Soto, José Luis Pineda Bermúdez, y la única mujer enjuiciada, también capitán, Rosa María Abierno Gobín. Algunos de ellos eran miembros del MC y otros colaboraron de alguna forma en el tráfico de cocaína.

Si la detención de Ochoa fue un mazazo al Ejército, la detención de los hermanos De la Guardia provocó la mayor crisis sufrida por el MININT, desde que fuera creado el 6 de junio de 1961 en sustitución del Ministerio de Gobernación.

Los cubanos primero y el mundo después descubrieron con sorpresa que las novelas de espionaje no son obra de mentes calenturientas. Que la realidad supera a la ficción.

Tony de la Guardia dirigía un departamento en el MININT bajo el mando directo del ministro, el general José Abrantes Fernández.

El nombre del misterioso Departamento: MC. Que quiere decir: Moneda Convertible.

Le dijo Fidel al periodista italiano Gianni Miná:

—El grupo MC surge como una actividad contra el bloqueo, legítima a nuestro juicio. Tenían la misión de romper el bloqueo, aunque fuera simbólicamente en algunos casos.

A pesar de la amistad que le une al entrevistador, Fidel Castro no le quiere decir a Miná cuándo se fundó el MC. Se sabe que Tony de la Guardia se hace cargo del MC en 1982. Anteriormente, se llamaba Departamento Z.

—Es una vieja actividad que se venía desarrollando dentro del Departamento de Inteligencia del Ministerio del Interior —cuenta Fidel a Miná.

Pero tras el escándalo y posterior reestructuración del MININT, el Departamento MC se desmanteló y según Fidel no volvió a crearse otro similar:

—Del MC no queda nada. Para actividades como las del MC hay que inventar otras cosas. En lo que se refiere a la lucha por enfrentar el bloqueo, aunque sólo sea como un principio moral, nuestro derecho a ejercer la ruptura del bloqueo.

Los agentes del MC tenían patente de corso para entrar y salir del país. También sus contactos. Para traficar con todo tipo de mercancías. Nadie en los aeropuertos, ni en los puertos, ni en ningún lugar les pedía absolutamente nada. Los organismos y grandes empresas estatales sabían que si necesitaban algo que procediera de Estados Unidos —un sistema de computación, un repuesto para alguna máquina de procedencia estadounidense, un equipo médico— no tenían más que acudir a MC. Los chicos de Tony de la Guardia se encargaban de conseguirlo. Sin mayores problemas. Ni trámites.

Al tiempo, MC conseguía introducir mercancías cubanas, ron, tabaco, en el mercado estadounidense. No eran grandes cantidades, pero fastidiaba a Washington que tronaba al ver cómo los malditos cubanos eludían el bloqueo establecido en 1961.

Era una cobertura perfecta para alguien sin escrúpulos.

Los gemelos De la Guardia no habían luchado en la Sierra, como Ochoa. Pero habían sido miembros del Directorio Revolucionario, una organización que luchaba contra el dictador Batista. Detenidos en una ocasión en Pinar del Río, sus padres, adinerados —eran propietarios de una fábrica de fertilizantes— enviaron a los hermanos a estudiar a Florida para alejarlos del bullicio previo al triunfo revolucionario.

Un antepasado de los gemelos había sido gobernador del Estado de Louisiana en la época colonial y su padre se había graduado en la Universidad de Nueva York y colaborado en el diseño y construcción del famosísimo Empire State Building. Una prima se había casado con el multimillonario Howard Johnson, propietario de una enorme cadena de restaurantes y moteles.

Mientras cursan estudios universitarios en Florida, envían armas a los rebeldes dirigidos por Fidel Castro. Con la llegada al poder de los barbudos de la Sierra, los hermanos De la Guardia regresan a Cuba, aunque su familia se había exiliado en Miami.

El hecho de que dos jóvenes adinerados abandonen las comodidades que da la abundancia de dólares en Estados Unidos para residir en Cuba, así como los servicios prestados al Ejército Rebelde, son una excelente carta de presentación.

Patricio y Tony se suman al Ejército. El primero llegará al grado de general, y el segundo a coronel. Patricio colaborará en la organización de la guerrilla izquierdista venezolana en los primeros años sesenta —allí irá a parar más tarde el capitán Arnaldo Ochoa— y también realiza misiones en el Chile de Salvador Allende.

Tony, por su parte, se dedica al espionaje. Primero en el Ministerio de Relaciones Exteriores y después en el MININT, donde termina dirigiendo el Departamento MC. Su paso por Exteriores acaba en boda: se casa con Marta Torroella, emparentada con la esposa del ministro Raúl Roa.

En Miami hay un banquero que le sigue teniendo aprecio al fallecido Tony de la Guardia: Bernardo Benes. En una visita que le hice a Benes en 1991 me mostró un cuadro de Tony de la Guardia. No tenía mal aspecto. Los dos hermanos eran pintores. Tony había conocido a Benes cuando se produjo un diálogo entre un numeroso grupo de exiliados cubanos de Miami y Fidel Castrò, en La Habana, en 1978. El resultado de aquel encuentro fue la liberación de 3.600 presos políticos de las cárceles cubanas. (Ver capítulo "Los exiliados".)

Nada de todo esto pesó ante el tribunal militar que juzgó a Ochoa, a los hermanos De la Guardia y a los otros once oficiales. Al contrario. Diría Raúl:

—Los antecedentes que obren en su expediente, lejos de ser atenuantes, devendrán agravantes.

El juicio, que se celebró en el Teatro del Ministerio de Defensa, y al que asistieron familiares de los procesados y periodistas, duró cinco días y fue televisado a todo el país. Vestido con pantalón vaquero, camisa a cuadros y llevando siempre sus grandes gafas, Ochoa aguantó el juicio como un valiente. El general Patricio de la Guardia lloró al recordar a sus cuatro hijos.

Los catorce encartados reconocieron sus culpas. Ochoa ya había confesado ante el Tribunal de Honor. Los demás explicaron sus operaciones de narcotráfico.

El ayudante de Ochoa, el capitán Martínez, reconocerá que el mes de mayo de 1988 viajó a Medellín, con pasaporte colombiano falsificado, y se entrevistó con el "barón de la coca", Pablo Escobar Gaviria. Este le ofreció 1.100 dólares de comisión por cada kilo de coca que consiguieran poner en las costas de Florida. A cambio, Escobar, que se sentía amenazado por todas partes, le pidió que se le facilitaran misiles tierra-aire para defenderse de un posible ataque aéreo a su casa, a través de helicópteros.

El fiscal, general Juan Escalona Reguera, ministro de Justicia en los días del juicio, pondrá el grito en el cielo al escuchar que el Ejército cubano iba a facilitar al mayor mafioso del mundo misiles aéreos.

La visita de Martínez a Escobar se hace con el visto bueno del general Ochoa, que en ese tiempo sigue en Angola. La idea de Ochoa era traficar a gran escala, con miles de kilos. Ochoa explicó en el juicio que con los beneficios —unos 4.000 millones de dólares— pensaba ayudar a la Revolución: socios suyos en el extranjero invertirían ese dinero en Cuba.

Ochoa, que resultó ser un fantasioso, no llegaría a efectuar ninguna operación.

Sí las había realizado el grupo de Tony de la Guardia. Entre 1986 y 1989 llevaron a cabo diecinueve operaciones de tráfico de drogas —cocaína y marihuana— de las que quince resultaron exitosas. Recibieron un total de 3.400.000 dólares. Una minucia a repartir entre doce.

La droga llegaba desde Colombia hasta Varadero, la famosa y bellísima playa en la costa norte de la isla, en pequeñas avionetas. Los agentes del MC conseguían que aterrizaran en zona militar y que nadie les pidiera la más mínima explicación. En una ocasión la cocaína llegó en el interior de cajas de computadoras IBM. En Varadero la droga era trasvasada a embalajes de puros habanos. Lanchas rápidas procedentes de Miami recogían la carga y en pocas horas la desembarcaban en los cayos de La Florida.

En otras ocasiones, las avionetas colombianas ni siquiera aterrizaban: arrojaban la cocaína al mar en bolsas de plástico fosforescentes cerca de la costa. Allí eran recogidas por los hombres de Tony de la Guardia.

Un ex agente cubano, de nombre Bounza, declaró meses después que vio con sus propios ojos a Raúl Castro recibir un cargamento de droga en Varadero. El periodista Gianni Miná le preguntó por esto a Fidel, quien se mostró enormemente enojado por el interés de los Estados Unidos en mezclar a su hermano en negocio tan sucio. Fidel contestó:

—¡Es inconcebible! ¡Nada menos que el ministro de Defensa del país descargando unas cajas de coca de un avioncito en Varadero! Eso no lo hacía ni el jefe del MC. Habrían mandado a cualquiera al que no conociera nadie. Eso es del género tonto, ridículo y no merece respeto alguno.

Al cabo de cinco días, el juicio ante el Tribunal Militar concluyó. El fiscal Escalona solicitó siete penas de muerte: el general Ochoa, Tony de la Guardia, capitán Martínez, mayor Amado Padrón, el teniente coronel Alexis Lago y los capitanes Sánchez Lima y Díaz Izquierdo.

El Tribunal Supremo Popular sólo confirmaría las de los cuatro primeros. Los demás recibirían condenas de diez a veinte años. Fueron acusados de realizar "actos hostiles contra un Gobierno extranjero" (Estados Unidos), de tráfico de drogas y de abuso del cargo.

Aunque algunos acumulaban distintas condenas, ninguno pudo ser sentenciado a más de veinte años, ya que la ley cubana marca que nadie puede ser condenado por más tiempo. Sólo a aquellos a los que se les conmuta la pena de muerte reciben castigo en prisión por treinta años.

Y sólo los que habían sido condenados a muerte podían recurrir a una instancia superior, la última: el Consejo de Estado. En aquella sesión plenaria, en la que Raúl Castro reconoció que se le habían saltado las lágrimas, se decidió el destino final de los cuatro condenados: que se cumpla la sentencia.

Raúl Castro recordaría que el general Ochoa, cuando estaba al frente de las tropas cubanas en Angola, había firmado la sentencia de muerte contra tres soldados que habían violado a otras tantas jóvenes angolanas. La sentencia debía ser ratificada en La Habana por Raúl:

—Mi mano entonces no tembló —dice Raúl a sus compañeros del Consejo de Estado— porque fue justa la decisión. Hoy tampoco me temblará cuando firme la sentencia que pide el Tribunal para los cuatro casos que se nos han traído a esta reunión del Consejo de Estado.

La suerte estaba echada. Raúl concluyó:

—Sumo mi voto al de todos los que se han pronunciado por el cumplimiento de la sentencia del Tribunal Militar Especial, ratificada por el Tribunal Supremo Popular.

Sólo quedaba por hablar su hermano Fidel. Fue el que hizo una exposición más larga, porque se detuvo en explicar con todo lujo de detalles que si bien el general Ochoa había sido un valiente soldado que había cumplido misiones importantes, no podía decirse que él fuera el genio solitario que llevó a las tropas cubanas al triunfo en Angola.

Castro documentó que la principal batalla, la de Cuito Cuanavale, había sido dirigida por otro general, Leopoldo Cintras Frías. Ochoa en ese momento, aunque jefe de la misión, se encontraba a cientos de kilómetros del campo de batalla, en la capital, Luanda, dedicado a traficar con el marfil y los diamantes.

Fidel al final sumó su voto al de la mayoría. Así, los 29 miembros del Consejo de Estado ratificaron por unanimidad la sentencia a muerte por fusilamiento.

Aunque la ley cubana marca que sólo el Consejo de Estado, como órgano superior, puede ratificar o conmutar una condena de muerte, Fidel Castro había consultado a los principales organismos del país.

No todos habían votado unánimemente en favor de la pena de muerte. Sólo el Buró Político del Partido Comunista mostró la unanimidad del Consejo de Estado. En el Consejo de Ministros, dos ministros votaron en contra. En el pleno del Comité Central, 141 de sus miembros votaron a favor, 10 en contra y 11 se sumaron a lo que decidiera el Consejo de Estado. Por último, los diputados de la Asamblea Nacional del Poder Popular fueron reunidos en sus respectivas provincias. De un total de 402 diputados, sólo uno votó en contra de la máxima pena.

Al mismo tiempo, el Equipo Nacional de Opinión del Pueblo, un organismo dependiente del entonces Departamento de Orientación Revolucionaria (DOR), del Comité Central, realizó varias encuestas entre la población cubana.

Uno de los sondeos, el realizado el 5 de julio, tras conocerse la petición fiscal, entre 1.027 cubanos de las catorce provincias del país, arrojó estos resultados: el 79 por 100 estaba de acuerdo con la petición fiscal; el 19 por 100 se mostraba "de acuerdo en parte"; el 0,7 por 100 se confesaba "en total desacuerdo", y el 1,3 por 100 no expresó opinión alguna (7).

Jóvenes militantes de la UJC realizaron en esas fechas diversas pintadas en las principales calles de La Habana. Escribieron:

—Sabemos cómo limpiar este ultraje de forma ejemplar.

La madrugada del lunes 13 de julio se limpió el ultraje.

Ese día, el periódico *Granma*, órgano oficial del Partido Comunista, que había ofrecido amplia información sobre el juicio y casi doblado su tirada superando el millón de ejemplares diarios, salió tarde.

Las máquinas estuvieron detenidas hasta que en un cuartel desconocido de La Habana, Ochoa, De la Guardia, Martínez y Padrón fueron ajusticiados.

Cuando *Granma* salió a la calle, sólo dio esta breve reseña:

—En horas del amanecer de hoy, 13 de julio, fue aplicada la sentencia dictada por el Tribunal Militar Especial en la Causa número 1 de 1989, contra los sancionados Arnaldo Ochoa Sánchez, Jorge Martínez Valdés, Antonio de la Guardia Font y Amado Padrón Trujillo.

La Unidad de Televisión de las FAR filmó la ejecución de los cuatro oficiales. Raúl le dijo en abril de 1992 a la esposa de Rafael Alberti, María Asunción Mateo, que Ochoa murió como un valiente:

—Ochoa jamás pidió clemencia para él. Murió muy dignamente. Sí la pidió para su ayudante, el capitán Martínez.

El ex héroe de la República solicitó momentos antes de ser ajusticiado que se protegiera a sus hijos, Yanina, Diana y Alejandrito. Que no cayeran en manos de contrarrevolucionarios. Por un permiso especial del Tribunal de Honor, a Ochoa no se le amarró ni se le arrancaron sus estrellas de general como establece el reglamento. Les dio la mano a los cuatro escoltas que lo llevaron al paredón y miró de frente a la muerte.

La pesadilla iniciada el 23 de mayo había terminado. Raúl Castro, prácticamente enclaustrado en su despacho de las FAR, podía irse a descansar a casa.

Sólo que todavía no podía dormir tranquilo.

Cinco días después de ser detenido el general Ochoa, el 17 de junio, el ministro del Interior, general de División José Abrantes Fernández, es cesado en su cargo.

El grupo MC dependía directamente de él. Los hermanos De la Guardia ya estaban entre rejas y Fidel Castro conocía buena parte de sus andanzas. Políticamente, Abrantes era culpable por no haber descubierto que en los tres últimos años todo un departamento de su Ministerio se dedicaba al tráfico de cocaína y otros negocios sucios.

El general Abrantes había servido nada menos que veinte años junto a Fidel, la mayor parte de ellos como su jefe de escoltas. Luego pasó a dirigir la Seguridad en el MININT con el cargo de viceministro, hasta llegar a ministro en 1986. Era miembro del Comité Central y también diputado nacional desde 1977.

Miembro del Partido Socialista Popular (PSP), el primer partido de ideología comunista que se creó en Cuba, en los últimos años del régimen de Fulgencio Batista, Abrantes (la prensa cubana escribe su apellido indistintamente Abrantes o Abrahantes) vivía exiliado en Estados Unidos. Su hermano Juan se sumará a los guerrilleros de Castro en la Sierra.

En los primeros años sesenta, Abrantes es entrenado por la KGB. En 1962 ya ocupa el cargo de jefe del Departamento de Seguridad del Estado. Quizá por todo ello le apodarán "el Beria de Cuba".

A través de Ramiro Valdés, uno de los históricos de la Revolución, que participó en el asalto del Cuartel Moncada y en la expedición del Granma, Abrantes llega a ser uno de los protegidos de Fidel Castro.

Pero sus largos años de permanencia junto al máximo líder y después en los servicios de seguridad del Estado le granjearon numerosos enemigos. Sobre todo entre las FAR. Se especula con que Raúl Castro no tenía muy buena opinión de él.

Su caída provocó la práctica desarticulación del Ministerio del Interior y la entrada a saco de altos jefes de las FAR. Ocho altos mandos del MININT fueron destituidos. Los militares coparon el MININT. A Abrantes le sustituye el general de Cuerpo de Ejército Abelardo Colomé Ibarra. Entonces era viceministro de las FAR y primer sustituto del ministro, Raúl Castro.

Abrantes permanece unos días en su domicilio, pero conforme se va destapando la caja de Pandora de la que salió un tigre, en palabras de Raúl, se constata que Abrantes, aunque no estaba implicado directamente en el tráfico de cocaína, sí que había actuado con grave negligencia.

Al fin se le detiene y es juzgado por "negligencia en el servicio, uso indebido de recursos financieros y ocultación de información". Sentenciado a veinte años de prisión, Abrantes muere a los cincuenta y nueve años de edad, de un infarto en la prisión, el día 21 de enero de 1991.

Su muerte, al igual que la de Ochoa, provocó un montón de rumores entre la comunidad anticastrista de Miami. El más importante: que había sido envenenado.

Si cuando estalla el escándalo en el MININT, el ministro Abrantes es destituido y después procesado, ¿por qué no se cesa a Raúl Castro cuando se destapa el escándalo Ochoa?

El periodista italiano Gianni Miná se lo preguntó a Fidel. Este respondió:

—Son dos casos muy distintos. En el MINFAR sólo hay dos involucrados, que son Ochoa y Martínez... En el MINFAR son ellos mismos los que descubren el problema. Ellos toman las decisiones... Todo se resuelve relativamente pronto... En el MININT es toda una sección de un departamento del Ministerio el que está implicado durante casi tres años en actividades de narcotráfico... Nosotros que tenemos que investigarlo y después se comprueba que (Abrantes) ocultó información.

Castro matiza que mientras en el Ejército se actuó con rapidez, en el MININT se ocultó lo que muchos sabían: los hermanos De la Guardia y otros oficiales hacían derroche de ostentación, fiestas, gastos. El propio Abrantes, afirma Castro, "tenía ciertas tendencias, cierta autosuficiencia".

Abrantes "era un oportunista" que cometió dos errores, además de permitir los turbios manejos de MC: utilizó fondos del MININT para gastos suntuosos sin autorización y ocultó información al mando.

Colocar a un mismo nivel a Raúl y Abrantes "es una de las más grandes calumnias", le dice Fidel a Miná:

—Raúl es el hombre más incapaz de participar en una acción de esa naturaleza —dice su hermano Fidel.

El fusilamiento de Ochoa y la detención de Abrantes provocaron toneladas de declaraciones en todo el mundo, pero muy especialmente en Estados Unidos.

Los siguientes días, la prensa americana registra una avalancha de informaciones de las que sólo reproducimos las más sobresalientes, algunas de ellas contradictorias.

Elliot Abrams, entonces subsecretario de Estado para Asuntos Interamericanos, conocido por su ultraderechismo (es asesor especial de Jorge Mas Canosa, el presidente de la organización anticastrista de Miami, Fundación Cubano-Americana), escribe en el periódico *The New York Times*:

—El presidente de Cuba, Fidel Castro, está nervioso e inició un proceso de depuración militar para asegurar la sucesión en su hermano Raúl, un burócrata gris, cuya capacidad de supervivencia es incierta (8).

Para Abrams, el juicio contra Ochoa revela "el verdadero carácter sórdido de la dictadura estalinista de Fidel Castro".

El mismo periódico, *The New York Times*, publica un artículo el domingo 25 de junio de su corresponsal en México, Larry Rother, en donde dice:

—La teoría más popular es que míster Castro, que siempre ha rechazado las acusaciones de las implicaciones de su Gobierno en el comercio de drogas, estaba deseoso de realizar un escarmiento en la persona del general Ochoa, porque siempre vio en él una amenaza potencial para su propia autoridad (9).

En la avalancha de declaraciones y acusaciones sin pruebas de la participación del Gobierno cubano, de Raúl Castro, de otros altos mandos militares, en el narcotráfico, hay que registrar ésta, recogida del periódico mexicano *Unomasuno*, cuyos titulares rezan:

—El plan de Cuba era ahogar a los estadounidenses en drogas, afirma la DEA. El "Che" Guevara y Salvador Allende, involucrados.

El texto dice:

—Un documento secreto de la DEA (agencia antidrogas) dice tener pruebas de que en 1961 se realizó una reunión en La Habana en la que participaron Ernesto "Che" Guevara, entonces presidente del Banco Nacional de Cuba; el capitán Moisés Crespo, de la Policía secreta cubana, y Salvador Allende, entonces senador de Chile, entre otros, en la que se discutió la creación de una red que promovería el contrabando de drogas de Sudamérica a Estados Unidos, vía Cuba (10).

Por último, y a contracorriente, Charles Rangel, presidente del Comité sobre Narcóticos de la Cámara de Diputados de los Estados Unidos declaró, tras una entrevista con Castro de cinco horas, que Cuba estaba dispuesta a colaborar con Estados Unidos en la lucha contra el narcotráfico.

—Pero el sentimiento anticomunista del Departamento de Estado ha impedido que el Gobierno norteamericano diera hasta ahora una respuesta positiva a Cuba.

Muchas de las acusaciones de que el Gobierno de Cuba colaboraba con los narcotraficantes procedían de mafiosos juzgados en los Estados Unidos. A cambio de una rebaja en la pena, muchos de ellos contaron verdaderas fantasías.

Es el caso del ex ayudante de Noriega, José Blandón, quien afirma que Fidel Castro actuó de intermediario en una disputa entre el Cártel de Medellín y el general panameño Manuel Antonio Noriega.

O el testimonio de Reynaldo Ruiz, un cubano norteamericano que residió en Panamá donde entró en contacto con el mayor Padrón, uno de los cuatro fusilados. Ruiz se jactará de que fuma puros que salen de la caja de Fidel y que es testigo del acuerdo entre Castro y Noriega para controlar el narcotráfico y financiar con el dinero las guerrillas izquierdistas de América Latina. Esa reunión habría tenido lugar en el propio despacho de Castro.

Castro le habló de ese tema al periodista italiano Gianni Miná. De Ruiz dijo:

—Ese es un descarado, un delincuente condenado a un montón de años de prisión, dispuesto a soltar cualquier cosa que le insinúen sus carceleros allí en Estados Unidos.

Pero lo que más le indigna es que se diga que él presidió reuniones donde se hablaba de narcotráfico:

—¿Cómo cabe suponer que un jefe de Estado esté en una reunión con un montón de gente discutiendo nada menos que una operación de tráfico de drogas?

Castro dirá entonces que él aprendió "a conspirar desde muy temprano" y también a organizar expediciones, como la del Granma, que terminó derribando al dictador Batista.

—¿Somos los idiotas que nos sentamos a conversar con un grupo de gente para una operación nada menos que de droga?

—Todas estas especulaciones de los anticastristas habrían provocado algo que esperan desde hace mucho: el Ejército cubano se habría dividido tras el caso Ochoa. Algunos oficiales y jefes podrían intentar un golpe contra Fidel Castro.

Unos meses más tarde, el 2 de diciembre de 1989, con motivo de la celebración del Día de las Fuerzas Armadas, el jefe de la Armada, Pedro Pérez Betancourt, pronunció un discurso en el que salió al paso de esta posible división del Ejército:

—Hablo en nombre de las Fuerzas Armadas Revolucionarias y digo junto a todos mis compañeros: jamás le fallaremos a nuestro Partido, a nuestros principios comunistas y a Fidel. Aquí no hallarán la menor brecha, el menor reblandecimiento ni la menor posibilidad de hacer retroceder al socialismo (11).

Tres años después, ni un solo caso de insubordinación militar se ha conocido en Cuba. Pero la herida sigue abierta. El caso Ochoa conmovió profundamente a la sociedad cubana, independientemente de si se estaba a no a favor de la pena de muerte o incluso de si el ejecutado general preparaba o no una alternativa a Fidel Castro.

En octubre de 1991 hablé con un hombre que conoció bien al general Ochoa. En 1975 había sido destinado a Angola, como jefe de Divulgación y Propaganda de las Tropas cubanas. Un año más tarde llegaría el general Ochoa en su primera misión en Angola.

Durante quince años, este hombre, Carlos Aldana Escalante, hoy miembro del Buró Político, sirvió en las FAR como oficial "político". Es ésta una categoría muy particular del Ejército cubano: aunque hay unidad de mando, existe un jefe militar y otro político.

Aldana, licenciado en Ciencias Políticas, realizó estudios militares en 1961 en la Unión Soviética. A su regreso ocupó distintos cargos políticos dentro del Ejército: jefe de la UJC en las Fuerzas Armadas (1962), miembro de la Comisión Política del Partido en las FAR, jefe de la Dirección Política de la Marina de Guerra, jefe de Divulgación en Angola (1975) y jefe de despacho del ministro de las FAR (1979), Raúl Castro.

El tema del general Ochoa, aunque ha pasado el tiempo, duele todavía. Se nota cuando le pregunto a Aldana si le conoció y me responde: "Le conocí perfectamente". Al referirse al proceso que se le siguió al ex héroe de la Patria, habla como de algo "muy doloroso, muy amargo, porque se trataba de una personalidad respetada y con muchos méritos".

—Señor Aldana: el juicio contra Ochoa fue un revulsivo, dentro y fuera de Cuba, ¿se puede hablar de un Ejército cubano antes y después de Ochoa?

—Sería muy erróneo establecer ese hito: antes y después de

Ochoa. Se trata de un hecho aislado, totalmente ajeno a las FAR, no hay una secuela.

Aquel juicio, en opinión de Aldana, fue "ejemplarizante para toda la sociedad". Se demostró que "nadie está excluido, nadie es intocable, no importan los méritos y servicios prestados".

—Una violación de nuestras leyes se paga, inclusive con la muerte, como sucedió con Ochoa. Porque nadie puede pretender medrar, enriquecerse, albergar ambiciones, porque tenga un nombre, una fama. No fue una decisión fácil para el Tribunal que los juzgó, pero sí fue una decisión amargamente necesaria.

—¿Cómo tomó en lo personal Ochoa su detención, su juicio, su condena a morir fusilado?

—Una de las cosas que más le apesadumbraba en los últimos días de su vida era la certeza de que iba a ser utilizado, desde el punto de vista político, por los enemigos de Cuba.

Arnaldo Ochoa, en su intervención ante el Tribunal de Honor que le juzga en primera instancia, sabedor de que su juicio está siendo manipulado, que Fidel y Raúl Castro están siendo juzgados por la prensa norteamericana, dirá a los 47 generales que forman el Tribunal:

—Todas las actividades ilícitas en que incurrí fueron artificio de mi mente. Nada tuvieron que ver ni Fidel, ni Raúl, ni nadie del Ejército.

Contrariamente a lo que opinó en su día cierta prensa extranjera, Ochoa no sólo no ambicionaba el poder, sino que se olvidó de él. Al menos así lo cree Aldana:

—Lo que le ocurrió a Ochoa es exactamente lo contrario, es decir, no son sus ambiciones políticas, ambiciones de poder, la pretensión de un liderazgo lo que lo llevó ante un Tribunal. Fue lo contrario: se olvidó de lo que representaba, del liderazgo, del poder que tenía, para iniciar una degradación personal.

Lo extraño para muchos cubanos es que Ochoa, que había cruzado sus primeras armas en la sierra junto a Camilo Cienfuegos, uno de los ídolos más queridos de la Revolución, un hombre sencillo, valiente, terminara olvidándose de las principales virtudes de su primer jefe. Las virtudes que hicieron que 82 hombres que desembarcaron el 2 de diciembre de 1956 en una zona de arrecifes del sur oriental de la isla, derrocaran en sólo veinticinco meses al presidente Fulgencio Batista.

Ese día nacía el Ejército Rebelde, antecesor de las FAR a las que el general Ochoa había puesto en la picota en medio mundo. Mal se podría entender el actual Ejército cubano, y la dureza con que juzgó a Ochoa, sin conocer los antecedentes que dieron origen a las FAR.

Los primeros tiempos del Ejército Rebelde no fueron fáciles.

Desperdigados por el ataque de las tropas de Batista, los supervivientes del Granma se escondieron en las estribaciones de Sierra Maestra. Es famosa la anécdota del reencuentro, dieciséis días después, de Fidel con su hermano Raúl y con Ernesto "Che" Guevara.

El propio Raúl rememoró ese hecho en el XXX aniversario del desembarco del Granma:

—En un lugar de las estribaciones de la Sierra Maestra conocido como Cinco Palmas nos encontramos nuevamente con el jefe de la Revolución (Fidel). Eramos apenas un puñado de combatientes y todas nuestras armas sumaban solamente siete fusiles. Fidel, con infinita confianza en la victoria, expresó entonces:

—¡Ahora sí ganamos la guerra! (12).

Aquellos siete fusiles se han multiplicado por 100.000, afirma Raúl.

—Creo que no revelo ningún secreto militar —dice en ese mismo discurso el ministro de las FAR—, pero si el enemigo intentara ocupar nuestra patria encontrará allí (en la Sierra Maestra) el fuego de 700.000 fusiles, por citar sólo los que posee el Ejército Oriental, que no es, por cierto, el más poderoso de los tres Ejércitos de tropas generales con que ahora cuenta la Patria para su defensa.

Aquel 2 de diciembre de 1956 marcará la fecha de la fundación del Ejército Rebelde, antecesor de las actuales Fuerzas Armadas Revolucionarias.

Cuando el 1 de enero de 1959 Camilo Cienfuegos y Ernesto "Che" Guevara entran triunfantes en La Habana y Fidel Castro toma Santiago de Cuba, el Ejército Rebelde cuenta con unos 3.000 hombres. Los mismos, aproximadamente, que el 16 de octubre de ese año ingresan en el recién creado Ministerio de las Fuerzas Armadas Revolucionarias (MINFAR). Sustituye al antiguo Ministerio de Defensa Nacional y un jovencísimo Raúl Castro, de veintiocho años, es nombrado ministro de las FAR, cargo que ocupa hasta la actualidad (13). El comandante Hubert Matos, entonces jefe militar de Camagüey, renuncia a su puesto tres días más tarde. Poco después será arrestado y condenado a veinte años de prisión. (Ver capítulo "Los exiliados".)

Un año después, hay 49.000 hombres y las FAR comienzan a estructurarse como un ejército regular moderno. El país que habría de exportar luego centenares de asesores militares, recibía ese año a sus dos primeros asesores: dos españoles.

El 4 de marzo de 1960, un ingeniero agrónomo latinoamericano, de nombre Angel Martínez, aterriza en el aeropuerto José Martí de La Habana. Veinte días después llega otro agrónomo, Roberto Roca.

Son tiempos difíciles para la naciente Revolución. Los sabotajes están a la orden del día y hay espías por todas partes. Los agentes de la CIA (Agencia Central de Inteligencia) no sospechan de la llegada de dos ingenieros agrónomos a un país que está en plena reforma agraria.

Pero en realidad esos dos ingenieros han viajado con pasaporte falso y procedentes de Moscú han hecho un largo recorrido para borrar sus huellas.

Los ingenieros Martínez y Roca son en realidad los tenientes coroneles del Ejército Republicano español Francisco Cuitat y Ramón Soliva, profesores ambos en la Academia Superior de Guerra Mijail Frunze de Moscú. Ambos han sido autorizados por el Partido Comunista de España (PCE) a viajar a La Habana y trabajar como instructores de las novísimas Fuerzas Armadas Revolucionarias (14).

Al año siguiente, 1962, llegarán los primeros instructores soviéticos. Con la creación el 26 de octubre de 1959 de las Milicias Nacionales Revolucionarias (MNR), integradas por obreros, campesinos, y estudiantes, las incipientes FAR pudieron hacer frente a la invasión de Playa Girón o Bahía de Cochinos, en 1961, y a la llamada "lucha contra bandidos".

El 17 de abril de 1961 unos 1.300 cubanos anticastristas desembarcan al sur de la isla, en las playas de la Ciénaga de Zapata, provincia de Matanzas. En menos de setenta y dos horas son rechazados por el Ejército de Castro con la importante colaboración de las milicias.

En los primeros cinco años de la Revolución, las Milicias juegan un papel fundamental en la limpieza de las sierras cubanas, donde llegaron a establecerse hasta 179 grupos contrarrevolucionarios, según Raúl Castro.

Son las primeras escaramuzas de las Fuerzas Armadas Revolucionarias, que les sirven de entrenamiento con fuego y enemigos reales.

Treinta años después, las FAR son uno de los Ejércitos mejor entrenados del mundo, y cientos de miles de sus soldados han luchado en varios continentes en misiones internacionales. Y miles de asesores han colaborado con docenas de movimientos guerrilleros en América Latina o con triunfantes revoluciones como la sandinista.

Aquellos 3.000 efectivos del Ejército Rebelde, que apenas si contaban con unos miles de fusiles, media docena de viejos aviones y algunos vehículos blindados, han pasado a ser un ejército de 180.500 hombres.

Si se suman los 130.000 de la reserva activa, los 100.000 del Ejército Juvenil del Trabajo (EJT), los 50.000 de la Defensa Civil, el 1.300.000 de las Milicias de Tropas Territoriales (MTT), los 15.000 del MININT y los 4.000 Guardias Fronterizos, Cuba dispone de 1.779.500 hombres y mujeres listos para entrar en combate en cualquier momento. Casi el 20 por 100 de su población, de 10.479.000 habitantes (15).

En los primeros años de la Revolución, las FAR se nutrieron de voluntarios y de los efectivos de las Milicias y del antiguo Ejército Rebelde.

La obligatoriedad de cumplir el servicio militar data de 1963. Pero hasta 1973 no se dicta la Ley del Servicio Militar Obligatorio, que más tarde pasará a llamarse Servicio Militar Activo.

En 1989, de los 180.500 efectivos totales de las FAR, 79.000 pertenecen al Servicio Militar Activo. La mujer no está incluida en ese cupo, sino que acceden al Ejército a través del Servicio Militar Voluntario. Cada año, unos 30.000 jóvenes ingresan al servicio militar.

Los jóvenes que tienen familiares dependientes de ellos no son llamados a filas. Los que se incorporan al Ejército Juvenil del Trabajo perciben un salario similar al del resto de los trabajadores de iguales características.

El Ejército puede llamar a filas a los jóvenes comprendidos entre los dieciséis y los veintiocho años. Si no son convocados por cualquier circunstancia en ese tiempo, pasan a la reserva.

El tiempo de duración del servicio militar era de tres años hasta septiembre de 1991, fecha en que se redujo a dos. Una vez finalizado el servicio activo, se pasa a la reserva. Los reservistas son convocados una vez al año al menos para realizar ejercicios de entrenamiento militar.

A los soldados se les ofrece la oportunidad, a través de los llamados Preuniversitarios Militares, de acceder a la Universidad. Por esa vía, según Raúl Castro, 30.000 jóvenes cubanos han ingresado en la educación superior.

Algunos jóvenes bachilleres cumplen sólo un año de servicio y en general los estudiantes universitarios están exentos del Servicio Militar Activo. Deberán a cambio asistir durante tres o cuatro años, según las carreras, a una clase semanal llamada "Cátedra militar", de carácter práctico y teórico.

Al finalizar la carrera, deben seguir un cursillo de dos meses de duración al que llaman "Concentrado militar". Se refuerza la instrucción en el campo, y se insiste en una asignatura llamada "Trabajo político".

Al finalizar ese cursillo, los universitarios han de aceptar obligatoriamente un trabajo de dos años en el lugar donde sean destinados por el organismo que lo contrata, con el sueldo mínimo. Es lo que llaman Servicio Social. Con ese sistema, miles de universitarios de todas las ramas han sido enviados a las zonas agrícolas o de montaña.

Muchos de los llamados "médicos de familia" que pueblan la Sierra Maestra proceden del Servicio Social. Al finalizar ese período de dos años, pueden regresar a su ciudad de origen —si han sido desplazados— y mantener una relación laboral normal.

Durante años, las mujeres cubanas, muchas de las cuales habían colaborado en la lucha clandestina contra Batista, exigieron el derecho a ingresar en el Ejército en los mismos puestos y condiciones que los hombres.

Unos meses antes del final de la guerra, Fidel creó el pelotón femenino "Mariana Grajales", una de las legendarias figuras de la historia preindependentista cubana. Madre de trece hijos, en dos matrimonios, todos ellos lucharon contra el ejército colonial español, incluido su segundo marido, Marcos Maceo. Uno de sus hijos fue Antonio Maceo, el glorioso general apodado "El Titán".

En el "Mariana Grajales" empuñaron sus fusiles las primeras mujeres cubanas, una de ellas Vilma Espín. Hija de una familia acomodada, Vilma luchó en el Segundo Frente, comandado por Raúl Castro. El amor nació en el fragor de la batalla y al triunfar la Revolución contrajeron matrimonio.

Vilma recuerda aquellos tiempos de guerrilla:

—La vida en la montaña era dura. Las compañeras trabajaban como mensajeras, en las cocinas, en el abastecimiento, como guías, como enfermeras, en los talleres.

Pero también querían pelear. Y pudieron hacerlo en el "Mariana Grajales".

Con la llegada al poder de Castro, las mujeres se organizan bajo la dirección de Vilma en la Federación de Mujeres de Cuba (FMC) creada el 23 de agosto de 1960. Su primera tarea consistirá en organizar los Comités de Defensa de la Revolución (CDR) y las Brigadas de Primeros Auxilios (16).

Tras la formación de las Milicias de Tropas Territoriales (MTT), el 1 de mayo de 1980, las mujeres ven cumplido en parte su sueño: diez años después, más del 40 por 100 de los miembros de las MTT son mujeres, muchas de ellas oficiales.

Hasta entonces, habían ingresado por la llamada vía técnica: eran médicas, enfermeras, ingenieras, técnicas de aviación, en carros de combate. Por fin se crea a finales de los ochenta el Primer Regimiento Femenino de Artillería Antiaérea y poco después un segundo en la zona próxima a la base de Guantánamo.

El deseo de pertenecer activamente a las fuerzas de defensa fue palpable el 5 de marzo de 1990. El amplio salón de congresos tiene un color azulado y verde olivo. Nada menos que 1.395 mujeres visten el uniforme de las FAR o de las Milicias de Tropas Territoriales (MTT). Pero no se trata de un congreso de mujeres soldado. Sino del V Congreso de la Federación de Mujeres de Cuba: el millar largo de mujeres pertenecen en su totalidad o al Ejército o a las Milicias.

Escuchan con atención a su presidenta, Vilma Espín, quien

luce en sus charreteras verde olivo las estrellas de oficial miliciana, rendir su informe al Congreso:

—Más de 100.000 mujeres han ingresado (en el Ejército) desde 1984. A los dos regimientos de artillería hay que sumar uno de infantería y otro del Ejército Juvenil del Trabajo. Más de un millón y medio de mujeres integran las Brigadas de Producción y Defensa y poco más de medio millón pertenecen a las MTT (17).

Cuando en los inicios de la década de los ochenta se iniciaron los primeros ejercicios de las MTT, las mujeres pidieron a través del Partido y la FMC tener acceso al mismo armamento que los hombres. Un armamento que no alcanzaba para todos. Raúl, recuerda Vilma, dijo:

—¡Hasta una olla de agua caliente puede servir para combatir al enemigo!

Además de crecer en hombres y mujeres, las FAR aumentaron en forma considerable su armamento.

Si Fidel había iniciado su lucha contra Batista con siete fusiles, hoy dispone de: 1.100 carros de combate medios, 60 carros ligeros, 1.700 camiones antiaéreos, importantes unidades de artillería remolcada, lanchas de desembarco, misiles de superficie y aéreos, tres submarinos, tres fragatas, 58 buques de combate y vigilancia costera, 18 lanchas lanzamisiles, 40 lanchas patrulleras, 14 buques de guerra, seis buques de desembarco y apoyo, un total de 172 aviones MIG de distintos modelos, 21 helicópteros de combate y 117 helicópteros de transporte y entrenamiento (18). (Ver anexo.)

Fidel tenía pues hombres y armas más qué suficientes. Y también tenía deseos de exportar la Revolución.

Si en la década de los sesenta intentó, de acuerdo con el comandante Ernesto "Che" Guevara, crear varios Vietnam en América Latina, en los años setenta Cuba se abriría al continente africano, donde jóvenes países luchaban por su independencia.

Con ello, los cubanos, como gusta recordar Fidel Castro, no hacían sino seguir una senda internacionalista recorrida antes por muchos de sus héroes.

Comenzando por el primer indígena que se rebeló contra los conquistadores españoles en Cuba, el indio arawak Hatuey.

Hatuey, cuya memoria se conserva viva entre otras cosas porque la mejor marca de cerveza cubana lleva su nombre y su perfil de indio de afilada nariz, no había nacido en Cuba, sino en la Hispaniola, la isla vecina de Cuba ocupada hoy por la República Dominicana y Haití.

Hatuey peleó en la Hispaniola contra los invasores. Acorralado escapó a Cuba, donde encabezó grupos de indígenas que lucharon contra los españoles. Fue capturado y quemado vivo.

Cuenta la leyenda que los españoles intentaron por todos los

medios convertirlo al catolicismo antes de que pereciera achicha-
rrado. Sus verdugos le decían que así iría al cielo. Pero el valiente
arawak se negó:

—Volvería a verlos a ustedes en ese cielo —les dijo a los españoles.

Otro dominicano, Máximo Gómez, llegaría a ser comandante
en jefe de los independentistas cubanos en el siglo pasado. El otro
gran héroe de la independencia cubana, Antonio Maceo, hijo de
un mulato venezolano y de la mítica Mariana Grajales, ofreció su
espada para combatir por la independencia de Puerto Rico.

En las dos guerras de independencia cubanas —dejando a un
lado la llamada Guerra Chiquita, que duró unos meses— participaron soldados de veinte países. Diecisiete de ellos alcanzarían el
grado de general: cinco dominicanos, tres españoles, dos norteamericanos, dos colombianos, un chileno, un jamaicano, un puer-
torriqueño, un polaco y un venezolano (19).

En la guerra civil española, 1.000 cubanos combatieron junto
al Ejército Republicano. Y ya más cercano, el ejemplo del médico
argentino Ernesto Guevara, conocido simplemente como el
"Che", que se sumó a Fidel Castro en la Ciudad de México cuando
éste preparaba la invasión de Cuba en el yate Granma. El "Che"
llegaría a ser uno de los tres hombres más influyentes de la Cuba
revolucionaria.

Fue precisamente el "Che" quien en 1965 pidió permiso a Fidel para viajar a Africa. Allí estableció contacto con diversos grupos guerrilleros, uno de ellos el del izquierdista Movimiento Popular para la Liberación de Angola (MPLA), dirigido entonces
por el fallecido Agostino Neto. El "Che" peleó en aquellos años
en el Congo de Patricio Lumumba, hoy República del Zaire, y en
Tanzania.

El día 27 de mayo, sobre una suave colina de las afueras de La
Habana, en un lugar conocido como "El Cacahual", donde se alza
un impresionante monumento al general Antonio Maceo, Fidel y
Raúl Castro presidieron el acto que cerraba la aventura africana,
bautizada como "Operación Carlota" en homenaje a una negra
cubana esclava que encabezó dos sublevaciones contra los españoles en el siglo XIX, siendo finalmente descuartizada.

Dijo Raúl, encargado como ministro de las FAR de pronunciar
el discurso, al recordar que el "Che" había peleado en Africa una
década antes de que los cubanos desembarcaran en Angola:

—Por eso yerran los que de buena fe ignoran los antecedentes
históricos de nuestra presencia en Angola, y buscan las razones en
simplonas explicaciones geopolíticas, en derivaciones de la guerra
fría, o los conflictos globales entre el Este y el Oeste (20).

En 1975, diez años después del primer viaje del "Che", los primeros soldados cubanos aterrizarían en Luanda, capital de Ango-

la. Durante los siguientes quince años, 377.033 cubanos, entre los que había 56.622 oficiales, y otros 50.000 civiles, ayudarían al Gobierno de Angola a rechazar al ejército sudafricano y a la guerrilla derechista apoyada por los Estados Unidos UNITA (Unión Nacional para la Independencia Total de Angola) (21).

Hasta el 25 de mayo de 1991, fecha en que regresaron los últimos 3.000 soldados de Angola, el internacionalismo cubano había mantenido en distintos momentos de los últimos quince años las siguientes tropas, entre soldados y asesores, en Africa: 13.000 en Etiopía, 2.000 en Libia, 1.000 en Mozambique, 400 en Guinea Ecuatorial, 300 en Tanzania, 250 en Guinea Bissau, 100 en Santo Tomé, 60 en Argelia, 50 en Uganda, 20 en Sierra Leona, 20 en Benin y 15 en Cabo Verde.

A este contingente habría que agregar las tropas y asesores desplazados a diversos países latinoamericanos, principalmente a la Nicaragua sandinista.

Si la Unión Soviética ayudaba con las armas, los cubanos se llevaron la gloria y pusieron los muertos.

Un total de 2.166 cubanos perdieron la vida en los trece países africanos en que pelearon entre los años 75 y 91. La inmensa mayoría cayó en Angola, 2.077.

¿Qué beneficios obtuvo Cuba de esa experiencia en Africa?

Raúl Castro lo dirá en su discurso que celebra la victoria cubana en Angola, ese 27 de mayo de 1991. Porque los cubanos consideran una victoria su paso por tierras africanas:

—Victoria rotunda es haber detenido la embestida inicial y enterrado para siempre el mito de la invencibilidad del ejército sudafricano... Victoria histórica es la independencia de Namibia, última colonia del Africa negra... Victoria es haber contribuido a romper los cerrojos que mantuvieron encarcelados más de un cuarto de siglo a Nelson Mandela y otros patriotas.

En julio de 1991 me encontraba en La Habana cuando llegó Nelson Mandela. Una figura impresionante. A pesar de su cuarto de siglo entre rejas, Mandela mostraba una serenidad y paz interior increíbles.

Mandela dio una conferencia de prensa a la que, por la cercanía de los Juegos Panamericanos que ese año tuvieron lugar en La Habana, habían acudido muchos periodistas norteamericanos. Dos de ellos, de Miami, que provocaban una y otra vez al veterano luchador antirracista para que descalificara la Revolución cubana. Mandela no quiso juzgar a Cuba. No quiso, como dicen los diplomáticos, inmiscuirse en los asuntos internos de la isla.

Pero dejó bien claro lo que pensaba de quienes ahora, en Miami, le atacaban por su apoyo —con su sola presencia— al régimen de Castro:

—¿Quiénes son los de Miami para atacar a Cuba por violaciones de los Derechos Humanos? Durante cuarenta y dos años se mantuvieron callados respecto a lo que sucedía en Sudáfrica. ¿Quiénes son ellos para hablar ahora de Derechos Humanos, si no les preocupó jamas la muerte de 10.000 negros sudafricanos?

En cambio, en todos los años que estuvo encarcelado, hubo un solo país, Cuba, que le defendió desde el principio hasta el fin de su cautiverio. "En esos años, muchos países europeos se dedicaban a comerciar con Sudáfrica. El agradecimiento de Mandela a Fidel sería eterno", dijo.

En la ceremonia de "El Cacahual", los últimos de Angola aguantan firmes el implacable sol habanero. No se mueve una mosca. Antes que Raúl ha intervenido un soldado, Obdulio Alonso Martínez. Habla en nombre de los últimos 3.000 soldados cubanos que hace sólo cuarenta y ocho horas han llegado de Angola.

—Hoy ratificamos aquí que nos sentimos más internacionalistas que nunca, y si la Patria exige nuevos sacrificios, los haremos. Si el Partido nos pide nuevos sacrificios, los haremos. Si el comandante en jefe nos ordena una nueva misión, la cumpliremos. Porque así somos los soldados de la Revolución. ¡Viva el internacionalismo proletario!

—¡Viva!

El soldado Obdulio Alonso Martínez da vivas a Fidel, a la bandera, y a la amistad entre Cuba y Angola. Luego, una niña de poco más de diez años recita un poema.

He asistido a varias ceremonias militares en Cuba y casi siempre algún adolescente lee un poema. Aquel día en "El Cacahual" la niña leyó un poema épico con una voz potente y chillona que estremeció a muchos de los soldados:

> *Llevaron la libertad retando a los huracanes.*
> *Indomables capitanes de la solidaridad.*
> *Pusieron la dignidad a la altura de un lucero*
> *y al mirarlos considero que los héroes de mi tierra*
> *fueron de carne a la guerra para regresar de acero.*

En diciembre de 1988 se firmaba en Nueva York un acuerdo de paz entre las tres partes en conflicto: Angola, la República Sudafricana y Cuba, con las dos potencias de entonces, Estados Unidos y la Unión Soviética, como garantes del acuerdo. Las tropas cubanas y sudafricanas debían salir del país.

Aunque después hubo algunas escaramuzas entre el MPLA y la UNITA, al final la paz total llegó a Angola.

El presidente angolano, José Eduardo dos Santos, renunciaba al régimen socialista de partido único. Los dos grandes partidos, MPLA y UNITA, acordaban convocar elecciones libres para los últimos meses de 1992. Muchos auguraban la derrota del MPLA, en el poder desde la independencia del país de Portugal, en 1875.

Era un pequeño revés para Cuba. Al igual que lo había sido Etiopía, cuyo presidente Mengistu Haile Mariam abandonaba el país en mayo de 1991. Había gobernado con mano de hierro, y con la ayuda de las tropas cubanas, desde 1977. Ahora se fugaba de forma vergonzosa. Horas después de su salida, una gigantesca efigie de Lenin era derribada por una multitud enfurecida.

Era la última estatua de Lenin que quedaba en el continente africano. Todo un símbolo.

Con nostalgia, Raúl Castro declaraba a María Asunción Mateo un año después que "jamás hemos presionado para que (los angolanos) adopten un régimen social determinado, eso es una cuestión de los angolanos".

Pero algo debía dolerle al máximo dirigente del Ejército cubano que esa Angola que se había tragado la vida de 2.000 jóvenes cubanos se encaminara hacia una sociedad pluripartidista y de economía de mercado tan denostada en Cuba:

—Si quieren ir a una economía de mercado, eso es cosa de ellos —decía Raúl.

Al ministro de las FAR le quedaba la satisfacción del deber cumplido y de haber comprobado cómo se batían sus soldados, a 15.000 kilómetros de la patria. Y sobre todo había aprendido una lección:

—Gracias a Angola, comprendemos en todo su alcance la enseñanza del compañero Fidel de que cuando un pueblo como el cubano ha sido capaz de combatir y de sacrificarse por la libertad de otro pueblo, ¡qué no será capaz de hacer por sí mismo!

El discurso de Raúl en "El Cacahual" llegaba a su fin. Mirando a su hermano, dijo con firme voz:

—¡A nuestro pueblo, y a usted, comandante en jefe, informo: ¡La "Operación Carlota" ha concluido!

Y no sólo la "Operación Carlota". Concluía toda una etapa importantísima del Ejército cubano: el internacionalismo con el fusil en la mano. Como mucho, ahora el internacionalismo se practica con un libro o un estetoscopio en las manos. Brasil, Colombia, Nicaragua, hasta un total de 32 países del Tercer Mundo han recibido miles de "cubanos médicos, ingenieros, agrónomos, maestros e investigadores", decía la resolución sobre política exterior aprobada en el IV Congreso del Partido en octubre de 1992.

El Ejército tenía ahora otra misión que cumplir: prepararse en casa para defender al país si éste era atacado.

Para ello se dividió el territorio en tres grandes zonas, defendidas por otros tantos Cuerpos de Ejército. La doctrina desarrollada por el Gobierno fue la de hacer autosuficiente cada zona. Con ello se evitarían las movilizaciones precipitadas de grandes cantidades de tropas.

Los tres Cuerpos de Ejército se reparten en esta forma: el Ejército Occidental, que incluye a las provincias de La Habana y Pinar del Río y tiene su cuartel general en Ciudad de La Habana, el Ejército Central, que agrupa a las provincias de Matanzas, Villa Clara, Cienfuegos y Sancti Spíritus, con sede en la ciudad de Matanzas, y el Ejército Oriental, integrado por las provincias de Santiago de Cuba, Guantánamo, Granma, Holguín, Las Tunas, Camagüey y Ciego de Avila, con la sede del cuartel general en Santiago.

La Constitución cubana apenas si se ocupa de las FAR en sus 141 artículos. El artículo 64 refiere que "la defensa de la patria socialista es el más grande honor y el deber supremo de cada ciudadano", y que "la traición a la patria es el más grave de los crímenes: quien la comete está sujeto a las más graves sanciones".

Es atribución del Consejo de Ministros determinar la organización de las FAR (art. 96).

Una de las críticas más frecuentes al régimen cubano es la magnitud de sus fuerzas armadas.

Comparadas con las del continente latinoamericano, Cuba solamente es superada por Estados Unidos, con 2.174.200 efectivos voluntarios, y Brasil, con 319.000. Dos grandes países de la América hispana, México y Venezuela, tienen menos tropas que los cubanos: 134.500 hombres los mexicanos y 70.500 los venezolanos (22).

Claro que ni México ni Venezuela se ven amenazados, como se sienten los cubanos, por el imperio más poderoso de la tierra, los Estados Unidos de Norteamérica, cuyas costas distan de las cubanas tan sólo 144 kilómetros.

La obsesión por un posible ataque o invasión de los Estados Unidos puede parecer patológica a algunos observadores. Pero no para muchos cubanos, y sobre todo no para Fidel, que alude constantemente a la amenaza del imperio.

—No hay que olvidar nunca dónde estamos situados, que no es en el Mar Negro, sino en el Mar Caribe, no a 90 millas (144 kilómetros) de Odesa, sino a 90 millas de Miami —dijo Fidel el 26 de julio de 1989, conmemorando el XXXV aniversario del asalto al Cuartel Moncada (23).

Esas 90 millas pueden ser atravesadas por un avión de combate en un suspiro. En marzo de 1992, un MIG-23 cubano hizo el recorrido en poco más de diez minutos. Los sofisticados sistemas de detección norteamericanos descubrieron el aparato pilotado por un desertor cuando éste estaba ya prácticamente en la pista de aterrizaje al sur de La Florida.

El prestigioso Instituto de Estudios Estratégicos de Londres facilitó la cifra de 2.240 millones de dólares en gastos de defensa en 1988. La grave crisis económica que atraviesa la isla tras el derrumbe del socialismo soviético y del Este europeo, países con los que Cuba monopolizaba su comercio (el 85 por 100 de todas sus importaciones procedían de esa zona) no han provocado una disminución en los gastos en defensa. Aunque se han producido ahorros, la defensa es, por decirlo en el argort cubano, "un tema priorizado". Como lo es el turismo o el desarrollo biotecnológico, dos importantes fuentes de ingresos en divisas.

—La necesidad de poseer una poderosa defensa no es un gusto o un capricho de la Revolución, es una necesidad que nos impone el enemigo imperialista (24).

En otro discurso de otro aniversario, el que conmemoraba treinta y dos años del desembarco del Granma, Castro habló sobre "la necesidad de seguir invirtiendo sudor y recursos, y de seguir haciendo sacrificios para fortalecer nuestra defensa".

Más recientemente, en mayo de 1992, Fidel le decía al comandante sandinista Tomás Borge:

—Sería absurdo que nosotros, en un momento como éste que estamos viviendo, solos y enfrentados al imperio, sin otra fuerza que la nuestra y sin otros recursos que los nuestros, cometiéramos el error de descuidar la defensa. Por eso, el fortalecimiento de la defensa está entre los programas priorizados del Período Especial (25).

Los Estados Unidos, conscientes de que el desgaste económico es mortal para Castro, y con el fin de presionarle psicológicamente, realizan todos los años importantes maniobras navales en las aguas del Caribe, en zonas muy próximas a Cuba. Con frecuencia utilizan como centro de operaciones la base de Guantánamo, al oriente de la isla. Otras veces, el denominado "Comando Caribe", situado en Cayo Hueso, al sur de Florida.

En 1989, por ejemplo, los Estados Unidos realizaron tres sucesivas maniobras: Solid Shield'89 (Escudo Sólido), Ocean Venture (Aventura Oceánica) y Global Shield'89 (Escudo Global).

Todas ellas entrañan el movimiento de numerosos buques de guerra, y desembarcos navales y aéreos, que tienen lugar o en la base de Guantánamo o en la vecina Puerto Rico. La Global Shield de 1989 "practicó la guerra nuclear", así como "un ensayo de golpe aéreo masivo contra Cuba, el 20 de mayo de 1989", informó el órgano del PCC, *Granma* (26).

Ese "Escudo Global" movilizó "en áreas cercanas o inmediatas al territorio nacional cubano entre otras grandes unidades de las Fuerzas Armadas de los Estados Unidos, la 82ª División Aerotransportada, la 101 de Asalto Aéreo, y la 24ª División de Infantería Mecanizada", escribe *Granma*. Cientos de aviones, entre ellos cazas tácticos y bombarderos estratégicos B-1 y B-52, así como el acorazado BB-64 Wisconsin tomaron parte en las maniobras. Un total de 20.000 hombres participaron en el "Escudo Global".

Al año siguiente, 1990, se repitió la Ocean Venture y un ejercicio de defensa en la base de Guantánamo, llamado DEFEX, que consiste en la evacuación del personal civil de la base. En este pequeño espacio ocupado por los Estados Unidos desde 1901 y que según el acuerdo firmado entonces puede disponer de él de por vida, había en abril de 1990 3.000 norteamericanos, 800 haitianos y 125 cubanos, de acuerdo con *Granma*. La base ha llegado a tener hasta 7.000 norteamericanos entre personal civil y militar.

La reacción del Gobierno cubano fue: primero, denunciar las maniobras en *Granma* para "alertar a la opinión pública sobre el peligro que entraña esta escalada de presiones"; segundo, organizar sus propias maniobras.

En 1990, a los pocos días de iniciada la Ocean Venture, el Ejército cubano respondió con el "Escudo Cubano". *Granma* informó que "participaron cientos de unidades tácticas de las diferentes armas y aseguramientos, alrededor de un millón de milicianos de las Brigadas de Producción y Defensa, miles de medios de combate, incluyendo tanques, transportadores blindados, piezas de artillería y morteros, instalaciones coheteriles y de artillería antiaérea, aviones y helicópteros de combate y transporte, buques de la Marina de Guerra Revolucionaria y otra técnica de uso militar" (27).

Las maniobras cubanas, afirma *Granma*, finalizaron cuando se comprobó que "las actividades militares del enemigo volvieron a sus niveles habituales, lo cual no excluye que sigamos amenazados de una agresión militar imperialista, dada la cercanía de sus bases a nuestro territorio, su odio a la Revolución cubana, y que después de su ensayo se encuentra en un nivel que le permite estar más preparado para un zarpazo".

Como es sencillo de imaginar, el "Escudo Cubano" supuso al Gobierno de Castro un considerable gasto en combustible y en fuerza de trabajo, ya que muchos hombres tuvieron que abandonar sus tareas habituales. Viviendo como se vive en 1992, Cuba, con prácticamente la cuarta parte del petróleo que recibía en 1989, este tipo de juegos de guerra erosiona la economía cubana y Estados Unidos lo sabe.

Mas había que seguir la consigna del máximo líder: no bajar jamás la guardia. Había que ahorrar todo lo que se pudiera y algo más. Pero se debía preparar a la población para rechazar una eventual invasión. Así nació "la guerra de todo el pueblo".

Enfrentar la masa a la técnica.

Imaginativos como ellos solos, los militares cubanos se las han ingeniado para mantener en alerta a su eficaz maquinaria de guerra con la cuarta parte de combustible que recibían hasta 1989.

Por ejemplo, para la instrucción, los carros de combate funcionan con un gas obtenido del carbón vegetal —Cuba no tiene ni gas natural ni carbón mineral—. El tanque corre menos, pero el soldado practica y aprende a manejarlo.

Confirmaba Raúl Castro:

—En 1991, las FAR consumieron el 25 por 100 del petróleo que recibíamos en 1989 (28).

Para lograr ese significativo ahorro, las FAR han limitado al mínimo el movimiento de tropas y maquinaria. Pero no han bajado la guardia. El TOM (Teatro de Operaciones Militares), ejercicios de preparación militar, ha seguido desarrollándose. Las fortificaciones y los túneles defensivos —Cuba se está convirtiendo en un queso gruyère— siguen construyéndose. La Marina de Guerra ha limitado sus salidas al mar a las estrictamente indispensables. Raúl Castro reconoce que todas las tareas se han cumplido, salvo en la Fuerza Aérea, que es la gran consumidora de combustible.

El 17 de marzo de 1990, Estados Unidos comenzó a emitir programas de televisión dirigidos a Cuba desde TV Martí, emisora dependiente de la Agencia de Información de los Estados Unidos (USIA), un organismo gubernamental.

A las cuatro en punto de cada madrugada, durante meses, cuando desde La Florida salía la señal televisiva enfocada a las costas del norte de Cuba, desde muy diversos puntos de la isla despegaban docenas de helicópteros soviéticos Mig-23 U.

Equipados con modernos transmisores de interferencias, los Mig "sellaban" el espacio aéreo cubano y prácticamente establecían una barrera electrónica invisible que no dejaba penetrar los programas de variedades, bastante insulsos por cierto, y los informativos preparados en Washington.

Se estableció una guerra de nervios. Reporteros del área caribeña de muy diversos países recibieron inesperadamente una llamada telefónica de las embajadas y consulados cubanos:

—Tienes concedida una visa para viajar a Cuba.

Más de cien periodistas acudimos a La Habana. La mitad eran norteamericanos, a los que tradicionalmente se les pone más trabas para permitirles trabajar en la isla.

Visitamos la base aérea de Baracoa, a unos 40 kilómetros al oeste de La Habana.

El coronel José Herrera Medina, de cuarenta y nueve años, un hombre de corta estatura y ancha cintura, miembro de la Dirección Política de las FAR, nos dijo nada más llegar:

—Estamos en guerra radioelectrónica con los Estados Unidos.

Sobre la pista de la base, dos poderosos helicópteros Mig-23 U, de procedencia soviética, perfectamente artillados. El coronel Herrera dijo que nunca había penetrado en la base tanto periodista extranjero y desde luego jamás provistos de cámaras de fotografía y de televisión. Ese día, a las cámaras se les dejó filmar un cuadro previamente seleccionado por los jefes de la base.

Los helicópteros despegaban a las 3.45 de la madrugada y permanecían en el aire hasta las 6.45. El piloto Gustavo Cisneros, primer teniente del Ejército del Aire, informó que cada helicóptero gastaba 900 litros de combustible por hora.

Le pregunté al coronel Herrera si en las condiciones económicas que vivía la isla —que se agravaron con el tiempo— no era un gasto excesivo. Contestó:

—Hemos gastado otras cosas más valiosas que el combustible: la vida de los mejores hijos de Cuba.

—Señor, pero...

—¿Usted es español, verdad? Bien: ¿qué le parecería si un buen día a los norteamericanos se les ocurre instalar una antena en la base de Torrejón e invaden Madrid? Evitar esa violación de nuestro espacio aéreo es una cuestión de dignidad.

La aviación cubana demostró una efectividad enorme, aunque a un alto costo material. El primer día tardaron diez minutos en sellar la señal. Durante los días siguientes, la dirección de las FAR emitía un comunicado diario: hoy nuestros pilotos sellaron la señal de la "teleagresión" —así la llamaban— en siete minutos. Al día siguiente en seis. Al otro día en cinco. Los cubanos seguían esas notas como si el mítico Alberto Juantorena estuviera rebajando una y otra vez el récord mundial de los 400 metros.

Llegaron a tardar en bloquear completamente la señal algo más de dos minutos. El coronel Herrera aguantó todas las puyas habidas y por haber de los reporteros norteamericanos. No quiso decir cuántos helicópteros tomaban parte en la operación, ni cuántos hombres se movilizaban, ni cuántas bases del país tomaban parte, ni cuántos barcos —que también emitían interferencias desde el mar— salían a taparle la boca a la TV Martí...

—No vamos a regalar datos al enemigo —se justificó el coronel—. No es que ustedes sean enemigos, sino que al publicarlos, ellos sacarán sus conclusiones.

Aquella operación de Estados Unidos fue algo absurdo: se emitían de cuatro a siete de la mañana programas de televisión que nadie veía. Primero, porque a esa hora la inmensa mayoría de los cubanos dormían —el vídeo es un aparato inalcanzable—, y segundo, porque en menos que cantaba el gallo mañanero la "teleagresión" había sido rechazada.

En esos días La Habana registró un nuevo graffiti:

—TV Martí: No se TV nada.

Sólo sirvió para una cosa: hizo gastar gasolina al Ejército cubano.

Antes de que se produjera el derrumbe de los socialismos europeos, el Gobierno cubano comenzó a diseñar planes de ahorro. Las FAR tenían, como es lógico, su plan para el Período Especial en Tiempos de Guerra, diseñado, de acuerdo con Raúl Castro, en los últimos meses de la década de los setenta, cuando se preveía que Ronald Reagan alcanzaría la presidencia en Estados Unidos.

El Gobierno cubano adaptó ese plan diseñado para los tiempos de guerra a uno en tiempos de paz.

Surgió así, en septiembre de 1990, el Período Especial en Tiempos de Paz, que comenzó a aplicarse en "la primera fase". La última sería la llamada "Opción Cero". A ella se llegaría cuando a Cuba no entrara ni una gota de combustible.

El Período Especial en Tiempos de Paz se basa, entre otras muchas cosas, en un ahorro gigantesco de todos los bienes, y en el desarrollo de la agricultura hasta lograr que la isla sea autosuficiente en materia alimentaria.

Las FAR no permanecieron al margen de ese programa. Al contrario, con la efectividad que caracteriza a los ejércitos de todo el mundo, fueron los primeros en poner en marcha su programa de autoconsumo, con éxitos importantes. En palabras de Raúl:

—En 1990, las Fuerzas Armadas, en lo que respecta a alimentos, se autoabastecieron en un 60 por 100, el Estado nos entregó el 40 por 100 restante. Este año de 1992 debemos crecer un 30 por 10, llegar a un autoabastecimiento del 90 por 100. En 1993, las FAR se autoabastecerán de casi todos los alimentos, menos de la sal y el azúcar, que no es necesario que lo produzcamos nosotros. Tenemos además más de 100.000 trabajadores civiles en empresas militares (29).

Una de las cosas más desconocidas del Ejército cubano es precisamente la existencia de empresas militares a lo largo y ancho del país. Las hay en varios sectores, desde el turístico, como Gaviota, a las que se dedican a la fabricación de armamento. Abundan las empresas constructoras.

Carlos Aldana, que pasó quince años en el Ejército antes de incorporarse de lleno a las tareas del Partido, primero en el Secretariado —ya desaparecido— y luego en el Buró Político, me habló de esas empresas. Yo le había comentado que la opinión generalizada en Cuba es que las empresas militares funcionan mucho mejor que las demás del país, quizá porque están sometidas a un régimen disciplinario más riguroso.

—Es exagerado decir que todas las empresas militares funcionan mejor que las demás. Ahora bien, en las empresas de las FAR se están aplicando sistemas de perfeccionamiento empresarial que aspiramos a generalizar al resto. Por cierto, que en ese perfeccionamiento nos ayudaron expertos españoles.

En efecto, a mediados de los ochenta, técnicos españoles de empresas similares a las cubanas —armamento, piezas de repuesto— asesoraron a los cubanos. Hoy esas empresas tienen un nivel de organización y de productividad muy por encima de la media.

—Las empresas de las FAR son civiles, no se dirigen por órdenes militares como se manda un batallón. Hay sindicatos en ellas, como en cualquier otra empresa. Sólo que en éstas fabrican fusiles, proyectiles o reparan tanques y aviones. A veces el director es un militar, pero el resto del personal es civil.

Además de la asesoría española, estas empresas funcionan con más eficacia porque, de acuerdo con Aldana, se eliminaron unas 70 leyes y decretos-leyes en materia laboral que rigen en las demás empresas del país. El Consejo de Estado tuvo que autorizar esa excepcionalidad de que la ley no rija en las empresas militares.

Ello permitió que en empresas de similares características, las militares alcanzaran un mayor nivel de productividad con la tercera parte de los trabajadores que emplearía una empresa civil.

Tampoco se aplica "el escalafón". Si alguien se jubila o cambia de trabajo, quien lo sustituye no es el más veterano, el que más tiempo lleva, sino el mejor preparado. Es lo que en Cuba han definido como el "principio de idoneidad", que se aplica en sectores clave del país, como el turismo ó la salud.

Un Comité de Expertos selecciona en cada momento a la persona más idónea para ocupar una vacante. El Comité está integrado por los mismos trabajadores y el sindicato.

Además de esas empresas, las FAR cuentan con otra importante fuerza de trabajo: el Ejército Juvenil del Trabajo (EJT).

Unos 100.000 jóvenes en edad militar —de los diecisiete a los veintiocho años— integran esta importante organización autónoma paramilitar, adjunta al MINFAR. Nacido el 5 de agosto de 1973, es consecuencia de la fusión de dos organizaciones: las Unidades Militares de Ayuda a la Producción y la Columna Juvenil del Centenario. Los jóvenes cubanos pueden realizar su período obligatorio de servicio militar a través del EJT.

Las Unidades Militares desaparecieron a finales de los años sesenta. Recibieron severas críticas de la oposición cubana en el exilio por considerar que se explotaba a los jóvenes en los campamentos agrícolas a los que eran llevados.

La Columna Juvenil toma su nombre de la llamada "Generación del Centenario". En 1953, Fidel Castro asalta el cuartel Moncada, en Santiago de Cuba. Ese año se cumplían los cien años del natalicio de José Martí, el padre de la independencia cubana. Al grupo del Moncada, encabezado por Castro, se le conocería como "la generación del centenario".

Considerada por el Gobierno como la fuerza más productiva, el Ejército Juvenil del Trabajo tiene una fuerte influencia de la Unión de Jóvenes Comunistas (UJC).

En el informe del III Congreso del PCC, celebrado en 1986, se ofrecieron estas cifras: en seis años, el EJT había cortado 3.900 millones de arrobas de caña, había construido más de 1.000 kilómetros de líneas férreas, había entregado 111 obras escolares y tres instalaciones agropecuarias.

Junto con las Milicias Nacionales Revolucionarias (MNR), el EJT fue decisivo y lo sigue siendo, en el importantísimo sector azucarero, las famosas zafras, que exige gente curtida para trabajar doce horas cortando caña y tragando el maldito polvo de los cañaverales bajo el sol del trópico.

Datos oficiales mantienen que el EJT recolecta cada año un 20 por 100 de toda la producción de caña de azúcar. Los miembros del EJT son enviados a las zonas en las que el trabajo es más duro, y en donde, por las características del terreno, no puede introducirse la maquinaria.

Han jugado también un importante papel en el llamado Plan Turquino. El Turquino es el pico más alto de Cuba, con 1.974 metros sobre el nivel del mar, enclavado en el corazón de Sierra Maestra, al este de Cuba, donde Fidel Castro inició su lucha contra Batista.

En los últimos años, los habitantes de la sierra comenzaron a bajar al llano. El guajiro, campesino cubano, prefería las zonas bajas, más desarrolladas, donde se concentraban las ciudades. El Gobierno creó el Plan Turquino para evitar que la montaña quedara despoblada.

Viajando por la Sierra Maestra, en la primavera de 1991, pude ver a soldados trabajando en faenas agrícolas y sobre todo en la construcción de viviendas, hospitales y escuelas.

Aunque el EJT no tiene ya mucho que ver con las antiguas Unidades Militares de Ayuda a la Producción, siguen existiendo críticas hacia esa "militarización del trabajo".

El responsable de las FAR, Raúl Castro, decía en 1979 precisamente al conmemorarse el VI aniversario de la creación del EJT:

—Algunos sociólogos burgueses, en su esfuerzo por deformar la imagen de las instituciones creadas por la Revolución, han pretendido tomar el Ejército Juvenil del Trabajo como ejemplo de una supuesta militarización del trabajo en nuestro país (30).

En aquel discurso, Raúl Castro señaló que la creación del EJT se había inspirado en "el primer ejército obrero-campesino, el Ejército Rojo de las gloriosas Fuerzas Armadas de la URSS". También reconoció la influencia de "la fraterna República Popular de Bulgaria", un país que por extraños misterios fue un ejemplo —malo, se reconoce ahora— para la institucionalización del régimen cubano.

Raúl es consciente de que, "si bien cortar caña, tender vías férreas, construir escuelas, puentes, carreteras y vaquerías no entran en los esquemas clásicos del pensamiento militar, lo cierto es que la existencia de la EJT y la tradición productiva de las FAR, hablan de su carácter genuinamente popular y esencialmente proletario".

El EJT no sólo se dedica a actividades productivas. Varias de sus unidades combatieron en las guerras africanas de Angola y Etiopía.

Los jóvenes cubanos, cuando llegan a la edad del Servicio Militar, tienen ya una idea muy aproximada de lo que les espera. En las escuelas y en la Organización de Pioneros José Martí, a la que prácticamente pertenece el ciento por ciento de los niños en edad escolar, practican ejercicios a mitad de camino entre el puro juego y el entrenamiento paramilitar.

Para el mejor conocimiento de la historia y de los héroes cubanos se creó la Sociedad de Educación Patriótica-Militar (SEPMI).

Poco conocida en el exterior, esta organización integra a 220.000 miembros, la inmensa mayoría adolescentes, en 5.824 agrupaciones repartidas por todo el país, según datos revelados en el III Congreso del Partido Comunista celebrado en 1986 (31). (En el IV Congreso, debido a las especiales condiciones que vivía la isla, no se presentó un informe detallado de las actividades en cada una de las organizaciones del país.)

Raúl Castro fue el encargado de pronunciar el discurso en la Conferencia Constitutiva de la Sociedad de Educación Patriótica-Militar (SEPMI), el 28 de enero de 1980, en La Habana.

—La SEPMI no es una dependencia militar, ni una organización de masas, ni un nuevo organismo estatal. Es una organización social estructurada sobre la base de la voluntariedad, cuya función esencial es agrupar a los jóvenes, organizarlos, facilitarles nuevas y atractivas formas de emplear sus energías físicas y su inteligencia y de este modo prestar una colaboración altamente apreciada al ejército, la aviación y la marina de guerra (32).

Un librito de 66 páginas que constituye ya una pequeña joya de la bibliografía revolucionaria cubana, titulado *35 preguntas y respuestas sobre la SEPMI,* ilustra de forma didáctica qué es esta sociedad que cuenta con cientos de miles de niños y adolescentes: se puede ingresar a partir de los doce años.

La fecha que se escogió para su fundación coincide con la del nacimiento de José Martí. Seis años antes de su creación, los dirigentes cubanos vieron la necesidad de crear algún tipo de organización que fuera inculcando en los adolescentes el amor a los héroes de la Patria.

Dirigentes de las FAR y de la UJC mantuvieron diversas reuniones en ese sentido que desembocaron en la creación, en 1974, del llamado Grupo de Trabajo Patriótico-Militar, "en correspondencia con las experiencias de los países socialistas" (33).

Al mismo tiempo, se dio "inicio a las marchas por los caminos de la gloria combativa", que es como define el autor del manual, Roberto F. Campos, los recorridos a pie por aquellos parajes donde tanto los miembros del Ejército Rebelde como los de las tres guerras de la independencia realizaron sus mejores hazañas.

La pregunta 15 del libro, "¿Qué representan las marchas patrióticas para el pueblo?", obtiene esta respuesta:

—El acercamiento a la historia heroica del país y la preparación física. Los participantes reeditan los recorridos por senderos históricos efectuando actos solemnes en tarjas (34) y monumentos y pueden comprender de mejor manera los sacrificios que efectuaron nuestros héroes y mártires.

En una de las entrevistas que mantuve durante 1991 con Roberto Robaina, primer secretario de la UJC, insistía en este punto: el socialismo en el Este europeo se había derrumbado porque a las nuevas generaciones no se les había enseñado la historia de su país.

Además de estas marchas, los jóvenes miembros del SEPMI realizan visitas a museos y unidades militares, acuden a campamentos patriótico-militares, leen libros de historia, asisten a conferencias de combatientes heroicos.

Son muy importantes también los llamados "deportes técnico-militares": tiro, radio-deporte, orientación en el terreno, moto-cross, maratón, modelismo naval, paracaidismo, vuelo a vela, aero-modelismo...

En 1976 se funda la primera asociación de este Grupo de Trabajo, en Pinar del Río, y a partir de esa fecha se comienza a preparar a organizaciones como la UJC en la instrucción de los llamados "especialistas menores" o "prerreclutas".

Cuando el Grupo de Trabajo Patriótico-Militar se transforma en la Sociedad de Educación, en enero del 80, ya hay 270 asociaciones de base y 41.839 niños/adolescentes afiliados en todo el país.

Los objetivos fundamentales de la SEPMI son:

– "Asegurar la participación activa de sus miembros en el trabajo patriótico-militar, su educación en el espíritu de fidelidad sin reservas al Partido Comunista de Cuba, el patriotismo, el internacionalismo proletario y la amistad entre los pueblos, la constante disposición para la defensa de la patria y el amor a las FAR.

– Divulgar los conocimientos militares y las tradiciones heroicas del pueblo cubano y sus Fuerzas Armadas Revolucionarias.

– Trabajar sistemáticamente en la preparación de los jóvenes para el servicio militar en las filas de las FAR.

– Contribuir a la formación vocacional militar de niños, adolescentes y jóvenes, garantizando su incorporación posterior a los centros de enseñanza militares.

– Y promover el desarrollo de los deportes técnico-militares en todo el país" (35).

El trabajo de la SEPMI se combina en muchas ocasiones con los de la Organización de Pioneros José Martí, a la que prácticamente pertenece el ciento por ciento de los niños de Cuba. Controlada por la UJC, los pioneros serían el equivalente á los boy scouts de los países occidentales, salvo que mucho más politizados.

Los monitores inculcan a los niños cubanos "el sentido del honor, la modestia, el coraje, la camaradería, el amor por el trabajo intelectual y manual, el respeto a los trabajadores y el amor a nuestras Fuerzas Armadas Revolucionarias y al ministro del Interior" (36).

Las conferencias y actividades de pioneros y miembros de la SEPMI se complementan con otras "actividades patrióticas, escolares y pioneriles, y su participación en juegos, actos y otros eventos". Todo ello con la vista puesta en crear una receptividad en el niño hacia la carrera de las armas.

• Dice el autor del libro sobre las SEPMI que los muchachos pueden optar por estas interesantes materias recreativas:

—Tanque y transporte, tropas coheteriles antiaéreas, defensa química, exploración terrestre, infantería, tiro, paracaidismo, artillería, aviación, aeromodelismo, campismo patriótico-militar, radiotelegrafía, pioneros marinos y señaleros.

Además —sigue el libro *35 preguntas...*— la orientación profesional se efectúa a la par con la captación en escuelas secundarias básicas y preuniversitarios, para los Centros de Enseñanza Militar y las escuelas militares Camilo Cienfuegos.

Cuando visité una Escuela Vocacional Camilo Cienfuegos y me encontré con un alumno llamado Alexander, que casi recitaba a Lenin de memoria, me di cuenta de que los pioneros y la SEPMI habían realizado un trabajo excelente.

Era una hermosa tarde de mayo. A las afueras de Holguín, una de las más importantes ciudades de Cuba situada en el oriente de la isla, se encontraba la Escuela. En la puerta de entrada tuve que identificarme. Dos adolescentes de unos dieciséis años, vestidos con el uniforme reglamentario de camilitos, montaban guardia.

Aparqué el coche y me dirigí a la entrada principal. Al divisar la amplia escalinata, observé una docena de oficiales en la puerta rodeados por varios jóvenes uniformados. Le dije a mi acompañante, un periodista local:

—Creo que no podré hacer el trabajo. Parece que hay alguna visita importante. Mira toda esa gente allí, a la entrada.

Mi amigo Ezequiel Hernández me contestó:

—Todos esos te esperan a ti.

El director de la Escuela, coronel Raúl Cuenca Martínez, me presentó a ocho o diez oficiales que le acompañaban y me condujo hasta una amplia sala, ocupada por una enorme mesa rectangular. Yo había pedido entrevistar a un par de alumnos del último curso.

Tuve que entrevistar a ocho y en presencia de otros ocho profesores-oficiales de la Escuela, con su coronel al frente.

Sentado en aquella amplia mesa frente a dieciséis uniformados, sentí que yo era el entrevistado. No faltó el estimulante café cubano, servido en minúsculas tacitas que parecen dedales.

El coronel Cuenca me dio los datos básicos: las Escuelas Vocacionales Camilo Cienfuegos se crearon en 1966. Hay dieciséis en el país, como mínimo una por provincia. De sus aulas han salido el 75 por 100 de todos los oficiales de las FAR en activo. Hasta mediados los setenta, en las escuelas de "camilitos", como se conoce propularmente a estos centros dirigidos por el Ejército, se impartían clases desde la primaria hasta el preuniversitario. Ahora sólo se admiten alumnos de los tres últimos años del bachillerato superior, que tienen entre quince y diecisiete años.

—¿Por qué el nombre de Camilo Cienfuegos?

El coronel está esperando la respuesta. Treinta años después, a los cubanos les gusta hablar de Camilo.

—Camilo fue un héroe muy querido de nuestro pueblo por su jovialidad y su extracción social humilde. Sabía ganarse el aprecio de todo el mundo: de sus subordinados y de sus jefes. Fue además un militar valiente. Desgraciadamente, la Revolución lo perdió muy pronto.

El mayor Camilo Cienfuegos, que entró triunfante en La Habana el 1 de enero de 1959 junto al comandante Ernesto "Che" Guevara, falleció en octubre de ese mismo año. Desde entonces es una leyenda muy querida en Cuba.

Cuando el coronel Cuenca finaliza su exposición, se inicia un interesante debate con los ocho alumnos presentes, de los dos últimos cursos. Los novatos han quedado fuera.

De los ocho alumnos, dos destacaban sobre todos los demás por su locuacidad y radicalismo: Rubiscida, secretaria de la UJC en la Escuela, y Alexander I (había un segundo Alexander).

Después de hablar de la rutina escolar, se conversó sobre un hipotético ataque de los Estados Unidos a la isla. Dijo Alexander, un joven delgado, rápido como una flecha, dialéctico, malabarista de las frases hechas:

—Los Estados Unidos tienen armas sofisticadas, pero nosotros tenemos lo que debe tener un hombre de verdad para luchar frente a frente, cara a cara: nosotros tenemos un corazón sofisticado.

—¡Sí! Nuestro corazón está aquí en el centro del pecho —y Rubiscida, que ha salido en apoyo de Alexander, se da unos golpecitos en el suyo— y estamos dispuestos a dar hasta la última gota de nuestra sangre en defensa del socialismo.

Intervengo:

—Pero ¿en serio pensáis que se puede producir un ataque de Estados Unidos?

Casi me atacan ellos a mí.

Todos creen que sí. Pero que sí hay ataque, habrá también victoria. Cubana, por supuesto. Mientras exponen sus razones, el coronel Cuenca y los siete oficiales escuchan atentamente.

Aunque los argumentos son los mismos, lógicamente, que los de sus mayores, me sorprenden por la firmeza con la que los exponen y en muchos casos su feroz radicalismo. Esta es sin duda una cantera de oficiales aguerridos, al menos verbalmente.

No es extraño. Ingresar en los "camilitos" no es fácil.

El primer requisito que se exige a los aspirantes es tener una puntuación mínima de 85 sobre 100 en los dos últimos cursos de la enseñanza secundaria, el 8º y 9º grado. Después, superar un reconocimiento médico, un examen de matemáticas y español y diversas pruebas físicas. Entre todos los que pasan esta fase, se escogen a los 333 mejores. Normalmente aspiran a ingresar en este centro de Holguín entre 1.000 y 1.200 chicos. No se permite que un alumno repita curso. El que no apruebe, a la calle.

El coronel Cuenca me dice orgulloso:

—En los últimos seis años hemos sido elegidos como la mejor escuela de "camilitos" del país.

También han recibido la bandera de la UJC, que el coronel me mostrará en un recorrido por las instalaciones. Es el máximo galardón que otorga la organización juvenil comunista. Son también, desde 1988, "Escuela Unidad Modelo del Pueblo y para el Pueblo". Dejo de anotar reconocimientos y premios recibidos. Los tienen todos.

El resto de las escuelas de "camilitos" tienen también una buena calidad media. En cada una de ellas hay entre 600 a 1.000 alumnos. En el informe al III Congreso del Partido se lee que en cinco años (1981-86) se graduaron 9.447 alumnos.

De los "camilitos", se pasa a las Academias Militares Superiores: la Academia Naval, las Escuelas Inter-Armas Antonio Maceo y José Maceo, la Escuela Militar Superior de las Tropas de Comunicaciones y Químicas, el Instituto Técnico Militar, la Escuela de Artillería Camilo Cienfuegos, además de cursos para pilotos de aviación.

Les pregunto a los jóvenes estudiantes por qué eligieron esta escuela, por qué quieren ser oficiales de las FAR. Respondieron así:

Rubiscida: "Veía a los militares que eran más caballerosos, más corteses. Además, aquí todo está planificado y uno aprende a planificar su vida también".

Alexander: "Soy hijo de militares. Vine porque las FAR están directamente relacionadas con la defensa de la Revolución".

Areli: "Para todo revolucionario, el más alto honor es defender el socialismo. Desde aquí se nos da la oportunidad de luchar abiertamente contra el enemigo".

Roberto Carlos: "Si el enemigo ataca, me dará la oportunidad de no permitir que se apodere de nuestra patria".

Los aspirantes a ingresar en una escuela de "camilitos", además de las pruebas académicas y físicas, deben tener también buenas "condiciones ideológicas". Los chavales han ensayado una de ellas a la perfección: deben estar listos para combatir al enemigo imperialista. Además se les inculca que las FAR son un ejército de los humildes e internacionalistas, informa el coronel Cuenca.

Como buen militar, el director tiene cuantificadas las horas de clase que reciben los alumnos en los tres años de permanencia en el centro: 4.200 horas. Las más importantes son: 600 horas de matemáticas, 400 de física, 200 de historia y cantidades similares de química, filosofía y economía política. La enseñanza estrictamente militar, tanto práctica como teórica, ocupa un 18 por 100 del total: 750 horas.

Además, mantienen debates ideológicos en donde cruzan las armas dialécticas. De allí salen figuras como Alexander:

—Cuba puede estar sola en la defensa del socialismo, pero está en la cumbre.

Comento que en el pasillo central de la escuela he visto unas vitrinas con libros de Vladimir Ilich Lenin a la venta. ¿Los han leído? ¡Por supuesto! Y desde muy jovencitos. Interviene Alexander:

—A nosotros nos hablan de Lenin desde el primer grado (seis años de edad). Luego comenzamos a estudiarlo seriamente en el noveno grado (catorce años). También estudiamos a los clásicos del marxismo. Pero no crea, nosotros no hablamos de Lenin sólo en la clase. También hablamos fuera, es la cosa más natural.

Hay un recuerdo de los jóvenes y Cuba que me estremece. Navidad de 1990. Una manifestación encabezada por Roberto Robaina se dirige desde el Castillo de los Tres Santos Reyes del Morro, la vieja fortaleza española que hay a la entrada del puerto de La Habana, camino a las Playas del Este, donde se celebrará el XXX aniversario de la Revolución.

La cabecera de la marcha está integrada por unos cuarenta jóvenes apretujados que portan una larguísima pancarta de tela de unos 15 metros. En grandes letras se lee: "Morir por la Patria es vivir".

¿Morir tan jóvenes?

Rubiscida, la jovencísima y listísima secretaria de la UJC en la escuela de "camilitos", interviene:

—Cada generación tiene que jugar su papel histórico. Y si nosotros no somos capaces de levantar la frente, empuñar el fusil y defender la Patria hasta morir, como dice ese bello verso de nuestro himno, ¿qué se dirá de nosotros en el futuro?

Añade Alexander/Lenin:

—No se trata de morir porque sí, sino defendiendo el socialismo.

Habla Reinieris:

—Mire el grito de nuestra Revolución, el grito de nuestro Fidel: ¡Patria o muerte! Ese grito nació cuando el imperialismo mató a cien cubanos...

¡Patria o muerte!, ¡Socialismo o muerte! El santo y seña con el que Fidel Castro termina siempre sus discursos. Un grito que salió de su garganta por vez primera el 5 de marzo de 1960 en el impresionante funeral del atentado contra el mercante La Coubre.

Un grupo anticastrista hizo estallar el carguero francés con 770 toneladas de armamento en sus entrañas destinadas a las recién creadas FAR. Explotó en mil pedazos y hubo casi un centenar de muertos y cientos de heridos. En el funeral por las víctimas Fidel terminó su vibrante alocución con el ¡Patria o muerte!

Aquel día Fidel Castro pensó que la Revolución tenía que defenderse de esos ataques terroristas. Ya existían las Milicias Nacionales Revolucionarias, pero no bastaban. Unos meses más tarde se crearían los famosos Comités de Defensa de la Revolución (23 de septiembre de 1960). Los ojos y oídos de la Revolución. Cuadra por cuadra, como dicen en Cuba, manzana por manzana, todo el país estaría vigilado las veinticuatro horas del día.

Pero esto tampoco sería suficiente para soportar la nueva teoría que desde finales de la década de los setenta y muy particularmente ya en los ochenta se abrió paso entre la dirigencia cubana: frente a la superior tecnología del enemigo norteamericano, Cuba podía oponer una enorme masa, los siete millones de cederistas. Pero esa masa debía prepararse para "la guerra de todo el pueblo", el concepto que tomó cuerpo y para el que desde 1980 se prepararon los cubanos.

El 7 de diciembre de 1986, siete millones de cubanos, de los diez y medio que viven en la isla, se pusieron en pie de guerra en el ejercicio Bastión 86. Lo dijo Raúl Castro. Prácticamente todo el pueblo. Desde entonces, ese ejercicio se repetirá año tras año.

Muchos turistas se quedan asombrados cuando en las mañanas de los domingos ven a jóvenes, personas de mediana edad, incluso algunos de la tercera, tanto hombres como mujeres, con un uniforme que no pertenece ni al Ejército ni a la Policía: boina de paño verde olivo, camisa azul pálido —azul céfiro, dice el Manual del Miliciano— y pantalón verde olivo.

Esa enorme masa de civiles uniformados realizando ejercicios militares se preparan para "la guerra de todo el pueblo".

Fidel Castro la definió con estas palabras el 5 de diciembre de 1988, precisamente el día en que la ciudad de La Habana era declarada "Lista para la defensa en la primera etapa":

—La guerra de todo el pueblo significa que, para conquistar nuestro territorio y ocupar nuestro suelo, las fuerzas imperiales tendrían que luchar contra millones de personas y tendrían que pagar con cientos de miles, e incluso millones de vidas, el intento de conquistar nuestra tierra (37).

En distintas ocasiones en los últimos años, Castro se ha referido al tema de la guerra de todo el pueblo. A través de sus discursos, se puede reconstruir un concepto que se va enriqueciendo con el día a día.

Dijo en otra ocasión Fidel:

—¿Cuántos hombres necesitaría el imperialismo para ocupar Cuba? Cinco millones de soldados no serían suficientes para enfrentar a cientos de miles, más aún, a millones de combatientes, decenas de miles de oficiales y cuadros resueltos y bien preparados, luchando en su propio suelo, bajo una sola bandera, contra una odiosa agresión que pretendiera destruir nuestra Revolución y nuestra Patria.

Para Castro, de nada servirían las armas nucleares, ni las decenas de divisiones o los miles de aviones y tanques, los cientos de barcos de guerra. Porque millones de cubanos, previamente entrenados, defenderían "palmo a palmo y casa por casa su barrio, su municipio, su centro de trabajo".

—¿Y las armas?

Manifestó Fidel:

—Tenemos armas de todos los calibres, y de todas las penetraciones y vamos a tener la puntería de saber tirar a donde haya que tirar, aunque vengan con una armadura más gruesa que la que traían los caballeros españoles en la conquista de este hemisferio o en sus guerras medievales (38).

La Revolución se ocuparía de que cada cubano dispusiera de "un fusil, una granada o una mina", mantiene Fidel. O como diría su hermano Raúl: "una olla de agua hirviendo".

Los estudiosos del tema cubano no se ponen de acuerdo sobre el origen y el ejemplo en el que se inspiró Fidel Castro para desarrollar la teoría de la "guerra de todo el pueblo".

Para unos, está basada en los campesinos soviéticos que hostigaron al ejército nazi cuando en la II Guerra Mundial invadieron la Unión Soviética. Otros hablan del "ejemplo vietnamita", país que derrotó a dos grandes potencias, Francia y Estados Unidos. Fidel recuerda con frecuencia a los campesinos españoles que en el siglo XIX se rebelaron y derrotaron a Napoleón. En una ocasión, Castro me estuvo hablando durante veinte minutos de su admiración por esos campesinos.

La idea base de la guerra de todo el pueblo sería la de la autodefensa: que Cuba pudiera defenderse a sí misma, por si la Unión Soviética no podía acudir en su ayuda. Eso se decía a comienzos de la década de los ochenta. Hoy, la Unión Soviética no existe y la teoría de la autodefensa se impone con mucha más contundencia.

El instrumento que haría posible ese gigantesco ejército popular armado serían las Milicias de Tropas Territoriales (MTT).

El 1 de mayo de 1980, Castro anunció al mundo que "se habían dado las instrucciones necesarias para la creación de las Milicias de Tropas Territoriales". Así las definió: "es una fuerza más, formada por voluntarios, integradas por hombres y mujeres, trabajadores, campesinos, estudiantes que desean combatir y que no están todavía ni en la reserva de las tropas regulares ni en la Defensa Civil".

Un año más tarde, el responsable de las FAR, Raúl Castro, diría en el acto de constitución de un Batallón masculino y una Compañía femenina de las MTT, en Santiago de Cuba, "la creación de las MTT satisface las aspiraciones de hombres y mujeres que por una razón u otra se han visto hasta ahora eximidos de obligaciones militares" (39).

Las MTT serían "una poderosa reserva capaz de cumplir múltiples misiones de combate, así como otras relacionadas con la custodia y defensa de fábricas e instalaciones, puentes, vías férreas y accesos", en palabras de Raúl Castro.

En esa misma ocasión también, Raúl hablaría de dos aspectos importantísimos en el mantenimiento de una organización de masas: las Milicias deberían autofinanciarse con las aportaciones voluntarias de sus miembros y los entrenamientose se llevarían a cabo en los períodos de vacaciones y días festivos. Esas decisiones, tomadas por los propios milicianos, "no pueden resultar más revolucionarias", dijo Raúl.

Las donaciones llegaron a ser masivas. Al final de la década de los ochenta, todos los trabajadores del país entregaban el salario de un día para las Milicias. Los jubilados, amas de casa y "otros ciudadanos sin vínculos laborales" aportaban voluntariamente cuotas de distinta cuantía, se leía en el periódico *Granma* (40).

De esa forma, en 1989 se recaudaron 29.688.600 millones de pesos, cinco veces más de lo que se había recolectado el año anterior.

Las MTT, sin embargo, no surgían de la nada. Sólo diez días después de que se crearan las FAR, nacían las Milicias Nacionales Revolucionarias (MNR): el 26 de octubre de 1959.

En pocas semanas, 150.000 cubanos se habían sumado a las Milicias Nacionales. Dedicaban al entrenamiento paramilitar ocho horas a la semana, en sus ratos libres, y fueron un elemento decisivo en la fallida invasión de Playa Girón, en 1961. Fidel movilizó a los milicianos próximos a la zona donde desembacaron los anticastristas y con su ayuda el Ejército regular pudo rechazarlos en menos de tres días. En 1963 pasarían a denominarse Milicias de Defensa Popular (41).

Las Milicias de Tropas Territoriales crecieron vertiginosamente. En el informe al III Congreso del PCC celebrado en 1986 se dijo que en cinco años se habían preparado 70.000 oficiales y 1.500.000 milicianos habían quedado organizados en unidades de combate y estaban perfectamente equipados.

Unos 150.000 adolescentes entre los catorce y quince años habían recibido preparación previa para su posterior ingreso en las MTT, con el consentimiento escrito de sus padres (42).

La guerra de todo el pueblo y las MTT guardan una estrecha relación con otro concepto imprescindible en el armazón defensivo cubano: la preparación de municipios, provincias y el propio país para alcanzar el certificado de "Listo para la defensa".

A través de todas las organizaciones de masas, pero básicamente de las MTT, los vecinos reciben entrenamiento paramilitar al menos un domingo al mes. Los municipios se preparan durante meses o años hasta que los mandos militares lo declaran "Listo para la defensa" después de superar una serie de pruebas. El "Listo para la defensa" tiene diversos grados que se denominan "etapas".

El IV Congreso del PCC declaró en octubre de 1991 "Listo para la defensa en la primera etapa" a todo el país. Hay algunos municipios, como el de Caimanera, en la provincia de Guantánamo, pegado a la base norteamericana del mismo nombre, que han alcanzado el "Listo para la defensa en la segunda etapa".

Cuba está dividida en 1.300 zonas de defensa, casi ocho veces más municipios de los que existen en la isla, 169. Cada zona de defensa está bajo el mando de un militante destacado del Partido. En los municipios, el primer secretario local del Partido, asistido por representantes de la Defensa Civil y un oficial de las FAR, ejerce el mando de las milicias en caso de emergencia. En los primeros años, esta dirección recaía en el máximo representante del Poder Popular local.

La principal misión de los milicianos es atender las zonas de defensa. Aunque diversas fuentes occidentales, como el Instituto de Estudios Estratégicos de Londres, dan la cifra de 1.300.000 miembros de las MTT en todo el país, el propio régimen cubano reconoce que hay 1.500.000 personas en las milicias. (*Granma Internacional*, 18 de febrero de 1990.)

Ese 1.500.000 milicianos están encuadrados en 1.000 batallones y 200 regimientos. Al frente de esta vasta organización paramilitar se encuentra un viceministro de las FAR. Los regimientos y las divisiones están al mando de oficiales de las FAR. Las pequeñas unidades son dirigidas por los oficiales que surgen de las propias escuelas de MTT, desparramadas por todo el país.

En mayo de 1991 visité una de estas escuelas.

No resultó fácil conseguir el permiso para penetrar en la Escuela Vitalo Acuña Núñez, de las Milicias Territoriales de Holguín. Pero mereció la pena el esfuerzo.

Situada a las afueras de esta importante ciudad del oriente de Cuba, las instalaciones son amplias, bien cuidadas y perfectamente vigiladas. La jornada que viví allí fue aleccionadora: si alguien piensa que estos milicianos se dedican a pasar unos días en el campo, como si fueran boy scouts en excursión dominguera, que se olvide.

Vi a hombres y mujeres, blancos, negros o mulatos, sudar la camiseta de lo lindo en ejercicios de tiro, con arma ligera y con baterías antiaéreas, simulando ataques a un carro de combate, rastreando pistas de alambres, saltando, brincando, corriendo.

Observé también, en torno a un amplio patio central, muy similar al de cualquier cuartel del mundo, barracones modestos pero limpios destinados a las clases, comedores, dormitorios y zonas de esparcimiento.

—¡Fiiirmes! Compañero coronel: el grupo número 13 se encuentra recibiendo el tema numero C de Metodología para las clases de tiro. Profesora primer teniente Pérez Leyva. ¡En su lugar, descansen!

La teniente Pérez Leyva tiene una voz firme y clara. Ronda los treinta años. Su aula está llena de mujeres. Unas treinta. He llegado hasta ella acompañado por los cuatro altos oficiales de la Escuela de MTT de Holguín: el director, coronel Alfredo Ballester Parra, de cincuenta y cinco años; el teniente coronel político Norberto Aguirre Sarmiento, de cuarenta y nueve años; el también teniente coronel Angel Duani Muñoz, de cuarenta y nueve años, y el mayor Israel Fernández Romero, de cuarenta y seis años.

Salvado el primer escollo, es decir que llegue desde la dirección política de las FAR la autorización para mi entrada en la Escuela/cuartel, todo serán facilidades para el trabajo.

El extrovertido coronel Ballester se convertirá en un guía perfecto. Utilizando a veces un lenguaje que en el papel podría sonar un poco vulgar, en realidad el coronel Ballester es un buen oficial que utiliza un idioma salpicado aquí y allá de alguna palabra fuerte. Exactamente igual que todos los militares que conocí en mi vida.

—¿Por qué llegó al Ejército, coronel?

—Un día me dio una patada en el culo un guardia de Batista y ese día se jodió Batista. Yo era todavía un muchacho. Veía cómo asesinaban a mis compañeros, había una hambruna espantosa. Yo soy de Guantánamo, viví la mierda de la base naval yanqui. Vi lo que esa gente hacía allí. Los prostíbulos. Las putas. Y me alcé en armas. Me sumé al Ejército Rebelde.

Al principio, dice el coronel Ballester, un tipo alto, blanco, que puede pasar perfectamente por español, no tenía una conciencia clara de lo que sería en el futuro. Pero la guerra lo hizo soldado y aquí está, dándome órdenes:

—Entrevista a las que quieras, habla con ellas.

Le digo al coronel que es mucho más efectivo hablar con dos o tres alumnas que con toda la clase. La primera teniente Eloísa Ricardo está impartiendo su lección de Trabajo Político. Sólo me faltaba, después de la masiva entrevista con los "camilitos", una más con treinta cubanas. El coronel comprende. Salen cuatro jóvenes y nos instalamos en un aula vacía.

Me dan sus nombres: Mariela González, veintidós años, trabaja en la Unidad de Producción del MININT, soltera; Santa Nieves Martínez, veintiocho años, cuadro de los CDR del municipio de Baguán, casada y con una hijita de cuatro años; Elisa Rojas, de veintitrés años, trabaja como constructora (albañil) en la Empresa Provincial de la Vivienda, soltera, y Yolanda Ayén Sargen, de veintiocho años, trabaja en un complejo industrial, el Combinado 60 Aniversario, casada, y con una hija de nueve años.

El diálogo es fluido. Las dos casadas son militantes del Partido, otra es militante de la UJC, y la cuarta está sufriendo "el proceso de crecimiento" para ingresar en el PCC.

Cuando pregunto por estos datos, interviene el coronel Ballester:

—Aquí no se exige ser militante ni del PCC ni de la UJC.

El resto de la jornada hará todo lo posible para encontrar a milicianos no militantes. Los hay.

Santa Nieves, que tiene unos bellos ojos azules y hermoso pelo rubio es, con Mariela González, la más habladora. Me explican su jornada cotidiana en la escuela de las MTT: ocho horas de clases que se reparten en aulas cerradas y al aire libre. Se especializan en tiro con arma ligera. Una de ellas, Mariela, ha sido elegida "francotiradora". Tiradora de élite.

Hablan con desparpajo de armas que apenas conozco: salvo el fusil ametrallador checo AK que tanto he visto en mis viajes por América Latina, junto al M-16 norteamericano —que ellas obviamente no tienen—, todas las demás armas que nombran me suenan a ruso. Resulta que lo son.

Les digo si no tienen miedo. Si no sienten miedo al empuñar un arma de esas y disparar. Si no sentirían miedo si un día, en vez de disparar a siluetas de cartón, tuvieran que disparar a un yanqui.

—¿Miedo? Déjame decirte una cosa, aunque no te agrade —habla Mariela, que cree que todos los hombres son tan celosos como los cubanos—: el arma secreta más poderosa que hay aquí...

—¡Somos nosotras! —contestan casi a coro las cuatro.

Sigue Mariela:

—Sí, porque lo más terrible que puede haber en una guerra es una mujer peleando. Lee la historia y verás.

Interviene Elisa:

—Miedo nos tienen que tener ellos a nosotras.

La rubia Santa Nieves suelta la frase del día:

—Chico, ¿tú sabes eso de que donde hay hombres que avanzan no hay mujer que retroceda?

—Chocan o se abrazan —contesto.

Se ríen.

A la Escuela Provincial de las MTT de Holguín suele acudir un 40 por 100 de mujeres y un 60 por 100 de hombres. Ese porcentaje se mantiene a nivel nacional. Como todos los demás alumnos de la Escuela, estas cuatro jóvenes con las que hablo han sido seleccionadas por las direcciones de las MTT de sus municipios y enviadas aquí para realizar distintos cursos. Ellas siguen uno de Jefe de Pelotón de Infantería. Cuando regresen a sus pueblos se encargarán de enseñar a sus vecinos en las mañanas del domingo lo que aquí aprendieron.

El curso de Jefe de Pelotón durará tres meses. Y aunque las Milicias es un cuerpo voluntario en el que no se perciben salarios, ellas siguen recibiendo el suyo de su centro de trabajo.

Han debido pasar una revisión médica, ya que las pruebas físicas son duras. Hacen ejercicios de sobrevivencia, diurnos y nocturnos, que sólo pueden ser superados si se está en buena forma física.

Dejamos a las jóvenes en su clase de política. Cruzamos el amplio patio en dirección al campo de tiro. Hay un pequeño monumento. Me detengo en él y leo: Vitalo Acuña Núñez. Comandante Vilo. 1925-67.

El coronel Ballester me pone al corriente:

—Es un héroe local que falleció en Bolivia, el 27 de noviembre de 1967, junto al "Che" Guevara, de quien era su segundo jefe.

El internacionalismo cubano. El coronel Ballester estuvo en Etiopía, al igual que el fusilado general Ochoa y tantos miles de cubanos más. Mientras caminamos bajo un ardiente sol, el coronel me explica que en esta Escuela se realizan cursos de todo tipo, desde jefes de pelotón a oficiales de Estado Mayor. Los Comités Militares de los centros de trabajo y del Municipio envían a la Escuela a aquellos milicianos que mejor pueden aprovechar los cursos de perfeccionamiento.

Hay cursos de refresco, de recalificación para ex soldados internacionalistas, o el de entrenamiento básico, que dura tres meses. Con las medidas de ahorro adoptadas en todo el país, los que residen en el municipio se van todos los días a dormir a sus casas. Los demás permanecen internados en la Escuela.

Para refrescar la memoria, o para que no se olvide lo estudiado, las FAR han editado dos interesantes y gruesos manuales. Uno destinado al miliciano y otro al jefe de pequeñas unidades de las MTT.

El primero de ellos, de 338 páginas, fue publicado por vez primera en 1981. Se titula *Manual Básico del Miliciano de Tropas Territoriales*. Contiene una completa guía para no perderse en una guerra. Desde el juramento al uniforme, desde las banderas y gallardetes hasta la disciplina militar, desde la salida en formación al enmascaramiento, desde lanzamiento de granadas antitanque a saber cómo protegerse de las armas nucleares y químicas. (Ver anexos.)

El segundo, de 574 páginas, se editó en 1983. Lleva el título de *Manual del jefe de pequeñas unidades de Milicias de Tropas Territoriales*.

Como se lee en su introducción, se trata de ofrecer al jefe una guía "acerca de los fundamentos, organización y realización del combate en las condiciones de la guerra regular e irregular".

Ambos volúmenes están profusamente ilustrados con fotos, mapas, dibujos y planos. Son eminentemente prácticos.

Acompañado del coronel, llegamos a una zona despejada destinada al entrenamiento de los "cazatanques". El coronel llama a unos milicianos, que se cuadran e identifican:

—Alfonso Sánchez.

—¿Qué edad tienes? —interroga el coronel

—Treinta y uno.

—¿A qué viniste aquí?

—A cumplir una tarea con el Partido. A impartir clases a los compañeros.

—¿En qué trabajas?

—En la empresa de acueductos y alcantarillados. Soy auxiliar de repartidor de agua en una pipa (camión cisterna).

—¿Hasta qué grado estudiaste?

—Hasta el noveno.

—¿Serías capaz de enfrentarte a un tanque de los que has visto en la guerra de Irak?

—¡Sí!

—¿Sin miedo?

—¡Sí, sin miedo!

El coronel le deja marcharse y me dice:

—Este chico es capaz de enfrentarse a un tanque y echárselo (destruirlo).

El mismo tipo de preguntas le hará el coronel a Antonio Regueiro, de treinta años, veterano de Angola.

—Vine a las milicias porque nuestro enemigo lo tenemos bien cerca. Pero sabrá que en cada hueco, en cada lugar habrá un fusil con quien toparse. Me gusta ser miliciano. Es la tarea asignada por el Partido. Yo soy obrero.

José Miguel Justicia, de veinticuatro años, es ingeniero metalúrgico y forma parte del mismo pelotón de "cazatanques» de Alfonso Sánchez y Antonio Regueiro.

—¿Te entiendes bien con tus compañeros, a pesar de que tengáis una diferencia grande a nivel escolar?

Las preguntas las hace el coronel.

—Aquí todos somos iguales, ingenieros o albañiles. Porque estamos todos defendiendo la misma causa.

—¡Olvídate del manual! En tus propias palabras: ¿qué causa es esa?

—Defender a la Patria en el momento en que se encuentre en peligro.

El ingeniero cuenta que en los veinticinco días que lleva de cursillo ya ha aprendido a "aniquilar un tanque". El coronel me explica las variadas formas para que un solo hombre pueda destruir o inmovilizar un gigante de acero: el más clásico de todos, lanzando un cóctel "molotov"; también tapándole la visión, para lo cual hay que subirse al tanque en un gesto de valor poco usual; también se puede inmovilizar con una barra de hierro, colocándola en el tren de rodaje.

En la zona de entrenamiento de artillería antiaérea otro grupo de milicianos se cuadra ante la llegada del coronel.

—¡Levanten las manos los que tienen misiones internacionalistas! ¡Bájenlas! ¡Los que son militantes del Partido! ¡Bájenlas! ¡Los que son militantes de las Juventudes! ¡Bájenlas!

En unos segundos han subido y bajado varios brazos. Hay de todo. Pero sobre todo hay mucho internacionalista, es decir, combatientes de Angola, de Etiopía. También militantes del PCC y de la UJC.

Hablamos de la cantidad de energías y de horas que los ciudadanos cubanos dedican a prepararse para una hipotética invasión norteamericana. Con toda la rudeza, pero con toda la sinceridad del mundo, explota el coronel Ballester:

—Estamos obligados a hacerlo, no tenemos más remedio. Si no fuera por los hijos de la gran puta imperialistas, estaríamos sembrando en el campo, produciendo cosas. Pero bueno, este es el precio que tenemos que pagar por vivir a 90 millas del imperio.

Se cruza una miliciana mulata. Oigo un comentario a mi lado, que no es del coronel:

—¡Qué busto! ¡Si parecía un angelito!

Es el ardor cubano.

Volvemos a los Estados Unidos. Estamos en plena resaca de la guerra del Golfo. El coronel comenta:

—Lo que han hecho en Irak es una masacre y eso que todavía no sabemos toda la verdad.

¿Qué opinan estos cuatro jefes cubanos con los que paseo por la Escuela Provincial de la MTT de un ataque de Estados Unidos a Cuba? ¿Resistirían? ¿Serían conquistados? ¿Derrotarían a la primera potencia mundial, ya sin ningún tipo de ayuda exterior, como cuando existía la Unión Soviética?

Habla el coronel Ballester:

—Orozco, te va a hablar Papi Ballesteros...

En Cuba se llama cariñosamente Papi a los hombres mayores.

—... te habla Papi Ballesteros, de Guantánamo, de la Loma del Chivo, para ser exactos: este Ejército no es capaz de aguantar a los norteamericanos. Te lo digo desde el punto de vista militar. Pero desde el punto de vista político, o revolucionario, como quieras llamarlo, te digo que los americanos podrían entrar, pero tendrían que irse p'al carajo.

Conforme habla, el coronel parece ir indignándose más y más:

—Aquí no podrían aguantar, porque habría millones de cubanos quemándoles el culo. Podrían estar aquí, qué te digo, un mes, dos meses. Pero no aguantarían. Les iba a caer un hormiguero encima. Un hormiguero humano. ¿Has visto esas pirañas de los ríos del Brasil, Orozco? Pues igual les íbamos a caer nosotros a los yanquis.

Hablamos de la importancia que recibe en la Escuela la clase de Trabajo Político que imparte la primera teniente Eloísa Ricardo. La teniente/profesora nos dijo que "los "trabajadores políticos" se encargan de "la graduación de la conciencia del personal, del trabajo educativo individual". A mí me suena un poco a chino, no el tema, sino más bien la terminología que usan. Pero, en resumen, lo que la teniente hace es mentalizar políticamente al miliciano. Ocuparse del hombre antes que de la máquina.

—El hombre es lo más importante —añade el coronel—. Podrás tener el arma más sofisticada manejada por rayo láser, pero sin el hombre que hay detrás, sin la valentía y la conciencia política del hombre, esa máquina no es nada.

En las conversaciones entre militares existe siempre la tendencia a que hable el jefe y los subordinados callen. En el caso cubano, los oficiales "políticos", es decir, los que se ocupan de la educación política dentro de las unidades, suelen hablar con libertad ante su superior militar. El "político" de la Escuela Provincial de la MTT de Holguín, el teniente coronel Norberto Aguirre Sarmiento, es un hombre de color, bastante culto.

—Aquí no sólo se les habla de la guerra. Hay también actividades político-recreativas. Por ejemplo, se les explica qué significado tiene un cuadro como el Guernica.

El teniente coronel Aguirre me cuenta una anécdota que desconocía:

—Cuando la obra se expuso en Francia, un oficial nazi le preguntó a Picasso que quién había sido el autor de esa obra, y Picasso le respondió: ustedes, los nazis, que han bombardeado esa población de forma prepotente. Yo reflexionaba: ¿qué derecho tenían los nazis a bombardear esa ciudad española? Y ahora, ¿qué derecho tienen los prepotentes yanquis para decirnos cómo tenemos que organizarnos?

Curioso. El 31 de marzo de 1992, el líder juvenil Roberto Robaina declaró inaugurado el VI Congreso de la UJC con un pico y una pala, a la boca de un túnel defensivo de los centenares que se están construyendo en todo el país.

Lo hizo con estas palabras:

—Vamos a discutir con el pico y la pala en las primeras horas de este VI Congreso. A picazo limpio abriremos nuestra tierra para impedir que en ella se reproduzcan las escenas de Guernica (43).

El miedo a las bombas. La dirigencia cubana teme que algún día el inquilino de turno de la Casa Blanca se vuelva loco y ordene un bombardeo masivo sobre Cuba. Como se volvió loco Francisco Franco y los nazis que lo apoyaron al bombardear la hermosa villa vasca de Guernica.

Lo que era un secreto en los últimos años de los ochenta, se convirtió en una palpable realidad visible para todos en 1991. Los 1.500 delegados juveniles iniciaron su VI Congreso horadando las entrañas de la isla. A la boca de los túneles, se dejaron fotografiar y filmar por las cámaras de televisión. Se confirmó que Cuba estaba siendo convertida en un queso gruyère.

Forma parte de "la guerra de todo el pueblo". La prensa cubana publicó fotografías de túneles estrechos como un pasillo de pensión barata en donde había pequeñas mesas con ancianos y niños sentados y leyendo. Esos refugios subterráneos están siendo utilizados ya para almacenar armas y víveres y en su día —¡que no llegue!— servirán como refugios antiaéreos.

El 1 de mayo de 1992, en el impresionante desfile que tuvo lugar en La Habana para celebrar el Día del Trabajo, entre los miles de obreros que pasaron ante la tribuna situada a la sombra de la estatua de José Martí, en la Plaza de la Revolución, estaban "las brigadas de túneles premiadas con la categoría de Trabajo Socialista". Pocos sabían en el extranjero de su existencia (44).

El oficial político de la Escuela de la MTT de Holguín es, como Fidel Castro, un admirador de la historia de España. De una parte de la historia de España.

Me pregunta si escuché lo que dijo Fidel en televisión sobre los campesinos españoles que rechazaron a las tropas de Napoleón.

—Sí. Yo le hice esa pregunta al comandante.

Sonríen todos.

—Y yo le pregunto ahora, Orozco: ¿eran comunistas aquellos campesinos? No. No eran comunistas. Pero defendían su patria, su derecho a ser libres e independientes en su propia tierra. Y por eso lucharon con tanto valor. Y eso pasó a la historia y nosotros lo estudiamos en los libros de historia y lo sabrán generaciones durante millones de años. Nosotros debemos hacer lo mismo, si vienen los yanquis: tenemos el deber de defender nuestra patria. Independientemente de que seamos o no comunistas, nadie tiene el derecho de venir aquí a imponernos un régimen.

Los otros tres jefes asienten. Hemos regresado al despacho del coronel. Es tarde. El tema invasión yanqui/rechazo cubano da sus últimos coletazos. Dice el coronel Ballesteros:

—Esto no es Panamá, que no se olvide. En Panamá no hubo ni un solo tanque destruido. Pero aquí, ya ha visto nuestros "cazatanques". Esto lo vamos a defender con uñas y dientes, como fieras acosadas.

Han pasado varias horas desde que franqueé la puerta de la Escuela. No me ha dado la impresión de que los milicianos con los que hablé estuvieran preseleccionados. A muchos de ellos los abordé directamente. Tampoco parece que hayan hecho hoy ejercicios especiales para impresionarme. Se ve que son rutinarios. Y se observa también que, sobre todo los que pasaron por las guerras africanas, tienen un excelente dominio de las armas.

El coronel Ballesteros, con la campechanía que ha derrochado, me despide:

—Espero que no te lleves la impresión de que nosotros tenemos por aquí oculta alguna boa. Hemos hablado francamente. No hemos aleccionado a nadie.

Ya en la carretera que me devuelve a la ciudad de Holguín, recuerdo una cita de Raúl que he leído antes de sumergirme en el mundo de las Milicias:

—Para Cuba, la magnitud de la amenaza norteamericana en estos años, lejos de amedrentarnos, nos impulsó a fortalecer la defensa. Bajo la conducción del Partido, y con la aplicación de una certera línea de masas, se han creado las condiciones para rechazar y aniquilar cualquier variante de agresión, aun en una situación en que parte del territorio nacional resultara ocupado temporalmente.

Raúl concluirá ese discurso con una referencia a la Guerra de todo el Pueblo, gracias a la cual "somos más poderosos". Una guerra que estará siempre "bajo la dirección única del Partido Comunista" (45).

El Partido Comunista y la dirección de la guerra. El Partido y las Fuerzas Armadas. Un aspecto decisivo en la vida interna de las FAR.

Inspirados en la experiencia soviética, los militares cubanos crearon formalmente el 2 de diciembre de 1963 las primeras células del Partido Comunista dentro de las FAR. En esa fecha se celebra el día de las FAR, pues marca el aniversario del desembarco del Granma (2 de diciembre de 1956) y el inicio de la lucha revolucionaria.

Se escogió una unidad del Ejército Oriental para iniciar lo que Raúl llama "la construcción del Partido en el seno de las FAR".

Once años después, en la III Reunión de Secretarios del Partido en las FAR, Raúl reconocía que "el 85 por 100 de los oficiales de nuestras Fuerzas Armadas Revolucionarias pertenecen al Partido o a la Juventud (UJC), en algunas unidades, esa cifra alcanza el 90 por 100" (46).

Desde entonces a hoy, ese porcentaje de militantes comunistas en el Ejército, sean del Partido o de la Unión de Jóvenes Comunistas, se ha mantenido. El Ministerio del Interior registra, entre sus cuadros, una presencia similar de militantes comunistas.

Además de los militantes organizados, en todas las unidades de las FAR hay siempre un oficial "político". Normalmente, como en el caso de la Escuela Provincial de las MTT de Holguín, hay un comandante en jefe de la unidad, y dos segundos: uno que lleva la parte estrictamente militar y otro que es el representante del Partido en esa unidad.

Carlos Aldana, miembro del Buró Político, desarrolló esa actividad de "oficial político" —"el político" a secas, le dicen en el argot castrense cubano— y a él le pregunté si no hay discrepancias entre el mando militar y el mando político. ¿Quién manda, en definitiva, en una unidad militar?

—Depende de lo que se trate. Pero la contradicción que podría existir no tiene por qué ser antagónica, ni resolverse a tiros.

El político está subordinado al jefe como militar, pero no como político. Para Aldana, "donde el jefe militar da una orden, la misión del político es explicarla, donde la gente está obligada a acatar, el político argumenta".

La misión del político sería, en cierta medida, en palabras de Aldana, similar a la del capellán militar en otros ejércitos:

—Se trata de atender al hombre, de escucharle, de aconsejarle. Y a nosotros ese sistema nos ha ido muy bien. Yo he estado quince años realizando esa labor en las FAR. Trabajé con todo tipo de jefes, más o menos comprensivos, más o menos politizados, pero todos tenían un gran respeto por "el político", porque éste es el representante del Partido.

Esa especie de "capellán ideológico" suele formarse, además de en las escuelas del Partido en Cuba, en la Academia Político-Militar Vladimir Lenin de Moscú, en donde se habían graduado hasta 1987 más de 100 oficiales políticos de las FAR (47).

Los oficiales cubanos estudian desde 1972 de forma sistemática marxismo-leninismo y reciben cursillos sobre imperialismo, subdesarrollo o economía política socialista.

Aunque no es un requisito indispensable, la tendencia es que la mayor parte posible de los jefes y oficiales sean militantes del PCC. "Pero se puede ser general sin ser militante", apunta Aldana. Le pregunto al responsable del Departamento Ideológico del Comité Central si no es peligroso tan alto grado de politización en un Ejército. Esto contestó Aldana:

—¿Malo? ¡Qué va! ¡Eso es buenísimo! Todos los Ejércitos están politizados. El español está politizado.

—Lo estaba bajo la dictadura de Franco...

—Bueno, no creo que sea más apolítico que el de Franco. Su color ha cambiado. Pero ¿es apolítico un Ejército que forma parte de la OTAN? (Organización del Tratado del Atlántico Norte)

—Pero esa es una decisión que tomó el poder ejecutivo, el Gobierno, hubo un referéndum nacional, no fue una decisión del Ejército —replicó.

—Decisión con la que el Ejército está de lo más contento. ¿Hay realmente ejércitos apolíticos? ¿Existe el apoliticismo? Otra cosa es el partidismo.

Aldana recuerda el origen histórico de las FAR: El Ejército Rebelde, "altamente politizado". También que la experiencia cubana no es única: existen la china y la vietnamita, y en su día la soviética. Y repite: "a nosotros nos ha ido muy bien con ese sistema".

Tanto los Estatutos como el Programa del Partido definen el papel de éste en el seno de las Fuerzas Armadas.

El capítulo IX de los Estatutos afirma que el Partido "trabaja por el cumplimiento de las misiones que el Comité Central les traza a las Fuerzas Armadas Revolucionaria y al Ministerio del Interior y educa a los combatientes de estas instituciones en el espíritu de la más firme cohesión en torno al Partido, la fidelidad ilimitada a la Patria socialista, la práctica del internacionalismo proletario y la consolidación de sus vínculos con la clase obrera y con el pueblo" (48).

El Partido desarrolla en esas dos instituciones "la moral de los combatientes y su educación marxista-leninista", dicen los Estatutos.

Ese trabajo está dirigido "verticalmente" por el Comité Central del PCC. Hasta el IV Congreso celebrado en 1991, la dirección se ejercía a través de la Dirección Política Central de las FAR y la Dirección Política Central del MININT, que tenían rangos de Departamentos en el seno del Comité Central (CC).

El IV Congreso eliminó la referencia al Departamento Militar dentro del Comité Central. A la espera de que se redacten unos nuevos Estatutos, a lo largo de 1992 y comienzos de 1993, esos organismos se consideran como adjuntos al CC. En todo caso seguirá invariable el hecho de que ambos departamentos sean "atendidos directamente por el primer secretario del CC", el comandante Fidel Castro.

El libro *Una Revolución que sabe defenderse*, prologado por el general de División Ulises Rosales del Toro, jefe del Estado Mayor y viceministro primer sustituto del ministro de las FAR, resume así "las bases sociopolíticas y organizativas que se cumplen en las FAR":

– Dirección de las Fuerzas Armadas por el Partido Comunista.
– Enfoque clasista de la organización de esas fuerzas.
– Unidad entre Ejército y Pueblo.
– Fidelidad al internacionalismo proletario.
– Organización sobre la base de cuadros permanentes altamente cualificados.
– Dirección centralizada.
– Mando único.
– Disciplina militar elevada y consciente.
– Disposición permanente de las Fuerzas Armadas para repeler toda agresión (49).

En el año setenta, se institucionaliza la presencia del Partido en el Ejército y periódicamente se celebran reuniones de los secretarios del PCC en las FAR, presididas por Raúl Castro. La primera tuvo lugar en diciembre de 1966. Otras se celebraron en 1970, 1974 y 1980. Existe una Comisión Nacional del Partido en las FAR.

Al mismo tiempo que el Partido entra en los cuarteles, los militares penetran en el Partido. Aunque las cifras demuestran un declive de la presencia de militares en los altos órganos de dirección del Partido, no debe extraerse la conclusión de que las FAR pierden poder político. Entre otras cosas: el primer secretario del PCC es el comandante en jefe, Fidel Castro, y el segundo secretario es el ministro de las FAR, Raúl Castro.

En el primer Politburó Político, en 1965, como se le llamaba entonces al actual Buró, de ocho miembros seis eran militares (75 por 100). En el Buró elegido en octubre de 1991 había seis militares entre sus 25 miembros (24 por 100). En ambos casos se cuenta a Fidel y Raúl Castro como militares.

Esa reducción de la presencia física de militares se observa también en la composición del Comité Central. En porcentajes: en 1965 había un 57 por 100; en 1975, tras el I Congreso del PCC, un 32 por 100; tras el II Congreso, 1980, un 27 por 100; después del III Congreso, en 1986, un 19 por 100; por último, tras el IV Congreso, 1991, hay un 14 por 100 (50).

Aunque haya disminuido el número, no cabe duda sin embargo de que los militares son el bloque más compacto en el seno del Partido. Raúl Castro, a pesar de ser cinco años más joven, fue comunista mucho antes que su hermano y sus principales hombres —véase el caso de la meteórica subida de Carlos Aldana, su ex jefe de despacho— están inmejorablemente situados en el Partido.

Astuto y trabajador infatigable, Raúl Castro es el responsable —y así lo ha reconocido públicamente muchas veces Fidel— de la creación de esa impresionante maquinaria de guerra que son las FAR.

Tras el fusilamiento del general Arnaldo Ochoa, la destitución del ministro del Interior, José Abrantes, y ocho altos cargos del MININT, en 1989, Raúl Castro ha extendido su poder también sobre ese importante departamento ministerial. Uno de sus hombres más fieles, el general de Cuerpo de Ejército Abelardo Colomé Ibarra sustituyó a Abrantes al frente del MININT. El Ejército tomó por asalto el Ministerio del Interior, considerado "hermano gemelo de las FAR en estos años de lucha histórica" en el primer Congreso del Partido (51).

Antes o después tenía que suceder así. Al revisar los informes presentados a los sucesivos Congresos del Partido, se observa cómo la crítica hacia este importante departamento ministerial es cada vez mayor.

En los primeros años de la Revolución el MININT cumplió sus

objetivos y así se reconoce en el I Congreso del PCC (1975): los efectivos del MININT "cumplieron las misiones más delicadas, infiltrados unas veces en el campo enemigo, otras en la retaguardia".

Se lee también: "Con su valeroso e inteligente trabajo lograron la destrucción de la contrarrevolución interna, la victoria sobre las organizaciones, los grupos y bandas contrarrevolucionarios, la acción exitosa contra las infiltraciones de agentes de la CIA y la desarticulación de los incontables planes de eliminación física de los dirigentes de la Revolución".

Eran los primeros años sesenta. Desde 1961 el MININT estaba dirigido por Ramiro Valdés, uno de los comandantes de la Revolución, que estuvo en los momentos clave del proceso revolucionario: asaltante del Moncada, miembro de la tripulación del Granma, segundo jefe de la Columna Ocho del Ejército Rebelde que entra triunfante con el "Che" Guevara en Santa Clara.

Al término de la lucha contra Batista, Valdés crea el Departamento de Inteligencia del Ejército Rebelde (DIER) y el 6 de junio de 1961, cuando se funda el MININT, es nombrado su primer ministro.

Tuvo éxitos apreciables al desarticular docenas de operaciones montadas para eliminar a Fidel Castro y otros líderes revolucionarios. (Ver capítulo "Fidel"). Y así lo recoge el informe central que sobre el MININT se aprueba en el I Congreso del Partido.

Cinco años después, en 1980, el II Congreso será menos indulgente con el MININT. El informe central comienza así:

—En relación con el Ministerio del Interior se produjo en algunas áreas un debilitamiento de la eficiencia y ejemplar actitud de sus cuadros que caracterizaron sus años de luchas heroicas y extraordinarias.

La lista de reproches al MININT incluía: burocratización, relajamiento de la exigencia y la disciplina, deficiencias en la selección del personal, y falta de decisión en la lucha contra "los elementos antisociales" (delincuentes comunes). Los robos aumentaron de 1979 a 1980 en un 23 por 100.

Seis años más tarde, en el III Congreso (1986) se insiste en el crecimiento de los delitos económicos, como fraudes y desvíos de recursos en la red minorista del comercio y los servicios gastronómicos, que iban a parar al mercado negro, o bolsa negra, como lo llaman en Cuba.

El Ministerio entregó a los municipios una serie de instalaciones sanitarias, recreativas y deportivas que se habían construido en los años anteriores para uso exclusivo de sus miembros. Fue una orden directa de Fidel, que consideraba un pésimo ejemplo que los policías cubanos, que debían de destacarse por su austeridad, disfrutaran de una red de instalaciones privadas mientras el pueblo carecía de ellas.

El Congreso confía en que los funcionarios del MININT, "plenamente conscientes de su noble y abnegado papel, serán siempre exigentes consigo mismos, combatirán con energía toda manifestación de acomodamiento, corrupción, vanidad y desprecio al pueblo y sus valores".

Ramiro Valdés, que había regresado al MININT como ministro por segunda vez (1978-86), es fulminantemente cesado. Durante su segundo mandato, no sólo se habían construido centros de recreo para los funcionarios del Ministerio, sino que se había relajado mucho la disciplina.

Fue en ese caldo de cultivo en el que se desarrolló el Departamento MC, Moneda Convertible, que dirigía Tony de la Guardia, uno de los tres fusilados junto al general Ochoa. Valdés, que era uno de los pocos que pertenecían al Buró Político del Partido desde su creación, en 1965, es destituido también de ese puesto. En 1992 estaba destinado en un cargo oscuro y burocrático: director de Copextel, una empresa estatal dedicada a la electrónica.

Con José Abrantes, su sustituto, las cosas no fueron mejor. Cuando estalla el escándalo Ochoa y del MC, Abrantes es sustituido, Raúl Castro hace valer el peso de su ley y coloca al frente del MININT al general de Cuerpo de Ejército Abelardo Colomé Ibarra, de cincuenta y tres años.

En el momento de su nombramiento, Colomé era primer sustituto del ministro de las FAR, Raúl Castro, y bajo su mando había formado parte en la creación del Segundo Frente del Ejército Rebelde, en Sierra Cristal, al noreste de Cuba. Llegó a mandar una de sus columnas con el rango de capitán.

No era la primera vez que el general Colomé, al que cariñosamente apodan "El Furry", entraba en la sede del MININT. Como la mayoría de los generales, "El Furry" había luchado en el Ejército Rebelde siendo un joven de dieciocho años. Con el triunfo revolucionario, Colomé forma parte del equipo fundador de la Dirección de Inteligencia del Ejército Rebelde (DIER), cuyo primer jefe es precisamente Ramiro Valdés. Luego, Colomé pasaría a dirigir el DIER y más tarde la Policía Nacional Revolucionaria (PNR).

Como el fusilado Ochoa, Colomé estuvo en Angola, y como Ochoa también, el 1 de mayo de 1884 era condecorado con la máxima distinción que se otorga en la isla: Héroe de la República de Cuba; también recibió la medalla de la Orden de Máximo Gómez.

Para muchos estudiosos del tema cubano, el general Colomé es uno de los personajes más influyentes de Cuba.

Tiene bajo su mando 10.000 efectivos de la Policía Nacional Revolucionaria (PNR), 15.000 del Departamento de la Seguridad del Estado, la Brigada de Tropas Especiales del MININT, calculada en unos 2.000 hombres, 4.000 miembros de las Tropas Guardafronteras y 52.000 empleados civiles del Cuerpo Auxiliar de la Policía Nacional (52).

De los distintos departamentos del MININT, aparte de los clásicos como la Dirección de Inmigración o la Dirección de Identificación, donde los cubanos obtienen su Documento de Identidad, que es como un pasaporte en miniatura, pero con tantas o más páginas, el MININT cuenta con dos dependencias estrella: el Departamento de la Seguridad del Estado (DSG) y la Dirección General de Inteligencia (DGI).

El DSG, conocido popularmente en Cuba como "la Seguridad", es el organismo de inteligencia que trabaja de puertas adentro. Se ocupa básicamente de los grupos contrarrevolucionarios y de los disidentes internos. Su cuartel general se localiza en un antiguo centro de retiro espiritual de los Maristas, llamado precisamente Villa Marista, en las afueras de La Habana. Por allí han pasado todos los que antes o después disintieron del régimen. (Ver capítulo "Los Disidentes".)

Por su parte, la DGI trabajaría como un servicio de intelegencia hacia el exterior. En su origen se imitó mucho el estilo de la KGB soviética.

En torno a los servicios de inteligencia cubanos se han forjado grandes leyendas. Para muchos, el espionaje cubano alcanzó un buen nivel y durante años cubanos y soviéticos trabajaron estrechamente.

Es indudable que una de las razones de la permanencia de Castro en el poder, después de treinta y tres años, ha sido la de estar perfectamente informado de cuanto se tramaba en su contra. Se supone que en los Estados Unidos hay docenas de agentes e informadores de Cuba, muchos de ellos llegados con el éxodo del Mariel. En 1980, 125.000 cubanos abandonaron la isla por el puerto de Mariel, al oeste de La Habana.

Pero también es cierto que se ha exagerado en ocasiones el papel de los servicios de inteligencia y policiales de Cuba.

En 1987 se produjo la fuga del militar de mayor graduación que había escapado de Cuba: el general de Brigada de la Fuerza Aérea Rafael del Pino, de cincuenta y cuatro años, quien desertó con su mujer y sus hijos a bordo de un Mig soviético.

Como tantos otros exiliados de renombre, Del Pino recibió un caluroso recibimiento en Miami. Escribió un libro, *Proa a la Libertad*, subtitulado *La historia de una vida heroica consagrada a la más alta causa de la humanidad: la libertad* (53).

En su libro, Del Pino incluye una de esas leyendas fraguadas en el exterior y difíciles de creer. Asegura que en el MININT hay dos "aparatos" controlados directamente por Fidel Castro: el llamado "Dirección 5" y la Dirección de Seguridad Personal.

En las propias palabras de Del Pino:

—La Dirección 5 de la Seguridad del Estado (está) compuesta por asesinos profesionales encargados de eliminar físicamente a las personas cuya muerte el caudillo considera necesaria. Esta Dirección se creó en 1967, cuando concluyó en la Unión Soviética el primer curso de matarifes profesionales, en el cual se graduaron 15 incondicionales verdugos.

La otra dependencia, según Del Pino:

—La Dirección de Seguridad Personal, el mayor cuerpo de guardaespaldas del planeta, compuesto por miles de hombres que constantemente vigilan al presidente y que superan en número a los efectivos de Ejércitos Latinoamericanos y del Caribe.

¿Puede alguien imaginar un servicio de seguridad presidencial mayor que el Ejército de Venezuela, o por poner un ejemplo más pequeño, que el de Honduras, o quizás el de Jamaica?

El libro de Del Pino, un general que tardó veintiocho años en darse cuenta de que Cuba era una dictadura sangrienta, a la que sin embargo sirvió en puestos tan importantes como jefe de la Fuerza Aérea Cubana en Angola, está repleto de este tipo de exageraciones.

Por ejemplo, Del Pino afirma que la Sección 1 de la Seguridad del Estado, que más tarde pasó a llamarse Dirección Especial del Ministerio del Interior (DEM), comenzó a reclutar a comienzos de los años sesenta "a cientos de miles de informantes" en toda la isla.

En cada cuadra (en España equivalente a manzana, pero en Cuba manzana es un grupo de cuatro cuadras) de Cuba se reclutaron dos agentes, a los que se llamó "fuente". Las fuentes son controladas por los Vigilantes Revolucionarios (VR), que tienen a su cargo una manzana (cuatro cuadras). A su vez los VR son controlados por los agentes M, que controlan cuatro manzanas (16 cuadras). Los M son a su vez controlados por los MM, responsables de diez manzanas (40 cuadras). Por encima de todos ellos, el jefe de bloque que recibe la información de decenas de manzanas.

Las fuentes realizan un informe diario basado en un cuestionario de 56 preguntas denominado Guía del Informante. Esa guía asciende por los vericuetos del VR, M, MM y jefe de bloque hasta el puesto de mando de la DEM. Allí se debe procesar, en el mismo día, toda la información llegada para sintetizarla y entregarla a diario al comandante en jefe, Fidel Castro.

De acuerdo con el informe al II Congreso del PCC, cada día hay 30.000 cubanos que hacen guardia en los CDR. El sociólogo cubano americano de la Universidad de Miami Jaime Suchlicki da también esa cifra como el número de CDR que hay en todo el país.

Las guardias duran tres horas, de diez de la noche a una de la madrugada. En la mayor parte del país, de una a cinco de la madrugada, la guardia está a cargo de un vigilante nocturno, normalmente un jubilado que vive en la cuadra y que recibe un pequeño salario del MININT. Sólo en algunas zonas rurales muy pequeñas no existe ese vigilante.

De acuerdo con esos datos, si hay 30.000 CDR en el país y el general Del Pino afirma que en cada uno trabajan dos "fuentes", ello significaría que en Cuba hay 60.000 fuentes. Siguiendo su argumento, las 60.000 fuentes producirían otras tantas Guías del Informante, de 56 preguntas cada una. O sea, 3.360.000 preguntas, que deben ser sintetizadas todos los días. ¿Qué potente ordenador se necesita para procesar a diario todos esos datos? ¿Cuánto personal?

Según los informes de Del Pino, habría no menos de 80.250 personas: 60.000 fuentes, 15.000 VR, 3.750 M, 1.500 MM. A ellos habría que sumarles los jefes de bloque. Más el personal que en el DEM recibe y procesa la información.

Aunque las cuentas de Del Pino sean como las del Gran Capitán, difíciles siquiera de imaginar, no cabe duda de que Cuba es un país uniformado, aunque no todos lleven uniforme. Especialmente en las grandes ciudades, sobre todo La Habana.

Después de conocer prácticamente todas las capitales de las catorce provincias cubanas, es mucho más asfixiante la presencia de policías y vigilantes varios en La Habana que en Cienfuegos o Ciego de Avila.

La psicosis por esta vigilancia masiva sobre la población aumenta en lugar de disminuir porque, a consecuencia del deterioro económico, cada día mayor, los llamados "delitos económicos" crecen de forma considerable. Por tanto, han surgido nuevos grupos y nuevos métodos de vigilancia.

Aunque en el capítulo "Los antisociales" de este libro se aborda más en detalle este tema, quede aquí reflejado la existencia del llamado Sistema Unico de Vigilancia y Protección (SUVP).

El SUVP comenzó a conocerse en Cuba a comienzos de 1991. No tiene una fecha exacta de creación. Está integrado por miembros de todas las organizaciones de masas del lugar donde se establece. Así, por ejemplo, en el campo hay miembros de las brigadas campesinas, y en las fábricas, de la guardia obrera.

El SUVP se organiza a nivel de centro de trabajo y de cuadra y es un sistema combinado en el que puede haber integrantes de la Policía, de los CDR, de la UJC, del Sindicato, de las agrupaciones estudiantiles, de los vigilantes nocturnos, siempre con la presencia dirigente del Partido. Eso es lo que lo diferencia de las fuerzas puramente policiales.

En 18 de febrero de 1992, la ciudad de La Habana amaneció convulsionada: el Partido había hecho un llamamiento al SUVP. Apoyado por elementos de las tropas guardafronteras, una Compañía de Tropas Especiales del MININT, un Batallón de las MTT, y por supuesto miles de cederistas, los elementos del SUVP tomaron literalmente las calles de la capital. Se iniciaba el Plan Girón 92.

Ese día y durante los siete siguientes, los "antisociales", comó llaman en Cuba a los delincuentes comunes, se escondieron debajo de las piedras.

El Plan Girón 92, bautizado así por el Comité Central del Partido, tenía tres objetivos concretos:

– Crear un estado de asfixia social contra la delincuencia y generar en el pueblo el rechazo radical a la actividad delictiva.

– Lograr la movilización y cohesión de todas las fuerzas revolucionarias en función de la vigilancia, protección y defensa de los logros de la sociedad cubana.

– Perfeccionar y consolidar los mecanismos organizativos para la aplicación del Sistema Unico de Vigilancia y Protección, así como medir el funcionamiento y efectividad de los grupos de dirección a los diferentes niveles (54).

A nivel de cuadra, los responsables de los operativos de barrio visitaron los domicilios de los sospechosos fichados por los CDR, principalmente aquéllos que se dedicaban al mercado negro de alimentos. Se confiscaron cantidades no determinadas de diversos bienes y se practicaron algunas detenciones.

El Comité Central del PCC creó una Comisión de Control Central del Plan Girón 92, presidido por Gilda Glenda Azoy Quintana, de treinta y siete años, segunda secretaria del Comité Provincial del Partido de Ciudad La Habana. Día a día, se hacía un seguimiento de las batidas en los 15 municipios que componen la capital cubana. El Partido declararía después que la operación había sido un éxito y que este tipo de acciones se repetirían con frecuencia ante el avance de la delincuencia.

Operaciones de esta envergadura se habían realizado con anterioridad, como la llamada "Operación Cascabel", rebautizada por el pueblo como "Operación Maceta". (Un "maceta" es un delincuente adinerado.) Tuvo lugar en la primavera de 1991 y a lo largo y ancho del país se detuvo a más de 500 personas.

El Tropicana es el cabaret más popular de Cuba y probablemente de América Latina.

Un día apareció en el vestuario de las exuberantes bailarinas este cartel:

"Aviso: Todas las compañeras que deseen integrar el Destacamento Obrero de Tropicana para la defensa de los principios de la Revolución, por favor, dirigirse al compañero Angelito, en el cabaret."

Creados a raíz de una idea de Fidel Castro, los Destacamentos o Brigadas de Respuesta Rápida tienen un fin político, de acoso y derribo de los contrarrevolucionarios. Pero de alguna manera, forman parte del entramado diseñado por el Ministerio del Interior para mantener el control en el país. (Ver capítulo "Los disidentes".)

Lo mismo podría decirse de las Brigadas de Producción y Defensa. Su principal objetivo es controlar que en los centros de trabajo no se robe, pero también pueden ser convocadas si en un momento determinado hay que recoger una cosecha que puede echarse a perder.

Por último habría que reseñar los 50.000 miembros de la Defensa Civil, un cuerpo especializado para actuar ante catástrofes naturales.

Desde el día ya un poco lejano en que Raúl Castro dejó todo este conglomerado en manos del general de Cuerpo de Ejército Abelardo Colomé, el ministro de las FAR podía dormir más tranquilo.

La disciplina volvía al MININT. Aunque la delincuencia crecía, Raúl y Fidel sabían que al menos los ladrones no estaban dentro de casa, sino afuera, en las calles. Con el laureado general Colomé al frente del MININT y él mismo dirigiendo las Fuerzas Armadas, Raúl tenía un control absoluto sobre todos los uniformados.

Difícil sería que en esa situación surgiera otro caso Ochoa, aquél que puso en la picota el honor de las FAR y que sólo pudo limpiarse con la sangre de cuatro personas.

El prestigio del Ejército como cuerpo disciplinado y fiel a la Revolución se recuperaba. Raúl, desde su privilegiada plataforma como número dos del país, recordaba de vez en cuando los amargos momentos que vivió el 9 de julio de 1989, cuando en aquel salón del Palacio de Convenciones confesaba ante sus compañeros del Consejo de Estado, y ante el país entero que lo vería por televisión, que había llegado a llorar una madrugada. Que sus ojos se habían bañado en lágrimas.

Raúl recordaría las muchas veces que había jugado con Yanina, Diana y Alejandrito, los hijos de Arnaldo Ochoa, uno de sus generales favoritos. Aquél al que dio un abrazo en su despacho y le dijo que "pasara lo que pasara, hoy y mañana y siempre seríamos sus hermanos".

Recuerdos. Raúl les decía a sus compañeros del Congreso de Estado, inmediatamente después de haber confesado que se le saltaron las lágrimas:

—Como es de suponer, primero me indigné conmigo mismo, inmediatamente me repuse y comprendí en el acto que lloraba por los hijos de Ochoa, a quienes conozco desde que nacieron, lloraba por los hijos de los otros acusados que probablemente serían sancionados a muerte o a largos años de prisión, lloraba por sus madres y demás familiares, pero lloraba sobre todo por nuestro pueblo, por esta tonelada de fango que se le echaría encima.

Junto a Raúl, está el presidente del Consejo de Estado. Fidel. Su hermano mayor. El que durante cuarenta años ha sido su norte y guía. Fidel lo sabe. Y Fidel sufre con el sufrimiento del hermano pequeño. Fidel no lloró. Fidel se indignó.

Cuando los Estados Unidos comenzaron a mezclar el nombre de Raúl entre los implicados en el narcotráfico, Fidel reaccionó como reacciona un hermano y no un jefe de Estado. Le encargó al entonces viceministro de Relaciones Exteriores, Ricardo Alarcón, ascendido en junio de 1992 a ministro, quien en los primeros meses de 1988 realizaba los primeros contactos con funcionarios del Gobierno americano para la firma de un acuerdo de paz en Angola, que transmitiera un mensaje muy especial.

Muy especial y nada diplomático.

Fidel va a hacer también una confidencia, ahora que todos los miembros del Consejo de Estado han terminado de hablar:

—Le di instrucciones al compañero Alarcón... por ahí tengo el informe... de protestar con toda energía en uno de esos contactos con los funcionarios norteamericanos, por ese tipo de campaña que estaban haciendo contra Cuba... por ese intento de mezclar a Raúl en esa porquería (de la droga).

Fidel busca entre sus notas. Mira a los 28 miembros del Consejo de Estado, y sigue hablando:

—Voy a leer un párrafo nada más, y voy a utilizar una palabra fuerte, que no me queda más remedio que pronunciarla; no la pronuncié yo, pero fue lo que le dije a Alarcón que dijera...

Hay tensión en la sala. Fidel, maestro del suspense oratorio, se dispone a decir qué palabra fue esa que considera "fuerte".

—El informe de Alarcón en ese párrafo dice: "Cumpliendo las instrucciones que había dado el comandante en jefe, le manifesté a este funcionario —no voy a decir el nombre— que quienes promovían y llevaban a cabo estas acusaciones contra nosotros eran unos hijos de puta".

La sangre pudo más que la diplomacia.

NOTAS

(1) Equipo de Editores de Política Actual: *Vindicación de Cuba*. Editora Política. La Habana, 1989.

(2) María Asunción Mateo: *Tiempo*, 27 de abril de 1992, Madrid.

(3) Rafael Fermoselle: *The Evolution of the Cuban Military: 1492-1986*. Ediciones Universal. Miami, 1987.

(4) *El Universal*, 27 de junio de 1989, México D. F.

(5) *Excelsior*, 7 de julio de 1989, México D. F.

(6) Gianni Miná: *Fidel*. Editorial Diana. México, 1991.

(7) *Vindicación de Cuba*.

(8) *Unomasuno*, 8 de junio de 1989, México D. F.

(9) *The New York Times*, 25 de junio de 1989, Nueva York.

(10) *Unomasuno*, 25 de junio de 1989, México D. F.

(11) *El Financiero*, 5 de diciembre de 1989, México D. F.

(12) Raúl Castro: *Selección de discursos y artículos, 1976-1986*. Editora Política. La Habana, 1988.

(13) Varios autores: *The Cuban Military Under Castro*. Institute of Interamerican Studies. Universidad de Miami, 1989.

(14) José Hernández Sánchez: *Una Revolución que sabe defenderse*. Editora Política. La Habana, 1988.

(15) Datos del Instituto de Estudios Estratégicos de Londres. Balance 1989-1990. Tomados de: *Ejército. Balance Militar. Revista de las Armas y Servicios*. Número 603, abril de 1990, Madrid. Editado por el Servicio de Publicaciones del Estado Mayor del Ejército. Madrid, 1990.

(16) Vilma Espín: *La mujer en Cuba*. Editora Política. La Habana, 1990.

(17) *Granma Internacional*, 18 de mayo de 1990, La Habana.

(18) Instituto de Estudios Estratégicos.

(19) Raúl Castro: *La "Operación Carlota" ha concluido. Victoria del internacionalismo cubano*. Editora Política. La Habana, 1991.

(20) Raúl Castro: *La "Operación Carlota" ha concluido. Victoria del internacionalismo cubano*. Editora Política. La Habana, 1991.

(21) Raúl Castro: *La "Operación Carlota" ha concluido. Victoria del internacionalismo cubano*. Editora Política. La Habana, 1991.

(22) *Guía Mundial*. Editora Cinco, S. A., Bogotá, 1992.

(23) Fidel Castro: *Ideología, conciencia y trabajo político, 1959-1989*. Editora Política. La Habana, 1991.

(24) Fidel Castro: *Ideología, conciencia y trabajo político, 1959-1989*. Editora Política. La Habana, 1991.

(25) *Excelsior*, 30 de mayo de 1992, México.

(26) *Granma Internacional*, 6 de mayo de 1990, La Habana.

(27) *Granma Internacional*, 27 de mayo de 1990, La Habana.

(28) *Tiempo*, 27 de abril de 1992, Madrid.

(29) *Tiempo*, 27 de abril de 1992, Madrid.

(30) Raúl Castro: *Selección de discursos y artículos. 1976-1986*.

(31) *Informe Central: I, II y III Congresos del Partido Comunista de Cuba*. Editora Política. La Habana.

(32) Raúl Castro: *Selección de discursos y artículos, 1976-1986.*

(33) Roberto Campos Menéndez: *35 preguntas y respuestas sobre la SEPMI.* Editora
      Política. La Habana, 1983.

(34) Tarjas: En arquitectura, adorno oblongo (más largo que ancho), con ins
      cripción que se sobrepone a un miembro arquitectónico. Genéricamente,
      escudo grande, chapa o tablita que sirve de contraseña.

(35) *35 preguntas y respuestas sobre la SEPMI.*

(36) Jaime Suchlicki: *Historical Dictionary of Cuba.* The Scarecrow Press, Inc. Metu-
      chen, N. J., and London, 1988.

(37) Fidel Castro: *Ideología, conciencia y trabajo político, 1959-1989.* Editora Política.
      La Habana, 1991.

(38) Fidel Castro: *Rectificación.* Editora Política. La Habana, 1990.

(39) Raúl Castro: *Selección de discursos y artículos.*

(40) *Granma Internacional,* 18 de febrero de 1990, La Habana.

(41) *The Cuban Military under Castro.*

(42) *Informe Central: I, II y III Congresos del PCC.*

(43) *Granma,* 1 de abril de 1992, La Habana.

(44) *Granma Semanal,* 10 de mayo de 1992, La Habana.

(45) Raúl Castro: *Selección de discursos y artículos.*

(46) Raúl Castro: *Selección de discursos y artículos, 1959-1974.* Editora Política. La
      Habana.

(47) *The Cuban Military Under Castro.*

(48) *Estatutos del Partido Comunista de Cuba.* Editora Política. La Habana, 1986.

(49) *Una Revolución que sabe defenderse.*

(50) Elaboración propia, y *The Cuban Military under Castro.*

(51) Todas las referencias a los Congresos del Partido referidos al MININT están
      tomadas de: *Informe Central: I, II y III Congresoz del PCC.*

(52) *The Evolution of the Cuban Military.*

(53) Rafael del Pino: *Proa a la Libertad.* Editorial Planeta. México D. F., 1991.

4

LOS OJOS Y LOS OIDOS DE LA REVOLUCION

Creo en ti
como creo en Dios,
que eres tú,
que soy yo.
Creo en ti,
en ti
Revolución.

Pablo Milanés
(*Acto de Fe*)

Aparqué el coche en la calle Amargura. Cerca del restaurante Hanoi. Tenía una cita con un santero. En esa zona de La Habana Vieja ya me habían robado cuatro boberías del coche un día que fui a la iglesia del Santo Cristo del Buen Viaje, en la vecina calle Lamparilla. El barrio comienza a ser peligroso.

En la esquina había un grupo de niños jugando. Se acercaron dos. Un morenito y una niña mulata clara. Se quedaron mirando el coche de alquiler, con su enorme cartelón que decía: Havanautos. Algo así como llevar un letrero que cubra todo el cristal trasero que diga:

—"Soy turista, atráqueme".

Iba acompañado por una pareja de jóvenes cubanos, mis introductores al santero. Los chavales dieron un par de vueltas al automóvil. El chico se quedó mirando la matrícula. Pensativo. Memorizándola.

—Se lo voy a decir al cedeerre —me gritó—, y salió corriendo.

Me quedé de piedra. El chaval no levantaba más de un metro del suelo y ya era un ojo y un oído de la Revolución.

Nacieron "al fuego mismo de la lucha revolucionaria", el 28 de septiembre de 1960, dirá Fidel Castro en el Informe Central al I Congreso del Partido Comunista, en 1975.

Eran días de ron y bombas. La mayoría de la población apoyaba a la triunfante Revolución, y la celebraba. Pero veintiún meses más tarde de la entrada de los barbudos "Che" Guevara y Camilo Cienfuegos en La Habana, muchos comenzaban a desengañarse por el giro marxista que emprendía Fidel. Se producían ya los primeros atentados terroristas contrarrevolucionarios.

Debido a ello se crearon los Comités de Defensa de Revolución (CDR) treinta y cinco días después que la Federación de Mujeres de Cuba (FMC). "Para vigilar y combatir al enemigo" (1).

—Vamos a establecer un sistema de vigilancia colectiva, un sistema de vigilancia revolucionaria colectiva. Y vamos a ver cómo se pueden mover aquí los lacayos del imperialismo, porque en definitiva, nosotros vivimos en toda la ciudad, no hay un edificio de apartamentos de la ciudad, ni hay cuadra, ni hay manzana, ni hay barrio, que no esté ampliamente representado aquí (2).

Fidel Castro está dibujando el mismo día de la creación de los CDR el perfil exacto de lo que habrá de ser esta organización de masas. Sigue hablando Castro:

—Vamos a implantar, frente a las campañas de agresiones del imperialismo, un sistema de vigilancia colectiva revolucionaria y que todo el mundo sepa quiénes y qué hace el que vive en la manzana y qué relaciones tuvo con la tiranía (de Batista), a qué se dedica, con quién se junta, en qué actividades anda.

De todas las cosas que creó la Revolución cubana, y creó muchas organizaciones de todo tipo, los CDR se hicieron mundialmente famosos como "los ojos y los oídos de la Revolución".

Treinta y dos años después de su fundación, en Cuba hay quince millones de ojos y otros tantos de oídos. Los CDR se han convertido en la organización más populosa del país: siete millones y medio de los diez y medio de personas que pueblan Cuba son cederistas.

Nacidos para combatir a los contrarrevolucionarios que amenazaban a la naciente Revolución, los CDR desempeñaron en esos primeros tiempos una importante labor de apoyo al Ministerio del Interior (MININT).

Cuando unos meses más tarde, en abril de 1961, los Servicios Cubanos de Inteligencia detectan la inminencia de una invasión contrarrevolucionaria, los CDR cumplirán la primera de sus misiones: denunciar a todo vecino sospechoso de contrarrevolucionario.

Miles de personas fueron detenidas en todo el país antes y después de la invasión de Playa Girón o Bahía de Cochinos, el 17 de abril de 1961. Los CDR se revelaron como unos perfectos aliados de la Dirección de Seguridad del Estado, el Departamento del MININT responsable del orden interior.

Veinticinco años después de su fundación, Fidel Castro reconocerá que "no se conciben muchas de las actividades de la Revolución sin esta organización de masas".

Porque frente a las dos organizaciones clave del régimen castrista, el Partido Comunista de Cuba (PCC) y la Unión de Jóvenes Comunistas (UJC), de carácter elitista y de vanguardia, los CDR son la organización de masas por excelencia. Una verdadera marea, como dice Fidel:

—Fueron y son el espanto de la contrarrevolución y constituyen una gigantesca marea popular sin la cual, con su apoyo resuelto al Partido, no sería posible concebir la alegría de la Revolución y el entusiasmo, la organización y disciplina de la marcha de nuestro pueblo combatiente (3).

En un país en el que, de acuerdo con Castro, los campesinos estaban organizados, los estudiantes estaban organizados, los obreros estaban organizados, las mujeres estaban organizadas, los jóvenes y niños estaban organizados, ¿quién organizaba a los vecinos?

Los propios vecinos.

Así, el cubano, además de pertenecer a alguna de las organizaciones sectoriales, es adscrito casi de forma automática a la organización vecinal: los CDR. Bromeando, Fidel dirá que todos los cubanos están en los Comités de Defensa, salvo los bebés de los círculos infantiles y los niños de la Organización de Pioneros José Martí.

Pero ya estarán.

Los CDR son una organización de afiliación voluntaria, pero como se demuestra por las cifras oficiales que el Gobierno cubano ha ido mostrando en los tres primeros Congresos del PCC, la inmensa mayoría de la población prestan sus ojos y sus oídos para vigilar que nada le pase a la Revolución.

En los sucesivos Informes a los Congresos del PCC se dieron estas cifras: I Congreso (1975): 4.800.000 cederistas; II Congreso (1980): 5.321.000 cederistas, y III Congreso (1986): 6.537.000 cederistas. Un 83,9 por 100 de la población mayor de catorce años, a partir de la cual se permite la afiliación a los CDR, son cederistas.

El IV Congreso, celebrado en octubre de 1991, por las circunstancias especiales que vivía el país, no registró un informe global en el que se analizaran todos y cada uno de los sectores. Sin embargo, el 28 de septiembre de 1990, Fidel Castro había dado la cifra de siete millones y medio de cederistas en el discurso que pronunció precisamente para conmemorar el XXX aniversario de la fundación de los CDR (4).

El programa del PCC vigente en junio de 1992 definía la tarea primordial de los CDR como la de "apoyar y defender a la Revolución manteniendo en alto la vigilancia revolucionaria".

Pasados los primeros tiempos difíciles de los años sesenta, los CDR fueron adquiriendo nuevas responsabilidades, definidas por el programa del Partido: incorporar a las actividades políticas y sociales a los jubilados, amas de casa y otras personas que no tienen una vida laboral activa, y promover la participación de las masas en las actividades del Poder Popular, la educación, la salud, la economía, la defensa del país y la movilización de los vecinos en cuantas manifestaciones de respaldo a la Revolución se convoquen.

Muchos de los cubanos con los que hablé se quejaban de que el CDR de su barrio les estuviera permanentemente acosando para realizar una u otra actividad.

De mediana estatura, sesenta años, anchos hombros, frente despejada por la ausencia de pelo, nariz de viejo boxeador napolitano, el general de División Sixto Batista Santana me recibe una mañana de mayo de 1991 en su despacho del cuartel general de los CDR en La Habana.

—Quisiera que algún día alguien hablara de nuestra organización contando también las cosas buenas. ¡Que critiquen las cosas que hacemos mal, pero que hablen del trabajo que hacemos para salvar centenares de vidas, viejo!

El general Batista tiene fama de duro. Me lo han advertido cuando he ido a su encuentro. Y lo confirma él mismo cuando me dice:

—A los militares no nos gusta hacer declaraciones. Pero me han dicho que le atienda...

Me contará luego sobre la campaña que la prensa de Miami hizo en su contra. El general Batista, como tantos otros militares cubanos, estuvo destinado en las guerras de Etiopía y Angola.

—Cuando fui nombrado Coordinador Nacional de los CDR, el 18 de febrero de 1990, escribieron fuera que yo iba a militarizar los CDR. Que había sido un asesino porque había usado gases para matar soldados en Angola y Etiopía. Miles de cosas.

Pero en el fondo prefiere que "los imperialistas" hablen mal de él. Después de veinticinco años en el Ejército, gran parte de ese tiempo realizando tareas políticas en las FAR, está curado de espantos. Ha sido jefe de la Dirección Política Central de las FAR, y también secretario del Comité Central responsable del Departamento Militar. Graduado en Ciencias Militares, siguió estudios en la Academia Militar Vladimir Lenin, de Moscú, especializada en la preparación de cuadros políticos.

Tiene fama de duro. De ser un amante de la disciplina y el orden. Y no hay sino mirarle la cara para confirmarlo.

Al principio de la entrevista se muestra un poco arisco, molesto. Sumergido en plena reorganización de este mastodonte que son los CDR, con una obligada reducción de la estructura en un 50 por 100 debido al Período Especial que vive la isla, el general Batista tiene muchas otras cosas en las que ocuparse.

Luego, como toda fiera, se amansará.

—General, diré todo lo bueno que hacen los CDR. Pero ¿no son un poco los espías de la cuadra, los espías de vidas ajenas, del vecino de al lado?

El general no se inmuta porque espera la pregunta.

—Eso es una campaña del extranjero.

El general Batista presume de conocer España, país que ha visitado en varias ocasiones. Sabe de la existencia de los serenos. Y sabe que también los vecinos españoles se pelean:

—¿Es que no hay familias españolas que tengan sus problemas? ¿Es que todos los vecinos se llevan bien? Aquí también hay problemas. Pero eso no es lo habitual.

El general mantiene que, al contrario de lo que se cree en el exterior, los CDR luchan contra todo lo que pueda dividir a la familia o a los vecinos de la cuadra (manzana). Y hace la lista de las cosas positivas de los CDR.

Nacidos para controlar a los opositores al régimen en los primeros años, los CDR eran prácticamente una rama civil, y gigantesca, del MININT. Hoy trabajan para muchos otros ministerios. Básicamente, los de Salud y Agricultura.

En cada uno de los Congresos del PCC se dan cifras sobre las donaciones de sangre de los cederistas: 1.181.000 en el período 1970-75, 1.300.000 en el siguiente quinquenio y 1.134.000 en el período 1980-86. Los CDR han sido responsables de la vacunación masiva de la población cubana: 3.906.753 vacunas entre 1980 y 1986. Recogen todo tipo de envases de cristal: 700 millones de envases se dijo en el I Congreso del PCC y 224 millones en el III Congreso. Y recopilan millones de toneladas de papel y hasta 500.000 onzas de sellos de correos (17.421 kilos). Y aportan hasta cincuenta millones de vecinos movilizados a los trabajos agrícolas en el quinquenio 1975-80. Es decir, cada día, 27.397 cederistas acudieron a trabajar al campo voluntariamente. Tienen también la misión de vigilar a los vecinos sometidos a arresto domiciliario.

Hacen una labor de asistencia y educación entre las familias y al año entregan cientos de miles de títulos de "padres ejemplares". El general Batista me cuenta algo que, afirma, no se hace absolutamente en ninguna parte del mundo:

—Viva donde vida la madre, nosotros le llevamos puntualmente el día de la madre su felicitación. Esa es una de las labores positivas de los CDR.

En efecto, unas semanas antes de mayo, mes en que se celebra "El día de la madre", en todos los medios, prensa, radio, televisión, se comienza a alertar a la población para que envíen sus felicitaciones a las mamás. El enorme volumen de cartas termina en los centros provinciales de los CDR, y desde allí se envían a los municipios. En cuarenta y ocho horas, los CDR de base tienen las cartas de las madres de su cuadra y éstas reciben la felicitación de su hijo con puntualidad británica.

Fidel comparó a los CDR con las comunidades cristianas de base:

—Nuestras comunidades cristianas de base, que son los CDR, son los que se encargan de que no pueda levantar la cabeza la contrarrevolución por ninguna parte. No tenemos que emplear armas (5).

También realizan "obras de protección", como las llama el general Batista: refugios subterráneos. Los famosos y cada día más abundantes túneles que agujerean La Habana.

—En Cuba cada vecino sabe exactamente qué debe hacer en caso de agresión del enemigo: si tiene que ir a combatir, si tiene que ir a un centro de producción. Hemos logrado que que cada vecino tenga un lugar, un medio y una forma para luchar.

Un domingo al mes se llevan a cabo los llamados "Domingos de la Defensa". Los vecinos, cuadra por cuadra, acudirán a un punto cercano a su casa y bajo el mando de vecinos que ostentan el grado de oficiales de las Milicias de Tropas Territoriales (MTT) hacen ejercicios militares. Se preparan para la guerra.

—¡Chico, yo no tengo nada en contra de la Revolución, pero es que no me dejan descansar! —me decía un día un amigo camarero de La Habana.

Porque cuando no es convocado para el "Domingo de la Defensa", lo es para limpiar la cuadra. "Hay que hacer de Cuba un jardín", se dijo en uno de los Congresos del Partido.

Y ahí tienen a los vecinos de la cuadra recogiendo desperdicios, barriendo las calles, arreglando las zonas verdes. Otras veces los convocarán para una asamblea del Poder Popular, el sistema representativo a nivel de municipio, de provincia y nacional de Cuba.

O le tocará la guardia nocturna.

A las diez de la noche, cuando las luces comienzan a apagarse y los cubanos se van a la cama, 30.000 cubanos se ponen un brazalete en todo el país que dice: CDR. Hasta la una de la madrugada estarán vigilantes —ojos y oídos de la Revolución— por si en su cuadra se produce alguna anormalidad.

Están de guardia. Desde los catorce años hasta la muerte, el cubano tiene como promedio una noche al mes de guardia en el CDR de su cuadra.

Algunos son exigentes y vigilan en serio. Otros, como se quejan muchos cubanos, simplemente se dedican a "curiosear". A pegar la oreja para ver quién pelea con quién, quién llega tarde o borracho a su casa o cuál es el último novio que se ha echado Juanita.

—General, me dicen que la gente hace las guardias cada vez con menos interés, que hay cierta desidia y por eso crecen los robos...

El general no se inmuta.

—Yo sabía que usted sacaría ese tema, los robos, la delincuencia —contesta el general Batista—. Pero en verdad los CDR cuando hacen la guardia dan seguridad a nuestro pueblo.

Hasta hace unos años, las guardias se prolongaban durante toda la noche. Varios vecinos se turnaban, pero al día siguiente muchos estaban dormidos en el trabajo. Se decidió que de la una a las cinco de la madrugada la guardia fuera realizada por alguien que no tuviera que trabajar al día siguiente, normalmente un jubilado, un ama de casa. Por ello reciben un pequeño salario del MININT. Son los llamados vigilantes nocturnos y, de acuerdo con el general Batista, trabajan estrechamente con la Policía Nacional Revolucionaria (PNR).

No son pocos los delincuentes que han sido detenidos por los propios cederistas o los vigilantes nocturnos. El cederista, cuando entra de guardia, ha de firmar un libro y anotar en él las incidencias de la noche. Nunca van armados.

Una de las misiones que cumplen a rajatabla es anotar los vehículos que no pertenecen a la cuadra. Saber a quién visitan y por qué. Si es un coche de turista, especialmente en La Habana, observarán cuidadosamente quién sube o baja. Si el acompañante cubano sale o no con alguna jabita (bolsa de plástico). Ello sería indicio de que el turista ha comprado algo a alguien y esto siempre infunde sospechas. Si es una jovencita que ha salido de paseo con un extranjero, malo.

Aunque no se puede generalizar, todavía el turista es considerado un enemigo en muchos lugares, al que se le mira con desconfianza. Alguien que va a corromper a las mujeres cubanas con cuatro regalitos, un perfume, una nadería.

La célula base de los Comités de Defensa es la cuadra. Para constituir un comité de cuadra es necesario al menos que haya quince personas viviendo en la misma. Hay unos 30.000 comités de cuadra en todo el país. Después está la zona, que agrupa a varias cuadras. La organización se escalona a nivel municipal, provincial y nacional.

Cuando visito la sede nacional de los CDR, el general Batista está sumido en dos tareas importantes: preparar unos nuevos Estatutos y reducir la burocracia. Cada unidad de CDR, es decir, una cuadra, contaba con siete dirigentes. Desde el 15 de abril de 1991 ese número se redujo: un mínimo de tres y un máximo de cinco dirigentes por cuadra. "Había demasiada discusión". Se reducirán unos 300.000 dirigentes en todo el país. Quedarán unos 400.000. Estos dirigentes no perciben ninguna remuneración, pero se les abruma con reuniones. La reunión mensual que celebraban las asambleas de cuadras ha pasado a ser bimensual.

A nivel de municipios, los CDR contaban con dos miembros profesionales y hasta 25 no profesionales. Ese número quedará reducido a 15 miembros no profesionales, cuya misión es asistir a una reunión mensual. "Los afectamos menos en su trabajo", dirá el general Batista.

La dirección nacional, que tenía 120 cuadros, no todos profesionales (que reciben remuneración), se reducirá a la mitad. Son tiempos difíciles en Cuba. Pero es que además, al cabo de los años, han caído en la cuenta del enorme papeleo y la gigantesca burocracia creada en todo el país.

De los 2.079 cuadros profesionales, 400 se irán a casa. Sólo quedarán 1.679. Toda la dirección nacional deberá funcionar con 15 profesionales. La organización hace años que es autosuficiente: cada miembro paga 25 centavos al mes, y los menos afortunados (jubilados y amas de casa) cinco centavos. El sueldo mínimo está por encima de los 100 pesos mensuales.

—Queremos reducir el papeleo y salir más a la calle. La burocracia es un mal de todos los seres humanos por lo que hay que luchar todos los días contra ella.

Son las exigencias del Período Especial en Tiempos de Paz. Se necesita más gente produciendo, y menos dirigiendo. Aunque, como dice el general Batista, "tenemos un período especial en el que no falta la luz, y también hay médicos y escuelas para nuestros hijos".

—Período especial es el que vivíamos con el capitalismo: no había médicos ni escuelas para los que no tenían dinero.

El general Batista me ha entregado un ejemplar del Reglamento y otro de los Estatutos de los CDR. Aprieta su mano con firmeza y me habla de las ciudades españolas que ha visitado: Madrid y Toledo. Y me hace una petición:

—Cuando escribas el artículo me lo mandas...

—No es un artículo. Es un libro.

—Bueno, pues me lo mandas igual.

Y me hace una advertencia:

—Como te pongas a hablar basura en ese libro, cuando vuelvas por Cuba y yo me entere te mando a buscar. ¡Di la verdad, viejo!

Es posible que sea un chaval como el de la calle Amargura el que pase al CDR de su cuadra la matrícula de mi coche y en unas cuantas horas el general Batista me esté tirando de las orejas.

NOTAS

(1) *Informe Central. I, II y III Congresos del Partido Comunista de Cuba.* Editora Política. La Habana, 1990.

(2) *Estatutos de los Comités de Defensa de la Revolución.* Editora Política. La Habana, julio de 1992.

(3) *Informe Central. I, II y III Congresos del Partido Comunista de Cuba.*

(4) *Granma Internacional,* 14 de octubre de 1990, La Habana.

(5) *Fidel Castro: Rectificación.* Editora Política. La Habana, 1990.

5

FIDEL

Aquí pensaban seguir
jugando a la democracia,
y el pueblo que en su desgracia
se acabara de morir
y seguir de modo cruel
sin cuidarse ni la forma
con el robo como norma
y en eso llegó Fidel.
Se acabó la diversión,
llegó el comandante
y mandó a parar.

Carlos Puebla
(*Y en eso llegó Fidel*)

Fidel Castro tiene sus ojos clavados en mí. Siento un nudo en la garganta. Trescientas personas entre periodistas y funcionarios del Gobierno cubano guardan un profundo silencio.

—¿Hay algo más? Pero, ¿dónde estás? ¡Ah!, ¿eres tú? Estoy mirando para allá...

—Me alegro de que no me estuviera mirando, comandante. Usted suele poner nerviosos a los periodistas cuando los mira tan fijamente...

El salón de sesiones del Palacio de Convenciones de La Habana estalla en una carcajada. El propio Castro sonríe. Vuelve a hablar. Ahora que sabe donde estoy sentado, se dirige a mí:

—Me alegro de que te pongas nervioso. Porque yo me pongo
nervioso también frente a ustedes.

Más risas. Se afloja un poco la tensión acumulada. Muchos de
los 246 periodistas presentes en la sala, de los que 110 hemos viajado expresamente a La Habana convocados por el Gobierno cubano, celebran la ocurrente salida de Castro.

Desde Miami, TV Martí ha iniciado sus transmisiones televisadas
a la isla. Este es el contraataque cubano: una larga conferencia de
prensa con Fidel Castro y un amplio recorrido por algunas de las
instalaciones militares que bloquean la señal televisiva norteamericana.

Aprovecho los segundos de desconcierto y el ofrecimiento de
Fidel: si tengo algo más que preguntarle, puedo hacerlo.

—Me gustaría que me hiciera una aclaración, comandante: esa
política suya tan inflexible, ¿no es una política un tanto suicida?
¿Esa política no conduce a su país hacia un suicidio colectivo?

El silencio vuelve a hacerse denso, ese 3 de abril de 1990. A mi
derecha está Delfín Penton, del Centro de Prensa Internacional
(CPI), uno de los varios funcionarios cubanos que se ocupan de
atender a los periodistas extranjeros. Si no fuera porque los mulatos tienen el cabello rizado, sus pelos estarían de punta. Un periodista americano que hay a mi lado no se extraña de la pregunta,
normal en su país, pero sí de que la haya hecho aquí, en La Habana, al mismísimo Castro.

Más tarde, una de las cuatro personas que acompañan a Castro, Enrique Román, recién nombrado presidente del Instituto
Cubano de Radio y Televisión (ICRT), me contará que Fidel estaba encantado tras la rueda de prensa. Tanto que la pasaron varias
veces, íntegra, por la televisión cubana.

—¡Chico, es que Fidel se crece ante las preguntas complicadas!

Para esa rueda de prensa, los funcionarios cubanos habían
cambiado radicalmente su estrategia: dejarían preguntar a los representantes de los medios más importantes del mundo, aunque
fueran anticastristas. Pudo preguntar mi amigo José de Córdova,
un cubano/americano que trabaja para el muy serio y conservador *The Wall Street Journal* desde la oficina de Miami. También Gerardo González, de la agencia española EFE. Ed Rabel, de la cadena de televisión norteamericana NBC. Pascal Fletcher, de la agencia británica Reuter.

Hasta entonces, una rueda de prensa con Castro, y he asistido a
varias, se convertía casi inevitablemente en una sucesiva colección
de preguntas hechas por los medios más desconocidos del mundo, pero que tenían algo en común: su militancia procubana. Las
preguntas eran del tipo: ¿podría explicar los avances logrados por
Cuba en el terreno agrícola, o el científico, o el sanitario?

A la derecha de Castro estaba sentado Carlos Aldana, hoy

miembro del Buró Político y entonces miembro del Secretariado del PCC, responsable entre otras funciones de la prensa.

¿Los cubanos conducidos hacia un suicidio colectivo? Sospeché que Castro iba a aceptar la pregunta sin aspavientos. Pero hubo quien me dijo que jamás debía habérsela hecho en esos términos.

Dos años más tarde, Castro dialogaba con su amigo Tomás Borge, comandante de la Nicaragua sandinista, metido ahora a reportero y entrevistador de personalidades de primer nivel.

—Si a mí me hace una entrevista un periodista enemigo, puedo discutir mucho, responder con energía, atacar, contraatacar, polemizar —le dijo Fidel a Borge (1).

Yo no me considero ni enemigo de Castro, ni de nadie. Pero mi pregunta le dio la oportunidad a Fidel de mostrar alguna de sus cualidades: brillante polemista, conocedor de la historia, astuto.

—¿Por qué tiene que ser suicida? —me pregunta a su vez Castro, siguiendo la ancestral costumbre de los gallegos, de los que desciende directamente, de contestar a una pregunta con otra.

Al fin, Fidel se decide y entra de lleno al ataque:

—¿Hay que rendirse? ¿Por qué hay que ser suicida? ¿Desde cuándo es suicida luchar por su país? ¿Qué hicieron los soviéticos cuando los invadieron millones de soldados fascistas, miles de tanques y de aviones? Algo que les costó veinte millones de muertos. ¿Debemos condenar a los soviéticos porque resistieron al nazismo? ¿Debemos condenar a los yugoslavos porque resistieron al nazismo y pelearon heroicamente contra los Ejércitos nazis? ¿Debemos condenar a la resistencia en Europa? ¿Debemos condenar a Vietnam, porque agredido por cientos de miles de soldados y miles de aviones, además de poderosas flotas navales, no se rindió? ¿Entonces por qué elaborar la teoría de la antirresistencia? Los latinoamericanos lucharon por su independencia, entre ellos luchó (Simón) Bolívar; incluso se conoce el episodio del terremoto que destruye a Caracas en medio de la lucha por la independencia y (Bolívar) declaró: si la naturaleza lucha contra nosotros, nosotros lucharemos contra la naturaleza.

Fidel ya está en racha. Me pregunta de nuevo:

—España, tu patria, porque tú eres español, ¿verdad?

—Sí, lo soy.

—¿Y ustedes van a venir a darnos lecciones de gente prudente o qué...?

—No, comandante. Esta vez vendremos como turistas, a traerles divisas...

Hubo otros segundos de silencio. Dicen que en público no hay que gastarle bromas a Fidel. Pero pienso que, siempre que se haga con el debido respeto, a cualquier gobernante se le puede preguntar de todo. En el fondo, Fidel está gozando.

—¡Bueno, bueno! Me alegro. ¡Vengan de turistas, traigan divisas!

La sala explotó en una nueva carcajada. El hielo se había roto. Fidel comenzó a hablar de nuevo, ya más en serio:

—Ciertamente se ha elaborado esa teoría, es una cuestión filosófica. ¿Se debe resistir y se debe luchar? Ustedes (los españoles) se pasaron setecientos años luchando contra los moros, ¡setecientos años! ¿No era un suicidio? Ustedes lucharon contra las tropas de Napoleón y las derrotaron: ¿no era un suicidio? Yo todavía veo españoles; por lo menos te veo a ti aquí. Si no llega a ser por aquellos suicidas, tú no estarías ahí; tú hoy serías francés.

Hasta los periodistas norteamericanos aplaudieron a Fidel. La forma que tuvo de salir atacando es una de sus mejores armas dialécticas. Era el contragolpe perfecto.

Todo había comenzado unos minutos antes. Julio García Luis, presidente de la Unión de Periodistas de Cuba y moderador de la rueda de prensa, me había concedido la palabra. Y allá fue la pregunta:

—Comandante: usted ha dicho en repetidas ocasiones que no quiere aceptar los cambios que le proponen desde Estados Unidos por dos razones: primera, porque Estados Unidos es su enemigo, y segunda, porque esos cambios debilitarían a la Revolución. ¿Qué opinión le merecen los consejos que presidentes que sí son amigos suyos, como el español Felipe González o el venezolano Carlos Andrés Pérez, le han hecho recientemente en Brasil en el sentido de introducir ciertos cambios en la vida política cubana?

Fidel hizo una cabriola:

—Bueno, tú sabrás más que yo, porque Felipe y Carlos Andrés no me dijeron nada de eso. Ambos mostraron una gran preocupación de que Cuba fuese víctima de una agresión militar por parte de los Estados Unidos...

Fidel recuerda que unos días antes, con motivo de la toma de posesión del presidente brasileño Fernando Collor de Mello, el 15 de marzo de 1990, encontró a Felipe González y a Carlos Andrés Pérez "profundamente preocupados". Castro informará que en esos días, los dos presidentes se habían entrevistado, entre otros dignatarios, con el vicepresidente de los Estados Unidos, Dan Quayle.

Felipe y Carlos Andrés le plantearon a Castro que su estrategia no podía ser la de la resistencia:

—Me hablaron de Numancia y Sagunto —yo no sé si hoy la gente estudia historia, en mi época se estudiaba historia—, dos famosas ciudades españolas que combatieron heroicamente contra las legiones romanas y que se convirtieron en prototipo de la resistencia.

(Numancia, situada precisamente en el Cerro del Castro, al norte de la actual ciudad castellana de Soria, junto al río Duero, resistió valerosamente el asedio de las tropas romanas, durante medio siglo. En el año 133 antes de Cristo, después de ocho meses de asedio, la ciudad fue tomada. Los pobladores que no habían perecido en el combate se dieron muerte antes de caer esclavos de los romanos. Sagunto, una ciudad del Mediterráneo español aliada de los romanos, se autoinmoló también en el año 219 antes de Cristo para no caer en manos de los cartagineses: después de un asedio de ocho meses, ya sin víveres, los saguntinos prendieron fuego a la ciudad y se suicidaron.)

—Ellos planteaban, especialmente Felipe, que no querían que el destino de Cuba fuera el de Sagunto o de Numancia.

Fidel explicará la preocupación de sus dos colegas: Cuba debía elaborar nuevas ideas para evitar convertirse en una isla inmolada. Pero la posición de Fidel estaba y sigue estando clara:

—Preferimos Sagunto y Numancia a ser esclavos —me dirá dos semanas más tarde en el Palacio de Convenciones de La Habana.

Y desarrolla su conocida teoría de que los que hacen concesiones terminan sucumbiendo al enemigo. Al imperialismo. Que es su gran enemigo. El ogro que le persigue desde hace casi medio siglo y al que ha desafiado levantando en sus propias narices el primer país socialista de América. El primer país socialista del hemisferio occidental.

—¿Qué derecho tiene el imperialismo a decirnos a nosotros lo que tenemos que hacer y qué sistema económico tenemos que desarrollar, qué medios políticos, qué medios electorales? ¿Qué derecho tiene Estados Unidos a venir a exigirnos algo a nosotros, a imponernos su política?

Fidel afirma haber preparado a su pueblo para resistir una invasión de los Estados Unidos.

—Sabemos el precio que le costaría a Estados Unidos una invasión a Cuba. Es un precio tan alto que es impagable. Lo que no deseamos es que se equivoque. Porque nosotros tampoco queremos pagar el precio de una invasión de Estados Unidos. No queremos.

Observo a este hombre que en esa fecha, abril de 1990, tenía sesenta y tres años. Vestido con su tradicional traje verde olivo de faena. Sólo en contadas ocasiones vestirá el uniforme de gala, con la camisa blanca impoluta, la corbata negra y las firmes charreteras estilo soviético que adornan sus hombros de comandante en jefe. Está más grueso que un par de años después.

Ese hombre que mezcla el dramatismo con el humor. Que lo mismo habla de la muerte que de la siembra del boniato, tan vital por otra parte para la sobrevivencia de la isla sitiada, cercada, como Numancia, por el imperio más poderoso que jamás soñara la humanidad.

—No queremos que (los Estados Unidos) se reeduquen a costa nuestra; no queremos que les vuelva a pasar lo de Vietnam a costa de la sangre del pueblo cubano. Si una situación de ésas ocurre es porque no hay otra alternativa; pero si la alternativa nuestra es hacer concesiones, rendirnos al imperialismo, preferimos —te lo digo— el destino de la muerte, sin que ése sea el resultado inevitable, tal como pensamos nosotros.

Ha ido subiendo el tono de su discurso. Luego, cuando termina esta primera parte de su respuesta, me busca entre la masa de periodistas. Por fortuna, mientras duró su larga exposición, Fidel estuvo mirando a otro compañero situado cuatro o cinco asientos a mi izquierda. Eso me dio la oportunidad de observar a Castro mejor, desde la segunda fila de este salón de plenos en donde antes de comenzar la rueda de prensa nos mostraron una película de la "teleagresión yanqui".

Cuando habla, Fidel señala con el dedo. Te apunta al corazón. No te quita el ojo de encima. Aunque se gire a un lado y a otro, siempre conserva aunque sea un rabillo del ojo sobre el interlocutor. Lo estudia. Observa sus reacciones. Le hace preguntas para desconcertar. Lo envuelve en su verbo fluido, largo. Es todo un maestro de la seducción y sus enemigos más acérrimos reconocen esa virtud en Fidel Castro.

Y mantiene sus tesis frente a todos y ante todo.

Fidel había hablado en otras ocasiones de Numancia y Sagunto, las dos heroicas ciudades de la España precristiana. También de los campesinos españoles que derrotaron con una entonces elemental guerra de guerrillas al poderoso y organizado Ejército de Napoleón. Le seduce la historia y sobre todo este tipo de gestas heroicas en las que muchas veces el se ve reflejado y ve reflejado a su pueblo.

Año y medio después, a 1.000 kilómetros de La Habana, en Santiago de Cuba, tiene lugar el IV Congreso del Partido Comunista de Cuba (PCC).

De los cuatro Congresos celebrados por los comunistas cubanos desde que el Partido es creado formalmente con el nombre de Partido Comunista de Cuba, en 1965, éste de Santiago es el más atípico de todos.

En los tres anteriores, el primer secretario, Fidel Castro, se ocupaba de leer un largo y veces tedioso Informe lleno de cifras, datos, fechas, con el balance de lo realizado absolutamente en todos los sectores de la vida política, económica, social y cultural del país durante el quinquenio anterior.

El Congreso de Santiago de Cuba será diferente, porque el país atraviesa una dura crisis, jamás conocida, ni siquiera soñada tres o cuatro años antes. La retaguardia cubana, su granero soviético, más los entonces llamados países satélites, han desaparecido. Desde el otoño de 1990, Cuba ha tenido que apretarse el cinturón y se ha puesto en marcha el llamado Período Especial en Tiempo de Paz. Algo así como una economía de guerra, pero sin estar, al menos formalmente, en guerra. Si antes había racionamiento, ahora hay mucha más escasez.

Por ello, el Congreso del PCC irá directamente al grano. El discurso de Fidel no tiene el carácter de informe. No ha sido previamente escrito. Lleva tan sólo unas notas, con las cifras básicas de una economía al borde del colapso.

Los delegados del Congreso lo escucharán con atención y luego discutirán durante cinco largas jornadas las cuatro ponencias elaboradas durante meses: Estatutos, Programa del Partido, perfeccionamiento del Poder Popular (sistema representativo cubano a nivel local, provincial y nacional) y Desarrollo Económico.

Un par de temas se colarán de rondón en el recién inaugurado Teatro Heredia, donde tienen lugar las sesiones del Congreso: una resolución sobre política exterior y otra que faculta al Comité Central para tomar decisiones excepcionales ante la excepcional situación que vive la isla.

Cuando leo esta última resolución, una frase salta sobre todas las demás:

—No es un suicidio colectivo lo que nos proponemos, no es el destino de Numancia el que estamos construyendo con el esfuerzo del pueblo (2).

Horas después de que el Congreso aprobara por mayoría absoluta esa resolución, en la plaza Antonio Maceo, en donde está situado el teatro Heredia, Fidel pronunciará ante miles de santiagueros y millones de cubanos que le escuchan por televisión un discurso en el que pide prácticamente lo contrario de lo que pide el Partido: la inmolación, si necesario fuera de todo el pueblo:

—... Y si para aplastar a la Revolución tuviesen que matar a todo el pueblo, ¡el pueblo, detrás de sus dirigentes y su Partido, estará dispuesto a morir!

Unos días después de la clausura del Congreso, cuando ya los cubanos salían de la catarsis política, entrevisté a Roberto Robaina, primer secretario de la Unión de Juventudes Comunistas (UJC) y recién nombrado miembro del Buró Político del PCC.

—¿No hay una contradicción entre lo que el Congreso aprueba en el teatro Heredia: Cuba no será Numancia, y lo que Fidel dice minutos después en la plaza Antonio Maceo, de que si todos tienen que morir se muere? El Congreso rechaza la idea del suicidio colectivo y parece que Fidel lo reclama...

Robaina reconoce que hay una contradicción. Pero la explica:

—Hay que tener en cuenta el contexto en que se dicen las cosas. La resolución es una cosa meditada, dirigida al país. Y Fidel pronuncia su discurso en un ambiente muy patriótico, muy revolucionario, muy comprometido, con una fuerte participación del pueblo de Santiago, en donde es fácil emocionarse. Y Fidel se emocionó.

Pero, mantiene Robaina, aunque esa parte del discurso pudiera ser contradictoria, el final no lo es:

—Sus últimas palabras son las más optimistas de todos los tiempos: un hombre que ha estado toda su vida gritando "socialismo o muerte", dice que esa noche no grita eso porque habrá socialismo, que no quiere gritar "Patria o muerte" porque habrá Patria.

¿Son los dos rostros de Fidel resumidos en un discurso? ¿Lo traicionó el subconsciente y en el fondo, aunque en la tranquilidad del teatro Heredia dé su visto bueno a la resolución antinumantina, ante las masas, sus masas, le salga la vena del holocausto colectivo antes que permitir que la Revolución que ha construido en treinta y tres años sea destruida por los imperialistas?

Es difícil adivinar cuál de los dos Fidel es el auténtico. Aunque es casi seguro que sean los dos. O una mezcla explosiva de ambos.

Un hombre que empleó años en estudiar a este mítico personaje, Tad Szulc, es el autor de la biografía probablemente más completa de Fidel Castro. *Fidel. Un retrato crítico* (3).

Conocí a Tad Szulc en su casa de Washington, cuando preparaba el manuscrito. Su hija Nicole, también periodista, que había pasado largas temporadas en Madrid, había contraído una enfermedad que la retenía en cama. La visité en varias ocasiones, cuando yo residía en la capital norteamericana. Me habló del proyecto de su padre y cuando conversé con éste le vi absolutamente absorto en el proyecto que culminaría en un tomo de casi 800 páginas y que se ha convertido en un libro imprescindible para todos lo que quieren saber algo de Fidel Castro. Muchos son los escritores que después de él han bebido en la fuente de Szulc. No voy a ser una excepción.

Este párrafo de Szulc muestra los dos caras con que Fidel Castro es visto en el mundo:

—Fidel Castro encarna un fascinante fenómeno en la política de nuestro siglo: para el mundo occidental, cada vez más gris y más insulso, es un hombre con brío, una figura romántica, un rebelde siempre provocador, vertiginosamente imaginativo e imprevisible, un actor maravilloso y un espectacular maestro y predicador de las muchas doctrinas que dice haber adoptado. Pero Castro produce otras impresiones. Aunque su popularidad personal en Cuba es inmensa, hay también un sector de cubanos que lo consideran un dictador cruel y astuto, un cínico traidor a la democracia liberal en cuyo nombre reunió al principio a millones de cubanos para su causa y bandera, un servil satélite de la Unión Soviética —el libro fue publicado en su versión inglesa en 1986—, el idolatrado objeto de un culto a la personalidad que él mismo necesita como el aire que respira, y el arrogante personaje que ha cometido errores garrafales en materia de política económica.

¿Cuál de los dos Fidel es el real?

La obra de Castro ha sido tan extraordinariamente distinta y su estilo de gobernar, sobre todo en los primeros años, tan alejado de los ritos y costumbres anquilosados de los jefes de Estado al uso, que difícilmente se puede ser objetivo a la hora de enjuiciar sus treinta y tres años de Revolución y su propia persona.

Fidel es un hombre apasionado que concita encontradas pasiones. He escuchado a lo largo de los últimos años los insultos más feroces de quienes esperan con la maleta hecha en Miami la caída del "tirano", como lo llama siempre Armando Pérez Roura, un feroz anticastrista que dirige Radio Mambí.

En La Habana he escuchado a militantes del Partido hablar de Fidel como el único hombre en la tierra capaz de solucionar todos los problemas del mundo, el más revolucionario, honesto y limpio de los mortales. Además del más inteligente. No se encontrará a un partidiario de Castro que no te diga de inmediato: "Fidel lo sabe todo, chico". O: "es un cerebro, chico".

¿Cuál es el Castro verdadero? ¿Cómo es este hombre sin par que gobierna el último país socialista del hemisferio occidental, una isla, una Cuba roja, el último reducto, el último bastión del marxismo-leninismo?

Hijo de un inmigrante gallego, que llegó a Cuba con poco más de lo puesto y unas ganas enormes de comerse el mundo, Fidel seguirá siendo a sus sesenta y cinco años, para muchos, una incógnita.

Nacido el 13 de agosto de 1926 en el pueblecito de Birán, cerca de Mayarí, provincia de Holguín, al noreste de la isla, Fidel tendrá la fortuna de crecer en un hogar en donde había ya suficiente dinero como para enviarlo a los mejores colegios de Cuba.

Su padre, Angel Castro Argiz, había nacido en 1874 en una aldea gallega, Láncara, cercana a Lugo, en el noroeste español. Poco antes de la independencia de Cuba, 1898, Angel Castro llegó a la isla caribeña. Aunque viajó por un corto período a su Galicia natal, regresó a Cuba para no marcharse nunca más.

Se instaló en la zona oriental de la isla. Comenzó vendiendo limonada por los pueblecitos cercanos a la costa, luego arrendó unas tierras, como tantos otros campesinos, a la compañía norteamericana United Fruit Company. A base de mucho esfuerzo y constancia se convirtió en dueño de su propia tierra, la llamada finca Manacas, en las afueras de Birán.

Angel Castro llegó a ser un prospero agricultor que cultivaba caña de azúcar y criaba ganado. Logró ser propietario de la finca Manacas, con 777 hectáreas, más cerca de 10.000 que tenía arrendadas. Las que eran de su propiedad fueron confiscadas por el propio Fidel Castro tras el triunfo revolucionario.

Angel Castro se casó con María Argota, de la que tuvos dos hijos: Pedro Emilio y Lidia. Después se separarían, siendo confusas y contradictorias las versiones recogidas por los biógrafos de Castro. Para algunos, María Argota falleció al poco de alumbrar a Lidia. Para otros, simplemente Angel la abandonó por el amor de una mujer llegada del otro extremo de la isla, Pinar del Río: Lina Ruz, una bella joven de humilde familia que habría entrado al servicio de Angel Castro.

Con Lina Ruz, Angel tuvo siete hijos. Tres varones y cuatro hembras. El mayor de todos, Ramón, hoy dedicado a dirigir proyectos ganaderos en Cuba. El hermano más pequeño, Raúl, ministro de las Fuerzas Armadas Revolucionarias. Y el propio Fidel. Además, sus cuatro hermanas Angela, Agustina, Juana y Enma, que no han desarrollado ninguna actividad política destacable.

Castro acudió primero a La Salle un colegio/guardería católico local y después a dos de los mejores colegios de Cuba regentados por jesuitas, donde estudia el bachillerato: el colegio Dolores, en Santiago, y el de Belén, en La Habana.

La influencia de la vida espartana que llevaban los jesuitas sirvió de mucho al joven Castro.

En 1945 ingresa en la Facultad de Leyes de la Universidad de La Habana. Y al igual que hay versiones distintas y contradictorias de sus biógrafos en cuanto a su vida privada se refiere, también hay diversidad de opiniones sobre su paso por la Universidad.

La biografía más agresiva de cuantas se han escrito en los últimos años, *El Patriarca de las Guerrillas*, de la norteamericana Georgie Anne Geyer, dirá que Castro se convirtió durante su época de estudiante universitario en "un gángster, un pandillero y un asesino" (4).

Casi los mismos adjetivos le colgará Carlos Franqui, ex director de *Revolución*, el periódico oficial del castrismo triunfante, hasta que en 1965 pasa a llamarse *Granma*, en su libro *Vida, aventuras y desastres de un hombre llamado Castro*.

El más objetivo Szulc ubicará a Fidel en el centro del torbellino de centenares de universitarios cubanos que se oponían al régimen del presidente Carlos Prío Socarrás, un político profesional que al tiempo que predicaba la democracia liberal se enriquecía haciendo favores a pandillas de gángsters.

Por su parte, Jaime Suchlicki, un cubano-americano profesor de la Universidad de Miami, refleja estos días de Castro como de intensa participación en la actividad política. "A pesar de que la policía lo implicó en la muerte de un estudiante de una banda rival y en otras acciones violentas, no se le pudo probar nada" (5).

Sí está probado que Castro ingresó en el Partido Ortodoxo de Eduardo Chibás, un líder carismático de gran atractivo para los jóvenes cubanos por la forma tan feroz con que atacaba a los políticos corruptos.

Castro será candidato en 1952 por este partido a un puesto como diputado al Congreso. Pero el golpe de Estado de Fulgencio

Batista de marzo de 1952 frustra sus esperanzas de ganar un escaño. El golpe de Batista produjo otro efecto sobre el fogoso Castro de aquella época: jamás volverá a creer en la democracia burguesa.

Cuatro años antes, en 1948, Castro había abandonado momentáneamente la Universidad para participar en Bogotá en la creación de una Unión Anti-imperialista de Estudiantes Latinoamericanos, promovida por el entonces presidente argentino Juan Domingo Perón.

En la capital colombiana Fidel y otros compañeros cubanos se encuentran sumergidos en las violentas manifestaciones que tuvieron lugar tras el asesinato del líder liberal Jorge E. Gaitán. Castro empuñó un fusil que robó de una comisaría de policía y recorrió la calles de Bogotá como si fuera un colombiano más. Su participación entusiasta en lo que se llamó "el bogotazo" será recordada después por el propio Castro. Allí vio por vez primera lo que son capaces de hacer las masas sublevadas y lo peligroso que es no saber dirigirlas y controlarlas.

De nuevo en Cuba, Fidel se casará con una joven estudiante de Filosofía y Letras, Mirta Díaz Balart, hermana de un compañero suyo en la Facultad de Derecho. Ambos son muy jóvenes. Fidel tiene veintidós años y no ha terminado aún sus estudios de Derecho.

Mirta es hija de unos ricos hacendados de Oriente —más ricos que la familia Castro—. La boda tuvo lugar el 12 de octubre de 1948 y los recién casados realizaron un viaje de novios por Estados Unidos.

Los biógrafos anticastristas afirman que los novios recibieron un cheque de 1.000 dólares como regalo de bodas del que sería su mortal enemigo años más tarde, el general Fulgencio Batista. Un hermano de Mirta llegaría a ser viceministro del Interior de Batista, precisamente cuando Fidel es detenido y encarcelado en 1953.

Los fieles del castrismo destacan por el contrario que en este primer viaje a Estados Unidos Castro compró su primer libro de Lenin. Años más tarde, Fidel recordará que al principio le extrañó encontrar libros marxistas en el corazón del capitalismo.

El 1 de septiembre de 1949 nace su único hijo legalmente reconocido, Fidel Castro Díaz Balart, al que todavía mucha gente llama Fidelito, a pesar de ser todo un señor mayor, ingeniero nuclear —estudió Física en Moscú y se casó con una soviética—, padre de dos hijos. Fidel Castro junior fue durante años secretario ejecutivo de Asuntos Nucleares. El diario *Granma* publicó en mayo de 1992 que había sido sustituido por Andrés García de la Cruz y no ofreció ningún detalle sobre el nuevo destino del hijo de Fidel (6).

Ángel Castro pasó durante un largo período de tiempo una cantidad de dinero todos los meses para que el joven matrimonio sobreviviera en La Habana.

Se ha especulado mucho sobre las relaciones entre Fidel y su padre. No debieron ser muy buenas, pero tampoco tan malas como las pintan en Miami.

Hay sin embargo un hecho que amargará a Fidel: la última vez que vio a su padre fue a comienzos de 1953, cuando preparaba el asalto al Cuartel Moncada. Después vino la prisión, la libertad, con unos pocos meses en La Habana antes de marcharse a México para preparar el desembarco del Granma e iniciar la lucha contra Batista.

Mientras Fidel está en México su padre fallece de una hernia estrangulada. Es el mes de octubre de 1956. Apenas si faltaban dos meses para que su hijo desembarcara en Los Cayuelos, al sur de la isla, en la actual provincia de Granma. Angel Castro tenía ochenta y dos años.

Su madre, Lina Ruz, vivió algún tiempo más. El suficiente como para ver a su hijo triunfante, y como presidente del país. Lina, sin embargo, siguió viviendo en su vieja casa de Birán, donde falleció el mes de agosto de 1963.

En 1950, Castro, que no fue un estudiante destacado, porque ha dedicado la mayor parte de sus cinco años en la Universidad sumergido casi con total dedicación en electivismo político, termina sus estudios de Derecho. Su prodigiosa memoria que conservará ya sexagenario, le ayudó mucho en aquel entonces.

Algunos compañeros de estudios de Fidel le contaron a Tad Szulc que su memoria era tan excepcional que sus amigos le decían:

—Fidel ¿qué dice la página tal del libro de Sociología?

Y Fidel recitaba de memoria la página e incluso decía si la última palabra de la misma estaba completa o tenía un guión.

A la hora de analizar el corto tiempo que Fidel dedicó a la abogacía, sus biógrafos se vuelven a enfrentar: para los más anticastristas, Fidel fue un pésimo abogado que jamás ganó un caso y que vivía del dinero que le enviaba su padre desde Birán

El más ecuánime, Szulc, afirma que, efectivamente, Castro no ganó dinero con el ejercicio de la abogacía, pero porque se dedicaba a defender a los ciudadanos más humildes a los que casi nunca les cobraba un centavo, no porque fuera un mal abogado. Además, empleaba la mayor parte de su tiempo en actividades políticas. Sería un error considerar el libro de Szulc como una "biografía autorizada". Ni mucho menos. Sobran los funcionarios cubanos que están resentidos con su autor, porque creen que el libro no es objetivo.

En una ocasión a Fidel le dijeron que si el *Retrato*, de Szulc, le parecía un gran libro y Fidel contestó escuetamente que era "un libro grande".

El golpe de Estado de Batista y la muerte de Chibás, el ídolo de aquel grupo de estudiantes nucleados en torno a Castro, los dejará desarmados. Si odiaban a la clase política cubana, corrupta e ineficaz, el ex sargento Batista los convencerá con su cuartelazo de

que la democracia liberal burguesa no es precisamente la forma
de sacar a Cuba del pozo en que se encuentra sumida.

Entre juicios en defensa de los desfavorecidos, persecuciones
de la policía, mítines y actividades de todo tipo, el incansable Fidel
—ya apuntaba su arrolladora capacidad de trabajo que se convertiría en leyenda— organiza el asalto al Cuartel Moncada.

El 26 de agosto de 1953, poco más de un centenar de estudiantes liderados por Castro asaltan la segunda fortaleza militar más
importante del país: el Cuartel Moncada, en la ciudad de Santiago
de Cuba.

Cuando vi por primera vez este Cuartel, hoy convertido en escuela y museo, comprendí que algunos de los cien atacantes se
opusieran al asalto. El Moncada es una fortaleza difícil de conquistar y mucho más por unos jóvenes mal armados e inexpertos.

En el asalto, que marca el punto del comienzo de la Revolución castrista, se encuentran junto a Fidel amigos y futuros enemigos: su hermano pequeño Raúl, Ramiro Valdés o Juan Almeida.
También Gustavo Arcos quien se alejaría de Fidel y llegaría a ser el
más veterano disidente del interior de la isla, o Mario Chanes de
Armas, el preso político que más años estuvo encerrado en las cárceles de Castro, treinta años.

El ataque al Moncada termina en fracaso. Mueren varios de los
asaltantes, otros logran escapar y muchos de ellos son capturados
y juzgados. En su autodefensa Fidel pronunciará su famoso discurso "La historia me absolverá", un alegato que es al tiempo un programa político.

Batista cometió un error, como se lamentaría más tarde: cuando los asaltantes del Moncada llevan dos años escasos de cárcel,
les concede una amnistía.

Fidel sale con más ganas de lucha que nunca. En la cárcel ha
devorado libros y se ha radicalizado políticamente más aún. Pero
su vida privada está hecha añicos. El 17 de julio de 1954 escucha
en la celda de la cárcel de la Isla de la Juventud una noticia por radio que le deja anonadado: su esposa Mirta ha sido despedida del
Ministerio del Interior, de donde cobraba un salario. Fidel ni siquiera sabía que trabajaba allí.

Castro piensa que se trata de una infamia urdida por los policías de Batista. Cuando descubre pocos días después que es cierta,
inicia los trámites para separarse de su primera y única esposa. Un
año después, en 1955, Fidel será ya un hombre soltero. Sin embargo, el incidente servirá de pretexto a sus enemigos para urdir toda
una leyenda sobre Fidel y sus relaciones amorosas posteriores.

Una mujer obsesionada con Castro, Georgie Anne Geyer,
quien afirma haber realizado 900 entrevistas en 28 países durante
veinticinco años, y haber leído 600 libros y 700 artículos periodísticos para sacar a la luz su libro sobre *El Patriarca de la Guerrilla* llegó

a una conclusión después de tan vasta investigación: Fidel odiaba a su padre.

Así, dice esta columnista norteamericana, Fidel quiso siempre superar a su padre. En tierras y en mujeres. Si el padre había logrado después de medio siglo de lucha ser propietario de una finca de 777 hectáreas (7,7 kilómetros cuadrados, algo más de lo que ocupa la colonia británica de Gibraltar, en territorio español) Fidel intentaría superarlo. ¿Cómo? Haciéndose dueño de toda la isla.

Por cierto que mientras Tad Szulc diferencia entre las 777 hectáreas propiedad de Angel Castro, y añade otras 9.712 hectáreas que tenía arrendadas —como muchos de sus vecinos— el ex colaborador de Castro Carlos Franqui afirma simplemente que la propiedad de los Castro era de 13.400 hectáreas.

—¿Cómo hace un pobre una riqueza tal en tan breve tiempo? —se pregunta Franqui.

Indudablemente, robando, sentencia Franqui:

—En la historia y leyenda del latifundio de Angel Castro no falta nada de la mejor película de aventuras: robo de bosques y maderas, de vacas, tierras, desalojos, salarios de miseria, protecciones políticas, apoyo de la guardia rural (7).

Por cierto, que Fidel arrasará las tierras de su familia cuando está peleando contra Batista para hacer ver que su lucha guerrillera no perdona a nadie. Con la primera reforma agraria de 1959, los Castro fueron desposeídos de la mitad de sus 777 hectáreas, ya que según la nueva ley el máximo de tierras permitido por persona es de 388 hectáreas. Meses después, los hermanos Castro donarán el resto de la propiedad al Estado cubano.

Fidel también tendría que superar, según esa teoría sostenida por Georgie Anne Geyer, extraída posiblemente del diván de algún siquiatra freudiano, el número de hijos naturales de su progenitor.

La lista de mujeres que habrían pasado por la vida de Fidel es más larga cuanto más odio existe hacia el biografiado.

Mientras que Tad Szulc en su libro, considerado como el más objetivo de los editados en los últimos seis años, y del que en alguna ocasión se dijo que había tenido relaciones con la Agencia Central de Inteligencia (CIA), cita a tres mujeres como claves en la vida de Fidel, Georgie Anne Geyer o el ex colaborador de Castro y hoy feroz anticastrista Carlos Franqui, alargan la lista hasta presentar a Castro como un Don Juan barbudo y uniformado que ni siquiera se quita las botas para hacer el amor.

Franqui, en su *Vida, aventuras y desastres de un hombre llamado Castro*, señala amores o amoríos de Fidel, además de con su esposa, Mirta, con Natividad Revuelta, Celia Sánchez, una tal señorita Custodio que conoció en México, una rumbera cubana, y un largo etcétera. Un harén.

Franqui llega a afirmar que Castro tiene más de "un centenar de castricos" repartidos por la isla y que aspira a batir el récord de un conquistador español, Vasco Porcallo de Figueroa, al que se le suponen más de 700 hijos naturales procreados en Cuba.

Los cubanos fieles a Castro son reacios a hablar sobre la vida privada del comandante. La prensa cubana menos. García Márquez dirá que "es tal el pudor con que protege su intimidad, que su vida privada ha terminado por ser el enigma más hermético de su leyenda" (8).

—Fidel lleva treinta y ocho años soltero y tiene derecho a hacer con su vida lo que quiera. No engaña a nadie si un día invita a cenar a una señora o la lleva un fin de semana a la playa —me dijo una persona que ha viajado con Castro en numerosas ocasiones y que tiene contacto regular con él desde el triunfo de la Revolución.

El propio Castro ha rechazado en cuantas entrevistas se le han hecho a lo largo de su vida hablar de su vida íntima. En una entrevista emitida por la Televisión Nacional Chilena el 27 de junio de 1991, Fidel abordó este asunto sobre el que pasó de puntillas:

—Mi oficina es una especie de prisión. Vivo en la calle muchas veces y vivo como todas las personas comunes y corrientes. Además no vivo solo. Vivo acompañado y bien acompañado.

¿Hay que juzgar a Castro por los hijos naturales que dicen que ha tenido en un área geográfica donde tener esposa y amante oficial, como el caso de Venezuela, no sólo no es un demérito, sino todo lo contrario?

¿Alguien ha criticado a los presidentes venezolanos, quienes desde su independencia, todos, absolutamente todos menos dos —uno por razones religiosas y otro por homosexual— tuvieron una amante oficial con la que acudían a todo tipo de actos e incluso participaban activamente en las campañas electorales?

¿Pierde prestigio y valor la figura de Simón Bolívar por las docenas de amantes que compartieron camas de palacio y camastros de campamento militar?

¿Alguien descalificó al que para muchos fue uno de los grandes líderes de América, el panameño Omar Torrijos, por enviar con alguna frecuencia a París un avión de su pequeño y empobrecido país a recoger prostitutas de lujo para organizar con ellas una orgía en mitad de la selva del Darién?

¿Lo más importante en la vida y obra de Fidel Castro son sus amores o amoríos, sus hijos legítimos o naturales o la profunda transformación a que sometió a este enclave rojo del Caribe?

Los biógrafos más serios de Fidel hablan de tres mujeres que realmente tuvieron importancia en su vida, tanto a nivel privado como público. Además de la ya citada Mirta Díaz Balart, quien tras su divorcio se volvió a casar y vive desde hace años en Madrid sin entrometerse jamás en la vida de su ex esposo, estarían Natividad Revuelta y Celia Sánchez.

Natividad, Naty, Revuelta era una bella cubana casada con un conocido cardiólogo cuando conoció a Castro, en la época previa al asalto al Moncada. Naty ocultaría a Fidel en diversas ocasiones en su casa de La Habana, cuando aquél se sentía perseguido por la policía batistiana. Hubo entre ambos un romance del que nació una hermosa hija, Alina Fernández Revuelta, de treinta y seis años.

Castro nunca reconoció legalmente a Alina, pero todos los cubanos saben de su existencia.

Alina, como todo lo que rodea al mundo privado de Castro, ha sido carnaza de la prensa occidental. A finales de 1991 una emisora de televisión sueca difundió una carta presuntamente de Alina, en la que ésta le pedía a un médico cubano instalado en Estocolmo, Alfredo García Santamaría, ayuda para abandonar la isla.

Según esa carta, Alina se quejaba a su amigo Alfredo de estar presa en su propia casa y de que su padre no la dejara abandonar la isla.

Tres días despues, el 6 de noviembre de 1991, la agencia de noticias italiana ANSA entrevistaba a Alina Fernández en su domicilio habanero y decía textualmente:

—En ningún momento he estado en arresto domiciliario, ni me he visto presionada por ninguna autoridad (9).

Alina confirmó la existencia de la carta, pero no que su intención fuera escapar de la isla. Como tantas veces, la prensa anticastrista había manipulado informaciones relativas a Castro:

—Se dijo que no me dejaban salir de Cuba porque podría contar cosas, pero no puedo contar nada porque nada tengo que contar.

Un par de años antes, la revista española *Cambio 16* publicaba una larga entrevista con Alina Fernández, una joven delgada, elegante y sensual. Trabajaba entonces en La Maison, una diplotienda exclusiva para turistas y residentes extranjeros en donde se puede adquirir desde un perfume de moda, el Egoiste de Channel, por ejemplo, a bellas piezas de plata antigua cedidas al Estado por ciudadanos cubanos a cambio de un frigorífico, un televisor en color, una bicicleta o cualquier otro artículo difícil de conseguir, incluso con dinero.

Alina trabajaba como modelo en La Maison, situada en el elegante barrio de Miramar, en la esquina de la calle 16 con la 7ª Avenida. Cada noche, al igual que un par de docenas de chicos y chicas cubanos, exhibían en la pasarela las últimas prendas de la moda local, bastante desfasada para el gusto de quienes pueden comprarla —el extranjero y con dólares— pero muy del agrado de las personas a las que normalmente van dirigidas: las jóvenes cubanas.

Alina acudía a trabajar con una chiquita, Alina María, nieta de Fidel. Alternaba su trabajo en la pasarela —ya lo dejó, por la edad— con el de traductora de francés, idioma que había aprendido en su infancia cuando vivió con su madre en París, quien estuvo un tiempo destinada en la embajada de Cuba en Francia.

—¿Usted sueña con viajar? —le preguntó en aquella ocasión la revista *Cambio 16.*

—No tengo ningún apremio por viajar. Pero reconozco que pueda haber gente que lo tenga. Yo viajé a París y después a Lima, y eché mucho de menos a mi país (10).

En aquella oportunidad, Alina destacó que su padre, Fidel Castro, era "un hombre muy valiente, con una absoluta entrega sentimental y física a su pueblo. Es un hombre lleno de rectitud y de amor. Ahí radican su fuerza y su carisma".

Alina no pudo en aquel entonces señalar "ninguna equivocación trascendental" de su padre. Aunque eso sí, declaró que a Fidel le habría gustado más que ella estudiara para médico o incluso boxeador antes que ser modelo.

La tercera mujer que causó un impacto de largo alcance en la vida de Fidel fue Celia Sánchez.

Hija de un médico también de Oriente, Celia permanecería durante veintitrés años al lado de Fidel. Fue su mejor amiga y la más perfecta secretaria. Aunque sus mejores biógrafos afirman que Celia estaba enamorada de Fidel, existen dudas sobre si su relación pasó al nivel sentimental o se quedó tan sólo en el plano de la amistad y la colaboración política.

Pero no cabe duda de que Celia, que al igual que los mejores amigos de Fidel, Ernesto "Che" Guevara, o el que fuera su médico personal, doctor René Vallejo, fallecieron pronto, ocupó un papel que ninguna otra mujer tuvo en la vida del dirigente cubano.

Celia, cinco años mayor que Fidel, era su secretaria y su confidente. En su casa, situada en la calle 11 del barrio de clase media del Vedado, Fidel y el "Che Guevara" pasaban horas y horas conversando. Cuando Fidel se sentía solo o cansado o hambriento acudía a la casa de Celia.

El día que Celia Sánchez falleció, en 1980, víctima de un cáncer, Cuba se vistió de luto. Ninguna otra mujer, como reconoce Tad Szulc, "ha visto su nombre relacionado públicamente con Castro desde que Celia falleció y es posible que ninguna lo vea jamás".

La soledad. ¿Ese hombre que tanto habla, que tanto se mueve, que no se detiene nunca, que vive en la calle como él dice, un hombre solo, un solitario?

Así lo parece

A finales de 1988 Fidel viajó a México para asistir a la toma de posesión del presidente Carlos Salinas de Gortari. Fue instalado con su séquito en el hotel Presidente, en el barrio de Polanco. Se trata de uno de esos modernos hoteles de cristal y acero, de 30 pisos, situado frente al Parque de Chapultepec.

Fidel ofreció una conferencia de prensa de casi tres horas de duración a la que asistieron docenas de periodistas. Después se retiró a descansar a sus habitaciones. Al día siguiente, Fidel le confesó a Luis Báez, un periodista cubano que cubre las salidas del presidente al exterior, la soledad que había sentido:

—Me asomé a la ventana y reparé en la altura de mi habitación. Parecía estar en las nubes. De repente me sentí solo en aquel cuarto. Todo el mundo se había marchado. Agarré unos papeles y me puse a leer. ¿Ustedes se imaginan llegar a México y sentirse solo? Es como sentirse preso en el piso 30 de un hotel de lujo. No se puede estar solo en ninguna parte —concluye Fidel.

El premio Nobel colombiano Gabriel García Márquez es amigo personal de Castro. Pasa largas temporadas en La Habana, instalado en una casa de protocolo, lujosas y bien cuidadas residencias donde se alojan los personajes ilustres que visitan la isla, que en su día pertenecieron a la alta burguesía habanera.

Aunque no le gusta hablar ni de Cuba ni de Castro con los periodistas —cuatro veces que me lo encontré en bares y restaurantes de La Habana, cuatro veces que me negó un comentario sobre la isla y su presidente— ha escrito algunos artículos sobre Fidel.

Uno de ellos, el perfil del líder cubano que prologaba el libro *Habla Fidel* del periodista italiano Gianni Miná. García Márquez habla de "la leyenda de que (Fidel) es un hombre solitario sin rumbo, un insomne desordenado e informal" (10).

"Algo de eso era cierto", mantiene el premio Nobel. Se trata de una vieja costumbre heredada de la vida en la Sierra. Pero con la edad, Fidel ha ido acomodando su vida y al menos dedica seis horas al sueño reparador.

Cuenta García Márquez que una noche acudió Fidel a su casa, a altas horas de la noche. Lo vio tan absorto cuando tomaba un helado de vainilla que le preguntó qué era lo que más le gustaría hacer en este mundo. Fidel le replicó muy serio:

—Pararme en una esquina.

El descanso del guerrero.

Un guerrero que goza de buena salud. Juan Luis Rodríguez-Vigil, el presidente socialista del Principado de Asturias, me habló en la mañana del 17 de noviembre de 1991 paseando por El Laguito, una bellísima zona residencial plagada de casas de protocolo, sobre la excelente forma física de Fidel.

El día anterior, el presidente cubano había invitado al político español a pasar un día en Cayo Piedra, un lugar paradisiaco en el sur de la isla, donde Fidel pasa sus ratos de ocio. Se trata de un pequeño cayo volcánico, a unos 15 kilómetros de la costa. Hasta que lo ocupó Fidel, Cayo Piedra había sido utilizado como faro para la navegación. Castro vive en la antigua casa del farero, de cuatro habitaciones. Sus invitados se alojan en una moderna construcción al otro lado de la islita, en donde no faltan las obras completas de José Martí.

Otro tema de especulación ha sido el de las casas de Fidel. Tras el triunfo revolucionario, Castro se negó a vivir en el antiguo Palacio Presidencial, situado en la zona vieja de la capital, convertido hoy en Museo de la Revolución.

Los primeros meses tomó el último piso, el 23, del que fue Habana Hilton, hoy Habana Libre, y allí instaló su cuartel general: hogar y oficina. También utilizaba otras casas, como la de Celia Sánchez.

En la actualidad, Fidel dispone de varias casas que alterna por razones de seguridad, aunque normalmente habita una cómoda residencia situada al oeste de La Habana, pasado el barrio Siboney, área residencial ocupada ahora por diplomáticos extranjeros en lo que se llamó en tiempos de Batista la zona del Country Club.

Esa casa de Fidel recibe el nombre clave de "160" y está fuertemente vigilada. Consta de tres alas. Su interior está decorado con pintura moderna cubana y tallas primitivas africanas. Los muebles han sido fabricados en Cuba, en donde hay infinidad de maderas preciosas.

Desde hace ya algunos años, Fidel tiene su despacho en la sede del Palacio Presidencial, la parte central del bloque arquitectónico que aloja también al Consejo de Estado y al Comité Central del Partido, situados en la plaza de la Revolución.

Su despacho de trabajo, en forma de L, es funcional. Hay un gran cuadro de pintura cubana moderna y una foto de Camilo Cienfuegos. La mesa de trabajo de Fidel es amplia. Desde 1985 sólo hay sobre ella un bote con caramelos, a los que Fidel es aficionado. En aquel año desapareció la caja de puros, cortos y largos, que Fidel fumaba antes de dejar el tabaco.

Para agasajar a sus invitados, Fidel utiliza Cayo Piedra. Allí practica la pesca, juega al dominó —le ganó a otro español, Manuel Fraga Iribarne, a quien, según Castro, no le gustó perder— al borde de una cuidada piscina, o bien los reunidos conversan sobre una gabarra sujeta al muelle. Se come usualmente lo que se ha conseguido en la pesca.

Uno de los últimos visitantes de Cayo Piedra, el español Rodríguez-Vigil, me contó que había visto a Castro en plena forma física:

—Fidel estuvo nadando un largo rato, y no se le veía forzado, no. No nadaba para impresionar. Se ve que lo hace a diario —dijo Rodríguez Vigil.

Desde su infancia, cuando lo enviaron al Colegio Dolores, de

Santiago, Fidel fue un destacado atleta en las más diversas disciplinas. Excelente jugador de baloncesto y de béisbol, el deporte nacional cubano, también practicó con éxito, el atletismo, el tenis de mesa, el montañismo —presume de haber subido infinidad de veces el Turquino, el monte más alto de Cuba— y la natación.

Con los años y algunas lesiones Fidel se ha ido quedando con la natación. Todavía hoy, a los sesenta y seis años que cumplía el 13 de agosto de 1992, Fidel es capaz de practicar pesca sumbarina, sumergirse con dos kilos de peso en la cintura, aguantar más de dos minutos a pulmón libre, disparar sobre una langosta, cocinarla él mismo y comérsela entera.

Entrevistar a Fidel Castro es una tarea que se imponen todos los periodistas del mundo y que pocos consiguen. Habitualmente hay una lista en la Cancillería: 200 a 300 solicitudes de entrevista.

Pero algunos lo tienen más fácil que otros.

Por ejemplo, las mujeres.

Una noche tomaba yo un mojito en el bar del Hotel Victoria cuando se presentó Azucena Valderrábano, toda nerviosa. Pidió una llamada urgente a México. No pude dejar de escuchar: "Tengo una entrevista con Fidel muy larga".

Le pregunté cómo la había logrado:

—Simplemente me acerqué a él y le dije: Comandante, quiero hacerle una entrevista.

Difícilmente Fidel le negará algo a una mujer. Y más si es joven y bonita. Al día siguiente un Mercedes Benz negro de los que usa el comandante recogía a Azucena y la trasladaba de un sitio a otro de La Habana en donde se encontraba con Fidel y le iba haciendo todo tipo de preguntas.

Azucena publicó siete páginas enteras en *El Nacional* de México, en el mes de noviembre de 1991, de su larga conversación con Fidel. Una de las cosas que le preguntó es algo que muchos quieren saber:

—¿Cómo puede estar tanto tiempo de pie sin cansarse?

He asistido a varios actos públicos, manifestaciones, concentraciones, desfiles de 1º de Mayo, discursos de apertura o de clausura de Congresos, en los que Fidel ha permanecido tres, cuatro horas de pie, a veces bajo un sol abrasador, con su chamarra militar de gruesa tela abrochada hasta el último botón, sin sudar ni una gota ni dar síntomas de agotamiento. La televisión es testigo.

Fidel le contó un pequeño secreto a Azucena:

—Uso unas botas especiales, diferentes. Están un poquito viejas, pero no las quiero cambiar porque me adapté a ellas (12).

Cuando Manuel Fraga Iribarne visitó la isla en septiembre de 1991, Castro conversó en la madrugada con un grupo de periodistas españoles, después de una recepción ofrecida en el Palacio de la Revolución al político gallego. Cada uno se sentó donde y como pudo. Yo me senté en el suelo, a 10 centímetros de las botas especiales de Fidel.

Lo primero que me sorprendió de ellas fueron los tacones. Medían entre 6 y 8 centímetros. Fidel es un hombre alto, mucho más alto que la media cubana. Sobrepasa el metro ochenta y me preguntaba para qué querría unas botas con tacones tan altos. La respuesta me la dio Azucena: son especiales y le acomodan el pie perfectamente para que aguante horas y horas plantado y sin moverse.

Además de las botas, Fidel le contó a la periodista mexicana que su secreto residía en el ejercicio físico que practica a diario. Detesta la bicicleta fija, porque "es lo más aburrido que inventó el hombre en toda la historia", aunque dice que puede aguantar veinte o treinta minutos pedaleando.

Desde que tuvo una lesión en un dedo al practicar el basket, abandonó ese deporte.

—Dije: ¡caballeros, hay que andarse con cuidado! Ya no puedo estar haciendo lo que me dé la gana.

Sólo en un sitio se permite hacer "lo que le da la gana": en el mar.

—Me sueltas en el agua y puedo competir con un tiburón tranquilamente. Puedo nadar casi todo el tiempo que quiera, porque llevo las patas de rana y me pongo una careta.

En algunas ocasiones le han preguntado a Fidel si no cree que debería retirarse. El comandante sandinista Tomás Borge fue uno de los últimos.

—Hay quienes han planteado que los dirigentes políticos deberían retirarse una vez cumplidos los sesenta años. ¿Qué opina usted de eso? —le planteó Borge a Castro.

—Tomás, ojalá tuvieran razón en que los dirigentes políticos se retiraran a los sesenta años. El problema no es sólo retirarse, sino poder retirarse, que son dos cosas diferentes (13).

Fidel explicó su teoría de las edades al también sesentón Borge: La revolución debe hacerla gente joven, pero la tarea de dirigir un Estado exige madurez.

—Nosotros llegamos al poder con demasiada poca experiencia y sin embargo al cabo de los años hemos alcanzado alguna.

Al cabo de treinta y tres años en el poder, Fidel Castro había acumulado efectivamente alguna experiencia. No tanta como Kim Il-sung, quien lleva cuarenta y cinco años en el poder, primero como primer ministro y luego como presidente de la República Popular Democrática de Corea. También el rey Hussein de Jordania supera a Castro: ocupa el trono desde 1953, es decir, lleva treinta y nueve años.

Castro confesó a Borge: "me gustaría que mi tarea la pudieran hacer otros, te lo digo con toda franqueza". Pero añadió: "mientras mis compañeros estimen que hago falta en esa batalla, estaré al pie del cañón".

Trabajador incansable, Fidel disfruta con dos cosas además del deporte: leyendo y hablando con sus amigos o invitados.

García Márquez afirma que Fidel "desayuna con no menos de 200 páginas de noticias del mundo entero". Y lee libros de todo, incluso cuando viaja en coche. Sus automóviles están provistos de una lamparita que permite la lectura cómodamente.

Aunque su tema preferido es la historia, antigua o actual, lee también los *best seller* del momento, muchos recomendados por su amigo García Márquez. En mayo de 1992 le confesó a Tomás Borge que estaba leyendo *El Perfume*, de Patrick Süskind. Ha leído también prácticamente toda la obra de su amigo García Márquez.

Sus primeras lecturas fueron sobre la historia cubana y biografías varias. Ha leído a prácticamente todos los clásicos españoles y muchos se sorprenderán al saber que la Biblia es libro de cabecera del último marxista-leninista de Occidente.

—Cualquiera que analice mi terminología se encontrará con que hay palabras bíblicas, porque estudié doce años en colegios religiosos.

Cuando más intensamente leyó fue en los dos años que estuvo en prisión tras el asalto al Moncada. Se tragó toda la obra de Fiódor Dostoievski y de Romain Rolland. En la Universidad, al estudiar temas relacionados con la legislación obrera, entra en contacto con los clásicos del socialismo, Carlos Marx, Federico Engels, Vladimir Ilich Lenin.

Siente especial pasión por dos grandes figuras de la historia latinoamericana: Simón Bolívar, El Libertador, del que colecciona todos los libros que sobre él se escriben, y José Martí, el héroe nacional cubano, "un Bolívar del pensamiento", afirma Fidel.

Tomás Borge le preguntó cuál era su autor favorito y dijo sin vacilar que Miguel de Cervantes. Afirma haber leído cinco o seis veces *El Quijote*. Entre los poetas, el comunista chileno Pablo Neruda es el que más ha leído. Pero su preferido es el cubano Nicolás Guillén.

Aunque la verdadera pasión de Fidel es hablar.

Es famosa la anécdota, y García Márquez la cuenta en su prólogo al libro de Miná. Después de la visita de una personalidad extranjera, Fidel comentó:

—¡Fíjate cómo hablará ese hombre que habla más que yo!

García Márquez, que lo ha acompañado largas noches en soliloquios interminables, comenta:

—Basta conocer un poco a Fidel Castro para saber que era una exageración suya, y de las más grandes, pues no es posible concebir a alguien más adicto que él al hábito de la conversación.

Una vez que perdió a dos de sus más grandes amigos, Celia

Sánchez y el "Che", con los que Fidel hablaba de lo divino y lo humano, especialmente con el guerrillero de origen argentino, Fidel pareció quedarse solo, sin compañeros de tertulia que lo estimularan intelectualmente.

Tuvo algunos, pero ya no era lo mismo, pues no residían permanentemente en La Habana. Pero se contaban entre sus amigos, además de García Márquez, los actores Alec Guinnes y Jack Lemmon, el escritor Graham Greene y mucho antes los también escritores Ernest Hemingway, Jean Paul Sartre y su compañera Simone de Beauvoir.

Aprovecha la ocasión para intercambiar opiniones con los visitantes ilustres que llegan a la isla, no importa de qué matiz político sean. En una ocasión invitó a un grupo de congresistas norteamericanos y les explicó su afición a la Biblia para terminar diciendo que en el fondo se sentía cristiano.

Con Manuel Fraga Iribarne, el político conservador gallego que ejerció su anticomunismo como ministro de Francisco Franco —firmó la pena de muerte del comunista español Julián Grimau, nombre que le fue puesto a muchas escuelas en Cuba— en los años sesenta, Fidel conectó de forma inmediata e inaudita.

—Con Fraga podría estar hablando hasta cien horas seguidas —nos dijo Castro a un grupo de periodistas españoles en septiembre de 1991.

¿Y de qué habla? De todo. Absolutamente de todo. Con Fraga dijo haber hablado de pesca, de turismo, de vinos gallegos, del aguardiente.

La noche que Fidel ofreció una recepción a Fraga en el Palacio de la Revolución, éste se retiró pasadas las doce de la noche visiblemente agotado. Fidel, fresco como una rosa, accedió a conversar con los periodistas españoles. Durante dos horas largas habló de todo: desde sus deseos de visitar Galicia, a la retirada de las tropas soviéticas de Cuba. Hizo una larguísima exposición de por qué el Mercado Libre Campesino —una experiencia de liberalizar la venta de producto agrícolas que tuvo lugar en los primeros años ochenta— no debía implantarse de nuevo en Cuba, con docenas de cifras y datos sobre la producción de los más variados productos.

Cuando había ya algunos reporteros a los que se les cerraban los ojos de sueño —eran más de las dos de la madrugada—, Fidel nos invitó a pasar al salón de personalidades del Palacio, todo porque aún tenía ganas de seguir hablando.

Le dije que lo encontraba más delgado que en ocasiones anteriores. El traje le quedaba ancho, y las mangas largas. Le pregunté:

—¿Está sometido a algún régimen?

Castro replicó:

—Nadie me somete a nada. En todo caso me he sometido yo

mismo. Tomo vegetales en abundancia y hoy por ejemplo no he comido nada en la recepción. Ni siquiera un dulcecito.

—Pero bebe algo. Yo lo he visto.

—Sí, eso sí. Un vinito español, un whisky, un cognac. También aguardiente gallego, que me mandan una vez al año unos parientes de Galicia. Me gusta mucho.

Fidel Castro hizo popular en 1959 su figura indisolublemente unida a tres símbolos: su barba, el fusil en alto y el puro habano en la boca. Así entró en La Habana triunfante.

El fusil lo mantendría junto a sí en los primeros meses. Iba a las recepciones de algunas embajadas portando él mismo su fusil —además de una pistola al cinto— y se lo dejaba al portero para que lo custodiara.

En 1985 dejó de fumar. Primero, por apoyar una campaña antitabaco, a pesar de ser Cuba un país productor de famosos puros. Lo dejó por razones de salud.

Lo único que conserva de aquella época, además de su uniforme verde olivo que sólo se quita para bañarse en el mar o para dormir, es su barba. Cada vez más larga y más blanca. Castro mantiene que es una pérdida de tiempo afeitarse. Siempre echa los cálculos del tiempo que perdería al año si se afeitara: 15 minutos por día, 5.475 minutos, 91 horas y 15 minutos al año, que pueden ser empleados en leer o hacer deporte, asegura.

Aquella noche en el palacio, Fidel me dijo que había sido su padre quien le enseñó a fumar:

—También me enseñó a tomar vino. Mi padre gallego siempre tenía a mano su riojita...

—¿A qué edad le enseñó a beber?

—A los trece, catorce años. Como yo era el que más estudiaba en mi casa, cuando llegaba el verano y sacaba buenas notas, me sentaba a su lado a comer un potaje de garbanzos y bebíamos unos vasitos de su Rioja.

—¿Sigue haciendo comida gallega para usted?

—No, no. La comida gallega engorda. Tiene mucha grasa. Te explota el corazón y entonces tenemos que darte una ración doble de PPG...

Fidel sonríe. El PPG es un medicamento inventado por los cubanos que tiene efectos muy beneficiosos para diversos males: problemas cardíacos, colesterol, e incluso se dice que aumenta la potencia sexual.

Las manecillas del reloj marcaban ya las tres de la madrugada y para disgusto de algunos agentes de la seguridad personal de Castro, éste seguía hablando y hablando. Un camarero acercó unas copitas de aguardiente. Castro tomó la suya y los demás hicimos lo propio. Se brindó con los vasos en alto dos o tres veces para que los fotógrafos hicieran su trabajo.

Luego, Fidel retomó el hilo de la conversación.

Después de haber alabado los productos gallegos que Fraga había llevado consigo para hacer una romería: pulpo, aguardiente, empanadas, Fidel habló de los productos cubanos.

Durante un buen rato, nos explicó cómo se cultivaba el camarón en la isla, de buena calidad, destinado todo él a la exportación y a los centros turísticos de la isla. Y luego atacó con la langosta, de la que dio pelos y señales de por qué no se puede cultivar en piscifactorías. Según Castro, la langosta necesita libertad de movimientos, no puede estar encerrada.

Agotados ya todos los presentes, Fidel se retiró. Cuando yo llegué al hotel, cerca de las cuatro de la madrugada, sentía un cansancio atroz. Estoy seguro de que Castro estaba menos cansado que yo.

Dos meses después, en noviembre, cuando la visita del presidente asturiano Juan Luis Rodríguez-Vigil asistí a otra conversación con Castro de características similares, también en el Palacio de la Revolución. Esta vez, Fidel nos explicó cómo preparaba el pulpo antes y cómo había aprendido a prepararlo ahora, después de que Fraga y sus cocineros le hubieran enseñado y proporcionado los materiales adecuados:

—Yo siempre cocinaba el pulpo como los calamares, en su jugo y a fuego lento. Se pone muy blandito. Pero Fraga me regaló una cazuela de cobre, unos platos de madera, un pincho, unas tijeras, todo lo necesario para hacerlo al estilo gallego. Un día mi socio negro —un ayudante de cocina que tiene Fidel y que lo lleva a todos sus viajes— y yo cocinamos el pulpo como nos habían enseñado los gallegos: lo metimos en agua hirviendo cuando ya estaba descongelado. Cuando estaba dentro de la olla le dije a mi socio, ¡oye, sácale los ojos al pulpo! Lo habíamos limpiado del todo, pero no le habíamos quitado los ojos. Yo miraba la olla y decía: esto no se va a cocinar así, vamos a pasar un hambre...

Felizmente el pulpo se cocinó. Fidel, con la minuciosidad con que cuentan las cosas los aficionados a la conversación, siguió relatándonos ya de madrugada, cómo sacaron el pulpo y lo trocearon.

—Lo cortamos en rueditas. Yo mismo le ponía con una cucharita de té su poquito de pimentón, tal como había visto en la romería que hizo Fraga. Había unos botecitos que decía: picante rabioso, y dije: no este se queda ahí. Le puse de otro, pero estaba picante también en cantidad. Luego su poquito de aceite de oliva, su poquito de sal. Quedó blandito. Fenómeno. Yo creo que nos quedó mejor todavía que el de Fraga.

Fidel no dejará el tema hasta agotarlo: ahora hablará de que la cacerola de cobre no le quita sabor al pulpo, sino que lo ablanda y que el plato de madera es ideal para darle un sabor exacto.

Castro, como tantos otros aficionados, se relaja en la cocina. Le gusta cocinar y le encanta comer. García Márquez dice que en una ocasión le vio comerse, después de un buen almuerzo, 18 bolas de helado.

Mi amigo Ander Landaburu tuvo la fortuna casi única para un periodista de estar comiendo un día con García Márquez en su casa de protocolo —la número seis— cuando se presentó Fidel.

El dirigente cubano hacía un par de horas que había almorzado. García Márquez y Landaburu estaban tomando el aperitivo mientras preparaban la comida. Fidel aceptó una copita de ron añejo y se puso a disertar sobre gastronomía:

—Habló sobre los viveros en Cuba, los peces barbo, la cherna, el salmón, las angulas del País Vasco y el siempre presente pulpo gallego —escribió Landaburu (14).

Fidel habló de los quesos que le enviaban el presidente francés François Mitterrand y el líder comunista galo Georges Marchais. O los que le remitían el presidente español Felipe González y el entonces dirigente del Partido Comunista de España, Gerardo Iglesias. Le hacía gracia, dijo Castro, pues parecía que competían entre ellos a ver quién le enviaba el mejor queso.

Ander se quedó alucinado de que Castro supiera tantas cosas de tantos temas y de que además hiciera docenas de preguntas a los presentes.

Fidel utiliza la táctica de preguntar a sus interlocutores si cree que con ello obtendrá información que le sea útil. Se lo dijo así al periodista colombiano Antonio Caballero:

—Yo uso el método socrático y sobre cualquier cosa hago cien preguntas. Y voy aprendiendo, en la esfera de la educación, de la salud, de la agricultura (15).

Fidel contó a García Márquez y Landaburu durante el almuerzo que había mantenido una larguísima entrevista de catorce horas con un grupo de empresarios que habían viajado en aquella ocasión, diciembre de 1986, con el presidente Felipe González. El presidente cubano les preguntó a los empresarios por los controles de calidad, la producción, las nuevas técnicas, las primas, los salarios y la gestión. Después del exhaustivo interrogatorio, les dijo:

—Ustedes son los hombres que necesitamos.

Miéntras Fidel habla, llegan los primeros platos a la mesa de Gabo, como llaman popularmente al nobel colombiano. Fidel no resiste la tentación y le dice bromeando al escritor:

—Gabo, voy a hacerte un control de calidad.

El control se convierte en un nuevo almuerzo. Y de algunos platos repetirá, como el helado de coco, uno de sus favoritos.

Aquel viaje de Felipe a Cuba no volvería a repetirse. Un viaje que se recuerda por unas fotografías que dieron mucho que hablar en España.

Angel Carchenilla inmortalizaría en unas expresivas fotos a Felipe rodeado de espectaculares bailarinas mulatas del Tropicana. José Manuel Arija escribió en *Cambio 16* sobre aquella visita al cabaret habanero:

—Fidel le comentó a Felipe después de hacerle subir al escenario del Tropicana y fotografiarse con las bellezas morenas: menos mal que ayer telefoneaste a tu mujer para felicitarle por su cumpleaños, que si no, al verte tan bien acompañado...

Aunque es capaz de conversar sobre cualquier cosa, lógicamente lo que más le apasiona son los discursos políticos o las largas entrevistas con periodistas.

Algunos récords: una semana después de su entrada triunfal en La Habana, en 1959, pronunció un discurso ininterrumpido de siete horas. La entrevista que le concedió a Gianni Miná, y de la que salió un grueso libro, duró diecisiete horas seguidas.

Para Castro, tener que pronunciar discursos con cronómetro, es un tormento. En la I Cumbre Iberoamericana de Jefes de Estado celebrada en la ciudad mexicana de Guadalajara en 1991 se conformó con siete minutos. En la Conferencia Mundial sobre Medio Ambiente y Desarrollo, que tuvo lugar en Río de Janeiro el mes de junio de 1992, sólo habló cuatro minutos y medio.

Lo curioso es que un médico predijo en 1961 que Fidel se quedaría sin voz si hablaba tanto. Pero no. Sigue hablando y hablando y pronunciando discursos de horas, sin papeles ni nada por el estilo. Sólo en una ocasión registra la historia una pérdida de voz total: Fidel se quedó mudo después de anunciar en un discurso, en agosto de 1962 la nacionalización de varias empresas norteamericanas.

El mismo Fidel es consciente de que habla mucho. Y bromea con ello. El 3 de abril de 1991 se celebraba el XXX aniversario de la fundación de la Organización de Pioneros José Martí y uno menos de la UJC.

Fidel comenzó su discurso diciendo:

—Jóvenes compatriotas: Siempre digo: "No voy a hablar", y siempre termino diciendo algo. Así hablé a los estudiantes universitarios el 13 de marzo, a los compañeros de la FEEM el día 23, ayer les hablé a los jóvenes de los contingentes, y esta noche me decía de nuevo a mí mismo: "Hoy no hablo, éste es un acto de la juventud, que hable Robertico (Robaina)". Al llegar aquí y ver ésta enorme multitud, comprendí, sin embargo, que era imposible escaparme de la tribuna.

El mismo Fidel, sorprendido de estar iniciando un nuevo discurso, se preguntó a continuación:

—¿Pero qué digo aquí después de tantos discursos? (16).

En otra ocasión, y en otro aniversario, éste el 137 del natalicio de José Martí, Castro comenzó así su discurso pronunciado en el Parque Central de La Habana:

—Aunque nadie me lo ha pedido, si ustedes quieren yo les digo unas palabras.

La multitud, la inmensa mayoría compuesta por jóvenes, rugió:

—¡Síííííí!

Y Fidel habló una vez más (17).

¿De qué habla Fidel en sus largos discursos? De todo.

El mes de diciembre de 1991 lo pasé casi íntegramente en La Habana. Fidel pronunció cuatro discursos de larga duración. El día 6 en el Congreso de la Federación de Estudiantes de Enseñanza Media (FEEM); el día 16 ante el VI Fórum Nacional de Piezas de Repuesto; el 24 ante el VII Congreso del Sindicato Nacional de Ciencia y Deportes; y por último, el día 27, en la clausura de la sesión plenaria del X Período Ordinario de sesiones de la Asamblea Nacional del Poder Popular.

Analicé los cuatro discursos y establecí este hit de los temas más tocados por Castro en esas largas horas de charla que los cubanos seguían por el televisor.

Las palabras/conceptos que más veces repitió fueron éstas, sumados los cuatro discursos.

1.	Revolución/Revolucionario	211
2.	Petróleo	175
3.	Ciencia	132
4.	Socialismo	126
5.	Período Especial	118
6.	Capitalismo	94
7.	Azúcar	80
8.	Imperialismo	60
9.	Partido Comunista	56
10.	Patria	32
11.	Muerte	29
12.	Lucha/Luchar	28
13.	Sangre	15
14.	Resistir	12
15.	Programa Alimentario	12
16.	Ropa	4
17.	Peligros	4
18.	Patria o Muerte	4
19.	¡Venceremos!	4
20.	Socialismo o Muerte	3
21.	Democracia	3
22.	Amenazar	2

El cuadro se comenta por sí solo: la prioridad número uno de Castro es la Revolución. El concepto revolución/revolucionario está presente de forma obsesiva en sus discursos. En cada discurso la pronuncia en 53 ocasiones de media.

Una Revolución que a veces le parece un sueño al propio Castro.

Cuando en 1988 viajó a México para asistir a la toma de posesión de Carlos Salinas de Gortari, aprovechó para visitar la ciudad de Tuxpan, en el Estado de Veracruz. De allí había partido Castro y otros 81 guerrilleros el 25 de noviembre de 1956 a bordo del yate Granma a la conquista de Cuba. Veinticinco meses después, los doce supervivientes del Granma habían logrado su objetivo: habían conquistado Cuba e iniciado la Revolución.

En aquella visita, amén de docenas de periodistas, acompañó a Fidel García Márquez, quien compartía entonces su residencia entre la capital de México y La Habana,

Fidel habló en voz alta, mirando al mar Caribe desde el muelle:

—¡Quién podría imaginarlo! Treinta años ya de Revolución. ¡Parece como si todo esto lo hubiera soñado, Gabo!

García Márquez, Gabo para sus amigos, miró a Fidel. Este preguntó al autor de *Cien años de soledad*:

—¿Es verdad, no, Gabo? ¡Tú soñaste todo esto!

Mas no fue un sueño. Ahí estan esas 211 alusiones, bien realistas, a la Revolución y los problemas por los que atraviesa.

El segundo lugar en las preocupaciones de Fidel es el petróleo. Petróleo que significa desarrollo económico. La palabra ciencia ocupa un importante tercer lugar. Por un lado, porque uno de los discursos estuvo dirigido a científicos, pero también porque Castro confía en que el desarrollo científico del país, sobre todo en el campo biotecnológico y médico sea una futura fuente de divisas.

De mis frecuentes viajes a La Habana he sacado una conclusión: si Fidel habla hay que escucharle. Al día siguiente, cualquier funcionario con el que tengas que entrevistarte sacará como tema de conversación el último discurso de Fidel. Siempre he tenido la sensación en esas ocasiones de que te hacían una especie de examen. A los pocos días, la mayoría de los trabajadores con los que un visitante se relaciona —en el hotel, en el restaurante, en el taxi— comentarán uno u otro pasaje del discurso de Fidel. Discurso que será pasado hasta tres y cuatro veces por la televisión en el plazo de una semana.

Dotado de una prodigiosa memoria, Fidel improvisa sus discursos sin ayuda de notas. Rara vez lleva algún papel con cifras. En los años setenta, le dio por escribir sus discursos "con tanto rigor que parecían piezas de relojería", dijo Gabriel García Márquez.

Aquellos discursos escritos perdían todo el calor y color de sus discursos improvisados. En ocasiones, ante un gentío que llenaba la Plaza de la Revolución, Fidel encontraba una errata que sus mecanógrafos habían cometido en el texto y detenía la lectura del discurso, sacaba un bolígrafo y allí mismo corregía. Luego seguía adelante.

Fidel regresó a sus discursos improvisados. Cuando uno le escucha las primeras veces en determinados pasajes de su intervención se tiene la impresión de que Fidel se ha perdido. Que se le ha ido el hilo. Falso. Al igual que un buen cuentista o un buen reportero, construye las historias de forma circular. Termina con el tema que comenzó, lo redondea y lo cierra. El político español Emilio Castelar, presidente de la I República española en 1873, es uno de los oradores que más admira Castro.

Uno de los últimos discursos que escuché a Fidel fue el de la apertura del VI Congreso de la Unión de Jóvenes Comunistas (UJC). Transcritos al papel, era un discurso de unos 70 folios de largo y duró unas tres horas y media.

Me tomé el trabajo de contar las cantidades que dijo "de memoria": Fidel dio en ese discurso un total de 157 cifras. La mayoría de ellas referidas a la agricultura: 62. Castro habló de toneladas de tomates, de patata, de hectáreas, de siembras. En 64 ocasiones dio cifras varias, referidas muchas de ellas a la industria. En diez ocasiones hablo de dólares y otras tantas de pesos o rublos. Citó once cifras referidas al petróleo y sus derivados.

En ningún momento dudó al mencionar una cantidad. Ni miró papeles. Sus críticos dicen que suelta las cifras a boleo. Y que nadie se atreve a contradecirle más tarde. Eso no parece ser cierto. Puede que en alguna ocasión redondee una cifra, pero es exacto que Castro tiene la economía cubana metida en su cabeza.

Tiene también una buena memoria fotográfica.

En la Cumbre de Guadalajara, a la que acudieron por vez primera todos los presidentes iberoamericanos, los de España y Portugal incluidos, se desplazaron varios centenares de periodistas, entre ellos media docena de Radio Martí, la emisora anticastrista financiada por los Estados Unidos.

Uno de aquellos periodistas era Agustín Allés.

A la salida de una entrevista bilateral de las muchas que se celebraron con ese motivo en Guadalajara, Fidel Castro fue abordado por un grupo de informadores. Fidel se quedó mirando a un hombre de mediana estatura, delgado, de unos sesenta años, vestido con una guayabera blanca.

Fidel se le acercó y le dijo:

—¡Hola, Agustincito! ¿Cómo te va?

Agustincito se quedó atónito. Hacía exactamente treinta años que no veía a Fidel, ni éste a él. Había abandonado Cuba camino del exilio siendo redactor de la revista *Bohemia*. No era un periodista estrella. No era especialmente famoso como para que Fidel lo recordara. Simplemente, había entrevistado a Fidel Castro en una ocasión en la Sierra.

Agustincito respondió a Castro:

—Ahora trabajo en Radio Martí, comandante.

—Pues entrevístame —le dijo Fidel.

Agustín Allés, un periodista ferozmente anticastrista, se encontró así con una doble sorpresa: que Fidel lo reconociera y una entrevista exclusiva con Castro que todos los periodistas buscábamos afanosamente en Guadalajara.

El principal problema de entrevistar a Fidel es que casi ninguna de las entrevistas que le han hecho le gustan. Siempre se queja de que las mutilan. Claro que sus respuestas son siempre largas y además las entrevistas duran horas.

Fidel prefiere la televisión y posiblemente es uno de los políticos que mejor partido ha sabido sacar de ella.

Desde el primer momento en que subió a la Sierra Maestra supo jugar con habilidad sus dotes de actor ante las cámaras para resultar convincente. Cuando el 1 de enero de 1959 se produce el triunfo revolucionario, son Camilo Cienfuegos y Ernesto "Che" Guevara quienes entran triunfantes en La Habana. Fidel aguarda y prepara una jugada maestra: además de nombrar capital de la nación a Santiago de Cuba, donde él se encuentra, inicia una larga marcha de 1.000 kilómetros, no tanto como la de Mao Tse Tung, pero con intenciones parecidas, hacia La Habana.

Durante cinco días y cinco noches, Fidel recorre la isla de punta a punta: Santiago, Bayamo, Holguín, Camagüey, Santa Clara, Matanzas y finalmente La Habana. Subido en un jeep sin capota, la camisa entreabierta que deja ver sobre el amplio pecho una medalla de la Virgen del Cobre, la patrona de Cuba, y en su mano derecha un fusil semiautomático M-2 norteamericano con mira telescópica, Fidel parece un César victorioso entrando en una Roma caribeña.

A su paso, miles de cubanos se suman a su caravana.

La entrada en La Habana, el día 8 de enero del recién estrenado 1959, es sencillamente apoteósica. El país entero ha seguido por la televisión la lenta toma del poder real de Fidel Castro, el barbudo de la Sierra.

Su dominio de las cámaras y de la escena se harán proverbiales. En algunas ocasiones he comprobado personalmente esa seducción que ejerce sobre la gente, sin que ello signifique que esas personas están de acuerdo políticamente con Castro.

El 10 de agosto de 1988 me encontraba en Ecuador. Ese día tomó posesión de la presidencia del país andino Rodrigo Borja Cevallos.

Ese día también, para Fidel Castro era un día histórico: volvía a pisar tierra de la América del Sur después de diecisiete años de ausencia, desde el histórico —y largo— viaje al Chile del socialista Salvador Allende, en 1971.

Después de tantos años, a la presidencia de países latinoamericanos llegaban políticos de talante más liberal, que incluían a Fidel Castro en su lista de invitados. Así lo haría unos meses más tarde, en diciembre, el mexicano Carlos Salinas de Gortari.

La ceremonia de toma de posesión de Borja tuvo lugar en el mayor teatro de la ciudad. En el escenario se habían colocado sillas para que los ocho presidentes y otros altos dignatarios tomaran asiento y siguieran desde un lugar privilegiado la ceremonia de traspaso de poderes presidenciales.

Fidel Castro fue de los primeros en llegar. Se sentó en el lugar que le correspondía, pero como se encontraba solo, se levantó y tomó asiento al lado del Nuncio apostólico, el embajador del Vaticano, con quien no paró de hablar.

A mi lado había dos señoras que discutían si Fidel seguía o no siendo atractivo.

Una decía:

—Yo no lo veo tan guapo.

Le contestaba la otra:

—Es que tenía que haberlo visto usted cuando joven, entonces sí que lucía lindísimo.

Un grupo de militantes de Izquierda Unida, que habían votado obviamente por Borja, daba gritos de ¡Fidel, Fidel! de cuando en cuando. El primer presidente que llegó después de Castro fue el más tarde laureado con el Nobel de la Paz Oscar Arias, de Costa Rica, quien se convertiría en uno de los más feroces críticos de Castro.

Fidel, que sabía de las pocas simpatías que despertaba en Arias, se plantó ante él cuando éste se dirigía hacia su silla. Lo abrazó. Lo dejó a media distancia y comenzó a hablarle con el característico estilo de Fidel: se aproxima y se aleja del interlocutor. Le agarra suavemente de las solapas de la chaqueta y se las alisa. Se retira de nuevo. Se acerca y golpea con su dedo índice el corazón de Arias.

El gallinero del teatro, grita:

—¡Enséñale Fidel, enséñale!

Fidel está radiante con su traje de gala de comandante en jefe: de color marrón, con bolsillos de solapa en la chaqueta, luce en las charreteras una sola estrella, sobre un rombo negro y rojo; en cada una de las solapas hay una hoja de laurel; el traje se completa con camisa blanca y corbata negra.

El mismo tipo de saludo que le ha dispensado a Arias, lo aplicará Fidel a todos los demás presidentes que llegan: al colombiano Virgilio Barco, al uruguayo Julio María Sanguinetti, al argentino Raúl Alfonsín, al portugués Mario Soares. Nadie se escapará del abrazo y del dedo de Fidel.

Su momento de máximo esplendor: cuando entra el pintor ecuatoriano Oswaldo Guayasamín, comunista, amigo de Castro, autor del gigantesco mural que cubre todo el escenario. Guayasamín sube a saludar a Castro. Se abrazan y los dos levantan la mirada hacia un punto del mural. Todas las cámaras de televisión enfocan a Castro y Guayasamín y luego apuntan hacia donde miran los dos amigos: un casco de guerra nazi en cuyo frente están escritas las palabras CIA (Agencia Central de Inteligencia).

Las cámaras se giran y enfocan a la primera fila de la platea. Allí está el secretario de Estado de los Estados Unidos, George Shultz. El diplomático norteamericano tiene la mirada clavada en el suelo. Unos minutos antes ha dicho que la pintura de Guayasamín es un insulto.

En esos minutos de gloria, Castro humilla a Shultz. Y roba toda la cámara hasta que llega el presidente Rodrigo Borja. Entonces Fidel se sienta y escucha en silencio.

Castro ha viajado por varios países tanto antes como después de ser presidente de Cuba. Ha estado en seis ocasiones en Estados Unidos, doce en la Unión Soviética, ha viajado más que cualquier otro líder comunista por Africa, Angola, Etiopía, Argelia. Ha recorrido buena parte de los países de América Latina. Pero ese mes de agosto de 1988 le hizo una confidencia al representante español en la toma de posesión de Rodrigo Borja, el entonces vicepresidente Alfonso Guerra.

Castro y Guerra se encontraron en diversos actos y conversaron amistosamente. Guerra nos diría luego a los periodistas españoles:

—Fidel tiene unos deseos enormes de ver la tierra gallega donde nació su padre. Piensa que se le van los años y no realiza ese sueño.

Guerra informó también que Castro se había hecho construir un rincón gallego en La Habana, pero que lo visitaba cada vez con menos frecuencia porque le daba "morriña". Quería ver la tierra original, no una copia.

El vicepresidente español, que había sido actor de teatro en su juventud, confirmó las dotes de "gran actor" de Castro y cómo éste se había ganado a los presentes en la toma de posesión de Borja, incluso "a sus teóricamente oponentes políticos más destacados".

En algunos de sus viajes al exterior ha tenido contratiempos que ha salvado con habilidad. En la toma de posesión del presidente brasileño Fernando Collor de Mello, Castro se cruzó con el presidente paraguayo general Andrés Rodríguez, quien le echó en cara su desfachatez por vestir uniforme militar en aquella ceremonia civil. Paraguay es el único país de América Latina que no ha restablecido aún relaciones con Cuba.

Fidel dejó pasar el tema. Poco después ambos coincidieron en otro salón. Fidel dijo en un tono suficientemente alto:

—¡General!

Inconscientemente, el general Andrés Rodríguez volvió la cabeza. Fidel apuntilló la jugada:

—Ya ve, presidente: el militarismo no es un problema de uniformes, sino de mentalidades.

En otras ocasiones, Fidel ha sido cortés con sus aparentes enemigos políticos, como el presidente panameño Guillermo Endara. Tras el discurso de éste en la I Cumbre de Jefes de Estado de Iberoamérica, celebrada en la ciudad mexicana de Guadalajara, en 1991, Fidel aplaudió a Endara. Diría más tarde:

—¿Quién iba a decir que yo aplaudiría algo que viniera del representante de Panamá? Pero apoyé con toda decisión las declaraciones que hizo Endara. Aplaudí que el 31 de diciembre de 1999 el Canal de Panamá pasaría a manos de los panameños y que no renegociarían los Tratados del Canal.

Un año más tarde, en Río de Janeiro, sería el presidente George Bush quien aplaudiría a Castro.

Fidel, vestido con el uniforme de gala, se dispone a pronunciar el discurso más corto de su vida: cuatro minutos y medio. Docenas de presidentes de los 178 países representados en la Cumbre de Río le escuchan atentamente. Dice que se debe pagar la deuda ecológica y no la deuda externa. Que debe desaparecer el hambre, pero no el hombre. Se le escucha con atención porque Castro siempre concita interés. A punto de terminar su breve intervención, afirma:

—Cuando las supuestas amenazas del comunismo han desaparecido y no quedan ya pretextos para guerras frías... (18).

Los aplausos interrumpen a Castro. Uno de los que aplauden es George Bush.

Fidel sonríe.

A finales de 1988, Fidel Castro estaba feliz porque Ronald Reagan debía abandonar la Casa Blanca. Su lugar sería ocupado por George Bush, un hasta entonces aparentemente pusilánime vicepresidente.

En algunas de sus intervenciones de aquellos días finales del 88, Castro dijo: "siempre es preferible un hombre pragmático" como Bush. "Pero vamos a esperar los hechos", amplió.

Los hechos demostraron que Bush, al igual que los siete anteriores inquilinos de la Casa Blanca con los que había tenido que lidiar, iba a seguir al pie de la letra los enunciados que en política exterior mantienen los Estados Unidos. Mucho más todavía si se trata de Cuba. Con Cuba, sólo hay un arreglo: que se vaya Castro.

Para los Estados Unidos, la presencia de un enclave socialista a diez minutos de vuelo en *jet* de sus costas es simplemente inaguantable. Desde el general Dwight D. Eisenhower, el primer presidente que Castro encuentra en Washington cuando accede al poder, hasta George Bush, todos se marcarán un mismo objetivo: echar a Castro a patadas.

Lo mismo da si el presidente de turno es demócrata o republicano. Para Estados Unidos, el interés nacional está por encima de la ideología —por otro lado tan difusa entre uno y otro partido.

Así, mientras el republicano Eisenhower, héroe de la II Guerra Mundial, ordena la elaboración de un proyecto de invasión de la isla poco después de que Castro llegue al poder, será un presidente demócrata, aparentemente liberal, John F. Kennedy, el que lleve a cabo el ataque planeado por la CIA en Bahía de Cochinos.

El derecho a la libre determinación de los pueblos parecía importar poco a Washington. El mundo se había repartido en dos mitades tras la Gran Guerra y la espina de una Cuba roja simplemente no podía permitirse.

Por ello, si había que asesinar, se asesinaba.

En los primeros años sesenta, los norteamericanos planearon docenas de atentados contra Castro, algunos de ellos esperpénticos.

Aunque los cubanos exageren el número de atentados que el gobierno de Washington planeó contra Castro, fueron tantos y tan burdos que hasta los más encendidos enemigos de Fidel los reconocen, aceptan y escriben sobre ellos.

Por ejemplo, Carlos Franqui.

El ex colaborador de Castro y ahora feroz anticastrista enumera algunos: 1959, intento de asesinar al mandatario cubano arrojándole granadas en Nueva York cuando se disponía a hablar en un mitin, previo pago de 150.000 dólares; 1960, intentan matar a Fidel con unos puros explosivos descubiertos por la policía norteamericana; 1961, uno de los ayudantes de Fidel planea dispararle cuando llegue a la Universidad; 1971, un anticastrista se hace pasar por periodista cuando Fidel viaja a Chile: en el interior de su inocente cámara de fotos se esconde una pistola, pero el falso periodista se asusta cuando tiene al objetivo enfrente...

Una Comisión del Senado de los Estados Unidos que estudió en 1967 los planes de la CIA para atentar contra mandatarios extranjeros, dedicaba una parte importante a Fidel Castro.

El informe decía:

—Hemos descubierto pruebas concretas sobre al menos ocho complots para asesinar a Fidel Castro entre 1960 y 1965 en los cuales ha estado involucrada la CIA (19).

Los métodos ideados por la CIA para eliminar a Castro son dignos de un guión de los hermanos Marx: píldoras venenosas, polvos con mortíferas bacterias, exótico molusco con bomba dentro para ser colocado donde Castro pescaba, un traje de buzo envenenado, bolígrafo con aguja hipodérmica envenenada... Y así un largo etcétera.

Como todas estas extraordinarias invenciones fallaban, se pensó en ridiculizar a Fidel en público para que bajara su popularidad: rociar el estudio de grabación de televisión con un agente químico que tenía efectos similares a la droga ácida LSD, o rociar uno de sus puros con una sustancia química que producía desorientación temporal para que hiciera el imbécil mientras se dirigía al país por televisión.

Con estos antecedentes, ¿es extraño que Fidel Castro y sus seguidores consideren a los Estados Unidos como el país más perverso de la tierra, y desde luego su principal enemigo?

En 1988, una joven agresiva del clan de los Kennedy, María Shriver, reportera de la cadena televisiva NBC, entrevistó a Fidel en La Habana. Fidel le dijo al poco de empezar:

—Nos hemos quedado con el honor de ser uno de los pocos adversarios de los Estados Unidos.

La periodista preguntó si realmente ése era un honor. Castro le replicó:

—¡Claro que lo es! Porque que un país tan pequeño como Cuba tenga a un país tan gigantesco como los Estados Unidos tan obsesionado con esta pequeña isla... un país que ya no se considera adversario de la Unión Soviética, no adversario de China, pero sigue considerándose adversario de Cuba... es un honor para nosotros (20).

Otra periodista americana de gran renombre, Barbara Walter, le comentó un día a Castro que habían sido los Estados Unidos los que le habían llevado al comunismo. Herido en su amor propio, Fidel contestó:

—Nadie me llevó a mí a ninguna parte.

Lo inexplicable para observadores imparciales de las relaciones Estados Unidos-Cuba es por qué ese empecinamiento de Washington en seguir apretándole el cuello a Fidel, con la clarísima intención de asfixiarlo hasta la muerte —ya que no lo consiguieron con bolígrafos y puros envenenados, ensayaron el bloqueo comercial—; cuando han negociado en los ultimos años con enemigos muchísimo más poderosos, como la ex Unión Soviética o la China comunista.

Cuando viví en Washington escuché un mensaje de Ronald Reagan dirigido a su país, cuando aún ocupaba la Casa Blanca. Dedicó buena parte de su discurso, mucho más corto que los de Fidel y también menos excitante, a atacar a la Nicaragua sandinista. Dijo una frase que se me quedó grabada para siempre:

—No habría ningún arreglo con Nicaragua hasta que el presidente nicaragüense Daniel Ortega no pronunciara las palabras finales de un boxeador seminoqueado: "said uncle". Tiro la toalla. Me rindo.

Jamás se había visto tanta visceralidad en la gran potencia contra un pequeño país como en el caso de Nicaragua. Salvo con Cuba. Cuba es una cuestión de orgullo nacional para los inquilinos de la Casa Blanca.

Lo que no parece saber el presidente de turno norteamericano es que cuanto más aprieten a Castro, más argumentos le dan para mantener a su pueblo en pie de guerra.

Y para perpetuarse en el poder.

En una de mis conversaciones con Roberto Robaina, primer secretario de la UJC y miembro del Buró Político, me dijo por qué la mayoría del pueblo cubano seguía confiando en Fidel:

—Nuestro pueblo no está acostumbrado a traicionar a los hombres que han jugado un papel tan importante en nuestra historia.

Para este joven dirigente cubano, el ciento por ciento del pueblo no apoya a Fidel, a la Revolución: "te puedo decir con toda seguridad que hay gente que no lo soporta". Pero la inmensa mayoría, millones de cubanos, están con el hombre que luchó para ofrecer al pueblo lo que hoy tienen y todos conocen.

Representante de la tercera generación de la Revolución cubana, Robaina no tiene empacho en llamar a Fidel "padre".

En el "Manifiesto de Abril" de 1992, proclamado tras el VI Congreso de la UJC, se lee este párrafo que lleva el sello inconfundible de Robaina:

—Esta juventud proclama que honra con fervor a José Martí, respeta y admira a sus héroes y mártires, sigue sin titubeos a Fidel y lo quiere de todo corazón como se quiere a un padre entrañable (21).

Le pregunté a Robaina si no era malo tener ese sentido reverencial hacia el comandante Castro. Si su pertenencia al Buró no le impide hablarle con claridad a Castro. Roberto Robaina al contestarme me dio una clave más de la personalidad del comandante:

—No. El busca puntos de vista diferentes. Lo que pasa es que hay que discutirle. El dice a veces que hace de abogado del diablo: tira una rueda en una discusión, muchos piensan que eso es lo que él opina y le siguen la corriente, luego él recoge pita (cuerda) y resulta que no, que él pensaba otra cosa. Fidel necesita de gente que discuta sus puntos de vista.

Para muchos anticastristas esto es un imposible. Ven en Fidel una persona absolutamente dictatorial —"no me considero ningún dictador", dijo el 26 de junio de 1991 en una entrevista a la televisión chilena— incapaz de compartir puntos de vista con nadie. Sin embargo, tanto García Márquez como el más alejado Tad Szulc destacan de la personalidad de Fidel una cualidad: cuando su interlocutor tiene algo interesante que decir, cierra la boca y escucha.

La gran incógnita de este hombre es: ¿piensa realmente que él puede triunfar allí donde otros han fracasado? ¿Es posible la existencia de un islote rojo y socialista en mitad del mundo occidental, en pleno Atlántico, a un tiro de ballesta de Estados Unidos, en la ruta hacia la vieja Europa, pegada al continente latinoamericano cada día más liberal y sumada a la corriente democratizadora?

Fidel piensa que sí.

Fidel inventó una palabra, "el desmerengamiento", para referirse a los países socialistas del Este europeo y a la propia Unión

Soviética que se desarticularon al sentir en sus carnes los primeros problemas serios.

Pero Cuba no es un merengue. No lo es porque "somos de hierro", afirma Castro, y el hierro no se desmerenga.

Con su amigo el comandante sandinista Tomás Borge habló sobre si Cuba representaría en algún momento el resurgimiento de un nuevo socialismo a nivel mundial. Castro contestó:

—Estamos defendiendo unos principios que tienen un valor inmenso, extraordinario, en un momento de confusión en el mundo, de oportunismo, de acomodamiento de muchos políticos, de apoteosis, se puede decir, del poder militar y político del imperialismo..., pero si somos capaces de vencer, como sin duda venceremos, porque sería imposible exterminar a millones de hombres decididos a luchar, eso tendría un gran valor.

¿Si vencen, Castro seguirá de por vida al frente de Cuba?

Esa es la eterna cuestión que desde hace treinta y tres años se plantean en Miami.

Porque si para los castristas Fidel es el mejor dirigente del mundo, "un cerebro, chico", como dicen en Cuba, o "un hombre inteligente y sabio" como me lo definió su hermano mayor Ramón, para los cubanos del exilio Fidel es, entre otras muchas cosas, un loco.

—Evidentemente, tiene rasgos paranoicos: desconfianza patológica, delirios de persecución, crisis maníacodepresivas, accesos eufóricos, hiperactividad motora y oral, episodios de furia transitoria (22).

El diagnóstico es de Carlos Alberto Montaner, escritor, periodista, presidente de la Unión Liberal Cubana y miembro importante de la Plataforma Democrática Cubana. Exiliado desde 1961, Montaner se perfila como el opositor más destacado de Castro y una de las plumas más aceradas a la hora de enjuiciar al que en una época fuera amigo de su padre.

Preguntar por Fidel en Cuba es inútil: ¿cómo separar el trigo de la paja? ¿Cómo saber si el que contesta practica la bautizada por el régimen "doble moral"?

Preguntar por Fidel en Miami tampoco aclara mucho las cosas. Sólo unos pocos opositores de Castro consiguen reconocer alguna de sus virtudes. Una mañana de marzo de 1991 pasé largas horas con Ricardo Bofill, presidente del Comité Cubano pro Derechos Humanos.

—Castro es capaz de envolver a cualquiera con sus argumentos, algunos de los cuales son sofismas. Pero no cabe duda de que es un hombre extraordinariamente persuasivo en el contacto personal. Te pone la mano encima y parece que es un amigo tuyo. Te pregunta por la abuela tuya, si se partió una pierna, ¡carajo, qué tipo!

Bofill, que fue profesor de marxismo en La Habana antes de

exiliarse (ver capítulo "Los exiliados"), afirma que Fidel no es marxista-leninista y duda de que siquiera haya leído las obras de Lenin.

—Fidel es castrista y ha convertido a Cuba en un país castrista. Lo que se estudia en las escuelas, en los CDR, en todas partes, son los discursos de Fidel. Vaya usted a la Facultad de Filosofía de La Habana: han regresado a un librito del "Che" llamado *El pensamiento económico del "Che"*, lleno de utopías y desprecio. El "Che" era arrogante y despreciativo hacia los humildes....

Bofill se acelera hablando de este tema. Se golpea las manos. Continúa:

—El "Che" quería hacer una revolución por arriba, con unas personas, un hombre nuevo, que no existe en carne y hueso: un hombre nuevo que no quiere tomarse cuatro rones, ni templarse (hacer el amor) a una mujer que no sea la suya, que va al trabajo y sin que nadie lo vigile trabaja diez horas en vez de ocho, que cobra al final de la semana y deja la mitad de la paga para el Partido... ¡Pero no jodas, chico! Ese hombre no existe y Fidel se empeña en que sí.

Otro que piensa que Fidel nunca ha sido marxista es Hubert Matos, ex comandante de la Revolución, quien fue detenido por el propio Castro a los pocos meses del triunfo revolucionario, y condenado a veinte años de cárcel, que cumplió. Hoy conspira contra Fidel desde Miami. Así me definió a Fidel:

—Castro ha resultado ser un gran farsante. En su juventud se presentó ante el pueblo de Cuba y la opinión internacional como un revolucionario, lleno de aspiraciones, de deseos de redimir al pueblo cubano. Su mensaje estaba lleno de profundas reformas sociales, de defensa de la libertad y de la justicia. Prometió elecciones libres en unos meses que no celebró. Cuando llegó al poder se descubrió lo que era: un déspota, cuya principal misión era perpetuarse en el poder.

La mejor forma para ello, según Matos, fue declararse comunista. Así obtuvo el apoyo de la ex Unión Soviética y así logró estar más de tres décadas en el poder.

En su oficina de la editorial Playor, de Madrid, Montaner me contaría una anécdota reciente en la que está involucrado un amigo de Fidel, Gabriel García Márquez:

—García Márquez me dijo que él no podía concebir a un Castro que discutiera su poder con otro mortal. Que era más fácil pensar que algún día se retiraría voluntariamente a pensar que algún día tendría que sentarse a discutir el futuro de Cuba con otros cubanos.

Para Montaner, el empecinamiento de Castro en mantener el socialismo en la isla, cuando se ha visto cómo fracasó estrepitosamente en Europa, se debe a que Fidel cree que los cubanos deben

pagar un alto precio para lavar los pecados del mundo, los pecados del capitalismo. La redención.

—Es una especie de reedición de todas las teorías religiosas
existentes. Sus discursos están llenos de llamamientos de ese tipo:
voy a sacrificarme, hay que sacrificarnos, muerte, vamos a morir
todos, los pioneros, los jóvenes, todo el pueblo.

¿Solución?

En Washington, en Miami, en Madrid, en docenas de capitales
del mundo diseñan una solución que no cuenta por supuesto con
el apoyo de Castro. Porque Castro ya tiene la suya propia: perfeccionar el socialismo, sobrevivir, aguantar los malos tiempos y vencer.

Ernesto Betancourt, que fue director de la emisora anticastrista
Radio Martí, después de haber trabajado para el gobierno de Castro en los primeros meses de la Revolución, escribió un librito titulado: *El liderazgo cubano después de Castro.*

Se trata de un estudio en donde se diseñan los posibles escenarios del proceso cubano. Betancourt señala estos tres:

1. Muerte de Fidel Castro por causas naturales o a causa de una
acción violenta, sin que exista una conspiración organizada detrás.

2. Muerte de Fidel Castro como resultado de una revuelta interna.

3. Sustitución o muerte de Fidel Castro como resultado de un
movimiento drástico de los soviéticos, similar al de Granada, Afganistán o Yemen del Sur (23).

De las tres premisas, sólo quedan dos. ¿Son posibles? ¿Si no lo
han sido en treinta y tres años, lo podrían ser ahora? ¿La asfixia
económica puede derribar a Fidel? Cuando cayó Nicolae Ceaucescu en Rumanía, en la Navidad de 1989, nadie apostaba una semana más por Castro en el poder. Pero ahí sigue. ¿Podría hacerlo
caer un aumento de la presión norteamericana?

Nadie sabe.

Sus fieles en La Habana cuentan esta anécdota atribuida a
Edén Pastora, el mítico Comandante Cero de la revolución sandinista:

—Fidel no se cae ni de la cama.

NOTAS

(1) *Excelsior,* 30 de mayo de 1992, México D. F.

(2) *Este es el Congreso más democrático.* Editora Política. La Habana, 1991.

(3) Tad Szulc: *Fidel. Un retrato crítico.* Ediciones Grijalbo. Barcelona, 1987.

(4) Georgie Anne Geyer: *El patriarca de las guerrillas.* Cosmos Editorial, S. A. México, 1991

(5) Jaime Suchlicki: *Historical Dictionary of Cuba.* The Scarecrow Press Inc., Metuchen, N. J., and London, 1988.

(6) *Realidad de Cuba.* Número 28, 11-17 de mayo de 1992, México.

(7) Carlos Franqui: *Vida, aventuras y desastres de un hombre llamado Castro.* Editorial Planeta. Barcelona, 1988.

(8) Gianni Mina: *Habla Fidel.* Compañía Editorial. México, 1988.

(9) *Excelsior,* días 4 y 7 de noviembre de 1991, México.

(10) *Cambio 16,* número 896, 3 de enero de 1989, Madrid.

(11) *Habla Fidel.*

(12) Azucena Valderrábano: *El Nacional.* 13 a 19 de noviembre de 1991, México.

(13) *Excelsior,* 30 de mayo de 1992, México.

(14) Ander Landaburu: "Cuatro horas en La Habana con Fidel Castro". *Cambio 16,* número 783, 1 de diciembre de 1986, Madrid.

(15) *Cambio 16,* número 970, 25 de junio de 1990.

(16) *Adelante, Juventud. Orgullo de la Patria.* Editora Política. La Habana, 1991.

(17) *Granma,* 4 de febrero de 1990, La Habana.

(18) *Diario 16,* 13 de junio de 1992, Madrid.

(19) *Informe Central. I, II y III Congresos del Partido Comunista de Cuba.* Editora Política. La Habana, 1990.

(20) *El patriarca de las guerrillas.*

(21) *Trabajadores,* 6 de abril de 1992, La Habana.

(22) Carlos Alberto Montaner: *Fidel Castro y la Revolución cubana.* Editorial Playor. Madrid, 1983.

(23) Ernesto Betancourt: *Cuban Leadership after Castro.* Institute of Interamericans Studies. University of Miami, Miami, 1988.

6

EL RELEVO

Si caigo en el camino
hagan cantar mi fusil
y ensánchenle su destino
porque no debe morir.
Si caigo en el camino,
como puede suceder,
que siga el canto mi amigo
cumpliendo con su deber.

Silvio Rodríguez
(*Canción para un soldado*)

Fidel es mortal.

Puede que su Revolución, tan personal, no llegue a serlo. Pero él sí que lo es.

Por ello hay que pensar en su sucesor. Para todo el mundo está claro que será Raúl Castro Ruz, su hermano menor. Raúl es el número dos en el Consejo de Estado, en el Consejo de Ministros, en el Partido Comunista. Es el ministro de las Fuerzas Armadas Revolucionarias (FAR) y el jefe de mayor rango militar, general de Ejército. Controla además el importante Ministerio del Interior.

Cinco años más joven que su hermano Fidel, Raúl Castro, de sesenta y un años, se hizo comunista mucho antes que su hermano: desde que tenía veintidós años. Aunque no era un intelectual, mantuvo una buena relación con el desaparecido Ernesto "Che" Guevara. Les unía su radicalismo político.

Su propio hermano le creó fama de duro. Fidel dijo en los años sesenta que si él era asesinado, alguien más duro ocuparía su lugar: su hermano Raúl. Su discurso en los funerales de cuatro soldados asesinados por un grupo de cubanos que pretendían escapar a Miami, a comienzos de 1992, reafirmó la convicción generalizada de que Raúl es un duro: "Quien a hierro mata, a hierro muere", dijo entonces.

Sin embargo, para muchos cubanos Raúl es un hombre divertido, que se autodefine como jaranero y bromista. Es también un organizador nato. Prueba de ello, su máxima obra: el Ejército cubano.

Un hombre que estuvo a su lado muchos años, como jefe de despacho, se perfila también como uno de los dirigentes de mayor futuro en Cuba: Carlos Aldana Escalante, de cincuenta años. Periodista, poeta, ideólogo, Aldana ha realizado estudios militares en Moscú y La Habana. Conoce a fondo el Ejército, sobre todo desde el punto de vista ideológico. El Partido es su terreno de juego favorito, y en donde luce con brillo propio: como miembro del Buró Político tiene a su cargo el Departamento Ideológico, las Relaciones Internacionales y el Departamento de Educación, Ciencia y Deporte. Es responsable de los medios de comunicación cubanos.

Si Raúl Castro es el genuino representante de la generación histórica, Aldana lo es de la generación intermedia, con un pie en la histórica, ya que siendo un adolescente de dieciséis años se sumó el Ejército rebelde.

Carlos Lage y Roberto Robaina son dos hombres jóvenes de cuarenta y uno y treinta y seis años, respectivamente, con muchas cosas en común: han sido presidentes de la Federación de Estudiantes Universitarios (FEU) y ambos también han dirigido a la Unión de Jóvenes Comunistas (UJC). Los dos han tenido un ascenso rápido en el aparato cubano. Lage es el brazo derecho de Fidel Castro para los temas relacionados con la economía. Roberto Robaina controló a la juventud y luego la imagen exterior de Cuba como ministro de Relaciones Exteriores.

Aunque no existe carrera por el poder aún en Cuba, a estos cuatro hombres hay que observarlos atentamente.

Son o pueden ser el relevo.

RAUL, EL NUMERO DOS

Tiene cara de pícaro. Los ojillos pequeños son vivaces. El bigote, lejos de endurecer su rostro, casi lo suaviza. Sólo cuando se miran las cuatro estrellas de cinco puntas sobre sus hombros ya un poco caídos se siente el poder que hay tras el uniforme verde olivo.

Durante las primeras horas de la mañana ha estado serio, como corresponde al único general de Ejército que hay en esta isla roja de Cuba.

Más tarde, el general se transformaría en un guía turístico de lujo, que enseña a sus ilustres invitados la fortaleza restaurada de San Carlos de la Cabaña, contigua al Castillo de los Tres Santos Reyes Magos del Morro. Saldrá a relucir entonces el cubano zumbón, campechano y guajiro que se esconde bajo el escudo protector del uniforme, los ayudantes, los guardaespaldas y el protocolo.

Pasamos a la sala de tortura, situada en los antiguos cuarteles que dan a la plaza de Armas. Al fondo de la sala hay un garrote vil. No había visto uno en mi vida, salvo en fotos.

El general se acerca. Lo manipula. Juega con la barra de hierro vertical.

—¡Miren aquí, este es el garrote vil!

Nos acercamos. El general levanta un poco la voz y dice señalando el asiento de hierro:

—¡Tráiganme a Bush para acá!

Los invitados ríen. Estoy a un par de metros escasos del general. Con mi grabadora encendida. El general observa el puntito rojo centelleante que indica que sus palabras están siendo registradas. Medio en broma medio en serio se dirige a mí y me dice:

—¡Oiga, no se me ponga a publicar eso! No vaya a considerar el presidente que es una ofensa...

Los invitados sonríen. Yo pensé: me han fastidiado una buena crónica para mi periódico, *Diario 16*, de Madrid. Todo iba a las mil maravillas, pero ¿quién se atreve a desobedecer una orden de Raúl Castro Ruz, sesenta y un años, general de Ejército de Cuba, ministro de las Fuerzas Armadas Revolucionarias, vicepresidente de los Consejos de Estado y de Ministros, segundo secretario del Partido Comunista de Cuba?

En definitiva: el número dos de la isla.

Sonrío y me callo. El general Raúl Castro sigue manipulando ese terrible armatoste llamado garrote vil. Sujeta la barra que al ser girada cerrará lentamente el collar de hierro en torno al pescuezo del infeliz que sea sentado en la silla de respaldo frío y vertical.

—Este garrote —sigue explicando el general que actúa como guía de lujo— es una réplica de uno que está en Matanzas. (¡Vaya nombre!)

Raúl cuenta que cuando se decidió construir dos restaurantes para turistas extranjeros en las zonas aledañas a las fortalezas del Castillo de los Tres Santos Reyes del Morro, popularmente conocido como "el Morro" y del Castillo de San Carlos de la Cabaña, conocido simplemente como "La Cabaña", encontraron un garrote vil original. Pero algún albañil pensó que aquella vieja silla de hierro era chatarra inservible y la arrojó al mar, que está a los pies de la fortaleza, bañando sus recios muros.

Mientras Raúl sigue jugando con el garrote, dice:

—Esta es una muerte bastante rápida.

—¿Sí? —digo por decir algo, pues me repugnan esos artefactos.

—Pregúntales a los españoles...

Raúl sabe que sólo cuatro periodistas, de ellos tres españoles, hemos conseguido entrar con el reducido grupo de invitados, la mayoría diplomáticos, a los que el jefe supremo de las FAR enseña el nuevo museo de La Cabaña.

—Espérate —me dice, mientras hace girar la barra vertical del garrote.

Se escucha un seco chasquido.

—¡Ya! Fíjate qué rápido es.

Si alguien hubiera tenido el pescuezo en ese anillo de hierro, habría muerto en décimas de segundo. Mucho más rápidamente que los ajusticiados en Estados Unidos con modernos gases o inyecciones letales.

—¿Qué? ¿Sentamos a Bush aquí?

Los invitados sonríen de nuevo. Yo me tiro de los pelos. No puedo publicar nada de todo esto. Es absolutamente "off the record". Raúl sigue haciéndome rabiar:

—Algún día lo vamos a juzgar aquí por terrorista.

El piloto rojo de mi grabadora sigue centelleando. Raúl lo mira de nuevo. Y da un último aviso:

—No me publiquen nada de eso, ¿eh?

Cuando salimos de la sala de tortura, Pascal Fletcher, un reportero hábil y trabajador insaciable de la agencia británica Reuter, me dice:

—Oye, ¿lo mandamos?

Le contesto:

—¡Estás loco! Raúl nos ha advertido dos veces para que no publiquemos nada de esto. Nos dejaron entrar hasta aquí con la condición de mantener la más absoluta discreción.

Es decir, no poner en palabras de ninguno de los presentes las cosas que allí se decían. Mucho menos cuando te lo recordaban de forma tan insistente. Y firme.

¿Por qué lo hago público ahora?

Muy sencillo: ese día comencé a conocer parte de la personalidad del hombre más hermético de la Cuba roja y socialista. Además el impacto de esas palabras en una breve crónica de periódico es mucho mayor que el que pueda causar ahora, sobre todo porque se puede explicar que Raúl Castro se había pasado todo el rato bromeando con unos y con otros y que las referencias al presidente norteamericano fueron hechas en ese contexto.

Cuando hice mi primer viaje a Cuba, en 1978, para informar sobre el IX Festival Internacional de la Juventud, y luego cuando comencé a frecuentar la isla a partir de 1988, siempre me sedujo

Raúl Castro. No hacía declaraciones. Apenas si pronunciaba discursos. Para el exterior, Raúl interpretaba el papel de malo de la película. Fidel era el bueno.

Cuando comencé a relacionarme con personas del círculo que rodea a Raúl, más de uno me dijo:

—¡Chico, si algún día te empatas con Raúl, no te suelta en toda la noche!

Si uno se empata, es decir, coincide y congenia con otro. Lo malo es que no es tan fácil empatarse con el número dos de Cuba. Si uno se empata con Fidel, le esperan largas horas de conversación sobre produción agrícola, avances biotecnológicos, desarrollo de los sistemas de riego, interpretaciones del hundimiento del socialismo europeo, la unipolaridad del mundo actual, la vigencia del pensamiento de Marx, y docenas de citas de José Martí.

Dicen quienes han tenido la oportunidad de empatarse con su hermano pequeño Raúl que lo que le esperaría sería, tras un tiempo prudencial de conversación sobre temas de la actualidad política, un relajo. Es decir, una noche amena, donde no faltarán los chistes, las chanzas, el traguito de ron.

—Fidel es un genio, pero Raúl es el más cubano de los dos. ¡Es candela, chico!

Así me lo definió una persona que se ha empatado algunas veces con Raúl. Y pude comprobarlo personalmente, aunque a escala reducida, esa mañana soleada, bellísima, del 16 de abril de 1991.

Raúl había presidido en la Escuela de Artillería Comandante Camilo Cienfuegos, pegada al Castillo de la Cabaña, el XXX aniversario de la declaración del carácter socialista de la Revolución cubana. Desde hacía cinco años también en ese acto se entregaban los Machetes Máximo Gómez, un galardón que premia a los intelectuales que se han distinguido en la defensa de la Revolución.

Llegué a la Escuela de Artillería muy temprano. Docenas de soldados iban y venían de un lado para otro. Las instalaciones estaban impecables. Limpias. Alguien me señaló la casita de una planta que fue habitada por el "Che", el mítico guerrillero acribillado en Bolivia, en los primeros meses del triunfo revolucionario. Fue precisamente el "Che" quien tomó la fortaleza de La Cabaña el 4 de enero de 1959.

Hay grandes vallas con eslóganes y fotografías. El más grande, como de 20 metros de ancho, hace de pared de fondo de la tribuna donde se instalarán las autoridades y los premiados, y algunos, pocos, invitados. El gigantesco letrero recoge esta frase: XXX Aniversario del Carácter Socialista de la Revolución. Además hay un tanque gigantesco dibujado sobre fondo rojo. El cañón del carro de combate desborda la valla de madera y apunta hacia el cielo azul, limpio y brillante.

Son las ocho de la mañana. Sobre el verde césped de un enorme terreno, el doble del de un campo de fútbol, hay varias compañías de soldados perfectamente alineados. Detrás de ellos hay otro cartel enorme: "Como en Girón, salvaremos la Patria, la Revolución y el Socialismo".

Un día como hoy, 16 de abril, pero treinta años antes, más de un millar de cubanos entrenados por la CIA se preparaban para desembarcar en Playa Girón (Bahía de Cochinos). La invasión tuvo lugar al día siguiente. Fidel los derrotó en setenta horas.

En la presidencia del acto están Raúl Castro, su esposa, Vilma Espín, presidenta de la Federación de Mujeres de Cuba (FMC) y todavía entonces miembro del Buró Político del Partido; el ministro de Cultura e histórico de la Revolución, Armando Hart; el general Ulises Rosales del Toro, jefe del Estado Mayor; Carlos Aldana, ex jefe de despacho de Raúl y miembro del Buró, y Roberto Robaina, primer secretario de la Unión de Jóvenes Comunistas (UJC).

Entre la docena de intelectuales que van a ser premiados reconozco a Miguel Barnet, autor entre otras novelas de éxito de *Gallego*; su primo, el director de cine Enrique Pineda Barnet; Juan Fornell, el veterano fundador del grupo salsero Van Van, y el columnista de *Granma* Félix Pita Astudillo.

El acto se inicia con la entrega del despacho de sargentos a miembros de las Milicias de Tropas Territoriales (MTT), la organización cívico-militar que agrupa a millón y medio de cubanos. Hay todo un batallón de milicianos con sus típicos uniformes —camisa azul y pantalón verde olivo—. Un uniforme que, para el que no está informado, le sorprenderá ver después en todos los presentadores de la televisión oficial. Y es que hoy es el Día del Miliciano y todos los funcionarios se han vestido con el uniforme de las MTT para ir al trabajo.

Por los potentes altavoces de sonido suena un:

—¡En nombre del comandante en jefe los saludo!

Del campo de entrenamiento salen tres ¡Viiivaaa!, ¡Viiivaaa!, ¡Viivaaaaaa!, dicho con intervalos de décimas de segundo comenzando de izquierda a derecha, lo que produce el efecto de un gigantesco eco.

Se inicia el desfile. Los alumnos de la Academia de Artillería, hombres y mujeres, marchan juntos. Hasta hace poco tiempo las mujeres marchaban por separado, aunque formaran parte de la misma unidad militar. Me informa el teniente J. Martín que fue en Matanzas donde las mujeres presionaron para desfilar junto a los hombres y exigieron que se les pusieran las mismas metas que a ellos.

—Las compañeras de Matanzas eran muy aguerridas —comenta con orgullo el teniente Martín.

Miro a las compañeras de La Habana. Son un 10 por 100 del total de la Academia, una estadística que se repite en el resto del país. Mezcladas entre cubanos blancos, mulatos, claros y más oscuros, negros, sus rostros destacan entre la rudeza de sus compañeros. Pero desfilan con la misma energía, pegados codo a codo a sus compañeros. El fusil cruzado sobre el pecho con el cañón apuntando hacia el cielo sobre el hombro izquierdo. Los pies se levantan formando un ángulo con el suelo de casi 45 grados. Me recuerdan a los soldados soviéticos que hacían el cambio de guardia sobre el mausoleo de Lenin, en Moscú.

Termina el desfile. Aplausos. De repente, la voz de un niña. Se llama Yanetsy Alfonso García. No faltan nunca en estos actos. Tiene unos trece años. Ya bien desarrollados, como la mayoría de las cubanas. Viste su uniforme de escuela, faldita color mostaza y camisa blanca, Con voz aflautada pero potente, grita al viento de la mañana habanera:

> *Pagados están en dólares*
> *y en inglés tienen órdenes*
> *de que en Cuba ni un ensueño*
> *ni una flor, ni un árbol quede.*
> *Asaltan de noche oscura,*
> *para matar y esconderse*
> *pero el pueblo los achica*
> *los achica y los envuelve,*
> *los envuelve y los exprime*
> *y los exprime y los tuerce.*
> *Ante las balas que silban*
> *temerosas nalgas vuelven*
> *en el mar buscan refugios,*
> *mas las olas no los quieren*
> *sus barcos desmantelados*
> *son ruinas que el agua ofende.*

Es un poema épico que canta la victoria de las tropas castristas sobre los invasores cubanos entrenados por la CIA en Bahía de Cochinos. Lo escribió Nicolás Guillén. Y se titula *Abril sus flores abría.*

Observo a Raúl. Su rostro expresa satisfacción. Luego se fotografiará con la jovencita que recitó el poema y otra media docena que le piden posar junto a él. Ha entrado en la fase en que ha abandonado su rostro adusto y bromea con la brevedad de las faldas de las jovencitas, algunas de las cuales muestran ya unas piernas prometedoras.

—Me alegra de que volviera la moda de la minifalda. Entre otras cosas, ahorramos tela —dice el general.

Raúl está preocupado por el ahorro. Sabe que los tiempos serán duros. A una periodista le diría en la primavera de 1992 que quizá en unos meses encontraría a los soldados cubanos vistiendo camisetas y pantalones cortos. Para ahorrar tela.

La ceremonia, una típica actividad castrense cubana, sigue su curso.

Habla Félix Pita Astudillo, en nombre de todos los premiados. Félix es un periodista del órgano oficial del PCC, *Granma*, que tiene una pluma que más parece una navaja de Albacete y con quien he mantenido acaloradas y divertidas discusiones sobre casi todos los temas.

—Estamos en los umbrales del 500 aniversario del abordaje europeo al hemisferio americano, un hecho fatal según algunos, y fatídico para nuestra historia.

Miro a Félix, de piel inmaculadamente blanca. Alto, podría pasar perfectamente por un hijo de la burguesía catalana.

—Nadie podrá negar —continúa Félix— que desde entonces se nos impuso un modelo de economía periférico y dependiente. Ese capitalismo insolvente ayer e insolvente hoy se expresó políticamente en el colonialismo rapaz que el generalísimo Máximo Gómez combatió sin tregua.

Félix hará una referencia muy radical al final de la conquista española:

—Girón fue la línea divisoria de dos mundos contrapuestos. Allí terminaron con los dientes rotos y las armas abandonadas cuatrocientos setenta años de prehistoria cubana.

Después intervendrá el secretario general de la Central de Trabajadores de Cuba (CTC) y miembro del Buró Político, Pedro Ross Leal. Entrega un cheque a Raúl Castro de 33:500.000 pesos, recaudados voluntariamente entre los trabajadores para las Milicias.

Un soldado del Ejército Juvenil del Trabajo (EJT), Ernesto Acosta Velasco, explicará a Raúl "la hazaña agrícola" realizada en lo que se lleva de año por el EJT en Pinar del Río: han recogido 216.085 quintales de arroz y 3.246.156 de cajas de tomate. Entrega a Raúl un cheque por 105.156 pesos.

El último en hablar será Carlos Lage, una de las jóvenes figuras del panorama político cubano. Miembro del Buró y responsable de la economía del país, Lage mencionará entre otras cosas la posibilidad no deseada de que la Revolución varíe su rumbo:

—La isla sería un Condado de Florida, una subCuba, en la que medraría una suerte de viceburguesía que nos llenaría de oprobio, mezquindad y dolor.

Después la comitiva se dirigirá a los fosos de esta fortaleza que comenzó a construirse el 4 de noviembre de 1763, reinando entonces en España, la metrópoli, Carlos III.

Raúl contará una vieja anécdota protagonizada por el monarca español.

—Tardaron trece años en construir la fortaleza. Cuando al rey de España le pasaron la cuenta de lo que había costado el castillo pidió un catalejo. Dijo: "Quiero verla desde el balcón de palacio". Y le contestaron sus ayudantes: "Majestad, eso es imposible". Y el Rey replicó: "Una obra que ha costado tanto dinero tiene que verse desde Madrid".

En efecto, el Castillo de San Carlos de la Cabaña es una formidable fortaleza que el monarca español decidió construir después de que la ciudad de La Habana hubiera sido tomada por las tropas inglesas, el 11 de agosto de 1762, ocupación que duró unos meses.

Los ingleses pudieron penetrar fácilmente hasta el Castillo del Morro, que dominaba la entrada al puerto de La Habana, desde la entonces desértica Loma de la Cabaña. Los españoles decidieron construir en esa loma el Castillo de la Cabaña, lo que hizo prácticamente inexpugnable este conjunto de fortalezas.

La Cabaña, además de fortaleza, sirvió como prisión durante siglos. En sus calabozos perecieron muchos independentistas cubanos. Raúl recordará en el paseo turístico con sus invitados que los asaltantes del Moncada, entre los que estaban su hermano Fidel y él mismo, deberían haber cumplido aquí su condena. Pero a última hora se les trasladó a la isla de Pinos.

Con el triunfo de la Revolución, y hasta finales de los años setenta, la prisión de La Cabaña seguiría siendo utilizada. Muchos de los opositores a Castro pasaron por estas mazmorras. Hoy sólo hay algunos soldados de la guarnición cumpliendo arrestos menores.

En un foso similar a este de Los Laureles, donde va a tener lugar la ceremonia de entrega de los Machetes, fueron ajusticiados numerosos cubanos, tanto en la época colonial como en los primeros años de la Revolución.

La mayoría de los invitados han llegado al Foso de los Laureles. Entre ellos está el entonces embajador de la desaparecida Unión Soviética, Yuri Petrov, quien llegaría a ser meses más tarde uno de los hombres más cercanos a Boris Yeltsin. No hay ningún representante español.

En el foso de Los Laureles hay una placa o tarja, como la llaman en Cuba, que recuerda la muerte del poeta independentista Juan Clemente Zenea, fusilado el 25 de agosto de 1871 por las tropas españolas.

Se ha escogido este lugar para entregar a los intelecuales cubanos el Machete Máximo Gómez que honra la memoria de aquel héroe de la independencia. (El general Máximo Gómez fue con el general Antonio Maceo una de las dos figuras militares más importantes de la independencia cubana. José Martí sería la figura civil más destacada. El machete es el símbolo de guerra de los mambises, como se llamó a los insurgentes cubanos. El machete es también el símbolo del trabajo en Cuba: con él se corta la caña de azúcar, la popular zafra.)

El machete, de tamaño natural, está en el interior de una funda de cuero repujado. Dos gastadores toman el sable entre sus manos y levantando el pie casi hasta la altura de la cadera se aproximan hacia donde está el general Raúl Castro. La gruesa mata de pelo rizado que sobresale de los cascos de acero de los soldados revelan que son dos bellas mujeres.

Raúl toma el machete entre sus manos y se lo entrega uno por uno a los premiados. Hay un silencio sepulcral en este foso flanqueado por dos gruesos murallones —"esta gente sí construía bien", diría Raúl refiriéndose a los españoles—. El calor es sofocante. Dos generales soviéticos presentes en la ceremonia sacan sus pañuelos y secan sus gruesas gotas de sudor. Miro a Raúl y al igual que su hermano Fidel, o el resto de los cubanos presentes, no suda ni una gota. El calor no parece afectarles.

Cuando se termina el acto de entrega de machetes, desde una almena situada justo en la vertical de donde está la tarja del poeta Zenea, a unos 20 metros de altura, un soldado toca la trompeta. Algo así como el toque de silencio. Algunos de los premiados se emocionan.

Otros, como el director de cine Enrique Pineda Barnet ("La bella de la Alhambra"), conversan animadamente. Me cuenta Pineda, a quien se le nota encantado con su machete, que su abuelo fue corneta del general Máximo Gómez, y después José Martí apadrinó su boda.

En el Patio de Armas, desde donde se divisa una hermosa vista de la bahía de La Habana y de la entrada a su puerto hay una docena de cañones de la época colonial. Están custodiados por soldados vestidos a la usanza de la época, con casacas rojas y amarillas. Raúl se dirige a los soviéticos:

—Miren cómo respetamos nuestra historia.

Raúl y la comitiva se sitúan frente a un cañón bicentenario. Un oficial vestido con el traje del siglo XVIII grita con potente voz:

—¡Por el treinta aniversario de la Revolución socialista!

El cañón escupe fuego. El estampido es grande y rebota en la otra orilla del puerto habanero. La ceremonia, convertida ahora en un acto turístico que merece la pena ser visto, se repite todos los días al atardecer. En la época colonial, a las nueve en punto de la noche se disparaban los cañones para advertir a la población que las puertas de la fortaleza habían sido cerradas y el puente levadizo levantado. Nadie podía ya entrar o salir.

Raúl comenta con los militares soviéticos, ante lo lento que es el proceso de preparar la pólvora y disparar el cañón que "era mejor la caballería". Claro, dice después, que mejor aún es el invento de la ametralladora.

Sigue la gira por la zona convertida en museo de La Cabaña. Pasamos ante la capilla. Raúl bromea con el embajador soviético:

—Petrov, pasa a santiguarte y ten cuidado no te vaya a pedir limosna el padre Alfaro.

Hay una fuerte carcajada. Mauricio Vicent, un periodista español que reside en La Habana, explica que el padre Alfaro es uno de los protagonistas de la telenovela más popular que se ha transmitido jamás en Cuba. A las nueve de la noche todo el país se paraliza para ver "Roque Santeiro". Mauricio comenta con Raúl:

—Reconozca que está viendo "Roque Santeiro".

—Bueno, no exactamente —contesta Raúl—. Pero en casa la ve todo el mundo y me la cuentan. Veo algún día algún trocito y como son pequeños episodios es fácil de seguir.

Raúl dirá que Cuba, que fue la que inventó hace años los folletines televisivos, los hace ahora aburridos. Que los brasileños se han convertido en unos artistas. Pero que si quisieran los cubanos, historias para telenovelas podrían encontrar una en cada pueblo de la isla.

Terminado el recorrido, las Fuerzas Armadas ofrecieron un cóctel. A media mañana, con el calor sofocante que hacía en el exterior, los mojitos y los ron Collins entraban a pares por las gargantas resecas. Raúl sólo permaneció unos minutos en el amplio salón sobre el que se había extendido un buffet con lo más típico de la cocina criolla: cerdo frito, chicharrón de cerdo, plátano frito, boniato, pollo, quesitos.

Discretamente, por una puerta vi desaparecer a Raúl rodeado de generales.

El trabajo como ministro de las Fuerzas Armadas Revolucionarias (FAR) le esperaba.

Unas Fuerzas Armadas que había creado a fuerza de años de trabajo a su gusto y medida. Raúl se ocupó de las FAR desde el 16 de octubre de 1959, fecha en que se creó ese ministerio que sustituirá al Ministerio de Defensa.

Las FAR de aquel entonces estaban integradas por unos miles de personas que habían formado parte del Ejército Rebelde. Raúl recordará que en aquellos primeros meses "los barbudos de la sierra" eran tan ingenuos que incluso pensaron en imitar a Costa Rica y eliminar el Ejército:

—Eramos muy idealistas cuando triunfó la Revolución y hablamos de tener una pequeña fuerza, un ejército reducido, prácticamente pensamos disolverlo. Era idealismo puro, sobre todo sabiendo que íbamos a hacer cosas como la reforma agraria, y esto iba a desatar el pandemonium de los enemigos de la Revolución, porque iban a ser afectados muchos intereses (1).

Eliminar el Ejército era un imposible. Pero su hermano Fidel llegó a decir que había que reducir su número: pasar de los

39.000 hombres que llegó a tener el Ejército del derrotado Fulgencio Batista a 20.000.

Treinta años después, las Fuerzas Armadas Revolucionarias tendrán un total de 180.500 efectivos.

Hay un curioso antecedente "militar" en la infancia de Raúl: cuando sólo tenía cinco años, su padre, Angel Castro, decidió retirar del colegio local, La Salle, a los tres hermanos: Ramón, el mayor, Fidel y Raúl. Motivo: eran los más alborotadores de la clase.

A Ramón, al que le gustaba el campo y el ganado —y le sigue gustando y a eso se dedica en Cuba a sus sesenta y ocho años de edad— le encantó la decisión paterna. Se lo pasaba mejor en la finca familiar en las tareas agrícolas. Fidel lloró a su madre para ser enviado de nuevo a la escuela. El pequeño Raúl fue ingresado en una especie de escuela militar que regentaba un maestro que había sido sargento.

Así, desde jovencito Raúl se acostumbró a la voz de mando. A las formas, el estilo y la disciplina militar. A lo que no se acostumbró nunca fue a los colegios de curas, a los que tuvo que asistir siguiendo los pasos de su hermano mayor.

Cuando es enviado a la escuela de Dolores, en Santiago, un año después de estar en la escuela del maestro/sargento, Raúl sentirá un rechazo hacia la rutina implantada por los jesuitas en el colegio:

—Para mí era una cárcel. La escuela eran oraciones, la corbata, el temor de Dios. Pero realmente lo que agotaba mi paciencia eran las oraciones. Rezábamos desde la mañana hasta la noche (2).

Nacido el 3 de junio de 1931 en Birán, hijo de la segunda esposa de Angel Castro, Lina Ruz, Raúl sufrirá lo que tantos hermanos menores que tienen un hermano mayor de fuerte personalidad: estar casi siempre en un segundo plano.

Aunque su hermana Juana, exiliada en Miami, dice que Raúl era el favorito de ella y de su madre, por ser "delicado y cariñoso". Fidel era impetuoso y agresivo.

De Santiago, Raúl viaja a La Habana, también para estudiar en el colegio de jesuitas de Belén. No tuvo mucha fortuna tampoco en este colegio, pues no aguantaba la disciplina jesuítica y seguía quejándose de los rezos. Su padre lo retira del colegio y le obliga a trabajar en la finca, junto al hermano mayor, Ramón.

Será Fidel quien, conocedor de que el fracaso escolar de su hermano se debe al rechazo a los jesuitas y no a su capacidad intelectual, convence a su padre para que le dé otra oportunidad a Raúl. En 1949, el hermano pequeño regresa a La Habana e inicia su preparación para ingresar en la Universidad.

La política impedirá que Raúl termine sus estudios.

Si aún hoy existe una polémica sobre cuándo se hizo Fidel comunista, en absoluto hay duda de cuándo comenzó a militar Raúl:

en 1953 el pequeño de los Castro es uno de los jóvenes que desilusionados con el Partido Ortodoxo se suman a la naciente Juventud Socialista, de clara influencia comunista. Fidel había sido candidato del Partido Ortodoxo al Congreso un año antes, pero las elecciones fueron frustradas por el golpe de Batista.

En el mes de marzo de 1953 Raúl Castro viaja a Europa: Viena y Praga, donde se celebra el Festival Internacional de la Juventud, de clara influencia comunista. Muchos de sus biógrafos afirman que en ese viaje Raúl hizo una escapadita a Moscú, de donde regresó comunista convencido. Cuando llega a La Habana es detenido y puesto en libertad en unos días.

Cuando se encuentra de nuevo con su hermano Fidel, éste tiene ya muy avanzado su proyecto de asaltar el Cuartel Moncada, en la capital de la provincia de Oriente, Santiago de Cuba. Raúl se suma al proyecto de inmediato.

Pero el 26 de julio de 1953, si bien marca el inicio de un movimiento imparable contra la dictadura batistiana, es una fecha triste para el Movimiento de Castro: el asalto al Moncada termina en desastre.

De los 123 hombres que toman parte en la operación, Raúl y Fidel son de los pocos sobrevivientes: aunque sólo ocho atacantes fallecieron en el combate, el número total de muertos ascendió a 69. La policía de Batista no quería prisioneros heridos. Sólo cinco heridos lograron evadir la muerte.

Raúl había sido encargado de tomar el Palacio de Justicia, desde cuya terraza debía servir de apoyo a la columna principal mandada por Fidel, quien tenía que tomar el cuartel. Pero el automóvil en que viajaba Raúl con cinco hombres se perdió en una callejuela y cuando llegaron al Palacio de Justicia la pelea no sólo había comenzado ya en el Moncada, sino que se veía claramente que la batalla estaba perdida.

Raúl esperó unos minutos y cuando vio que su hermano se retiraba, hizo lo mismo. Primero intentó escapar en automóvil, luego a pie. Pensó que pasaría más inadvertido.

El joven Raúl —tenía entonces veintidós años— consiguió en dos días y dos noches caminar poco menos de 100 kilómetros, rumbo al norte de Santiago, donde se encontraba su pueblo natal, Birán. Estuvo a punto de evadir a la policía batistiana.

Pero cuando cruzaba un control de carretera en la población de San Luis es detenido por la Guardia Rural por indocumentado. Encarcelado, afirmó llamarse Ramón González. Era el 29 de julio.

Al día siguiente, un viajante de comercio que pasaba por el poblado fue requerido por el oficial de guardia para que intentara reconocer al joven preso. Al viajante no le cupo duda: "Ese es Raúl, el hijo de Angel Castro", dijo.

Trasladado a Santiago, Raúl será juzgado junto al resto de los asaltantes capturados. Fue condenado a trece años de prisión. Más tarde, su hermano, juzgado en solitario, será sentenciado a quince años.

En junio de 1955, Raúl y el resto de los asaltantes del Moncada son amnistiados. Pocos días después, el 17, Fidel ordena a su hermano que pida asilo en la embajada de México en La Habana. Hay dos órdenes de detención contra él y temen por su vida. Una semana después, Raúl Castro Ruz, con veinticuatro años de edad, inicia el camino del exilio.

México será su destino. Raúl es el primero de los 82 expedicionarios del *Granma* en llegar a la capital mexicana. El 7 de julio de ese mismo año, el hermano mayor, y futuro jefe de la expedición, arriba también a México.

Raúl le tiene preparada una sorpresa a su hermano que hará historia: le presenta a un médico argentino que ha luchado en Guatemala, de nombre Ernesto Guevara. Sería uno de los guerrilleros más famosos del mundo y el único presidente de un Banco Nacional emisor de moneda que firmara los billetes del Banco con un apodo: "Che".

A raíz de ese momento, la historia transcurrirá deprisa. Como un tornado caribeño.

Después de algo más de un año de duro entrenamiento, inicialmente bajo el mando de un viejo militar republicano español, el coronel Alberto Bayo, el grupo que rodea a Castro embarca el 25 de noviembre en Tuxpan, en el estado mexicano de Veracruz, rumbo a la gloria o la muerte.

De los 83 que desembarcan —naufragan, como dice el "Che", en los arrecifes de la playa Las Coloradas— sólo 16 lograran internarse en la cercana Sierra Maestra. Veintiuno caerán acribillados por el Ejército de Batista. Veintiséis son capturados. Cuatro más son arrestados un mes después. Los demás, entre ellos Mario Chanes de Armas, el preso político que más años pasó después en las cárceles de Castro, consiguen evadir el cerco del enemigo. Abandonan la sierra y se marchan a La Habana.

La Sierra va a marcar definitivamente el futuro de Cuba y el de Raúl Castro. De los dieciséis que logran subir a las altas cumbres e iniciar la pelea contra Batista, los que sobrevivan se convertirán en los dirigentes de la isla en las próximas tres décadas.

Están por supuesto los dos hermanos Castro. Están Juan Almeida Bosque y Ramiro Valdés. Estaban, pero murieron después del triunfo de la Revolución, el "Che" y Camilo Cienfuegos.

En la Sierra, Raúl desarrollará su enorme capacidad organizativa, que luego trasplantará al Ejército y al propio Partido Comunista (PCC). Además, bajo su mando se formarán jóvenes oficiales que hoy día ocupan como generales los puestos más altos de la milicia cubana.

A las pocas semanas de iniciada la lucha guerrillera, Fidel distribuyó sus escasos 300 hombres en seis columnas. Fidel mandará la bautizada como "José Martí" y Raúl la "Frank País", el coordinador del Movimiento 26 de julio en Santiago de Cuba, donde fue asesinado el 30 de julio de 1957 por la policía de Batista.

Al año siguiente, 1958, Fidel envía a su hermano Raúl a Sierra Cristal, donde se establece el llamado Segundo Frente Oriental. La Sierra Cristal está situada en la costa norte de la antigua provincia de Oriente, y abarcaba la zona de Birán, donde habían nacido los Castro.

Raúl paseará con sus hombres ante la casa familiar en el mes de abril de 1958, en el camino de Sierra Maestra a Sierra Cristal.

En ese segundo frente, Raúl establecerá su propio método de trabajo y una férrea disciplina. Allí se formaron importantes figuras de las actuales Fuerzas Armadas Revolucionarias (FAR). Algunos de los más destacados son:

– General de División Abelardo Colomé Ibarra, de cincuenta y un años. Después de ocupar altos cargos en las FAR fue designado ministro del Interior tras la detención de José Abrantes, uno de los indirectamente implicados en el caso de corrupción protagonizado por los hermanos De la Guardia, uno de ellos fusilado junto al ex general Arnaldo Ochoa. Está en posesión del título de Héroe de la República de Cuba, la máxima distinción que puede otorgarse a un ciudadano cubano. Miembro del Buró Político del PCC.

– General de División Ulises Rosales del Toro, cincuenta años. Actual Jefe del Estado Mayor General. Fue el presidente del Tribunal de Honor que juzgó al general Ochoa. Miembro del Buró Político. Peleó en la Columna Primera de Fidel y luego pasó el III Frente. Es uno de los pocos altos mandos del Ejército que no batalló junto a Raúl.

– General de División Leopoldo Cintras Frías, de cincuenta y un años. Jefe del Ejército Occidental, puesto que estaba destinado al fusilado general Ochoa. Miembro del Buró Político.

– General de División Julio Casas Regueiro, de cincuenta y dos años. Primer sustituto del Ministro de las FAR. Miembro del Buró Político.

– General de División Senén Casas Regueiro, de cincuenta y cuatro años. Ministro de Transportes, cargo en el que sustituyó a Diocles Torralba, acusado de corrupción en los mismos días en que explotó el caso Ochoa, aunque nada tenían que ver uno con otro. Miembro del Comité Central.

– General de División Rigoberto García Fernández, de sesenta y cuatro años. Viceministro de las FAR a cargo del Ejército Juvenil del Trabajo. Miembro del Comité Central.

Los hombres que pelearon con Raúl no sólo ocupan destacados puestos en las FAR, sino que cuando se produce el cese de dos ministros acusados de corrupción, el importante de Interior y el de Transportes, son los hombres de Raúl, considerados fieles a la Revolución y al propio ministro de las FAR, los que ocupan esos puestos.

De los 25 miembros del Buró Político elegido en 1991, seis son militares contando a los hermanos Castro. Los otros cuatro, generales, son hombres que sirvieron con Raúl. Aunque, que quede claro, todos los hombres de Raúl son también hombres de Fidel

Así, el control de Raúl sobre los uniformados cubanos es total. Sólo una persona manda más que él: su hermano Fidel. Pero en caso de una inesperada sucesión, Raúl tendría el control absoluto de los centros neurálgicos del poder. ¿Cuánto duraría? Eso nadie lo sabe.

No se olvide tampoco que en el Partido los hombres de Raúl ocupan puestos destacados: el caso de Carlos Aldana es sintomático. Influyente miembro del Buró Político, a cargo del Departamento Ideológico del PCC, fue jefe de despacho de Raúl. Y tras la sustitución de Isidoro Malmierca al frente del Ministerio de Relaciones Exteriores, otro de sus ex jefes de despacho, Alcibíades Hidalgo, pasaba a ocupar el número dos de la cancillería. Por sólo citar un par de ejemplos.

Comunista convencido desde que tiene veintidós años al menos, Raúl será el primer jefe guerrillero que enseñará marxismo a sus oficiales.

Esa era la tarea de las Escuelas de Instructores de Tropa, creadas por vez primera en el Segundo Frente de Raúl. Las clases estaban a cargo de militantes del entonces Partido Socialista Popular (PSP), que es en realidad un partido comunista, antecesor del actual PCC.

Con el triunfo de la Revolución, se formarán las Escuelas de Instrucción Revolucionaria (EIR), cuyo origen está en las escuelas guerrilleras de Raúl (3).

En la actualidad, el centro de estudios superiores del Partido recibe el nombre de Escuela Central Ñico López.

No es extraño: Ñico López, cuyo nombre completo era Antonio López Fernández, fue un humilde obrero de casi dos metros de altura que conoció a Fidel en los primeros años cincuenta convirtiéndose en uno de sus mejores y más fieles colaboradores.

Ñico López participó con otros 22 hombres en el asalto al cuartel de Bayamo, una ciudad situada a unos 150 kilómetros al noroeste de Santiago de Cuba, al mismo tiempo que Fidel atacaba el Moncada. Ñico fue uno de los diez sobrevivientes.

Fidel decidió atacar simultáneamente a Bayamo como elemento de dispersión del enemigo, pero también porque esa ciudad de la actual provincia de Granma se había distinguido en la lucha por la independencia. El himno nacional recoge precisamente en su primera estrofa la valentía de los habitantes de Bayamo: "Al combate corred bayameses...".

La policía le pisaba los talones a Ñico López. Tuvo que exiliarse el año 1953. En Guatemala conoció al médico argentino Ernesto Guevara. Será Nico quien presente al futuro y mítico "Che" a Raúl Castro. Los tres, especialmente el "Che" y Raúl, eran ya en los años del exilio mexicano comunistas convencidos. Más literario el "Che", y más hombre de partido Raúl.

El obrero gigantón no sobrevivirá a la siguiente aventura: tras el desastre del desembarco del Granma es capturado y ejecutado.

Hoy, la "universidad marxista" cubana por excelencia lleva su nombre. En la "Nico López" se imparten cursos de marxismo: desde un trimestre a toda una licenciatura de cinco años. Todos los altos dirigentes cubanos han pasado por ella.

Es curiosa la ubicación de la "Nico López": justo enfrente de la gran puerta que da acceso a la Marina Hemingway, el complejo turístico habanero por excelencia.

La Marina es el centro de la llamada "área dólar": hay tres restaurantes, dos discotecas al aire libre, tiendas de ropa, de perfumes, de alimentación, zapaterías, un hotel y bungalows. En sus muelles atracan los yates más lujosos que navegan por el Caribe y las noches se llenan de orondos ejecutivos extranjeros acompañados por bellísimas y jovencísimas mulatas cubanas.

A un cubano le está prohibido terminantemente el acceso a la Marina, a no ser que vaya acompañado de un extranjero. A veces, la policía cubana se instala en la puerta de acceso y hace redadas de jóvenes cubanas, a las que popularmente llaman "jineteras".

Aunque los comunistas cubanos no vieron al principio con buenos ojos la aventura de Fidel en la sierra, algunos de ellos se sumaron a los barbudos guerrilleros. La mayoría escogió pelear en el Segundo Frente de Raúl.

Uno de los primeros en llegar fue José Ramírez Cruz, alias "Pepe", un líder comunista del sindicato azucarero. "Pepe" recibió el encargo de Raúl de organizar en el Segundo Frente el adoctrinamiento de los campesinos de Sierra Cristal y los preparativos para la celebración de un Congreso del Campesinado.

En septiembre se celebró el Congreso. Según cuenta Tad Szulc, el discurso de Raúl dejaba ya traslucir su ideología. Al referirse a los burgueses que apoyaban al dictador Batista, los calificó como: "Reaccionarios, respaldados por capital extranjero; mantienen el tiránico y sanguinario régimen de Batista porque pueden enriquecerse a expensas del pueblo, aunque este apoyo extranjero signifique estrangular nuestra economía nacional".

La vida en la sierra era dura. Raúl le explicaba a la esposa del poeta español Rafael Alberti, María Asunción Mateo, que habían entrenado duramente en México y físicamente estaban en forma.

Personalmente, los hermanos Castro se habían acostumbrado a la
vida en el campo desde su niñez y sabían cabalgar y explorar montañas. (Fidel llegó a ser jefe de escaladores en el colegio de Santiago.)
    —En México aprendimos a disparar y algo de táctica de guerri-
lla. Pero no aprendimos una cosa que hoy saben nuestros pioneros exploradores: la subsistencia —dirá Raúl.
    Los guerrilleros pasaron hambre. Después fueron conociendo
el medio inhóspito y lograron ganarse la confianza del guajiro, el
campesino de la montaña.
    La sierra también tuvo algunos ratos agradables. Hubo muchos
romances entre los guerrilleros y muchas bodas. Una de ellas, la
de Raúl Castro.
    En febrero de 1957, una joven delgada y atractiva, hija de un mé-
dico de Oriente que había estudiado arquitectura en el prestigioso y
exclusivo Instituto Tecnológico de Massachusetts, Estados Unidos,
fue llevada a la sierra a un encuentro con Fidel acompañando a varios de los principales dirigentes del Movimiento 26 de Julio en las
ciudades: Frank País, Armando Hart, Haydée Santamaría.
    Se preparaba el primer encuentro de Fidel con la gran prensa
mundial, con el reportero del *New York Times* Herbert L. Matthews.
Vilma había sido del Movimiento Nacional Revolucionario
(MNR), grupo antibatista formado en 1952, y a través de él conoció a Frank País en Santiago, en donde se había sumado al M-26
de Julio. En la lucha clandestina que llevó a cabo en la capital de
Oriente se la conocía con el nombre de Deborah.
    El buen inglés de Vilma podría ser útil para la primera entrevista
que Fidel concedería a un medio de prensa poderoso e influyente.
    Así, ese mes de febrero, los hermanos Castro conocerán a dos
mujeres que van a jugar un importante papel en sus vidas:
    Fidel a Celia Sánchez; Raúl a Vilma Espín.
    Al año siguiente, en 1958, Vilma se suma al Segundo Frente de
Raúl. Un mes después de terminada la guerra, en enero de 1959,
se casan en Santiago de Cuba. Fidel, que se encontraba en La Habana, no asistió a la boda.
    Aunque en junio de 1992 eran fuertes los rumores de que Vil-
ma y Raul hacía meses que estaban virtualmente separados, su matrimonio fue el que más duró de cuantos se celebraron en aquellos años de la sierra. Tienen dos hijas.
    Aunque en menor medida que a su hermano Fidel, también a
Raúl la prensa norteamericana iba a inventarle varias vidas y otras
tantas muertes.
    En los últimos días del mes de julio almorcé en La Habana con
un conocido periodista cubano y el reportero de *The Wall Street
Journal* José de Córdova, un cubano-americano. De Córdova llevó
a la mesa el último rumor, que sus fuentes de Miami le habían asegurado era absolutamente cierto: Raúl Castro había muerto.

El tercer comensal, el periodista cubano Luis Báez, sonrió. Por más que lo intentó, fue imposible convencer a De Córdova de la falsedad de la noticia. Al día siguiente, Raúl Castro acudió a un partido de beisbol, acompañado de su esposa, Vilma Espín.

A pesar de estar unida durante tantos años al número dos del régimen, Vilma Espín ha brillado con luz propia: al finalizar la guerra fundó la Federación de Mujeres de Cuba (FMC), que llegó a tener más de 3.000.000 de militantes. Ha sido muchos años miembro del Buró Político. No fue reelegida en el IV Congreso de octubre de 1991. Es miembro del Consejo de Estado. Sin duda, Vilma ha sido la mujer que más altos puestos ha alcanzado en el régimen cubano.

Raúl manejó su Segundo Frente un poco a su estilo, serio y disciplinado y duro en el combate. Así como otros guerrilleros se dejaron barba, Fidel, "Che", Camilo Cienfuegos, Ramiro Valdés, Raúl se dejó el pelo largo que muchas veces sujetaba en una cola de caballo y un fino bigote que partía horizontalmente el rostro extrañamente achinado que tenía en sus años mozos. Era valiente en la pelea y algunos compañeros afirman que Raúl era mejor combatiente que Fidel.

Pero tomó una drástica decisión quizá sin consultar con Fidel: secuestró a varios ejecutivos norteamericanos residentes en la isla que trabajaban para compañías estadounidenses. Los secuestrados escribieron cartas a sus empresas en las que afirmaban que los guerrilleros cubanos no eran ni comunistas ni bandidos y que lo único que querían era que la democracia fuera reinstaurada en Cuba (4).

Raúl había tomado esa medida, que luego sería imitada por otros grupos guerrilleros del Continente, como respuesta a los bombardeos que Batista ordenó contra zonas urbanas de la sierra, en la que murieron docenas de civiles.

Los Estados Unidos obligaron a Batista a interrumpir esos *raids* aéreos —era ya el mes de junio de 1958 y Batista cada vez estaba más debilitado—. Fidel fue igual de drástico: obligó a su hermano a liberar a todos los secuestrados, cosa que hizo el 18 de julio de 1958. La mayoría de los ejecutivos norteamericanos declararon haber recibido buen trato por parte de los guerrilleros.

La decisión de iniciar los secuestros por parte de Raúl y la orden posterior de Fidel de liberarlos dio pie a que se iniciara la leyenda del bueno y el malo: Fidel el bueno y Raúl el malo.

En la primavera de 1989 mantuve una entrevista con su esposa, Vilma. Le pregunté:

—Fuera de Cuba se habla de su esposo como "el duro del régimen". Usted que lo conoce bien: ¿es cierto?

Vilma sonríe. Se ajusta sus amplias gafas y dice:

—Esa ha sido desde siempre la propaganda manejada en el exterior, que Fidel es el bueno y Raúl el malo...

—¿Y usted qué dice: es o no un duro?

—Prefiero que lo digan otros, porque realmente yo estoy muy cerca de él. Pero mire: Fidel es el jefe político de nuestra Revolución y en nuestro Buró Político todos estamos de acuerdo en la misma política, incluso nuestro pueblo está por esa misma política. Una política que consiste en profundizar lo más posible en nuestra Revolución socialista...

—Perdone, pero me gustaría que me hablara en este momento de Raúl, no de Fidel, ni de la Revolución...

—Sí, sí. Pero es que Raúl y Fidel son una misma cosa, ¿entiende? Fidel lo ha dicho muy claro desde el principio. Siempre ha sido así.

El propio Raúl Castro contestó a esa misma pregunta a María Asunción Mateo. Dijo Raúl:

—Soy como todos los dirigentes del país, no tengo el carisma que tiene Fidel. Soy jaranero, bromista, pero muy serio en mi trabajo y parte de él es defender la Revolución. A esta imagen mía (de duro) ha colaborado una broma de mi hermano, allá por el año sesenta, cuando se descubrieron algunos atentados contra él. Dijo que si lo mataban iba a ser mucho peor, porque me iba a quedar yo en su puesto. Creo que ese es el motivo de que tanto en el extranjero como en algún sector dentro de Cuba, piensen eso de mí. Pero eso es sólo hasta que me conocen personalmente.

En los últimos meses, con motivo de los fusilamientos de tres cubanos —uno que ingresó desde Miami con el fin de cometer atentados y dos que asesinaron a cuatro guardias en un intento de escapar de la isla—, la fama de duro de Raúl se acrecentó.

En un breve discurso pronunciado en el funeral por los cuatro soldados caídos, Raúl habló con extremada dureza. Anunció que si seguía ese tipo de provocaciones, se podrían reinstaurar los Tribunales Revolucionarios que tanto trabajo tuvieron y tanta gente enviaron al pelotón de fusilamiento en los primeros años sesenta. Además, pronunció una frase que dio la vuelta al mundo en pocos segundos: "¡Quien a hierro mata, a hierro muere!".

Raúl explicó más tarde el sentido de su amenaza:

—Lo único que hice fue repetir lo que está en la Biblia. Y lo vamos a cumplir, porque tenemos que defendernos como cualquier Estado tiene que defenderse.

Raúl reconoció que los fusilamientos, que tuvieron lugar en las primeras semanas de 1992 (ver capítulo "Los disidentes"), contribuyeron a que se llevara a cabo una nueva campaña de desprestigio contra su país en la prensa internacional. Pero para Raúl Castro, "si cometiéramos el error de no aplicar, como está establecido por nuestras leyes, las más severas sanciones a quienes se hagan acreedoras de ellas, volveríamos a estimular las actividades contrarrevolucionarias".

Raúl utiliza un argumento que los propios Estados Unidos le pusieron en bandeja en esas fechas, cuando se ejecutaron varias penas de muerte en distintos Estados de la Unión:

—El día en que en la inmensa mayoría de los países, sobre todo en los Estados Unidos, sea abolida la pena de muerte, yo votaré en el Consejo de Estado para abolirla en Cuba. En Norteamérica hay ahora mismo más de 2.500 condenados a muerte esperando años y años a que se cumpla la sentencia. ¿Cabe mayor crueldad? Y allí lo mismo te ponen una inyección letal, que un gas que dicen que huele a melocotón, que te ahorcan, que te convierten en un chicharroncito en la silla eléctrica (5).

¿Son muy diferentes Raúl y Fidel o Fidel y Raúl?

Para la hermana anticastrista, Juana, que vive en Miami, lo son. Si Raúl era a sus ojos y a los de su madre Lina "delicado y cariñoso", Fidel era agresivo y combativo.

Hay una anécdota que registra la pequeña historia de estos dos hermanos: cuando ambos salen de la cárcel tras el asalto al Moncada, Raúl dedica unos días a visitar a sus padres en Birán. Fidel, obsesionado con combatir a la dictadura de Batista, se ve forzado a emigrar a México sin despedirse de su padre, Angel. Ya no lo verá vivo. Cuando regrese a Cuba a bordo del Granma, Angel Castro habrá fallecido.

Para el cubano de a pie, Raúl, a pesar de esa fama de duro, es un cubano ciento por ciento, como él dice, jaranero y bromista, mientras que Fidel es el permanente revolucionario dedicado las veinticuatro horas del día a su trabajo como máximo dirigente del país.

La mayoría de los cubanos, cuando quieren fortalecer un argumento, utilizan el "como dice Fidel...". Pero hay una persona con la que he conversado en diversas ocasiones que une casi siempre a los dos: como dicen Fidel y Raúl. Esa persona es Roberto Robaina, primer secretario de las Juventudes Comunistas.

—Yo mantengo una relación especial con los dos. Creo que Raúl tiene una serie de virtudes que el pueblo no conoce bien. Siempre lo han identificado con el tipo superrecio, superácido. Por ello, si en alguna manera yo puedo contribuir a que la gente conozca que ese segundo hombre tiene muchas virtudes, que ese hombre que es el número dos lo es por lo que vale y piensa por sí mismo y no por ser el hermano de Fidel, haré todo lo posible para que se conozca esa personalidad suya.

A Raúl le ha gustado permanecer en un segundo plano:

—Yo casi no concedo entrevistas a periódicos extranjeros y en honor a la verdad tengo que decirle que tampoco a los nuestros.

Raúl no hace declaraciones por dos razones: primero, afirma, "porque cuando habla Fidel estoy representado" en lo que éste dice, y segundo, porque los periodistas o tergiversan o no reflejan "la idea completa de lo que uno ha expresado".

Raúl está considerado por sus fieles como un hombre capaz, metódico, organizado y eficaz. Combate a muerte la desidia. El Ejército que manda funciona como un reloj suizo y las empresas que ha organizado son las de mayor productividad.

Por ello, no es extraño que fuera el propio Raúl quien hablara del "sociolismo".

Fue en un discurso en Santiago de Cuba, un 30 de noviembre de 1979. Raúl calificó de sociolismo y no socialismo el elevado absentismo laboral en el campo, y lo que él llamó "trabajo a paso lento". El sociolismo se practica entre amiguetes, entre socios.

Raúl denunció que los jefes y los obreros se ponen de acuerdo para informar a la superioridad haber conseguido un rendimiento mucho mayor del alcanzado.

—De todas estas debilidades e indisciplinas laborales los principales culpables son los dirigentes y funcionarios de las empresas y no los trabajadores —denunció Raúl.

Para Fidel, Raúl es un dirigente "capaz y brillante". Por su parte Raúl le dijo a María Asunción Mateo sobre su hermano que ideológicamente no tenían "ninguna diferencia".

—A veces tenemos diferentes opiniones, como es natural, pero nuestras relaciones han sido siempre magníficas. Creo que la diferencia fundamental entre nosotros es que Fidel —como decimos en Cuba— está fuera de serie, tiene un radar que no lo limita la curvatura del planeta, sino que en muchas cuestiones le da la vuelta entera. Es un ser muy previsor, inteligente y de una energía envidiable. Yo tengo una salud muy fuerte, pero a veces no le puedo seguir.

En esa conversación, Raúl reconocerá lo que todo el mundo sospecha:

—Muchas veces Fidel y yo no aparecemos juntos porque el enemigo ha pensado que sería una buena fórmula aniquilarnos a los dos simultáneamente. Pero esto es un grave error, pues ¡qué malo sería que una Revolución dependiera solamente de la vida de uno o dos de sus hombres!

Fidel ha hablado de este tema en algunas ocasiones, así como de la sucesión, inevitable, que habrá de producirse algún día. Una de las ocasiones en que fue más más explícito fue en la larga entrevista que concedió al italiano Giani Minná. El autor de *Habla Fidel* le preguntó que qué cualidades tenía Raúl, que él no poseyera. Contestó Fidel:

—Oye, ¡nos vas a hacer un examen comparativo entre dos hermanos! Yo creo que no sería correcto que me pusiera a hacer ese tipo de examen.

Fidel explicó cómo al principio de la Revolución, ante los planes de la CIA para asesinarlo, él mismo afirmó que si desaparecía físicamente vendría su hermano detrás, del que se decía "que era más radical". Desde entonces, explicó Castro, se creó el cargo de segundo secretario del Partido, lo que era una designación informal de quien habría de ser su sucesor.

Tras la aprobación de la Constitución de 1976, la Asamblea Nacional del Poder Popular eligió al Consejo de Estado, compuesto por 31 miembros, con Fidel Castro como presidente y su hermano Raúl como vicepresidente. En esa misma época se creó el grado de general de Ejército, siendo Raúl el único que ostenta el máximo nivel dentro de las FAR. A esos cargos se unen el de segundo secretario del PCC y el de ministro de las Fuerzas Armadas.

—Como medida de precaución decidimos no montarnos en el mismo avión, ni viajar en el mismo automóvil —recuerda Fidel.

Sin embargo, mantiene el máximo líder, la decisión de nombrarlo su sucesor es un tema que atañe al Partido y a los órganos de dirección del Estado. Y afirma:

—Pero el prestigio y la autoridad del compañero Raúl son muy grandes en el seno del Partido, del pueblo, de la Asamblea Nacional... ¿Qué ocurriría si a mí me pasa algo? Con toda seguridad el Comité Central del Partido y la Asamblea Nacional lo ratificarán para que ocupe el cargo mío. Pregúnteselo a cualquier ciudadano, sin duda que lo diría.

Yo se lo pregunté a Roberto Robaina:

—Para cualquier ciudadano de la calle está claro que el sustituto de Fidel es Raúl. Aunque nosotros no vivimos atormentados por buscar el sustituto a Fidel. Lo que sucede es que la vida es la vida, no perdona. Y no sólo Fidel, todos nos vamos algún día.

Robaina, el líder de los jóvenes comunistas cubanos, insiste sin embargo en una idea: la dirección futura del país será cada vez más colectiva.

Aunque el número uno de esa futura dirección colectiva será Raúl Castro, uno de los hombres más fieles a la extinta Unión Soviética, que sabe, sin embargo, que ha de sobreponerse a su desaparición. Eso sí, algunos símbolos permanecerán mientras él viva.

En los primeros días de enero de 1992, un grupo de políticos norteamericanos y soviéticos acudieron a La Habana para discutir sobre la llamada "crisis de los misiles".

Era la tercera vez que se reunían para rememorar los dramáticos momentos en que el mundo estuvo a punto de saltar hecho añicos en la que hubiera sido primera guerra nuclear: en octubre de 1962, los Estados Unidos y la Unión Soviética llegaron al acuerdo de desmantelar los misiles nucleares instalados en la isla. Los dirigentes norteamericano y soviético, John Kennedy y Nikita Khruschov, llegaron a un acuerdo a espaldas de Fidel Castro.

Treinta años después, los ayudantes directos de aquellos dos dirigentes desaparecidos aportaron elementos nuevos en La Habana para que los historiadores del futuro pudieran reproducir lo más fielmente posible los días de tensión vividos.

Entre los asistentes al coloquio celebrado en enero de 1992 en La Habana estaban Robert McNamara, secretario de Defensa de los Estados Unidos con John Kennedy, y Arthur Schlesinger Jr., ayudante especial del presidente norteamericano.

Schlesinger, intelectual y ensayista, llevó un diario de sus días habaneros. Así retrató su entrada al Ministerio de las Fuerzas Armadas Revolucionarias, conducido por Raúl:

—De las paredes del despacho de Raúl cuelgan tres perfiles en relieves de madera: Fidel Castro, José Martí y Lenin. Raúl apunta a unos trofeos de Sierra Maestra y Angola. Después nos lleva a lo que él llama el "vestíbulo de los generales rusos", donde las fotografías de una docena de mariscales soviéticos rodean un gran retrato de Lenin. Raúl mira a la parentela soviética con evidente nostalgia:

—Mientras yo sea ministro de Defensa, esta sala seguirá igual —dice Raúl (6).

Después de pasarles una película sobre el sistema defensivo creado por los cubanos ante una posible agresión de los Estados Unidos, en la que no faltan "una red de túneles, laboriosamente construidos a lo largo de ocho años con una longitud de 200 kilómetros", el Raúl bromista sale a relucir y le dice a otro de los acompañantes, Sergei Khrushchov, hijo de Nikita, que descuelgue el teléfono rojo que lo tiene conectado directamente con Moscú. Sergei se resiste, dice Schlesinger, tal vez preguntándose cuál sería la reacción del nuevo inquilino del Kremlin, Boris Yeltsin, si escucha al otro lado del hilo telefónico:

—Habla Khrushchov.

Pero aunque exista el teléfono y fotos de los generales rusos colgados de las paredes del MINFAR, Raúl Castro es consciente de la desaparición de su principal aliado.

En un recorrido efectuado por las zonas agrícolas del país en el mes de marzo de 1992, y ante las favorables perspectivas de la inminente cosecha, Raúl Castro afirmó que los cubanos "nos sostenemos con nuestros propios pies y pensamos con nuestras propias cabezas", en una clara referencia a la desaparecida Unión Soviética (7).

Para sus enemigos, Raúl Castro es una persona cuyo poder emana directamente del poder que le permite su hermano Fidel. Es sabido del odio que los dirigentes cubanos del exilio sienten por Fidel Castro. Pero en mis entrevistas con muchos de ellos me dio la impresión de que aún sienten más odio por Raúl, quizá porque ha sido la hormiguita que ha ido apuntalando el régimen. Un régimen que, en opinion del ex comandante guerrillero Hubert Matos, se sostiene por lo que llama "el control del terror" a manos de Raúl.

—Raúl ejerce el control de la represión brutal. El control de Beria.

Para Raúl todos los insultos son pocos. Si Matos lo acusa de no tener carisma, de ser el hermano impopular, de que sin su hermano no habría llegado a alcalde de barrio, para Carlos Alberto Montaner, el escritor liberal, Raúl es casi el mismísimo diablo:

—Es el guardaespaldas militar de Fidel. Con su presencia al frente de las Fuerzas Armadas, Raúl cuida la lealtad de las bayonetas a su hermano. Raúl, desde muy niño, ha tenido hacia Fidel una patológica admiración. Fidel es alto, fuerte, audaz, varonil, carismático. Raúl es pequeño, lampiño, poco comunicativo, prácticamente insignificante (8).

El juicio que Raúl merece a sus opositores está sin duda influido por el odio. No da la impresión, después de haber conversado con docenas de personas en la isla, ni que sea tan impopular ni tan incapaz. Lo primero es difícilmente mensurable. Lo segundo es más fácil de constatar: lo que dirige Raúl funciona.

Eso sí, al menos Hubert Matos le concede una virtud: Raúl es más expansivo que su hermano Fidel, aunque sostiene este ex guerrillero afincado en Miami, "tiene la mala suerte de no caer bien, hace chistes pero no tienen gracia".

El 16 de abril de 1991, cuando compartí unas horas cerca de Raúl y lo vi bromear con sus invitados en el recorrido por el Museo del Castillo de la Cabaña, no me dio esa impresión tampoco.

Meses después, a la hora de ordenar el material de este libro, pensé en la forma en que Raúl Castro trataba al embajador soviético, Yuri Petrov. Fue con el que más bromas gastó. ¿Una casualidad? Estoy seguro de que no.

Cuando pasábamos delante de la capilla de la fortaleza, cuyo recio portón estaba abierto, Raúl le dijo al embajador soviético y futuro colaborador de Yeltsin:

—Petrov, no te vi rezando.

¿Era una simple broma o algo más? ¿Sospechaba ya Raúl que Petrov habría de "traicionar" de alguna forma la concepción que los Castro tenían del socialismo? ¿Adivinaba Raúl que con Yeltsin en el poder y Petrov a su lado la tradicional amistad entre Moscú y La Habana tocaba a su fin?

O bien: ¿era simplemente el bromista y jaranero Raúl Castro que se divertía a costa del embajador soviético aquella luminosa mañana de abril?

¡Quién sabe!

Sólo hay una cosa cierta: la verdadera personalidad de Raúl Castro es una incógnita para los que no están cerca de él.

Una incógnita poderosa.

CARLOS ALDANA, EL TERCERO EN DISCORDIA

Roberto Robaina parecía ir de luto. Su camiseta y su cazadora eran negras. En su primer viaje a México, el más joven miembro del Buró Político del Partido Comunista de Cuba (PCC) iba a verse asediado por docenas de periodistas deseosos de confirmar una noticia que hasta ese momento era tan sólo un rumor: la caída de Carlos Aldana, prominente miembro del régimen cubano.

Robaina no se amilanó. Con la desenvoltura que le caracteriza diría que Carlos Aldana había sido cesado por el Buró Político por insuficiencia en su trabajo y serios errores personales. Era el 25 de septiembre de 1992. Este libro estaba ya en la imprenta. Pero aún había tiempo para introducir una reflexión que justificara la presencia de Carlos Aldana en este capítulo titulado "El relevo".

Primero: Carlos Aldana concedía una entrevista a uno de los periodistas que más amistad personal tienen con Fidel, el mexicano Mario Vázquez Raña, presidente del Comité Olímpico Mexicano y vicepresidente del Comité Olímpico Internacional, sólo dos días después de confirmarse su cese.

Vázquez Raña posee una cadena de periódicos en México, los famosos "soles". El empresario mexicano entrevistó a Aldana en el que había sido durante años su despacho oficial en el Comité Central. Esa entrevista jamás hubiera tenido lugar sin el consentimiento de Fidel Castro. Ello indica, como afirma el propio Aldana, que se trata de una "sustitución", más que de una caída en desgracia o cese.

¿Motivo? Un ciudadano cubano, Eberto López Morales, que se decía representante en La Habana de diversas firmas de electrónica internacionales, habría timado a diversos funcionarios cubanos, entre ellos a Carlos Aldana, quien era su principal interlocutor.

Al descubrirse el engaño, Aldana fue cesado. Robaina aclaró en México que no había detrás de esa sustitución "ni enriquecimiento personal, ni prácticas de corrupción, ni una disidencia política, ni un pacto con el enemigo".

Sencillamente, Aldana había cometido un serio error de valoración. Y lo pagaba.

Segundo: durante los últimos veinte años, Carlos Aldana fue un estrecho colaborador de Raúl Castro. Desde 1986 dirigía el Departamento Ideológico del Comité Central y las Relaciones Internacionales. Su conocimiento sobre el régimen cubano es profundo. Sus opiniones, valiosas. Aldana cuenta en algunas partes de este libro cómo es y cómo se vive en la Cuba roja. Que en estos momentos no ocupe los altos cargos que desempeñaba hasta finales de septiembre de 1992 no restan validez a esas opiniones. Menos aún a los datos.

Tercero: a Carlos Aldana no se se le seguirá ningún proceso penal, informaba Robaina. Aldana es sustituido. ¿Puede la Revolución cubana desperdiciar el talento de un hombre como Aldana? De momento, el interesado decía a Vázquez Raña horas después de confirmarse su cese que estaba a disposición de la Revolución e iría a trabajar allí donde ésta más lo necesitara.

Curiosamente, la entrevista tuvo lugar en presencia de su sustituto José Ramón Balaguer. Después de escuchar la autocrítica que Aldana hace ante el periodista mexicano, Balaguer intervino y dijo:

—El verdadero revolucionario siempre habla con entusiasmo, con sentimiento y con la verdad, como lo ha hecho Carlos.

Carlos Aldana puede haber sido sustituido. Pero si un año antes ni un loco hubiera anticipado su cese, tampoco nadie puede predecir en septiembre de 1992 que este notable dirigente cubano sea ya un cadáver político.

Por ello, Carlos Aldana ha de ser considerado aún como uno de los hombres a tener en cuenta a la hora de un futuro relevo.

Sólo una aclaración: cambié el título del capítulo. De "Tercero en concordia" pasó a "Tercero en discordia". Al fin y al cabo, no ha dejado de ser, como dice el propio Aldana, un hecho "muy triste y lacerante" que lo aparta momentáneamente (?) de la alta dirección del país.

Le encanta José Martí. Prácticamente no hay discurso o intervención pública en que no cite al Apóstol, como reverencialmente se llama al más importante escritor y político de la Cuba del siglo XIX.

Carlos Aldana Escalante, de cincuenta años, licenciado en periodismo, escarba en la inmensa obra de Martí hasta que encuentra la cita adecuada para lo que quiere decir. Siempre la encuentra.

Cuando presentó la propuesta de Resolución sobre el perfeccionamiento de los órganos del Poder Popular, que incluía entre otras cosas la elección directa de los diputados a la Asamblea Nacional, Aldana echó mano de Martí para que los miembros del IV Congreso del Partido Comunista de Cuba (PCC), reunidos en Santiago en octubre de 1991, no copiaran experiencias del exterior que nada o poco tienen que ver con la Cuba roja.

En esta ocasión Aldana citó una carta que Martí envió a su amigo Fermín Valdés Domínguez, fechada en mayo de 1894, un año antes de la caída en el campo de batalla de Martí.

En la misiva, Martí "alerta contra la tendencia a la copia mecánica de experiencias ajenas y subraya el carácter siempre secundario de las cuestiones formales", dirá Aldana.

—Dos peligros tiene la idea socialista —escribe Martí— como tantas otras: el de las lecturas extranjerizas, confusas e incompletas, y el de la soberbia y rabia disimulada de los ambiciosos, que para ir levantándose en el mundo empiezan por fingirse, para tener hombros en qué alzarse, frenéticos defensores de los desamparados... (9).

Aldana está poniendo el dedo en la llaga del sistema: hay quienes desean importar modelos ajenos al cubano y los ambiciosos que toman posiciones ante un hipotético cambio de régimen.

No es la primera vez ni será la última que fustiga a unos y otros. Considerado por muchos como el representante de los intelectuales en el Partido, él mismo varía esa óptica y dice que se siente representante del Partido entre los intelectuales. Que es casi lo mismo, pero con un importante matiz: antes está el Partido que los intelectuales. Con el Partido todo, sin el Partido nada.

Pero aunque diga eso, Aldana es un hombre cuyo origen vocacional está indudablemente unido a las letras. En las Navidades de 1990 conocí a una veterana periodista cubana. Aún sabía poco de este hombre que paso a paso, verso a verso, iba adquiriendo mayores responsabilidades en la cúpula del Partido.

Sabía que había sido periodista, que había publicado ensayos y poemas en una de las mejores publicaciones cubanas, *El Caimán Barbudo*, desgraciadamente desaparecida y difícil de conseguir. Los ejemplares antiguos son conservados por sus propietarios como una verdadera joya. Aquella periodista me hizo un regalo inapreciable. Un poemita de Carlos Aldana, escrito en una tarjeta de visita que envió a sus amigos en 1989 para felicitar el Nuevo Año:

> *Vives en una isla*
> *donde vuelve a darse la guerra*
> *de los mundos,*
> *todo dependerá de cuál venza*
> *en tus adentros.*

La guerra de los mundos. No la del británico Herbert George Wells, el escritor de ciencia ficción preocupado por los problemas sociales de su época (1866-1946). Pero sí una muy parecida: la guerra interior que todo cubano enfrenta a estas alturas del siglo. Estar o no estar con la Revolución. Quedarse o marcharse. Huir al otro mundo situado a un paseo de 90 millas, repleto de todo lo que carece Cuba. O permanecer en la isla bajo el asfixiante Período Especial en tiempo de paz.

Carlos Aldana Escalante, nacido en 1942 en la ciudad central de Camagüey (a 534 kilómetros de La Habana y 361 de Santiago), iba a decidir muy joven de qué lado estaba. Cuando Fidel y 82 hombres más desembarcan en la isla a bordo del Granma, en 1956, Aldana tiene catorce años. Cuando Castro derriba a Batista, Aldana tiene diecisiete años. En el intermedio, este adolescente camagüeyano elige el futuro de su vida: se alista con el Ejército Rebelde y pelea en la "Columna 13 Ignacio Agramonte".

El general Ignacio Agramonte había nacido también en Camagüey y había pasado de abogado a jefe del III Cuerpo de Ejército en la primera guerra por la independencia de Cuba (1868-78). Fue un valiente y disciplinado soldado que murió en el campo de batalla en mayo de 1873.

Por ello los camagüeyanos le dieron su nombre a una de las columnas que combatían por otra nueva independencia, ésta de la influencia colonial norteamericana.

Tras el triunfo de la Revolución, el joven Aldana reinicia sus estudios. Se inclina por el periodismo. Pero la lucha en la Sierra lo ha marcado para la política y la milicia: en 1961 realiza estudios militares en Moscú y al año siguiente, de vuelta en Cuba, ocupa su primer cargo en el régimen y se perfila ya la línea que seguirá el resto de su vida: jefe político de la Unión de Jóvenes Comunista (UJC) en la Marina de Guerra cubana.

Ese será su sino a lo largo de su meteórica carrera: la mezcla de lo militar con lo ideológico. Ese mismo año formará parte de la Comisión Política de las Fuerzas Armadas Revolucionarias (FAR) y en 1970 cursará nuevos estudios militares en la Academia Militar Máximo Gómez, de La Habana.

Paralelamente ha ido subiendo por el escalafón primero de la UJC y más tarde del Partido Comunista (PCC), al que se afilia desde el momento de su fundación, en 1965.

En 1980 alcanza un puesto en el Comité Central. Durante la década de los setenta no ha permanecido ocioso: en 1973 es nombrado segundo jefe del Departamento de Orientación Revolucionaria (DOR), del Comité Central, que años más tarde dirigirá. Ha estado en Angola desde 1975 hasta 1979 como jefe de Divulgación y Propaganda de las tropas cubanas en el país africano. Y cuando regresa de allí, el general Raúl Castro lo reclama como su jefe de despacho.

Desde entonces, este hombre, mitad soldado, mitad escritor y propagandista, comienza a ser conocido y respetado. En 1986 es nombrado miembro del Secretariado del Comité Central. Primero para dirigir el DOR, lo que implica tener a su cargo no sólo la propaganda ideológica del Partido, sino también el control sobre los medios de difusión: prensa, radio y televisión.

En cuatro años más irán cayendo sobre sus hombros otras importantes responsabilidades: el Departamento de Educación, Ciencia y Deportes y más tarde el de Relaciones Internacionales, importante tarea de tanta o mayor relevancia que el mismo puesto de ministro de Relaciones Exteriores.

Será Aldana quien concluya los acuerdos de paz con Sudáfrica, en la ciudad de Nueva York, el 22 de diciembre de 1988, que ponían fin a trece años de guerra en Angola y declaraban la independencia de Namibia. Y será Aldana también quien esté al frente del equipo que maneja la agresión televisiva de Estados Unidos a través de Tele Martí o la llamada crisis de las embajadas, que tiene lugar en el verano de 1989 cuando docenas de cubanos penetran en varias sedes diplomáticas de La Habana en busca de refugio político.

La prensa de Miami comienza a hablar de Aldana como una "rising star", una estrella creciente, de meteórica aparición y brillo fulgurante.

Se escriben en esos días cuatro palabras que no le gustan:

—Es el número tres.

Mantuve la primera entrevista con Carlos Aldana la noche del 2 de enero de 1991. Como tantos otros dirigentes cubanos, dejan para las horas de la noche los encuentros más informales y no les preocupa que el reloj corra imparable hacia la madrugada. Ya me habían advertido que Aldana solía darse una vuelta por la redacción de *Granma*, muy cerca de su despacho en la tercera planta de la sede del Comité Central. Ojeaba las noticias recientes y sobre todo echaba un vistazo a lo que el órgano oficial del PCC diría al día siguiente.

De constitución robusta, poblado bigote, casi siempre vestido con pantalón vaquero y una camisa común, sobre la que lleva una cazadora cuando la temperatura baja, Aldana es poco dado a los formalismos. Lo había observado en algunos actos oficiales: mientras la mayoría de los dirigentes se mantienen rígidos como estatuas, Aldana se mueve de un lado a otro, recorre con su incisiva mirada el entorno, hace un gesto con la cabeza saludando a algún conocido. Parece abstraído pensando en sus cosas. Pero no. Atiende de lo que se dice, aunque a su manera.

Su despacho huele a sandwich recién hecho cuando entro en él por vez primera. No es la única noche que come cualquier cosa en ese despacho con luces indirectas en forma de L, no muy espacioso. Sorprende la presencia de un enorme televisor Sony.

—Señor Aldana: de usted se dice últimamente que es el número tres del aparato cubano...

Sonríe. A veces su risa es fuerte, carcajada.

—Sí, sí. A veces en el exterior tienen sobre estas cosas una visión muy poco real.

El exterior. Fuera de la isla. Lejos de este centro neurálgico del poder que es el Comité Central se especula con las subidas y bajadas de los principales funcionarios del Partido.

—En el exterior se crean mitos. Luego esos mitos se toman como verdad. Y más tarde se repiten como verdad —sentencia Aldana.

Aldana se extiende en la explicación de las tres generaciones:

"no necesariamente en un sentido de edad, sino político", aunque en cierto modo, reconoce, existe una relación entre ellas. La generación histórica, representada por Fidel, y la tercera generación, la representada por los dos últimos secretarios generales de la UJC, Carlos Lage y Roberto Robaina. Y la del medio, en la que está el mismo Carlos Aldana, con mucho el más influyente de esa "generación intermedia" que se encontró con el triunfo revolucionario cuando cambiaba el pantalón corto por el largo, aunque en su caso concreto ese cambio lo hiciera en la sierra con un fusil en la mano.

—Esas especulaciones aritméticas que establecen entre nosotros jerarquías y escalas carecen por completo de fundamento. Nuestra sociedad está estructurada desde el punto de vista institucional de tal modo que no existen esas escalas del dos, tres, cuatro, cinco... Eso carece por completo de fundamento.

Le replico que de alguna forma hay que referirse a personalidades como la suya.

—Cuando leemos aquí esas cosas, nos produce risa. Porque nos damos cuenta de hasta qué punto se trata de nociones esquemáticas. Lo fundamental entre nosotros es que hay una distribución de responsabilidades.

Bromas aparte, lo cierto es que Aldana fue adquiriendo mayor peso específico a medida que un influyente Jorge Risquet Valdés lo perdía. Risquet, de sesenta y cinco años, representante de la generación histórica, había ocupado, entre otros muchos puestos, el de miembro del Secretariado del Comité Central desde 1975, responsable de las Relaciones Internacionales.

Desde ese puesto Risquet desarrolló diversas misiones, siempre dirigidas por el propio Fidel Castro. En 1988 es el que inicia las negociaciones para alcanzar un acuerdo de paz sobre Angola con los Estados Unidos, pero en la recta final es Carlos Aldana el que remata la jugada. Dos años más tarde, en 1990, Risquet es "apartado", como se dice en el argot político cubano, de sus funciones en el Secretariado. Sus responsabilidades las acumula Aldana. Tras el IV Congreso, Risquet, que había sido miembro del Buró Político desde 1980, no es reelegido. Curiosamente, Aldana llega a esa posición por vez primera.

¿El relevo de la generación histórica por la intermedia?

Así fue interpretado en su día.

Pocos días despues del IV Congreso, en octubre de 1991, Fidel Castro viaja a la isla mexicana de Cozumel, situada en el Caribe, en donde se reúne con los presidentes de México, Colombia y Venezuela, Carlos Salinas, César Gaviria y Carlos Andrés Pérez.

Fidel ofrece una rueda de prensa. Es sintomático el orden en que se sientan los cuatro acompañantes del presidente cubano: a su derecha, en primer lugar Carlos Aldana, seguido de Ricardo

Alarcón, cincuenta y cinco años, entonces viceministro de Exteriores con la misión específica de representar a Cuba en las Naciones Unidas, ascendido a ministro en junio del 92. A la izquierda, el veterano comunista Carlos Rafael Rodríguez Rodríguez, de setenta y nueve años, vicepresidente del Comité Ejecutivo del Consejo de Ministros responsable de las relaciones económicas internacionales, y junto a éste Carlos Lage Dávila, de cuarenta y un años, miembro del Equipo de Coordinación y Apoyo del comandante en jefe.

En las numerosas apariciones públicas y ruedas de prensa ofrecidas por Fidel Castro a las que he asistido, en ninguna vi lo que presencié en aquella de Cozumel: Fidel se giraba hacia Aldana ante determinadas preguntas. Este le susurraba algo al oído y entonces el comandante respondía.

Que Fidel escuchaba a Aldana estaba claro, como clara estaba el agua verde y caribeña fuera del recinto donde tenía lugar la rueda de prensa.

Y es que Aldana, de la mano de Raúl, había escalado al máximo nivel tras los propios Castro, después del IV Congreso. Un nivel en el que sólo se encontraban otros dos personajes: José Ramón Machado Ventura, de sesenta y dos años, y Julián Rizo Alvarez, de sesenta años.

Con la drástica reducción del aparato del Partido y la eliminación del Secretariado, el Buró Político se alzaba como único y máximo organismo de poder dentro del Comité Central. El verdadero Gobierno de Cuba. De los 25 miembros del Buró, sólo tres tendrían responsabilidades específicas dentro del Partido: Aldana, Machado y Rizo.

Machado seguiría al frente de las tareas de organización y Rizo de las económicas. Aldana llevaría el antiguo DOR, ahora Departamento Ideológico, las Relaciones Internacionales y todo lo relacionado con Educación, Ciencia y Deporte. Sin duda, el trozo del pastel más apetitoso.

Aunque en ninguna de mis conversaciones con Aldana éste dejó traslucir la más mínima rivalidad con sus compañeros Machado o Rizo, en la calle y entre los cubanólogos se insiste en la cerrada lucha por alcanzar la primacía. El *primus inter* pares. Esa parece ganada en favor de Aldana. En todo caso sería un tercero, pero no en discordia. Sería un tercero en concordia.

Consciente de que la comparación puede perjudicarle, Aldana es el primero en advertir al periodista que no lo catalogue como "el número tres" del régimen. Simplemente, afirma, en Cuba se gobierna de forma colegiada y tanto Machado como Rizo son dos compañeros que trabajan como él en el Buró Político.

Para muchos, la diferencia entre los tres, además de los diez años menos de Aldana respecto a Rizo y doce con referencia a Machado, residiría en el aire más aperturista o liberal que practica Aldana. Un aire liberal que no es traducible al pensamiento ideológico. Aldana es un comunista convencido y así lo expresa en cuanto tiene ocasión.

Pocos días después de que finalizara el IV Congreso mantuve una larga conversación con Aldana que hubo de ser dividida en varias sesiones. Hablamos sobre el socialismo cubano.

Siempre me había interesado preguntar a los dirigentes cubanos por qué ellos están tan convencidos de que su socialismo sobrevivirá cuando en Europa lleva ya meses enterrado. Es una interrogante que he planteado a varios de ellos. Aquella noche de octubre de 1991 se lo planteé a Aldana:

Lo primero que dijo es que ni él ni los cubanos en general pretendían tener "una respuesta académica". Me ofreció una opinión que, dijo, "compartimos de una manera u otra en la dirección del Partido":

—En primer lugar, no creemos que el socialismo haya fracasado en Europa Oriental y la Unión Soviética. Pensamos efectivamente que una experiencia histórica concreta ha resultado fallida.

Aldana desarrolla la teoría de que salvo en la Unión Soviética y en Yugoslavia y Albania, en el resto de los países ex socialistas fueron los tanques rusos los que impusieron el nuevo régimen tras la derrota del nazismo.

—Es decir: la Revolución no fue un resultado autóctono. No fue la respuesta a la necesidad social concreta en determinada coyuntura dentro del propio conjunto de circunstancias que se suponen tienen que darse para que un proceso revolucionario tenga lugar. Esa es la primera diferencia con Cuba. Nosotros hemos hecho una Revolución. No nos la hizo nadie. No la hicimos a cuenta de los soviéticos. No conocíamos a ningún soviético. Simplemente, llegamos al poder y comenzamos a transformar el país.

Aldana retoma una idea de Fidel expresada en Cozumel:

—Se habla del fracaso del comunismo. Pero, ¿es que se puede decir que el capitalismo ha triunfado? ¿Ha triunfado en América Latina?, ¿en la India?, ¿en Bangla Desh? ¿Cuál es el triunfo del capitalismo?: ¿la miseria, el hambre, el atraso, la pobreza? Que el capitalismo ha funcionado en algunas sociedades nadie lo puede negar. Pero deducir de ahí que el capitalismo que ha triunfado en Estados Unidos va a triunfar en la Unión Soviética, eso no. Eso es una gran quimera.

Se mueve en el tresillo, como se mueve en los actos públicos. En ocasiones se levanta del sillón, cuando ya la conversación lleva consumidas algunas horas. Se sienta de nuevo y señala al televisor gigante:

—Nada mejor que este ejemplo revela el fenómeno de la hipnosis colectiva de la sociedad soviética actual: hace algunos días, unos huelguistas se manifestaron frente a la llamada Casa Blanca de Moscú; portaban un letrero que decía: "A economía de mercado, corresponde salario de mercado".

Sonríe. Se prepara para el asalto final:

—¿Qué esperan ganar los obreros soviéticos?, ¿lo que gana el obrero norteamericano? ¿Con qué historia, con qué excedentes, con qué acumulación originaria, con qué colonia, con qué neocolonia, con qué trasnacionales, con qué dinero?

Pasa entonces a Cuba. Se pregunta si hay mejor alternativa, un socialismo mejor que el que desarrollan los cubanos, con todos sus errores y deficiencias:

—¿Alguien puede darle a este país una alternativa en términos económicos que preserve la obra social de la Revolución? ¿Quién va a pagar la alimentación, la salud, la seguridad social de los ciudadanos? ¿Quién va a mantener el pleno empleo? ¡Bueno, no es que nosotros seamos más listos! Pero le estamos dando respuestas a una necesidad histórica. Y hemos conseguido algunos resultados.

Esgrime Aldana en este punto el reiterado, pero real argumento de que todo ello se ha hecho "frente a ese imperio (Estados Unidos) en el que durante treinta años no hemos podido comprar ni una aspirina". Por el contrario, durante los cincuenta y ocho años anteriores Cuba era dependiente absolutamente en todo de ese imperio.

Interrumpo su argumentación:

—Eso es cierto. Pero lo conseguido por los cubanos ¿no está siendo pagado a un precio muy alto?

Responde rápido. Se le notan sus muchos años de práctica como instructor político:

—Como se pueda entender en Europa, no. Pero bueno, ¡vamos a hablar del precio de la libertad en España! ¡Vamos a hablar de los pordioseros, de la diferencia entre ricos opulentos y los que viven en condiciones duras, infrahumanas, casi en la miseria! ¿Es ese el precio de la libertad? ¿Para ser libre en esas condiciones tiene que haber esas desigualdades? Yo creo que no.

Expongo mi punto de vista:

—Señor Aldana, lleva razón en cuanto a la desigualdad. Pero en mi país puedo votar a este o a aquel partido. Puedo opinar lo que se me antoje sobre lo que yo quiera. Puedo escribir en este o en aquel periódico. Aquí no podría hacer nada de eso...

—¡Pero no puedes cambiar el sistema! ¡No puedes impedir que haya ricos y pobres! Simplemente, no puedes evitarlo. Nosotros, por el contrario, no tenemos ricos ni pobres.

La discusión entra en una fase más personal. Le pregunto a Aldana cómo entiende personalmente la libertad individual.

—Te voy a responder con un supuesto: veamos un mapa y supongamos que en ese mapa no existen los Estados Unidos al lado de Cuba. Sólo nosotros. Los cubanos. Entonces comenzamos a hablar de libertades individuales. Pero como esa no es la realidad, sino que hay una realidad geopolítica que incluye a Estados Unidos, entonces estamos condicionados en todo.

Esa realidad podría variar el día en que Estados Unidos decidiera mantener relaciones normales con Cuba.

—El día que Estados Unidos renuncie al proyecto de hundir a la Revolución cubana, que la acepte, digamos que se resigne a ella, muchas cosas en nuestro sistema político tendrían que cambiar.

Le digo a Aldana que para ganar tiempo y no quemar toda la noche, simplifico la pregunta: supongamos que mañana hay relaciones diplomáticas normales con los Estados Unidos, ¿al día siguiente se autorizarían los partidos políticos en Cuba?

Se ríe fuertemente.

—¡Así no se puede! —exclama.

Me habla de las recientes elecciones polacas, en las que participaron 65 partidos y en las que sólo votó un 40 por 100. "Uno de los partidos era el de Bebedores de Cerveza, y consiguieron un 2 por 100".

—¿Es esa la libertad? Yo creo en el respeto a la diversidad. Creo y aspiro a vivir en una sociedad donde cada cual pueda expresar con absoluta libertad su opinión. De esa manera pienso que somos más auténticos. Pero no creo que necesariamente eso haya de expresarse en términos de partidos políticos como opciones de poder.

Aldana recuerda el argumento que utilizan todos los dirigentes cubanos: Cuba viene de los partidos políticos, viene del pluripartidismo. ¿Y qué nos dio eso?, se pregunta Aldana. Responde:

—Nos dio colonialismo, sometimiento, atraso, subdesarrollo. ¡Nosotros no somos los rusos que están descubriendo ahora los partidos políticos! Nosotros vivimos cincuenta y ocho años de vida republicana y por parecernos más a los Estados Unidos tuvimos hasta un Capitolio igual que el de Washington.

El reloj avanza implacable. Pero buen conversador, aún le queda rematar el tema.

—Asociar la idea de libertad individual con el pluripartidismo no deja de ser otro dogma.

Para el régimen cubano, otro partido político en la isla sería necesariamente el partido de la contrarrevolución, con Estados Unidos detrás.

—Sus aspiraciones serían las de barrernos a nosotros. Pero lo que no consiguieron a sangre y fuego, no se lo vamos a regalar por la cara.

De ese punto partimos y a ese punto llegamos: Cuba hizo su Revolución. Instauró el socialismo. Un socialismo autóctono incompatible con los partidos que quieren eliminarlo. De modo que se mantiene el partido único.

Antes de levantar la sesión queda un tema interesante: su relación con los intelectuales. Para algunos de ellos con los que he hablado en mis viajes a la isla, Aldana es un dirigente orgulloso de su poder, que lo ejerce con mano de hierro; un dirigente que controla estrechamente a la prensa. Para otros, es un político culto, dialogante, que llega hasta la frontera en que la Revolución puede entrar en peligro.

Le pregunto cómo combina su intensa actividad política con el ejercicio literario, con la poesía. Sonríe de nuevo y mantiene que no hay contradicción en que un político sea poeta o viceversa.

Habla de que los textos políticos nunca llegan a alcanzar un alto nivel poético. Por ello, prefiere la poesía.

—Mi poesía preferida es la poesía íntima. La que he escrito cuando me he enamorado de una mujer o he querido persuadirla, porque he descrito lo que pasa en mi interior. O bien la poesía que he hecho a mis hijos, tratando de dejarles algo que tenga trascendencia en sus vidas. Pero tengo que confesar que en este preciso instante no recuerdo cuándo fue la última vez que escribí un poema.

Me confiesa que tiene un libro escrito y guardado. Precisamente porque su posición política tiene que ver mucho con el mundo literario.

—Mientras tenga una relación política con ese mundo y haya tantos que se quejan con razón de que no pueden publicar, yo no debo publicar ese libro tampoco. Al margen de si tiene o no calidad, que eso deben decidirlo los editores.

Entramos en el otro mundo del que Aldana es responsable ante el Buró Político: los intelectuales. Reconoce que su relación con ellos ha pasado por situaciones irregulares.

—He tenido momentos en que he sido altamente valorado y otros en que he sido estigmatizado. Porque el político a veces tiene que ser el profeta y en otras el verdugo. Un verdugo incluso de sus propias ideas. Ante los ojos de los que ven sólo la decisión fría. A los intelectuales les cuesta trabajo entender que la dirección política se basa en el consenso. Deben comprender que no todas las decisiones que uno toma o ejecuta corresponden con el pensamiento más íntimo de uno.

Es la lucha que se adivina en el interior de este personaje mitad político mitad escritor. De un lado, su rostro de hombre fiel al sistema, implacable con los que se apartan de él. Por otro, el intelectual curioso, el hombre dialogante, que desea un mundo en el que el individuo se exprese en absoluta libertad.

El año difícil para Aldana en su relación con los intelectuales fue 1989. El año en que curiosamente otra poetisa, María Elena Cruz Varela, ganaba el premio nacional de poesía que otorga la Unión de Escritores y Artistas de Cuba (UNEAC). Un premio que nunca se le llegó a entregar. Una premiada que resultaría expulsada de la UNEAC. Y una escritora maldita que terminaría siendo dirigente de un grupo disidente, Criterio Alternativo. En junio de 1992, aquella poetisa cumplía dos años de prisión en Cuba.

En ese mismo año algunos intelectuales cubanos se miraron en el espejo de la perestroika que construía Mijail Gorbachov en la Unión Soviética.

Aldana aprovechará la celebración del Primer Día de la Prensa Cubana, el 14 de marzo de 1992, para recordar "cómo gravitó en el orden ideológico sobre los trabajadores de la prensa, de la cultura, y en general de la intelectualidad, la influencia de aquel discurso presuntamente renovador, cuyos planteamientos no sólo se quedaron en la teoría, sino que en la práctica generaron exactamente lo contrario" (10).

Ese día, ante una numerosa presencia de periodistas y escritores, Aldana, que viste chaqueta, pero con la camisa abierta por el cuello —rara vez utiliza corbata—, reconocerá que "no somos ajenos al coste político y a las incomprensiones a que nos hemos visto expuestos en el sector" de la prensa.

Pero, concluye el responsable de mantener la pureza ideológica del Partido:

—No hay espacio político para veleidades. En estos tiempos, si se es revolucionario, si se está hasta las últimas consecuencias con el proyecto histórico del socialismo e independencia nacional de la nación cubana, hay que ser oficialista y tener coraje moral, político e intelectual para ser oficialista con altísimo nivel, porque nosotros tenemos la verdad, la vida ha demostrado que tenemos la verdad; nuestro Partido tiene la verdad, nuestro pueblo tiene la verdad, nuestra obra tiene la verdad.

En el discurso que pronunció Carlos Aldana el 27 de diciembre de 1991, ante el pleno de la Asamblea Nacional del Poder Popular, recordó una anécdota: cómo a finales de 1987 había remitido a Fidel un documento en el que analizaba el proceso de la perestroika, ya que, dijo a los diputados, los miembros del Partido reclamaban "una orientación" frente al nuevo rumbo que tomaba la Unión Soviética.

Aldana entregó a Castro un informe en que sintetizaba el problema en cinco fases: respeto, comprensión, confianza, análisis y simpatía. Fidel, una vez estudiado el documento, conversó con Aldana. Le dijo: respeto, sí; comprensión, sí; confianza —y afirma Aldana, Castro hizo un gesto de interrogación— hasta cierto punto; análisis, sí; pero ¿por qué simpatía?

Está claro, visto ya con la perspectiva del tiempo, que desde el principio Fidel Castro no mostró ninguna simpatía por la perestroika, de la que decía que era "la mujer de otro". Aldana así lo vio. Pero no otros intelectuales que intentaron polemizar con él.

Por ello, ahora, desde la tribuna de la Asamblea Nacional les pide que "tengan honestidad intelectual y valentía moral para reconocer que se equivocaron" (11).

Aldana demanda que "reconozcan que nuestra dirección, a la que algunos consideran poco ilustrada frente a su supuesta sapiencia, vio mucho más lejos, mucho más profundo", que la perestroika terminaría destruyendo a la Unión Soviética.

En ese momento, Aldana era el hombre inflexible del Partido que tira de las orejas a sus compañeros intelectuales para que reconozcan sus errores. Es en ese discurso también en el que Aldana arremeterá ferozmente contra los grupos disidentes del interior de la isla. (Ver capítulo "Los disidentes".)

Un discurso que lógicamente debía contener una cita de José Martí, su autor de cabecera.

En esta ocasión, utilizará al Apóstol para cerrar su intervención ante la Asamblea.

—Casi siempre, cuando uno tiene una tarea como esta que se me ha encomendado, en algún momento tiene que pensar en cómo va a terminar...

Afirma que muchos compañeros dicen "cosas muy buenas, pero no saben cómo parar".

El ha preparado el final. Un final horrible que anunciará terribles penas para quienes combatan a la Revolución. En esta ocasión, Aldana citará una circular que los líderes de la guerra de la independencia José Martí y el general Máximo Gómez dirigen a los jefes insurgentes:

—En el caso de que en cualquier forma y por cualquier persona se le presenten proposiciones de rendición... castigue usted sumariamente este delito con la pena asignada a los traidores a la Patria.

La pena de muerte.

Unos días después, tres cubanos fueron fusilados.

Lo había advertido Carlos Aldana. La parte dura de este poeta que apenas si tiene ya tiempo para escribir versos de amor.

LAGE Y ROBAINA: LOS JOVENES LOBOS

Tienen varias cosas en común, pero es curiosa una: Carlos Lage estudió Medicina, pero cuando ya el pelo escaseaba en su privilegiada cabeza tuvo que dedicarse a la economía. Roberto Robaina quería ser médico, pero terminó como profesor de Matemáticas.

Tan drásticos cambios en sus vidas fueron provocados por una misma persona: Fidel Castro.

Ambos ocuparon el mismo puesto que los catapultó al estrellato político en la Cuba revolucionaria: Primer secretario de la

Unión de Jóvenes Comunistas (UJC). Primero, Carlos Lage Dávila, de cuarenta y un años, quien dirigió la organización juvenil desde 1981 hasta que lo sustituyó Roberto Robaina González, treinta y seis años, en 1986.

Los dos fueron presidentes de la Federación Universitaria de Estudiantes (FEU). Ambos han estado en Africa: Lage en Etiopía, y Robaina en Angola, combatiendo al lado de los casi 400.000 cubanos que pasaron por el continente africano entre 1975 y 1990.

Todo el mundo coincide en La Habana en que no ha habido dirigente juvenil como Roberto Robaina en mucho tiempo. Sin embargo, el propio Robaina me dijo en una ocasión:

—Puedo asegurar que no ha pasado por la Juventud un secretario más brillante que Lage. No ha habido hombre más inteligente que él.

Fue precisamente Roberto Robaina, al que todo el mundo en Cuba llama Robertico, entre otras cosas por su corta estatura, tema que no parece preocuparle en absoluto, quien me presentó a Carlos Lage.

Era el día en que se celebraba el XXX Aniversario de la declaración del carácter socialista de la Revolución cubana, en el acto que tuvo lugar en la Escuela de Artillería Camilo Cienfuegos de La Habana. Lage fue el orador principal del acto, presidido por Raúl Castro: allí estaban los cuatro hombres con más futuro aparentemente de la Cuba socialista: el propio Raúl, Carlos Aldana, Carlos Lage y Roberto Robaina. Las tres generaciones reunidas en un solo acto.

Todos piensan lo mismo sobre los temas básicos:

—Este es el instante en el que al conmemorar aquel 16 de abril en que enterrábamos a nuestros mártires caídos en el combate que fue el preludio de la victoria de Playa Girón, proclamamos con voz firme y segura nuestra fe en el socialismo como la única alternativa de independencia y progreso de nuestra Patria...

Era la primera vez que escuchaba a Carlos Lage en un discurso. Miembro del Equipo de Coordinación y Apoyo del comandante en jefe desde 1987, una especie de secretaría general permanente de Fidel Castro, compuesta habitualmente por cuatro personas de su íntima confianza, Lage era un dirigente del que se hablaba mucho pero que hablaba poco.

Normalmente recluido en la sede del Comité Ejecutivo del Consejo de Ministros, en el conjunto de edificios que hay en la plaza de la Revolución, Lage aparecía en contadas ocasiones en actos públicos.

El de la Escuela de Artillería fue uno de ellos. En lo sucesivo, vería a Carlos Lage en todas las visitas de empresarios, españoles o de otra nacionalidad, a la isla. Acompañaría también a Fidel Castro en dos importantes salidas al exterior, la I Cumbre de Jefes de Estado y de Gobierno de Iberoamérica, celebrada en la ciudad mexicana de Guadalajara ese mismo año de 1991, y unos meses más tarde en la cita de Cozumel con los presidentes de México, Colombia y Venezuela.

Menos espectacular en la oratoria que su sucesor al frente de la UJC, Robertico Robaina, el fondo del discurso que Lage pronuncia en la Escuela de Artillería podría ser suscrito por aquél sin ningún problema:

—Hablan del respeto a los derechos humanos. Quien quiera hablar de los derechos humanos en serio tiene que condenar el bloqueo de los Estados Unidos. Tiene que reconocer que los más humanos de los derechos son el derecho a la vida, el derecho a la salud, a la educación, a la tranquilidad social, al trabajo que están garantizados en Cuba como en ningún otro país del Tercer Mundo y en muchos otros países desarrollados.

Mientras que Lage dirá que la victoria se decide en la economía, Robaina afirmará que en la ideología. Pero eso no los diferencia, los complementa. Lage está dedicado veinticuatro horas al día a resolver la grave crisis económica del país. Robaina, al rearme político de la mitad de la población cubana, menor de treinta años, y con la que Cuba se juega su futuro inmediato.

Cuando termina el acto, y el calor aprieta de lo lindo en esta loma de La Cabaña, desde donde se divisa el azul verdoso del mar, penetramos en un amplio salón de la Escuela de Artillería. Robaina y Lage charlan animadamente. No toman alcohol. Beben un refresco. Robaina me presentó a Lage. Quise saber cómo era su actual trabajo, junto al comandante en jefe. Lage, discreto, dirá que al principio se moría de sueño.

Como Robaina, estaba acostumbrado a presentarse en la sede central de la UJC a las seis de la mañana. Cuando fue incorporado al Equipo de Coordinación de Fidel, las jornadas de trabajo se alargaban hasta las cuatro y las cinco de la madrugada. "Tuve que cambiar mi estilo de vida", recuerda Lage. Se hizo noctámbulo, como los dirigentes históricos.

Unos dirigentes a los que él adoraba cuando era un niño. Lage tenía ocho años cuando los barbudos entraron en su ciudad natal, La Habana, y la pusieron patas arriba. Hoy, algunos de aquellos hombres admirados lo admiran a él por su enorme capacidad de trabajo y su excelente preparación.

Su carrera política ha sido fulgurante: a los catorce años ingresa en la UJC y dieciséis años más tarde es su primer secretario. Corre el año de 1981. En los años intermedios, Lage ha estudiado Medicina, especialidad de Pediatría. Ha sido presidente de la FEU (1975). Ha ingresado en el Partido Comunista (1976). Ha ejercido unos meses la medicina en el Hospital Pediátrico de La Habana (1978) antes de ser enviado a Etiopía a cumplir una misión internacionalista.

En 1980 será nombrado segundo secretario de la UJC y miembro suplente del Comité Central. Al año siguiente es primer secretario de los jóvenes comunistas, desde donde definitivamente dará el salto a la gran política.

A los pocos meses de finalizar su mandato al frente de la UJC, en 1986 es captado para el Equipo de Cordinación y Apoyo del comandante en jefe. Fidel Castro descubrirá que este joven médico de prematura calvicie, es un lince para la economía. No es el primer caso: el mítico guerrillero Ernesto "Che" Guevara era también médico, pero Fidel lo nombró director del Banco Nacional de Cuba nada más terminar la guerra y más tarde ministro de Industria.

Desde finales de 1990, Lage preside la Comisión Especial creada para el seguimiento del Período Especial en Tiempo de Paz, sin duda una de las estrategias más fundamentales en los últimos años de la Revolución cubana: la victoria se logra con la economía, es la máxima de Lage. Hay que saber administrar y distribuir equitativamente lo poco que se tiene.

El resto de los cargos caerán ya uno tras otro: miembro del Consejo de Estado, miembro del Buró Político, secretario del Comité Ejecutivo del Consejo de Ministros. Está en la cima.

Como otros que han formado como él parte del Equipo de Cordinación del comandante, Lage puede saltar en cualquier momento a un puesto de mucha más importancia, posiblemente en el área administrativa del Estado.

En los meses previos al IV Congreso, se extendió el rumor fuera de Cuba de que Fidel Castro podría abandonar uno de sus cargos, el de primer ministro, y confiárselo al joven Lage, que era quien en los últimos meses llevaba el día a día de los asuntos económicos del país.

Se lo comenté a su amigo Robaina.

—Razones tiene para sonar. Al fin muchos comienzan a conocer el talento, la preparación que tiene.

Ese cambio en la cúpula del Estado cubano no se produjo, pero la figura de Lage fue haciéndose cada vez más imprescindible. Sus apariciones públicas más frecuentes.

El 4 de mayo de 1992 convocó de forma inesperada a los corresponsales extranjeros acreditados en La Habana y habló ampliamente sobre la situación económica de la isla. Astuto, fijó las reglas del juego: respondería sólo a temas de su competencia, los económicos.

Pero no pudo evadirse de algunos temas que estaban a caballo entre lo político y lo económico. Para Lage, Cuba vivía "un nuevo momento de profundización revolucionaria, de radicalización revolucionaria y de defensa intransigente de los principios revolucionarios". Para este dirigente, ello se debía al acoso, cada vez mayor, que se ejercía contra la isla desde los Estados Unidos.

Las medidas excepcionales tomadas para salir de la crisis económica, se correspondían también con las de carácter político. La Revolución no podía realizar una apertura en lo político cuando estaba siendo asfixiada económicamente. Lage atacó:

—En Estados Unidos tampoco hay pluripartidismo. En realidad los dos partidos existentes son un solo partido, el partido del imperio, con dos tendencias.

Lage utilizó el viejo argumento cubano de que los presidentes norteamericanos son elegidos por una minoría que no llega ni al 30 por 100 de la población total (si se descuenta el alto porcentaje de abstención y el porcentaje de votos que recibe el candidato perdedor).

—En Cuba, sin embargo, no hay pluripartidismo, pero hay pluriparticipación —concluye el médico economista.

A lo largo de su conversación con los periodistas extranjeros, Lage eludirá una y otra vez dar cifras comprometedoras sobre la realidad de la economía cubana: ni dará la cifra que se espera para la zafra de 1992, más baja que la de años anteriores; ni dirá con cuánto petróleo contará exactamente la isla en ese año; ni cuál es el nivel de reservas en divisas del país.

Lage justificará su silencio argumentando que Cuba no vive en una situación de normalidad. Y de nuevo sale el acoso, el bloqueo del vecino del norte:

—Seguimos una política de restricción de información no sólo con la cosecha de azúcar (zafra) sino también y en general con nuestra economía. Ustedes comprenderán que tenemos que tomar medidas para protegernos.

Desmantelado el gran mercado que Cuba tenía en la Unión Soviética y el Este europeo, los cubanos han de salir en busca de mercados donde colocar su azúcar, operación innecesaria hasta 1989, ya que la gran parte de su producción viajaba a los países que Fidel llama ex socialistas.

—Estamos expuestos a que esos nuevos mercados sean manipulados por los Estados Unidos y no es una invención.

Lage, que aparenta ser un hombre serio e introvertido, se permitió algun bromas. Por ejemplo, decir que el Período Especial ha traído consigo algo muy positivo para La Habana: los autobuses húngaros ya casi no echan humo ni perjudican el medio ambiente. Sencillamente, cada vez hay menos autobuses húngaros.

Lage es una persona optimista. Al menos esa imagen intenta transmitir en sus apariciones en público. Una de sus frases favoritas: "Lo que no es eficiente no es socialista". Lo que dicho en un país donde la productividad es baja y el nivel de absentismo elevado, no deja de ser paradójico.

En otra ocasión se preguntaba, tras hacer un recuento de todas las catástrofes ocurridas en el campo socialista: ¿cómo es que no estamos peor?

Y el mismo se respondía:

—Unicamente un sistema socialista y un pueblo unido pueden afrontar una situación tan adversa, sin hambre, sin desamparo, sin cerrar hospitales ni escuelas, ni crueles desigualdades (12).

No estamos derrotados, es otra de sus frases favoritas. Y la argumenta así:

—Ya hace tres años que no existe el campo socialista; ya hace dos años que la URSS no representa lo que económicamente representaba y hace casi un año que no hay URSS siquiera. Y nosotros hemos resistido... (13).

Uno de los puntos más criticados por los opositores de Castro es el hecho de que se haya rodeado en los últimos años de gente muy joven, incapaz de discutir una idea o proyecto. Tanto Carlos Lage como Roberto Robaina rechazan el argumento.

Lage afirma que las decisiones en el Comité Ejecutivo del Consejo de Ministros se toman de forma colectiva.

¿Qué sucede cuando hay diferencia de opiniones?

—En ese caso se opta por la opinión más conveniente, que es la más colectiva —dijo en la rueda de prensa de mayo del 92.

Y añadió que no estaba dando "una respuesta formal o evasiva":

—Efectivamente, Fidel tiene influencia en todos nosotros, y en la población. Una influencia derivada de su prestigio, de su liderazgo. Ahora bien, las decisiones no se toman por imposición, ni son las decisiones de Fidel las que se imponen. Lo digo con absoluta honestidad.

Lo mismo me dijo en una ocasión Robertico Robaina.

Le había preguntado si él se consideraba el delfín de Castro, como se había publicado en algunos medios norteamericanos.

Se rió mucho. Porque acababa de regresar de un viaje por Argentina —eran los primeros días de enero de 1991— y le habían comentado lo mismo. Es más, le habían dicho también todo lo contrario: que había tenido serias discrepancias con Fidel y que se había marchado con veinte de sus colaboradores a Angola.

—Dijeron que me había peleado con Fidel, que recogí todo y me fui. Es tan falso como lo otro, lo de delfín de Castro.

Y me comenta lo mismo que Aldana, lo mismo que dice Lage: que si hay un sucesor, ese sucesor ya está nombrado, y es Raúl Castro. Y que en todo caso, la dirección futura del país será cada vez más una dirección colectiva.

Aunque con biografías muy paralelas, separadas por la diferencia de edad —Robaina, que tiene treinta y seis años, es cuatro años y medio más joven que Lage—, los dos últimos secretarios de la Juventud tienen dos estilos muy diferentes de dirigir la organización.

Bullanguero, colorista, uno, Robaina. Más serio, recogido, el otro, Lage.

Pero Robaina agradecerá eternamente a Lage que creara unas condiciones excepcionales para que al sustituirlo en la UJC su trabajo rindiera frutos de inmediato.

Es una de las características de Robertico: conocedor de que todos hablan bien de él —salvo los enemigos, que los tiene, dentro y fuera del sistema— siempre saca a relucir que un hombre solo no puede hacer todo. Que detrás de él hay un equipo de personas que le ayudan, con las que discute sus ideas, diseña sus estrategias y lleva adelante el programa trazado.

—Me debo a un colectivo que me ha apoyado mucho en los últimos años, pero lamentablemente la gente asocia muchas cosas a la actuación de una sola persona.

No le gusta anotarse todos los tantos del partido. Aunque no hay duda de que desde jovencito se adivinaba en él a un buen jugador.

A Robaina, nacido como este cronista un 18 de marzo, aunque unos años más tarde, 1956, le cambió la vida un día cuando era estudiante del décimo grado. Tenía quince años y la dirigencia del país hizo un llamamiento a cuantos jóvenes estuvieran en ese nivel para que se hicieran profesores. El país necesitaba maestros.

—Yo quería ser médico. Ni siquiera sé si me gustaba. Pero yo quería estudiar Medicina y mis padres también...

—¿Tu padre era médico acaso?

Se ríe abiertamente. Y eso que son poco más de las seis de la mañana, la hora favorita de Robaina para conceder entrevistas, cuando no ha llegado ni un ayudante que prepare café.

—¡No, qué va! Mi padre era guaguero...

—¿Gua..., qué?

—¡Guaguero!, que conducía una guagua (autobús). Y mi madre trabajaba en una tienda de ropa.

Robaina pertenece a una familia de extracción humilde de Pinar del Río, la provincia más occidental de la isla. Su manera de ser, así como su lenguaje, son mucho menos refinados que los de Lage. Pero quizá por eso mismo ha contactado mucho más rápidamente con los jóvenes cubanos.

Aquel llamamiento surtió efecto. Robaina se olvidó de la Medicina y estudió Matemáticas. Terminó amándolas:

—Era dirigente estudiantil y bastaba que se necesitaran maestros para que yo me presentara voluntario. Las matemáticas me gustaban porque te enseñan a razonar, no consisten en hacer números solamente. Si tienes un problema complicado, tienes que pensar en qué debes eliminar para que sea menos complicado.

En plena campaña de ahorro energético, Robaina utiliza con frecuencia la bicicleta —al igual que Lage— para ir a la oficina. A su despacho de primer secretario de la UJC, situado a pocos metros del Museo de la Revolución, en La Habana Vieja.

Como la de Lage, la carrera política de Robaina fue rápida y meteórica: presidente de la FEU (1980), segundo secretario de la UJC (1982), en 1986 sustituye a Lage al frente de la organización juvenil y es nombrado también miembro suplente del Comité Central del PCC. Tres años más tarde es miembro de pleno derecho del Comité Central y miembro del Consejo de Estado. En el IV Congreso del Partido, celebrado en octubre de 1991, asciende a miembro del Buró Político. Con treinta y cinco años entonces, Robaina se convierte en el miembro más joven que haya tenido nunca el Buró Político.

Unos meses después, en abril de 1992, es reelegido primer secretario de la UJC, a pesar de que su edad sobrepasa el límite establecido, de treinta años, para militar en la organización juvenil. De esta norma están excluidos los dirigentes nacionales.

Pero no había mejor opción. Eso lo sabía Fidel Castro y por ello lo propuso al Congreso, que lo reeligió sin dudarlo un instante.

Había hablado con Robaina meses antes sobre si le gustaría o no dejar la UJC y dedicarse a otra actividad. El prefería dejarlo:

—Los cambios en la Secretaría de la UJC se deben de producir de Congreso en Congreso —cada cinco años—. Es lo más saludable.

Robaina era consciente de que cumplía ya treinta y seis años y llevaba seis al frente de la UJC:

—Creo que hay muchos compañeros capaces, con posibilidades de sustituirme y que todos son como mínimo cinco años más jóvenes que yo. Y a mí me parece que eso para la juventud es bueno.

Pero no hubo recambio. Aunque decía que le gustaba su trabajo, tampoco le importaba dejar la política y volver a su viejo oficio de profesor de matemáticas.

Casado como Lage, y con un hijo, Robaina deberá seguir por fuerza mayor en la política. La Revolución tiene en él un activo demasiado importante como para dejarlo esconderse tras una pizarra enseñando derivadas y logaritmos.

Para muchos observadores de la realidad cubana y para otros tantos delegados al IV Congreso del Partido, fue una verdadera sorpresa ver a Robertico dirigir los debates sobre el Programa del Partido. Unos días después me cuenta que fueron el propio Fidel y su hermano Raúl Castro, por los que siente verdadera admiración, quienes le encargaron la misión.

—Raúl me dijo que yo debía presentar la Resolución porque era a la gente de mi generación a la que nos correspondería después cumplirlo y materializarlo. Para mí fue un tremendo voto de confianza, de seguridad, de continuidad en la Revolución.

Robaina comenzó la presentación de la Resolución con un:

—Cuando recibí la encomienda de presentar la discusión del Proyecto de Resolución sobre el Programa del Partido Comunista de Cuba, debo confesarles que pensé no fuera yo el más indicado, pero de lo que sí estoy convencido es de que sí soy al que se lo indicaron.

Carlos Aldana había presentado a su vez el proyecto sobre funcionamiento de los órganos del Poder Popular y Carlos Lage sobre la economía. Pero entraba dentro de la lógica.

El final de la intervención de Robertico tiene su gracia:

—Todo el que tenga una idea buena en la cabeza, que alce la mano (14).

Le comenté días más tarde que ése no era normalmente el lenguaje y las formas que se utilizaban en algo aparentemente tan serio como un Congreso del Partido. Dijo simplemente que había asistido a numerosas discusiones en las que la gente levantaba la mano por gusto, y luego no tenía nada nuevo que aportar.

El estilo es desenfadado y su personalidad agresiva, aunque en el buen sentido. Con la misma agresividad de un *yuppy* neoyorquino que quiere convertirse en agente de Cambio y Bolsa. Robaina sabe quién es, cómo piensa y cómo debe defenderse. Los días previos a un viaje que realizó por España, en donde la prensa por lo general es muy crítica hacia el régimen cubano, comentamos sobre lo que le esperaba allá.

Era consciente de que le atacarían por ser dirigente de un régimen en el que después de treinta años seguía habiendo muchas escaseces y deficiencias.

—Ante situaciones así, yo defiendo esta estrategia: les subo la parada.

En Cuba, subir la parada es equivalente a decir en España "elevar el listón".

—Cuando me preguntan que faltan cosas en Cuba, yo alargo la lista y digo: sí, falta eso, pero además esto también y esto otro. Porque realmente lo contrario, crear un escudo protector diciendo que todo es perfecto, es mucho más perjudicial. Pienso que a nosotros nos hizo mucho daño decir que la Revolución era la octava maravilla del mundo. Tenemos un montón de cosas buenas, pero también tenemos un montón de problemas que no hemos resuelto.

—Una de las cosas que te van a preguntar, Robertico, y yo me anticipo ahora: ¿cómo se puede seguir siendo comunista cuando parece no estar ni de moda ni esa doctrina parece haber tenido éxito en Europa?

—Lamentablemente, la palabra comunista está muy dañada en el mundo. Pero yo prefiero compararla con la parte que no está dañada. Tengo muchas razones para sentirme orgulloso de ser un joven comunista, por lo que ese comunismo me ha dado. No miro el comunismo que no les dio nada a otras gentes. Miro el mío: a mí me ha dado privilegios: por ejemplo, en ningún otro sistema del mundo, el hijo de un guaguero y una tendera podría llegar a

donde yo llegué. No ya políticamente, sino ni siquiera profesionalmente. Y lo que tengo no es ni por recomendación ni por dinero.
Tengo un hijo (de ocho años) al que puedo dejar con absoluta
tranquilidad en la puerta de la escuela y estoy convencido de que
estará bien atendido y que el maestro no le venderá drogas. A un
miembro de familia le han tenido que hacer un trasplante de riñón y no hemos pagado ni un centavo.

—Eso es cierto, Robertico, pero el gobierno de tu país está
considerado como una dictadura allá donde tú viajas ahora, en
Europa...

Se ríe mucho.

—Bueno, bueno... Esa palabra no me gusta. Sencillamente porque no creo que sea una dictadura. En Cuba tenemos un régimen
socialista, y yo no pienso que la receta del socialismo sea la del
partido único. Pero ni esa receta está escrita ni creo que nosotros
seamos los llamados a escribir esa receta. Pero sí pido a quienes
nos preguntan si vivimos en una dictadura que traten de entender
por qué razón hemos tenido que estar apegados a conceptos de
vida muy unitarios, muy de partido único. Por una sola razón: la
agresividad de Estados Unidos hacia nuestro pequeño país.

Salió el tema inevitable: Estados Unidos. Muchísimos de los argumentos utilizados por los dirigentes cubanos se detienen en ese punto, en ese escollo del vecino 84 veces más grande que la breve isla caribeña y con 25 veces más habitantes. Escollo mañido, pero real.

En las muchas intervenciones públicas que he escuchado a Robaina he observado su discurso plagado de palabras y simbologías
guerreras, de combate, de lucha, de asaltar el futuro con las armas
en la mano. Robaina dice que habla así no porque quiera ser agresivo, sino como una forma de defender a la Revolución:

—No nos gusta la guapería (chulería) exagerada. Mira: yo hablo de machetes, pero lo último que utilizaríamos si aquí pasa algo
serían los machetes. Por lo menos en los primeros meses de la guerra. Porque tenemos una enorme cantidad de hierros (armas de
fuego) y una buena cantidad de gente para utilizar esos hierros.

De cualquier forma, una cosa es estar preparado para la guerra
y otra pensar que ésta es inevitable e inminente. Robertico no lo
cree así:

—La mejor manera de ganar una guerra a Estados Unidos es
evitarla —sentencia.

E insiste en su opinión de que la batalla que hay que ganar en
todo caso es la ideológica.

Y en esas está este pequeño gran hombre que es Roberto Robaina. Un comunista orgulloso de serlo que combate al enemigo
interno y externo. Porque algunos quedan que ven en él a un de-
magogo, detrás de cuyas palabras y actos no hay nada. El lo sabe y
los ataca de frente. Eso sí, no es ningún suicida.

—Todos esos temas polémicos los he tratado antes en el Buró Político, los he conversado con Fidel y con Raúl y en los dos he encontrado una enorme comprensión.

El despacho de Robaina ha dejado de ser un lugar tranquilo, en donde ni suenan los teléfonos ni se escucha a través de la puerta el bullicio de secretarias y colaboradores. Indica que la madrugada ha dejado de serlo. La conversación llega a su fin. Me regala unas camisetas y docenas de botones realizados por el departamento artístico —y yo añadiría de comercialización— de la UJC. Aprieta firme la mano al despedirse y me recuerda:

—Pero no creas, compay, que tener una comprensión arriba no significa que la batalla esté ganada abajo. La pelea dura está en los niveles intermedios.

—Entonces —le digo— queda mucho por pelear.

—Sí, queda mucho por pelear.

* * *

En el otoño de 1993, estos dos representantes de la tercera generación han alcanzado la cima: Carlos Lage, como vicepresidente del Consejo de Ministros, es el responsable de la apertura económica de la isla, y Roberto Robaina, como ministro de Relaciones Exteriores, ofrece al mundo la imagen de una Cuba que quiere rejuvenecerse.

NOTAS

(1)   María Asunción Mateo: *Tiempo,* 27 de abril de 1992, Madrid.
(2)   Tad Szulc: *Fidel, un retrato crítico.* Editorial Grijalbo. Barcelona, 1987.
(3)   Tad Szulc: *Fidel, un retrato crítico.* Editorial Grijalbo. Barcelona, 1987.
(4)   Rafael Fermoselle: *The evolution of the cuban military: 1492-1986.* Ediciones Universal. Miami, 1987.
(5)   *Tiempo,* 27 de abril de 1992, Madrid.
(6)   Arthur Schlesinger Jr.: *Diario de La Habana.* Nexos, número 174, junio de 1992, México. (Tomado de *The New York Times Review.*)
(7)   *El Día,* 12 de marzo de 1992, México.
(8)   Carlos Alberto Montaner: *Fidel Castro y la Revolución Cubana.* Editorial Playor. Madrid, 1983.
(9)   *Este es el Congreso más democrático.* Editora Política. La Habana, 1991.
(10) *Granma Internacional,* 22 de marzo de 1992, La Habana.
(11) *Leales a la verdad.* Editora Política. La Habana, 1992.
(12) *Granma Internacional,* 9 de febrero de 1992, La Habana.
(13) *La Jornada,* 28 de abril de 1992, México.
(14) *Este es el Congreso más democrático.* Editora Política. La Habana, 1991.

7

LOS JOVENES

Yo te quiero libre, libre de verdad;
libre como el sueño, de la libertad.
Silvio Rodríguez
(*Yo te quiero libre*)

Antes de que dijeran su nombre, 1.500 jóvenes comenzaron a cantar y palmear.

P'allá tumbadores, p'allá
p'allá tumbadores, p'allá
con Robaina la juventud está
p'allá tumbadores, p'allá
p'allá tumbadores, p'allá.

En el amplísimo escenario del Palacio de Congresos de La Habana, de más de 20 metros de ancho, la plana mayor del Gobierno cubano también palmea y sigue el ritmo, casi con el mismo vigor que los jóvenes delegados. Están los dos hermanos Castro, Fidel y Raúl, Carlos Aldana y otros destacados dirigentes del Partido Comunista de Cuba. Al fin, por los altavoces se escucha la voz del maestro de ceremonias:

—¡Y como primer secretario...!

El griterío ahoga toda la megafonía del salón de plenos del Palacio de Congresos. Cantan de nuevo:

—¡Que venga la fiera, que la estoy esperando...!

—... como primer secretario, el Buró Nacional ha acordado ratificar a Robertiiiiico Robaina!

Las cámaras enfocan a un joven de mediana estatura, fornido, de poblado bigote y pelo no muy largo. Viste una camiseta negra con la sonriente figura del "Che" Guevara dibujada en el pecho. Abraza cariñosamente, y muy emocionado, a un chaval de unos ocho años. Su único hijo. Después, media docena de jóvenes lo levantan con facilidad y como si fuera un torero después de cortar orejas y rabo, da la vuelta al salón de plenos. Suena mientras una vieja canción de Silvio Rodríguez, escrita en 1983, hecha a medida de Roberto Robaina González: "El reparador de sueños".

Mientras Robertico, como le conoce media Cuba, estrecha manos, saluda, sube y baja escaleras a hombros de sus incondicionales, la delicada voz de Silvio desgrana estrofas:

> *"Siempre,*
> *llega el enanito*
> *con sus herramientas*
> *de aflojar los odios*
> *de apretar amores..."*

El enanito. A Robaina no le molesta ni que le llamen Robertico ni que hagan bromas sobre su corta estatura. Recuerdo el día que Raúl Castro inauguró el Museo militar instalado en el recién restaurado Castillo de los Tres Santos Reyes Magos del Morro, situado a la entrada del puerto de La Habana. Era el 16 de abril de 1991, y se celebraba el XXX aniversario de la fallida invasión de Bahía de Cochinos. Raúl caminaba con su brazo derecho apoyado en los hombros de Robaina cuando el oficial que servía de guía advirtió a los ilustres visitantes que bajaran las cabezas al pasar bajo unos arcos de escasa altura. Raúl, que se pasó la mañana gastando bromas a todo el mundo, incluido el embajador soviético Yuri Petrov, le dijo a Robaina:

—Tú, Robertico, no te preocupes, no tienes que agachar la cabeza.

El primero en soltar la carcajada fue Robaina. Un año después, el 4 de abril de 1992, los organizadores del VI Congreso de la Unión de Jóvenes Comunistas (UJC) han elegido la canción de Silvio y el enanito reparador de sueños como fondo musical de la apoteósica acogida que su reelección como primer secretario de la UJC ha tenido entre los 1.500 delegados asistentes al Congreso. El mismo Robaina bromea sobre su corta estatura cuando al dirigirse a los delegados del Congreso les dice:

—Ayer, cuando Fidel presentó mi candidatura, los aplausos de ustedes me subieron los colores a la cara, claro que no tienen que subir mucho, por mi tamaño...

A pesar de sus treinta y seis años, Robaina sigue al frente de las Juventudes. No hay mejor opción. Cuando termina su triunfal vuelta al salón de plenos y consigue encaramarse de nuevo en la tribuna dice:

—Pienso que hoy podríamos estar aplaudiendo a otro compañero al verlo ocupar el cargo de primer secretario. Para mí hubiera sido lo deseado y lo más consecuente con la política que ha venido desarrollando la juventud en este tiempo.

Robertico Robaina quería abandonar la dirección de la UJC. Lleva diez años como líder de los jóvenes comunistas cubanos, primero como segundo secretario (1982-86) y los últimos seis años años como primer secretario. Elegido miembro del Buró Político del Partido Comunista de Cuba (PCC) en el IV Congreso celebrado en octubre de 1991, Robaina hubiera deseado cambiar de trabajo e incluso, si así lo decidía el Partido, como me dijo en una ocasión, regresar a sus orígenes: dar clases de Matemáticas en un Instituto.

Pero este reparador de sueños es un activo muy importante para el régimen cubano. Fidel Castro lo sabe: desde que Robertico está al frente de la UJC, las calles de La Habana se han transformado, las manifestaciones y concentraciones de los jóvenes comunistas no sólo no le cuestan un centavo al Estado, sino que, gracias a Robaina y su equipo, se autofinancian con la venta de camisetas, de pegatinas, de chapas, de gorras. Robertico ha convocado a sus muchachos a la Plaza de la Revolución hace un año, cuando se produjo el "llamamiento al VI Congreso de la UJC" y la ha llenado. Fidel le había preguntado:

—Robertico, ¿crees que vas a llenar la plaza?

La llenó. Y sin acarreos. Sin autobuses del Estado que transportaran a los jóvenes habaneros. A pie o en bicicleta, el 4 de abril de 1991 Robertico llenó la plaza de la Revolución, para alegría de Fidel.

Por ello, no es de extrañar que ante los deseos de Robaina de alejarse de la dirección de una organización cuyos militantes cesan, según los actuales estatutos, a los treinta años, el propio Fidel propusiera a los delegados del VI Congreso que reeligieran a Robaina. Y ya se sabe que los deseos de Fidel son órdenes en Cuba.

Para Fidel y para la dirigencia cubana, es importante el control de la juventud. Mucho más en un país de 10.700.000 habitantes, en el que el 54 por 100 de la población tiene menos de treinta años, ha nacido bajo la Revolución.

Un país en donde el 33,23 por 100 de la población se sitúa precisamente entre catorce y veintisiete años. La edad para solicitar la militancia en la UJC va de los quince a los diecisiete años. De esos 3.500.000 jóvenes, el 45,5 por100 ha entrado ya en el mercado de trabajo y son una fuerza importante en el país (1).

Es indudable que todos creen que Robaina debía seguir al

frente de una importante organización que agrupaba a 604.457
militantes en 1987 (2) y que se mantiene, según Juan Antonio Vázquez, portavoz de la UJC, en torno a esa cifra desde entonces.

Es indudable también que Robaina goza de prestigio entre los
militantes de la UJC. Uno de los delegados interrumpe el breve
discurso de aceptación del cargo por parte de Robaina y con la excusa de que debe hacer un "planteamiento", palabra muy cubana
y muy de congresos, que había olvidado, lee:

> *"Anda un chiste por ahí*
> *sobre Roberto Robaina,*
> *que está basado en la vaina*
> *de su nombre la raíz.*
> *La gramática es así,*
> *se puede ir de las manos*
> *y si con robar, hermanos,*
> *tiene cierta relación,*
> *te has robado el corazón*
> *de todo el pueblo cubano."*

El Congreso se ríe. El Congreso se divierte. Robertico también.
Agradecido, presenta a Castro, que es quien en definitiva impulsó
la reelección de Robaina: "Si Fidel habla o recomienda él sabe
bien lo que dice y por qué lo dice". Y cede los micrófonos al líder
máximo con estas palabras: "Comandante en jefe, aquí está la juventud que quiere oírle".

Durante casi tres horas, Fidel hará uno de sus clásicos discursos
en el que habla desde la caída del socialismo en el Este europeo, a
la cosecha de la patata; desde la distribución de bicicletas a la población hasta el retraso en la zafra de azúcar.

El primer aplauso se lo lleva Fidel a los pocos segundos de comenzar a hablar. Cuando recuerda que hace justamente treinta
años propuso cambiar el nombre de la Asociación de Jóvenes Rebeldes por el de Unión de Jóvenes Comunistas (UJC).

—Hoy nos sentimos orgullosos de haber tomado aquella decisión, porque en aquel entonces también había melindres, temores, y aquella palabra, comunista, resultaba demasiado fuerte.

La UJC nace el 4 de abril de 1962. Su antecedente histórico es
la Liga Juvenil Comunista (LJC) surgida en el seno del Partido Socialista Popular (PSP), primera organización comunista de Cuba.
La Liga comienza a formarse en 1928, se consolida en 1931 con la
elección de su primer Comité Central y celebra su primer y único
Congreso en el mes de mayo de 1934. Un Congreso clandestino
que tiene lugar en una casa alquilada en las afueras de La Habana
y a la que los 70 delegados llegan de dos en dos, dejando un margen entre cada pareja de quince a treinta minutos. Un Congreso

que elige como presidente de honor a José Stalin (3). Poco después, con el auge de los fascismos en Europa, la Liga desaparece.

Hoy, la UJC es una de las instituciones clave del sistema cubano. La Constitución vigente se refiere a ella en el artículo 6 como una organización "de la juventud avanzada, bajo la dirección del Partido", cuya tarea principal es la de "trabajar para preparar a sus miembros como futuros militantes del mismo y contribuye a la educación de las nuevas generaciones en los ideales del comunismo, mediante su incorporación al estudio y a las actividades patrióticas, laborales, militares, científicas y culturales" (4).

Los Estatutos de la UJC la definen como "la organización juvenil del Partido Comunista de Cuba, forjada en el pensamiento martiano y marxista-leninista". Orgánicamente es independiente, se rige por el principio del centralismo democrático, pero se reconoce "sin menoscabo de la unidad, el respeto a la pluralidad de puntos de vista en el seno de la organización".

La militancia en la UJC se inicia a los quince años y finaliza al cumplir los treinta, a no ser que se haya ingresado en el Partido Comunista, en cuyo caso se admite la doble militancia, si se es dirigente de la UJC (caso de Robaina). La UJC "se apoya" en la Federación Estudiantil Universitaria (FEU) y la Federación de Estudiantes de la Enseñanza Media (FEEM), y "dirige, atiende y controla la labor cotidiana de la Organización de Pioneros José Martí", a la que pertenece prácticamente el ciento por ciento de los niños y adolescentes cubanos.

El ingreso en la UJC es complicado. Como organización selectiva, el aspirante ha de cumplir una serie de requisitos: el centro de estudios o de trabajo, por medio de la llamada Asamblea de Ejemplares, elige a quienes consideran más idóneos para militar en la UJC. También se puede ingresar a petición propia, pero esa candidatura ha de ser aprobada asimismo por la citada Asamblea.

Después, se realiza un proceso de comprobación de las cualidades del aspirante. Dirigentes locales de la UJC recogen información sobre el candidato en su medio ambiente, el centro de estudios o de trabajo, así como en su propio barrio. Los Estatutos exigen que el candidato "debe distinguirse por su honestidad, sencillez, modestia, sensibilidad y voluntad de vencer" (5). Después se produce la aprobación del Comité de Base donde se va a militar. Pasados noventa días, el Buró Municipal de la UJC aprueba o rechaza la solicitud.

El jolgorio vuelve al abarrotado salón de plenos del Congreso de la UJC cuando Fidel ataca a su enemigo número uno: el imperialismo encarnado en los Estados Unidos.

—De nosotros al menos el imperialismo no es dueño, ni sentimos más temor por ese imperialismo aunque su poder sea hegemónico en este mundo unipolar. No teníamos miedo cuando existía la Unión Soviética y le tenemos menos miedo ahora que no existe la URSS....

Los delegados, en pie, gritan y palmean:

—¡Fidel, aprieta, a Cuba se respeta!

También corearán otras frases que la versión oficial de *Granma* recogerá pudorosamente con el nombre de otras "consignas": "Arriba, abajo, los yanquis al carajo!", o "¡Derecha, izquierda, los yanquis a la mierda!".

Como todos los discursos de Fidel, éste también tendrá su punto álgido, su clímax. Será cuando aborde uno de los temas más difíciles de digerir por la dirigencia cubana: la existencia de jineteras, eufemismo bajo el que se oculta la palabra prostitutas. Castro hará alusión a las 27 delegadas que están embarazadas y dirá a su rendido auditorio que todos ellos, que la Revolución, el Estado, se preocupan para que las hijas de esas jóvenes madres "no sean mañana prostitutas". Con un humor desconocido en Castro al abordar tema tan espinoso, dirá:

—Puede haber aquí (en Cuba) jineteras, pero habría que añadir que son estrictamente voluntarias.

Con la Revolución, mantiene Fidel, "ninguna mujer en este país está obligada a prostituirse". Otra cosa sería con el capitalismo, claro que éste se encontraría con unas prostitutas "de alto nivel escolar", matiza Castro con desenfado.

Y hace Fidel el recuento: cuántas maestras, cuántas técnicas, cuántas médicas hay en el país y como nadie desea en Cuba que los hijos de las 100.000 embarazadas que existen en estos momentos en la isla estén predestinados, como en tantos otros países del Tercer Mundo, a pedir limosna por las calles, limpiar parabrisas o dedicarse al más viejo oficio del mundo. ¿O sí lo desean? El "!Noooooooo!" que sale de las casi 2.000 gargantas es atronador.

Fidel entabla con el auditorio uno de sus famosos diálogos, que él mismo bautizó como la "democracia directa". Interroga a los centenares de jóvenes que le escuchan qué harían los tres "mártires" de la Revolución que cubren con sus enormes retratos el gigantesco escenario del salón de plenos: el "Che", Mella y Camilo.

—Yo me pregunto, en unas circunstancias como éstas, ¿qué haría el "Che", estaría hablando de economía de mercado y esas cosas?

—¡Noooooooo!

—¿Qué haría Mella, estaría hablando de economía de mercado y capitalismo?

—¡Noooooooo!

—¿Qué haría Camilo, estaría hablando de economía de mercado y de capitalismo y andaría hablando las basuras esas que hablan por ahí algunos mediocres, vendepatrias y oportunistas?

—¡Noooooooo!

Detrás de Fidel, los rostros sonrientes de estos tres ilustres revolucionarios, parecen darle la razón. Son los tres mitos de los jóvenes comunistas cubanos, muertos todos ellos prematuramente. Julio Antonio Mella, asesinado en 1929 en México cuando sólo tenía veinticuatro años. Camilo Cienfuegos, misteriosamente desaparecido en octubre de 1959 cuando su avioneta volaba por Camagüey, con sólo veintisiete años. Ernesto "Che" Guevara, ultimado en 1967 por soldados del Ejército boliviano a sus treinta y nueve años cuando pretendía exportar la revolución al país andino.

Cada uno representa para los jóvenes cubanos una virtud revolucionaria. Mella, el estudio. El joven universitario que funda en 1925 el primer Partido Comunista de Cuba, entonces llamado Partido Socialista Popular. Camilo, el trabajo. El esforzado comandante guerrillero lleno de carisma al que Fidel solía preguntar: ¿Voy bien, Camilo? El "Che", el fusil. El argentino que se hizo guerrillero del mundo y peleó en Guatemala, en Cuba y Bolivia. Es el culto cubano a los muertos, a los héroes caídos en acción.

Recuerdo uno de los párrafos del texto de la convocatoria al anterior Congreso de la UJC, el V, celebrado en abril de 1987: "Por nuestras venas corre ardiente la sangre que latió impetuosa en las heroicas cargas al machete; la misma que hizo exclamar a Mella: '¡Muero por la Revolución!'; la misma de Camilo, que prefería dejar de respirar que dejar de ser fiel a Fidel; la misma del 'Che', que daba la bienvenida a la muerte, consciente de que la joven generación tenía su oído receptivo".

Miro a Robertico y recuerdo que he hablado con él muchas veces de ese lenguaje, entre guerrero y fatalista. De aquella manifestación del 28 de diciembre de 1990 encabezada por Robaina y tras él una gigantesca pancarta en la que se leía: "Morir por la patria es vivir". Unos días después, a las seis de la mañana conversamos en su despacho sobre la muerte.

—Sé que en el extranjero se critica mucho lo de "socialismo o muerte". Piensan que es muy duro. Pero no decimos eso porque queramos la muerte. Lo que queremos decir es que para defender la Revolución hay que tener aceptada la disposición a morir. Pero a mí personalmente me parece que lo que más falta hace es no morir, mantenerse vivos para defender la Revolución.

Morir. Vivir. ¿Cómo viven los jóvenes cubanos? ¿Cuántos son los que piensan y viven como estos delegados del Congreso de la UJC? ¿Son mayoría o minoría los que están con la Revolución?

Imposible saberlo en un país donde no hay encuestas, o al menos si las hay están guardadas bajo siete candados. Sí es cierto que en determinados sectores juveniles crece el descontento. Muchas veces por la carencia de bienes que jóvenes de otros países disfrutan mientras el joven cubano ha de conformarse con verlos a través del cine o la televisión. Pero hay también una disidencia política entre la juventud, especialmente la universitaria.

Una mañana de diciembre de 1989, dos pizarras de la Facultad de Matemáticas de la Universidad de La Habana amanecen con sendas pintadas. Una de ellas dice "Abajo Fidel", la otra, "Abajo la dictadura". El decano de la Facultad convoca a una asamblea de profesores y alumnos, en la que participan dirigentes estudiantiles de la UJC y de la Federación de Estudiantes Universitarios (FEU). Se responsabiliza de las pintadas a seis estudiantes para los que se pide la expulsión. Sólo echan a tres, uno de los cuales nada tiene que ver con la disidencia al régimen.

Año y medio después, Jorge Quintana Silva, de veintinueve años, está sentado ante la mesa del pequeño saloncito de su casa habanera. Su madre está presente y de vez en cuando interviene en la conversación.

—Cuando me expulsaron, me di cuenta de que de un momento a otro me podían detener. Vine a casa y aquí mismito redacté una carta exponiendo mi pensamiento. Se la llevé a una amiga para que la pasara a máquina. Creo que la asesinó un poquito. La carta que ha circulado por el exterior tiene muchas erratas....

En efecto, las tiene. Pero aún así, aquella carta hizo que la prensa extranjera pusiera sus ojos en la Universidad. Al principio se creyó que el movimiento encabezado por Jorge Quintana era numeroso y preocupante para el régimen cubano. Después se sabría que en realidad el denominado grupo "Seguidores de Mella", el estudiante asesinado en México que cofundó el primer Partido Comunista y cuyo rostro preside habitualmente los Congresos de la UJC, no cuenta con más de media docena de activistas. Quintana y Carlos Ortega Piñeiro eran sus cabezas visibles y ambos sufrieron primero la expulsión de la Universidad, de la que son estudiantes nocturnos, pues ambos trabajan, y después diez meses de cárcel.

La carta, dirigida al Buró Nacional de la UJC, es entregada por el propio Quintana a Roberto Robaina poco antes de ser detenido. En ella, Quintana hace un resumen de las conversaciones que ha mantenido, meses atrás, con la dirigencia nacional de la UJC.

Los puntos clave de esa misiva expresan la preocupación de Quintana por la falta de democracia, la corrupción generalizada en el sistema cubano, la designación a dedo de los cuadros, la necesidad de diversificar la propiedad (prácticamente toda ella en manos del Estado). Pero sobre todo, Quintana plantea un tema tabú en la sociedad cubana: el culto a la personalidad de Fidel Castro que, afirma, "ha afectado a su prestigio personal, pero no se nos puede culpar (a nosotros) puesto que no hemos sido nosotros los del error, sino sus víctimas".

Quintana recuerda también a los dirigentes juveniles su propuesta de establecer un diálogo a nivel nacional sobre estos temas, que se discutan en el seno de la UJC y en última instancia en la Universidad. Mantiene que no renuncia a las frases pronunciadas en las discusiones con los dirigentes de la UJC, y específicamente cita la de que "Fidel es un traidor a la Revolución", que "lo que ustedes llaman Revolución es realmente estalinismo" y que "para mí siguen vigentes las diferentes formas de lucha, incluyendo la armada".

¿Cómo es posible que en un país como Cuba estos dos militantes de base de la UJC —de la que son expulsados— lleguen a sentarse en una mesa con Robaina y algunos de sus principales colaboradores para discutir sobre la necesidad de que Castro abandone el poder? Ante mi sorpresa, Quintana me dice:

—Lo abordé a la salida del edificio central de la UJC. Le dije: Robaina, queremos conversar contigo sobre un problema muy grave. Se está hablando de asaltar el palacio presidencial (hoy sede del Museo de la Revolución) y el Comité Central. Mordió el anzuelo —dice ahora con sorna Quintana.

Robaina les da una cita para un par de días después. Lo primero que Quintana le dice es que hay que llamar a Fidel y convencerle de que debe renunciar. ¿Loco? ¿Iluminado? La situación llega a ser tan tensa que Quintana está a punto de llegar a las manos con Juan Continuo, un destacado miembro del Buró Nacional.

Unos meses después, en octubre de 1991, el máximo dirigente juvenil cubano reconoce que esa entrevista tuvo lugar. Sólo que Robaina habla de un encuentro y Quintana de varios.

—Quintana vino pensando que en la UJC iba a encontrar algún apoyo, alguna complicidad. Pero cuando nos sentamos a discutir y escuché sus opiniones, le dije: Mira, Quintana, evidentemente no tenemos nada más que hablar. Sencillamente tú lo que quieres es acabar con nosotros. Esta no es la juventud que tú estás buscando, estamos en dos bandos diferentes. Al diablo. Tú sigue tu camino y nosotros el nuestro.

En octubre de 1990, Quintana y Carlos Ortega son condenados a tres años de limitación de libertad. Durante ese tiempo no pueden abandonar la ciudad de La Habana, ni ejercer el derecho al voto, ni ser elegidos para cargo público alguno. La sentencia los condena por un delito de desacato al jefe del Estado. Nervioso aún, Quintana lee la sentencia, al tiempo que hace comentarios sobre la misma:

—Se le condena por realizar una serie de manifestaciones públicas y en privado a diferentes personas cuestionando la autoridad del comandante en jefe Fidel Castro llegando a calificarlo de traidor y emitiendo otras frases tales como "Fidel no sirve" —"¡falso, falso!, exclama Quintana, yo no soy tan bruto como para decir eso, lo de traidor sí es real"— con el propósito de resquebrajar el descomunal prestigio de autoridad que tiene nuestro comandante en jefe y tratar así de que sufra deterioro su autoridad ante el pueblo revolucionario de Cuba, quien lo apoya irrestrictamente, y ante los revolucionarios del mundo que ven en él la figura legendaria e inclaudicable que mantiene la bandera del socialismo y la justicia social...

Tal como le había dicho Robaina, Jorge Quintana sigue su propio camino. Cuando sale de la cárcel, tras diez meses de prisión, el 7 de noviembre de 1990, se encuentra sin trabajo y sin posibilidad de continuar sus estudios. Decide sumarse a los grupos disidentes del interior de la isla.

Aficionado al género epistolar, su última carta escrita a mediados de 1991, y dirigida a la prensa local —que no la recoge en sus páginas— y a la opinión pública internacional exige del Gobierno cubano el reconocimiento oficial de todas las organizaciones opositoras de la isla, la celebración de elecciones libres y pluripartidistas en el plazo de seis meses, la liberación de todos los presos políticos, y la apertura de las fronteras que permitan el libre tránsito de los cubanos.

A finales de 1991, el grupo de Quintana, "Seguidores de Mella", es absorbido por el Proyecto Alternativo a la Isla (PAIS). Quintana es detenido de nuevo y en abril de 1992 cumple condena de tres años por desacato.

Carmen Rosa Báez es una chica delgada, medallista de oro en voleibol, nerviosa, expresiva y psicóloga. Con veintitrés años es elegida a finales de 1990 presidenta de la Federación de Estudiantes Universitarios (FEU) de Cuba, la organización más antigua de la isla con más de setenta años de existencia. Agrupa a 110.000 de los 300.000 universitarios cubanos (no se incluyen los estudiantes nocturnos, que habitualmente son trabajadores/estudiantes). Carmen Rosa es el polo opuesto de Jorge Quintana.

Ha sido pionera vanguardia, la máxima distinción que puede alcanzar un chaval en Cuba. También estudiante vanguardia en los años de instituto. Militante de la UJC desde que cumple los dieciséis años, recorre una larga carrera política en la Universidad hasta llegar a la presidencia de la FEU, un puesto de gran relieve y que catapulta a quien lo ocupa a puestos de mayor responsabilidad. Ejemplo: Roberto Robaina.

—Los expulsados de la Facultad de Matemáticas no representan nada, absolutamente nada —dice Carmen Rosa.

No hay que hacerle muchas preguntas a Carmen Rosa. Ella misma coge el hilo y habla y habla sin parar. Cuando la entrevisté en enero de 1991, estaba estrenando cargo. Un cargo que por vez primera había sido elegido en votación directa y secreta por los 536 delegados asistentes al último Congreso de la FEU desde que Julio Antonio Mella fundara la organización estudiantil en 1922. Está orgullosa de haber logrado 516 votos de los 536 posibles para formar parte del Secretariado de la FEU y 433 para el cargo de presidenta.

—¿Por qué no se vota también a Fidel? —le digo.

Es una pregunta estándar que he hecho a docenas de personas en Cuba. La respuesta de Carmen Rosa:

—Quienes se preocupan por elegir a Fidel son los de fuera. Nosotros lo votamos y lo elegimos todos los días.

Más contudente es la respuesta del vicepresidente de la FEU, Ernesto López Mola:

—Mientras viva Fidel, no tenemos que pensar en elecciones

Hay tres actitudes bien definidas entre los jóvenes cubanos respecto a la figura de Fidel Castro: la de aceptación absoluta que raya en la casi adoración; una segunda en la que se respeta la figura histórica, pero que comienza a criticar los errores del sistema, y por último la de quienes, como Jorge Quintana, quieren un cambio, un relevo.

En el primer apartado se sitúan los militantes más activos de la UJC y la FEU (aproximadamente el 50 por 100 de los miembros de la FEU son militantes también de la UJC). En el Instituto Politécnico Julio Antonio Mella (el nombre del estudiante mártir se repite por todo el país) de Santiago de Cuba, en el extremo oriental de la isla, escuché una de las defensas más apasionadas de Fidel:

—Mira, compay, cuando se cuestiona tanto la permanencia de Fidel en el poder es por dos cosas: primero porque molesta a sus enemigos y segundo porque hoy día molesta mucho más.

Rodolfo Aber Guerra, un estudiante de cuarto año de ingeniería electrónica, obtiene la aprobación del resto de sus compañeros.

He conversado durante horas con un grupo de alumnos del Politécnico santiaguero, la mayoría cursando ya los últimos años de distintas ramas de ingeniería. Todos ellos militantes de la UJC. Cuando se lo hago saber al contacto del Partido Comunista que me llevó al centro de estudios, se apresura a salir al pasillo a la caza de alguien que no lo sea. "Déjalo", le digo. Ya tendré ocasión de hablar con no militantes. A la postre, siendo como es una organización de un alto porcentaje de militancia (el 17 por 100 de los 3.500.000 jóvenes cubanos en edad de ingresar en la UJC) hay muchos jóvenes no adscritos a la organización.

—Mira, compay, ahora en el extranjero todo es Fidel, Fidel, y ¿sabes por qué? Pues porque el "Fifo" les ha dado muchos dolores de cabeza a los yanquis en Africa. Porque el "Fifo" es el que más dolores de cabeza le ha dado al imperialismo en treinta años y eso es un orgullo para los cubanos.

Con el grupo de estudiantes hay un profesor de ingeniería mecánica, Máximo Montel, de veintisiete años. Transcurre el mes de abril de 1991 y uno de los temas de mayor actualidad en esos días es la posibilidad de que los diputados nacionales a la Asamblea del Poder Popular, el Parlamento cubano, sean elegidos por voto directo y secreto. Así lo quieren los principales dirigentes del país, y así sería aprobado unos meses después en el IV Congreso del PCC. Pero este profesor, al igual que otros dirigentes del oriente del país y de las zonas rurales, es mucho más papista que el papa:

—La elección directa no me gusta, pues hay muchos presidentes en el extranjero que son unos ineptos.

Fidel Castro, que cumple sesenta y seis años el 13 de agosto de 1992, es para todos estos jóvenes un dirigente al que le queda mucha vida por delante. Pero es irremediable hablar del relevo generacional en un país dominado cada vez más por los jóvenes menores de treinta años.

En Ciego de Avila, una de las provincias agrícolas del centro de la isla, hablé largo rato de este tema con media docena de dirigentes de la UJC. Roberto Rivero, responsable de la Organización de Pioneros José Martí, dijo una frase brillante:

—Nosotros somos continuadores, no relevistas.

Para este grupo de dirigentes, la juventud cubana no ha pensado nunca relevar a nadie. "Eso es cosa de los extranjeros", mantiene Rivero.

—Fidel ha demostrado su capacidad y su visión de análisis que lo ubican como el líder indiscutible de este país. Por ello no hay necesidad de cambiar. El día que Fidel no tenga esa capacidad, por su edad, estoy seguro de que él será el primero en darse cuenta y decidir su destino.

—Eso se da poco en la historia —replico a Rivero—. Los gobernantes siempre piensan que no envejecen...

—Pero nosotros conocemos a Fidel. Además hay una cosa que ya José Martí dijo claramente: "El entusiasmo no tiene canas".

Rivero no se da por vencido. Durante horas ha sido un polemista brillante e incansable. Al final descubre sus cartas: se licenció en la Unión Soviética en Comunismo Científico. "Me da pena decirlo", dice ahora cuando ya la Unión Soviética es un recuerdo casi del paleolítico. Por ello estudia Historia en su Ciego de Avila natal. Ataca de nuevo:

—Es igual que esa idea del referéndum. Si hay algo que no es cubano, es el referéndum. Nos lo proponen desde fuera. Es como si yo tengo que hacer en mi casa lo que mi vecino quiere que haga. Es como si les decimos nosotros a los españoles que por qué el rey Juan Carlos no se somete a un referéndum. Además, Fidel supera un referéndum constante cada vez que acude a la plaza y la llena.

La plaza, en Cuba, es la plaza de la Revolución, en La Habana, en donde se encuentra el centro neurálgico del poder cubano: la sede del Consejo de Ministros, la sede del Comité Central del Partido Comunista, el Ministerio de Defensa, el periódico *Granma*...

—Una cosa más: el gobernante que no es querido por el pueblo, cae, así no más.

También hablé con Robertico Robaina de Fidel, de las elecciones y del referéndum.

—Lo que nuestros enemigos quieren es que pongamos a Fidel en una boleta (papeleta de voto) con cinco nombres más y que además Fidel no salga elegido. Ese es el único interés que hay por la democracia en Cuba por parte de nuestros enemigos. Mucha gente critica que no renovamos a los dirigentes. Pero, ¡que lo digan bien claro!: lo que desean es que quitemos a Fidel y Raúl Castro, porque una buena parte de nuestros dirigentes ya cambiaron.

En efecto, el IV Congreso del PCC, celebrado unos meses después, alumbraba un Buró Político en el que además de Roberto Robaina, el miembro más joven del órgano de decisión máximo de los comunistas cubanos en toda su historia, entraron otros jóvenes líderes como Carlos Lage, Yadira García o Abel Prieto, que rondan los cuarenta años. Veteranos dirigentes como la esposa de Raúl Castro, la histórica Vilma Espín, o el sempiterno ministro de Educación Armando Hart, quedaron exluidos del Buró. Pero, eso sí, siguen Fidel y Raúl.

Fidel. Comunismo. Libertad. Cuando le pregunté a Carmen Rosa Báez si se sentía libre en Cuba soltó una sonora, franca, abierta carcajada. Lo mismo que estuvo a punto de hacer la joven estudiante de ingeniería santiaguera Jeannette Rodríguez Espinar, de diecinueve años. Dice Jeannette:

—¿Libertad?, ¿dictadura? Esto sí que es una dictadura. Pero es una dictadura de la mayoría.

Y pregunta Carmen Rosa, con esa costumbre tan cubana de anteponer el sujeto al verbo cuando se interroga:

—¿A qué tú llamas libertad?

—Dímelo tú, Carmen Rosa... Pero podría ser entre otras cosas la posibilidad de moverte, de salir de tu país cuando quieras, de conocer otras cosas, otros mundos que desconoces...

Se pone seria. Agita los brazos y acciona el índice:

—Por desgracia, en mi país no puedo meter un dedo en la arena de la playa y hacer que salte un chorro de petróleo. Mi país está bloqueado, no tiene divisas. Y las pocas que hay es mejor utilizarlas en la compra de medicinas para los niños que no en que yo me esté recreando en el extranjero.

Y sigue. Ya casi dando un mitin, con ese estilo oratorio que muchos líderes cubanos han copiado de Fidel:

—A mí nunca me han puesto un tapón en la boca. Y no creo que la libertad consista en saltar el charco para viajar a Europa. Libertad es que a las dos de la mañana me pueda ir sola a mi casa sin que nadie me asalte en la calle. Libertad es levantarse en el aula y decirle al profesor que su clase es mala. Libertad es que los estudiantes nos hayamos reunido en este año tres veces con Fidel. Libertad es que una mujer como yo sea presidenta de la FEU. Libertad es todo lo que me ha dado la Revolución. Libertad es que mi mamá tuviera un médico cuando yo nací. Libertad es haber tenido una infancia feliz, cuatro años de preescolar gratis, campamento de pioneros gratis, estudios secundarios gratis, becas, comida, ropa, libros, todo lo que necesitaba mientras mis padres se dedicaban a su trabajo. Mira, el día que me muera todavía estaré debiéndole cosas a la Revolución.

Los dirigentes provinciales de Ciego de Avila, que como casi todos los militantes que conocí del interior del país son mucho más radicales que los de La Habana, afirman que no sólo no hay "un rechazo a la obra de la Revolución, sino que yo diría que lo que hay es un agasajo", afirma contundente Gonzalo Herrera Collado, el primer secretario de la UJC de la provincia.

—¿No hay inconformidad con algo, todo es perfecto?

Gonzalo vuelve a la carga:

—Si pensamos que la obra de la Revolución está terminada, que es perfecta, estamos en un error. La Revolución se hace todos los días, lo que no significa que estemos inconformes con ella.

Alfredo Plasencia, responsable de Ideología de la UJC a nivel provincial, recurre, como tantos cubanos, a un refrán de la tierra para expresar su opinión:

—Toda familia tiene su patito feo. Puede que haya inconformes. Nuestro patito feo fue Mariel (de cuyo puerto se fugaron a Estados Unidos 120.000 cubanos en 1980), o más recientemente los que se alojaron en la embajada de España. Pero como dice la canción de Pablito Milanés, "yo me quedo". Eso pensamos muchos. Con todos nuestros errores, nos quedamos.

"¡Somos felices aquí, Fidel!", le gritan los niños delegados del Congreso de Pioneros al comandante en noviembre de 1991. Y la radio insiste durante esos días del Congreso de la UJC con el tema de Pablo, "Yo me quedo", escrito para los que buscan refugio en Miami, y que ha sido plasmado en enormes vallas en las principales avenidas de La Habana:

> *Qué casa te albergará*
> *en qué esquina has de pararte*
> *qué barrio recorrerás*
> *para hallarte.*
> *Yo me quedo,*
> *con todas esas cosas*
> *pequeñas, silenciosas*
> *con esas yo me quedo.*

El problema para estos jóvenes de Ciego es el mismo de tantas otras latitudes: los periodistas sólo buscan lo negativo. Toma la palabra el primer secretario, Gonzalo Herrera:

—A nosotros nos molesta cómo se manipula el concepto de insatisfacción. Es más fácil preguntar cuáles son las insatisfacciones que preguntar cuáles son las cosas buenas que la Revolución nos ha dado. Lo que se escribe casi siempre en el extranjero es el lado negativo de nuestra sociedad.

Entono el mea culpa y le recuerdo que una vez hubo un periódico en Estados Unidos que se llamó *Good news*. Se arruinó porque sólo publicaba las "buenas noticias".

Cuando me alejo de Ciego de Avila y cruzo sus hermosos campos llenos de piñas, de naranjas como melones, de plátanos verdes como esmeraldas, pienso que no todos los jóvenes cubanos son como Robaina, ni como Carmen Rosa, ni como los aprendices de ingeniero de Santiago, ni como los dirigentes de la UJC de Ciego de Avila. Lo que no quiere decir que sean "contrarrevolucionarios", el peor insulto que puede recibir un cubano.

Después de haber recorrido la isla de punta a punta, haciendo más de 5.000 kilometros en zig zag, he dado botella, como llaman en Cuba al *auto-stop*, a docenas de jóvenes. Aunque hay un temor comprensible a hablar francamente con un extranjero, muchos de ellos, ¿la mayoría?, se sitúan en la franja de los que respetan la figura de Fidel pero comienzan a hacer críticas cada vez más feroces y abiertas a las muchas faltas y carencias del sistema. El único sistema que han conocido en sus cortas vidas.

Ese podría ser el caso de Carlos Varela, veintiocho años, el cantante de la última generación de la Nueva Trova más querido y admirado estos días en Cuba, aunque aún no haya conseguido editar un solo disco en su país, por razones burocráticas, pero sí en España. No es militante de la UJC, pero Roberto Robaina lo ha invitado a cantar en la celebración del XXXII aniversario del triunfo de la Revolución, el 28 de diciembre de 1990, ante Fidel Castro y la plana mayor del régimen.

—Hace·diez años hubiera sido muy difícil que yo pudiera cantar en un sitio así. Considero que fue muy positivo el hecho de que se asumieran nuestros problemas y a nosotros mismos.

Hoy, Varela sigue sufriendo el boicot de algunas emisoras que consideran aún sus letras provocadoras e incluso contrarrevolucionarias. Sin embargo, Varela, de poblada barba negra, cubierto siempre por un sombrero también negro, y de corta estatura, no tiene ningún empacho en decir que "Fidel es un cojonudo".

Eso sí, Varela no ahorra críticas a "las cosas mal hechas".

—Yo soy como la gente de mi generación, que es muy crítica, muy autocrítica y no tolera lo mal hecho. Mis canciones reflejan esas zonas de la realidad que habitualmente no aparecen en la televisión ni en la prensa.

En La Habana, donde el inconformismo puede ser mayor, por la enorme presión que el turismo ejerce sobre la vida cotidiana, me reúno con una docena de jóvenes, sin la a veces opresiva presencia de dirigentes o profesores. Hay de todo: estudiantes, trabajadores, paseantes de oficio, militantes de la UJC y no militantes. Curiosamente, los que más se quejan del sistema son los militantes de la UJC.

Antes de iniciar la larga sesión en la que se habla de lo divino y lo humano, les cuento algo que me había dicho el profesor del Instituto Tecnológico de Santiago, Máximo Montel, el que no creía en el voto directo:

—Los estudiantes que más critican al sistema en La Habana son los que menos hacen para resolver los problemas del país. Los críticos —dice este profesor de Ingeniería— seguro que son estudiantes de Letras, y esos no son seres sociales útiles, no trabajan, no hacen nada.

En efecto, en el grupo de estudiantes reunidos en La Habana los que más resaltan los errores del sistema resultan ser estudiantes de Humanidades, Literatura, Psicología, Arte. Una mulata a la que llamaremos "UJC-1", militante de la organización comunista, se queja del burocratismo:

—Algunos compañeros nos atrevemos a hablar y a hacer críticas objetivas en las asambleas de base. Pero, ¿para qué? Todo "se eleva", toda crítica o queja "se eleva", como se dice aquí, pero luego nadie lee nada, nadie resuelve nada.

Interviene "UJC-2":

—Todas las asambleas son iguales. Comienzan siempre que siendo tal hora, de tal día, se efectuó la sesión tal, en tal lugar, de tal comité de base, a la que asistieron tales, estuvieron ausentes tales, causa, desarrollo, orden del día... Pero eso se queda en un simple papel que se eleva al comité superior, donde se archiva y pare usted, caballero.

"UJC-1":

—Si alguien revisa las actas es para saber quién faltó y sancionarlo. Si acaso leen las inquietudes planteadas pero son incapaces de "elevarlas" hacia arriba. Allí se quedan, archivadas, ¿para qué?

Robaina tiene la fama, acertada, de haber cambiado el anquilosado lenguaje político cubano.

—A los jóvenes de hoy —me dice en octubre de 1991— se les moviliza hablándoles en su terreno, en su lenguaje, el teque ya no les llega.

—¿Qué es el teque?

—El discurso largo, reiterativo. A los jóvenes ya no les llega recordarles que en el 59 triunfamos, que tienen la educación y la salud gratis y que sufrimos un bloqueo. Esos muchachos nacieron con la salud gratis, la educación gratis y bloqueados.

Cada vez es más frecuente entre los jóvenes cubanos (también en la poblacion en general) lo que se ha dado en llamar "la doble moral". Hasta el punto de que Radio Rebelde le ha dedicado programas de debate en directo. Se piensa una cosa, pero se dice otra.

"UJC-3" lo expresa así:

—Cada vez trato de reservarme más mis opiniones, tanto dentro de la UJC como fuera. Nunca sé ya si fiarme de la gente que me escucha.

Le contesta "No-UJC-1", una trigueña no militante:

—Yo tengo la dicha de no ser militante y por tanto no tengo que fingir tanto.

El compañero de "No-UJC-1":

—Pero eso tiene un problema. Porque yo he sacado una media en toda mi carrera de 4,80 puntos, sobre 5, vamos lo que se llama un título de oro y por no ser integral me han pasado en el escalafón del puesto tercero que me correspondía al octavo. Lo que significa que me enviarán a trabajar a provincias, no me darán una plaza en La Habana.

Integral. ¿Qué es un estudiante integral?

—Un estudiante integral es el que además de tener buenas calificaciones académicas participa en cuantas actividades se organizan en su entorno, estudiantiles o de barrio: acudir a las marchas y concentraciones que convoca la Juventud, participar en actividades culturales, deportivas, políticas, integrarse en la FEU, en la UJC, en todas las organizaciones de masas, en el CDR, en las milicias, en fin estar todo el día pendiente de cuanta actividad se celebre en tu entorno.

Se queja "UJC-5":

—Yo a veces he participado en actividades, pero si le caes mal al compañero que pasa lista, no te anotan como presente. O te dicen: está bien, participaste, pero no tenías entusiasmo.

Tercia "UJC-2":

—Esa es la asamblea del sacasable. Cuando te hacen la evaluación integral. Ahí te sacan todo. Y si no estás presente en la asamblea, porque te has partido el pie o estás en el velorio de tu abuelita, pues te caíste. Llegas al día siguiente y te han bajado cinco o diez puestos en el escalafón.

Pregunta para todos: ¿son sinceros los que deciden entrar en la UJC o utilizan esa militancia para beneficio personal?

Por supuesto, hay unanimidad en que muchos lo hacen para aprovechar las ventajas que el carnet de la UJC proporciona. Lo resume "UJC-6":

—Hay muchos que se sienten comunistas y no piden el ingreso

y otros que no lo son, están en la UJC, pero dedicados al bla, bla, bla, y aparentan ser mas activos que Robaina. Hay un dicho muy cubano para esta gente: "Siempre de un extremista se saca un oportunista".

Si no se es de la UJC, hay pocas posibilidades de asociarse. En Santiago de Cuba me hicieron una lista de las agrupaciones legales a las que se puede sumar un joven: a las deportivas; al Movimiento de Aficionados de la Cultura (realizan cursillos de fotografía, música, literatura, danza, teatro y hasta magia); a la Brigada Técnica Juvenil, si tienes inquietudes de investigador o inventor; al Movimiento de Alumnos Ayudantes, que auxilian al profesor y reciben una pequeña remuneración, o más curioso aún, al Movimiento de Alumnos de Talento. El alumno de talento es el que destaca en una asignatura y junto con el profesor se vincula en un grupo de investigación. También ayudan a estudiar a los alumnos menos aventajados.

Pero no todos son como estos aplicados estudiantes de ingeniería de Santiago. En La Habana es fácil encontrar lo que en otras grandes ciudades de occidente: el pasota, el rockero, al que aquí llaman *friky*, variante de la palabra inglesa *freak*, fenómeno, tipo raro.

Los *frikys* cubanos tienen casi el mismo aspecto y hábitos que sus homónimos occidentales. Rondan por los parques, con sus radios a todo volumen. Visten ajustado pantalón vaquero, camisetas a ser posible negras y si tienen la imagen de un grupo de *hard rock* mejor que mejor. Y no se privan de los abalorios habituales: crucifijos, collares, pulseras de cuero y metal, cinturones con tachuelas, pantalones rotos, pelos o muy largos o cortísimos y coloreados. El uniforme completo.

Han tenido que soportar una dura lucha para ser admitidos por el sistema y aún así lo tienen difícil. En un país en el que a finales de la década de los sesenta un joven cubano podía ser acusado de "desviacionismo ideológico" por escuchar una canción de los Beatles, no es extraño que se mire, y con mucho reparo, a los amantes del *rock* duro.

La situación ha mejorado un poco. En diciembre de 1990, La Habana registró un acontecimiento inusitado: un macroconcierto de músicos cubanos cantando temas de los Beatles en homenaje al décimo aniversario del asesinato de John Lennon. Los rockeros han conseguido que al menos un local de La Habana, "El Patio de María", se dedique a conciertos sabatinos de alguna de las veinte bandas de *rock* que hay en el país: Ultranza, Viento Solar, Rotura, Trance, Metal Oscuro, Volumen Dos, Zeus...

Norma Vasallo, profesora de Psicología Social en la Facultad de Psicología de la Universidad de La Habana ha estudiado el fenómeno rockero cubano.

—En algún momento se identificó el pelo largo y ese modo de vestir con problemas ideológicos y mucha gente tiende a clasificarlos como delincuentes o contrarrevolucionarios a priori. Eso no se justifica. No es que los crea marxista-leninistas, pero en esa población aparece de todo, como en la población cubana en general (6).

Para muchos habaneros, los *frikys* son los responsables de que se consuma droga en La Habana. Sí. Droga. Aunque en proporciones ridículas comparadas con las de cualquier capital europea, en La Habana se puede conseguir un pitillo de marihuana por cinco pesos·cubanos (un cuarto de dólar al cambio en el mercado negro). En la zona oriental de la isla es donde mejor crece la hierba. Los adictos alargan el pitillo, mezclando la marihuana con hojas secas de almendro.

Pero es más común "el palo loco", me cuenta un *friky* llamado Gerardo. El "palo loco" se fabrica con una pastilla de parquisonil, un barbitúrico que se disuelve en cerveza o ron. También se puede tomar a "palo seco", un puñado de cinco o diez pastillas que, según el *friky* Gerardo, "te sueltan la lengua y la risa". Los botes de parquisonil se venden en el mercado negro entre 20 y 40 pesos, con 20 comprimidos.

Otro tipo de drogas son escasas en la isla. Aunque personalmente he visto cómo ofrecían cocaína en mitad del mitin que conmemoraba el XXXII aniversario de la Revolución, el 28 de diciembre de 1990. Mientras Robaina hablaba en la tribuna, con Fidel Castro y otros altos dirigentes a su lado, dos jóvenes cubanos se acercaron al grupo donde me encontraba y ofrecieron coca de la buena.

Mas no es la búsqueda de la droga la principal preocupación de los jóvenes cubanos, ni muchísimo menos. La obsesión numero uno es encontrar un lugar donde resolver, como dicen en Cuba, las apetencias sexuales. Pareja tienes, sitio no. Superado este problema, viene la búsqueda de una ropa moderna, un desodorante o un lugar donde reunirse con los amigos para bailar o escuchar música.

Cada vez son más los dirigentes cubanos que reconocen el derecho que asiste a sus jóvenes a buscar cosas que penetran en sus cuartos de estar a través de la televisión. Cansados de que los mayores les repitan que tienen resuelto lo que casi ningún joven del Tercer Mundo tiene: la salud, la educación gratis, los jóvenes cubanos buscan parecerse cada vez más a otros jóvenes de otras partes del mundo, sin que dejen por ello de ser cubanos, ni patriotas. Me decía un habanero, con toda la sorna del mundo:

—Compañero, yo ni estoy enfermo todo el año, ni me paso el día en la escuela. O sea, que dejen de darme la lata con la educación y la sanidad gratis. Yo ya nací con eso, y quiero más.

¿Qué cosas? Una muy sencilla:

—Que deje de molestarnos la policía. ¿Sabes cuántas veces tengo que mostrar mi documento de identidad a la policía si se me ocurre pasear un domingo por el malecón? ¡No es fácil, chico!

El carnet de identidad. Parece la miniatura de un pasaporte. O una radiografía cívico/social del ciudadano. Tiene 28 páginas y en ellas están o deben estar todos los pasos que un cubano da desde que nace hasta que muere. Del tamaño de una casete de radio, y color azul, en su primera página se lee República de Cuba y en el centro el escudo del país. Debajo, Carné de Identidad. Pero los cubanos lo conocen como "la cédula".

Y Dios coja confesado a quien no la lleve encima. Además de los datos lógicos de nombre, apellidos, lugar de nacimiento, número de identidad, oficina que entregó el carné, foto del titular, estado civil, oficina del registro civil, municipio, provincia, día, mes, año, nombre y apellidos del cónyuge o de los cónyuges, pues hay espacio hasta para cuatro matrimonios, más la fecha, lugar de nacimiento y nacionalidad del consorte, están los datos sobre los hijos, fecha de nacimiento, número de identidad, y cuatro páginas destinadas a los datos laborales, nombre de la empresa y/u organismos en los que uno ha trabajado, dirección, comenzó el..., terminó el..., firma del administrador, y luego los lugares en que uno ha residido, pudiendo ser reseñados hasta un total de doce en cuatro páginas, en donde habrá de especificarse la calle, carretera, kilómetro, camino; casa número, apartamento número, localidad, o caserío o finca, del municipio de, provincia de, fecha de, y firma y fecha del municipio, más cinco páginas en blanco para "anotaciones especiales", en la última de las cuales el titular puede reseñar los órganos que desea donar en caso de fallecimiento, etc., etc. La penúltima página contiene nueve artículos de diversas leyes y reglamentos para el buen uso y funcionamiento del carné.

Lo más temido por un joven es que la autoridad competente escriba algo en las páginas 22 a 25. Son las destinadas a "anotaciones especiales". Si un chico/chica es encontrado en compañía de un extranjero, aunque sea simplemente paseando por el malecón, o tomando un trago en alguno de los bares, restaurantes u hoteles destinados exclusivamente a turistas, se arriesga a ser clasificado como un antisocial. Se les puede aplicar los artículos del Título XI del Código Penal, dedicados al "estado peligroso". (Ver capítulo sobre los derechos humanos.)

Quienes más peligro corren son las chicas. Se supone que si un joven sale con una extranjera es menos delito (¡el machismo cubano!) que si una mulata sale con un chaval de Toledo. La cubana será amonestada la primera vez y si en años sucesivos se la vuelve a encontrar en compañía de ese u otro extranjero, será amonestada dos veces más. Después será puesta a disposición judicial y condenada a un año de prisión acusada de delincuencia social. Y que no la agarre la policía con un par de dólares en el bolsillo. Portar moneda extranjera puede ser castigado hasta con cinco años de prisión.

El acoso policial a los jóvenes, especialmente en las áreas donde se concentran los hoteles para turistas es tal que los líderes juveniles han tenido que reclamar calma y prudencia a la policía. No por el hecho de vivir junto al malecón, el precioso paseo marítimo de La Habana, o en la Quinta Avenida, del residencial barrio de Miramar, donde las jineteras echan sus redes al caer la tarde, se es a priori un delincuente.

Robaina me dijo en más de una ocasión que su idea era la de recuperar el malecón para los jóvenes cubanos. En los dos últimos años, en estos seis kilómetros y medio de hermoso paseo bordeando el mar han comenzado a surgir pizzerías, cafeterías, heladerías, y el famoso "Castillito", un complejo recreativo exclusivamente para los jóvenes con discoteca, sala de videos, de computación, librería, piscina, pista de patinaje. Todo un lujo para los jóvenes cubanos inaugurado el Día del Amor, el 14 de febrero de 1991, por el comandante Castro.

La dirigencia de la UJC reconoció la necesidad de proporcionar a los jóvenes lugares de esparcimiento. De nada servían ya los anticuados "centros nocturnos", a los que sólo acudían las parejas para acariciarse en la oscuridad de la sala, con un cuba libre nacional que deja la boca pastosa por la cantidad de azúcar que tiene la cola.

Existe un plan para crear 30 discotecas en todo el país, alguna de las cuales ya están en funcionamiento, especialmente en La Habana, como "Hola, hola", "Súmate", "City Hall" o "Disco Sa". Recuerda Robaina:

—La Revolución no podía descuidar el tiempo libre de los jóvenes. Si se hace una inversión para mejorar ese tiempo libre y el joven se divierte, al día siguiente acude al trabajo o a la Universidad con más entusiasmo.

La discoteca para un joven cubano es hoy tan importante como el comer. Una encuesta reciente arroja el dato de que a nueve de diez cubanos lo que más les gusta es bailar. Por ello, ese afán por las discotecas. Alguna de las cuales dio un tremendo dolor de cabeza al Gobierno cubano e hizo llover duras críticas sobre Roberto Robaina.

Construida con capital español, y administrada por españoles, la discoteca "Habana Club" instalada en el interior del hotel Comodoro, llegó a ser el mejor negocio en divisas de La Habana con recaudaciones diarias por encima de los 10.000 dólares, lo que la convirtió en una mina de oro. Estaba reservada exclusivamente para extranjeros. Todo debía pagarse en dólares.

Desde medio kilómetro antes de llegar al hotel, en la Tercera

Avenida de Miramar, docenas de jóvenes cubanas acechan la llegada de turistas extranjeros para colgarse de su brazo y pasar a la
"disco" de moda, provista de la mejor música del momento, de un
excelente equipo de sonido manejado por un *disc-jockey* español y
un buen juego de luces.

El espectáculo es bochornoso. La pista principal, de forma circular, está situada un metro más bajo que el piso principal. Desde
la barandilla que bordea la pista relucen las calvas de los ejecutivos cincuentones que mueven de mala manera su abultada barriga
frente a una escultural mulata casi siempre menor de veinte años.

Por 10 dólares de entrada, el extranjero —casi siempre ejecutivos españoles, italianos o mexicanos, y algún que otro turista con
dinero— podía alternar con cuantas chicas quiera. Si la juerga terminaba en la "disco" o seguía en otro lugar dependía del bolsillo
del foráneo.

Hasta el 26 de noviembre de 1991. Ese día, Abraham Maciques,
presidente de la corporación turística estatal Cubanacan, y Roberto
Robaina se presentan sin previo aviso en la discoteca y convocan a
todo el personal a una asamblea. Dos días después, el "Habana
Club" se convierte en discoteca mixta. Todos los cubanos que lo soliciten y previa reserva en su centro de trabajo o comité de base de
la UJC, pueden pasar a aquel centro prohibido de diversión.

—El negocio se viene abajo —dice un camarero que trabaja
allí—. Los turistas ya no vienen pues no hay ni jineteras ni chicas
solas como antes.

La drástica decisión se tomó cuando en las alturas del poder se
supo lo que allí estaba pasando: la cocaína corre como el ron, algunas chicas posan desnudas para los fotógrafos en el baño, los camareros tienen que sufrir lo suyo para impedir que las parejas hagan el amor sobre las mesas y las escenas lésbicas en mitad de la
pista son cada vez más frecuentes.

¿Por qué se había llegado a esa situación? ¿Quién lo había permitido? No han aparecido responsables. La parte española fue ge-
nerosamente recompensada y el "Habana Club" se convirtió en
una discoteca mixta, para cubanos y extranjeros. El visitante foráneo alternará con jóvenes cubanos normales, que es lo que desea
Robaina. Pero eso será por poco tiempo. El mar, que baña la discoteca, se rebela en enero de 1992. Media Habana se inunda. El
"Habana Club" queda totalmente destruido.

Robaina ha aprendido la lección. Desde hace tiempo, el líder
de la UJC desea que este tipo de establecimientos sean mixtos.
Que cubanos y extranjeros se relacionen sin miedo a que la parte
cubana de la pareja sea molestada por la policía o señalada como
jinetera.

Teresita García Moriarte, primera secretaria de la UJC en La
Habana, recién elegida miembro del Buró Nacional de la UJC,

me decía en los días del Congreso juvenil que es deber de los jóvenes revolucionarios contrarrestar "el impacto negativo" que el turismo ejerce sobre la sociedad y muy especialmente sobre la juventud cubana.

En un cambio radical de actitud hacia el turista, García Moriarte explica cómo el Congreso de la UJC ha decidido afrontar el reto turístico:

—Nosotros somos los que hacemos esta obra, los que hemos hecho la Revolución, y por lo tanto somos nosotros los que tenemos el derecho y la obligación de enseñar este país a quienes nos visitan.

Hasta pocos días antes, relacionarse con un extranjero era un peligro, aunque esa relación fuera estable por ambas partes. Miriam, una chica de diecinueve años de La Habana, mantenía una relación con un joven ejecutivo mexicano desde hacía año y medio. Un mes antes de que se iniciaran los Juegos Panamericanos en Cuba, en agosto de 1991, fue citada a la estación de policía de su barrio. El inspector, de malos modos, le informó tajante:

—Debe dejar de ver a su novio. Esa relación no está permitida.

La joven intenta razonar: no se trata de un ligue, es un noviazgo duradero. "No es ilegal", dice Miriam al inspector. "De acuerdo", contesta éste, pero "no está permitido". Los padres de la joven, militantes del PCC acuden a la comisaría. El mismo inspector es mucho más explícito y amenazador:

—Si esa relación sigue, su hija puede ser encarcelada por un año.

¿A quién recurrir? A nadie. ¿Qué ha sucedido para que el Gobierno cubano dé un giro tan radical en tan poco tiempo en lo que se refiere al trato y la relación personal con extranjeros que viajan por negocios o como simples turistas?

Es muy posible que detrás de todo esté la mano de Robaina, interesado en que el extranjero que visita La Habana se lleve una idea mucho más ajustada a la realidad que la que hasta ahora tenía, muchas veces distorsionada por el contacto con chicas que por un frasquito de colonia, o una cena en un restaurante del "área dólar", alegraban la noche habanera al turista.

En líneas más generales, ¿cuáles son los principales problemas que preocupan a los jóvenes cubanos hoy?

Algunos de ellos fueron tratados en el VI Congreso de la UJC y otros en distintos encuentros con dirigentes del régimen cubano. El más espectacular fue el que tuvo lugar en el mes de mayo de 1991. Con la presencia de dos importantes miembros del Buró Político del PCC, Carlos Aldana y Carlos Lage; de dos influyentes militares, el general de División Ulises Rosales del Toro, jefe del Estado Mayor Central de las Fuerzas Armadas Revolucionarias, y el ministro del Interior, general Abelardo Colomé, así como dos vice-presidentes del Consejo de Ministros, Osmani Cienfuegos y Jaime Crombet, y otras altas personalidades del Gobierno y el Partido, docenas de jóvenes realizaron 423 preguntas de todo tipo a los dirigentes presentes, en una maratoniana sesión de cincuenta horas.

Los temas más espinosos que se tratan y de los que Juventud Rebelde (JR), portavoz de la UJC, da cuenta en su edición de 26 de mayo son:

—¿Por qué la agricultura no ha dado una respuesta estable a las necesidades alimentarias de la población? De acuerdo en que hay problemas objetivos, acrecentados por las dificultades que atraviesa el país, pero también existen y se denuncian ineficiencias, negligencias, malos hábitos tanto en la organización del agro cubano como en la utilización de la fuerza laboral.

Una vez más, el turismo es debatido con pasión. "No se puede negar que el turismo tiene sus facetas incómodas y hasta el peligro de tornarse en ocasiones antipático", se lee en la reseña de JR. "Durante muchos años se pospuso la explotación de nuestros grandes recursos turísticos. Ahora no hay alternativa". Con dolor de corazón, los dirigentes cubanos tienen que echar mano de algo que detestan: abrir masivamente las puertas al turismo internacional.

Respecto al turismo, los jóvenes cubanos se quejan de dos cosas: el pésimo servicio que reciben, tanto si se es turista nacional o foráneo, y que las mejores instalaciones estén reservadas para los extranjeros. Por vez primera, en un órgano de prensa cubano se reconoce la existencia de "cierta prostitución vinculada al turismo". Aunque meses después, hasta el propio Fidel hablará del tema, el reconocimiento formal de la existencia de prostitutas es un hecho destacable. Claro que los jóvenes cubanos afirman que "esta práctica vergonzosa está estimulada por otros visitantes y residentes extranjeros".

Una de las mayores quejas de los jóvenes cubanos se refiere al mal trato y peor atención que reciben en los centros públicos, especialmente los gastronómicos. Amén de tener que soportar colas de hasta dos y tres horas para conseguir una hamburguesa o un helado en la famosa plaza de Coppelia, de La Habana. Es muy posible que cuando les llegue el turno el helado esté derretido y la hamburguesa fría. Los dirigentes cubanos reconocen que en el sector gastronómico se han agrupado "cientos de exponentes de la peor conducta social". Los famosos "corchos", que roban los productos, escasos siempre, para revenderlos en el mercado negro.

Los dirigentes cubanos informan que más de 8.000 administradores de centros gastronómicos han sido destituidos, pero los jóvenes piden que esos despidos no se produzcan "hacia arriba".

Otro de los males que aquejan a la sociedad cubana, denunciado por los jovenes, es el de que muchos trabajadores del sector servicios son incapaces de resolver pequeñas averías en los centros oficiales, pero milagrosamente arreglan los desaguisados cuando trabajan por su cuenta.

Y la moda. La horrorosa moda cubana. De todos los caribeños, el cubano es probablemente el pueblo más exigente con su higiene personal y apariencia externa. Aunque haya cortes y racionamientos de agua, rara vez un cubano dejará de asearse pacientemente antes de salir a la calle. La vieja estampa del cubano *dandy,* todo vestido de blanco, sea negro o blanco, rico o pobre, el gusto por ir elegantes no ha desaparecido de la memoria colectiva. Las actuales dificultades por las que atraviesa el país han provocado la casi total desaparición de jabones, perfumes y desodorantes, procedentes en su inmensa mayoría del exterior. Pero el ingenio cubano ha sustituido esos productos por otros remedios caseros, de los que se habla en otro capítulo de este libro.

En cuanto a la ropa, la poca que el Estado proporciona mediante la cartilla de racionamiento tiene un diseño tan antidiluviano que sólo por estricta necesidad la visten. Desde luego, los jóvenes la odian y dan media vida por una camiseta o unos jeans occidentales.

Puede que el escaso interés del régimen cubano por la moda se deba, entre otras cosas, a que Fidel no se ha quitado el uniforme verde oliva desde que el 2 de diciembre de 1956 desembarcara en el Granma para iniciar la guerra de guerrillas contra el dictador Batista. Pero con Robaina las cosas comienzan a cambiar.

En el discurso de clausura del VIII Congreso de la Federación de Estudiantes de Enseñanza Media (FEEM), el 6 de diciembre de 1991, Fidel hace una confidencia:

—Le comentaba (a Roberto Robaina) sobre la belleza de las camisetas y la ropa de los delegados y él me decía: "Antes teníamos esa misma tela, más telas y hasta mejores telas; pero hacían falta ideas, hacían falta diseños, hacían falta iniciativas".

Un par de meses antes hablaba de este asunto con Robaina en su despacho de la UJC. Le comenté que la ideología no bastaba para que los jóvenes comieran y se vistieran.

—Lo que hace falta es vestirse de ideología y de moral. Pero tampoco tengo nada en contra de que esa moral y esa ideología estén acompañadas de un grupo de bienes que la sociedad, la juventud, el pueblo, pueden necesitar. No hemos hecho en las fábricas todo lo que deberíamos haber hecho. Pero sí, estoy de acuerdo contigo: con ideología no nos vestimos, ni comemos, pero creo también que con ideología resistimos para que algún día nos podamos vestir mejor.

¿Tan vital es el tema del vestido? Cuando se habla con un cubano sobre la importancia que le dan a la ropa, sea hombre o mujer, se quedan asombrados.

—A ustedes los extranjeros les parecerá una bobería, pero no a mí —me dice un día un amigo camarero—. Con una linda camisa soy capaz de comerme media Habana.

Conseguir esa "linda camisa" o lo más preciado aún, unos jeans, se convierte a veces en toda una odisea. Sobre todo en La Habana, en donde el espejo del turista es mucho más insultante. Los que trabajan en alguna actividad relacionada con el turista, lo tienen más fácil. Pero, ¿cómo se las arreglan los demás? Dice un periodista de *Granma,* "si la policía fuera estricta en el cumplimiento de su deber, en veinticuatro horas detenía a la mitad de la población de La Habana. Sólo hace falta mirar su calzado".

En efecto. Los tenis, los zapatos, en general el calzado que viste el habanero no son los horrorosos "zapatos que se añejan en las vidrieras (escaparates) por mala calidad, con diseños extemporáneos que no gustan a nadie y que están condenados al sueño eterno", como escribe Juventud Rebelde. La inmensa mayoría del calzado que llevan los habaneros han salido de las diplotiendas, establecimientos con productos de importación a los que sólo tienen acceso los extranjeros, pagando en dólares, y muy excepcionalmente los cubanos que por alguna razón han regresado del extranjero y les han sobrado divisas convertibles.

Por lo tanto, la inmensa mayoría de los zapatos que caminan por La Habana han sido comprados en el mercado negro.

En ese sentido, el Congreso de la UJC insitió en la necesidad de reprimir el delito económico a toda costa. Delitos que según el Informe al VI Congreso, son cometidos en su inmensa mayoría por los jóvenes. Exactamente, el 65,9 por 100. "Una parte no despreciable de delitos son realizados por menores de dieciséis años, de los cuales el 30,6 por 100 no estudian. Es significativa la cantidad de jóvenes procesados en ciudad de La Habana, Santiago de Cuba y Holguín", tres de las principales ciudades del país (7).

Se pide a los jóvenes que colaboren con las fuerzas de orden público en la denuncia y captura de delincuentes a través de los Destacamentos Populares de Acción Rápida y el Servicio Unico de Vigilancia, que agrupa desde los Comités de Defensa de la Revolución (CDR) y otras organizaciones de masas, hasta los efectivos policiales y militares.

Todo para salvar los tres pilares sobre los que se basa y sostiene el régimen cubano: el socialismo, el partido único y el apoyo a la dirigencia histórica. Bien claro tienen esas consignas los jóvenes comunistas cubanos.

Y bien seguros se muestran los dirigentes como Robaina de que el régimen sobrevivirá al milenio, aunque a 90 millas, en Miami, le auguren unas semanas de vida. Ante una multitud entusiasmada que abarrota , otra vez, la plaza de la Revolución, el sábado 4 de abril de 1992, Roberto Robaina lee el "Manifiesto de Abril", dirigido "a quienes nos quieren y también a quienes nos odian; a quienes nos admiran y también a quienes nos maldicen".

Robaina quiere así recordar el Manifiesto de Montecristi, que noventa y siete años antes escribiera José Martí, cuya estatua inmaculada se encuentra a pocos pasos de donde habla Robaina. Si Martí escribió entonces, cuando se peleaba por la independencia, "no tendrá el patriotismo puro causa de temor por la dignidad y suerte futura", casi un siglo después Robaina dice, casi grita: "No tenemos duda de que el siglo veintiuno encontrará a todos los cubanos y a su Revolución con ocho años más de vida, listos para transitar con paso airoso el próximo milenio".

Desde el fondo de la plaza, al igual que habían hecho en la sala de plenos del Palacio de Congresos, los centenares de delegados comienzan de nuevo a cantar y palmear a ritmo de rumba:

> *P'allá tumbadores, p'allá*
> *P'allá tumbadores, p'allá*
> *Con Robertico la juventud está*
> *P'allá tumbadores, p'allá*
> *P'allá tumbadores, p'allá.*

NOTAS

(1)   Juan Luis Martín, director de la rama de Ciencias Sociales de la Academia de Ciencias de Cuba. Revista *Bohemia,* marzo de 1990.

(2)   *Historical Dictionary of Cuba.* Jaime Suchlicki. The Scarecrow Press, Inc. Metuchen, N. J., London, 1988.

(3)   *Dos reuniones importantes para la Liga Juvenil Comunista.* Lilian Vizcaíno González. Editora Política. La Habana, 1987.

(4)   *Constitución de la República de Cuba.* Editora Política. La Habana, 1986.

(5)   *Juventud Rebelde,* 29 de marzo de 1992, La Habana.

(6)   *Semanario Cuba,* marzo de 1992.

(7)   *Bohemia,* 3 de abril de 1992, La Habana.

SEGUNDA PARTE

LA OPOSICION

8

LOS DISIDENTES

> Si no fuera difícil. Difícil y tremendo.
> Si no fuera imposible olvidar esta rabia.
> Mi reloj. Su tic-tac. La ruta hacia el cadalso.
> Mi sentencia ridícula, con esta cuerda falsa.
> **María Elena Cruz Varela**
> (*Canción de amor para tiempos difíciles*)

El amplísimo hall del Comité Central está prácticamente a oscuras. La obligación de ahorrar energía eléctrica alcanza también al corazón del poder del régimen cubano. Es casi media noche. Un funcionario me conduce hasta la tercera planta donde tiene su despacho el tercer hombre de Cuba.

Carlos Aldana Escalante, de cincuenta años, robusto, de recio y negro bigote, viste unos jeans algo descoloridos. En su despacho aún queda cierto olor a cena improvisada. Quizá un sandwich que le habrá preparado su fiel secretaria Melva.

Hace ocho días tan sólo, Aldana ha pronunciado un durísimo discurso ante la Asamblea Nacional del Poder Popular. El miembro del Buró Político responsable de la muy importante área ideológica del Partido Comunista ha radiografiado lo que él llama "grupúsculos contrarrevolucionarios" y ha fijado la posición del Gobierno cubano frente a ellos.

Incautos, frustrados, resentidos, mediocres, viles, antipatriotas, miserables, charlatanes, vividores, fulleros, timadores, mitómanos, escuálidos, ripios, lunáticos, racistas. Son algunos de los calificativos con los que Aldana se refiere a los miembros de la disidencia. Considerado por algunos cubanólogos como un intelectual aperturista, su discurso en el X Período Ordinario de Sesiones de la Asamblea del Poder Popular, el 27 de diciembre de 1991, sorprende a propios y extraños por lo inusitado de su dureza.

Y sobre todo sorprende por su final: la cita de una circular que José Martí y el general Máximo Gómez envían el 26 de abril de 1895, al comienzo de la guerra de la independencia, a todos los jefes de la insurrección contra España:

—La Revolución intima a usted a que en el caso de que en cualquier forma y por cualquier persona se le presenten proposiciones de rendición, cesación de hostilidades o arreglo que no sea el reconocimiento de la independencia absoluta de Cuba... castigue usted este delito con la pena asignada a los traidores de la Patria (1).

No le ha temblado la voz a Carlos Aldana cuando ha leído esa cita de dos de las más grandes figuras de la historia cubana. Como no le tembló la voz unos días más tarde, en la noche del 4 de enero de 1992 cuando me dijo en su despacho:

—Hasta ahora hemos sido prudentes con los contrarrevolucionarios. Pero hemos trazado una línea: el que se salga de la pura disidencia verbal, que se ajuste a las consecuencias.

Las consecuencias están claras: la pena máxima, la muerte.

Hablamos de su discurso ante la Asamblea del Poder Popular. En el silencio de la noche habanera, resuenan como latigazos palabras como pena de muerte, fusilamientos, ajusticiamientos. Desde que el 13 de julio de 1989 el general Arnaldo Ochoa y otros tres oficiales fueron fusilados, no se ha llevado a cabo ninguna ejecución sumaria en la isla, frecuentes en los primeros años de la Revolución.

Pero esa noche del 4 de enero de 1992 Carlos Aldana sabe algo que yo y el pueblo cubano desconocemos. Sabe que efectivos del Cuerpo de Guardafronteras del Ministerio del Interior han detenido a un comando de exiliados cubanos que, procedentes de Miami, pretendían desembarcar en el municipio de Cárdenas, a unos 20 kilómetros al este de la mundialmente famosa playa de Varadero.

El Gobierno cubano, siguiendo una vieja costumbre, aún no ha informado a la población. Nadie sabe que Eduardo Díaz Betancourt, treinta y ocho años; Pedro de la Caridad Alvarez Pedroso, veintiséis años, y Daniel Santovenia Fernández, treinta y seis años, han sido enviados por la organización paramilitar "Comando L", que dirige el exiliado cubano Tony Cuesta, con el propósito, armas y explosivos incluidos, de realizar actos terroristas en la isla.

Veinticuatro días después de su detención, después de un juicio sumarísimo que levanta airadas protestas en todo el mundo, el jefe del comando, Eduardo Díaz Betancourt, es fusilado. Ese 20 de enero de 1992 marca un punto de no retorno en Cuba. Una frontera perfectamente delimitada por Aldana en su discurso ante la Asamblea: el que pase de las palabras a los hechos, que se atenga a las consecuencias. El límite está en la disidencia verbal.

Es la primera vez que un alto dirigente cubano informa al país con tanto detalle sobre la existencia de grupos disidentes, o contrarrevolucionarios, como los llama el régimen, en el interior de la isla. La intervención de Aldana es transmitida por televisión. Todos los cubanos saben así, oficialmente, que en Cuba existen unos 50 grupos opositores al régimen que a su vez agrupan a unas 1.000 personas, de las que tan sólo unas 100 se dedican a esta actividad veinticuatro horas al día.

Aldana hace un breve análisis histórico de cómo "la contrarrevolución en nuestro país fue derrotada y aniquilada" a mediados de la década de los sesenta. Tras el triunfo de Castro, el 1 de enero de 1959, surgen más de 300 organizaciones anticastristas en la isla. "Fue la etapa floreciente del pluripartidismo en Cuba", ironiza Aldana.

La década de los ochenta registra "el renacimiento de agrupamientos contrarrevolucionarios" surgidos al amparo de la política en favor de los derechos humanos emprendida por el entonces presidente de Estados Unidos, Jimmy Carter. Aldana, que ese día ha llevado la navaja bien afilada, dirige sus ataques contra la prensa internacional y determinadas embajadas occidentales por haber proyectado internacionalmente en el primer caso y promovido en el segundo esos grupos pro derechos humanos.

La década siguiente, tras el "desmerengamiento" del socialismo, como lo ha definido Fidel Castro, en el Este europeo y la ex Unión Soviética, esos grupos comienzan a dedicarse al activismo político, a la subversión y el sabotaje. "Es algo más que charlatanería", dice Aldana al medio millar de diputados.

Aldana informa que en el segundo semestre de 1991, los grupos contrarrevolucionarios se dividen en dos grandes bloques: "uno vinculado a la organización más reaccionaria, más a la extrema derecha en el espectro político de la gusanera (despectivamente, los cubanos de Miami) en Estados Unidos, y otro que pretende aparecer como más moderado".

Sin citarlos por sus nombres, como hará a lo largo de toda su intervención, salvo en un par de ocasiones, Aldana señala a la Fundación Nacional Cubano-Americana, liderada por Jorge Mas Canosa, y a la Plataforma Democrática Cubana de Carlos Alberto Montaner. Ambas están dirigidas por la Agencia Central de Inteligencia (CIA) y forman parte de las "dos alternativas que Estados Unidos maneja de forma simultánea", denuncia Aldana.

Uno de esos dos exiliados cubanos, Carlos Alberto Montaner, se convierte en el blanco de los ataques de Aldana. Montaner, pre-

sidente de la Unión Liberal Cubana y uno de los cofundadores de
la Plataforma, dirige el 29 de julio de 1991 una carta a "mis queridos Gustavo, María Elena, Luque, Mayá y Elizardo" (2), cinco de
los disidentes más conocidos del interior de la isla.

La carta es llevada hasta La Habana por el periodista español
Xavier Domingo oculta en el tacón de uno de sus zapatos. Domingo, furibundo anticastrista, ha conseguido entrar en la isla camuflado de periodista deportivo con la misión de informar sobre los
IX Juegos Panamericanos que comienzan en los primeros días de
agosto. Pero la Seguridad cubana, según Aldana, ha interceptado
la carta en su origen, Madrid, y la entrega días después a los periodistas extranjeros acreditados en la isla. Aldana se queja más tarde
de que ningún medio extranjero la ha publicado."Era una prueba
demasiado evidente", afirma, de la intromisión norteamericana en
los asuntos internos cubanos.

En dos folios de texto impreso bien apretado, "para que no le
abulte a nuestro generoso correo", dice Montaner, éste expone a
los disidentes cubanos la necesidad de que se integren en una sola
organización, a imagen y semejanza de la que él ha creado el 14
de agosto de 1990 en Madrid, a la que se suman grupos políticos
de exiliados tanto de Miami como de Madrid.

—No quiero parecer dramático, pero esta carta puede ser muy
importante para el destino de la democracia en nuestro país —comienza escribiendo Montaner.

El liberal cubano propone en síntesis que se funde en el interior de la isla la Plataforma Democrática Cubana (PDC), pero no
como "un apéndice o filial" de la creada por él mismo en el exterior, sino al revés. La filial será la del exterior. La del interior será
"la cabeza de la institución". Montaner y los líderes de los otros
partidos que componen la PDC, José Ignacio Rasco, presidente de
la Democracia Cristiana, y los socialdemócratas Enrique Baloyra y
Alfredo Sánchez serán "delegados en el exterior del núcleo central de la isla".

Explica Montaner a sus amigos disidentes que en la Plataforma
hay tres corrientes políticas, la liberal, la demócratacristiana y la
socialdemócrata, y que esas tres tendencias "conviven más o menos armoniosamente dentro del mismo sistema de economía de
mercado, pluralismo político y defensa de las libertades".

¿Ventajas de crear la Plataforma? Montaner enumera las principales: el apoyo de "centenares de partidos políticos del mundo" y
la ayuda económica de las fundaciones europeas. "Cada Internacional (liberal, socialdemócrata, cristianodemócrata) tiene por lo
menos una gran fundación que suele contribuir económicamente
a los grupos afiliados". Montaner parece lamentarse de que "no es
una gran ayuda, pero sí suficiente para costear algunos seminarios, viajes y publicaciones".

¿Viajes?, ¿seminarios?, ¿ayudas económicas? Ese párrafo de la larga misiva de Montaner es hábilmente utilizado por el Gobierno cubano. Montaner afirma en su misiva que había consultado previamente la misma con los otros dirigentes de la Plataforma Democrática. Sin embargo, en la mañana del 31 de agosto de 1991, cuando la noticia salta desde La Habana a todo el mundo, el socialdemócrata y cofundador de la Plataforma, Enrique Baloyra, me dice desde su casa en Miami que leyó la carta cuando ésta ya había sido enviada. Aunque en líneas generales dice estar de acuerdo con ella, comenta:

—Yo no hubiera sido tan específico en el tema de las ayudas económicas. Eso ha sido una imprudencia.

Elizardo Sánchez Santa Cruz, presidente de la Comisión Cubana Pro Derechos Humanos y Reconciliación Nacional (CCDHRC) es uno de los destinatarios de la misiva. Después de leerla pensó, y así me lo dijo:

—Lo de las ayudas económicas no es necesario ponerlo. Primero, porque ni recabamos ayuda del exterior, ni la necesitamos de manera apremiante para trabajar. Además, no deseamos ese tipo de asistencias, por temor a futuros condicionamientos.

Por lo demás, Montaner traza un panorama casi idílico si los disidentes deciden crear la Plataforma. "Al margen del respaldo económico", se producirán "beneficios muy concretos: acceso a gobiernos, parlamentos e instituciones académicas para volcarlos en nuestra dirección; acceso a medios de comunicación vinculados a los grupos políticos; posibilidad de influir en los medios de poder que tienen alguna relación directa con Cuba: Moscú, Washington, Madrid, Caracas, México".

Aldana pone el dedo en la llaga al hablar de la carta en la Asamblea: determinadas embajadas y ciertos diplomáticos "suministran máquinas de escribir, papel, grabadoras, cintas, ponen la valija diplomática para los contactos de los cabecillas con el exterior; ofrecen contactos políticos, asesoría y algo muy importante: comida".

Días después, en mi cita nocturna con Aldana me dirá irritado que algunos funcionarios de la Embajada española estaban en ese juego.

—Todas las embajadas del mundo dedican personal a recoger información, pero hay una manera elegante de hacerlo. Algunos diplomáticos españoles no están en esa línea.

Por supuesto, los funcionarios españoles rechazaban de forma categórica estas acusaciones. "Que yo sepa, la única comida que se le ha enviado a Gustavo Arcos ha sido una pequeña cesta de Navidad, un par de botellas y poco más", me informó un diplomático español.

Regresando a la carta de Montaner, el liberal cubano en el exilio plantea a los disidentes que sólo hay dos formas de liquidar la dictadura cubana: una revuelta militar o una confrontación política. Si se produce el primer supuesto, hay que exigirle al vencedor lo mismo que se le pide a Castro, libertad y elecciones libres. Para ello, nada mejor que contar con una oposición fuerte y unida. Es decir, una Plataforma constituida. Sólo hace falta "dar un salto cualitativo y pasar al terreno de la oposición política".

Hasta ese momento, los disidentes más conocidos internacionalmente de la isla, como Gustavo Arcos o Elizardo Sánchez, se han mantenido en el terreno de la defensa de los derechos humanos. Ejercen una oposición que Aldana califica como "disidencia verbal". Aunque los dos han sufrido años de cárcel por ello, el régimen cada vez los tolera más o al menos les deja hacer.

Montaner, consciente de que lo que pide entraña un riesgo mayor, escribe: "ese cambio de estrategia sitúa a quienes la sigan en un terreno de cierta ilegalidad, volviéndolos más vulnerables a la represión". Pero argumenta que "el régimen no quiere o no puede darle el manotazo definitivo a los grupos que ya han dado el salto político, como demuestra el caso de Criterio Alternativo".

Craso error. La dirigente más conocida de Criterio Alternativo, la poetisa María Elena Cruz Varela, es condenada el 29 de noviembre, justo cuatro meses después de que Montaner escriba su carta, a dos años de cárcel.

Montaner ha previsto también el supuesto de que los fundadores de la Plataforma sean detenidos y encarcelados. Si eso sucede, la dirigirán desde la cárcel o serán sustituidos por otros activistas. Para reconfortarlos, les dice: "no olvidemos que antes de ocupar su lugar en la historia, tanto Havel como Walesa o Sajarov también estaban presos".

—Es muy fácil ser anticastrista desde Miami o Madrid —me comenta a comienzos de enero uno de los dirigentes del Comité Cubano Pro Derechos Humanos que dirige Gustavo Arcos, quien rechaza la idea de sumarse a la Plataforma o a cualquier otro organismo suprapartidario.

Aunque la inmensa mayoría de los disidentes están de acuerdo con el fondo del mensaje de Montaner, el riesgo y las distintas y a veces enfrentadas personalidades hacen imposible el maridaje de todos los opositores.

A pesar de todo, treinta y siete días después de que el antifranquista y ex anarquista Xavier Domingo llevara la propuesta de Montaner a Cuba —"por cierto, esto está mejor de lo que yo me esperaba; en Madrid se dice que La Habana se estaba hundiendo", me dice Xavier cuando me lo encuentro inesperadamente en La Rampa, la calle más turística y transitada de La Habana— se constituye no la Plataforma pero sí la Concertación Democrática Cubana (CDC) y más tarde la Coalición Democrática Cubana (CDC).

La primera se corresponde con la Plataforma de Montaner y la segunda, situada más a la derecha, con la Fundación Cubano-Americana de Mas Canosa, y su peso real en el interior de Cuba es mínimo.

El 4 de septiembre de 1991, ocho grupos firman el Acta de Constitución de la Concertación Democrática Cubana (CDC). Es sin duda un paso importante en la unidad de los hasta entonces minúsculos grupos de la oposición, a los que Aldana llama "grupos familiares: están el fundador, la esposa, el cuñado y un sobrino". Sin embargo, el propio responsable de la ideología del PCC reconoce ante la Asamblea que la Concertación "es el único (grupo) que reúne a alguna gente con cierta proyección intelectual".

Aldana es feroz al diseccionar la carta y el programa de la Concertación. De entrada repite la vieja acusación de que Montaner es un agente de la CIA y que es precisamente en Madrid donde radica uno de los centros de la agencia norteamericana que trabajan contra Cuba. También ataca con dureza los propósitos privatizadores de la Concertación: "es transparente la idea de que se trata de venderles el país a la gusanera y a los que en Estados Unidos han hecho dinero", ya que podrían adquirir las empresas estatales mediante subasta tanto los cubanos de la isla como los del exterior e incluso los hijos de cubanos nacidos fuera de Cuba. Es decir, los que hicieron fortuna en Miami o se la llevaron de Cuba en los meses inmediatamente anteriores y posteriores al triunfo revolucionario.

El programa al que se refiere Aldana no es el de la Concertación o al menos ninguno de sus miembros lo ha suscrito, salvo Criterio Alternativo, precisamente porque "es muy vulnerable", me dirá después Elizardo Sánchez, uno de los padres de la CDC. El programa le fue incautado a María Elena Cruz Varela, principal líder de Criterio Alternativo, en noviembre de 1991 cuando es detenida.

Elizardo Sánchez puntualiza que la Concertación como tal no tiene programa común, ya que se trata de "una alianza de grupos de izquierda y centro-izquierda".

La puesta de largo de la Concertación coincide con la celebración en Santiago de Cuba del IV Congreso del Partido Comunista. El 7 de octubre de 1991, tres días antes de que comiencen las sesiones del Congreso, en La Habana se registra un acto sin precedentes: la convocatoria de una rueda de prensa por parte de la oposición, a la que asisten más de medio centenar de periodistas, fotógrafos, cámaras de televisión e incluso diplomáticos. Aunque hay una discreta vigilancia policial en torno a la casa donde tiene lugar la conferencia de prensa, la policía no interviene en ningún momento, ni detiene a ningún disidente al finalizar el acto.

La cita es en el domicilio de Elizardo Sánchez Santa Cruz: Avenida 21, número 3.014, en el barrio Nuevo Vedado de La Habana. Elizardo es el presidente de la Comisión Cubana Pro Derechos Humanos y Reconciliación Nacional (CCDHRN), la más veterana organización de la isla junto con el Comité Cubano Pro Derechos Humanos que lidera el otro histórico disidente de la isla, Gustavo Arcos.

A las diez de la mañana de ese lunes de octubre el salón comedor de la casa de Elizardo está repleto. La sala, de unos 15 metros cuadrados, tiene una amplia mesa, dos enormes frigoríficos y un aparador. Al fondo, junto a la única ventana de la habitación están los representantes de los seis grupos que en ese momento integran la Concertación.

Sentada en el centro de la mesa hay una mujer delgada, muy pálida, con los ojos hundidos, la boca de labios finos entreabierta, algo nerviosa. Detrás de ella, a su izquierda, Elizardo Sánchez. Este toma la palabra:

—Tengo el gusto de presentarles a nuestra compañera María Elena Cruz Varela, poetisa y escritora cubana, dirigente de la agrupación Criterio Alternativo, quien actuará como portavoz de la Concertación en esta rueda de prensa...

Las cámaras de televisión enfocan a esa aparentemente débil mujer. Pero cuando habla, lo hace con decisión, con firmeza, manejando bien el idioma.

—Buenos días. Realmente es un hecho sin precedentes que la oposición haya podido convocar esta rueda de prensa. Lamentablemente, aunque también han sido invitados, los periodistas cubanos brillan por su ausencia...

Un colega que trabaja desde hace años en esta zona del mundo me comenta en voz baja:

—La puesta en escena es perfecta. Me recuerda muchísimo la presentación en sociedad de Violeta Chamorro, con Elizardo Sánchez en el papel de Virgilio Godoy. Y como en aquella ocasión, también está presente Estados Unidos, mira allí al agregado de prensa, David Evans...

No sólo se lo pareció a él. La mayoría de los periódicos del mundo titularon igual: nace una nueva Violeta Chamorro, el ama de casa nicaragüense que derrotó a los sandinistas, entre los que había socialistas y comunistas, y alcanzó la presidencia de su país.

Después del breve saludo, María Elena da lectura a la propuesta que la Concertación hace a los delegados del IV Congreso del Partido Comunista. Por vez primera, el documento está perfectamente impreso y ha sido escrito en una computadora o alguna moderna máquina eléctrica. ¿La ayuda de embajadas extranjeras que denuncia Aldana? Hasta ese momento, los documentos que entregaban los disidentes a los periodistas eran copias hechas con papel carbón escritas por máquinas antediluvianas. Muchas veces, te dejan leer el documento y lo tienes que devolver en el acto. El papel escasea.

El texto contiene frases y palabras salidas de la pluma de María Elena, la poetisa, como esa cita a "un bello y alegre país" que es Cuba. Lee con voz clara y pausada:

—Como ha sucedido con frecuencia alarmante desde hace unos años, el hombre que por espacio de un tercio de siglo ha decidido los destinos de nuestra nación parece dispuesto nuevamente a desestimar los reclamos de la mayoría, a desafiarla y persistir en su andar inconsulto y dañino que lo ha alejado irremediablemente del pueblo...

La propuesta que la CDC hace a los comunistas cubanos contiene los siguientes puntos: amnistía para los presos políticos; derogación del artículo 5 de la Constitución en donde se concede un papel exclusivo y protagónico al Partido Comunista; reconocimiento de las asociaciones políticas, religiosas y de derechos humanos; reconocimiento de la emigración como parte de la nación cubana, así como de las organizaciones políticas creadas en el exilio; convocatoria de un Encuentro Nacional en La Habana al que concurran todas las fuerzas políticas.

En ese Encuentro Nacional se formaría un Consejo Provisional de Gobierno, se convocaría una Asamblea Constituyente para redactar una nueva Constitución que sería sometida a referéndum. Como última propuesta: la celebración de elecciones generales libres y secretas.

De rechazar esta propuesta, los comunistas cubanos "estarían rechazando una de las últimas oportunidades de evitar el colapso económico, el caos social y un derramamiento de sangre como no ha conocido Cuba en toda su historia".

Como todos esperaban, el Congreso de los comunistas cubanos no sólo no aceptó esta propuesta; ni siquiera se refirió a ella. Consciente de que eso iba a ser así, María Elena adelantará en aquella conferencia de prensa:

—Vivimos sentados sobre un polvorín. El nivel de histeria social es muy grande, la agresividad contenida en el pueblo es muy grande y al más mínimo detonante puede saltar la chispa que encienda todo el país.

Aunque María Elena, hablando en nombre de los concertados, matizó que la oposición no desea que esa catástrofe suceda, que en absoluto propugnan un desenlace violento.

—¿Qué hacer con Fidel? —le preguntan.

—Que se jubile. No tenemos ánimo de revanchismo ni de ajuste de cuentas. Si decide pedir asilo en algún país, lo aplaudiríamos, lo veríamos muy bien.

Esa parece ser la salida que prefieren los disidentes, aunque también aceptarían que fuera el propio Castro quien iniciara un proceso de cambios democráticos. Pero María Elena duda que Fidel se mantuviera por mucho más tiempo en el poder si esos cambios se llevaran a cabo.

—¿Qué hacer con el Ejército, las poderosas Fuerzas Armadas Revolucionarias (FAR) que controla el hermano de Fidel, Raúl Castro?

María Elena medita unos segundos:

—Yo apelaría a la razón, en este caso de las FAR, para que no enfilaran sus armas contra el pueblo en el supuesto de que se produjeran manifestaciones populares.

Durante una hora, con un calor pegajoso y agobiante en el estrecho salón, María Elena responde a una pregunta tras otra con fluidez. Se tiene aprendida la lección. Sólo en un momento cede la palabra y es entonces cuando se ponen de manifiesto las profundas divergencias que existen entre algunos de los miembros de la recién nacida Concertación. Cuando se le pregunta si apoya la posición de algunos exiliados cubanos de confiscar los bienes de las empresas que actualmente comercian con Cuba, María Elena le cede la palabra a Roberto Luque.

Luque es un hombre también flaco que esa mañana está especialmente tenso. Fundador de Criterio Alternativo con María Elena y José Luis Pujol, abandona el grupo por incompatibilidad con la poetisa. Se une a Pujol, que por los mismos motivos ha abandonado el grupo con anterioridad para crear su propio partido, Proyecto Apertura de la Isla (PAIS).

Luque ha salido hace unas pocas semanas de la cárcel. La faena que le han jugado los servicios de la seguridad cubana lo ha desprestigiado seriamente. Mientras estaba encarcelado, anuncia una huelga de hambre y la noticia se publica en medio mundo. Un buen día, la televisión cubana emite un video, rodado en secreto, en el que muestra a Luque comiendo un sandwich.

—Lo que hacen las empresas extranjeras que comercian con Cuba es apuntalar a un tirano acorralado. Corren el riesgo de que el futuro Gobierno libre de la República confisque sus bienes.

Roberto Luque se muestra furiosamente partidario de que países como España, Canadá, Alemania, Italia, México, entre otros, suspendan sus relaciones comerciales con Cuba. Los turistas procedentes de esos países también deben boicotear a la isla.

—Cuba es una empresa en quiebra, que está siendo subastada a bajo precio —insiste Luque.

Hasta ese momento, Elizardo ha permanecido en silencio. Como lo estaba Virgilio Godoy cuando acompañaba en las conferencias de prensa a Violeta Chamorro. Sólo abría la boca cuando se le planteaban a la hoy presidenta nicaragüense temas relacionados con la economía. Como entonces a María Elena. Elizardo interviene:

—Permítanme hacer una aclaración. Roberto Luque está aquí en representación de José Luis Pujol, que es el presidente de PAIS. Por ello Luque no sabe que habíamos acordado previamente que María Elena sería la que contestara a todas las preguntas.

Pero la confusión está creada. La propia María Elena toma de nuevo la palabra para aclarar que la nueva República no debe tener un carácter revanchista y Elizardo insiste en que la Concertación tiene pocos días de vida y aún no ha desarrollado plenamente un programa de cara al futuro.

Cuando se pregunta por Gustavo Arcos, el más veterano disidente de la isla, en la respuesta de María Elena se nota una pizca de resentimiento:

—Les rogaría que le preguntaran al señor Arcos. Fue invitado a sumarse a la Concertación, que realmente comenzó a engendrarse a comienzos de enero. El proceso de unidad estuvo mucho tiempo detenido. Tuvimos la deferencia de esperar su respuesta dada su historicidad. Pero si tienen más dudas, pregúntenle a él.

Unos días después visité a Gustavo Arcos.

—No estamos en la Concertación porque nosotros somos simplemente un grupo que se interesa por la defensa de los derechos humanos. Estamos de acuerdo con las ideas que inspiran la Concertación, pero no con la acción.

Al abandonar la casa de Elizardo cruzo unas palabras con Evans, el diplomático norteamericano responsable de información y prensa.

—Estoy aquí porque la disidencia cubana del interior necesita reconocimientos internacionales. Estoy aquí apoyando la tolerancia política, y no a un grupo específico.

¿Qué otros grupos hay en Cuba además de la Concertación Democrática? Docenas. Según Aldana, y sabe de lo que habla, unos 50. Y es que como sucedió en tantos otros países, la oposición cubana en estos momentos está muy atomizada, muchas veces por viejas rencillas personales no resueltas y otras por el miedo a que al crecer, la Seguridad del Estado los infiltre, como ha sucedido ya en varias ocasiones.

Un delegado de la agencia española EFE en La Habana me contó una vez una anécdota que ilustra el tema:

—Había un pequeño grupo de disidentes que solía emitir muchos comunicados. Un día viene un tipo nuevo y me dice: "Yo soy ahora el presidente y yo traeré los comunicados. No quiero tener militantes para no ser infiltrado".

Para Gustavo Arcos, hay poco más de una docena de grupos con una estructura y una ideología mínimas para ser considerados seriamente. La lista me la porporcionó el propio Arcos, en los últimos días de diciembre de 1991. Los comentarios sobre los mismos, así como sobre sus dirigentes, son también de Gustavo Arcos.

La lista está confeccionada atendiendo a la fecha en que se formó cada uno.

1. Comité Cubano Pro Derechos Humanos. Fundado a finales de los años setenta por Ricardo Bofill, actualmente exiliado en Miami. La idea principal: luchar por la defensa de los derechos humanos, enfrentarse al régimen de forma pacífica. Su principal arma, la Declaración Universal de los Derechos Humanos. Su principal figura, el propio Arcos, compañero de Fidel en el asalto al cuartel Moncada. En 1991 Arcos fue propuesto por algunas instituciones extranjeras candidato al Nobel de la Paz.

2. Comisión Cubana de Derechos Humanos y Reconciliación Nacional. Elizardo Sánchez Santa Cruz funda este grupo el 10 de octubre de 1987. Es presidente del Comité Ejecutivo de la Comisión. Mantiene buenas relaciones con Arcos, de cuyo grupo formó parte en los años setenta.

3. Partido Pro Derechos Humanos de Cuba. Sufrió un grave deterioro, pues uno de sus dirigentes, Tania Díaz, se hizo una feroz autocrítica ante las cámaras de televisión por su participación en la entrada por la fuerza en la Embajada de Checoslovaquia. Otro dirigente del Partido, el doctor Samuel Martínez Lara, se encontraba en arresto domiciliario a finales de 1991. La cabeza visible en ese momento era Juan Betancourt.

4. Comité Martiano Pro Derechos Humanos. Huber Jerez es su figura maás representativa, preso en diciembre del 91. De escasa militancia.

Estos tres últimos grupos formaron parte en su día del Comité de Arcos. Más tarde crearon la Coordinadora de Organizaciones de Derechos Humanos y fundan la Concertación Democrática.

5. Movimiento Liberación. Grupo integrado básicamente por católicos. Su principal figura, Oswaldo Payá Sardiñas, a quien Arcos considera como un sólido valor de la Cuba poscastrista. Sus militantes están entre los treinta y cuarenta años y serán rectores de la Cuba futura.

6. Movimiento Integracionista Democrático. Dirigido por el profesor Esteban González González, preso al igual que el resto de los fundadores.

7. Comité Cubano Demócrata Cristiano. Grupo reducido. Fundado por Jorge Luis Mari Becerra, considerado una persona inestable. Varios de ellos penetraron con Tania Díaz en la Embajada de Checoslovaquia y desde entonces intentan justificar su acción allí.

8. Asociación Pro Arte Libre. Su principal inspirador, Armando Araya, se exilió junto con su esposa. Es un grupo pequeño.

9. Asociación Amigos de la Perestroika. Cabeza visible, un abogado de cierta edad, Félix Fleitas Posada, ex militante comunista. Grupo muy reducido.

10. Consejo de Lancheros. Principal dirigente, el profesor Francisco Chavián. Formado por presos y ex presos condenados por intentar escapar de la isla. Piden que no se les considere delincuentes comunes sino presos políticos.

11. Movimiento Eco Pacifista Sendero Verde. Orlando Polo es su principal dirigente. Muy reducido.

12. Movimiento Pacifista Cubano de Solidaridad. Nace en 1990 encabezado por Juan José Acosta. Es un grupo pequeño que mantiene buenas relaciones con Arcos.

13. Criterio Alternativo. Formado en noviembre de 1990 por María Elena Cruz Varela, Roberto Luque Escalona y José Luis Pujol Irízar como "un grupo de análisis y debate". Luque y Pujol abandonan el grupo y forman el Proyecto Apertura de la Isla. María Elena se adscribe a la ideología liberal. Grupo fundador de la Concertación Democrática.

14. Movimiento Armonía. Creado a finales de 1991 por Yndamiro Restano, periodista, hijo de un comunista, como la mayoría, salvo los cristianos, apunta Arcos. Antes había formado parte del grupo de Elizardo Sánchez. Pacifista, moderado. La mayoría de sus miembros no han cumplido los treinta años, es decir, nacieron bajo el régimen castrista. De una forma u otra, en algún momento apoyaron el sistema y se desencantaron. Fundador de la Concertación Democrática.

15. Proyecto Apertura de la Isla. Escisión de Criterio Alternativo, formado por José Luis Pujol Irízar y Roberto Luque Escalona. Pujol es para Arcos otro valor en ciernes de la política cubana. Fue traductor y como tal estuvo varias veces en las guerras libradas por tropas cubanas en Angola y Etiopía. Actualmente trabaja como estibador en un almacén. Fundador de la Concertación Democrática.

Unos meses despues, en mayo de 1992, los grupos políticos y de derechos humanos se reubican. El bloque principal sigue siendo la Concertación Democrática Cubana (CDC). Fundado por seis grupos, llega a tener once. Pero, según uno de sus principales impulsores, Elizardo Sánchez, algunos grupos se han derechizado y han abandonado la Concertación que intenta mantener un equilibrio de centro, con ramas tanto a su derecha como a su izquierda.

Los grupos que en mayo de 1992 integran la CDC son:

– Movimiento Armonía, liderado por Yndamiro Restano. Ideología socialdemócrata. Tiene una importante ala obrera, que ha fundado un sindicato llamado Unión General de Trabajadores (UGT). Restano fue detenido en diciembre de 1991. En el discurso de fin de año a la Asamblea, Carlos Aldana se refiere a él, aunque sin citarlo. El responsable de Ideología del PCC, se refiere a Restano como "otro cabecilla... mucho más evolucionado hacia el sabotaje". Aldana informa ante la sorpresa de muchos que Restano intentaba "reclutar a miembros de las fuerzas armadas y del Ministerio del Interior", tanto en activo como jubilados. También, siempre según Aldana, estaban planeando actos de sabotaje. En mayo de 1992, Restano seguía encarcelado y se enfrentaba a una petición fiscal de diecisiete años de cárcel por el delito de rebelión. No aparecían en las conclusiones provisionales del fiscal los contactos de Restano con militares y policías.

Aunque nada tiene que ver, al menos que se sepa, con este grupo, hay que reseñar aquí la aparición de un llamado "Frente de Salvación Nacional de las Fuerzas Armadas Revolucionarias y el Ministerio del Interior". Ese pretendido Frente se dio a conocer a través de un anuncio pagado en el periódico *El Nuevo Herald*, de Miami, el 20 de octubre de 1991.

En lo que llaman una "Declaración de Principios", el Frente de Salvación afirma estar formado por oficiales de las nuevas generaciones y soldados, tanto del Ejército como del Ministerio del Interior. Aseguran que no son un movimiento de liberación, ni desean un levantamiento armado, pero que "responderán con la violencia contra aquellos que pretendan reprimir a nuestro pueblo".

El Frente de Salvación pide la inmediata salida del poder de los hermanos Castro, Fidel y Raúl, para que una Junta Provisional de Gobierno inicie un proceso democratizador.

Un alto funcionario del Comité Central me dijo sobre este grupo que se trataba "de una campaña publicitaria para dar una idea en el exterior de que el Ejército está dividido". Pero, afirma este funcionario, no sólo no está dividido, sino que como quedó demostrado tras el fusilamiento del general Arnaldo Ochoa, en el verano de 1989, "el Ejército cubano es fiel y obedece tanto a su comandante en jefe, Fidel Castro, como al ministro de las FAR, Raúl Castro".

Para este informante, detrás del anuncio aparecido en el periódico de Miami está la mano —¿una vez más?— de Carlos Alberto Montaner y la CIA.

El resto de los grupos que conforman la Concertación:

– Criterio Alternativo. Principal dirigente, María Elena Cruz Varela. En noviembre de 1991 es detenida. Cumple condena de dos años por "propaganda enemiga". La ideología del grupo es liberal. El grupo se mueve muy cerca de Carlos Alberto Montaner y su grupo Unión Liberal Cubana.

– Comisión Cubana Pro Derechos Humanos y Reconciliación Nacional. Grupo no político, defensor de los derechos humanos. Fundado y presidido por Elizardo Sánchez Santa Cruz. Uno de los grupos más conocidos y prestigiados fuera de la isla.

– Asociación de Defensa de los Derechos Políticos (ADEPO). Principal dirigente, Luis Alberto Pita Santos. En mayo de 1992 cumplía condena de cinco años.

– Movimiento Femenino de Ayuda a Presos Políticos. Su principal dirigente, Bienvenida Cucala Santana, detenida el 31 de diciembre de 1991. En mayo siguiente se encontraba aún en Villa Marista, sede central de la policía política, siendo investigada.

– Proyecto Apertura de la Isla. Principal dirigente, Jorge Luis Pujol. Detenido y en proceso de investigación en Villa Marista.

– Seguidores de Mella. Su principal y prácticamente único líder es el estudiante expulsado Jorge Quintana. Actualmente, cumple condena de tres años por desacato.

– Libertad y Fe. Cabeza visible, María Celina. Partido de tendencia demócrata cristiana.

Seis de estos ocho grupos que forman la CDC tenían a sus dirigentes en mayo de 1992 en prisión, o cumpliendo condenas en firme o siendo investigados (dos). La CDC no tiene programa y se rige por unas bases mínimas entre las que destaca la presidencia rotatoria. Los tres miembros del secretariado ejecutivo elegido en septiembre de 1991 están todos encarcelados: María Elena, Pujol y Pita.

El líder más importante en libertad en ese tiempo es Elizardo Sánchez, quien sin embargo ha estado en los últimos diez años, y en tres distintos momentos, casi ocho años en prisión. Afirma este disidente que la CDC es el grupo más representativo de la oposición y, "como sucedió en la Europa del Este, el movimiento es bastante capitalino".

Una de las principales acusaciones del régimen a la CDC es haberse creado a instancias y a imagen y semejanza de la Plataforma Democrática Cubana (PDC) de Carlos Alberto Montaner, tras la carta enviada por Montaner a los principales disidentes.

Tanto Elizardo Sánchez como María Elena Cruz Varela desmienten esta acusación:

—Carlos Alberto Montaner, que es una persona muy lúcida, muy inteligente, con una gran penetración, brillante incluso, trató de influir en nuestro proceso de unidad que estaba en marcha desde enero de 1991. Sin querer, con su famosa carta, pudo haber abortado el proyecto, pues el gobierno reaccionó enérgicamente y aprovechó la carta para organizar un acto intimidatorio.

Elizardo Sánchez se refiere a la conferencia de prensa del 30 de agosto de 1991 en la que el segundo jefe de la Dirección de la Seguridad del Estado, coronel Eduardo Delgado Rodríguez, presentó la carta de Montaner a la prensa extranjera acreditada en La Habana y denunció como una maniobra de Montaner, con la CIA detrás, el intento de crear en el interior en Cuba una Plataforma.

Recuerdo que fue en una de mis primeras entrevistas con la poetisa María Elena Cruz Varela, en su reducido apartamento de Alamar, cuando supe del intento de aglutinar a distintos grupos de la disidencia. Era el mes de marzo del 91, yo acababa de regresar de un viaje a Miami, donde había hablado con docenas de grupos de exiliados en la capital de Florida. Pregunté a María Elena si había alguna posibilidad de que la disidencia cubana, tan atomizada, se uniera de alguna forma.

—Pues justo en este momento estamos en eso. Yo personalmente estoy encargada de contactar con Gustavo Arcos, pero anda fuera de la ciudad. Ya hay un acuerdo previo de varias personas, como Elizardo Sánchez, Samuel Martínez Lara, Jorge Quintana, nosotros, de Criterio Alternativo...

La idea entonces, en palabras de María Elena, era crear "una alianza no orgánica, en la que cada grupo conserve su independencia, con una presidencia rotatoria".

—¿Hasta cuándo va a estar aquí? —me pregunta María Elena.

—Hasta finales de mes.

—No se preocupe entonces, para esas fechas habremos constituido la alianza y le avisaremos a su hotel.

No sería así. Pasaron meses, cinco en total, antes de que el 6 de septiembre de 1991 se creara la Concertación. Sobre todo porque Gustavo Arcos siguió sin ponerse a tiro de María Elena. Aunque es papel mojado, Elizardo me muestra el acta de constitución con el cuño del Consejo de Estado. Lleva fecha del 7 de septiembre de ese año y certifica que ese papel ha sido entregado en la más alta institución del Estado cubano. Es el primer paso para una posible legalización.

A finales de 1991 año volví a visitar a Elizardo. Se trata de una visita obligada. Te pone al corriente de quién entra y quién sale de las cárceles y qué nuevos grupos han nacido o desaparecido. Sonríe.

—¿No hay una cierta tolerancia hacia ustedes? El hecho de que les dejaran constituirse, que dieran una rueda de prensa durante los días previos al Congreso del Partido Comunista con docenas de periodistas, y las cámaras de televisión, ¿no significa que el sistema los comienza a tolerar?

—No creo que haya ninguna tolerancia. Muchos de los nuestros están en la cárcel. El asedio es constante. El proceso de la Concertación lo estamos llevando adelante con mucha cautela, tratando de no sobrepasar los límites que el Gobierno ha reiterado que no está dispuesto a aceptar. Por ejemplo, acciones en la calle. Pienso que es prematuro diseñar acciones en la calle, aunque también creo que es inevitable que comiencen a producirse manifestaciones callejeras.

Todo lo contrario de lo que piensa la Coalición Democrática Cubana, con las mismas siglas que la Concertación, para confundir más en esta sopas de letras que es la disidencia cubana. Ni más ni menos que el reflejo de la oposición en Miami, en donde hay más de 200 grupúsculos anticastristas.

La Coalición, que ha adoptado prácticamente el programa de

la derechista Fundación Nacional Cubano-Americana con sede en Miami, es partidaria de salir a la calle. Estas manifestaciones son convocadas por las emisoras de la Fundación que emiten desde Estados Unidos. La coalición apoya el bloqueo de Estados Unidos sobre Cuba, así como la permanencia de la base norteamericana de Guantánamo, al oriente de la isla.

Integrada por unos veinte grupos, todos ellos muy reducidos en cuanto a militancia e influencia. El más importante es el Comité de Unidad Nacional, dirigido por Pablo Reyes y Omar del Pozo. Ambos estaban detenidos en Villa Marista en mayo de 1992. Tres grupos que pertenecían a la Concertación se han pasado a la Coalición. Son el Partido Pro Derechos Humanos, el Comité Martiano de los Derechos Humanos y la Asociación Pro Arte Libre I (APAL I). Hay una APAL II, escisión de la primera, que sigue en la Concertación.

Uno de ellos, el Partido Pro Derechos Humanos prometía ser un grupo de tendencia socialdemócrata con cierto futuro en 1989, que es cuando se da a conocer y realiza algunas acciones ante la visita de Mijail Gorbachov a la isla, en abril de ese año. Entonces estaba dirigido por el doctor Samuel Martínez Lara, quien al ser encarcelado deja el timón a Tania Díaz Castro.

Tania protagonizó uno de los casos más espectaculares de transformismo político en la historia de la disidencia cubana, lo que hizo sospechar a algunos estudiosos que en realidad se trataba de "un submarino" colocado en el partido por los servicios de la Seguridad del Estado.

Tania había penetrado en compañía de otra media docena de cubanos, algunos de su propio partido, en la sede de la Embajada de Checoslovaquia en 1989. Detenida al rendirse y salir por su propio pie, fue encarcelada. Pero a los pocos meses, ya en libertad, declaró en su casa ante la televisión cubana y la prensa extranjera que el Partido Pro Derechos Humanos no existía, pues en realidad estaba manipulado por los Estados Unidos.

Atacó a los militantes de los grupos de derechos humanos, de los que dijo que "no son otra cosa que soldados y confidentes de la Sección de Intereses de los Estados Unidos (embajada)". A Gustavo Arcos lo acusó de ser "una persona muy egoísta cuyo objetivo es abandonar Cuba", y mantuvo que "el pluripartidismo no es necesario en Cuba y nadie lo aceptaría".

El "caso Tania" fue como un aldabonazo entre los disidentes quienes comenzaron a sospechar que estaban más infiltrados que nunca. O que Tania se había vuelto loca.

Hay un grupo que por ahora no pertenece a ninguna de las dos alianzas citadas, pero que mereció el honor de unos cuantos, y duros párrafos, del informe de Aldana sobre los grupos opositores en la sesión de la Asamblea Nacional. Se trata del Movimiento Liberación, que dirige Oswaldo Payá Sardiñas, formado por hombres de mediana edad, "muy activos y que gozan de la simpatía de la alta jerarquía de la Iglesia Católica en nuestro país", en opinión de Aldana.

En su informe a la Asamblea, Carlos Aldana se referirá "al gran personaje" de la Iglesia Católica, quien "con un lenguaje sibilino, en el cual se percibe toda una experiencia milenaria, traza la estrategia a seguir" por el grupo de Payá. En resumen, dice este personaje católico, nuestro reino no es de este mundo, pero si algunos hermanos creen que están llamados a oponerse a la Revolución, adelante.

Las acusaciones a la Iglesia por inmiscuirse en la política del régimen es constante y cada vez más aguda. Aunque todos los dirigentes a los que pregunté ocultan el nombre de ese "personaje sibilino" para no complicar más las cosas, es sabido que se trata del arzobispo de La Habana, Jaime Ortega.

Importante también ha sido la aparición, rodeada de misterio, del grupo Tercera Opción. En los primeros días de 1992, Tercera Opción se daba a conocer a través de un comunicado enviado a la prensa extranjera.

Su principal objetivo es ayudar "al diálogo y la concertación" entre todos aquellos que postulan "soluciones democráticas para Cuba, dentro de los principios básicos de independencia económica, soberanía política, justicia social y respeto irrestricto a los derechos del hombre", decían en su escrito de presentación. Se declaran socialistas y afirman que actuarán "dentro del marco estricto de la Constitución y las Leyes de la República de Cuba".

Quien conoce bien a los miembros de Tercera Opción es Elizardo Sánchez. Tres meses antes de su presentación en sociedad, me contaba en su casa:

—El último grupo en surgir ha sido "Tercera Opción/Una Alternativa de Izquierdas por una Cuba Independiente y Democrática", que ese es su verdadero y completo nombre.

No se trata pues de un partido nuevo, sino más bien de una agrupación básicamente formada por intelectuales de izquierda, jóvenes en su mayoría y de tendencia socialdemócrata. De ahí la cercanía con Elizardo Sánchez, que siempre se ha considerado socialista. Las cabezas más visibles de esta tercera vía son Bernardo Marqués Ravelo, Omar Pérez y Rolando Prats.

Los tres tienen algo en común: trabajaron en *El Caimán Barbudo,* un semanario ya desaparecido que reunió a lo mejor de la intelectualidad revolucionaria cubana. Entre otros, por ejemplo, a Carlos Aldana.

Bernardo Marqués es un periodista de cuarenta y cinco años. Fue redactor-jefe de *Bohemia* y de *El Caimán Barbudo,* y tiene publicados dos libros de poesía y una novela. Militó en la Unión de Jóvenes Comunistas (UJC). Rolando Prats, de treinta y tres años, es otro poeta graduado en lenguas eslavas, mientras que su compañero Omar Pérez, de veintiocho años, es licenciado en lengua y literatura inglesa.

Lo que sorprendió a los especialistas en temas cubanos fue la acogida que le dispensó la prensa local. Un editorial del diario *Granma,* el órgano oficial del PCC, aparecido el 21 de enero, atacaba con dureza a quienes "ahora pretenden mantener la pose ridícula de una tercera opción y colocarse entre el imperialismo y la Revolución". Para *Granma,* estas personas no son más que unos "holgazanes que han medrado a la sombra del esfuerzo del pueblo y de nuestras propias debilidades".

Un par de semanas después, el 16 de febrero, el semanario *Juventud Rebelde* arroja algo de luz sobre la Tercera Opción. Escribe que está integrado por "una gama de perestroikos en estampida", desechos de una extinta "secta intelectualoide" y además "son menos de una docena entre unos y otros".

La aparición de la Tercera Opción, aunque misteriosa y sorprendente para los no iniciados, estaba ya cantada para los organismos dirigentes del país hacía meses. En el llamamiento al VI Congreso de la UJC, se puede leer esta perla:

—Aunque traten de despintarse en opciones intermedias, con la contrarrevolución organizada en peligrosa quinta columna, a la que hay que combatir con la acción revolucionaria más decidida (7).

Es precisamente este grupo nucleado en torno a Elizardo Sánchez y los jóvenes socialistas de la Tercera Opción de donde surge uno de los intentos más serios en los últimos meses de crear una nueva vía a la oposición cubana. Si bien reducido aún a un minoritario círculo de intelectuales, han elaborado ya un Proyecto de Programa Socialista Democrático suscrito a título individual por los miembros de la Tercera Opción y otros destacados profesionales cubanos.

Además de los citados, son autores del Proyecto de Programa Socialista Néstor E. Balaguer, sesenta y nueve años, miembro de la Real Academia Española y tesorero de la Academia Cubana de la Lengua. Ha publicado varios libros. Manuel Díaz Martínez, de cincuenta y seis años, poeta que ganó el prestigioso premio de la Unión de Escritores y Artistas de Cuba (UNEAC) en 1967, además de periodista y traductor; Enrique Julio Patterson, de cuarenta y dos años, ex profesor de la Facultad de Filosofía de La Habana, y por último, Vladimiro Roca, de cincuenta años, funcionario del Comité Estatal de Colaboración Económica. Fue también piloto de combate de las Fuerzas Armadas Revolucionarias (FAR) entre 1961 y 1970, así como militante de la UJC.

El apellido Roca, en Cuba, tiene un especial significado, sobre todo cuando se es hijo de Blas Roca, secretario general del Partido Socialista Popular (PSP), el primer partido comunista de Cuba, desde 1934 hasta 1961. Después, Roca ocuparía importantes cargos en el régimen cubano, como presidente de la Asamblea Nacional y vicepresidente del Consejo de Estado. Pues bien, Vladimiro Roca es hijo de este Blas Roca que en realidad se llamaba Francisco Calderío. Blas Roca fue un alias que se adjudicó él mismo cuando ser comunista era duro en Cuba y llevaría ese nombre hasta su muerte en 1987.

El Programa Socialista Democrático (PSD) está en favor de un "Estado laico, democrático de derecho, de economía mixta, pluralismo político, justicia social y educación, salud y cultura para todos".

En un futuro inmediato, el PSD "recomienda" la convocatoria de una Asamblea Constituyente que redacte una nueva Constitución en la que estén contenidos todos los derechos y libertades individuales. Recomienda también la concesión de una amnistía y elecciones libres.

La irrupción en la vida política cubana de este pequeño colectivo de intelectuales y ex profesores que viven en el interior de la isla no es nueva, aunque tampoco es muy común. A finales de 1991 un grupo de profesores de La Habana emitía una "Declaración de Profesores Universitarios" en la que pedían lo mismo que casi todos los grupos aquí reseñados: un espacio político democrático, apertura de la sociedad por la vía pacífica, respeto a los derechos humanos, democratización de la vida política y amnistía general. Varios de los firmantes de este documento, profesores de los Institutos Superior Pedagógico y Superior Politécnico, fueron expulsados de sus centros.

Unos meses antes, en junio de 1991, diez escritores y periodistas cubanos, también residentes en el interior de la isla, firmaban una "Declaración de Intelectuales Cubanos" que provocaba un enorme revuelo, especialmente por la personalidad de algunos de los firmantes y el eco que su escrito tuvo en el exterior, especialmente en la prensa de Miami.

En su declaración, los intelectuales se mostraban preocupados "por la peligrosa situación que vive el país". Expresaban su deseo de promover "una actitud razonable y moderada" para "evitar la catástrofe económica, social, política y cultural que se nos viene encima".

Pedían a la dirección política del país que se celebren elecciones directas a la Asamblea Nacional, la eliminación de limitaciones migratorias, la reactivación de los Mercados Libres Campesinos "para evitar la hambruna", la aministía para todos los presos políticos y para los que intentaron escapar de forma clandestina, y por último, que se solicite la ayuda de las Naciones Unidas para aliviar la escasez de medicinas en la isla.

"En esta hora la política es demasiado importante para dejárse-

la a los políticos", afirman los intelectuales. Por ello urgen a los
obreros, los científicos, los militares, los sindicalistas, los campesinos, los estudiantes, las amas de casa, a todo el pueblo, para que
eviten que Cuba se hunda "como Estado civilizado".

Los diez firmantes de la carta, entre los que hay algunos nombres prestigiosos de las letras cubanas son: Manuel Díaz Martínez,
poeta, periodista y traductor de cincuenta y seis años, Premio Nacional de Poesía "Julián del Casal"; María Elena Cruz Varela, Premio Nacional de Poesía; José Lorenzo Fuentes, novelista; Roberto
Luque Escalona, ensayista con obra publicada en México; Jorge
Pomar, editor y traductor; Fernando Velázquez Medina, crítico y
ensayista; Bernardo Márquez Ranelo, novelista y ensayista; Raúl Rivero Castañeda, poeta; Víctor Manuel Serpa, periodista que se exilió poco después en Miami, y Manuel Granado, de quien María
Elena dice que después de firmar "se metió en su casa, en un rincón lejos, muy lejos, y nunca más lo vimos". Posteriormente firma-
rían otra decena de personas.

El documento, de escasa circulación en el interior de la isla,
fue sin embargo conocido masivamente gracias al periódico *Granma*. En un artículo sin firma titulado "Una nueva maniobra de la
CIA", aparecido el 15 de junio, los cubanos de a pie son informa-
dos de que diez intelectuales cubanos —sólo se cita a María Elena
Cruz Varela, convirtiéndola así en la líder del grupo— piden elecciones directas, amnistía, y medicinas a la ONU. Escribe *Granma*:
"Estos salvadores del país no se refieren para nada al bloqueo
establecido desde hace más de treinta años por el Gobierno de los
Estados Unidos, causa principal de la mayoría de nuestras limitaciones materiales". Y no lo hacen, según el órgano oficial del PCC,
porque detrás de la carta está, una vez más, "el conocido anexionista y agente de la CIA Carlos Alberto Montaner, convenientes-
mente enmascarado como periodista de origen cubano residente
en Madrid".

El diario informa que existen suficientes pruebas que demuestran la conexión Montaner-Cruz Varela y por los datos que aporta
el texto se puede deducir que el teléfono de la poetisa ha sido intervenido y grabadas las conversaciones que los dos escritores han
mantenido.

María Elena recibe, según esta versión, cartas y documentos
de Montaner a través de una ciudadana norteamericana, Harriet
Babbit, que la visita en su casa el día 20 de mayo. Luego, comienza a recolectar firmas para el documento. "La cosecha fue pobre
—informa *Granma*—: apenas algún confundido, algún ingenuo
que no sabía que estaba siendo manipulado, y dos o tres alcohólicos, cuya degradación moral es notoria".

¿La intención de los firmantes? Según *Granma*, "ganar méritos
entre los que sueñan con devolver a nuestro país la condición de

factoría yanqui". *Granma* añade también que la respuesta de los verdaderos intelectuales cubanos ha sido abrumadora y que "cientos de firmas" hablan claramente de "la indestructible unidad de nuestros escritores y artistas en torno a la Revolución y Fidel".

Un mes antes de ser detenida y condenada a dos años de cárcel, cuando se celebraba el Congreso del PCC, visité por última vez a María Elena Cruz Varela en su casa de Alamar, una ciudad-dormitorio a unos 10 kilómetros el este de La Habana, en donde vive con su hija.

Tan pálida como siempre, quizá aún más delgada, con sus hundidos ojos escrudriñando sin cesar, rechaza la versión del periódico comunista.

—La carta fue redactada por Fernando Velázquez Medina, miembro de Criterio Alternativo. No fue ni dictada, ni enviada, ni mandada a escribir por Carlos Alberto Montaner. Eso sí, cuando tuvimos diez firmas la enviamos al exterior para que se conociera algo que no tenía precedentes en estos treinta y dos años de la reciente historia de Cuba. Y Carlos Alberto Montaner se brindó amablemente a apoyarla.

Un error de los firmantes fue que la declaración se diera a conocer el 31 de mayo, antes que en ningún otro sitio, en la prensa de Miami, capital mundial del anticastrismo.

La noche del 4 de enero, cuando hablé con Aldana sobre su discurso y los grupos disidentes, conversamos también sobre la "Declaración de los intelectuales". El tema le era antipático. No cabe duda.

—¿Qué cosa es la carta de los diez? Salvo dos o tres, los demás firmantes son gente que produce pena. No son ni talentos, ni gente con obra. Personalmente, no tengo ninguna animadversión contra ninguno de ellos. Simplemente, esos no son exponentes de nuestra intelectualidad.

—Pero María Elena Cruz Varela obtuvo el Premio Nacional de Poesía "Julián del Casal" que otorga la UNEAC...

—Sí. Tengo entendido que es muy buena. No conozco su obra, pero según me han dicho personas cuyo criterio me merece mucho respeto, tiene calidad, talento, eso es innegable. Hay uno o dos más, creo, que son gente de talento. Hay otros que se bañan en el Jordán de una declaración para de esta forma convertirse en intelectuales, como sucede en todas partes del mundo. Y hay otros que producen pena, gente que en un momento prometían mucho y por circunstancias de la vida, difíciles de explicar, se frustraron.

¿Qué fue de aquellos firmantes? ¿Qué les pasó? Algunos, como María Elena, sufrieron "actos de repudio", es decir, soportaron ante sus casas manifestaciones de cubanos fieles al régimen, gritos e insultos. Los que pertenecían a la Unión de Escritores y Artistas de Cuba (UNEAC), una influyente organización con más de 800 miembros presidida actualmente por Abel Prieto, miembro del Buró Político, fueron expulsados. Otros perdieron su trabajo o fueron rebajados de categoría, como Jorge Pomar.

Si este documento firmado por escritores que viven en Cuba produce un serio malestar en las esferas del poder, el artículo de Lisandro Otero aparecido meses después en la revista francesa *Le Monde Diplomatique* hace pensar que ya no son unos intelectuales de pacotilla, o disidentes de tres al cuarto, los que exigen reformas al sistema

Lisandro Otero, de sesenta años, tiene una biografía impecable de intelectual comprometido con el régimen castrista. También como escritor goza de excelente reputación y algunas de sus novelas han sido traducidas a catorce idiomas. Entre sus obras destaca *La Situación* (1963), la novela más experimental de la narrativa cubana de los años sesenta. Ha escrito también *En Ciudad semejante* y *Pasión de Urbano*. Colabora en diversas publicaciones extranjeras, entre ellas *Diario 16*, de Madrid.

Su biografía política está limpia de toda sospecha. Luchador en la clandestinidad contra el dictador Fulgencio Batista, desempeñó misiones diplomáticas tras el triunfo de la Revolución, en Chile, Reino Unido y Unión Soviética. Cuando publicó el artículo, el 29 de marzo de 1992, era vicepresidente de la UNEAC.

Alguien nada sospechoso de procastrista, profesor de la Universidad de Miami, Jaime Suchlicki, escribe de él en su *Historical Dictionary of Cuba*: "Otero fue uno de los más importantes portavoces del régimen de Fidel Castro en los primeros años de la Revolución. Fue partidario de imponer restricciones a la libertad de expresión de los intelectuales cubanos, quienes, de acuerdo con el Gobierno de Cuba deben apoyar totalmente a la Revolución y desistir de críticas antigubernamentales. En 1971, Otero estuvo envuelto en la condena del poeta Heberto Padilla, quien previamente había criticado la novela de Otero *Pasión de Urbano*" (4).

Hoy, Otero no piensa de la misma forma. En un texto considerado como la más dura crítica hecha al régimen por un escritor cubano que vive en la isla, el novelista cree que ha llegado la hora de que se produzca un cambio en la dirección del país.

—No es posible que un mismo grupo de funcionarios, por muy virtuoso y esclarecido que sea, pueda regir la vida de un país durante tres decenios. La caducidad natural y el deterioro vital conducen a la extenuación de métodos y al agotamiento de la capacidad de adaptación que requieren las situaciones de crisis —escribe Otero (5).

Para el novelista, "el deterioro progresivo aumenta la erosión política que se manifiesta en una baja productividad, apatía e irresponsabilidad de los funcionarios, creciente descontento en la población, incremento del inconformismo juvenil, una mayor conciencia crítica de los intelectuales y un aumento en la deserción al exterior".

Todo ello, insiste Otero, exige una "rectificación de rumbo". Eso sí, aclara que "pluralismo no significa necesariamente pluripartidismo" pero se hace necesaria "una apertura del espacio político, o sea, tolerar una pluralidad de ideas y escuelas de pensamiento". Esa apertura conllevaría "una necesaria renovación de cuadros de dirección".

Otero añade que "cada vez se define más —dentro de las propias fuerzas revolucionarias— una zona de opinión que aspira a cambios para preservar el sistema". En ese grupo estarían funcionarios, científicos, tecnócratas, intelectuales y parte del "aparato" castrista. "El objetivo no sería un retroceso, como ocurrió en Europa del Este, sino una modificación de lo existente; no una abolición de la Revolución sino su perfeccionamiento".

Cambiar desde dentro. Para muchos expertos en el tema cubano, ésta es la posibilidad única y más viable. El veterano Gustavo Arcos me lo ha comentado más de una vez: sólo desde dentro del Partido se puede iniciar el cambio. Ni la vía armada, ni un golpe de mano militar, ni el estallido social, ni la eliminación física de Castro son viables en este momento. Sólo queda que sea el propio sistema el que se reforme y adapte a los nuevos tiempos.

Claro que esta vía, como apunta Otero en su artículo, es la que siguió Mijail Gorbachov en su país, "que comenzó intentando una reforma y terminó haciendo concesiones que liquidaron el sistema".

El artículo de Otero toca otro aspecto muy importante de la actualidad cubana: los actos de repudio.

—Habría que adoptar medidas para erradicar los actos de repudio con los que se amedrenta a los discrepantes y de los cuales algunos sospechan que son oficialmente alentados —escribe Otero.

Desde luego que lo son.

El 27 de diciembre, en esa misma sesión plenaria en la que Carlos Aldana explicaba a los compañeros diputados la situación de la disidencia en el interior de la isla, Pedro Ross Leal, secretario general de la Central de Trabajadores de Cuba (CTC), intervino para pedir que se organizaran Destacamentos Obreros y Populares. ¿Con qué fin? Palabras de Pedro Ross:

—Para responder con la palabra o de cualquier otra forma al más mínimo intento del enemigo de desestabilizar la Revolución.

El comandante Castro, presente en la Asamblea, tomó la palabra para apoyar la petición de Ross.

—Se impone respaldar esta iniciativa del pueblo obrero. El pueblo debe estar organizado día y noche, en los centros laborales, estudiantiles o en la comunidad donde residan.

El máximo dirigente cubano afirmó que "el enemigo teme a

las masas, porque, conocedor de que nuestra policía no es represiva, sabe que el pueblo no anda con contemplaciones ante el menor intento de reacción". "Las masas —concluyó— son capaces de destruir cualquier intento contrarrevolucionario".

Los jóvenes comunistas cubanos son más explícitos aún. En el informe al VI Congreso de la Unión de Juventudes de Cuba (UJC), celebrado en abril del 92, al analizar la aparición de "una vía intermedia" en la disidencia cubana, que no es otra que la llamada Tercera Opción, el informe de la UJC afirma que "frente a ellos, la alternativa de la Revolución es la lucha de masas, la organización y el enfrentamiento por parte de los revolucionarios" (6).

Los dirigentes juveniles se congratulan: "En este sentido ha sido importante la incorporación de los militantes y jóvenes a los Destacamentos Populares de Respuesta Rápida".

La UJC da pistas de que ha habido un debate interno sobre los citados Destacamentos, que Pedro Ross llama Destacamentos Obreros y Populares y el pueblo llano Brigadas de Respuesta Rápida. La UJC mantiene que ha sido vital "el esclarecimiento de los fines de esta reciente experiencia y el debate con los que nos advierten contra supuestos 'excesos' de las masas o pretenden soluciones tecnocráticas por parte de la policía, sin comprender que ésta es una Revolución verdadera cuya fuerza está en el pueblo y que tiene legítimo derecho a defenderse, en todos los terrenos, con las masas que son su razon de ser" (7).

En cristiano: los Destacamentos o Brigadas de Respuesta Rápida están formados por militantes muy activos, tanto del Partido como de las Juventudes y su misión consiste en acallar, "sin contemplaciones", como dice Fidel, o "de cualquier otra forma", como mantiene Ross, cualquier intento de manifestación pública en contra del régimen, "en las calles, en las colas o en las paradas (de autobús) llenas", dice el informe de la UJC.

El Comité Cubano Pro Derechos Humanos incluye en su boletín de otoño de 1991 una información sobre la constitución de uno de estos Destacamentos en la empresa industrial Guanabo. El 20 de junio de 1991, el secretario municipal del PCC convocó a los 1.000 trabajadores en asamblea para pedirles que se sumaran al Batallón de Respuesta Rápida de la empresa. "Responde a una exigencia e idea directa del comandante Fidel Castro; cuenta con la anuencia del secretario general de la única Central de Trabajadores, Pedro Ross, y con el beneplácito del Ministerio del Interior", dijo el funcionario del Partido, según el boletín citado. De acuerdo con esta información sólo firmaron su adhesión algunos militantes del Partido.

Ese mismo boletín de otoño del 91 reproduce una carta de adhesión a los Destacamentos de Acción Rápida, concretamente uno del Hospital General Docente "Enrique Cabrera". Tras situar al trabajador, según el grupo y área donde trabaja, se lee: "Yo... manifiesto mi disposición de integrar el Destacamento Obrero de Respuesta Rápida, por decisión propia, para defender incondicionalmente la Revolución. Para ello, acato los principios básicos de su organización y funcionamiento" (8). Y se firma.

La aparición de los Destacamentos o Brigadas de Respuesta Rápida no ha sido bien acogida por todos los militantes. Para algunos, como para el propio novelista Lisandro Otero, ha habido "excesos" no sólo contra los disidentes, sino que muchas veces esas masas defensoras de la Revolución se han convertido en pandillas que golpean al vecino simplemente porque les cae mal.

Quizá consciente de que algunos militantes no están tan de acuerdo con la forma de actuar de estas brigadas civiles, los dirigentes de la UJC incluyen este esclarecedor párrafo en su informe:

—Ningún revolucionario, en ninguna circunstancia, puede sentirse exonerado del deber de defender la Revolución de forma personal, directa y enérgica cuando se la denigra. No cabe otra conducta revolucionaria que expresarse personalmente en el momento y en el lugar concreto y responder con todos los medios que sean necesarios.

Los "excesos" de algunas de estas brigadas han provocado una respuesta de la Jerarquía Católica, que mantiene tensas relaciones con el Estado cubano. En el boletín del Arzobispado de La Habana *Aquí la Iglesia* del mes de octubre de 1991, el arzobispo Jaime Ortega se pronuncia en contra de que los católicos (que ya pueden ser miembros del Partido Comunista) formen parte de estas brigadas.

—El llamado de Cristo y de su Iglesia en estos momentos difíciles no es otro que una invitación al amor entre hermanos, a la reconciliación y a la paz —escribe el prelado—. Por ello, concluye, es incompatible la pertenencia a una organización "que lleva en sí la contraposición, la división en el seno de la gran familia cubana y que puede ser germen de violencia y de agresiones físicas".

Prácticamente, todos los disidentes citados en este capítulo han recibido en algún momento u otro "actos de repudio". Lo que temen es que comiencen a recibir las visitas de las Brigadas de Respuesta Rápida.

—El mismo día que *Granma* publicó el artículo atacando a los diez escritores que firmamos la Declaración de los Intelectuales, unas cuarenta personas se plantaron ante mi casa y comenzaron a gritar "¡que se vaya, que se vaya!", y dar vivas a la Revolución y Fidel.

María Elena Cruz Varela ha sido sin duda la que más ha sufrido en sus carnes estos actos de repudio. Pero también Gustavo Arcos y su hermano Sebastián o Elizardo Sánchez. Las masas, después de repudiar a los disidentes, suelen dejar señales de su paso. Los cristales de la casa de Gustavo conservan aún agujeros de las piedras lanzadas por los brigadistas y la de Sebastián enormes pintadas acusándole de gusano y traidor.

Este tipo de actos que antes sólo eran conocidos por los vecinos que viven cerca de los disidentes, son ahora del dominio público. El periódico *Granma* del 18 de marzo de 1990 escribe una nota bajo el título "Manifestaciones de repudio popular a reuniones de contrarrevolucionarios".

"Enérgicas manifestaciones populares se produjeron mientras tenían lugar conciliábulos entre elementos de grupúsculos contrarrevolucionarios... frente a las casas de Sebastián Arcos Bergnes y su hermano Gustavo... Las concentraciones devinieron breves actos de reafirmación revolucionaria, en las cuales se destacó el derecho del pueblo a expresar su rechazo y a demostrar que los elementos contrarrevolucionarios no cuentan con impunidad alguna para sus actividades".

La nota de *Granma* asegura que los vecinos relacionan las actividades "de esos elementos y los planes del imperialismo norteamericano". "A todas luces, los grupúsculos de apátridas han recibido instrucciones de sus jefes y patrocinadores encaminadas a favorecer la campaña anticubana que Estados Unidos orquesta en el exterior".

El 5 de octubre de 1991 se produjo un acto en La Habana que ilustra con claridad tanto el método de acción de las Brigadas de Respuesta Rápida como de la fuerza real de la oposición, su capacidad de convocatoria y la posibilidad de que las calles de La Habana registren a corto plazo manifestaciones masivas de rechazo al régimen.

Durante los días anteriores al 5 de octubre, emisoras anticastristas de Miami, básicamente la controlada por la derechista Fundación Cubano-Americana de Jorge Mas Canosa, fácilmente captadas en la capital cubana, convocaron a una manifestación que habría de celebrarse ante el Cuartel General de la Dirección de la Seguridad del Estado, en el edificio conocido como Villa Marista, en el suburbio habanero de La Víbora.

La manifestación, que tenía como objetivo pedir la amnistía de los presos políticos, que siempre recalan en Villa Marista como antesala de la prisión o la calle, estaba prevista se celebrara a las diez de la mañana.

A esa hora, docenas de personas estaban congregadas en el lugar, pero no eran ni mucho menos manifestantes, sino contramanifestantes. En realidad, se trataba de una de las primeras experiencias de las Brigadas de Respuesta Rápida que la emprendieron contra los disidentes que se manifestaban: exactamente dos.

Uno de ellos fue golpeado. El incidente no tuvo mayores consecuencias porque la propia policía uniformada sacó al manifestante del lugar. El otro disidente tomó las de villadiego mientras a sus espaldas sonaban los gritos de "¡gusano, gusano!", calificativo aplicado por los cubanos de la isla a los que se marcharon a Miami.

La capacidad de convocatoria de la oposición es prácticamente nula. El escritor Lisandro Otero, en su artículo de *Le Monde Diplomatique*, dice que "los llamados grupúsculos de derechos humanos no tienen una base social ni son influyentes dentro de la comunidad; son cenáculos marginales que viven alimentándose de su propio activismo más que de un ascendiente que aún no han ganado".

De hecho, las pocas veces que se han convocado manifestaciones en La Habana —en el interior del país la presencia de la disidencia, al menos conocida, es prácticamente nula— se ha hecho a través de las emisoras cubanas, tanto de Radio Martí, que pertenece a La Voz de América, organismo dependiente del Gobierno de Washington, como de otras que actúan como portavoces de los grupos opositores instalados en Florida.

El día 3 de abril de 1989, un entonces poderoso y carismático Mijail Gorbachov se encontraba en Cuba. Era su primera y única visita. Ese día, frente al horroroso edificio de la Embajada soviética en La Habana, en la bellísima Quinta Avenida, se reunieron medio centenar de periodistas, cámaras de televisión y fotógrafos. También dos centenares de policías. ¿Esperaban la llegada o la salida de Gorbachov? No. Esperaban una manifestación de los disidentes cubanos en apoyo a la perestroika.

Acudieron nueve manifestantes.

El miedo es libre y grande. Además, Carlos Aldana, hablando por el Gobierno cubano, lo dejaba bien claro en su discurso ante la Asamblea al que nos hemos referido en este capítulo: quien traspase la línea de la "disidencia verbal" se encontrará con la policía y las masas revolucionarias. O con la máxima pena, como les pedía José Martí a sus capitanes para aquellos que entorpecieran el triunfo revolucionario y la consecución de la independencia.

Pena de muerte que Cuba volvía a aplicar en 1992 en tres ocasiones. Primero con Eduardo Díaz Betancourt, el 20 de enero, y casi un mes más tarde, el 18 de febrero, contra Luis Miguel Almeida Pérez, de veinticuatro años, y René Salmerón Mendoza, de 22 años. Si el primero caía fusilado por penetrar en la isla, procedente de Miami, para realizar actos terroristas, los dos segundos eran ejecutados por lo contrario: querer irse a Miami, escapar de Cuba. El problema es que al intentar robar una lancha en la base náutica de Tarará, a unos 15 kilómetros al este de La Habana, asesinaron a cuatro policías cubanos.

Desde que se había fusilado en agosto de 1989 al general Arnaldo Ochoa, la pena de muerte por delitos políticos no había sido ejecutada en Cuba. Y hasta la muerte del general, habían pasado dos décadas sin que se llevara a cabo ningún fusilamiento por este tipo de delitos.

Como en tantos otros países, Cuba contempla la pena de muerte en el actual Código Penal, vigente desde el 30 de abril de 1988. Por una docena de figuras delictivas, un ciudadano puede ser fusilado en la isla. Entre esos delitos están los de espionaje, rebelión, sedición, sabotaje, terrorismo, genocidio o el de piratería, que es el que se aplicó a Almeida y Salmerón. También se puede aplicar la pena de muerte en delitos comunes, el más usual el asesinato. Pero rara vez se ejecuta al condenado. Lo usual es conmutar la pena por treinta años de prisión, máximo tiempo que se puede permanecer en la cárcel. En Cuba no existe la cadena perpetua.

El fusilamiento de Betancourt, y los de Almeida y Salmerón, después, pero fundamentalmente el primero, provocaron una oleada de protestas en todo el mundo. El ministro español de Asuntos Exteriores, Francisco Fernández Ordóñez, que arrastra un largo contencioso verbal con Cuba, declaró que la ejecución de Betancourt le parecía "un acto de debilidad" del régimen castrista.

Carlos Aldana, que ha sido desde el otro lado del charco el encargado muchas veces de replicar a Ordóñez, dijo en esta ocasión que no sólo no era un acto de debilidad, sino que era una prueba "de valentía política ante las calumnias de cierta opinión pública internacional".

La prensa cubana aprovechó que en esas mismas fechas en Estados Unidos se ejecutaba a varios presos para contraatacar. La revista *Bohemia* publicaba en abril un reportaje titulado "Una silla eléctrica por pupitre" (9). Ahí se acusa al país occidental que más condenas a muerte ejecuta de estar matando a personas que cometieron sus crímenes cuando eran niños. Unos niños, afirma *Bohemia,* y así es en realidad, que en muchos casos habían crecido en un ambiente hostil, con padres alcoholizados, que los maltrataban tanto física como sexualmente. De los 2.400 presos que aguardan en "el corredor de la muerte" en las distintas cárceles norteamericanas, 31 están en ese caso: eran adolescentes cuando cometieron su delito.

Granma aprovechaba también para recordar a los disidentes del interior, tras el fusilamiento de Betancourt, que deben andarse con cuidado:

—Los grupúsculos que dentro de Cuba se revuelven ahora y creen que ha llegado el momento de clavarle el puñal al país donde nacieron por azar, deben saber que no tendrán la menor oportunidad para hacerlo, y que los combatiremos sin tregua, con la fuerza de las masas y con la Ley, en lo político y en lo ideológico, por todas las vías y en todos los terrenos.

Este editorial, más el pronunciamiento del Consejo de Estado, máximo organismo dirigente de Cuba, y un feroz artículo de un subdirector de *Granma*, Guillermo Cabrera Alvarez, eran editados en un pequeño libro que lleva el expresivo y definitivo título de: *No permitiremos a la contrarrevolución derrotada levantar cabeza* (10).

NOTAS

(1)   *Leales a la verdad*. Editora Política. La Habana, 1992.

(2)   María Elena Cruz Varela y Roberto Luque forman en ese momento parte de la dirigencia de Criterio Alternativo. Por ello Montaner dirige su misiva indistintamente a María Elena o Luque. Más tarde, Luque abandonará Criterio Alternativo.

(3)   El Partido Comunista de Cuba, vanguardia organizada marxista-leninista de la clase obrera, es la fueza dirigente superior de la sociedad y el Estado, que organiza y orienta los esfuerzos comunes hacia los altos fines de la construcción del socialismo y el avance hacia la sociedad comunista (artículo 5 de la *Constitución de la República de Cuba*. Editorial Política, La Habana, 1986).

(4)   *Historical Dictionary of Cuba*. Jaime Suchlicki. The Scarecrow Pres, Inc. Metuchen, N. J., 1988.

(5)   "Cuba 92: el año decisivo", Lisandro Otero. *Cambio 16/América*, número 1.063. Reproducción del artículo aparecido en *Le Monde Diplomatique*.

(6)   "La única opción es la victoria". Informe al Congreso de la UJC. *Bohemia*, 3 de abril de 1992, La Habana.

(7)   UjotaSeis. "La única opción es la victoria". *Bohemia*, 3 de abril de 1992, La Habana.

(8)   *Boletín del Comité Cubano Pro Derechos Humanos (España)*. Madrid, otoño 1991.

(9)   *Bohemia*, 3 de abril de 1992, La Habana.

(10) *No permitiremos a la contrarrevolución derrotada levantar cabeza*. Editorial Política. La Habana, 1992.

9

LOS DERECHOS HUMANOS

No vivo en una sociedad perfecta
y yo pido que no se le dé ese nombre.
Pablo Milanés
(*No vivo en una sociedad perfecta*)

Si uno pregunta en La Habana por el respeto a los derechos humanos en Cuba a un simpatizante del régimen, lo primero que te dicen es:

—Cuba tiene los presos políticos más saludables del mundo, ¿o no te acuerdas de Valladares?

El comentario tiene su origen en 1987. En la posiblemente más larga entrevista que un jefe de Estado haya concedido jamás a la televisión, Fidel Castro le dijo al periodista italiano Gianni Miná en un momento de las dieciséis horas que duró la conversación ante las cámaras, que Armando Valladares estaba paralítico, pero cuando le dijeron que iban a liberarlo sanó de inmediato (1).

Valladares fue excarcelado en 1981, tras fuertes presiones del presidente de Francia, François Mitterrand, y del ideólogo izquierdista Regis Debray, viejo amigo de la Revolución cubana. Había sido condenado en 1961 a treinta años de prisión por preparar actos terroristas, de los que cumplió veinte. En sus últimos años de cárcel Valladares se hizo pasar por inválido, pero los servicios de seguridad de la prisión cubanos lo filmaron haciendo ejercicios físicos. Estaba perfectamente sano y salió por su propio pie de la prisión (2).

Lo que más irrita en Cuba aún hoy del caso Valladares no es

aquella triquiñuela, sino que haya sido embajador especial de los Estados Unidos, con pasaporte norteamericano, en la Comisión de Derechos Humanos de Ginebra, dependiente de la Organización de Naciones Unidas (ONU) y que haya luchado para que condenaran a su ex patria por violación de los derechos humanos.

La ofensiva norteamericana contra Cuba se inició en 1986. En los tres años siguientes, con Valladares en la delegación de Estados Unidos desde 1988, la propuesta de condena no prospera porque muchos países del llamado Tercer Mundo y de América Latina o se abstienen o votan a favor de Cuba.

En la sesión anual de 1988, se aprueba que una misión de la ONU visite la isla y redacte un informe sobre la situación de los derechos humanos. Durante diez días, la delegación se entrevista con altos funcionarios del Gobierno y cuantos disidentes o cubanos que sienten lesionados sus derechos tienen algo que decirles. El informe que redacta la misión no registra la existencia de una continuada y flagrante violación de esos derechos. Cuba se salva un año más.

Hasta el 5 de marzo de 1990. Ese día, de nuevo en Ginebra, un documento presentado por Estados Unidos y copatrocinado por Gran Bretaña, Japón, la todavía República Federal Alemana, Bélgica, Panamá, Checoslovaquia y Polonia es aprobado por 19 votos a favor, 12 en contra y 12 abstenciones. Votan en contra, entre otros, la entonces Unión Soviética y México. Se abstienen los países de América Latina que forman parte de la Comisión de Derechos Humanos (España no es miembro).

El texto pide al Gobierno cubano que respete a aquellas personas que declararon violaciones en 1988 ante la misión de la ONU. También se exige a La Habana que conteste las cuestiones no respondidas a la misión de la ONU en la siguiente sesión.

El siguiente año, 1991, en la 47 sesión de la Comisión, las cosas se pondrán peor aún para Cuba. Cuatro países de América Latina: Argentina, Costa Rica, Chile y Uruguay votarán a favor de Estados Unidos. También la nueva Rusia de Boris Yeltsin, así como otros tres países ex socialistas, Bulgaria, Checoslovaquia y Hungría. Aunque se abstienen México (que el año anterior había votado en contra) Brasil, Colombia, Perú y Venezuela, la resolución apoyada por Estados Unidos es aprobada. Veintitrés países votan a favor, 21 se abstienen y sólo ocho votan en contra, todos ellos países africanos o asiáticos, como Angola y Libia o Irán e Irak.

La Comisión aprueba el nombramiento de un relator especial que debe examinar en la isla la situación de los derechos humanos. Al fin, Estados Unidos ha logrado lo que se proponía. Dos países latinoamericanos, Argentina y Costa Rica, han sido decisivos a la hora de esta victoria de Washington.

El diario *Granma,* órgano oficial del PCC, en un verdadero acto de malabarismo, convertirá la derrota en triunfo al titular el día

15 de marzo "Victoria moral de Cuba y el Tercer Mundo en Ginebra". Dos días después, una de las plumas más afiladas del periódico comunista, Félix Pita Astudillo, sentencia que se acaba de montar "otro infame espectáculo contra Cuba".

—Washington sufre un síndrome de embriaguez triunfalista —acusa Pita.

Argentina no sale muy bien parada. Se cuenta, y todo parece indicar que es auténtica, la llamada que el presidente norteamericano George Bush hace a su colega argentino Carlos Saúl Menem para que pase de la abstención a la condena de Cuba. A cambio, habrá ayuda americana. Menem "aceptará el plato de lentejas", denuncia Pita Astudillo.

En su despacho oficial del Ministerio de Relaciones Exteriores, Raúl Roa Kourí me dice tajante en el otoño de 1991:

—La designación de un relator ha sido impuesta por Estados Unidos, en virtud de su poder, su chantaje y su presión. Por ello no estamos dispuestos a aceptarlo, aunque seguiremos colaborando con el secretario general de la ONU tal como hicimos el pasado año.

Roa, un hombre de mediana estatura, cara redonda y bonachona, es hijo del que durante quince años dirigiera la política exterior cubana. Heredó el gusto por la diplomacia de su padre y a sus cincuenta y cinco años, como viceministro de Exteriores, está encargado fundamentalmente de representar a Cuba ante la Comisión de Derechos Humanos de Ginebra. De maneras más refinadas que su padre, un diplomático atípico que se indignaba con sus opositores, es tan firme como lo sería su padre a la hora de defender a su país.

—El relator que ha sido nombrado, el colombiano Rafael Rivas Posada, es un hombre honorable, ex embajador y ex ministro de su país. El pasado año formó parte de la misión de la ONU que visitó Cuba. No tenemos ningún problema personal, y cuando me lo he encontrado en alguna parte del mundo, nos saludamos cordialmente. Pero rechazamos la figura jurídica: el relator no entrará en Cuba.

—Entonces, ¿cómo redactará su informe?

—Ese es su problema.

El colombiano Rivas Posada lo tiene difícil. El Gobierno cubano ya recibió una carta suya en la que comunica la misión que le ha sido encomendada, pero como me cuenta Roa Kourí, no será contestada.

—Lo que justifica el envío de un relator es que exista en un país concreto una política sistemática y deliberadamente violatoria de los derechos humanos. Y ese no es el caso de Cuba. No pueden comparar a Cuba con el Chile de Pinochet, Guatemala, Salvador, Sudáfrica o los territorios ocupados de Palestina. Esto es simplemente una *vendetta* de los Estados Unidos.

Para el alto funcionario cubano, la noción sobre los derechos humanos que existe en la Comisión de Ginebra es estrecha porque se centra exclusivamente en los derechos políticos y civiles, olvidando los derechos colectivos.

—La vigencia de los derechos humanos se mide, desde nuestro punto de vista, por la calidad de vida que disfrutan las grandes mayorías; por su derecho a una existencia sana, culta y socialmente útil.

El propio Roa reconoce que "no pretendemos haber logrado una sociedad perfecta, libre de errores o injusticias, que pueden ocurrir". Y prosigue: "Hemos tenido —y tenemos— limitaciones para los creyentes, como son el acceso a ciertas carreras universitarias, a algunos cargos en el Estado y al propio Partido" (ya corregida esta prohibición en el IV Congreso del PCC).

Los violentos sucesos que tienen lugar unos meses después en la ciudad norteamericana de Los Angeles, tras la absolución de cuatro policías blancos que golpearon salvajemente a un conductor de color, le servirán al régimen cubano para contraatacar con dureza a su principal enemigo.

El saldo de 58 muertos, 3.000 heridos y miles de detenidos, la inmensa mayoría hispanos y negros, le da pie al órgano del Partido Comunista para preguntarse:

—¿De qué libertad, de qué justicia, de qué igualdad y de qué derechos humanos reales puede ufanarse Estados Unidos, donde ocurren hechos como estos? ¿Es este el Gobierno que pretende incriminar a Cuba por violación de los derechos humanos? (3).

El diario *Granma* recuerda que los sucesos tienen lugar sólo una semana después de que el presidente George Bush, en plena campaña electoral, diga en Miami, capital del anticastrismo, que Cuba "reventaría" en esta década. Este "profeta de pacotilla", continúa el periódico, "ha quedado con las posaderas chamuscadas; el héroe del Golfo tendrá que reconocer ahora la miopía de no advertir que era en su propio país donde estaban a punto de reventar las convulsiones sociales".

Al otro lado del charco, Martha Frayde, presidenta del Comité Cubano Pro Derechos Humanos de España, me entrega el último boletín publicado por el Comité. Hace sólo unos días que he conversado con Roa en La Habana. En Madrid, la visión de la ex funcionaria cubana exiliada en España es lógicamente distinta.

—Durante más de treinta años, el pueblo cubano ha sido metódicamente despojado de cada uno de los 30 artículos que comprenden el cuerpo de la Declaración Universal de los Derechos Humanos. Existen documentos suficientes donde poder verificar los nombres y apellidos de las víctimas de estas violaciones.

El Comité Cubano Pro Derechos Humanos que lidera en el interior de la isla Gustavo Arcos Bergnes envía con regularidad y no pocas dificultades informes sobre estas violaciones. Según esos datos, ha habido un aumento en la violación de los derechos humanos en la isla, denuncia Martha Frayde.

En el primer semestre de 1990 se registraron un total de 470 violaciones. El apartado más numeroso es el de "heridas, golpes y tratos crueles", con 272 casos. Le siguen los registros y arrestos ilegales. Se denuncia un "asesinato o desaparecido" (4).

En igual período del siguiente año, 1991, el número total de violaciones es de 1.342, casi tres veces más. Las "heridas, golpes y malos tratos" siguen siendo los más frecuentes, con 1.043 denuncias. Le siguen también los registros y arrestos, con 85. Se reseñan siete asesinatos, ocho desaparecidos y una muerte sospechosa (5).

En Miami hay al menos media docena de sociólogos nacidos en Cuba que se dedican a monitorear la actualidad cubana. Uno de ellos, Juan Clark, formó parte del millar largo de exiliados que atacaron a Cuba por Playa Girón en 1961 siendo derrotados en tres días.

Clark se ha especializado en entrevistar a cuanto cubano consigue salir de la isla, a nado, en lancha, en barca, como pueda, y llega a las costas de la Florida. En uno de sus estudios, *Los derechos humanos en Cuba* (6), toca dos de los aspectos más controvertidos del régimen cubano: el control por parte del Estado del individuo y el régimen penitenciario.

Según Clark, se produce un control directo y otro indirecto. El primero está dirigido por el Ministerio del Interior, a través de tres organismos: la Seguridad del Estado, que entiende de los temas políticos; la Policía Nacional Revolucionaria (PNR) y el Departamento Técnico de Investigaciones (DTI), que persiguen los delitos comunes y los "económicos", como robos y fraudes a las empresas estatales. Por último, los famosos Comités de Defensa de la Revolución (CDR) creados en septiembre de 1960 y que tienen como misión controlar el movimiento de los vecinos cuadra por cuadra (manzana).

El control indirecto se lleva a cabo a través del resto de organizaciones de masas, desde la Organización de Pioneros José Martí, para los niños y adolescentes, hasta las agrupaciones estudiantiles, sindicales, de mujeres, o de las Milicias Territoriales.

Todo ciudadano cubano tiene además del documento de identidad otros tres documentos básicos: el expediente acumulativo escolar, el expediente escolar y el expediente laboral.

El "acumulativo", como lo llaman los estudiantes cubanos, es una perfecta radiografía académica. Se acumulan todas las notas desde que se inicia el preescolar hasta el doctorado. Servirá para elegir carrera a la hora de ingresar en la Universidad y fijar el número del escalafón. El expediente escolar, además de las calificaciones, reúne toda la vida personal, familiar, social y política del joven: su comportamiento en el centro de estudios, quiénes son sus padres, si milita o no en alguna organización, sus gustos personales en literatura o deporte, y un largo etcétera.

Por último, el expediente laboral es una especie de continuación del expediente acumulativo. Tras las calificaciones escolares, se reseña la vida laboral del ciudadano, en donde se anotan desde el primero al último puesto de trabajo y su actitud ante el mismo. Normalmente, a la hora de buscar un empleo no basta con mostrar el expediente laboral. Será necesario rellenar una planilla, o extenso cuestionario en donde se anotan de nuevo todos los datos básicos del aspirante al cargo.

La reina de las planillas es la que se debe rellenar cuando se solicita el ingreso en alguna organización de vanguardia, como el Partido Comunista (PCC) o la Unión de Jóvenes Comunistas (UJC). Es exhaustiva. Pregunta tanto, incide tanto en la intimidad del aspirante, que el cubano, que sigue conservando un envidiable sentido del humor, ha bautizado a esta planilla como el "cuéntame-tu-vida".

Este tipo de interrogatorios escritos no son exclusivos para los cubanos. Si un periodista desea solicitar un visado como informador, deberá rellenar una planilla en la ciudad donde lo pide y otra exactamente igual cuando llegue a La Habana y desee acreditarse oficialmente como periodista. Preguntas como cuántos idiomas sabe o cuántos libros ha escrito y cuántos países ha visitado ocupan casi cinco folios a máquina.

El otro gran tema que levanta polvaredas es el sistema carcelario de Cuba. Lo que Clark llama "el gulag cubano" en donde "se ha practicado el trato cruel, inhumano, degradante. Los presos políticos han sido víctimas de una represión y ensañamiento que podrían considerarse diabólicos".

Fidel Castro ha hablado en numerosas ocasiones sobre el tema. En un discurso pronunciado ante la VIII Conferencia de la Asociación Americana de Juristas, celebrada el mes de septiembre de 1988, afirmó:

—Decir que se tortura aquí es, ante todo, un ultraje y un insulto al pueblo, porque sería nuestro pueblo quien no lo permitiría. No es que seamos nosotros un grupito con ética, que hemos decidido que no se haga eso; es que tenemos un pueblo con ética, educado en los principios de la Revolución, de tal manera que no perdonaría esa contradicción de principios... (7).

No opinan igual dos ilustres presos cubanos.

Uno de ellos, Mario Chanes de Armas, sesenta y seis años, ha pasado treinta y dos años y quince días en las cárceles cubanas. De ellos, treinta años seguidos bajo el régimen de Castro. Para las organizaciones de derechos humanos de la isla, es el preso político que ha cumplido la mayor condena ininterrumpida del mundo moderno. El otro, Elizardo Sánchez Santa Cruz, de cuarenta y ocho años, presidente de la Comisión Cubana Pro Derechos Humanos y Reconciliación Nacional, que ha pasado ocho de los últimos diez años encarcelado.

Ninguno de los dos dice haber sufrido tortura física, pero ambos aseguran haberla presenciado. Cuenta Mario Chanes:

—En 1967 el Gobierno creó el Plan Camilo Cienfuegos, por el que se obligaba a los presos al trabajo forzado. Era peor que el trabajo de los esclavos. Salíamos por la mañana a una cantera y regresábamos por la noche. Trabajábamos rodeados por tropas del Ejército y hubo compañeros que fueron asesinados en el campo.

—¿Vio usted alguno de esos asesinatos?

—No, yo no vi ninguno. Pero sí vi cómo le disparaban en el cuello a un joven, Rosendo, sólo por gusto. Quedó paralítico y luego murió.

El disidente Elizardo Sánchez:

—La tortura física, esa forma medieval de castigar, no se emplea, es ineficaz. El hombre, cuando es golpeado, suele endurecerse más y se refugia en su propia rabia. Pero el confinamiento solitario y las torturas psicológicas suelen ser devastadoras. Yo lo he experimentado en mi propia mente. He sentido cómo mi espíritu se deterioraba en los largos aislamientos.

—¿Qué hace un preso cuando está solo?

—Una de las armas principales de la policía política es evitar que el preso esté entretenido. Te obligan a que permanezcas a solas con tus pensamientos. Lo que produce un grado de embotamiento y una monotonía aplastante. De modo que sólo te queda intentar sobrevivir.

Mario Chanes:

—Para aliviar esas horas de soledad, esa histeria al ver que el reloj no avanza, por mucho tiempo que pases durmiendo, cuando no tienes nada para leer, te pones a caminar en la celda. Yo practicaba mentalmente algún idioma.

Es un personaje singular este hombre que está sentado frente a mí una soleada mañana habanera del mes de octubre de 1991. Sólo lleva algo más de dos meses en la calle después de haber pasado treinta años seguidos en las cárceles de Cuba. Conoce casi todas: El Combinado del Este y La Cabaña en La Habana, Isla de Pinos, la Sandino 3 de Pinar del Río, Guanes, Guanajay...

Se ha levantado temprano, se ha acicalado como sólo un cubano *dandy* sabe hacerlo, a pesar de la escasez de jabones, colonias y ropas lindas. Se ha sentado en la hamaca y ha aceptado una pastilla de chicle. "Se me ha agarrado una bronquitis tremenda, chico, y se me resiente la voz".

No es extraño. Como a tantos cubanos, a Mario le encanta hablar. Sabe hablar. Con esa precisión que tienen los presos (he entrevistado ya a muchos) para decirte exactamente el año, el mes, el día, la hora y el minuto exacto en que fue trasladado de celda o se le murió un compañero. Durante tres horas, Mario relata sus treinta años de presidio.

En esas tres décadas ha aprendido seis idiomas: "inglés, que ya sabía un poquito; alemán, que lo estudié bastante; me aprendí los tres libros de la Alianza Francesa y leía a Víctor Hugo en francés; el italiano lo he mantenido más o menos, y el portugués es muy parecido al español; sí, puedo entender en seis idiomas, pero me sería más difícil hablarlos..."

Chanes no fue un contrarrevolucionario toda su vida. Ni mucho menos. Acompañó a Fidel Castro en las dos más importantes gestas de la Revolución: el asalto al cuartel Moncada en 1953 y el desembarco del Granma en 1956. Por la primera fallida acción, a Chanes, al igual que a Castro, lo detienen y condenan a diez años (quince a Fidel).

Cuando el Granma desembarca —"no fue un desembarco, fue un naufragio", diría luego el comandante Ernesto "Che" Guevara, pues el yate encalló contra un arrecife en Los Cayuelos, un lugar de la costa suroriental, cerca de Manzanillo— muchos de los 82 expedicionarios mueren o son hechos prisioneros por el Ejército de Batista. Mario se salva, merodea unos días por Sierra Maestra y regresa a La Habana. Allí se enrola en la lucha clandestina. Detenido de nuevo en octubre de 1958, es encarcelado en Pinar del Río, en donde le sorprende el triunfo de la Revolución.

Su vida como hombre libre, ya bajo la Revolución a la que ayudó a triunfar, dura sólo dieciocho meses. El 17 de julio de 1961 es detenido de nuevo, acusado de preparar un atentado contra Fidel Castro y Carlos Rafael Rodríguez, un comunista de la vieja guardia, vicepresidente hoy del Consejo de Estado. ¿Qué pasó con el viejo revolucionario, el hombre que había sufrido el Moncada y el Granma junto a Fidel?

—Me sentí traicionado cuando el Gobierno enrumbó hacia el comunismo. Yo me manifestaba en contra. Sabía que llegaba a los oídos de las más altas instancias, pero nunca me cuidé. Como tampoco lo hice cuando estuve preso. Lo menos que puede hacer un hombre es manifestar su forma de pensar, cualquiera que ésta sea.

Mario es condenado a treinta años de cárcel. Cumple hasta el último día. Sale a la calle el 16 de julio de 1991 y este domingo 6 de octubre en el que conversamos sobre su larga experiencia carcelaria aún no se ha acostumbrado a su nueva vida.

—La Cuba que yo dejé es muy distinta a la que he encontrado: cuando caí preso no había cartilla de racionamiento, había empresas privadas, tiendas y comercios de víveres. La otra noche fui a la calle Galiana, que era la calle más bonita y limpia del centro de La Habana. Uno podía comprar allí lo que quisiera. Cuando he vuelto a Galiana, no podía creer lo que veía: la calle, los portales, estaban sucios; le dije a mi compañero Pidaluja: oye, cualquier pueblo está más limpio que esto. Y además, todas las tiendas, todas, están vacías.

Su compañero Pidaluja asiente con la cabeza. Julio Luis Pidaluja, primo de Mario Chanes, tuvo la misma impresión cuando salió de la cárcel. Pidaluja también las conoce y las ha sufrido durante veinticuatro años.

En 1990, el periodista italiano Gianni Miná le preguntó a Fidel por Mario Chanes. El Parlamento italiano había pedido su liberación cuando llevaba ya veintinueve años encarcelado. Fidel contestó:

—Ese individuo fue sancionado por organizar un grupo contrarrevolucionario, hace tiempo, desde luego, cuando aquí existían cientos de grupos contrarrevolucionarios. De acuerdo con la CIA estaba preparando atentados contra Carlos Rafael y contra mí; fue sancionado a una larga pena. Ha seguido una conducta indisciplinada en las prisiones y se le considera de un índice elevado de peligrosidad, razón por la cual seguramente tendrá que cumplir su condena (8).

Mario la cumplió. Hasta el último minuto. Y efectivamente, Mario rechazó la disciplina carcelaria.

—El 19 de marzo de 1981 nos comunicaron que el nuevo reglamento de prisiones sancionaba a los presos que no quisieran vestir el traje de presidiario, de color amarillo, igual que el de los soldados del dictador Batista. El que no lo vistiera, perdería el derecho a las visitas, a la correspondencia, a disfrutar del sol, tres veces por semana, a ser llevado a un hospital fuera de la cárcel. Lo perdíamos todo. Yo me planté. No recibí visita alguna desde el 9 de marzo de 1981 al 11 de julio de 1987. Pero nunca me puse el uniforme de presidiario. Por eso yo fui "un preso plantado".

Recuerda Fidel al periodista Gianni Miná:

—Hay una categoría de preso (en Cuba) llamado plantado, que son los que se niegan a cumplir la disciplina y ponerse el uniforme. ¿En qué cárcel del mundo un preso se puede tomar el derecho de no cumplir la disciplina o no ponerse un uniforme? Cualquiera sabe cómo se viste a un hombre y qué medidas se toman para vestir a un hombre. Eso sólo se puede hacer cuando no se hace uso de la violencia. Y nosotros preferimos aceptar esa indisciplina a ejercer la violencia física sobre los hombres. Esta es una prueba irrefutable de que en nuestras prisiones no se usa la violencia (9).

Cuando Fidel habla la última vez con Miná, en 1990, sólo quedan dos "plantados" en las cárceles cubanas: Chanes y Ernesto Díaz, de cincuenta y un años. Díaz, miembro del grupo anticastrista Alpha 66, había penetrado clandestinamente en Cuba en 1968 con la intención de derrocar a Castro. Fue condenado a treinta

años y puesto en libertad en junio de 1991 por "razones humanitarias". Sufría problemas de salud. Hoy reside en Miami.

En Cuba, recuerda Castro al periodista italiano, no existe la cadena perpetua, "como en Europa y Estados Unidos". La condena
máxima es de veinte años, no se acumulan años de sentencia,
como en Estados Unidos y sólo se cumplen treinta años cuando se
ha conmutado la pena de muerte por la de prisión.

Chanes tuvo alguna vez la esperanza de no cumplir toda su
condena. Pero pronto se desengañó:

—Conforme pasó el tiempo, me convencí de que con Fidel en
el poder sería imposible un indulto, una amnistía. Cumplí treinta
años sin haber matado a nadie, no pertenecía a ninguna organización clandestina, no estaba alzado en armas, no se me incautó ninguna propaganda, ni dinamita. Bastó sólo que el G-2 dijera que
quería atentar contra Fidel para que me metieran preso.

Mario Chanes deja una vez más la mecedora. Va a la cocina y
regresa con un vaso de agua. Saca un papel que tiene cuidadosamente guardado y me dice:

—Sólo una persona que esté muy convencida de su inocencia,
o que esté loca, puede hacer la siguiente declaración.

Se ha puesto muy serio y me ha advertido que sitúe bien la grabadora para registrar fielmente sus palabras. Lee:

—Emplazo al Consejo de Estado y personalmente a Fidel Castro a que se abra para mí solo la causa 556 de 1961, por la que fui
juzgado y condenado a treinta años, los cuales cumplí, reclamando el derecho de nombrar un letrado. El motivo por el cual hago
tal solicitud es demostrar lo que afirmé hace treinta años: mi inocencia de tales cargos. Si se demuestra una sola de las acusaciones
estoy dispuesto a regresar a la prisión. Si no se demuestra, como
así será, nada pido, ni siquiera excusas por tan infame injusticia.

Se relaja un poco. Y le pregunto: ¿no ha pensado en marcharse
a Miami?

—Yo tengo concedida la visa de entrada por el presidente de
los Estados Unidos, pero aquí todavía no me dan la carta blanca
(imprescindible, además del pasaporte, que sí tiene ya, para salir
de la isla).

Mario Chanes conserva a parte de su familia: tres hermanas que
viven en Miami. A su esposa, con la que se casó en los meses siguientes al triunfo de la Revolución, Mario le pidió el divorcio en
1965 cuando adivinó que la condena sería larga. El hijo que con
ella tuvo falleció en la mesa de operaciones a los veintidós años.

—A pesar de todo, si fuera por mí me quedaría aquí. Pero de
la misma forma que uno tiene compromisos con la Patria, tiene
compromisos con la familia.

Uno de los secretos mejor guardados de la Revolución cubana

siempre ha sido la información sobre el número de cárceles y de presos. Elizardo Sánchez me advierte:

—En 1986, fui enviado a la cárcel por hacer declaraciones a dos periodistas sobre el sistema penitenciario cubano. Espero que no me vuelva a ocurrir y que a ti no te expulsen del país como expulsaron a aquellos dos reporteros.

Para Elizardo, cada vez que los grupos defensores de los derechos humanos hablan de las cárceles, el Gobierno se irrita sobremanera. "Nos acusan de que nosotros no tenemos información. Es cierto y esa es nuestra primera crítica. Porque aquí nadie tiene información sobre los presos y los presidios. No sólo nosotros. No la tiene el Partido Comunista, ni la Asamblea Nacional, ni la prensa".

El sistema penitenciario depende de la Dirección General de Establecimientos Penitenciarios, del Ministerio del Interior (MININT), al frente de la cual hay un general del Ejército. Los grupos disidentes de la isla, entre ellos la Comisión Cubana Pro Derechos Humanos de Elizardo, maneja estas cifras: en 1986 había unos 100.000 presos en Cuba, en aproximadamente un centenar de cárceles clásicas y campos de prisioneros.

Los disidentes incluyen en esa cifra absolutamente a todo tipo de presos: comunes y políticos. La cifra bajó en decenas de miles en 1988, poco antes de que la Comisión de Derechos Humanos de la ONU visitara la isla. Hoy, esa cifra podría estar, según Sánchez, en unos 70.000 presos y según un funcionario cubano en 40.000.

La inmensa mayoría son presos comunes. Castro dio cifras sobre los "detenidos por actividades contrarrevolucionarias", a Gianni Miná: en 1987 reconoció que existían unos 700 y tres años más tarde, en 1990, unos 200. Esta cifra de 200 presos estrictamente políticos parece que es la más aceptada, incluso por disidentes como Gustavo Arcos. Amnistía Internacional daba la cifra de 455 presos políticos en 1988, antes de la visita de la delegación de la ONU.

Hay problemas para el recuento. ¿Se debe clasificar, por ejemplo, a los balseros como presos políticos? Los balseros son quienes intentan salir de la isla en forma clandestina, normalmente en balsas de construcción casera, de ahí su nombre, y son detenidos por las patrullas costeras.

Hay también un considerable número de soldados presos en las tres prisiones militares que existen en el país, una por cada región militar, la occidental (La Habana), la central (Las Villas) y la oriental (Santiago de Cuba). Elizardo afirma que en 1991 podría haber de 6.000 a 9.000 soldados encarcelados. "Muchos son objetores de conciencia, aunque ni ellos mismos lo saben", dice el presidente de la Comisión Cubana pro Derechos Humanos.

Los disidentes cubanos y muchos jóvenes temen especialmente al Título XI del Código Penal, titulado "El estado peligroso". En los capítulos I, II y III se define el concepto "estado peligroso" y las medidas que se toman, como "la advertencia oficial" y las "medidas de seguridad".

En el artículo 72 se dibuja el estado peligroso como "la especial proclividad en que se haya una persona para cometer un delito, demostrada por la conducta que observa en contradicción manifiesta con las normas de la moral social".

Este "estado peligroso" se aprecia cuando "en el sujeto concurren algunos de los índices de peligrosidad siguientes: embriaguez habitual, narcomanía o conducta antisocial".

Los dos primeros casos están bien delimitados. Más difícil es detectar la "conducta antisocial". El Código Penal la define como un quebrantamiento habitual de las reglas de convivencia social, una violación de los derechos de los demás o bien que el sujeto "vive como un parásito social, del trabajo ajeno o explota o practica vicios socialmente reprobables" (artículo 73).

También se consideran personas en estado de peligrosidad a "los enajenados mentales y con desarrollo mental retardado" (artículo 74).

Quienes no están comprendidos en algunos de esos "estados de peligrosidad", pero que "por sus vínculos o relaciones con personas potencialmente peligrosas para la sociedad, las demás personas y el orden social, económico y político del Estado socialista, pueda resultar proclive al delito, será objeto de la advertencia oficial por las autoridad competente, en prevención de que incurra en actividades socialmente peligrosas o delictivas" (capítulo II, artículo 75).

La "advertencia oficial" es especialmente temida por los jóvenes. Muy en especial, por las chicas. Se suele aplicar a las llamadas "jineteras" (prostitutas), pero también a una joven honesta que mantenga una relación continuada o esporádica con un extranjero. Tres advertencias colocan a esa persona prácticamente en las puertas de la cárcel o de un centro de rehabilitación, según la edad.

Las medidas de seguridad pueden decretarse tanto "para prevenir la comisión de delito" como una vez cometido éste. El Código Penal habla de las "medidas de seguridad predelictivas" y "posdelictivas" (capítulo III, artículo 76).

Entre las predelictivas se encuentran las siguientes medidas que pueden imponérsele al "declarado en estado peligroso en el correspondiente proceso": de un lado, las terapéuticas, que consisten en el internamiento en establecimientos siquiátricos o de desintoxicación para el caso de los drogadictos y alcohólicos. Estas medidas se extinguen cuando desaparece el estado peligroso.

Por otro lado, están las medidas "reeducativas", como los internamientos en centros especializados de trabajo o estudio (escuelas de conducta, centros de rehabilitación, de los que se habla más adelante), o "la entrega a un colectivo de trabajo para el control y ·

la orientación de la conducta del sujeto en estado peligroso" (artículos 77 y 78).

Estas ultimas medidas llamadas "reeducativas" se aplican a los individuos "antisociales" y tienen una duración mínima de un año y máxima de cuatro (artículo 81).

—Lo inaceptable desde el punto de vista jurídico es que te condenan bajo la presunción de que pudieras cometer algún delito en fecha futura, y nada menos que por cuatro años —dice Elizardo Sánchez, que una vez más ha vuelto a levantarse, buscar entre sus libros, notas y archivos y leer con minuciosidad el texto que quiere transmitir.

Cuando un disidente es detenido, el primer lugar donde lo llevan es a Villa Marista, en el barrio La Víbora, a unos 6 kilómetros al sureste de La Habana. Antiguo lugar de retiro de los hermanos maristas, fue incautado por el Gobierno Revolucionario en 1961 y convertido en Cuartel General de la Policía en octubre del siguiente año, cuando estalla la crisis de los misiles.

El edificio tiene tres plantas, dos de ellas ocupadas por un centenar de celdas de unos tres metros de fondo por dos de ancho. Hay cuatro literas adosadas a la pared, dos a cada lado, sujetas a ésta por gruesas cadenas. Las literas tienen unos 80 centímetros de ancho y son como una especie de bandejas gigantes de panaderos que los presos llaman "la sartén".

Hay una pequeña ventana pero el ángulo con que está construida impide ver hacia el exterior, aunque penetra el aire de la calle. La puerta de la celda es una gruesa plancha metálica, con una pequeña ventanilla a través de la que se controla el interior y que permite introducir pequeñas cosas, como algunas medicinas.

—Villa Marista es un lugar siniestro para toda la oposición cubana. Tanto que la llamamos "la casa de los muertos" —dice Elizardo Sánchez quien ha estado alojado por cuenta del Estado catorce meses en tres períodos largos, más cortas visitas realizadas para aclarar situaciones espinosas.

—¿Muertos?

—Sí —contesta Elizardo—. Se produce un alto nivel de suicidios por el tremendo rigor del confinamiento.

—¿Cómo se producen esos suicidios?

—Muchas veces, con las propias cadenas que sujetan las literas. Con la cama cerrada, se pasan la cadena por el cuello y luego la dejan caer. Así murió, por ejemplo, Eurípides Núñez Portuondo, en marzo de 1968, un veterano dirigente obrero comunista al que acusaron injustamente de ser agente de la CIA. No pudo soportarlo y se suicidó.

De Villa Marista el preso político es trasladado a alguna de las cárceles de máxima seguridad de la isla. La más importante por su capacidad es el Combinado del Este, en La Habana. De allí aca-

ban de salir tanto Mario Chanes como Elizardo Sánchez. Construido en los primeros años setenta, el Combinado del Este tiene tres
grandes edificios de cuatro plantas cada uno, en forma de herra-
dura, con ladrillo visto, capaz de albergar hasta 6.000 presos.

La vida en el interior de estas cárceles no difiere mucho de
cualquier otra prisión del mundo occidental. Las restricciones
eran mucho mayores en los primeros años de la Revolución. Mario Chanes recuerda que tener una Biblia en esa época se pagaba
caro: celda de castigo. Después comenzaron a entrar publicaciones, prácticamente todas ellas de la Unión Soviética y los países socialistas del Este europeo.

Elizardo Sánchez ha recibido en su última estancia en el Combinado del Este la revista española *Cambio 16.* Si están en español,
dice, no hay muchos problemas para que los familiares te puedan
llevar, legalmente, revistas, periódicos e incluso algunos libros.

La comida es otra cosa. Se come tan mal como en todas las prisiones. Chanes dice que durante una temporada les dieron a comer una cosa que aún no sabe qué era:

—Era un grano al que bautizamos como "guanina". No era chí-
charo (guisante), no era lenteja, no era fríjol. Era algo raro que
habían comprado para el ganado, pero los animales lo rechazaron
y nos lo dieron a nosotros.

Elizardo Sánchez recuerda la rutina de sus últimos días de prisión:

—Te levantan a las cinco de la mañana. Aseo y un desayuno a
base, últimamente, de agua con azúcar moreno. Hace meses que
se agotó el suministro de galletas. Dos días a la semana daban leche en polvo, procedente de donaciones y algunas veces compra-
da. A las once es el almuerzo. Normalmente consiste en un plato
de arroz y alguna vianda, boniato casi siempre. El pescado se ve
cada vez menos. Otras veces hacen algún potaje, al que ponen los
desperdicios de los animales, como la cabeza y las patas del cerdo.
A las cuatro se repite una cena de las mismas características.

Fidel habló de la comida en las cárceles con Gianni Miná:

—La comida no puede ser la de un hotel de turismo, porque.
realmente comen lo que come un trabajador en un comedor
obrero (10).

El reglamento interno de las prisiones está cambiando. Según
Elizardo, se permite cada vez más que el preso reciba comida de
su familia, incluidas conservas. "Nunca se había visto en treinta
años", dice el disidente Sánchez. Además, y siguiendo una idea
que se ha generalizado en todo el país, los presos están comenzando a cultivar terrenos cercanos a la prisión. Es lo que se llama ahora en Cuba la política de autoconsumo. Fidel Castro ha dado la orden de que allí donde haya un trocito de terreno baldío, los vecinos, los estudiantes, los obreros, cada uno en su barrio, en la es-

cuela o en la fábrica, se dediquen en ratos libres a cultivar cualquier cosa que les sirva de alimento.

Lo mismo se ha hecho en las cárceles, sólo que aquí, de acuerdo con Elizardo Sánchez, de forma más ordenada. Se han abiertos campamentos agrícolas para presos, como el "Ceiba Noche", "La Fermina" y "Boca de Camarioca", en la provincia de Matanzas. Los presos reciben un salario por su trabajo, por encima de los 100 pesos.

La mayoría de la cárceles construidas en los últimos años imitan la construcción de El Combinado habanero. A mediados de los setenta, se comienzan a clausurar las viejas cárceles inspiradas en la construcción colonial. Algunas incluso eran una odiada herencia de los tiempos en que Cuba era territorio español. La más famosa, "La Cabaña", situada en el interior del Castillo de los Tres Santos Reyes Magos del Morro, la recia fortaleza española que custodiaba la entrada al puerto de La Habana.

A "La Cabaña" debía de haber ido Castro tras el fallido ataque al Cuartel Moncada. Pero a última hora, el dictador Batista decidió enviar a todos los asaltantes a la prisión de Isla de Pinos. Cuando llegó al poder, en los primeros y peligrosos años de la Revolución docenas de opositores fueron fusilados junto al foso de Los Laureles, bajo el puente levadizo de madera que da entrada al recinto.

Hoy, el Castillo del Morro como es conocido popularmente, es un museo militar en donde se muestran, entre otras cosas, un garrote vil con el que los españoles ajusticiaron a los primeros independentistas cubanos.

Un museo al que acuden niños en busca de un poco de historia. Algunos de esos niños son de las llamadas "escuelas de conducta" y "centros de reeducación", muchos de ellos enviados allí en aplicación del ya citado "estado peligroso".

Una de las cosas que sorprende agradablemente al visitante es ver a los niños cubanos perfectamente alineados caminando por las calles camino de la escuela. Los niños de la primaria, con sus uniformes "rojo vino", y los de secundaria, con uniforme color "mostaza". Impecables. Es difícil ver a un niño desaliñado en Cuba. Y mucho menos lo que se ve en otras ciudades —he recorrido prácticamente todas las grandes ciudades de América Latina— niños y adolescentes en los semáforos limpiando cristales, pidiendo limosna. O lo que es peor, formando pandillas callejeras capaces de acuchillar al más pintado por un pequeño botín, como hacen los gamines bogotanos o los chavos banda de la Ciudad de México.

En Cuba no se ve eso. A lo sumo, en los últimos meses, a la salida del hotel algún chaval pide un chicle. O un bolígrafo. Dos lujos en aquella sociedad sometida a un riguroso racionamiento, muy especialmente de todos los productos de importación.

¿Todos los niños son santos en Cuba? Ni mucho menos.

La revista *Bohemia,* que es la única que queda tras el durísimo ajuste que sufrió la prensa por la falta de papel que le surtía la ex Unión Soviética, publicaba un esclarecedor reportaje en octubre de 1991 bajo el título "Ganar al hombre. Acciones y sueños de muchísima gente que en todo el país se empeña en iluminar el futuro de los jóvenes que alguna vez se equivocaron". Hasta ese momento, se sabía de las llamadas "escuelas de conducta" o de los "centros de reeducación". Los disidentes bombardeaban el oído de los periodistas sobre los miles de niños recluidos en esos establecimientos. Pero era difícil confirmarlo. Hasta que salió el reportaje de *Bohemia.* Los datos que arrojó son realmente preocupantes.

En marzo de 1991, la Comisión Nacional de Prevención y Atención Social, reunida en pleno que presidía Vilma Espín, presidenta también de la Federación de Mujeres Cubanas (FMC) y esposa del número dos del régimen, Raúl Castro, dio la cifra de 11.753 niños atendidos en estos centros. Se dijo que de ellos 9.963 habían registrado modificaciones parciales o totales de su comportamiento y actitudes. Es decir, se habían reformado. Pero la propia Vilma puso el dedo en la llaga cuando señaló que hay todavía un 26 por 100 de esos niños y jóvenes adolescentes "nuevamente presos o desvinculados". Vilma fue tajante: "No puede descuidarse este aspecto" (11).

Los motivos que llevan a los chicos cubanos a recalar en estos centros son los mismos que en cualquier otro país: falta de atención brindada al menor por parte de sus padres. El 60 por 100 de estos adolescentes presentaba una "inadecuada" atención afectiva y un poco menos, sobre un 50 por 100, tenían falta de atención material.

La escala de métodos educativos en el medio familiar mostraba que en un 80 por 100 de los casos había "poca exigencia". Le seguían en orden de importancia la "despreocupación de los padres, la falta de autoridad, el desinterés" y un ambiente "permisivo", todos ellos por encima del 50 por 100.

Idalia González Suárez, vicepresidenta de Prevención y Atención Social de Centro Habana, señala como una de las causas de los problemas de adaptación social de los jóvenes la falta de viviendas y el hacinamiento. Cita el dato de 5.000 vecinos acogidos en albergues y 1.492 ciudadelas (casas de vecinos) "con diversos grados de deterioro" en su barrio.

Desde 1987, las Comisiones de Prevención Provinciales iniciaron un acercamiento a las escuelas de conducta y centros de reeducación. Las primeras son escuelas especiales para chicos que han tenido algún problema en otros centros de estudio, han sido expulsados por mal comportamiento, han abandonado los estudios o han cometido infracciones menores.

Los centros de reeducación son similares a los reformatorios. Allí son internados los chicos menores de dieciséis años, que es cuando se cumple la mayoría de edad en Cuba, y que han cometido delitos de mayor calibre, como hurtos, robos, tráfico de divisas a pequeña escala o son acusados de vagancia y en algunos casos de prostitución. El régimen interno es mucho más duro y hay una severa vigilancia policial. En la jerga del régimen, a estos jóvenes se les llama "antisociales".

Según Idalia González, las Comisiones de Prevención comenzaron a estudiar el problema en 1987. El 1 de enero de 1988 había en estos centros 8.709 menores. La cifra bajó en 1991 a 6.234. Pero Idalia reconoce que en 11.753 núcleos familiares hay un menor "que tiene o tuvo problemas y está siendo apoyado por las fuerzas de la sociedad" para lograr su rehabilitación plena.

Uno de los mayores males de la Cuba actual es la burocracia. La psicóloga Silvia López Calleja dice que cuando comenzaron a estudiar el problema de estos menores se encontraron con que cada chico tenía hasta seis expedientes distintos en otras tantas dependencias gubernamentales: el de la escuela, el de los psicólogos del Ministerio de Educación, el de los psicólogos del Ministerio del Interior, el de la policía, el del Consejo de Atención a Menores y si el joven había recalado en algún centro de rehabilitacion, allí había otro "fail", como dicen los cubanos, o sea otro expediente.

La labor para reorientar a estos jóvenes no es sencilla. En muchos casos, debido a la falta de vivienda no se puede desmontar el hacinamiento, factor clave en una mala educación. Además, se está produciendo una reducción del empleo que golpea más que a ningún otro a este tipo de chicos.

Cecilia Andrés, coronel jefe del Organo Nacional de Menores del Ministerio del Interior, se muestra orgullosa de que "sus muchachos" de los centros de rehabilitación hayan aprendido oficios varios. Pero abunda en el problema anterior: "afrontamos dificultades (es decir, escasean) con las materias primas y tampoco estamos seguros de que los jóvenes hallarán empleo para el oficio que aprendieron en los municipios donde viven".

Algunos de los métodos seguidos para readaptar a los inadaptados son realmente terroríficos, aunque a quien las ha puesto en práctica, Migdalia Rodríguez González, presidenta de la Comisión de Prevención de Las Tunas, una provincia campesina del oriente de la isla, le parezcan maravillosos.

—Reunimos a los que pueden ser considerados "potencialmente delictivos" y los convocamos a que expresen sus ideas delante del barrio. Casi siempre empiezan negando que ellos son los que hicieron tal cosa. Pero nosotros tenemos todos los elementos para probarlo. Por lo general, las personas emplazadas hacen compromisos que luego los vecinos los refuerzan o los chequean (comprueban).

Es decir, juicios populares en las barriadas en donde se acusa a un joven que potencialmente puede ser un delincuente. El problema, tal como lo explica la entusiasmada Migdalia Rodríguez, es que cuando habla de "personas emplazadas" se olvida de que tales "personas" son críos de diez, doce, catorce años, que es muy posible que simplemente se aburran en la escuela y hayan dejado de asistir a clase.

En Las Tunas también han descubierto las ventajas de celebrar los juicios a puertas abiertas en el mismo barrio donde vive el chico. "Muchos prefieren cualquier sanción antes que ésa", afirma eufórica Migdalia, cuyos conocimientos de psicología infantil deben ser bastante escasos.

El disidente Elizardo Sánchez, al que le preocupa seriamente el problema, afirma que es el sistema mismo el que propicia y genera las llamadas "actitudes antisociales".

—Los muchachos no interiorizan las causas de su actitud, pero la mayoría de esos 6.000 adolescentes sienten un rechazo al modelo, a la forma de organización social, a los estereotipos que la propaganda oficial trata de implantar.

Como tantas veces, Elizardo recurre al pasado:

—En Cuba, durante los peores tiempos del capitalismo subdesarrollado, en los años 57 y 58 había solamente un reformatorio para toda la isla, aquí en La Habana. Nunca había más de 250 muchachos internos. Eso le parecía a toda la sociedad, a la prensa, a los médicos, al Congreso, una verdadera calamidad pública. Ahora, hay docenas de estos centros que han crecido por todo el país como flor de primavera y 6.000 niños encerrados en ellos.

Cierto. Pero Elizardo olvida algo que me recordó un viejo portero del hotel Victoria: "en los peores tiempos del capitalismo subdesarrollado" los chicos que no estaban en los reformatorios estaban en la calle limpiando zapatos, en el mejor de los casos, y muchas de las chicas de catorce o quince años, en sucios camastros haciendo el amor con marines borrachos de ron.

NOTAS

(1)   *Habla Fidel.* Gianni Miná. Edivisión, México D. F., 1988.

(2)   *Fidel.* Gianni Miná. Edivisión, México D. F., 1991.

(3)   *Granma.* La Habana, 4 de mayo de 1992.

(4)   *Informe sobre algunos aspectos del estado de los derechos humanos en Cuba.* Comité Cubano Pro Derechos Humanos. España, 1990. (No tiene pie de imprenta.)

(5)   *Boletín del Comité Cubano Pro Derechos Humanos.* España, otoño de 1991.

(6)   *Los derechos humanos en Cuba. Una perspectiva vivencial.* Juan Clark y otros. Saeta Ediciones. Miami-Caracas, 1991.

(7)   *Fidel Castro. Los derechos humanos.* Selección Temática de Fabio Raimundo Torrado. Editora Política. La Habana, 1989

(8)   *Fidel.* Gianni Miná.

(9)   *Habla Fidel.* Gianni Miná.

(10) *Habla Fidel.* Gianni Miná.

(11) *Bohemia,* octubre de 1991.

10
DISENTIR EN LA HABANA

> Sigo prefiriendo el tino
> del pensamiento martiano
> pues por encima de todo, compay,
> yo sigo siendo cubano.
>
> **Carlos Puebla**
> (*Yo sigo siendo cubano*)

Hay docenas de grupos y de disidentes en Cuba, fundamentalmente en La Habana. Oficialmente, el régimen ha reconocido la existencia de unos 50 grupos, que integran a unas 1.000 personas. De ellas, sólo unas 100 se dedican las veinticuatro horas al activismo político.

Pero de todos ellos, hay tres personajes que han alcanzado cierta relevancia internacional y que merecen un espacio propio. Dos de ellos, por ser los disidentes más veteranos que viven en la isla. Mientras muchos de sus antiguos compañeros de celda eligieron la vía del exilio y la protesta desde Miami, Gustavo Arcos Bergnes y Elizardo Sánchez Santa Cruz optaron por quedarse. Arcos es secretario general del Comité Cubano Pro Derechos Humanos y Elizardo, presidente de la Comisión Cubana de Derechos Humanos y Reconciliación Nacional. Cada uno tiene diez años de cárcel a sus espaldas.

La tercera persona, María Elena Cruz Varela, ha tenido una corta pero meteórica carrera dentro de la disidencia cubana. Ganadora del premio de poesía más importante de la isla, en 1989,

María Elena fue víctima de un "acto de repudio" el 18 de noviembre de 1991. Una fuerte campaña en el exterior auspiciada por la Plataforma Democrática Cubana que codirige Carlos Alberto Montaner han hecho su nombre y rostro conocidos en todo el mundo. Dirigente de un grupo integrado por intelectuales, Criterio Alternativo, en mayo de 1992 María Elena se encontraba en prisión cumpliendo una condena de dos años.

GUSTAVO ARCOS: A GOLPE DE MARTI

El joven flaco y alto está tendido ante la puerta de la casa. Golpea con el pie. Aparece una mujer embarazada. Al ver a aquel hombre sangrando en su portal intenta, aterrada, cerrar la puerta. No puede. El joven ha colocado su pie como un cuño. La señora comienza a gritar:

—No, no, nosotros no somos políticos.

El joven se queda unos instantes paralizado. Le pregunta entonces a la mujer:

—Pero usted es cristiana, ¿no?

La mujer se rinde y abre la puerta. El joven necesita un médico. Da el nombre de uno y resulta ser el mismo que atiende a la señora embarazada. Cosas de la vida. El doctor colombiano Alejandro Posada también había asistido al parto en el que este joven herido vino al mundo. Ocurrió en Caibarien, una pequeña población de la provincia de Las Villas, en el centro de la isla, un 19 de diciembre de 1926.

Veinticinco años después, el doctor Posada tiene que jugarse la vida por este hombre ensangrentado. Lo traslada en su propio automóvil hasta el hospital de la Colonia Española, donde es operado de urgencia. Prácticamente, Gustavo Arcos Bergnes vuelve a nacer por segunda vez (1).

Ese día es el 26 de julio de 1953. En la madrugada, un centenar de jóvenes cubanos liderados por un estudiante de Derecho de la Universidad de La Habana, Fidel Castro, se dirigen a asaltar la segunda fortaleza más importante de la Cuba del dictador Fulgencio Batista, el cuartel Moncada, en Santiago de Cuba.

Han salido temprano de una granja de nombre Siboney. El segundo coche de la caravana va conducido por Fidel Castro. Uno de los ocupantes es Gustavo Arcos. El asalto al cuartel fracasa. Cada uno escapa como puede. A Gustavo Arcos lo recoge Ramiro Valdés, quien lo introduce en su coche y lo deja, malherido, en la puerta de la casa de la señora embarazada (2).

Marzo de 1966. Trece años más tarde. Fidel Castro es presidente del Consejo de Estado de Cuba. Ramiro Valdés, ministro del Interior. Gustavo Arcos, un preso condenado por "actitud incorrecta ante la Revolución" (3). El escritor cubano exiliado en Londres Guillermo Cabrera Infante destaca la paradoja de que el hombre que le salva la vida a Gustavo Arcos en Santiago, Ramiro Valdés, sea el mismo que lo encarcelará en La Habana.

¿Qué ha pasado con este veterano luchador antibatistiano, uno de los primeros en sumarse al Movimiento 26 de Julio, que sería la semilla de la que nacería la Revolución cubana?

Después del fallido asalto al Moncada, Arcos, en una silla de ruedas, es condenado a diez años de prisión. Una de las primeras balas que se dispara la madrugada del 26 de julio de 1953 le entra por la columna y le sale por el vientre. Durante el resto de su vida se resentirá de la herida. El 28 de diciembre de 1991, cuando acudo una vez más a su casa de la calle H, número 305, del barrio del Vedado, en La Habana, y lo veo bajar renqueante la escalera de su casa me viene a la memoria su lesión.

En 1955, Batista amnistía a todos los presos del Moncada. Muchos de ellos se marchan con Fidel a México, donde prepararán el desembarco a la isla y el inicio de la revolución de los barbudos. Arcos está en el grupo. Por un error, se queda atrapado en un hotel de Tuxpan y no embarca en el Granma. Su hermano Luis sí, y será uno de los primeros en caer muerto al desembarcar en Cuba el 2 de diciembre de 1956.

Fidel nombra a Gustavo jefe del M-26 en el país azteca. Arcos se dedicará a recolectar fondos y enviar armas a Sierra Maestra. Recorre varios países del área, bajo el nombre de guerra de Ulises.

Cuando la Revolución triunfa, Arcos es nombrado embajador en Bélgica. Desde joven había querido ingresar en la carrera diplomática. Hombre austero al que sus compañeros de guerrilla llamaban "el seminarista" porque ni fuma ni bebe, Arcos vive modestamente en Bruselas, según su biógrafo Ariel Hidalgo, un profesor cubano exiliado en Miami.

En 1964 regresa a La Habana. Espera un nuevo destino. Rechaza la Embajada de Moscú y pide una que esté en la Europa Occidental. Hombre profundamente religioso, educado en un colegio marista, Arcos ha comenzado a desilusionarse de sus viejos compañeros del Moncada, furibundos marxistas la mayoría de ellos.

Así es como le llega su primer arresto, el 15 de marzo del 66 y ahí es cuando comienza a forjarse uno de los más veteranos disidentes que jamás abandonó la isla. Será liberado en 1969 y detenido de nuevo en 1981. Esta vez en compañía de su hermano Sebastián. Ambos son acusados de intento de salida ilegal del país, delito que ellos niegan y permanecerán en prisión hasta el mes de marzo de 1988. Diez años de cárcel en total.

Su personalidad queda bien definida en esta dedicatoria de una fotografía que envía desde la cárcel en 1968 a una prima que se marcha de Cuba:

—A mi prima Laura: Amo la vida, pero hay algo que amo más que la vida, y por eso no aceptaré la vida a cualquier precio. También odio la muerte, pero hay algo que odio más que la muerte, y por eso no evitaré el peligro a cualquier precio. Por el amor a la libertad, a la dignidad humana, a la verdad y a la justicia, ha querido normar su conducta, quien te saluda cariñosamente, Gustavo.

Aquella mañana de los Santos Inocentes del 91, Arcos me recibe con el mismo protocolo de siempre. El amplio recibidor de la casa de vecinos donde habita está igual de vacío. Sólo hay un tresillo de madera y un par de sillas. Como siempre, están presentes dos de sus ayudantes más fieles: Jesús Yanes Pelletier y Rodolfo González. Yanes es otro histórico y mientras Arcos baja la empinada escalera —siempre se entretiene un poco en su vivienda, buscando el último comunicado del Comité Cubano Pro Derechos Humanos del que es secretario general— Yanes habla de los viejos tiempos.

A sus setenta y cinco años, Yanes es un negro atlético que no representa más de sesenta. Al igual que Arcos, aparece en los libros sobre Cuba y la Revolución.

—Yo le salvé la vida a Fidel cuando quisieron envenenarlo en la prisión de Boniato, en Santiago, después del Moncada.

La primera vez que Yanes me contó esta historia, pensé que como tantos otros ancianos exageraba. No fue así. Una de las biografías más serias sobre Castro, la del norteamericano Tad Szulc, registra el hecho. Efectivamente, el entonces teniente Yanes, supervisor militar de la cárcel de Boniato, "fue separado de su puesto poco después de la llegada de Castro a Boniato, supuestamente por negarse a cumplir órdenes de envenenarle" (4).

—El ayudante del jefe militar de la entonces provincia de Oriente fue a la cárcel poco después de la detención de Fidel, el 1 de agosto. Me dijo que como yo había estudiado algo de medicina que buscara algunos polvos y que le envenenara con la comida. Pero yo tomé todas las precauciones para que eso no sucediera.

Yanes se incorporaría al Ejército rebelde y alcanzaría el grado de capitán. El primer año de la Revolución es jefe de la escolta personal de Fidel Castro. Hasta que también, de forma imprevista, el 10 de abril de 1960 es detenido.

—Me acusaron de proamericanismo, de oponerme a la reforma agraria, de malversación de fondos, cuando yo no manejaba dinero.

A Yanes lo sentencian a quince años. Cumple once. En la prisión, Yanes conocerá al grupo que formará la primera organización de defensa de los derechos humanos en la isla. Dos ex profesores y una doctora, Ricardo Bofill y Elizardo Sánchez Santa Cruz, más Martha Frayde, son el grupo inicial que a comienzos de los ochenta ven la necesidad de formar una organización que defienda los derechos humanos en Cuba.

Unos antes y otros después, todos terminan en la cárcel. A finales de 1983, Bofill y Sánchez, con una decena más de presos, constituyen formalmente el Comité Cubano Pro Derechos Humanos en la prisión del Combinado del Este de La Habana. Arcos, que está incomunicado en los sótanos de la cárcel, se suma al grupo fundador.

Desde 1988, fecha en la que Bofill se exilia a Miami, Arcos es nombrado secretario general del Comité. Su amigo Jesús Yanes y su hermano Sebastián son los vicepresidentes del mismo.

Pero ya Gustavo Arcos baja la escalera. Inclinando un poco más de lo normal su cuerpo hacia el lado derecho, vieja herencia de la herida del Moncada. A sus sesenta y cinco años, no se conserva del todo mal.

Se alegra de verme. Hace un año, Carlos Aldana, entonces secretario del Comité Central del PCC y hoy miembro de su Buró Político, acusó a Arcos de racista en una entrevista que le hice para la revista española *Cambio 16*. Le había preguntado a Aldana si en alguna ocasión habían existido contactos o conversaciones con la oposición interna. Le cité el nombre de Gustavo Arcos, como uno de los dirigentes más representativos de los grupos que defendían los derechos humanos. Aldana contestó:

—No hay ningún contacto, porque consideramos que se trata de farsantes, de gente que se ha fabricado una imagen en el exterior que es falsa. Gustavo Arcos en particular es un caso insólito. Todos los que le conocen desde hace veinticinco o treinta años, saben que es una persona profundamente racista. ¿Y es concebible que una persona racista, que tiene una actitud de rechazo hacia la gente de color, pueda ser el paladín de los derechos humanos?

—¿Ha visto? Aldana vuelve a acusarme de racista —me dice Arcos cuando comenzamos a charlar.

En efecto, el día anterior a esta última entrevista con el disidente, el 27 de diciembre del 91, Aldana señala a Arcos como un racista "que desprecia a la gente negra". Aldana ha hablado ante la sesión plenaria de la Asamblea Nacional en la que ha analizado la situación de la disidencia en la isla y cómo algunos grupos están pasando de las palabras a las acciones de sabotaje, al terrorismo.

Arcos, a quien le molesta profundamente la acusación, me cuenta de nuevo que fue Fidel el primero que le acusó de racista en una entrevista con el periodista italiano Gianni Miná.

En efecto, Miná pregunta a Fidel Castro en su libro *Habla Fidel*:

—Miná: ¿A Arcos, qué le pasó?

—Fidel: Arcos es otro tipo de gente. Arcos, realmente, tiene ideas racistas, fascistas; esa es la filosofía de Arcos... Arcos comenzó a conspirar contra la Revolución. Incluso estuvo prisionero, fue puesto en libertad y volvió a conspirar. Esas son las actividades de Arcos (5).

Gustavo se pregunta por la insistencia de Aldana en una acusación que él cree injustificada. Interviene Yanes Pelletier:

—Lo que tratan es de destruir tu prestigio, que indudablemente ha crecido entre la población. Eres la figura más señera de la disidencia, por tu pasado revolucionario, por tu actitud de ahora.

Le pregunto a Arcos cómo interpreta el duro ataque lanzado por Aldana contra los grupos disidentes.

—Tengo la impresión de que preparan una gran redada, una campaña fuerte contra todos nosotros. El primer ataque se produjo cuando una serie de parlamentarios europeos estaban proponiendo mi nombre para el Nobel de la Paz. Hoy, el ataque llega porque la situación es cada vez más desesperada.

No se equivocó por muchos días Arcos Bergnes. El y su hermano Sebastián, además de Jesús Yanes Pelletier, serán detenidos unos días después. En uno de los bolsillos de Eduardo Díaz Betancourt, jefe de un comando anticastrista que acaba de ser apresado al desembarcar en la isla, y que posteriormente será fusilado, se han encontrado los teléfonos y las direcciones de los tres disidentes. Supuestamente para que Betancourt y sus dos compañeros, Pedro de la Caridad Alvarez y Daniel Santovenia Fernández, recurrieran a cualquiera de ellos en caso de necesidad.

Una declaración del Consejo de Estado de Cuba, que preside Fidel Castro, hecha pública el 18 de enero de 1992, confirma la pena de muerte a Betancourt y le dedica un párrafo a Arcos y sus colaboradores, que según el Consejo de Estado son "los únicos capaces de brindarle auxilio (a Betancourt) en Cuba caso de verse en dificultades":

—Gustavo y Sebastián Arcos Bergnes y Jesús Yanes Pelletier, consagrados farsantes, vulgares contrarrevolucionarios enmascarados en el cínico rótulo de defensores de los derechos humanos.

¿Por qué Gustavo Arcos y Jesús Yanes son liberados horas después de ser detenidos mientras Sebastián permanecía en la cárcel en el mes de mayo de 1992 y se enfrentaba a la posibilidad de una larga condena?

Un día de abril del 92 me encontré a Yanes en la Rampa, cerca del hotel Habana Libre. Como siempre, se dirigía a casa de Gustavo. Me dio esta respuesta:

—Yo tengo ya setenta y cinco años y he sufrido dos infartos. No pueden arriesgarse a que me dé otro infarto y no lo supere estando en la cárcel. Y Gustavo, igual. Ya tiene sesenta y cinco años, y además cuenta con muchos apoyos en el exterior. De modo que se han quedado con el más joven de los tres.

Gustavo Arcos, al igual que otros disidentes del interior, se han ganado prestigio en el exterior, pero también muchos odios. Al salir de la larga condena de siete años, en 1988, Arcos envía una carta a Fidel Castro en la que le plantea "la necesidad urgente de un

diálogo entre ambas partes cubanas, donde impere el patriotismo
y el amor a la vida". No podía faltar, como no falta nunca, en los
textos o conversaciones de Arcos, una cita a José Martí, el padre
de la independencia cubana. "La Patria no es de nadie y si fuera
de alguien será sólo en espíritu", le recuerda Arcos a Castro.

El secretario general del Comité pro Derechos Humanos insiste en esa línea y en junio de 1990 propone un diálogo abierto entre gobierno y la oposición, tanto del interior como del exterior.
Los gritos e insultos que salen de Miami se escuchan en La Habana. El poeta Armando Valladares, que salió de las cárceles cubanas
en 1981, y forma parte más tarde de la delegación permanente del
Gobierno de Estados Unidos ante la Comisión de Derechos Humanos de la ONU, salta como una fiera herida y acusa a Arcos de estar
al servicio del Gobierno comunista de La Habana. Un disparate.

Valladares y quienes así piensan no debieron leer los periódicos de marzo de ese mismo año. El 5 de marzo, siete disidentes,
entre ellos Gustavo, están reunidos en la· casa de Sebastián Arcos,
camino del aeropuerto José Martí. Representan a tres importantes
organizaciones: el Comité Cubano Pro Derechos Humanos, de Arcos; la Comisión Nacional de los Derechos Humanos, de Elizardo
Sánchez, y el Partido por los Derechos Humanos, de Samuel Martínez Lara.

Un nutrido grupo de personas se congrega frente a la casa de
Sebastián y comienzan a arrojar piedras e insultos contra los reunidos. Se trata de un "acto de repudio", como los llama el régimen. Los siete disidentes redactan allí mismo un documento que
dice, entre otras cosas:

—Hoy perdonamos a los que nos asedian. Sabemos que el arrepentimiento de mañana los engrandecerá como seres humanos.
Cuba está en peligro y espera por el mundo.

Tres días después, el "acto de repudio" se reproduce frente a
la casa de Gustavo, quien está reunido con sus inseparables Jesús
Yanes y Rodolfo González, más un tercer miembro del Comité, Oscar Peña. Gustavo rememora aquellos días cuando le entrevisto:

—Los actos de repudio tienen un marcado tufo a estalinismo y
nazismo. El gobierno envió a agentes disfrazados de civiles con la
orden de insultar, ofender, tirar piedras. En la casa de mi hermano dejaron pintada esa frase necrofílica de "Socialismo o muerte".
Aquí, mire, vea ese agujero, de una piedra, y aquel otro —dice
mientras señala los cristales rotos del ventanal que da a la calle—.
Con todo eso pretenden desestabilizarnos psíquicamente.

Desde el exilio, voces amigas mostraron su preocupación por el
incremento de la presión sobre los miembros del grupo. Algunos
amigos les recomendaron que se disolvieran. La respuesta del Comité fue un texto en el que afirman:

—El Comité Cubano Pro Derechos Humanos se va a mantener

a costa de nuestras propias vidas... Ni el terror, ni la propaganda podrán detener el desarrollo de las ideas humanistas en nuestro país (6).

En mi último encuentro con Arcos, al día siguiente del discurso de Aldana en la Asamblea Nacional, a fines de diciembre de 1991, le pido una interpretación a las palabras amenazantes del dirigente cubano contra los disidentes que traspasen la barrera "verbal" y pasen a la acción. Una acción que, como se verá en los días siguientes, terminará con el fusilamiento del jefe de un comando terrorista llegado de Miami y de dos jóvenes que asesinaron a cuatro policías cubanos en un intento fallido de escapar de la isla.

—Tengo la impresión de que se trata de la amenaza del tigre: ya no puede morder, pero a lo mejor muerde. Si es así, nos va a afectar a todos. Nos puede costar la prisión o nos puede costar la vida.

—Está pesimista hoy...

—Es que estamos en el año más difícil, 1992 será muy difícil para todos. Yo he cumplido ya sesenta y cinco años y he vivido lo bueno y lo malo de esta vida. Si me llega la etapa última, me encontrará poniendo un grano de arena por el cambio democrático en Cuba....

Su inseparable Jesús Yanes Pelletier, el hombre que evitó que envenenaran a Castro, le mira con cierta tristeza y preocupación. Arcos hace entonces el gesto mil veces repetido: saca de sus bolsillos una pequeña cartera y de ella unos cuantos trozos de papel, escritos a mano, con esa letra minúscula, de pulga, que acostumbran a tener los presos. Escoge uno de los papelitos. Yo ya sé que va a leerme una cita de Martí. Es su vicio favorito y jamás he salido de una entrevista con Arcos sin media docena de citas. Dice Arcos, emocionado:

—Mira, mira esta cita de Martí... esta: "Cuando hay muchos hombres sin decoro, hay otros que tienen en sí el decoro de muchos hombres. Son los que se rebelan con fuerza terrible contra los que le roban a los pueblos su libertad, que es robarle a los hombres su decoro. En esos hombres, va un pueblo entero. Va la dignidad humana.

Arcos sobrevive golpe a golpe, verso a verso. De José Martí.

ELIZARDO, ¡VETE P'AL CARAJO!

Es el más meticuloso de cuantos disidentes hay en Cuba. Conversador infatigable, como todo buen cubano, se levanta una y otra vez. Se acerca al aparador y revuelve entre las carpetas bien ordenadas, o en su librería, para encontrar el dato preciso, el documento que quiere leerte, la fecha que no guarda en la memoria.

En esta ocasión, después de haberle entrevistado más de una

docena de veces, Elizardo me muestra algo que nunca había visto: una "licencia extrapenal".

—He de decirte que en estos momentos, al estar con licencia extrapenal, no puedo hacer declaraciones. Pero como el libro saldrá cuando haya cumplido mi sentencia, podemos hablar.

Me deja la licencia. Es un documento en el que además de la filiación completa, Elizardo Sánchez Santa Cruz Pacheco, de cuarenta y siete años, tiene un número de siete cifras: 1.238.227.

—Es mi número de presidiario. El número es consecutivo y pasa del millón. Sugiere la cantidad de presos que puede haber habido o se han acumulado durante este régimen —deduce Elizardo.

Sigo leyendo. Delito: difusión de noticias falsas contra la paz internacional.

—El cargo es más largo. ¿Ves? Aquí lo dice el Código Penal... "con el ánimo de desacreditar al Estado cubano...". ¡Es increíble!

Elizardo vuelve a levantarse. Trae otro documento.

—Este es del 21 de junio de 1989 y habla de la detención del general Arnaldo Ochoa y los otros militares. La Coordinadora de Organizaciones de Derechos Humanos redactó un informe en el que se dice entre otras cosas: "... dichas personas permanecen incomunicadas, desconociéndose el lugar de su detención y no se les ha permitido designar abogados defensores ni disfrutar de las más elementales garantías procesales conforme a las normas civilizadas... por lo que la Coordinadora de Organizaciones de Derechos Humanos en Cuba hace un llamamiento a todas las asociaciones internacionales para exigir se respete la integridad de este grupo de encarcelados y se les concedan todas las garantías procesales... Firmado: Samuel Martínez Lara, secretario general del Partido Pro Derechos Humanos; Hubert Jerez Merino, secretario del Comité Martiano por los Derechos Humanos, y yo, Elizardo Sánchez Santa Cruz, presidente de la Comisión Cubana....

Los tres firmantes pagarían con la cárcel su osadía. Elizardo, como autor del borrador, será condenado a dos años. Los otros dos, a dieciocho meses. (El tambien ex profesor de filosofía Hirám Abí Cobas, de cuarenta y seis años, ha firmado en representación del psiquiatra y secretario general del Partido, Samuel Martínez Lara, de cuarenta y un años, que en ese momento estaba en prisión. Abí Cobas se exiliará en Miami al salir de prisión por enfermedad. Hubert Jerez, que pretendía exiliarse a Miami, es detenido de nuevo a finales de 1991.)

Los veinticuatro meses de prisión para Elizardo se han quedado en veintiuno gracias a esa "licencia extrapenal" que le perdona tres meses. Liberado el 5 de mayo de 1991, una semana después me cuenta el enorme revuelo que se armó con ese escrito:

—El gobierno alegó que al cuestionar el proceso judicial estábamos erosionando el prestigio del Estado cubano ante la opinión pública internacional y que esto podría acarrear una atmósfera hostil contra el Gobierno cubano y propiciar algun tipo de conflicto internacional. Es algo totalmente traído por los pelos, pues nosotros somos pacifistas...

El delito por que el que se acusó a Elizardo y los otros dos firmantes está penado con cuatro años de prisión. Pero una fuerte campaña de apoyo en el extranjero hacia los firmantes, según Elizardo, hizo que la pena se redujera a la mitad. Amnistía Internacional declaró por segunda vez a Elizardo "preso de conciencia", una fórmula para protegerle de posibles abusos.

Y es que la vida de este hombre de cuarenta y ocho años, nacido en la antigua provincia de Oriente, ha estado llena de sobresaltos y detenciones desde mediados los años sesenta. Siendo estudiante participa en la lucha contra Batista, a pesar de ser muy joven. Se afilia a la Juventud Socialista y al Partido Socialista Popular (el primer partido comunista de Cuba) y cuando triunfa la Revolución reinicia su formación en la Universidad de La Habana.

Estudia Ciencias Sociales y Derecho Político y más tarde, Planificación, Economía y Filosofía. Simultanea los estudios con un trabajo en una oficina política del Ministerio de Relaciones Exteriores, desde 1962 a 1965. En este último año comienza a impartir clases de Filosofía en la Universidad de La Habana. Pero sólo dura tres años. En 1968 es expulsado de la Universidad. Sus opiniones sobre el régimen comienzan ya a ser consideradas incompatibles con la docencia.

Así inicia un largo peregrinaje por los recovecos de la disidencia interna al régimen castrista.

En esta hermosa mañana de mayo, a los siete días de que Elizardo haya abandonado la cárcel por última vez, hace un recuento de su vida. Es domingo. No hay prisa. Estamos sentados en la mesa de su comedor. Al lado está la cocina, de donde llega ruido de cacharros, de grifos soltando agua, y el olor del café hirviendo. Cuando conocí por vez primera a Elizardo, en 1988, recibía a los periodistas en la cochera de la casa unifamiliar, situada en la Avenida 21, número 3.014, en el Nuevo Vedado. Ahora despacha con los periodistas en el comedor. Antes de llegar a él, en el pequeño recibidor, sobre la pared de la izquierda hay una fotografía de Elizardo con el senador norteamericano Edward Kennedy, fechada en 1988.

Fue tomada cuando hizo una gira por Estados Unidos, Puerto Rico y Costa Rica, para intervenir en distintas conferencias de organizaciones no gubernamentales de derechos humanos. Será su primer y último viaje al exterior.

Su primera detención se produce en 1972 y su primera condena fuerte, en 1980. Acusado de "propaganda enemiga" por los libros que tiene en su biblioteca, es sentenciado a cinco años de prisión. En septiembre de 1986 es encarcelado de nuevo, esta vez por suministrar información sobre el sistema penitenciario cubano a dos periodistas extranjeros, que son expulsados del país. Pasa ocho meses solo en una celda de Villa Marista, la sede central de la Dirección de la Seguridad del Estado. Por último, en agosto de 1989 es detenido de nuevo, esta vez por firmar el ya citado documento pidiendo garantías para el general Ochoa y los militares con él detenidos.

Elizardo centró su actividad como disidente primero en la defensa de los derechos humanos. Después, en intentar agrupar a la muy atomizada oposición interna.

En los últimos años setenta Elizardo entra en contacto con otros activistas de los derechos humanos, como Ricardo Bofill (actualmente en Miami), o Gustavo Arcos. Forma parte desde sus inicios del Comité Cubano Pro Derechos Humanos, que dirige Arcos. Problemas personales provocan la salida de Elizardo, que funda su propio grupo, la Comisión Cubana de Derechos Humanos y Reconciliación Nacional, el 10 de octubre de 1987.

El objetivo de la Comisión, según el documento emitido el 10 de febrero de 1989, es doble: divulgar y hacer respetar los derechos humanos y contribuir al entendimiento entre todos los cubanos. El documento afirma también que la Comisión respetará la legalidad establecida, "aunque sin renunciar a su valoración crítica"; se rechazará el uso de la violencia, se condenará toda forma de intolerancia hacia el pensamiento ajeno, y se preservará la más absoluta independencia de cualquier gobierno.

Un mes más tarde, el 28 de marzo de 1989, la Comisión de Elizardo junto al Partido Pro Derechos Humanos y el Comité Martiano por los Derechos del Hombre fundan la Coordinadora de Organizaciones de Derechos Humanos.

Desde entonces, Elizardo ha luchado para lograr la unidad de la disidencia interna. Lo logra, en parte, el 6 de septiembre de 1991 cuando se anuncia en La Habana el nacimiento de la Concertación Democrática Cubana (CDC), que agrupará a ocho organizaciones de distinto matiz: desde partidos políticos a organizaciones defensoras de los derechos humanos.

Elizardo, que es sin duda con Arcos el disidente de mayor peso específico en la isla, cede sin embargo el protagonismo de la puesta de largo de la Concertación a María Elena Cruz Varela, presidenta de Criterio Alternativo, un grupo liberal integrado básicamente por intelectuales. De los ocho dirigentes de otros tantos grupos que integran la CDC, seis están en prisión a comienzos de 1992. Pero el optimista de Elizardo me dirá en las Navidades del 91:

—No importa que la represión aumente. Es más, aunque aumente la represión los cubanos debemos emprender un camino de reconciliación nacional.

—¿Y qué pasará con Cuba, Elizardo?

Se acomoda en su silla. Toma un sorbito de la minúscula taza de café —¿por qué los cubanos toman el café en tacitas que parecen de juguete?— y dice:

—Los más pesimistas afirman que va a ocurrir un cataclismo, como en Rumanía.

—¿Y los más optimistas?

—Los más optimistas, entre los que me incluyo, confiamos en que la alta dirección del Partido Comunista en el poder, y en particular Fidel Castro, adopten una postura revolucionaria ante la necesidad del cambio histórico y asuman este cambio. Es decir, que no continúen manteniendo una actitud conservadora ante la necesidad del cambio histórico. Si no es así, el cataclismo de aquí sería peor que el de Rumanía...

—¿Por qué?

—Por la propia idiosincrasia de los cubanos. Hay antecedentes en Cuba. En 1933 se produjo una revuelta contra el dictador Machado, con linchamientos de los funcionarios de su gobierno. La explosividad potencial de la sociedad cubana es de las más altas del mundo. Creo que incluso más alta que la de la España de la posguerra. En España había dos grandes bandos. Aquí el nivel de odio ha llegado de vecino a vecino. Un vecino espía al otro. ¡La cantidad de cuentas pendientes que hay por este asunto de la vigilancia masiva en las cuadras! (manzanas).

Algunas de las ideas de Elizardo le han costado el odio no sólo del régimen, sino de parte del exilio cubano de Miami.

—Aunque la extrema derecha de Miami pida mi cabeza por decir esto, yo creo que la alta dirección del Partido, el mismo Partido Comunista deben encabezar los cambios.

—Pero ¿usted cree que Castro va a dar marcha atrás y cambiar su régimen?

—Sería como un milagro, ya sé. A estas alturas esa posibilidad pasa al terreno de los milagros. Pero los milagros todavía ocurren. Hay gente como el presidente español Felipe González o el venezolano Carlos Andrés Pérez, que han tenido una comunicación privilegiada con Fidel, que le alientan a que cambie, democratice el sistema. Yo me apunto a ese milagro. Y otros como yo, que votamos porque Fidel sea beligerante y encabece el gran cambio que Cuba necesita.

—¿Ha tenido su grupo alguna vez contactos con el gobierno, algún tipo de diálogo?

—No. Nunca. Lo único que hemos hecho ha sido presentar la documentación necesaria para conseguir nuestra legalización.

Vuelve a levantarse Elizardo. Trae más papeles. Me muestra con orgullo uno del Ministerio de Justicia fechado el 30 de marzo de 1989. Es un certificado de "no inscripción". Entonces Elizardo se sumerge en la intrincada burocracia del régimen.

—Para conseguir la legalización, según el artículo 12, del capítulo 2 de la Ley de Asociaciones, primero hay que resolver el inciso E, para luego comenzar por el A.

En cristiano: La Comisión que preside Elizardo es la única organización disidente cubana que tiene ya el inciso E resuelto. Este apartado indica que no hay ninguna otra organización inscrita con ese nombre y con los mismos objetivos que la de Elizardo. Por ello, unos meses después, el 19 de junio del 89, presentaron la solicitud de inscripción legal ante el Consejo de Estado. Elizardo me muestra el acuse de recibo.

—¿Pero crees que alguna vez legalizarán la Comisión Cubana de los Derechos Humanos?

—Seguro que seremos legalizados —afirma confiado. Sólo que añade: No sé si en este régimen o en otro.

La Comisión tenía en esa fecha que hablé con Elizardo, mayo del 91, 32 miembros, regidos por un Consejo Ejecutivo, del que es presidente Elizardo. Hay elecciones cada dos años y él ha sido reelegido. Además cuentan con docenas de colaboradores, que normalmente son o ex presos o familiares de presos que les comunican cualquier irregularidad que conozcan. Entonces los miembros activos de la Comisión la investigan y documentan y emiten comunicados, cuando comprueban alguna violación de derechos humanos. Estos comunicados son transmitidos también al exterior, a través de los conductos más impensables.

La Comisión, en palabras de su presidente, "se mueve en un plano suprapolítico. Creemos que no debe tener una ideología concreta. No estamos para hacer una crítica política al gobierno, sino para defender los derechos humanos y denunciarlos a la opinión pública cuando se violan".

Pero cuando no habla como presidente de la Comisión, Elizardo se declara "socialdemócrata confeso". Piensa que aún "son viables los modelos socialistas democráticos". Ello es importante en un país como Cuba donde, analiza este ex profesor de Filosofía marxista, hay más de 1.000.000 de militantes comunistas, entre los miembros del Partido y las Juventudes.

—Muchas de esas personas han interiorizado un concepto de justicia social y de la solidaridad que difícilmente podrán ser desprendidas de una parte importante de la sociedad cubana.

Es en esa línea en la que pretende avanzar Elizardo. El primer resultado, el Proyecto de Programa Socialista Democrático que él, en colaboración con otros disidentes de izquierda, han redactado y al que se ha sumado un importante grupo de intelectuales nucleados en torno a la llamada Tercera Opción.

Elizardo ha hablado de Miami. Un Miami en el que hay quienes creen que Elizardo es un submarino del Gobierno cubano que navega en los mares turbulentos de la disidencia interna. El se ríe de esa acusación. Sería en todo caso el submarino que más años lleva sumergido: veinticuatro años desde que lo expulsaron en la Universidad.

—En Miami hay una corriente de ultraderecha que es minoritaria, pero muy poderosa e influyente. Es a esos a quienes molesto. Es muy paradójico el caso cubano: aquí en la isla tenemos una ultraizquierda que nos gobierna y nos encarcela y en Miami hay una ultraderecha que a lo mejor sería la primera en formar una policía política para perseguirnos si es que algún día llegan al poder. Este sector ultraderechista es el que más ruido hace en Miami y lleva constantemente agua al molino del régimen autoritario imperante en Cuba. Así, el gobierno puede seguir apoyado en la imagen del enemigo exterior, vital para sostenerse y justificarse. Ese ha sido el resultado de toda esa retórica de la ultraderecha miamense.

No es extraño pues que Elizardo, habiendo podido, no haya querido exiliarse. Ni en Miami ni en ningún otro sitio. Dice con cierta tristeza:

—Ese es el flanco débil de la disidencia interna. La mayor parte de la gente se ha marchado o desea marcharse. Mis tres compañeros de la Cordinacion de Organizaciones de Derechos Humanos o se han marchado o están arreglando los papeles para irse.

Hirám Abí Cobas ya está en Miami y Hubert Jerez y Samuel Martínez Lara preparaban su documentación para marcharse en el verano de 1991.

—Yo persisto en quedarme. Y eso que es el propio gobierno, la policía cuando me detiene, los que demuestran más interés en que me marche. Una vez fui detenido y llevado a una oficina que tiene la policía política en los bajos del hotel Habana Libre. Tres oficiales me vejaron, y puedes poner estas palabras textuales, diciéndome: "¿Cuándo cojones te vas a ir de Cuba? ¡Vete ya p'al carajo de aquí!". Cuando eso sucede, yo les digo en voz muy bajita: el país es de todos, compañero.

MARIA ELENA: ¡QUE LE SANGRE LA BOCA!

Alguien está aserrando un trozo de madera en la cocina. Con ese ruido de fondo, esta mujer de extrema delgadez y ojos hundidos —¿por el llanto, por el sufrimiento?— lee con suave pero rotunda voz uno de sus poemas:

> ...*Y yo soy*
> *esta ciudad que se derrumba. Y yo soy*
> *este país de locos náufragos. Dejados en su nave a la deriva.*

El poema se titula *La nave de los locos*. Forma parte del poemario *Hija de Eva*, Premio Nacional de Poesía Julián del Casal, 1989, concedido por la Unión de Escritores y Artistas de Cuba (UNE-AC). El premio de poesía más importante en la isla. Pero nunca vio la luz pública. Su autora, María Elena Cruz Varela, treinta y ocho años, madre de dos hijos, es una disidente. Desde el 19 de noviembre de 1991 está encarcelada. Cumple condena de dos años por "propaganda enemiga".

Se quita las gafas de marco rojo y me explica el sentido del poema.

—En esa nave vamos todos y esa nave es la que dirige Fidel. Lo de que la ciudad se derrumba no es ninguna metáfora. Realmente, La Habana se está cayendo a pedazos. Es deprimente. Mucho más de lo que mi pobre corazoncito puede soportar. Duele, duele demasiado todo esto. Estamos viviendo en un país donde el corazón está altamente depreciado, devaluado. En un país transitorio, un país de corcho y ripio....

María Elena Cruz Varela tiene un buen dominio del idioma. Y maneja un rico castellano. No ha cursado estudios superiores. Es una poetisa autodidacta. Entrevisté por vez primera a María Elena a finales de marzo de 1991. Entonces era una intelectual recién expulsada de la UNEAC que se había sumado a un reducido grupo de intelectuales, poco más de media docena, que integraban Criterio Alternativo, una especie de club de debate.

Hoy, María Elena Cruz Varela es posiblemente la disidente más conocida fuera de Cuba. Su foto, esa foto al lado de una ventana que muestra su afilado perfil, los ojos tristes perdidos en el infinito, ha dado la vuelta al mundo. Docenas de periódicos de Europa y América han insertado en sus páginas, como anuncio pagado, la foto y un texto en el que se denuncia la agresión sufrida el 18 de noviembre de 1991. Esa misma noche sería detenida, y posteriormente juzgada y condenada a dos años de prisión.

Hasta llegar ahí, María Elena ha recorrido un largo camino de diez años, en los que se ha ido primero desencantando del régimen y después oponiéndose con su pluma y su palabra. Regresamos a marzo del 91.

—Entre el espanto sin fin y el final espantoso me decidí por el final espantoso y hasta ahora no me ha sucedido nada —dice con una tímida sonrisa María Elena.

—¿Ningún problema con la policía?

—No. Ninguno. Sólo siento el acoso. Los siento cerca de mí. El otro día salí a la calle y noté que me seguía una persona. Era tan evidente que creo que lo hacía a propósito, para que supiera que estaba siendo vigilada. Me volví y me acerqué a él: "Hola", le dije. Se quedó paralizado y se marchó.

Pasa su hija de veinte años por el pequeño saloncito donde estamos sentados, en torno a una mesa camilla de no más de un metro de diámetro. Lo que antaño fue un salón comedor de pequeñas, pero aceptables dimensiones, ha sido convertido en dos cuartos por una delgada película de madera, que es la que están aserrando en la cocina: uno, salón, comedor, sala de juntas de Criterio Alternativo, todo junto; el otro, un pequeño dormitorio, con una ventana que da a la calle. Vive María Elena en Alamar, un municipio/dormitorio a unos 15 kilómetros al este de La Habana en un modesto apartamento.

—Lo peor es el teléfono. Cuando llama Elizardo Sánchez (otro destacado disidente) la voz de la policía se hace sentir en mi teléfono. Le llaman de todo: culo roto, presidiario. Y cuando mi hija habla, la misma voz le dice obscenidades. Le llaman puta, le dicen que ya debía la puta de su madre dedicarse a sus hijos y cosas por el estilo.

Volvemos a sus poemas. Que son su vida. Después de recitarme *La nave de los locos*, lee *El circo*, en donde intenta reflejar el ambiente en torno al juicio del general Arnaldo Ochoa, en el verano de 1989. Las dos poesías fueron escritas en ese verano. Lo que a estas alturas resulta increíble es que aquellos poemas recibieran el mayor galardón de las letras cubanas. María Elena lo explica así:

—Los dirigentes de la UNEAC estaban sufriendo una crisis de liberalidad. Subidos al carro de la rectificación de errores, empezaron a formar una pantalla democrática. El libro era muy duro, pero lo premiaron.

Influyó en ello la presencia en el jurado de dos personas cercanas al pensamiento de María Elena: Manuel Díaz Martínez, quien firmará dos años más tarde junto con María Elena "El Manifiesto de los Intelectuales" o "La carta de los 10", y Delfín Prats, "un proscrito", en palabras de la premiada.

Hija de Eva se queda guardada en un cajón. No se edita. Pasan los meses y María Elena comienza a redactar documentos y proclamas políticos en vez de poemas. La cita el presidente de la Unión de Escritores, Waldo Leyva, en febrero de 1991. Con él están otros dos escritores, Miguel Mejides y Exilia Saldaña.

—Aquello se convierte en un juicio. Me emplazan por el "Programa Mínimo Emergente" de Criterio Alternativo y me dicen que no tienen más remedio que expulsarme por "falta de ética".

Uno de los puntos que más atacan es el referido al papel que debe desempeñar la Iglesia católica en la sociedad cubana.

—Mejides me contestó algo increíble —recuerda María Elena— Dijo: yo me eduqué en una casa de católicos y no salí maricón de milagro...

—Lamentablemente —le contesté yo.

El "emplazamiento" terminó como el rosario de la aurora. Mejides le espeta:

—Cuando venga tu Mas Canosa (líder derechista del exilio cubano en Miami), yo voy a estar aquí, del lado de la trinchera.

Es la ruptura total con el sistema. María Elena, que nunca había conseguido un trabajo, sabe que ahora será más difícil aún. Sobrevivía publicando en algunas revistas, con los derechos de autor de sus libros. Le ofrecieron una vez una "botella" (7), pero no la aceptó. No quiso un trabajo sólo para que le sellaran la boca.

Durante un tiempo se había dedicado a dar recitales de poesía. Pero tras la expulsión eso se acabó. Bueno, en realidad, se acabó antes. El último recital al que la invitaron fue el 25 de mayo de 1990, en la UNEAC. Desde entonces se convierte en una poetisa maldita.

—Ese año comienzo a pensar que debo buscar mi solución individual. Atravesé una crisis moral espantosa. Por un lado estaba lo que yo llamo "mi escuelita", montones de muchachos y muchachas pendientes de mis poemas, difundiéndolos, haciendo círculos de poesía con mi obra, como buscando una bandera. Yo me decía tengo que ser consecuente con lo que escribo, porque lo contrario es perecer.

María Elena nunca había militado en nada. Se había casado a los dieciocho años. Enseguida nace su primera hija, que en 1992 tiene veinte años. Hay un segundo hijo, de doce. Su primer marido se sucida.

María Elena se casa por segunda vez. Pero María Elena mantiene a su marido apartado de la política. Estudia matemáticas en clases nocturnas y durante el día trabaja en un centro gastronómico, vendiendo hamburguesas. Las famosas McCastro. María Elena es un ama de casa que escribe poemas. Publica dos libros, *Afuera está lloviendo* y *Mientras la espera el agua*. El tercero y premiado por la UNEAC, *Hija de Eva*, se editará en Miami, pero no en Cuba.

En octubre de 1990 conoce a José Luis Pujol y Roberto Luque. Ese encuentro cambiará su vida. Pujol es un solitario. Hace cuatro años que creó un grupo, Criterio Alternativo, en el que sólo milita él mismo. Es un fenómeno repetido en Cuba.

—Pujol se mantuvo en una actitud contestataria todo ese tiempo, en un constante monólogo contra Fidel Castro.

Seis meses después, en marzo de 1991, Pujol abandona Criterio Alternativo y lo deja en manos de María Elena y Luque. Más tarde fundará Proyecto Apertura de la Isla (PAIS), al que terminará sumándose Luque. Queda sola ante el peligro María Elena.

Los meses que trabajan los tres juntos son de una alta productividad. Se nota que todos son escritores. Cuando tras una larga charla de casi tres horas salgo de la casa de María Elena, llevo bajo el brazo un abultado sobre con una amplia colección de poemas que me ha regalado la poetisa, y una docena de declaraciones, proclamas, cartas, manifiestos redactados por ellos. Son sin duda el grupo más prolífico de la isla.

Estos son algunos de sus documentos:

El 30 de octubre de 1990, al poco de conocerse, los tres firman una "declaración" de Criterio Alternativo, al que definen como un "grupo de análisis y debate de la realidad nacional". En esa declaración se suman a la llamada "Declaración y Pacto de Madrid". Unos meses antes, el 14 de agosto, grupos del exilio cubano que responden a la ideología liberal, socialdemócrata y cristianodemócrata crean la Plataforma Democrática Cubana (PDC). El escritor liberal Carlos Alberto Montaner es uno de sus principales impulsores. La futura relación de éste con María Elena será una fuente de acusaciones contra la poetisa por parte del Gobierno cubano. Criterio Alternativo anuncia su intención de sumarse a la Plataforma.

El 15 de noviembre, María Elena se sienta a la máquina y escribe una "declaración de principios". La firma ella sola. Es una especie de carta testimonio que dirige al "Sr. presidente del Consejo de Estado", que no es otro que Fidel Castro. María Elena remite copias a Carlos Aldana, el importante responsable de ideología del Comité Central, a la UNEAC y a los periódicos *Granma* y *Juventud Rebelde*. Dice, entre otras cosas:

—No estoy de acuerdo. No estoy de acuerdo con el desorden establecido en mi país. No puedo estar de acuerdo con frases tan desafortunadas como: "Fidel es nuestro papá. Fidel es el papá de todos los cubanos". O: "Estar con Fidel es estar con la patria". Mi posición es no. No estoy de acuerdo. Basta ya de experimentar con la vida de millones de seres humanos".

Nueve días más tarde, el grupo emite su propia "declaración de principios". En él muestran su "determinación de existir como factor activo en esta coyuntura crucial que vive nuestra patria". Una acción no violenta: "Hemos elegido la vía pacífica como única opción sensata y patriótica".

Un mes más tarde, el 17 de diciembre, el grupo emplaza "a quienes detentan el poder real a dar paso a un gobierno provisional". Ese gobierno estaría formado por "aquellos dirigentes del Partido Comunista que estén identificados con la necesidad de cambios, miembros de la oposición política y personalidades del exilio dispuestas a participar en lo que sería el Gobierno de Salvación Nacional".

Luque, que ha publicado un libro en México, *Fidel Castro, el juicio de la historia*, cuyo manuscrito consigue sacar de forma rocambolesca camuflado entre revistas de la Universidad, escribe el 29 de enero una carta a Robert Redford. El actor norteamericano ha declarado que entiende y simpatiza de alguna manera con Fidel Castro y los esfuerzos que hace para sacar a su país adelante.

—Venga a pasar un tiempo en mi casa y comparta la vida cotidiana de un cubano en Cuba. Juntos haremos la cola del pan, la cola del pollo, la cola de la leche, la cola del café, todas las colas que usted necesite —le dice Luque a Redford.

Pero será el siguiente documento, titulado "Propuesta del Programa Emergente" el más definitivo del trío y por el que María Elena será oficialmente expulsada de la UNEAC. Fechado el 7 de febrero de 1991, Criterio Alternativo plantea "un programa mínimo" que registra las siguientes medidas:

Economía: fomentar la pequeña propiedad campesina, liberalizar la producción agrícola y la artesanal, privatizar los servicios gastronómicos, permitir que vehículos privados se dediquen al transporte de pasajeros y mercancías.

Reforma constitucional: suprimir el monopolio político del Partido Comunista (artículo 5 de la Constitución), introducir la elección directa y la libre postulación de los diputados nacionales.

Reconciliación nacional: legalización de los grupos disidentes, eliminación de las trabas migratorias, liberación inmediata de los presos políticos, devolver a la Iglesia católica el papel preeminente que tuvo en el pasado, eliminar la discriminación por motivos políticos.

En un estilo menos directo, más farragoso, el grupo produce otro documento poco antes de que me reúna con María Elena. El 21 de marzo dan a luz un "Mensaje dirigido a la conciencia general sobre la necesidad de asumir y apoyar iniciativas pro-cambios pacíficos". Este texto ya no está firmado por Pujol, que quizá cansado de pensar en grupo, se aleja de Criterio Alternativo.

—Tenemos derecho a elegir sin que se nos oriente o se nos prohíba qué queremos leer, escribir o decir, por quiénes queremos votar o a dónde queremos viajar sin tener que renunciar al retorno a la patria; viajar no es tener que irse; somos adultos. No, no estamos de acuerdo con esta permanente condición de menores de edad...

María Elena es de una melancolía que espanta. Pero su aparente fragilidad es engañosa. Cuando comenzó a tener los primeros problemas policiales, hubo gestiones para que María Elena abandonara la isla. No lo aceptó. Ella dice que ya está fuera:

—Cuando la gente me dice: fulano se fue para afuera, contesto, no, los que estamos afuera somos nosotros. Nosotros estamos fuera de todo, fuera del mundo, fuera de la vida.

Su gran salto a la fama se produce primero con la firma de la "Carta de los 10" intelectuales, en el verano del 91. Más tarde, en octubre de ese año, con la presentación en sociedad de la Concertación Democrática Cubana (CDC), integrada por ocho grupos de la disidencia interna. María Elena actúa como portavoz del grupo ante medio centenar de periodistas extranjeros, llegados a La Habana para cubrir el IV Congreso del Partido Comunista.

Los agencias gráficas distribuyen por todo el mundo una foto histórica. Por vez primera la oposición cubana, unida, se presenta ante el mundo, que los mira atónitos a través de las cámaras de televisión. Algunos medios comienzan a hacer comparaciones: María Elena es la nueva Violeta Chamorro. Y si Violeta derrotó a los rojos sandinistas en Nicaragua en unas elecciones, ¿por qué no puede hacer lo mismo ella con Castro? A un lado, la mujer delicada y poeta. Al otro, el militar duro y revolucionario.

Carlos Aldana, responsable de Ideología del Comité Central del PCC, le dedicará varios minutos en su discurso de fin de año ante la Asamblea Nacional del Poder Popular, en el que analiza la situación de los grupos disidentes en la isla. Pero sin mencionar su nombre.

—(María Elena) se persuadió hace algún tiempo e intentaba persuadir a sus allegados de que ella es la Violeta Chamorro de Cuba —con todo el respeto para la señora Violeta, a la que no queremos, desde luego, ofender con esta comparación— y pensaba que estaba a unos pasos de asumir la presidencia del país.

Ambas actividades, la carta y la rueda de prensa tendrán una respuesta rápida. El diario *Granma*, órgano oficial del PCC, la señala como la principal protagonista de la carta de los intelectuales en un duro editorial del 15 de junio de 1991. Cuando vuelvo a ver a María Elena en octubre de ese año, sólo un mes antes de su detención definitiva, rememora aquella jornada:

—Nada más salir *Granma*, comenzó a concentrarse gente desconocida frente a mi casa. Serían unas cuarenta personas. Empezaron a gritar: ¡Que se vaya!, ¡que se vaya!, y dar vivas a Fidel. Yo no quería salir. No quise asomarme a la ventana. Cogí una barra de hierro y me senté frente a la puerta...

—¿Pensó en algún momento en utilizar esa barra de hierro?

—Sí. Si se atrevían a transgredir la puerta de mi casa, sí. Si entraban a lo que yo llamo "mi república independiente", yo iba a poner el primer muerto, seguro. A pesar de que mis hijos estaban aquí, conmigo.

Aquel día, las cosas no fueron a mayores. Pero el 18 de noviembre sí. Como todo en la vida, hay dos versiones. Una de los partidarios de María Elena, fundamentalmente Carlos Alberto Montaner y los miembros de su Plataforma Democrática. Lanzaron una fuerte campaña en todo el mundo, con anuncios de publicidad pagados, en los que se lee:

"Una turba organizada por la seguridad del Estado asaltó su humilde casa la noche del 18 de noviembre para golpearla, arrastrarla por los cabellos escaleras abajo y hacerle tragar físicamente, 'en presencia del pueblo', los papeles que había escrito.

"Los testigos cuentan que la boca le sangraba. ¡Que le sangre la boca, coño, que le sangre!, gritaba entusiasmado el salvaje que dirigía la operación. Su hija trató de ayudarla. También la golpearon. Y a su esposo. Y a los amigos que la acompañaban. Poco después se llevaron a la escritora a los calabozos de la seguridad del Estado."

Para la oposición, se trató de una acción premeditada de las Brigadas de Respuesta Rápida que tienen la orden de aplastar a los disidentes.

La versión del régimen cubano es muy distinta.

Pocos días después de los hechos, Tele Rebelde, una de las dos cadenas de televisión cubanas, emitió una entrevista con una vecina de María Elena. La vecina se encontró, la noche del 18 de noviembre, cuando llegó a su casa, una carta firmada por María Elena invitándola a una reunión.

—Me enojé muchísimo —dijo la vecina—. Me dirigí a la casa de la firmante. En el camino me encontré a otra compañera que le había sucedido lo mismo. Golpeamos la puerta y ella misma salió a abrir. Le pregunté:

—¿Tú me mandaste esto? — y le mostré la carta.

—Sí —contestó.

—Mira lo que hago con tu carta. Y le metí la carta en la boca.

La vecina afirma que en ese momento salió un hombre de la casa para echarla. Pero entonces salieron otros vecinos y se liaron a golpes. "Después llegó la policía y se llevó algunos detenidos. Así fue todo".

Le preguntan a la vecina si ella arrastró de los pelos escaleras abajo a María Elena:

—Hubiera sido muy difícil, porque yo soy más chiquita que ella. Nada de eso. Lo que sí hice, repito, fue meterle su carta por la boca. Y volvería a hacer exactamente lo mismo si se repitiera la situación. Esos son contrarrevolucionarios, estaban conspirando y yo defiendo mi Revolución donde sea y como sea.

En la Asamblea Nacional del Poder Popular, Carlos Aldana, ante la importancia que se dio al tema en el exterior, explicó quién es María Elena Cruz Varela y cómo sucedió el "acto de repudio" contra la escritora.

Para Aldana, María Elena ha sido la cabeza principal de la redacción de un programa de gobierno que se aplicaría "si la Revolución fuese arrasada y ellos asumieran la dirección del país". Ha sido también la que "ha mantenido el vínculo orgánico más estable con el centro de la CIA en Madrid". "Esta persona, sigue Aldana, antes de convertirse en contrarrevolucionaria, estuvo ingresada en tres ocasiones en el hospital psiquiátrico de La Habana, con el diagnóstico de neurosis histérica". Aldana justifica que se den por vez primera estos datos "porque es un componente de su personalidad importante, que le confiere cierto carácter lunático". Así es, afirma el responsable de Ideología del PCC, como María Elena llegó a creerse la Violeta Chamorro de Cuba.

Aldana confirmó la versión dada por Tele Rebelde, en el sentido de que había sido una funcionaria del Partido Comunista la que, al recibir la carta de María Elena, fue a su casa para pedirle cuentas. En ese momento, en la casa de la escritora había "19 personas reunidas conspirando". Algunas de esas personas, que "se comportaron con grosería y ofendieron a la gente, recibieron la respuesta por parte de la población que se corresponde".

"Ese es el origen verdadero del acto de repudio que efectivamente se produjo en el reparto de Alamar", mantiene Aldana.

El dirigente cubano acusó a determinada prensa internacional de haber magnificado el tema y haber hecho circular la versión de que María Elena fue arrastrada por las escaleras de su casa. "Todo esto es una infamia, es absolutamente falso", reclama Aldana.

Aunque Aldana no lo dijo en su discurso, lo que más molestó en Cuba de la campaña en favor de María Elena Cruz Varela, es que en el mismo anuncio publicitario donde se denunciaba la paliza propinada a la poetisa, se pedía un reforzamiento del bloqueo a la isla.

Al turista se le recomienda que visite cualquier otra isla del Caribe; al inversionista, que no subsidie con su dinero a un régimen que atropella a sus ciudadanos; y en el anuncio aparecido en España, que el Gobierno de Felipe González no invite a Fidel Castro a la II Cumbre de Jefes de Estado y Presidentes Iberoamericanos prevista para el mes de julio de 1992 en Madrid.

Un bloqueo con el que Cruz Varela no parece estar muy de acuerdo. Un mes antes de su detención, en la última entrevista que mantuve con ella, me dijo:

—Este empecinamiento, de uno y otro bando, le ha facilitado al gobierno la piedra angular en la que se apoya. Realmente, no tiene sentido un bloqueo a Cuba ahora, ni el aumento de presiones económicas, puesto que Cuba no tiene con qué comerciar. No hay dinero con qué comerciar. Entonces, sencillamente, se está dando pie a que se mantenga la misma diatriba, incentivando el sentimiento antiimperialista del pueblo cubano. Creo que el mejor amigo de Fidel Castro ha sido el Gobierno de Estados Unidos.

Aldana dio por concluido el tema de María Elena Cruz Varela en la Asamblea Nacional diciendo que varias de esas diecinueve personas fueron sancionadas. Con otras, "se hizo la labor que corresponde a nuestras autoridades y las instituciones responsabilizadas con estas tareas de profilaxis".

En el caso de María Elena, la profilaxis consitió en dos años de cárcel.

En la soledad de su celda, María Elena se preguntará como en su poema *La nave de los locos:*

—... ¿A dónde voy? ¿A dónde vamos todos?

—¿Sabe alguien a dónde dirigirse que no sea tan sólo a un espejismo?

NOTAS

(1) *Gustavo Arcos, un hombre y un ideal.* Ariel Hidalgo. Ediciones Ex Club. Miami, 1990.

(2) *Fidel, un retrato crítico.* Tad Szulc. Ediciones Grijalbo, S. A. Barcelona, 1987.

(3) *Gustavo Arcos, un hombre y un ideal.*

(4) *Fidel, un retrato crítico.*

(5) *Habla Fidel.* Gianni Miná. Edivisión. México, 1988

(6) *Gustavo Arcos, un hombre y un ideal.*

(7) Dar botella también significa en Cuba recoger a alguien que hace *auto-stop*.

LA NAVE DE LOS LOCOS

Porque ya nada sé. Porque si alguna vez supe
deshecha entre las zarzas he olvidado.
Aquí duelen espinas. Aquí duelen los cardos.
Aquí dejo mi olor. Olor de perseguido.
De animal acosado por todas las jaurías
bestiales del infierno. Porque ya nada sé.
Porque apenas me palpo la rodilla
y ya no sé más nada. Y soy
esta ciudad que se derrumba. Y soy
este país de locos náufragos. Dejados en su nave a la deriva.
Porque ya nada sé. Los perros devoraron mi memoria.
¿A dónde voy? ¿A dónde vamos todos? ¿A dónde van?
¿A dónde? ¿Sabe alguien a dónde dirigirse que no sea
tan sólo a un espejismo? A ver:
¿Quién me indemniza? ¿A quién puedo condenar al destierro
por haber arruinado mi manzana. La manzana de todos?
¿Cuál es Caín? ¿Y Abel? ¿Quién el bueno? ¿Y el malo?
¿Por qué tapian con hiedras mis opacas pupilas?
Y ya no veo más nada. Y ya no sé más nada. Y si alguna vez supe
entre zarzas ardientes y jaurías sangrientas lo he olvidado.

María Elena Cruz Varela

EL CIRCO

Pasen. Señores. Pasen. No se detengan. Sigan.
Adéntrense hasta el fondo. Será una gran función.
Verán a los lagartos rasgándose la piel. Sin inmutarse.
Verán al fin qué pasa detrás de mis telones.

Pasen. Señores. Pasen. No se detengan. Sigan.
Pobrísimo payaso reiré para ustedes. Lloraré para ustedes.
Haré saltar los goznes y sólo para ustedes
seré la bailarina que galope desnuda
mostrando centelleante el arco de su pubis.
La cadera redonda. Lo erecto de sus pechos
es también para ustedes. Toda esta gran fanfarria.
Toda esta algarabía. Este andamiaje tenso de cuerdas para ustedes
Este clown festinando lo sirvo para ustedes. Oropel. Aderezo.
Ofrendas de primera a los leones.

Pasen. Señores. Pasen. No se detengan. Sigan.
Verán cómo transmuto en oro sus cristales.
Y travestí del odio daré los puntapiés con alegría.
Juro solemnemente: no será doloroso. Pero pasen.
Por Dios. ¿Qué es un circo sin público?
Sin todos los ustedes que aplauden por piedad.
Por simpatía. Por hipnosis. Por miedo.

Pasen. Que pasen todos. La carpa ya está lista.
Y listos los remedios. Los parches del apuro.

Pasen. Señores. Pasen.
Atentos los pulgares que apunten hacia abajo.
Atentos los pulgares que apunten hacia arriba.
Verán todos sus sueños hechos añicos.
Es pura ilusión óptica. Verán cómo les robo
su pobre identidad con mi sombrero.
Cómo pagan mis liebres su tonta rebeldía.

Pasen. Señores. Pasen. No se detengan. Sigan.
Adéntrense hasta el fondo.

María Elena Cruz Varela

11

LOS EXILIADOS

> Tú, que partiste de Cuba,
> responde tú,
> ¿dónde hallarás verde y verde,
> azul y azul,
> palma y palma bajo el cielo?
> Responde tú.
>
> **Nicolás Guillén**
> (*Responde tú*)

Mary es una linda chica de rasgos latinos, pero pasada por la batidora de Miami. A los ojos de otro latino no se escapan esos camuflajes. Mary trabaja en "Tamiami Range and Gun Shops".

—Necesito un arma. Soy nuevo en Miami y me dicen que ustedes las facilitan pronto.

Mary no se asombra. Todos los días pasan por esta tienda situada en el número 2.975 de la calle Ocho, el corazón de La Pequeña Habana, docenas de desesperados clientes en busca de algún artefacto que escupa balas. Los hay de todos los calibres. A la entrada de la enorme tienda, en medio de pósters con bellísimas e insinuantes modelos en bikini, rubias todas ellas, montadas, apoyadas, tumbadas, sobre briosos automóviles deportivos, hay un no menos hermoso, pero mucho más frío, póster de la compañía Smith & Wetson.

No entiendo nada de armas, ni falta que me hace. Pero lo de Smith and Wetson me suena a película de vaqueros. A colt 45. El póster de marras ofrece 35 modelos distintos de revólveres y otras 32 pistolas.

Mary viene en mi ayuda.

—¿Qué tipo de arma necesita?

—Realmente no sé...

—¿Es para defensa personal, la quiere llevar siempre encima, para tenerla en casa...?

Ante mi indecisión, me muestra algunas. Me recomienda un colt calibre 38 por 380 dólares.

—Pero qué hago, no tengo permiso para llevar armas.

—No hay problema. En una hora le conseguimos una licencia. ¿No tiene antecedentes penales, verdad?

—No. Aún no he matado a nadie —bromeo.

Mary conversa con el encargado. Echo un vistazo. Al fondo de la amplia tienda hay un salón con sillas. Parecido al de una autoescuela, sólo que allí estudian el manejo de las armas y no señales de tráfico. Ofrecen también clases prácticas, me informa un empleado. Y si quieres, te enseñan a tirar: en recinto cerrado o al aire libre. Es más divertido al aire libre.

Sí. Como los chicos de Alpha 66, la organización armada anticastrista que cada domingo, al final de esta calle Ocho, en los Everglades, se pasan las mañanas correteando por esta zona pantanosa y pegando tiros a castristas imaginarios. Ya tendré tiempo para hacerles una visita.

Antes he de liquidar a Mary. Bueno, no a tiros. Realmente, he entrado en "Tamiami Range & Gun Shops" para ver qué tipo de gente acude a una de las dos armerías que hay en la arteria principal de La Pequeña Habana. La mayoría son de ascendencia latina. No hay duda. Muchos cubanos, pero también nicaragüenses (luego averiguaré que abundan; aquí cerquita tienen un restaurante, sobre la misma calle Ocho, El Tipitapa, donde se come carne importada de Nicaragua y se bebe Flor de Caña, el ron nacional).

—Mire —le digo a Mary— realmente he de pensarlo. Vuelvo mañana. No sé si deseo un arma ofensiva o una defensiva.

Salgo al pegajoso calor de la calle Ocho. Circulo suavemente en el automóvil alquilado. Siento el impacto del *spanglish* en mi retina.

Me divierto leyendo los nombres de las tiendas en ese extraño idioma mitad inglés mitad español que se habla por aquí: "Mi Habana. Ice Cream", "Los merengues. Market and Restaurant". Y también un "Los merengues Grocerie". ¿Y qué tal "La perezosa Bakery"? Si quiere muebles, acuda a "El Cañonazo Forniture" o "La moda Forniture. We export. Parqueo al fondo". Una tienda de comestibles exhibe dos originales carteles: "Soy bacalao legítimo", dice uno colgado sobre un montón de bacaladas, y "Se hace el mejor guarapo". El guarapo es el refresco nacional. Como la horchata en Valencia. Es un jugo que se hace a partir de la caña de azúcar.

"La Muñeca. Beauty Saloon" ofrece todo tipo de servicios de peluquería femenina. Hay una "Primera Clínica Latina del Pie" y no podía faltar "La casa de las guayaberas", la prenda de vestir nacional cubana. Al que se le pinchen las ruedas, que acuda a "El mago del ponche". No es que le den bebida alguna. No. Sucede que aquí las ruedas no se pinchan, como en España, sino que se ponchan. Cosas del *spanglish*.

En las pequeñas tiendas de comestibles hay fotos de viejos jugadores de beisbol cubanos, de los años cuarenta y cincuenta. En varias se ven también las fotografías de Mario Chanes de Armas y Ernesto Díaz Rodríguez, los dos presos políticos "plantados" que quedan por esas fechas en las prisiones de Castro. Un preso plantado es el que se niega a vestir el uniforme de presidiario. Unos meses más tarde ambos saldrán a la calle. Ernesto mediante un indulto especial por motivos de salud. Chanes cuando cumple religiosamente los treinta años de cárcel a que fue sentenciado en 1961. (Ver capítulo "Los derechos humanos".)

En "Lyly's Records" compro discos de Benny Moré. La dependienta me dice: "Es el mejor sonero de todos". Y tanto. Nadie cantó como el gran Benny, "El bárbaro del ritmo". Hay ambiente en la tienda de Lily. La música cubana suena a tope. Un joven me aborda. Cuando le digo que hace un par semanas estaba en La Habana se muere de envidia:

—¿Cómo está aquello, chico?

Está ansioso por volver. "A ver si se va Fidel", me dice al despedirse. Es su única esperanza de regresar.

Enfrente, una farmacia anuncia: "Se envían medicinas a Cuba". Es uno de los grandes negocios en Miami. La paquetería. Han proliferado las empresas que se dedican a transportar paquetes a Cuba. "Cuba Paquetes" es la más boyante. Pero el envío es un poco caro: mandar un paquete de una libra (460 gramos) cuesta 28 dólares, más dos por el seguro. Se puede enviar todo cuanto uno quiera. Me informa un empleado que la gente lo que más envía a los familiares de la isla son medicinas, gafas y algodón. No hay compresas en Cuba y la mujer cubana utiliza el algodón, si es que lo encuentra. El paquete tardará entre quince y veinte días en llegar a La Habana, que está a veinticinco minutos de avión desde Miami.

Es más barata "Cuba Envíos". Se anuncia en *El Nuevo Herald*: 25 dólares la libra y sólo un dólar por el seguro. Además, "con cada paquete, un reloj gratis. Y con su paquete de 10 libras o más, una libra de nescafé también gratis". "Cuba Envíos" tiene seis sucursales en toda la ciudad. Y además de paquetes lleva dinero. Si un cubano de Miami envía por su cuenta a La Habana 100 dólares para un familiar, el Estado cubano le dará a éste 200 pesos. Dos pesos por dólar. "Cuba Envíos" le paga tres pesos por dólar. Es un negocio redondo, legal en Miami e ilícito en Cuba. Aunque el dólar en el mercado negro se cotizaba mucho más alto: en mayo de 1992, 31 pesos por dólar. La policía cubana anda detrás de estos cambistas que trabajan para las empresas de Miami. El tráfico de divisas es uno de los más perseguidos en Cuba.

En Miami, las organizaciones castristas más radicales están en contra de estas empresas. Aseguran que financian a Castro, regalándole divisas que necesita más que el agua. También se oponen a las compañías telefónicas que realizan el milagro de conectar telefónicamente a los familiares de uno y otro lado. Y censuran mucho más a los vuelos a La Habana.

Si un cubano de Miami quiere hablar con sus parientes en Cuba deberá pasar varias horas durante la noche marcando y marcando el número. A veces, se consigue al cabo de dos o tres días. Las comunicaciones son escasas y los dos Gobiernos no hacen nada por mejorarlas. Es un tema político que produce un enorme daño entre los cubanos de ambos lados. Consecuencias del bloqueo económico.

Por ello, han proliferado empresas que logran la llamada en pocos minutos. Como Tele-Caribe. Está situada en el número 4.118 de Palm Avenue. Me doy una vuelta por allí. En unos quince minutos me conectan con La Habana. ¿Cómo lo consiguen? Nadie sabe. Dicen que a través de Canadá, país que tiene relaciones comerciales normales con Cuba. Hay que pagar 10 dólares por llamada, más 17,50 dólares por los tres primeros minutos. Si la persona con la que se quiere hablar no se encuentra en ese momento al otro lado del hilo, esos 10 dólares sirven para un segundo intento otro día. El servicio funciona de ocho de la mañana a doce de la noche y es un filón.

Pero el gran negocio son los viajes a La Habana.

A las nueve y treinta de la mañana salen los vuelos charter hacia la capital cubana. Pero la compañía obliga al pasaje a estar en el aeropuerto ¡seis horas antes! Lo normal en vuelos internacionales es que el pasajero se presente a registrar su equipaje y obtener el pase de abordar entre una hora y media y dos horas antes de la hora oficial de salida.

Cuando se llega a cualquier aduana del mundo, lo más normal también es que en una hora, más o menos, se hayan pasado todos los controles, pasaporte y equipaje y se esté listo para tomar un taxi.

No en La Habana.

Los que llegan en el charter de Miami estarán hasta cinco y seis horas para traspasar la barrera aduanera. Se trata de devolver la pelota a los de Miami, que obligan a estar en el aeropuerto con seis horas de anticipación. Entre ambos convierten un vuelo de veinticinco minutos en un viaje de doce horas, más o menos lo que se tarda en ir y volver de Miami a Madrid.

Quise sufrir esta experiencia y volé el 23 de diciembre de 1990 desde Miami a La Habana. A las tres de la madrugada entregué mi equipaje y me puse a meditar cómo pasar seis horas en un aeropuerto sin aburrirme demasiado.

Hablé con algunos compañeros de viaje. Doña Celina había estado tres meses con sus nietos en Miami y regresaba, "a morir, dijo", a su Camagüey natal. Al menos había conocido a sus nietos antes de irse al otro mundo. Un abuelo, de nombre Gerardo, lloró intermitentemente casi toda la madrugada porque decía que no volvería a ver a su familia, a sus tres hijos, todos ellos viviendo en Miami. Pero no quiso quedarse en esa ciudad "tan grande, con tantos ruidos". Volvía a su Habana natal.

Había algunos jóvenes y personas de mediana edad. Por la ropa que vestían, se notaba enseguida que eran cubano-americanos. Visten pantalones vaqueros usados. Los cubanos que viven en la isla llevan ropa recién estrenada. Huelen a nuevo. Las etiquetas casi les cuelgan de las mangas de las camisas, de las chaquetas, de los gruesos jerseys de lana. Cubren sus cabezas hasta con dos y tres sombreros, uno encima de otro, para aprovechar el pasaje. Los sombreros van perforados por docenas de pendientes y colgantes, a cual más estridente. El gusto cubano.

Todos saben que al llegar a La Habana deberán sufrir un riguroso control. La resolución número 12/90 de la Aduana General de la República de Cuba, publicada el mes de agosto de este año que agoniza, 1990, les concede el derecho a llevar única y exclusivamente 20 kilos de equipaje. Lo que compren en Miami deberán ser artículos de uso personal "y en cantidades razonables que a juicio de las autoridades aduaneras no tengan carácter comercial".

Poco antes de las nueve de la mañana se anuncia el embarque del pasaje hacia La Habana. Cuando me acomodo en mi asiento, echo un vistazo. Noto algo raro, pero no descubro qué. ¡Ya está! He viajado muchas veces a La Habana desde México, donde resido. Hay siempre blancos y mexicanos de piel oscura. Pero en este vuelo a La Habana la inmensa mayoría son blancos, por no decir todos. Eso me recuerda un dato importante de la composición étnica del exilio cubano: se fueron, se van, mayoritariamente los blancos. Eran la clase pudiente, adinerada de la isla.

Un día, Pilar Pérez, gerente de la revista *Cambio 16/América* viajó por negocios a Miami. Visitó una de las grandes empresas editoras de la ciudad. Ella acababa de estar en La Habana por cuestión de negocios. Se lo comentó a uno de los altos ejecutivos de la editorial, cubano de nacimiento. La primera reacción de éste fue:

—¿Verdad que ahora los cubanos que viven allá son todos negros y feos?

El componente racista. No falta nunca.

Ya en vuelo, la azafata de turno hace los rutinarios anuncios:

volaremos a tantos metros, mantengan los cinturones abrochados, no fumen en los lavabos... A los diez minutos de vuelo, un "atención, atención" me saca de la modorra en que he caído a causa del madrugón. La azafata de nuevo. Pienso que ya estamos aterrizando, pero aún se ven las verdes aguas de los cayos del sur de La Florida.

—Atención, señoras y señores: tenemos un zapatito de muñeca en nuestro poder. Por favor revisen sus muñecas. Aquella persona que haya perdido un zapato de muñeca, que se identifique ante la tripulación.

No sé si reír o llorar. Es 23 de diciembre y hasta ese momento no había caído en la cuenta de que casi la mitad del pasaje son abuelas y prácticamente todas ellas llevan una muñeca en los brazos. Regalo de Navidad para la nieta que quizas nunca han visto. *Merry Christmas.*

Muchas de esas abuelas llorarán horas después cuando el aduanero de turno pese el equipaje y les diga:

—Compañera, le sobran siete kilos.

La viejita comenzará a quitar cosas: este zapatico, fuera; esta blusita, fuera; este camioncito, fuera...

—Por favor, pésela

El aduanero vuelve a pesar la maleta destripada en gigantescas básculas de la preguerra europea, la primera.

—Compañera, le siguen sobrando dos kilos cien gramos...

La anciana revuelve de nuevo la maleta. No aguanta más y rompe a llorar.

En el Comité Central del Partido Comunista me entrevisto unos días después con Jorge Gómez Barata, alto funcionario del Departamento Ideológico, y especialista en temas de emigración. Le digo que es humillante el registro en los vuelos desde Miami, que la mayoría de los pasajeros son ancianos que llevan cuatro baratijas a sus familiares.

—Sí, ese registro es un poco deprimente. Pero, por cierto, ya no son tan viejitos. Ya pueden viajar mujeres mayores de cuarenta años y hombres por encima de los cuarenta y cinco.

Efectivamente, la edad ha sido rebajada sensiblemente por las autoridades cubanas y unos meses después se permitirá la salida a todos los cubanos mayores de veinte años con la condición de que algún familiar o amigo del exterior les pague el billete de avión y la estancia en el país que vayan a visitar.

El negocio de los vuelos aumenta.

Un muy inteligente y avispado cubano residente en Miami tiene la exclusiva de los llamados viajes de visita familiar.

Francisco Aruca es un tipo de poca estatura física, pero un gigante de los negocios. Audaz, se fugó de Cuba de la muy vigilada prisión de La Cabaña, llegó a Estados Unidos sin un centavo y hoy tiene una fortuna considerable. A través de su agencia Mar Azul se canalizan los viajes que por cuota el Gobierno cubano tiene concedidos a los cubano-americanos. Noventa plazas por semana.

Visito las oficinas de Mar Azul en el número 13.889 de la South Dixie Highway. Casi he tenido que llevarme merienda hasta llegar allí. Una joven de rubio teñido me explica las condiciones del viaje:

—Si quiere invitar a un familiar, le cuesta 715 dólares. Incluye la carta de invitación y el pasaje de ida y vuelta.

—No, voy solo y no soy ni cubano ni norteamericano

Entonces todo es más facil. Pago sólo "una vía", como traducen al castellano la expresión inglesa "one way", billete de ida. Son 150 dólares. .

Los enemigos políticos del liberal Aruca, que en esos días acaba de estrenar programa de radio y compite con los ultraderechistas de La Cubanísima y Radio Mambí, son feroces. Le acusan de ser un "empleado de Castro", al que proporciona divisas a manos llenas. Cinco mil viajes por año son más de tres millones y medio de dólares, dicen. Cuando un vuelo de veinticinco minutos no debería costar más de 150 dólares ida y vuelta, *round trip*. Tres cuartos de millón de dólares.

La demanda de vuelos es tal, que a comienzos de 1991 hay una lista de espera de 30.000 cubanos residentes en Estados Unidos en espera de cupo para viajar. Al otro lado, en la Sección de Intereses de los Estados Unidos en La Habana, la lista es aún mayor: 40.000 cubanos esperan visado para viajar a Miami. En los primeros días de agosto de ese año, los norteamericanos suspenden temporalmente la concesión de visados.

El Gobierno cubano acusa a Washington de incumplir los acuerdos bilaterales en materia de visados. Anualmente, Estados Unidos se comprometió a conceder 20.000 permisos de entrada a· otros tantos ciudadanos cubanos. (Ver capítulo "Los Yanquis".)

Pero aún sigo en Miami. Continúo mi paseo por la calle Ocho, el corazón de La Pequeña Habana. Ya llegaré a la grande.

En materia de restaurantes, hay muchos y variados. Es atractivo el "Sea Food Centro Vasco Juanito's" con su forma de castillito de juguete, o el "Bodegón Castilla. Restaurant from Spain". O "El Picoteo Tasca Restaurant". Me gusta éste para almorzar: "La Lechonera. Mesa limpia y de primera. Licors". Aunque me han recomendado el Restaurante Pub, que las cubanas viejas dicen "Pukkkk", marcando mucho la ka, que está sobre la avenida 15. Cerca se hallan una serie de estrellas en el suelo con los nombres de afamados artistas cubanos, al estilo Hollywood Boulevard, en Los Angeles. Ernesto Lecuona tiene una. Entro en el Pub Restaurant.

Llevan razón quienes lo recomiendan. El menú es más cubano que el del "Floridita" o "La Bodeguita del Medio", en La Habana, aquellos famosos restaurantes que frecuentaba Ernest Hemingway entre novela y novela. Pero el "Pukkk" tiene una ventaja añadida: todo lo de la carta está disponible. Aquí no hay "período especial". No hay racionamiento y los restaurantes están bien surtidos. Por ejemplo, se puede pedir: papitas fritas, costillitas a la barbacoa, pollo con moros y cristianos (arroz con fríjoles), yuca, plátanos maduros, lomo de puerco, chicharrones, paticas de cerdo a la andaluza, fricasé de pavo, tasajo, manitas de cerdo fritas. Toneladas de calorías.

Frente a mi mesa hay dos jóvenes. Cubanos. Se les nota el acento. Comentan la noticia del día: un mayor del Ejército cubano se ha fugado de Cuba a bordo de un Mig-23 y ha aterrizado en una base norteamericana en La Florida, Boca Chica.

Me olvido de los cubanos. Pongo atención a la música de fondo del restaurante. Es domingo y como en la terraza al aire libre. Apenas si circulan coches. "Tuve un sueño / que ritmo más placentero / soñaba que estaba / en una esquina habanera...".

Recordar. Es malo. Y aquí están todo el día recordando aquella hermosa isla en forma de caimán dormido. Algunos llevan treinta años esperando volver. Los dos jóvenes frente a mí toman una cerveza en una jarra de medio litro. Para que no se caliente, le han puesto dentro el último invento de los muy imaginativos cubanos: una bolsa de plástico con hielo. El hielo se derrite, pero la cerveza no se queda aguada. Recuerdo yo también: en Cuba se celebran congresos de innovadores, de piezas de recambio. Se premia la inventiva. Inventar es sobrevivir.

Me como un plato de gandules. O sea lentejas con puerco. Luego un helado, que está *frizen*. Congelado. Se lo digo a la camarera que resulta ser colombiana, de Medellín para más señas. Me dice:

—Si quiere se lo bateo.

—¿Qué?

—Sí, que se lo paso por la batidora.

—No, gracias.

Anoto un anglicismo más en mi diccionario de *spanglish*. Cuando me marcho, suena un bolero: "Es tan grande la pena / que llevo dentro...".

No se concibe Cuba sin Miami. Y viceversa. Unas semanas antes he hablado mucho con el funcionario del Comité Central en La Habana, Jorge Gómez Barata, sobre este tema.

—Miami por sí sola no dice nada. Miami es un proceso que empieza aquí, en Cuba. Aquí nacen sus motivaciones o necesidades para emigrar. De aquí sale. De aquí va a Miami. Pero esa persona ha dejado aquí su familia, su patria, sus amigos, el aire que respiró en su infancia...

(Recuerdo: comida con Sergio López Miró, entonces uno de los más brillantes columnistas del periódico *The Miami Herald*, en una tasca frente al Biscayne Bay. Hablamos del exilio cubano, al que conoce mejor que nadie. Hablamos de La Habana. Sergio, nieto de José Miró Cardona, primer ministro en el primer gobierno revolucionario de Castro, cargo del que dimite al mes, me pregunta muy serio: "Oye, ¿y el clima de La Habana cómo es? ¿Hace más calor que aquí? ¿Hay mucha humedad? ¿Cómo es el viento?...". Intenta fijar la brisa de su infancia, pero no puede. Salió de la isla cuando sólo tenía cinco años de edad. A los treinta y siete años se desespera por respirar la pegajosa humedad de La Habana.)

Conecto de nuevo con Gómez Barata en el mastodóntico edificio del Comité Central:

—... de alguna manera, ese cubano de Miami siente nostalgia y necesidad de volver, de forma definitiva o de visita. Y el problema retorna de nuevo aquí. Aquí está el comienzo y el final de la madeja. Pero sí, has de ir a Miami.

Fui a Miami. Estoy en Miami. Antes de enredarme en la madeja del exilio político, con 200 grupos anticastristas pululando por la ciudad, decido conocer a fondo el entorno en el que vive el casi millón de exiliados cubanos. La Pequeña Habana y su principal arteria, la calle Ocho, son inevitables.

Aquí se encuentran las dos librerías con más literatura cubana del mundo, "La Moderna Poesía" (hay otra en La Habana con idéntico nombre) y "La Universal", atendida ésta por un catalán muy culto que me señala a un joven que acaba de salir de la tienda: "Es nieto de Batista". Fulgencio Batista, el causante de todos los males de Cuba.

Hay libros de autores cubanos que siguen siendo fieles a la Revolución, como Miguel Barnet. Su novela *Gallego* se vende bien. Me hace gracia ver frente a la librería una valla publicitaria que dice: "En La Florida, Barnett es el Banco". Barnett, con dos t.

Los nombres de las calles y de las plazas recuerdan a la Cuba natal. Hay una avenida, la 22, que han bautizado como General Máximo Gómez, un dominicano que llegó a ser uno de los héroes de la independencia de Cuba. Al gran padre de la Patria, José Martí, le han dedicado un edificio de tres plantas y cerca de la calle Ocho, en la Doce, hay una escuela José Martí II, ante cuya puerta ondean las banderas norteamericana y cubana. Ronald Reagan, que tanto apoyó a estos cubanos, se ha merecido el honor de una avenida, la 12. La Ocho se cruza con la Miracle Mile, la Milla del Milagro, que te lleva a Coral Gables, el centro financiero de la ciudad, donde los cubanos derrocharon toda su imaginación y energía creadora. Si la gran mayoría del exilio llegó con lo puesto, hoy muchos podrían empapelar sus casas con billetes de 100 dólares.

A la altura de la avenida 13 está el Cuban Memorial Boulevard, un monumento erigido en honor de los caídos en Bahía de Cochinos, al sur de la isla. Varias placas recuerdan los más de 100 exiliados abatidos por las tropas de Castro. La expedición compuesta por cinco barcos y algo más de 1.000 hombres partió de Puerto Cabezas, en Nicaragua, y arribó a Playa Girón, como la llaman los cubanos, el 17 de abril de 1961. En menos tres días, los invasores fueron derrotados.

"A los mártires de la Brigada de Asalto 2.506", se lee en un monolito rodeado por ocho balas enormes, como de medio metro de alto. El nombre de la brigada está tomado del número de la chapa de uno de los expedicionarios que falleció en los entrenamientos previos a la invasión.

Hay también un monumento al general Antonio Maceo Grajales, el militar negro que luchó en las dos guerras de independencia contra España, muriendo en el campo de batalla cuando sólo faltaban dos años para que Cuba fuera libre. En Miami han colocado una frase de Maceo que entusiasma a Castro: "La libertad no se mendiga. Se conquista con la punta del machete".

Allí mismo hay una Virgen cedida por los Caballeros de la Luz con una leyenda que reza: "Ser madre es una bendición de Dios". En esa misma avenida 13 otro monumento más. Se trata de un enorme mapa de Cuba, en hierro y mármol. Hay una leyenda que dice: "La Patria es agonía y deber", y lo firma José Martí. Una placa explica en inglés y español: "Los cubanos que vinieron a Estados Unidos en pos de libertad, erigieron este mapa que representa los ideales de un pueblo que no cesa en el empeño de liberar a la Patria. Abril 1979".

Frente al enorme mapa de la querida Cuba, está La Casa del Preso. No es que haya nadie allí encarcelado. Es un refugio para los que acaban de llegar de Cuba, legal o ilegalmente y no tienen donde caerse muertos. Allí los albergarán por un tiempo y les darán un plato de arroz con fríjoles.

Un tramo de la calle Ocho está dedicado a una de las grandes exiliadas: Celia Cruz. Se llama el Celia Cruz Way. En La Habana aún se la recuerda y de una forma u otra la gente se las ingenia para escuchar sus canciones. Celia, feroz anticastrista, solicitó viajar a La Habana en 1991 para ver a su madre, que agonizaba. No le dieron visado. La madre falleció. Más de un funcionario cubano, admirador de los cantos de Celia, reconocería que aquello fue una torpeza.

El Teatro del barrio, en la esquina con la avenida 37, ofrece el espectáculo "Cuba libre". Actúan Chamaco García, T. Martoi y M. Ruiz, en un show "lujoso, alegre y rítmico". Hay también en la ciudad de Miami un "Tropigalia", que compite con el mundialmente famoso "Tropicana" de La Habana. El de Miami se anuncia como el cabaret "where the star shine", donde brillan las estrellas. El auténtico anuncia su espectáculo "bajo las estrellas".

Hay también un cementerio, a la altura de la avenida 34. ¿Cuántos reposan allí sin haber podido volver nunca a su Cuba añorada?

La calle Ocho está cruzada por avenidas. A partir de la avenida 40, la zona comercial de la calle Ocho se termina. Comienza toda una sucesión de moteles, muchos de ellos casas de citas. Ofrecen sexy-videos, videos XXX, como el Venus Motel, que dispone de un jardín tropical, televisión en color y "water bed", camas de agua. Para no quedarse atrás, El Campiña Motel ofrece camas king size. Dos metros de ancho para que la pareja no se caiga al suelo.

En la avenida 70 se acaba la calle Ocho. A partir de ahí, sólo hay que conducir unos 20 kilómetros por la calle 40 hasta llegar al campo de entrenamiento de los muchachos de Alpha 66.

Ha merecido la pena el recorrido por la calle Ocho. Pero ya no es lo que era, me dijeron en una de las tiendas que visité, "Almacenes Pepe and Berta", donde venden "lo mejor en ropa". El negocio ha caído bastante. Hace unos años, en esta zona vivía de lo mejorcito de la colonia cubana. Pero como hicieron dinero, se marcharon a las afueras de Miami, a hermosos barrios residenciales, más tranquilos, más seguros.

La calle Ocho corre el peligro de convertirse en una de esas peligrosas calles del Down Town, centro de la ciudad, en la que a partir de las cinco de la tarde, cuando cierran los comercios, la vida cuesta sólo unos centavos.

El municipio está preocupado. Los comerciantes, que en 1991 vendieron entre un 15 y un 25 por 100 menos que el año anterior, más aún. Hay un proyecto de convertir toda esta zona en el Latin Quarter, el barrio latino. Dejará de ser un barrio cubano, de hecho ya no lo es. Acogerá a los muchos colombianos, nicaragüenses y otros centroamericanos que han ocupado estos pequeños apartamentos que rodean a la calle Ocho. También aquí hay mucho marielito, parte de aquellos 125.000 cubanos que Castro dejó salir en 1980 desde el puerto de Mariel. Algunos de ellos se instalaron y son hoy clase media. La mayoría no. La mayoría malvive en esta zona que se deprime. Y tienen que soportar chistes como éste:

Un marielito va conduciendo por una autopista cuando se le pincha una rueda. Baja del coche y comienza a desmontarla. Llega un segundo marielito, que pregunta a su paisano:

—¿Necesitas ayuda, chico?

El primer marielito le dice que sí, que la rueda se le pinchó... El segundo marielito lo interrumpe:

—Déjalo, chico, tú quítale las ruedas, que yo le robo la radio.

Mientras enfilo el Tamiami Trial, rumbo al campamento de Alpha 66, conecto la radio. Nada mejor para entender del todo a estos cubanos de Miami, a esta Cubalandia, o "Exilandia", como la ha bautizado un escritor norteamericano, David Rieff.

Cuando esta zona pantanosa de arboleda baja, llamadas Ever-glades, estaba poblada de indios, hace ya mucho, mucho tiempo, Miami se llamaba Maiha y Mih, que quieren decir Muy Grande y Es así. Toda esta región era enorme y estaba llena de aves exóticas como las que aparecen en la serie televisiva *Miami Vice.*

En los años veinte, Miami se convertiría en una ciudad cosmo-polita y veraniega, donde hasta el mafioso Al Capone se compró una casa. David Rieff, en su libro *Camino de Miami* (1), cuenta que un escritor de la época describió los edificios Art Deco de Miami como muestras del "estilo bastardo-hispano-morisco-romántico-gó-tico-renacentista-disparatado-comercial-infernal-y-caro".

En esos años, un 40 por 100 de los habitantes de Miami eran negros. Unos negros que no fueron admitidos en la universidad estatal hasta 1961, como en tantos otros centros docentes del sur de los Estados Unidos.

Para ese año, miles de profesionales cubanos habían salido de Cuba. La primera oleada de exiliados está formada por ciudada-nos de las clases alta y media alta. Así define esa primera estampi-da Gómez Barata, funcionario del Comité Central:

—La burguesía criolla comenzó a huir en el momento que triunfa la Revolución, con las maletas repletas de dinero, o a gas-tar el dinero que tenían ya depositado en los bancos de Miami.

En Puerto Rico bautizaron a esta primera oleada como "los tu-vos". Porque se pasaban el día diciendo:

—Porque yo allá, en Cuba, tenía una central azucarera... Por-que yo allá, en Cuba, tenía una plantación de tabaco... Porque yo allá, en Cuba tenía una bellíiiiisima casa en Miramar...

"Los tuvos". Hermoso nombre. Los recordaba Ramón Mestre, en el *Miami Herald.* "Los tuvos" son los que quieren recuperar lo perdi-do. Y acuden al profesor de la Universidad de Miami Jaime Suchlic-ki para que los inscriba en un llamado "Registro de Propiedades Confiscadas en Cuba". Pagan al profesor 150 dólares por propiedad registrada: una casa o una central azucarera. No está mal.

Mestre, que es de los cubanos inteligentes que piensan que es absurdo que algún día, decenas de años después, los de Miami rei-vindiquen sus casas abandonadas, recomienda al profesor Suchlicki:

—Tengo una propuesta: deberían incluir una sección donde los cubanos puedan registrar los sueños y principios confiscados. Encontrarían que muchos exiliados están más preocupados por el ser que por el tener (2).

De vuelta en el Comité Central del Partido Comunista de Cuba, interviene ahora Lorenzo Cano, un ayudante de Gómez Barata. Es-tamos los tres reunidos en una amplia sala, que tiene una larguísi-ma mesa y unas sillas a prueba de un peso pesado. No sé muy bien por qué, en esta sala de juntas de la planta tercera del Comité Central hay un gran mapa de Irak (¿será porque estamos en los días de la guerra del Golfo y desde allí siguen los dirigentes del Partido el desarrollo de la misma?) y un retrato del "Che" Guevara.

Dice Lorenzo:

—Me hace gracia una cosa que suele decir Barata: la burguesía cubana está entre las más cobardes del mundo.

—Son los más pendejos —dice el propio Barata—. Porque cuando el "Che" estaba aún en Santa Clara y le faltaban días para tomar La Habana, ellos ya habían salido corriendo para Miami. Cuando hoy visitas los palacetes que dejaron en esta ciudad, te dices: esto había que haberlo defendido con mucha más hombría.

Junto a esa alta burguesía, emigran los altos ejecutivos, los técnicos, los ingenieros, los profesionales en fin.

—Es la gran emigración de Cuba. Sale la mano de obra altamente cualificada —sostiene Barata—. Se fue la élite de la intelectualidad, no la creadora, pero sí la profesional. Por ejemplo, de Cuba se fueron en esos tres años la mitad de los médicos del país. Había 6.000 médicos y se fueron 3.000.

Para este especialista en temas migratorios del Partido Comunista, un hombre flaco, pero fuerte, con ojos azules que miran afiladamente al interlocutor, "con esta emigración, se produjo el primer intento de los Estados Unidos por colapsar la economía cubana".

—Nuestra venganza será demostrar que podíamos tener muchos más médicos de los que había antes del 59.

Cuba pasó de los 6.286 médicos existentes en 1958 a 28.060 en 1987, según datos entregados por el Gobierno de Cuba a la misión enviada por la Comisión de Derechos Humanos de la ONU a la isla, en septiembre de 1988 (3).

—Cuando algunos tratan de explicarse la ineficiencia de la economía cubana hoy, no suelen tener en cuenta que en ocasiones tuvimos que coger a un hombre semianalfabeto, un campesino, un trabajador, y ponerlo al frente de una central azucarera —dice con cierta rabia Gómez Barata.

Aquellos profesionales cubanos son los que cimentaron el desarrollo futuro de Miami. Un dato: si en 1960 el 25 por 100 de las gasolineras del condado de Dade, al que pertenece Miami, estaban en manos de negros, diecinueve años después, en 1979 sólo tenían el 9 por 100. En ese mismo período de tiempo, los cubanos propietarios de gasolineras pasaron de un 12 a un 48 por 100.

Otro dato: de 1968 a 1979, el 47 por 100 de los préstamos para fundar pequeñas y medianas empresas van a parar a manos de cubanos. Sólo un 6 por 100 a los negros.

La radio sigue sonando mientras cruzo la avenida 147. La ciudad va quedando atrás. La Sonora Matancera ataca un merengue: Sabrosito así. "Mueve la cintura Iné / parrandeando va / la cintura con los pié..."

La radio. Buen invento. Sobre todo para conocer una ciudad como Miami. Hay docenas de emisoras. La Cubanísima y Radio Mambí se llevan la palma. Aunque está pegando fuerte Radio Progreso. Fidel Castro se ha quejado en varias ocasiones de las 200 horas semanales que distintas emisoras emiten desde Estados Unidos con un objetivo común: atacar y desprestigiar a su régimen. Fidel amenazaba a comienzos de 1992 con emitir programas contra el Gobierno norteamericano. Afirma tener la capacidad técnica suficiente.

Las emisoras anticastristas de mayor audiencia son: Radio Mambí, instalada en Miami y sin duda la más agresiva; Radio Martí, que pertenece a La Voz de América, un organismo dependiente de la agencia federal USIA (en castellano, Agencia de Información de los Estados Unidos), financiada por el contribuyente. O las de los grupos políticos anticastristas de Miami, como La Voz de la Fundación o La Voz del CID (Cuba Independiente y Democrática).

Armando Pérez Roura es el número uno en cuanto a anticastrismo radiofónico se refiere. El día anterior le he visitado en su despacho de director general de Radio Mambí. Mientras espero —me hizo aguardar una hora— escucho una tertulia de tres personas, cuyos nombres desconozco, que tienen un programa diario.

El tema de la tertulia, cómo no, es Fidel Castro. Así llevan treinta años. Cuando comienzo a escucharlos, están hablando en estos términos:

Locutor 1: ... Sería un acto de heroísmo asesinar a Fidel Castro y a toda la camarilla que le rodea...

Locutor 2: Pero Chicho, usted que es católico, ¿cómo es que desea asesinar a Castro?

Locutor 1 y 3 (se pisan hablando): No, no, asesinado no, ajusticiado. Castro debe ser llevado a los tribunales, si se le puede coger vivo. Lo condenarán y habrá un verdugo que apretará la palanca o un grupo de soldados que lo fusilarán...

Locutor 3: Me gusta, me gusta

Locutor 2 (parece el moderado del grupo): Pero yo no estaría en ese pelotón, pues no tengo espíritu para asesinar a nadie. No odio a nadie, ni siquiera a Fidel...

Locutor 1: Usted viene hoy como Noriega. Se ha hecho evangélico y quiere vestir su traje de reverendo, con corbatica y todo.

Locutor 2: Y usted está amenazando con liquidar a todo el mundo...

Locutor 1: No, a todo el mundo, no. Estoy diciendo que a los criminales, a los asesinos, a los chivatos, a los que han cometido crímenes abominables en Cuba...

Locutor 2: Usted amenaza con limpiar la sangre que se ha vertido con más sangre.

Locutor 3: No, usted está equivocado, no con la sangre, con justicia...

Locutor 2: Lo veo a usted tinto en sangre todos los días...

La discusión continúa media hora más. Terminan como siempre: la inminente caída de Castro:

Locutor 1: En cualquier momento se produce el hecho. Habrá una rebelión popular, como ha habido en todas partes (los países del Este europeo).

Siguen más noticias y comentarios de Radio Mambí, que quiso llamarse Martí, cuando salió al aire, el 23 de octubre de 1985. Pero ya el Gobierno norteamericano tenía ese nombre registrado y Radio Martí en marcha. Se escogió el nombre de Mambí, calificativo aplicado a los insurgentes cubanos en la guerra contra España por lograr la independencia.

El lenguaje de la emisora es tremendamente duro: hablan siempre de "la mal llamada Revolución", "el titulado ministro", el tirano (por Castro). Radio Rebelde, emisora fundada por el "Che" en Sierra Maestra, es aquí "Radio Esclava". La otra gran emisora de La Habana, Radio Progreso, que tiene como eslogan publicitario "La onda de la alegría", se convirtió en boca de los anticastristas en La Voz de la Agonía.

Pérez Roura es el más agresivo de todos. Fue miembro del Directorio Revolucionario Estudiantil (DRE), ala universitaria del Movimiento de Recuperación Revolucionario, grupo que se oponía a la cada vez mayor presencia de los comunistas en la recién triunfante Revolución. En 1961, Pérez Roura es detenido por pertenecer al DRE y después de varios meses de incomunicación es liberado sin cargos. Sale del país en 1969. Nada más llegar a Miami se afilia al grupo armado Alpha 66 y comienza a trabajar en la radio.

Como tantos otros cubanos del exilio, Pérez Roura tiene la costumbre de utilizar el plural mayestático cuando habla:

—Radio Mambí es la número uno en audiencia. Antes de estar aquí, nosotros dirigíamos una emisora que era propiedad nuestra, que también había llegado a ocupar el numero uno en pocos meses...

Le pregunto a Pérez Roura, quien se ha sentado tras la mesa de su despacho, pequeño, congelado por el aire acondicionado —cuanto más estatus se tiene en Miami, más frío pasa uno— si su lenguaje no es demasiado agresivo, demasiado insultante. Será prácticamente la única pregunta que logre conectarle. Toma la hebra y ya no la suelta. Habla como si estuviera en el estudio de grabación. Con la mirada puesta al fondo, dice con una profunda voz, hermosa para la radio:

—No es lo suficiente. Sólo siendo cubano se puede saber lo que ese régimen nos ha hecho...

He escuchado los días previos hablar a Pérez Roura en su programa "Tome nota". Estas son algunas de las frases que con su voz que parece salida del mismo infierno he anotado:

"... la más brutal de las tiranías que ha padecido país alguno en el hemisferio occidental...".

"... no, no importa que desde La Habana se escuche aullar a los lobos, que en estos momentos presagian el fin de sus días...".

"... está cuajando (entre el Ejército cubano) la idea del pistoletazo salvador que sería el fin de todos los males para nuestra atribulada isla...".

O bien, párrafos de una grandilocuencia como éste:

"... estamos convencidos de que ningún patriota negará el concurso que el proceso exige para expulsar del país al régimen que lo ha destruido en nombre de los mártires que lo dieron todo y ante los cuales nos arrodillamos porque ellos son el altar de la patria, e invocando el altar de la patria e invocando la protección de Dios, juramos que no descansaremos hasta lograr la unidad sincera que Cuba necesita para reconquistar su libertad".

En la entrevista será aún más duro. Mientras habla miro el mapa de Cuba en forma de machete que tiene colgado en la pared, justo a sus espaldas.

—Fidel Castro es el más reaccionario de los dictadores. Entregó los destinos de nuestra nación a un imperio que ya estaba en ese momento obsoleto (la ex URSS)...

—Usted...

—... una nación de siete millones de habitantes que había cifrado sus esperanzas en la Revolución y de repente ve cómo se persigue, cómo se tortura, cómo se fusila... al extremo de que han muerto más de 60.000 cubanos, sólo ante los pelotones de fusilamiento...

Consigo colocarle una pregunta en un descuido:

—¿Dónde obtuvo esa cifra?

Saca un grueso volumen con unas 100 hojas de computadora. Me exhibe, casi me arroja el obituario.

—Cada página de éstas tiene un promedio de cuarenta fusilados. Diariamente recordamos el aniversario de su ejecución. Los hemos recopilado a través de los familiares que han ido llegando...

Pérez Roura no descansa.

—... primero comenzaron a fusilar a los que acusaban de esbirros de la dictadura de Batista. Y después, el mooooonstruo —y Pérez Roura alarga la o de moooonstruo— comenzó a devorar a sus propios hijos...

La última antes de irme:

—¿Ve alguna solución al problema cubano?

—La única es el derrocamiento del tirano y de su camarilla de criminales.

¡Uffff! Necesito aire fresco. Pero de la calle. Un amigo cubanoamericano que reside en Miami me había advertido cuando llegué a la ciudad:

—Forastero: Miami huele a odio y a rico.

La radio sigue su marcha. He entrado en un camino de tierra en busca de los muchachos de Alpha 66. La radio ataca ahora uno de los más bellos sones de Cuba: El Trío Matamoros y su famosísimo "Son de la loma". La voz es antigua, pero perfecta: "Mamá yo quiero saber / de dónde son los cantantes /que los encuentro galantes / con su trova vacilante/ y los quiero conocer... Mamá, de dónde son...".

Alejo el recuerdo amargo del amargado Pérez Roura. Descubriré en los siguientes días que no todos los exiliados de Miami tienen el rencor acumulado de este periodista radiofónico, salvo el ala más derechista del exilio. La Voz de Alpha 66 y La Voz de la Fundación compiten con Pérez Roura. Hace sólo un par de semanas me encontraba en La Habana. Quise hacer una prueba: además de Radio Martí, que se escuchaba perfectamente hasta que el gobierno cubano decidió interferirla a mediados de 1991 (se sigue escuchando, pero con más dificultad) pude captar fácilmente La Voz de Alpha 66 y La Voz de la Fundación.

Son finos también. Decía Alpha 66 un día de marzo de 1991:

—¡Pobre Cuba! Con un gobernante en el que se mezclan Adolfo Hitler y José Stalin... Un país donde los gobernantes lucen como loros amaestrados o retrasados mentales y hablan tonterías y estupideces... ¡Pobre Cuba!

Esa mañana, el locutor de Alpha está indignado.

—El llamado viceministro de Comercio Exterior, Rigoberto Fernández, se graduó de cretino cuando dijo que ante la escasez de carbón y alimentos, los restaurantes que cierren deben dejar un empleado en la puerta para explicarle a la población el motivo del cierre... ¡Pobre Cuba!

Más tarde, Alpha abandona el tono lastimero y lanza una consigna a los trabajadores del sector turístico, el que más divisas puede aportar a la maltrecha economía cubana: "dinamiten los centros turísticos". Y otro para los campesinos: "arruinen la cosecha de caña de azúcar".

Encerrado en la habitación del hotel Victoria de La Habana, moví el dial.

—Somos La Voz de la Fundación, llevando a Cuba nuestro mensaje con el propósito de restaurar en nuestra patria la democracia y la justicia...

Hoy es un día de suerte. Anuncian un mensaje del presidente de la Fundación Nacional Cubano-Americana, Jorge Mas Canosa. Acaba de regresar de un viaje por la desaparecida Unión Soviética. Habla con voz firme:

—Nuestra tesis es la de aislar a Castro, despojarlo de medios para que no pueda seguir esclavizando a nuestro pueblo. A pesar de que es nuestro pueblo el más perjudicado con esta tesis, la defiendo porque los cientos de cubanos con los que nos entrevistamos todos los meses, afirman que a pesar de saber que van a pasar más hambre, quieren terminar con Castro...

Mas Canosa, el líder del ala derechista del exilio miamense, incide en su conocida tesis: reforzamiento del embargo (en La Habana es "bloqueo", en Miami es "embargo"), y aislamiento diplomático hasta que el tirano caiga.

Vuelvo a la realidad cuando frente a mí veo a un tipo con el uniforme de la US Marine Patrol. Los guardacostas norteamericanos. Me tiene enfilado con un rifle. Paro el coche en seco. Estoy en un camino aislado. A mi izquierda corre un canal por el que he visto pasar barcazas con una enorme aspa en la parte trasera, como las que salían en *Miami Vice*. Son de la Air Boats. Pienso que el patrullero de la Marina de los Estados Unidos busca a algún sospechoso o bien que he penetrado sin darme cuenta en zona militar.

—¿Where are you going, sir? —me dice aquel fornido sin bajar el rifle.

Le contesto que voy en busca de la gente de Alpha 66.

—¿Are you cuban?

—No. No man. No, señor. No soy cubano. Soy un periodista español que busca a Nazario Sergen, de Alpha 66. ¿Acaso me he perdido, señor? ¿Podría indicarme el camino para llegar a su campamento, señor?

El patrullero echa un vistazo al interior del automóvil. Entonces veo a mi derecha un camino mucho más estrecho, en el que un coche de la US Marine Patrol está aparcado, con otro militar dentro. Oigo ruido de disparos cerca. El patrullero ha quedado conforme con el registro visual. Me deja seguir. Vuelvo a preguntarle si voy bien, cómo puedo encontrar a los muchachos de Alpha.

—No se preocupe, ellos le encontrarán a usted.

Sigo rodando. Pienso en la docena de citas que he tenido con otros tantos líderes anticastristas en la última semana. Menos mal que tenían sus oficinas en el centro de la ciudad.

Repaso mentalmente el esquema del exilio en Miami: los dos centenares de grupos que esperan el cambio en Cuba pueden ser clasificados en tres grandes tendencias.

En primer lugar, los que desean la caída de Castro por la asfixia económica, el bloqueo y el aislamiento diplomático; una segunda opción propone un diálogo con el Gobierno de Cuba para la realización de elecciones libres; la tercera posición defiende el diálogo, pero para que La Habana introduzca reformas democráticas paulatinas en su sistema, al tiempo que Estados Unidos reduce su presión sobre la isla.

La primera posición está encabezada por Jorge Mas Canosa, cabeza visible de la Fundación Nacional Cubano-Americana, que afirma tener 50.000 militantes, de ellos una minoría muy adinerada, representantes de la primera oleada de exiliados. Mas Canosa mantiene excelentes contactos en Washington y ha comenzado a moverse en Moscú para que interrumpa toda ayuda a Cuba.

Cercana a Mas Canosa, aunque con algunos matices, estaría la Junta Patriótica Cubana, que dirige Manuel Antonio Varona, ex primer ministro cubano bajo la presidencia de Carlos Prío (derrocado por Batista). La Junta pretende agrupar a 200 grupos del exilio. Al menos 53 grupos estuvieron presentes en la Gran Cumbre Patriótica que se celebró el 13 de junio de 1990, en Miami. La diferencia con Mas Canosa: rechazan la mediación de Washington o Moscú en el asunto cubano. (Ver en el siguiente capítulo entrevista con Mas Canosa.)

En la línea de Mas Canosa estarían también los grupos que realizan incursiones armadas o terroristas a la isla, como Alpha 66, los Comandos L o la Brigada 2.506.

En el interior de la isla, la Fundación está respaldada por la Coalición Democrática Cubana (CDC), organización integrada por una veintena de grupos de escaso peso político formada en el otoño de 1991.

El segundo gran grupo del exilio tiene como cabeza más representativa al escritor Carlos Alberto Montaner, presidente de la Unión Liberal Cubana y uno de los tres miembros fundadores de la Plataforma Democrática Cubana (PDC), creada en Madrid el 14 de agosto de 1990. La Plataforma es partidaria de un diálogo con el Gobierno de Castro, en el que participaría la oposición al régimen tanto del interior como del exterior. Ese diálogo debería desembocar en la convocatoria de elecciones. (Ver en el siguiente capítulo entrevista con Carlos Alberto Montaner.)

Esta postura cuenta con el apoyo de los tres más importantes disidentes del interior: los representantes de las dos organizaciones defensoras de los derechos humanos, Gustavo Arcos Bergnes y Elizardo Sánchez Santa Cruz, más la poetisa María Elena Cruz Varela, líder del grupo de intelectuales Criterio Alternativo. La Concertación Democrática Cubana (CDC), fundada el 6 de septiembre de 1991, que incluye a ocho grupos del interior de la isla, también apoya las posiciones de la Plataforma de Montaner.

De hecho, fue el disidente Elizardo Sánchez el primero que planteó una política de diálogo y reconciliación, en 1987. La organización que preside se llama precisamente Comisión Nacional Cubana de los Derechos Humanos y Reconciliación Nacional. Tres años más tarde, en 1990, Gustavo Arcos realizará un llamamiento similar: la mejor salida a la crisis cubana es el diálogo. Tanto Elizardo como Arcos serán acusados por los duros del exilio, entre ellos el poeta Armando Valladares, de traidores y colaboracionistas con el régimen.

El partido Cuba Independiente y Democrática (CID), del ex comandante guerrillero Hubert Matos, que mantiene cierta distancia de los dos planteamientos citados, estaría sin embargo más cerca del diálogo que de la presión.

La tercera opción del exilio se agrupa en torno a la Coalición Cubano-Americana, liderada por José Cruz, quien defiende un diálogo con La Habana para que el régimen realice una apertura democrática paulatina. Proponen como primer paso la necesidad de mejorar las relaciones entre Cuba y Estados Unidos, así como mayores facilidades para las visitas de familiares a uno y otro país, el envío de medicinas y alimentos a la isla y la mejora de las comunicaciones telefónicas.

Dos grupos menores apoyan esta tercera alternativa e incluso van más lejos aún: el Partido Socialdemócrata Cubano, dirigido por el ex preso político Vladimir Ramírez, partidario de una democratización del régimen y de la supervivencia del socialismo; la Brigada Antonio Maceo, cuya cabeza más visible es Andrés Gómez, se muestra abiertamente partidaria de la Revolución castrista.

El enfrentamiento entre los "dialogueros", como los llaman en Miami, y los duros de Mas Canosa y Varona ha llegado a ser no sólo verbal sino físico. Aunque no hay pruebas fehacientes para acusar a uno u otro de ser responsables de la colocación de bombas, palizas e incluso al menos de un asesinato, no cabe duda de que son los anticastristas más radicales los responsables de actos violentos en contra de los "dialogueros".

En septiembre de 1990, Vladimir Ramírez presentó un documento de 25 páginas ante la Comisión Interamericana de Derechos Humanos, organismo dependiente de la Organización de Estados Americanos (OEA). El documento era una lista de los ataques sufridos por los "dialogueros", entre los que se encontraba el asesinato de Manuel del Valle, un ex preso político cubano, ocurrido el mes de febrero de 1990. Ramírez denunció también el registro de sus oficinas realizado ese mismo año y un atentado frustrado en 1988 contra un activista de los Derechos Humanos.

El 25 de mayo de 1988, María Cristina Herrera se acostó tarde. Subió a su dormitorio, en la segunda planta de su casa de Miami, poco antes de las tres de la madrugada. Esa noche había ofrecido un cóctel a unas 50 personas. Todas ellas tomarían parte al día siguiente en un debate bajo el sugestivo título de "Estados Unidos-Cuba: ¿otra perestroika?".

María Cristina, una mujer bastante gruesa, de cincuenta y siete años, que además sufre cojera, llevaba sólo unos minutos en la cama. De repente, la casa pareció ser sacudida por un terremoto, al tiempo que se escuchó una fuerte explosión:

—A pesar de mi inmovilidad, me levanté de la cama casi de un salto. Una bomba había explotado junto a la puerta de la cochera, que quedó pulverizada. Destrozó todos los cristales de aquí —estamos en la cocina, en donde, una tras otra, María Cristina engu-

lle croquetas— y un tercio del techo de esta parte de la casa voló.
Se levanta con dificultad y abre el gigantesco frigorífico. Sigue
con sus croquetas y el café.

—Matarme no querían. Si lo hubieran deseado, habrían arroja-
do la bomba por la ventana. Pero sí pretendían intimidarme.

¿Y quién es esta señora enorme, digna de Fellini, vivaz y lista,
incansable en el hablar y en tragar croquetas?

María Cristina Herrera es directora del Instituto de Estudios
Cubanos, una organización sin fines lucrativos que agrupa a lo
mejor de la intelectualidad cubana en Estados Unidos: prestigiosos profesores de Harvard y otras ilustres universidades norteamericanas como Jorge Domínguez, Roberto Mesa Lago, Nelson Pérez
Valdés, Enrique Baloyra...

—¿Quién le puso la bomba, señora? Usted, que lleva treinta años
exiliada y que conoce al dedillo la comunidad —"la comunidad"
en Miami y en La Habana es siempre el exilio— debe saberlo...

—Los culpables son esos que consideran el diálogo como una
traición, como un entreguismo, un contubernio con el tirano...
No se dan cuenta de que el diálogo es un principio filosófico y vital de respeto a la diversidad de criterios... Estoy segura de que la
policía sabe quién fue.

María Cristina habla de "esos elementos vociferantes e iracun-
dos" que pueblan las emisoras de radio anticastristas de Miami "interesados no en la libertad, ni en la patria, sino en sus bolsillos", y
a los que no les interesa para nada una solución pacífica al problema cubano.

No cita nombres. Pero todo el mundo en Exilandia sabe quiénes son. Están en Radio Mambí. Están en La Cubanísima.

El caso de Ariel Hidalgo es particularmente patético.

En el cruce de la calle 40 South West y la avenida 112, casi cuando la extensa ciudad de Miami toca a su fin y comienzan a aparecer
los manglares, hay una gasolinera Texaco. Frente a ella, un hombre
relativamente joven, de pelo largo ensortijado y una mujer vestida
de negro, de negra cabellera y rostro aún hermoso y fresco a pesar
de que ambos han pasado de los cuarenta, están sentados bajo una
sombrilla playera. Pero aquí no hay playa alguna. La playa, Miami
Beach, está a bastantes millas de este remoto lugar que se adentra
hacia el oeste, la zona pantanosa de La Florida que culminará en el
Parque Nacional Everglades. Aquí sólo hay asfalto y coches.

Al lado de la sombrilla hay un cubo. En el cubo, unos ramos de
rosas. Cuando el semáforo se pone rojo, el hombre y la mujer se
levantan con un ramo en las manos y lo ofrecen a los automovilis-
tas. "Para su señora, que estará esperándole en casa". Muy pocos
compran.

Se detiene un coche. Una señora llama: "Teté, Teté...". Le digo al hombre: "Un cliente". Me responde: "No, es una amiga. Lolita de la Colina, una compositora mexicana muy famosa". Recuerdo. Canciones para Lupita D'Alessio, para el español Raphael. Compra unas flores a Teté. Lanza un beso al aire. El semáforo cambia a verde y aprieta el acelerador de su coche deportivo.

Estoy pasando un rato con Teté Machado y Ariel Hidalgo. Son la otra cara de la moneda de Exilandia.

En 1958, un año antes del triunfo de la revolución de los barbudos, Teté alcanzó un éxito sin precedentes en su carrera como actriz en Cuba con la película *Olé en Cuba*. Luego protagonizó telenovelas, *Rebelión de la juventud*, entre otras que aún recuerdan muchos de los exiliados. Siguió trabajando en televisión durante los primeros meses del castrismo. A mediados de 1960 se marchó de Cuba.

Ariel Hidalgo era profesor de Economía y Política Marxista en un instituto de Marianao, un municipio de La Habana. Un teórico del marxismo que había publicado algunas obras en Cuba. *Orígenes del Movimiento Obrero y del pensamiento socialista en Cuba*, un ensayo sobre José Martí. Otro sobre las pretensiones de los Estados Unidos en Panamá, que ganaría un premio en aquel país centroamericano en 1977.

Hoy, Teté y Ariel revenden las flores que un amigo propietario de una floristería les presta. Ellos ni siquiera tienen dinero para comprarlas directamente.

Ariel Hidalgo fue primero expulsado del instituto donde enseñaba y luego encarcelado. En 1981 es condenado a ocho años de cárcel acusado de "propaganda enemiga". Al fiscal no le gustó su ensayo sobre "los orígenes del movimiento obrero en Cuba".

—En el juicio tuve que escuchar cosas como que era un revisionista de izquierdas y que mis obras debían ser destruidas por el fuego.

En 1983, en la prisión de Combinado del Este de La Habana, Ariel funda junto a Ricardo Bofill y otros presos el Comité Cubano pro Derechos Humanos. Cuando Bofill sale de la cárcel camino del exilio, Ariel se queda como responsable del grupo. En agosto de 1988, cuando ha cumplido siete de los ocho años de condena, Ariel es liberado. Divorciado, tiene una hija con quince años en ese momento.

—De la cárcel fui conducido directamente al aeropuerto. Cuando vi que me iban a embarcar sin ni siquiera despedirme de mi hija, les tiré el pasaporte y dije que no me marchaba. Me dejaron verla quince minutos.

Miami no fue, no es, un paraíso para este disidente. Por una sencilla razón: cree que hablar es mejor que disparar.

—Conseguí un trabajo en La Cubanísima. Cuando en el verano de 1990 Gustavo Arcos lanza su propuesta de diálogo, la emisora no me dio opción: o estaba con Arcos, o estaba con La Cubanísima. Al igual que a Bofill, me despidieron.

En Miami, para los poderosos, decir, como dice Ariel Hidalgo, que "nuestro objetivo no es colgar a Castro del palo mayor" es quedar condenado. De otra manera, pero condenado. Apartado. Fuera de la circulación. La mayoría de los cubanos que pueden ofrecer empleo no piensan como Ariel.

—Aquí, estoy libre, pero sin trabajo —se lamenta este ex profesor de marxismo.

—¿Qué es peor: estar libre y sin trabajo en Miami o estar preso en Cuba?

—Lo estamos pasando muy mal, pero es preferible estar aquí...

Ariel mira a su esposa. Teté calla. Ariel sigue hablando:

—... pero en mi caso particular preferiría estar en Cuba, aunque estuviera preso. Porque allí seguiría siendo alguien, un activista.

Teté habla. Gesticula como buena actriz, pero sus palabras son dolidas:

—Estamos sufriendo insultos y vejaciones. En Miami, donde llevo treinta años, los que no piensan como ellos (los antidialogueros) o están equivocados o son comunistas. Estamos copiando las mismas malas cosas de Fidel.

Ariel asiente con la cabeza. Y dice una frase que debe haber meditado mucho:

—El principal tirano al que hay que derrocar no está ni en Cuba ni en Miami. Está en el corazón de cada cubano.

Dejo a Teté y Ariel. Enfilo el coche de nuevo hacia la calle Ocho. Miro las rosas, un poco marchitas ya después del calor que han soportado y rescato las últimas palabras de Ariel:

—Imagínate qué paradoja: las emisoras de La Habana insultan a Gustavo Arcos llamándole gusano. Aquí lo desacreditan llamándole comunista, colaboracionista.

Gusano. Qué palabreja. He preguntado en uno y otro lado por el origen de la palabra. Nadie tiene una explicación exacta de por qué a los cubanos que se marchan a Miami el régimen castrista los llama "gusanos" y a Miami "la gusanera".

José Cruz, presidente de la Coalición Cubano-Americana, me dice en su despacho:

—Los cubanos le ponemos a todas las cosas y a todo el mundo nombres de animales. Tras el triunfo de la Revolución, en La Habana, y creo que fue Fidel el primero que habló de ellos, se refirió a los exiliados aquí como gusanos, esos seres despreciables que se arrastran y que podemos aplastar con nuestra bota.

Tengo cita con Ricardo Bofill, el presidente del Comité Cubano Pro Derechos Humanos, la cabeza visible en el exterior de la

organización que en Cuba representa Gustavo Arcos. Vive a tres
manzanas de la calle Ocho. Tampoco a él le ha ido muy bien en
Miami. La casa que habita pertenece a la compañía para la que
trabaja. Una inmobiliaria que compra y vende casas usadas. Le dejan quedarse allí, con su esposa, mientras no haya un comprador.
Los negocios no marchan bien, dice este hombre delgado, con bigote gris, y gafas de profesor

Sí. Bofill también fue profesor y también enseñaba marxismo
en la Universidad de La Habana. Lo mismo que Ariel. Lo mismo
que Elizardo Sánchez. Es significativo que en la fundación del Comité Cubano pro Derechos Humanos, en la cárcel del Combinado
del Este, haya tres profesores de filosofía y economía marxista.

—El precio que he pagado es sencillamente imposible de pagar —me dice mientras nos acomodamos en el salón de la casa y
hablamos en voz baja para que su esposa, Yolanda Millares, de
treinta y seis años, que se encuentra en la habitación de al lado no
se altere. Desde hace años ha perdido totalmente la razón.

No es la única desgracia en este hombre de cincuenta y tres
años. A los tres meses de estar en prisión mueren sus padres. Su
esposa se divorcia y viaja a Miami, donde vive el único hijo que tiene y con el que no mantiene buenas relaciones, "a causa de mi segundo matrimonio".

Ha sido encarcelado en Cuba en tres ocasiones. La primera detención tiene lugar en 1967. La última en 1983. En total ha permanecido once años preso. En octubre de 1988 abandona Cuba,
camino de la entonces Alemania Federal, país que realizó gestiones para su liberación.

Establecido en Miami, es expulsado de la emisora La Cubanísima por apoyar el diálogo. Malvive intentando vender casas. Como
los negocios no van bien, afirma, lo que realmente hace es cobrar
alquileres. Dedica el resto de su tiempo y sus mejores esfuerzos al
Comité Cubano pro Derechos Humanos.

—Lo que no puede permitirse es que se establezca una cacería
de brujas entre los exiliados. Recibo amenazas de muerte por teléfono, me amenazan con ponerme bombas, como han hecho con
otros compañeros...

Lo ha puesto en conocimiento del FBI, la agencia federal de la
policía norteamericana, pero un año después de iniciadas las amenazas no hay ningún resultado. La situación es tensa en esta primavera de 1991, cuando visito al exilio cubano de Miami. Hace
unos días, un nuevo exiliado, recién llegado de la cárcel de La Habana, Hirám Abí Cobas, del Partido Pro Derechos Humanos, estaba dando una conferencia ante docenas de personas. Uno de los
presentes le sacó una navaja al finalizar el acto y le amenazó con
estropearle la cara.

Otro hombre relacionado con los Derechos Humanos, éste representante del otro organismo que hay en el interior de Cuba, la Comisión Nacional de Derechos Humanos y Reconciliación Nacional, que dirige Elizardo Sánchez, también ha sufrido las iras de los duros de Miami.

Ramón Cernuda, de cuarenta y cuatro años, ha tenido más suerte en los negocios. Tiene una editorial y el bienestar se palpa en las paredes de su oficina del mejor barrio de la ciudad, Coral Gables: están llenas de cuadros, bastante buenos por cierto.

Fue precisamente en el Museo Cubano de Artes y Cultura donde los duros le colocaron una bomba a Cernuda que había organizado una exposición de jóvenes pintores cubanos.

—Es increíble, porque exhibíamos la obra de marielitos, gente rechazada por Fidel.

Los marielitos. Durante mucho tiempo, y aún hoy, siguen siendo malditos entre los exiliados de postín llegados en la primera hora. En realidad hay una especie de segregación según el medio empleado para llegar a Miami. La gente le pregunta al recién llegado si es un exiliado aéreo o marítimo. Si es lo segundo, se trata de un vulgar "balsero" al que hay que negarle el pan y la sal. Y los marielitos llegaron todos en barcazas, en lanchas, en cualquier cosa que flotara, en 1980.

¿Cuántos "balseros" llegan a las costas de La Florida? Las cifras son muy difíciles de confirmar. En el mes de marzo de 1991, el Servicio de Inmigración de Miami afirmó que durante 1990 habían llegado por vía marítima 467 "floters", como llaman en inglés a los que llegan a La Florida sobre cualquier cosa que no se hunda. En los tres primeros meses de 1991 habían arribado 134.

La revista norteamericana *Newsweek* daba la cifra de 460 balseros llegados en 1990 y 1.400 el año siguiente (4). El servicio de noticias del periódico *The New York Times* elevaba la cifra de 1991 a 2.000 fugados por vía marítima (5).

Algunos han elegido formas espectaculares de fuga. El 20 de marzo de 1991, un Mig-23 se coló en la base aérea de los Estados Unidos de Boca Chica, al sur de La Florida. Ningún radar del imperio más poderoso de la tierra detectó el avión de fabricación soviética pilotado por el mayor cubano Orestes Lorenzo Pérez. En diez minutos cruzó las 90 millas (144 kilómetros) que separan a la isla de tierra estadounidense.

El escándalo fue mayúsculo. El piloto de ese Mig-23 era un desertor que fue vitoreado por la comunidad cubana del exilio. Pero ¿qué habría pasado si llega a tratarse de un ataque? Las autoridades militares norteamericanas ordenaron una investigación a fondo pues temen que algún día puedan sufrir una incursión de la fuerza aérea cubana.

Un año después, en el mes de enero, un teniente de la Fuerza Aérea cubana secuestraba un helicóptero de la compañía turística estatal Cubanacan y volaba a Estados Unidos con 33 personas a bordo, entre ellas sus familiares.

Otras formas de evasión se han intentado. A finales de julio de 1991, dos jóvenes cubanos fueron encontrados muertos en el tren de aterrizaje de un avión de Iberia, cuando éste tocó tierra, esta vez en Madrid.

El puerto canadiense de Gander, en la isla Newfoundland, es punto de reabastecimiento de combustible para muchos aviones que cruzan el Atlántico. Una de las compañías que allí recalan es Cubana de Aviación. Cada vez con más frecuencia, pasajeros cubanos piden asilo durante la escala. En 1989, un total de 68 cubanos se quedaron en Gander y en los diez primeros meses del siguiente año la cifra había subido a 102. La mayoría eran funcionarios del Partido Comunista que iban o regresaban a Moscú y estudiantes (6).

—La balsa es democrática, no lo es el puente aéreo.

Así resume el doctor Juan Clark, de cincuenta y cuatro años, la filosofía de los balseros, a los que ha dedicado toda su vida profesional. Profesor de sociología en el Miami Dade Community College, Clark ha escrito varios libros y realizado centenares de entrevistas a los cubanos llegados "por vía marítima".

Sabe tanto de balseros que se conoce hasta sus chistes. Me cuenta el último, en el despacho de su casa, atiborrado de papeles, mientras come chicharrones y bebe té frío de un vaso gigantesco:

—Un soldado regresa de Angola. Llega mutilado por distintas partes del cuerpo y le tienen que poner una pierna, un brazo, una oreja... Cuando sale del hospital, se va a un restaurante para cubanos y le dicen que ese día no puede comer, pues ha de reservar y guardar cola. Va a un restaurante de turistas y le dicen que no puede comer porque hay que pagar en dólares y él, como cubano, no puede llevar dólares. Desesperado y sin comer se va al malecón de La Habana. Comienza a quitarse la pierna, y la tira al mar, el brazo y lo tira al mar, la oreja y la tira al mar, maldiciendo "¡y para esto estuve yo en Angola!" Pasa cerca un negrito y le dice:

—¡Tú sí eres listo, chico, te vas en trocitos!

Le correspondo a este profesor con otro chiste, pero más corto:

—¿Conoce el dicho español de "apaga y vámonos"? Pues en Cuba se dice: "Infla y vámonos".

En treinta y dos años, Clark ha calculado que unos 18.000 cubanos salieron ilegalmente de la isla por vía marítima. A ellos, dice, hay que sumarles los que escapan a través de Guantánamo, la base que los Estados Unidos tienen al oeste de la isla.

—Para un balsero, la mejor vía de salida es el norte de la isla, por la provincia de La Habana ó Matanzas. Hay que encontrar la corriente del Golfo de México. Es como un río que te trae suavemente hasta los cayos de La Florida.

No tan suave, profesor. Jorge Luis Pichardo, de veintinueve años, y cuatro amigos más salieron de Santa Fe, un pequeño pueblo a unos 20 kilómetros al oeste de La Habana el 24 de agosto de 1989 en dos neumáticos de tractor forrados con una lona para que el sol no reventara las gomas.

—Sufrimos mucho, y eso que habíamos preparado los remos para poder moverlos sentados. Mucha gente muere de agotamiento porque ha de remar de rodillas. Nada más salir, dos de los cinco que íbamos en la balsa se marearon. Se pasaron los tres días vomitando. Los otros tres tuvimos que hacer todo el trabajo. Tienes un calor horrososo de día, y de noche mucho frío. A todo eso no sabes si vas o no en buena dirección. No tienes sentido del tiempo y la distancia transcurridos. Es un horror.

Pero Jorge Luis lo logró. Cuando lo entrevisto en 1991, en un coqueto apartamento cerca de la universidad estatal donde estudia inglés, me hace una confesión, casi con lágrimas en los ojos y eso que ya lleva cerca de dos años en Miami:

—Cuando llegamos a la zona de los cayos y nos topamos con una lancha de recreo que nos recogió, yo me sentí contento y triste. Las dos cosas. Contento por haber llegado vivo. Triste porque atrás quedaba, abandonada, mi familia. En algunos momentos de la travesía tenía ganas de que las patrullas cubanas nos descubrieran y nos hicieran regresar. Dejé a mis padres, a mis dos hermanos, a mi novia Welkis. Pero ya no había marcha atrás.

Al marcharme le pregunto que cómo se gana la vida. En el apartamento he visto un equipo de sonido muy aceptable, televisor en color, buenas ropas. Al principio se muestra reacio. Luego me cuenta:

—Oficialmente trabajo para Radio Martí, pero no quieren que lo diga a extraños. Me dedico a entrevistar a los cubanos que llegan aquí, pero nada de eso se emite. Les preguntamos cosas sobre la situación interna en Cuba, cómo está la comida, el transporte...

Información confidencial y de primera mano para el Gobierno norteamericano: Radio Martí transmite a través de La Voz de América, que es un organismo federal.

Clark habla en su último libro, *Cuba: Mito y realidad. Testimonio de un pueblo,* sobre las tres etapas de salidas masivas del país.

La primera se inicia en 1959 y finaliza en 1962 cuando concluyen los vuelos regulares entre Estados Unidos y la isla. En esa época salió "el 19 por 100 del estimado total del éxodo". El segundo tiene lugar en 1965. Se produce una salida de doble vía: la marítima a través del puerto de Camarioca, cerca de Varadero, y la aérea, a través de los llamados "Vuelos de la Libertad", entre Miami y Varadero. Sale el 46 por 100 del total del exilio cubano.

El último gran éxodo tiene lugar a través del puerto de Mariel, a unos 40 kilómetros al oeste de La Habana. La crisis de Mariel se inicia en el mes de abril. El Gobierno cubano retiró la policía especial que custodia las sedes diplomáticas. Once mil personas penetran en la Embajada de Perú en poco más de cuarenta y ocho horas.

El Gobierno cubano autorizó entonces la salida por el puerto de Mariel de todos aquellos cubanos que fueran recogidos por sus familiares de Miami. Del 20 de abril al 25 de septiembre, 2.011 embarcaciones llegaron a Mariel procedentes de Miami. En total, unos 125.000 cubanos se marcharon a través de este puente marítimo que duró ciento cincuenta y nueve días (7). Según cálculos de Clark, el 17 por 100 del exilio.

El resto, hasta completar el millón de cubanos en el exterior, de los que 800.000 residen en el área de Miami, saldría legal o ilegalmente en la década de los ochenta. Los últimos tres años registran un aumento considerable de escapadas en balsas y Clark mantiene que sólo uno de cada tres balseros consiguen llegar a Miami. Los demás o mueren o son apresados por las autoridades cubanas.

En dos encuestas realizadas por el profesor Clark, una en 1971 y otra entre 1988 y 89, entre cubanos recién llegados a Miami, dedujo que el principal motivo por el que abandonaban Cuba era la "falta de futuro para él y su familia", con un 91,5 por 100 en la primera encuesta y un 87,8 en la segunda. En segundo lugar, muy igualada, se encontraba "la coacción y falta de libertad", con un 91,1 por 100 y un 84,8, respectivamente. Más abajo, se situaban la falta de comida y otros bienes y el deseo de reunificación familiar con porcentajes que oscilan entre el 30 y el 40 por 100 (8).

¿Por qué se van tantos cubanos?, le pregunté a Jorge Gómez Barata en La Habana. Se mueve en el enorme sillón de la sala del Comité Central, donde cuelgan el mapa de Irak y el dibujo del "Che":

—Ahora mucha gente hace el gran descubrimiento de que el 10 por 100 de la población cubana vive en el extranjero. Se olvidan de que eso siempre fue así, que ese mismo porcentaje se mantiene desde antes de la independencia de Cuba. Que había miles de cubanos que emigraban a Estados Unidos por razones económicas.

Interviene Lorenzo Cano, ayudante de Barata:

—Los patrones de la emigración nuestros son muy similares a los de América Latina: hay motivos sociales y económicos. Sólo que la estimulación a la emigración cubana es mucho más grande. Puede comprobar el dato: el Programa de Ayuda a Refugiados propuesto por el presidente John Kennedy y aprobado por Lyndon Johnson (Ley PL 87/510, de 1962, y la Ley PL 89/732, de 1966) proporcionó nada menos que 727.000.000 de dólares a los cubanos entre 1962 y 1973.

Barata retoma el argumento:

—Un cubano llega a Estados Unidos y no tiene ninguno de los problemas que tiene cualquier otro exiliado. Un mexicano se encuentra con las balas o con la detención al cruzar Río Bravo. Un cubano inmediatamente recibe estatus y apoyo legal.

Además de la propaganda, que para estos expertos cubanos del Partido Comunista es fundamental. Una propaganda que presenta a la sociedad americana como un paraíso idílico.

—Emigrar siempre es un acto triste. Emigrar no es hacer turismo —continúa Barata—. El proyecto socialista cubano resuelve en gran medida los problemas vitales de la población: la salud, la seguridad social, la alimentación. Pero tiene un defecto: no da cabida a ciertas expectativas de libertad individual. No incluye el que tengas una gran casa, un gran carro... Y todos los que no pueden vivir sin esas cosas, son los que se separan de nuestro proyecto. Si el proyecto socialista incluyera todo eso, Cuba sería Jauja. Y Cuba no es Jauja.

—¿Qué me dice de la emigración política, de la gente que se va porque este sistema lo asfixia, se siente vigilado, reprimido...

Se ríe y dice:

—Esa pregunta te la pueden responder mejor en Miami. En serio, y hablando como simple ciudadano: hay gente que se marcha de Cuba por una incompatibilidad filosófica con el sistema. No son comunistas. No soportan vivir bajo un sistema que apoya la mayoría del pueblo y se van. Yo los respeto, son minoritarios, pero los respeto.

—Los respeta, pero muchos se quejan de que no pueden salir...

Barata, que es un hombre paciente y con un gran autocontrol, se exalta un poco:

—¿Y cómo salió el millón que está fuera? ¿Acaso se fueron todos a nado? Eso es una leyenda. Eso es mentira. Llegas a Miami y ves un millón de cubanos y dices: ¡coño, pero si en Cuba no dejan salir a la gente! ¿Entonces cómo salió ese millón?

—¿Arriesgando la vida en balsas...?

Interviene Lorenzo, que es el hombre de las cifras:

—Le voy a dar un dato confiable: desde 1959 no llegan a 30.000 los que han salido ilegalmente del país. Sea por los medios que sean, los ilegales no llegan a 30.000. El resto, hasta el millón, abandonó el país con los papeles en regla.

Recuerdo: el Gobierno cubano admite que han salido 12.000 personas más que el anticastrista —peleó en Bahía de Cochinos y fue, como todos los demás de la expedición, hecho prisionero— profesor Juan Clark, quien afirma que han salido 18.000 cubanos de forma ilegal.

Tras esta larga disgresión, regreso a Cernuda y las bombas contra los cuadros de los marielitos.

—¿Quién está detrás de las bombas? —le pregunto al representante en Miami de la·Comisión Cubana de Derechos Humanos y Reconciliación Nacional.

—Los elementos más intransigentes, los derechistas, los retrógrados, los que quieren poner un estado de censura en Miami para todo lo relacionado con la cultura y el arte...

—Nombres...

—La Fundación Nacional ha anunciado con gran orgullo su oposición frontal a que llegue a Miami procedente de Cuba cualquier material informativo o cualquier artista. Impidieron que la orquesta Aragón pudiera participar en el Festival de Chicago, entre otros muchos casos.

Me cuenta Cernuda que los propietarios de las dos emisoras más exaltadas, Radio Mambí y La Cubanísima, son socios en otros negocios de Mas Canosa. ¿Qué es lo que temen? En palabras de Cernuda:

—Al proponer el diálogo tanto Elizardo Sánchez como Gustavo Arcos, anulan las ambiciones de poder de muchos exiliados que esperan entrar en La Habana en plan conquistador.

Por ello intentan descalificarlos. Cuando en 1987 Elizardo se atreve desde La Habana a hablar de diálogo y reconciliación entre los cubanos de todos los colores y lugares, lo acusan aquí en Miami de ser un agente camuflado del Gobierno de Castro.

Cernuda, que como todos los cubanos estos días estudian al milímetro la forma en que los países del Este europeo se deshicieron de los comunistas, afirma:

—Los exiliados del Este no jugaron ningún papel en el cambio que se produjo en esos países. Tampoco en Nicaragua. La historia ha demostrado que Sajarov fue más importante que Soljenitsin, y que Violeta Chamorro pesó más que Adolfo Calero.

Ese es el punto flaco de la Fundación y de Jorge Mas Canosa, considerado el hombre con más influencia en las esferas políticas norteamericanas, pero visto con recelo por muchos de sus compatriotas que desean cambios democráticos y pacíficos en Cuba. Se le nota demasiado la ambición de poder. Yo la percibí cuandô lo entrevisté en su despacho.

No cabe duda de que es un hombre inteligente. Llegó a los veinte años con lo puesto. Hoy tiene una empresa que da trabajo a mil personas y ha situado a la Fundación como el primer grupo del exilio. (Ver en el siguiente capítulo entrevista con Mas Canosa.)

Consciente también de que no puede quedarse aislado en su Fundación, a pesar de todos los apoyos que tenga en Washington, en marzo de 1991 Mas Canosa apoyó la propuesta de una Comisión Gestora Pro Unidad. Es más, para muchos de los exiliados con los que hablé en Miami, Mas Canosa era el hombre que estaba detrás de esa Comisión, aunque fuera el agresivo locutor Armando Pérez Roura quien se ocupara de darla a conocer a través de la radio.

La Comisión elaboró un decálogo de intenciones. El número

nueve dice textualmente que "es deber ineludible del exilio reca-
bar con una sola voz de las instituciones y gobiernos del mundo
su apoyo a la libertad del pueblo cubano". Una sola voz. ¿Qué
mejor voz que la de Mas Canosa, un hombre que ha sido recibido
por los más importantes mandatarios de Occidente, George
Bush, François Mitterrand, Margaret Thatcher, y hasta por el presidente ruso Boris Yeltsin?

Pero no fue ese punto el que más molestó a los considerados
"dialogueros", sino el punto dos. "La libertad de Cuba no se puede lograr a través de Castro (pues) el enemigo de los cubanos es la
tiranía comunista y por tanto debemos enfocar nuestras acciones
en su contra y no contra otros cubanos que se le opongan".

Ese punto rechaza de plano cualquier intento de llegar a un
acuerdo pactado. A un diálogo. En segundo lugar, el decálogo de
esta gestora no cita ni una sola vez a los disidentes que viven en el
interior de la isla y que son los que más sufren la actual situación.

Espero a Hubert Matos, al que sus seguidores siguen llamando
comandante. Frente a la puerta del chalé de Matos hay una docena de vehículos, turismos y furgonetas. Hay más actividad que en
cualquier otro de los locales del exilio que he visitado. Uno de los
automóviles, un Honda Civic, tiene una pegatina en la parte trasera con el eslogan de moda en estos días de guerra en el Golfo:
"Apoya a nuestras tropas", escrito sobre la bandera norteamericana de las barras y las estrellas.

Llega una furgoneta y aparecen varias personas que descargan
paquetes de periódicos. Es el órgano escrito del partido, Cuba Independiente y Democrática (CID), fundado en 1980, al año de
que Matos saliera de la cárcel de Cuba. Tienen también una emisora, La Voz del CID, que según me dirá Matos un poco más tarde,
es escuchada en Cuba por 2.000.000 de cubanos. Aquí huele a dinero, a organización y un poco a cuartel. Se nota más disciplina,
menos relajo, menos cubaneo. Algunos partidos del exilio acusan
al CID de recibir 1.000.000 de dólares al mes de la CIA, la central
de inteligencia norteamericana. El CID lo niega. Juan Cruz, presidente de la Coalición Cubano-Americana me informará que el
CID tiene contratado al duro Elliot Abrams, ex subsecretario del
Departamento de Estado para Asuntos Interamericanos, responsable directo de la política exterior de Washington en Latinoamérica. Según Cruz, Abrams cobra 100.000 dólares al mes.

Continúo sentado en una pequeña salita. Hay una bandera de
Estados Unidos y otra de Cuba. También una docena de monitores de televisión que vigilan la casa por sus cuatro costados. Sobre la mesa de despacho que hay en la salita veo un informe que
se titula *Petersen Hand Guns for Sport and Defense. Las armas para el
siglo XXI*. Es un estudio de una firma norteamericana que se dedica a la venta de armas para deporte y defensa personal.

Me recibe Hubert Matos en una nave amplia, donde debe reunir a sus hombres. A sus setenta y cuatro años, con el pelo casi blanco, es un abuelo en buena condición física. Su paso por el Ejército Rebelde y posteriormente como jefe militar de la provincia de Camagüey se notan en sus actitudes militaristas. Grita a sus subordinados como un sargento en un cuartel al recluta recién llegado.

En ese momento está hablando con sus ayudantes sobre la redacción de una nota replicando a la propuesta de la Comisión Gestora leída por Pérez Roura.

—La Fundación está detrás de todo esto —me dice cuando lo dejan solo—. No han convocado a todos los dirigentes del exilio, sino a los que son de su cuerda o pueden ser manipulados. Radio Mambí ya está amenazando a los que no se sumen.

Matos resume las premisas básicas del trabajo del CID. Entre ellas está la de que el destino de Cuba se decide en Cuba, no en el exilio.

—No podemos atribuirnos el derecho de que desde aquí se organice la futura Cuba. El exilio sólo tendrá una oportunidad en la medida en que actúe en sintonía con el pueblo de Cuba.

Matos me cuenta que a través de los militantes en el interior —"no puede contactarlos, ellos se juegan la vida", me advertirá— y de los que salen de la isla y hablan con él en Miami ha llegado al convencimiento de que el exilio está después que los hombres que trabajan en el interior.

—Nos dicen nuestros militantes en la isla: no nos entusiasma la idea de que los de Miami estén pensando en venir aquí a gobernar. Eso no se permitirá.

Además, cuenta Matos y yo mismo lo he comprobado en Cuba, hay cierto miedo a que llegue la gente de Miami a arrebatarles las casas confiscadas por la Revolución y que fueron repartidas entre la población.

Dejo al ex guerrillero Hubert Matos con sus hombres y su nota clarificando su postura: o estamos todos o no jugamos. Recuerdo la primera vez que le entrevisté, en 1982, en la ciudad de Buenos Aires. Llevaba dos años en libertad y había viajado a la capital argentina para dar su apoyo moral a los generales locos y fascistas que habían desencadenado la guerra por las islas Malvinas. Su anticomunismo le jugó entonces una mala pasada.

Fidel Castro hablaría de eso más tarde. Le dijo Fidel al periodista Gianni Miná:

—Hubert Matos... se cuidó de expresar sus ideas de derechas casi desde el primer momento, era muy anticomunista (9).

Fidel da a Miná su versión de la detención de Matos:

—Hubert Matos no fue arrestado porque tuviera opiniones; Hubert Matos organizó una sublevación en Camagüey, estuvo a punto de provocar un combate sangriento.

La sublevación del entonces jefe militar de Camagüey es cortada radicalmente por el propio Fidel, y el comandante Camilo Cienfuegos, quien al regreso a La Habana, cuando ya Matos estaba detenido, en octubre de 1959, desaparece en pleno vuelo. Fidel culpará a Matos de la muerte de "uno de los cuadros más queridos de la Revolución".

Matos es juzgado públicamente y el propio Fidel atestigua y le acusa durante el juicio. Condenado el 21 de octubre de 1959 a veinte años de cárcel, cumplirá la sentencia completa.

La versión de Matos, es lógicamente distinta. Según la biografía que me entrega, ese mes de octubre de 1959 escribe una carta personal a Castro en la que renuncia al Ejército Rebelde ante el rumbo procomunista que toma la Revolución (10).

Cuando escribo estas lineas, un año después, veo en las notas de aquella entrevista con Matos un vaticinio:

—Tengo la esperanza de que para el V Centenario el pueblo de Cuba no esté bajo la opresión de los Castro.

Visito a Lisandro Pérez, director del Departamento de Sociología y Antropología de la estatal Universidad Internacional de La Florida. El profesor Pérez, de cuarenta y tres años, salió de Cuba en 1960. Los últimos veinte años se ha dedicado al estudio del tema cubano. Es apartidista y su opinión está basada más en la investigación sociológica que en los impulsos o los deseos que a veces trastocan la mente de los políticos.

—Tradicionalmente, el exilio de Miami ha defendido el aislamiento, el hostigamiento, la presión sobre Cuba. Eso haría caer a Castro. Entonces, el mundo volvería a estar sobre su cabeza. Todo el que quisiera volvería a Cuba, habría de nuevo libre empresa, y se produciría un cambio drástico en la isla en el que la comunidad exiliada tendría un papel importante. Luego, lo que hay que hacer es mantener a Cuba aislada, no dialogar.

El profesor Lisandro Pérez apenas si cabe en el reducido cubículo de la Universidad, atestado de libros. Continúa con su razonamiento:

—Pero los cambios que hemos visto en la Europa del Este no van por ese camino. No ha sido el aislamiento lo que ha producido la caída de los marxismos del Este. Al contrario, el cambio se genera entre la gente del propio sistema, algunos de ellos miembros de los partidos comunistas. Las comunidades exiliadas han tenido un papel pobre, reducido.

Lo curioso es que este problema que divide a la comunidad cubana de Miami parece importar poco o nada a la otra parte que teóricamente debería sentarse a la mesa del diálogo: La Habana.

Regreso a la amplia sala del Comité Central, donde está el mapa de Irak y el dibujo del "Che". Jorge Gómez Barata me dice:

—Con ningún sector, con ninguna persona, con ningún grupo, sea cual sea su punto de vista, estamos interesados en dialogar. Se trata de un problema de enfoque: nosotros somos un gobierno, ellos no. Por tanto, de gobierno a gobierno no puede haber diálogo, no hay agenda, no hay nada. No puede haber juicio de Salomón si no hay niño. Hablamos con algunas de las personas que viven en Miami, a título de simples cubanos y sobre temas humanitarios.

Esas personas son las que se agrupan en la Coalición Cubano-Americana que preside José Cruz, un ex jesuita que salió de Cuba en 1960.

Su mesa está llena de papeles y de periódicos. Suena el teléfono muchas veces y este hombre de pelo rubio, algo escaso ya, atiende con paciencia cuantas consultas le hacen. Una viejita que le llama para saber cuándo estará su visado para ir a Cuba. Otro que le pregunta qué necesita para hacerse miembro de la Coalición.

Hablamos de sus viajes a La Habana y de sus entrevistas con funcionarios cubanos. Uno de sus interlocutores ha sido Jorge Gómez Barata.

—La primera entrevista que tuve con Barata fue en octubre de 1989. En los primeros treinta minutos creía que íbamos a entrar a piñazos uno contra otro (pegarse). Luego, al cabo de las tres horas, nos elogiábamos mutuamente.

En enero de 1989, José Cruz funda la Coalición que dos años más tarde tiene 1.500 miembros que cotizan cada uno 20 dólares al mes. Ellos son los que tendrán prioridad ante el Gobierno cubano para obtener visado de entrada, cuando decidan visitar a sus familiares. ¿Por qué se funda? Cruz se irrita un poco:

—¿Por qué razón el exiliado cubano no puede pensar de una manera distinta a como piensa la derecha dogmática tradicional?

Y entonces me cuenta una dura frase que le dijo un día a Barata:

—Sólo Fidel y Mas Canosa opinan que todos los exiliados cubanos somos unos gusanos. ¡Qué rara coincidencia!

Cruz me cuenta lo sorprendido que se sintió cuando en uno de sus viajes a Cuba le propusieron una entrevista en la televisión. Aceptó y grabó una conversación de una hora. Hubo que ajustarla a la duración del programa, treinta minutos. "Pero no me cortaron lo fundamental. Me dejaron explicar al pueblo cubano los diferentes grupos de exiliados que viven en Miami y que no todos éramos iguales".

La Coalición trabaja sobre tres principios básicos. Primero, conseguir poder político para los 800.000 cubano-americanos que viven en el Condado de Dade, al que pertenece Miami. Segundo, resolver las necesidades de esa comunidad con sus familiares que residen en Cuba. Tercero, la comunicación de esos cubanos con los otros grupos étnicos del Condado.

—En cuanto a nuestro diálogo con el gobierno, que quede

bien claro: queremos que haya reformas internas, pero también que ceda la presión de Estados Unidos sobre la isla.

Hasta ahora, ¿qué han logrado José Cruz y su Coalición en sus contactos con los cubanos?

Básicamente, una mejora en los viajes hacia la isla. Si en 1990 Cuba admitía a 45 pasajeros por semana en visita a sus familiares, un año después eran 90. Los marielitos, condenados a no volver a la isla, pueden viajar. Diez por semana. Cruz trabaja, tanto en La Habana como en Washington, para que se permita el correo directo. Hasta ahora, una carta de Miami a La Habana, ciudades separadas por veinticinco minutos de vuelo, tarda de mes a mes y medio. Debe ir a un tercer país, México o Canadá, y de allí a Cuba. También para que se mejoren las comunicaciones telefónicas.

— Estamos luchando fuerte para que se levante el bloqueo sobre las medicinas. Un familiar puede recibir medicinas de Miami, pero no un hospital. Es absurdo.

Hay una persona en Miami que piensa que dialogar es bueno. Se trata de Bernard Benes, un hombre de pelo rojizo que consiguió lo impensable: que Fidel Castro liberara en 1978 a 3.000 presos condenados por "delitos contra la seguridad del Estado" y otros 600 por intento de salida ilegal del país. Fueron liberadas también 50 mujeres detenidas por motivos políticos. Además se acordó que los cubanos de uno y otro lado pudieran entrar y salir de Cuba para visitar a sus respectivos familiares (11).

— El Gobierno de Estados Unidos no tuvo que pagar un solo centavo. Sin embargo, cuando se negoció la liberación de los participantes en la invasión de Bahía de Cochinos, se pagaron 70 millones de dólares en medicinas y otros bienes —recuerda con orgullo Benes.

Benes me habla en un atardecer sentado al borde del mar, en su casa de Miami Beach. Trece años después, reconoce que él sí pagó un precio: los poderosos del exilio cubano arruinaron su carrera exitosa como banquero y su vida personal se convirtió en un infierno por negociar con Castro.

Benes presidió lo que se llamó "Diálogo Público", denominado también "El Comité de los 75", pues ese era el número de exiliados cubanos que presididos por Benes viajaron a La Habana para hablar con Castro. El único requisito que puso Fidel: que ninguno de esos 75 fueran activistas en contra de su régimen. El encuentro, presidido por Fidel, tuvo lugar en el Palacio de la Revolución los días 20 y 21 de noviembre de 1978.

Para esa fecha, en dos visitas previas a La Habana, Benes había pactado la liberación de esos presos. De hecho, en octubre, como gesto de buena voluntad, Castro permitió la salida de 46 presos y otros tantos familiares de los mismos.

Estas negociaciones contaron con el visto bueno del entonces presidente de Estados Unidos, Jimmy Carter. Benes había sido director de la campaña electoral de Carter entre los hispanos de La Florida en 1976.

—Desde ese año hasta hoy, marzo de 1991, 500.000 cubanos han podido visitar Cuba, han tenido la oportunidad de poner una flor sobre la tumba de la madre querida, o se han despedido del padre poco antes de morir éste. Son valores demasiado profundos para no comprometerse con ellos.

Benes, un hombre de cincuenta y seis años al que encuentro deprimido por el aislamiento al que lo sometió la comunidad cubana de Miami, cuenta que a pesar de todo, a pesar de las bombas que pusieron los duros de la ciudad en el banco que presidía, el Continental National Bank of Miami, volvió de nuevo a Cuba a cumplir otras misiones de las que no quiere hablar.

—Hasta 1986 he viajado a Cuba, bajo la Administración de Ronald Reagan, en 25 ocasiones. Pero no puedo hablar de ello. Lo que sí puedo afirmar es que no iba de vacaciones.

Cuando me alejo de su casa, recuerdo una frase que me dijo el periodista Sergio López Miró: "Esto es una Casablanca caribeña. Cuando hablo con alguna gente de Miami tengo la impresión de estar hablando con un agente o de la CIA o de la KGB". (Aún existía esta última.)

¿Son de la CIA los grupos paramilitares que se entrenan en los alrededores de Miami, como Alpha 66? ¿Lo es Antonio Cuesta, más conocido como Tony Cuesta, fundador de los Comandos L?

El coche sigue su rumbo, al encuentro de los muchachos de Alpha. El sonido inconfundible de disparos con fuego real traspasa las ventanillas del automóvil y se sobrepone al sabroso son que escucho en la radio. Ahí están. No hace falta que me encuentren ellos. Los jeeps con banderitas cubanas y americanas indican que estoy en el campamento de Alpha. Un automóvil tiene una pegatina que dice "I love sex". Un arco gigante, que sirve de puerta de entrada, tiene este cartel: "Campamento Rumbo Sur".

Nazario Sergen viste traje de campaña. Tiene setenta y un años y desde que salió de Cuba, en enero de 1961, no ha hecho otra cosa que esperar la caída de Castro. Comandante en la sierra del Escambray, donde combatió también Eloy Gutiérrez Menoyo, que sería luego encarcelado por Castro, Sergen funda Alpha 66 el 20 de octubre de 1961.

—Hemos realizado en estos años 43 acciones y sufrido 103 bajas y jamás contamos con el apoyo de nadie ajeno a la organización —dice un tanto irritado Nazario Sergen cuando se le pregunta si, como cuentan en La Habana, le hace el juego a la CIA.

—¿Qué tipo de acciones, señor Sergen? —le pregunto mientras echo un vistazo a un pelotón de hombres de edad media que en traje de faena corretean, fusil entre las manos, por este campamento de 4.000 metros cuadrados cedido por un militante de Alpha.

Nazario suspira. Ya no es como antes. Antes, me recuerda, había comandos que se infiltraban en la isla, que combatían, que formaban pequeños focos guerrilleros. Entonces utilizaban cañones, ametralladoras del calibre 50, explosivos. Hoy se conforman con lanzar propaganda.

José Antonio Martín, un hombre de cuarenta y siete años que aparenta algunos más, cuenta que él formó parte de una de las últimas acciones, la llamada "Operación Marbella", el 25 de julio de 1990.

—Nos acercamos a una prudente distancia de la costa norte de la isla —no quiere precisar a cuántas millas; secreto militar— y desde allí arrojamos propaganda. La corriente la acerca hasta la playa. Los bañistas del pueblo —no dice cuál— la recogieron y la distribuyeron. Fíjese, llegó hasta Trinidad, que está al sur de la isla.

—¿Tienen problemas con las autoridades norteamericanas por entrenar aquí y disparar con fuego real?

Dicen que no. Siempre que no utilicen armas automáticas, no violan ninguna ley del Estado de Florida. Sus vecinos de entrenamiento son, además, los guardacostas, uno de los cuales me detuvo para registrar el coche.

Un año después, se produce el fusilamiento de Eduardo Díaz Betancourt, el jefe de un comando anticastrista detenido el 29 de diciembre de 1991, cuando intentan desembarcar en Cárdenas, un pueblo cercano a la mundialmente famosa playa de Varadero.

En la declaración del Consejo de Estado, presidido por Fidel Castro, que confirma la pena de muerte para Betancourt, el Gobierno cubano arremeterá contra los Estados Unidos por permitir que grupos contrarrevolucionarios se entrenen en suelo norteamericano y organicen misiones terroristas contra la isla

Y advierte:

"En los reductos de la gusanera de Miami, en La Florida y en Estados Unidos, no son pocos los que todavía pueden sentirse tentados a probar suerte sobre todo cuando sacan cálculos erróneos a partir de la impunidad con la que se desenvuelven sus actividades, urden planes criminales, se hacen de arsenales, mantienen campos de entrenamiento a la luz pública y parten desde las costas americanas con su carga de crimen y de muerte hacia Cuba como si se tratara de un *week end*, sin que nadie los perturbe."

A los que realicen acciones de ese tipo, les recuerda el Consejo de Estado, "deben saber que les aguarda el mismo destino que el de Eduardo Díaz Betancourt" (12).

El fusilamiento de Eduardo Díaz Betancourt servirá para mostrar otra señal de rivalidad entre los grupos anticastristas de Miami. Dos organizaciones paramilitares se disputan el honor de haberlo entrenado.

Sergen reclamará que Betancourt y sus dos compañeros de comando, Daniel Santovenia y Pedro de la Caridad Álvarez, formaban parte de Alpha 66 y se entrenaban en su campamento, al igual que lo hicieron otros 27.000 cubanos en los treinta años de existencia de la organización. Tony de la Cuesta afirma que esos eran sus hombres, miembros de los Comandos L.

Todos parecen querer un mártir.

Me alejo del campamento de Alpha 66 un tanto decepcionado. Las huestes de Nazario Sergen, con todos mis respetos, apenas si conforman un pelotón de domingueros aficionados a pasar un rato en los Everglades pegando tiros al aire y dando cuatro carreras. La idea de Nazario de estar preparados militarmente para acudir en ayuda del pueblo cubano cuando éste finalmente se rebele contra Fidel, me parece una más de las varias utopías que he escuchado en Miami.

Me pregunto al enfilar la calle Cuarenta, en busca de la Ocho, si ha merecido la pena tan largo viaje para ver a este grupo de aficionados a la guerrilla. No me extraña que lleven treinta y tres años esperando. Si cae Fidel, desde luego que no será porque lo empuje Nazario Sergen.

Vuelta de nuevo hacia la gran ciudad. El camino me ha abierto el apetito. Cuando abandonaba el "Campamento Rumbo Sur" llegaba una furgoneta con sandwiches y cervezas frescas para los aguerridos contrarrevolucionarios. Tengo deseos de regresar al "pukkk" de la calle Ocho y comerme unas costillitas.

La caída de Fidel. Si Sergen no puede, ni el resto del exilio ha podido en treinta y tres años, ¿qué o quién puede provocar la caída de Castro?

Recuerdo: El 20 de febrero de 1990, el periódico local, *The Miami Herald*, publica una encuesta realizada por la firma Bendixen and Schroth para el Canal 23. Un 44 por 100 pensaba que Castro caería ese mismo año. El efecto dominó. Después de Rumanía, Cuba. Un 41 por 100, que su caída tendría lugar en los próximos cinco años. Un 12 por 100 afirmó que su salida del poder tendría lugar pasados cinco años. Los que más deseo mostraron por su derrocamiento son los que más años llevan esperándolo: los mayores de cincuenta años y aquellos que tienen más de diez años de exilio.

Si no cae por su propio peso, ¿estaría de acuerdo con una invasión militar? La mayoría, el 54 por 100, contestó afirmativamente. Un 43 se opuso y un 3 no dio respuesta alguna.

La encuesta demostró también lo que otras parecidas han predicho en los últimos años: sólo una quinta parte de los 800.000 cubanos que habitan en el Condado de Dade regresaría a vivir a Cuba si se instala un régimen democrático. Un 73 por 100 se quedaría, porcentaje que se eleva hasta un 87 por 100 entre los jóvenes.

Los que más desean el regreso son los que fueron peor recibidos: los que salieron del puerto de Mariel en 1980. Un 32 por 100 regresaría a su país natal.

¿Quién debería gobernar en un futuro democrático? La mayoría, un 42 por 100, opina que deben ser los cubanos que residen en la isla y no los exiliados. Un 32 por 100 cree que deben gobernar cubanos de ambos lados (13).

Una de las frases más comunes en Miami cuando llega la Navidad es: las próximas Navidades, en La Habana. Así, treinta y tres años. Las Navidades de 1990 fueron especialmente tensas. "En el noventa, Fidel revienta", era el eslogan que se coreaba en los bares y restaurantes de la calle Ocho.

Unas Navidades en las que docenas de periodistas se precipitaron sobre La Habana tras la caída de Nicolae Ceauscescu en Rumanía. Yo fui uno de ellos. Cuando uno de los funcionarios del Ministerio de Relaciones Exteriores que se ocupan de la prensa extranjera me vio entrar en su oficina, me dijo:

—¿Tú también vienes a ver cómo se cae esto?

A mediados de enero, en la capital cubana había más de 100 periodistas extranjeros. La inmensa mayoría, con visado de turista, lo que, según las leyes migratorias cubanas, les impide trabajar como informadores. Y al menos, otros 200 habían solicitado visado.

El 8 de febrero de 1990, Sergio López Miró, el entonces influyente columnista del *The Miami Herald*, miembro también de la Junta Editorial del periódico, publica un acerado artículo sobre la propuesta del entonces gobernador de Florida, Robert (Bob) Martínez: la creación de una Comisión para una Cuba Libre.

López Miró, nada sospechoso de simpatías castristas, afirma que el gobernador visitó La Pequeña Habana "con la promesa más ultrajante que un político podría formular a la comunidad cubana local: asegura que la caída de Castro está a la vuelta de la esquina" (14).

La Comisión estaría integrada por doce personalidades del exilio cubano y se ocuparía de preparar el terreno para "el desembarco" en Cuba de los exiliados miamenses. López Miró asegura que tras la Comisión está Jorge Mas Canosa, presidente de la derechista Fundación Cubano-Americana, y el radical locutor de Radio Mambí, Armando Pérez Roura. Martínez la apoya porque está en campaña electoral y teme que el alcalde de Miami de origen cubano, Xavier Suárez, le arrebate el voto cubano-americano.

"La Comisión creada por Martínez no hace más que alimentar la demencia, por eso es tan obscena", concluye López Miró.

Unos meses después, Sergio López Miró abandonaba inesperadamente el *Herald*, de cuya Junta Editorial formaba parte.

Se negó a explicar las razones de su salida. Pero una sospecha caló entre los cenáculos del exilio: su posición ante el problema de Cuba, más favorable al diálogo que a los tiros, molestaba a los poderosos de la derecha.

La agencia norteamericana United Press International (UPI) distribuía el 15 de enero de 1990 un cable a todo el mundo en el que se informaba de los preparativos de la policía del Condado de Dade para controlar a los exiliados cubanos que en cualquier momento tomarían las calles de Miami para celebrar la caída de Castro (15). El jefe de la policía, Perry Anderson, se mostraba tranquilo:

—La caída de Castro paralizará a Miami, pero no será algo que dure para siempre. No creo que tengamos mayores problemas.

La policía diseñó un plan para que los puntos que se consideraban estratégicos, como la calle Ocho, o los parques José Martí y Tropical, estuvieran perfectamente vigilados y en orden.

Lo que más les preocupaba, sin embargo, era "dar protección a la gente admiradora o presuntamente admiradora de Castro, que podían ser objeto de agresiones por parte de fanáticos". La policía, defensora del orden, tomaba precauciones para evitar una noche de largos cuchillos.

El redactor de UPI, de cualquier forma, no debía estar muy convencido. Terminó su breve nota con este párrafo:

—De todas formas, antes de que las gentes salgan a las calles, habrá que comprobar exhaustivamente que en realidad ha caído Fidel Castro, ya que a través de los años se ha anunciado cientos de veces ese hecho, sin que hasta el momento se haya convertido en realidad.

En esos días tuve la oportunidad de hablar en La Habana con Ramón Castro Ruz, de sesenta y siete años, el hermano mayor de Fidel, en un descanso de las sesiones de la Asamblea Nacional del Poder Popular. Me acerqué a él en un pasillo. El parecido con su hermano es enorme: la misma estatura, la misma nariz, la misma barba larga y canosa. Hablamos de todo un poco. También de sus proyectos ganaderos, a los que se dedica. Inevitablemente salió el tema de cuántos días, cuántas semanas, cuántos meses o cuántos años le quedaban a Fidel:

—Don Ramón, ¿qué opina usted, queda Fidel para rato?

Me mira desde su enorme altura —yo soy bajito— y me dice:

—Fidel es inteligente y sabio, tiene una tremenda salud, un gran espíritu de lucha y no es nada derrotista. Le queda mucho tiempo.

Pero en Miami dicen...

—Mira, compañero, los de Miami son todos unos maricones.

La respuesta de Ramón Castro dio la vuelta al mundo, reproducida por las agencias de noticias internacionales. Igual que esta otra frase del hermano menor, Fidel Castro, pronunciada en el discurso final de las sesiones de aquella Asamblea Nacional:

—Que les pongan polilla a las maletas que "la gusanera" se está preparando para venirse acá.

Llego a la calle Ocho, de donde salí. ¡Hummmm! Ya huelo las costillitas de puerco y el congrí. En mi retina tengo grabada la última imagen del campamento de Nazario Sergen: un tipo alto, musculoso, rubio, con el rostro tapado al estilo árabe por un largo pañuelo, gritando a un pelotón de ocho cubanos: "One, two, three, up, down...". Un cubano va traduciendo a los del grupo, porque quizá haya algún recién llegado que no sabe inglés, como el fusilado Betancourt: "Uno, dos, tres, arriba, abajo...".

Uno de los ocho sólo resiste cuatro flexiones de brazos sobre el suelo. Otro se ha quedado de pie, porque dice estar enfermo. Otro tiene tal barriga que apenas si levanta 10 centímetros del suelo.

Le pregunto al periodista Sergio López Miró:

—¿Aquel gringo que mandaba el pelotón, no será un asesor de la CIA?

Sergio se ríe.

—Lo más probable es que sea un mercenario que han contratado para que los entrene.

NOTAS

(1) David Rieff: *Camino de Miami*. Editorial El País-Aguilar. Madrid, 1987.
(2) Tomás Mestre. *The Miami Herald*, 11 de agosto de 1990.
(3) *Comisión de Derechos Humanos. Naciones Unidas.* Informe de la Misión que visita Cuba. Ginebra, 21 de febrero de 1989.
(4) *Newsweek*, 12 de agosto de 1991. Edición Internacional.
(5) *The Miami Herald*, 15 de enero de 1992. New York Times Service.
(6) *The Miami Herald*, 12 de noviembre de 1990. Miami.
(7) Luis Baez: *Los que se fueron*. Editorial José Martí. La Habana, 1991.
(8) Juan Clark: *Mito y realidad*. Saeta Ediciones. Miami-Caracas, 1990.
(9) Gianni Miná: *Habla Fidel*. Edivisión. México D. F., 1988.
(10) *Hubert Matos: un destino y su razón*. CID. Unidad de Divulgación. Venezuela, 1982.
(11) Luis Báez: *Los que se fueron*.
(12) *No permitiremos a la contrarrevolución derrotada levantar cabeza.* Editorial Política. La Habana, 1992.
(13) *The Miami Herald*. Miami, 20 febrero de 1990.
(14) *The Miami Herald*. Miami, 8 de febrero de 1990.
(15) *Excelsior*. Cable de UPI. México, 16 de enero de 1990.

12

LOS LIDERES DEL EXILIO

Qué casa te albergará,
en qué esquina has de pararte,
qué barrio recorrerás para hallarte,
qué vecino te hablará,
qué compadre iá a buscarte,
qué amigo compartirás para entregarte.
Pablo Milanés
(*Yo me quedo*)

Derecha, centro e izquierda. El exilio cubano tiene de todo. Aunque muchas veces en La Habana se hable de "la gusanera" como si fuera un foso común en el que vive el millón de cubanos de la diáspora, esa apreciación no es del todo correcta.

Es cierto que la mayoría del exilio desea un cambio profundo en las estructuras de poder en Cuba. Pero hay matices. Desde los que desean la eliminación física de quien ellos consideran el principal —y a veces único— problema, Fidel Castro, a los que hablan y dialogan con funcionarios cubanos para que el exilio familiar sea más llevadero.

Más de 200 organizaciones, partidos, grupos y grupúsculos anticastristas existen en Miami. Algunos tienen representación en otras ciudades de los Estados Unidos o de España. De todos ellos sobresalen tres grandes bloques que representan otros tantos puntos de vista ante el problema cubano.

En primer lugar, la Fundación Nacional Cubano-Americana,

que preside el empresario Jorge Mas Canosa. Con 50.000 afiliados es la más influyente en los círculos políticos norteamericanos. También es la que mantiene una posición más firme ante La Habana. Se oponen al diálogo y apoyan el bloqueo.

En segundo lugar, la Plataforma Democrática Cubana, que integra a grupos liberales, socialdemócratas y cristianodemócratas. De sus tres principales dirigentes, el escritor y columnista Carlos Alberto Montaner es la figura más popular y la más polémica. Sistemáticamente acusado por La Habana de ser un agente de la CIA (Agencia Central de Inteligencia), Montaner propone un diálogo con Cuba, Fidel Castro incluido, como medio para llegar a unas elecciones libres en la isla.

Por último, la Coalición Cubano-Americana, que preside el ex jesuita José Cruz. Con unos 5.000 afiliados, la Coalición mantiene contactos regularmente con La Habana en un intento de mejorar las relaciones familiares entre los cubanos de la isla y sus familiares de Miami. Se muestran partidarios de dialogar con Castro para que éste introduzca reformas en su sistema, pero exigen a Estados Unidos que ceda en su presión a la isla. No es Cruz, sin embargo, el personaje que aparece en este capítulo hablando en nombre de la Coalición, sino un hombre que fue el primer tesorero de la organización y hoy es un controvertido empresario y periodista radiofónico: Francisco G. Aruca.

Aruca habla por sí mismo, pero sus opiniones se encuadran en lo que sería la izquierda liberal del exilio. Impensable hace unos años, esta corriente cuenta cada día con más simpatizantes.

JORGE MAS CANOSA: LA AMBICION

Sobre su ordenador personal, Jorge Mas Canosa tiene un bello retrato de José Martí, el Apóstol, como le llaman reverencialmente muchísimos cubanos. Martí es el padre de la independencia y la fuente de la que beben todos los políticos cubanos.

Me imagino que este hombre que sólo estudió un año en la Facultad de Derecho de La Habana, pero que con tesón y esfuerzo hizo una considerable fortuna en Miami, habrá leído aquella sentencia de Martí: "Viví en el monstruo y conozco sus entrañas". Martí se refería a los Estados Unidos, en donde residió un tiempo a finales del pasado siglo mientras recaudaba fondos y organizaba la sublevación definitiva contra la metrópoli, España.

Pero Mas Canosa debe haber encontrado un vellocino de oro, más que monstruo alguno. En la misma habitación donde está el dibujo de Martí, hay sendas fotos de Jorge Mas Canosa con los dos últimos presidentes de los Estados Unidos, Ronald Reagan y George Bush. Mas Canosa preside la Church and Tower Inc., una compañía constructora de servicios telefónicos con unos 1.000 empleados.

Puede en justicia decirse que Mas Canosa es un hombre de éxito. Además es un *self-made-man*, un hombre que se ha hecho a sí mismo, que tanto gusta aquí, en Exilandia. La prensa de Miami publicó en alguna ocasión que Mas Canosa adquirió el Mercedes azul blindado del dictador nicaragüense Anastasio Somoza.

El 15 de julio de 1960, con veinte años, Mas Canosa aterriza en Miami procedente de Cuba. Había abandonado los estudios de derecho. Comienza a trabajar como repartidor de leche. Forma parte de la expedición que invade Cuba, por Playa Girón o Bahía de Cochinos, en 1961. La barca en la que viaja tiene la orden de penetrar por Santiago:

—No pudimos desembarcar. Cuando arribamos frente a Santiago, la playa estaba tomada por la artillería y la infantería de Castro. Nos ordenaron continuar a Bahía de Cochinos. Tardamos dos días. Al llegar a la zona, supimos que la invasión había sido un fracaso.

—El presidente John Kennedy abandonó a los cubanos a su suerte. ¿Cree que habrían hecho lo mismo sus amigos Reagan o Bush?, ¿habría fracasado la invasión de estar alguno de ellos en la presidencia?

—La invasión fracasó no tanto por el presidente que entonces ocupaba la Casa Blanca, como por el hecho de que los cubanos de entonces no ejercíamos ninguna influencia en Washington, ni se nos tenía en consideración, ni en el orden político, ni en el humano.

Por ello, para tener influencia, Mas Canosa se alía con un grupo de exitosos empresarios cubanos de Miami y crea la Fundación Nacional Cubano-Americana, el 20 de mayo de 1981, de la que es presidente. Y dice con esa seguridad con que Mas Canosa, aparentemente, parece hacer y decidir todo:

—Si la Fundación hubiera existido en 1961, la invasión de Bahía de Cochinos no habría fracasado jamás.

De mediana estatura, rostro redondo, y cincuenta y dos años de edad, Mas Canosa pretende cautivar al interlocutor. Me ha hecho esperar una hora. Cuando me recibe no me pide la más mínima disculpa. Me da la impresión de que no pide disculpas a nadie desde hace ya muchos años. Quizá desde que ganó su primer millón de dólares. Me dice que anda escaso de tiempo y que la entrevista no podrá durar más de quince o veinte minutos. He viajado muchos kilómetros hasta llegar a su oficina, situada muy al sur de la ciudad de Miami.

—Señor Mas Canosa, en ese caso es mejor que lo dejemos. No puedo hacer la entrevista en esas condiciones.

Cede. Se quita la chaqueta, pide, ordena un vaso de agua. El problema luego será, como con tantos otros cubanos, finalizar la

conversación. En Cuba no sólo Fidel Castro habla mucho. El cubano en general es de por sí conversador.

Me cuenta por qué se fundó la Fundación:

—El exilio había sido hasta entonces una cadena sucesiva de
fracasos y la gente no sigue a los fracasados.

Hoy, según datos del propio Mas Canosa, la Fundación cuenta
con tres tipos de socios: una junta de directores, unos 50, que
aportan 10.000 dólares al año; unos centenares de socios que cotizan cantidades superiores a los 1.000 dólares anuales, y una gran
masa de 47.000 cubanos exiliados que pagan una cuota mensual
de 10 dólares.

Los principales éxitos de la Fundación: conseguir que el Gobierno de los Estados Unidos pusiera en funcionamiento en 1985
Radio Martí y cuatro años más tarde Televisión Martí, desde las
que se bombardea ideológicamente a Cuba. Mas Canosa es presidente del Consejo asesor de ambas emisoras. Además, la Fundación se ocupa de conseguir visados a los cubanos que desde cualquier parte del mundo desean residir en los Estados Unidos.

Considerado como el representante del ala conservadora del
exilio cubano, Mas Canosa defiende el acoso y derribo de Fidel
Castro a través del bloqueo y el aislamiento diplomático. Se opone
frontalmente al diálogo que apoyan los miembros de la Plataforma Democrática Cubana (PDC) de Carlos Alberto Montaner y de
la Coalición Cubano-Americana de José Cruz.

—La Fundación ha demostrado ser dialogante con todos los
demócratas del mundo. Pero es absurdo plantear un diálogo con
el responsable de la falta de libertad en Cuba, de todos los crímenes cometidos en la isla.

Mas Canosa apunta una frase que es como un eslogan. La he
visto reproducida en cuantas entrevistas le han hecho: el problema de Cuba es Fidel Castro, no la solución. Por tanto, razona,
¿cómo vamos a dialogar con el problema?

—Ningún dictador en la historia de la humanidad ha abandonado el poder por la vía del diálogo.

Y suelta otra frase de esas que suena como un latigazo, ya excitado, dando golpes en el brazo del sillón:

—Castro está terminado, liquidado, es un cadáver insepulto.
Lo que tenemos que discutir es qué tipo de entierro le hacemos.

Y sigue con su argumento, siempre hablando en plural de sí
mismo, como si fuera un rey, o el mismo Pontífice. Un vicio muy
común entre los cubanos, por otra parte.

—Nosotros, que vamos a ver a los senadores, y a Bush, que vamos a Ginebra para conseguir que se condene a Castro por violar
los derechos humanos, que fuimos recibidos por Margaret Thatcher, que hemos viajado por todo el mundo, que nos hemos entrevistado con veinte o treinta presidentes en los últimos dos años, pi-

diendo solidaridad con nuestra causa, ¿cómo vamos a pedir más solidaridad si por otro lado estoy dialogando con Castro?

Dialogar con Fidel es darle tiempo, dice Mas Canosa. Porque Castro "es un hombre extraordinariamente hábil, capaz, inteligente, con unos rasgos carismáticos que muy pocos cubanos reúnen" y podría sacar provecho de ese diálogo. Además, comenta Mas Canosa, en La Habana no están interesados en los cambios:

—La mejor prueba de que ellos no quieren cambiar es lo que dijo Carlos Aldana a la revista *Cambio 16*...

—Me lo dijo a mí...

—¡Ah, sí! Pues te felicito, porque ahí aparece claramente por qué el diálogo no funciona, cuando Carlos Aldana afirma que, en cuanto a cambios políticos, que se olviden de reformas similares a las de las democracias occidentales...

—Bueno, exactamente no fue así...

—Más o menos. Vino a decir que seguiría el partido único, la ideología tremendista del patria o muerte, en el orden político. En el orden económico también fue tajante: no habría nada parecido a la economía de mercado en Cuba.

(Carlos Aldana, miembro del Buró Político del Comité Central del Partido Comunista de Cuba, y responsable del Departamento Ideológico, me dijo textualmente en una entrevista publicada en *Cambio 16* el 21 de enero de 1991: "Hay consenso [entre la población cubana] en tres cuestiones fundamentales: el socialismo; el sistema de partido único; el respeto al liderazgo histórico encarnado por Fidel". También: "Lo que se nos está pidiendo es que cambiemos de esquema. Nuestro esquema no es el de las democracias occidentales, sino uno basado en la propiedad social. Si ese esquema se impugna, si se considera ilegítimo, entonces no tenemos nada que discutir") (1).

—Cómo sabemos cuál es el problema, ¿sabes lo que planteamos nosotros? Dialogar con cualquiera, menos con los hermanos Castro.

Mas Canosa es de los que odia tanto a Fidel como a su hermano Raúl Castro. En sus entrevistas, o en los documentos de la Fundación, habitualmente se cita a los dos máximos dirigentes del gobierno cubano. En uno de los boletines informativos que Mas Canosa me entrega, se lee en el apartado "La Fundación y sus esfuerzos": "la naturaleza criminal y corrupta de Fidel y Raúl Castro". En el apartado "Somos un solo pueblo", se propone: "Debemos luchar juntos por la inmediata separación del Gobierno de Cuba de Fidel y Raúl Castro, principales culpables de la tragedia cubana" (2).

Replico de nuevo:

—¿Cómo pretende dialogar con altos funcionarios cubanos la salida de los hermanos Castro, cuando ambos mantienen el poder en La Habana? Eso es imposible...

—Claro que es imposible. Pero es a la vez un aliciente para los que están alrededor de Castro y que se unan a nosotros. Que sepan de antemano que no tenemos afán de revancha, ni de venganza. Que no vamos a ir a Cuba a matar a nadie, a despojar a nadie, a quitarle el trabajo o la comida a nadie.

—Cuando habla de un "aliciente" para los que están alrededor de los hermanos Castro, ¿se refiere a que lo derriben, que organicen un complot?

— Sí, sí. Que haya un complot y lo derriben.

Me explica la primera parte de su plan: la Fundación está elaborando un proyecto "para colocar a Cuba en una situación de privilegio respecto a los demás países de América Latina". Una sociedad en la que "los cubanos puedan vivir dignamente, que puedan manejar un automóvil, vestirse bien, viajar al exterior, educar a sus hijos donde quieran. Un sistema de prosperidad social. El único inconveniente es Fidel".

Mas Canosa se va excitando más y más conforme traza las líneas maestras de su programa de salvación para Cuba. Se levanta, camina un poco por el despacho, toma un sorbo de agua. Dice:

—En ese proyecto planteamos que ya llegó la hora de que los cubanos dejemos de matarnos unos a otros...

—Usted parece admitir que para salvar a Cuba el último muerto debe ser Fidel Castro.

Se queda un poco pensativo. Es hábil y sabe eludir situaciones comprometidas:

—No promuevo públicamente la violencia, pero cuando se le cierran todos los caminos democráticos a un pueblo para renovar a sus dirigentes, a nadie se le puede condenar porque haga uso de la fuerza. No sería la primera vez que sucede en América Latina. Por tanto, esa (la muerte de Fidel) es una opción. No estoy diciendo que sea la única.

Me tranquiliza Mas Canosa cuando afirma:

—Debemos luchar juntos para la inmediata salida de Fidel y Raúl. De ahí para abajo pararíamos la "matazón". No podemos dar cabida al revanchismo, si fulano persiguió a mengano, si a otro le metió veinte años, si mató a menganito... Señores, borrón y cuenta nueva.

Cuando entrevisto a Mas Canosa en sus oficinas de Miami, en marzo de 1991, la prensa todavía comenta el proyecto de recuperación económica que un grupo de economistas norteamericanos han elaborado, por encargo de la Fundación, para cuando caiga Castro. Se dijo que el premio Nobel Milton Friedman encabezaba ese equipo. Mas Canosa insiste en que hubo contactos con él. Pero el propio laureado desmintió a José de Córdova, del periódico más influyente del mundo económico, *The Wall Street Journal*, que estuviera trabajando para Mas Canosa o la Fundación y mucho menos que hubiera recibido por ello 150.000 dólares.

Cuando Mas Canosa me explica el proyecto su cara se transforma y casi casi parece un iluminado. Lo que me pregunto es: ¿por qué lo que propone Mas Canosa, aparentemente tan sencillo sobre el papel, no ha sido llevado a cabo por ningún otro país del mundo?

El "plan Mas Canosa" se originó de esta forma:

Como la gente no puede reunirse en Cuba para planificar el futuro de la isla tras el derrocamiento o la desaparición de Fidel, Mas Canosa y sus hombres de la Fundación pensaron que ellos debían llenar ese vacío. "Para que no nos pasara lo que les sucedió a todos esos dirigentes de la Europa del Este, que los sacaron de la cárcel, llegaron al poder y no sabían qué hacer".

El grupo de expertos que trabajó durante dos años para la Fundación diseñó un programa de emergencia para el primer gobierno provisional "muy simple". Recoge la inevitable separación de poderes, la celebración de elecciones libres en el plazo de un año a un año y medio, el establecimiento de una economía de mercado...

—Con ese programa en la mano, la idea sería llegar a La Habana y decirle: Mire usted, sargento Pérez, este es un plan de acción para el gobierno provisional...

—Un momento —interrumpo el sueño de Mas Canosa—. Por qué sargento Pérez, ¿está pensando acaso en que se producirá un golpe militar?

—Es posible, es posible, esa es una de las opciones —y sigue Mas Canosa—. Como ustedes no pudieron reunirse antes, como no tienen dinero, ni crédito, ni credibilidad en el exterior para obtener préstamos, nosotros creemos tener resuelto ese problema si se adopta este paquete de reformas económicas. Hemos adelantado este trabajo en nombre de ustedes, por supuesto siempre se hizo con mucha humildad y mucha modestia. Nosotros hemos hablado con tales y tales compañías del sector privado, japonesas, francesas, españolas.....

—¿...?

—Si ustedes adoptan el plan, mañana están entrando por el puerto de La Habana barcos cargados de petróleo de Houston, y barcos cargados de comida de Nueva York...

—Señor Mas Canosa: ¿tan fácil lo ve usted? ¿No se le prometió el oro y el moro a Nicaragua, a Panamá y apenas si han recibido una limosna...?

Viene la segunda parte del plan:

—Nicaragua y Panamá no obtuvieron dinero porque pidieron donde no hay: Banco Mundial, Banco Interamericano de Desarrollo, Fondo Monetario... ¿Sabe cuánto dinero les dieron, mi amigo? Cero, cero. Nada —y se levanta, alza la mano y con sus dedos hace el signo de la nada, del cero total—. ¿Y sabe por qué? Porque no hay dinero, usted no puede depender del sector público para reconstruir un país...

Pero hay un sitio donde el dinero abunda: Wall Street. El mercado de valores. La bolsa. Las grandes multinacionales. Mas Canosa me informa que sus expertos han contactado con las más importantes compañías del mundo y les han ofrecido las empresas cubanas, que serían en su día subastadas. El 80 por 10 para la empresa extranjera y el 20 por 100 para los trabajadores cubanos de esa empresa.

—Así, Cuba pasaría de ser un país de proletarios a ser un país de propietarios.

Era la otra frase/eslogan de este hombre que o bien sueña despierto o es un iluso. O un genio de las finanzas.

Sigue el plan: subastados todos los bienes del Estado, según los cálculos de los expertos de la Fundación, el Gobierno cubano ingresaría entre 14.000 y 18.000 millones de dólares, suficientes para reconstruir el país, pagar subsidios y pensiones a los ya ex miembros del Ejército, del aparato burocrático del Estado, a los propios funcionarios del Partido Comunista. Y lo que es el sueño de los sueños: sobraría dinero para repartir un cheque entre todos los cubanos mayores de dieciocho años de 2.000 o 3.000 dólares por cabeza.

En este punto, Mas Canosa me pide discreción. Yo suelo ser respetuoso en mi profesión cuando se me exige el "off the record" (te dicen una cosa, la puedes contar, pero sin citar la fuente; un lío). Pero éste no es el caso. Simplemente, Mas Canosa me dijo:

—No cites la cantidad, pero estoy seguro de que una vez subastado todo, sobrarían como mínimo de 1.000 a 2.000 millones de dolares, que sería dinero del pueblo cubano, al que se le entregaría un cheque grande, no creas, de 1.000 o 2.000 dólares...

—Señor Mas Canosa, todo eso suena a una utopía absolutamente irrealizable.

Se pone algo serio. Me mira fijamente. ¿Cómo va ser utópico un plan en el que han trabajado grandes cerebros?

—No, en absoluto es utópico. Lo que pasa es que no se ha ensayado nunca. Pero los cubanos que estamos diseñando esto no somos pendejos. Todos hemos triunfado económicamente y sabemos de qué estamos hablando.

—Usted ha dicho que pondría en marcha un plan así para no depender económicamente de los Estados Unidos, pero lo que está haciendo es poniéndose en las manos de Wall Street...

—El que diga eso, que ofrezca otra alternativa. El que dice eso es posible que cuando llegue a su casa encuentre a su hijo enfermo y sin antibióticos, o con los zapatos rotos, o quizá ha hecho una sola comida en todo el día, o tiene un policía secreto en la ventana espiando qué es lo que come...

—Mucha gente asegura que usted desea ser presidente cubano...

Hace una pirueta que me encanta:

—Es una pregunta estándar. Ningún periodista serio deja de hacerla.

Y me explica su teoría que es la de la Fundación: para ellos, hay un solo pueblo, el de Cuba y el del exilio.

—No acepto que los del exilio seamos cubanos de segunda clase y no voy a renunciar a aspirar a cuanto desee en Cuba.

—Pero usted es ciudadano americano, tiene pasaporte norteamericano...

—La Constitución anterior a la castrista admite la doble nacionalidad. Además, yo aún no tengo decidido si tengo vocación o no para dedicarme a la política.

A las casi dos horas de conversación, detengo la grabadora. Mas Canosa, que se había quitado la chaqueta, la había colgado en un perchero, se había subido las mangas de la camisa, había bebido un par de vasos de agua, se encuentra algo cansado, pero definitivamente feliz por haber explicado en detalle su plan de salvación para Cuba. Tengo la impresión de que cree a pies juntillas todo cuanto ha dicho.

Salgo de su despacho cuando ya el sol comienza a declinar. En el patio de este alejado edificio donde tiene sus oficinas Mas Canosa, hay un poste con una placa azul, idéntica a las que se utilizan para colocar los nombres de las calles en las urbanizaciones de Miami. Muy *american style*. El letrerito dice: Plaza de la República de Cuba.

Cuando me alejo hacia el centro de la ciudad, pienso que realmente Jorge Mas Canosa por lo que está luchando desde hace treinta años es por tener un cartelito parecido, al lado de su dibujo de José Martí, que diga: República de Cuba. Presidente: Jorge Mas Canosa.

CARLOS ALBERTO MONTANER: LA ASTUCIA

Hace frío esta tarde de enero de 1992. Por ello, cuando paso a las oficinas de la editorial Playor, situadas a corta distancia de la plaza Mayor de Madrid, de ahí su nombre, la bofetada de calor me sofoca. Carlos Alberto Montaner, el propietario de la editorial, está en su despacho. Y quizá para compensar el frío de este Madrid invernal, evocamos juntos el calor de Cuba.

Como tantos otros cubanos del exilio que he entrevistado, Carlos Alberto me dedica una buena parte de su tiempo y responde a cuantas preguntas quiera hacerle, pero luego se convierte en entrevistador y me interroga a mí. Por una sencilla razón: yo he viajado a La Habana con frecuencia, es más, acabo de estar allí durante la Navidad, hace sólo un par de semanas y él lleva treinta y un años sin pisar su país.

Las preguntas que me hace contienen en sí mismas los rasgos que definen a los exiliados cubanos: inocencia, desconocimiento de la vida cotidiana, nostalgia del aire de su tierra.

—¿No le parece una cosa demencial eso de los pollitos...? —me pregunta Montaner.

—Tan demencial como lo de Jorge Mas Canosa repartiendo cheques de 2.000 dólares a todos los cubanos mayores de dieciocho años...

El Gobierno cubano, ante la escasez de piensos, que en su inmensa mayoría llegaban de la extinta Unión Soviética, decidió regalar a cada familia un pollito para que cada cual lo criara en su casa y se lo comiera cuando estuviera gordito o bien lo dejara vivo para que diera huevos (si es hembra). He visto algunos hogares en donde el pollito se ha convertido en un animal casero, una especie de gato con plumas, con el que juegan los niños. Otros, sin embargo, se lo han tomado más en serio, los engordan y esperan sus huevos.

A Carlos Alberto, político profesional, pero humano al fin, le interesa todo: me pregunta si la crisis afecta a todos los cubanos por igual, si es cierto que ha crecido mucho la prostitución en La Habana, si puede mandar dólares a unos parientes, quién puede comprar en las diplotiendas (3), cómo es la comida en los restaurantes para turistas, si hay siempre langosta, por qué no pintan las casas de La Habana, que a través de las fotografías que ha visto aparecen muy descuidadas...

—Porque no hay ni dinero ni pintura... —le respondo.

—Y la ciudad, ¿es bonita, es bonita La Habana? Apenas si tengo algún recuerdo lejano, de los barecitos, de las salas de baile ...

Es normal. Abandonó Cuba en 1961, con diecisiete años, después de pasar unos meses en la cárcel y un breve exilio en la Embajada de Venezuela en La Habana. Montaner había sido detenido y acusado de preparar actos terroristas.

En Miami estudia lengua española y periodismo, pero se marchará pronto de esa ciudad: "Vivir en ese manicomio es muy complicado". Años después, publicará varios libros, tanto de ficción como de ensayo político.

Curiosas coincidencias las que hay entre Carlos Alberto Montaner y Francisco Aruca, otro de los líderes del exilio cubano (ver apartado siguiente). Ambos estuvieron un tiempo breve en la cárcel y ambos se fugaron. Los dos califican a Miami como "un manicomio". Los dos fueron profesores en Puerto Rico. Los dos abandonaron la docencia para dedicarse a los negocios. Los dos abogan por un diálogo con el gobierno de Fidel Castro, aunque en este tema ya comienzan a separarse un poco esas casi vidas paralelas.

Esas diferencias son abismales a los ojos del Gobierno cubano: para La Habana, Montaner es un agente de la CIA y Aruca un exiliado progresista con el que se pueden hacer negocios.

Inevitablemente en una conversación con Montaner ha de salir esta acusación que, sobre todo en los últimos tiempos, lanza el Gobierno cubano contra el editor y periodista de cuarenta y nueve años que reside en Madrid desde 1971: Carlos Alberto Montaner es un agente de la Agencia Central de Inteligencia (CIA).

Montaner es el primero en pronunciar esas tres siglas. En el último año, he visto a Montaner en distintas ciudades de América Latina: en Guadalajara (México), en Cartagena (Colombia). Allí donde hay una cumbre de presidentes latinoamericanos, allí está Montaner y sus aliados políticos, dando conferencias de prensa, enviando cartas y mensajes a los mandatarios, repartiendo carpetas azuladas con la documentación de la Plataforma Democrática Cubana (PDC) y denuncias por el encarcelamiento en La Habana de la poetisa disidente María Elena Cruz Varela.

Es el Montaner hábil y astuto, le digo, que vive en Madrid en vez de Miami, que procura acercarse más a los gobiernos europeos que al norteamericano, que se aleja de las posiciones radicales anticastristas y lanza la idea de la reconciliación y el diálogo. En fin, como le comento, es el Montaner que utiliza un lenguaje duro y agresivo contra Fidel Castro cuando escribe en docenas de periódicos de distintas partes del mundo, pero que se muestra suave y conciliador ante la prensa internacional, como hace poco más de un mes, en diciembre de 1991, en la terraza de un bar de Cartagena de Indias.

—Solicitamos del Grupo de Río que se convierta en mediador entre el Gobierno de Cuba y la oposición política —explicará educadamente Montaner en la terraza de un café situado frente al palacio de esta bella ciudad del Caribe colombiano, dónde están reunidos los presidentes de los más importantes países de la América hispana.

¿Por qué ese doble lenguaje? En su despacho madrileño, Montaner desviará ligeramente el curso de la respuesta y aparecerá la palabra maldita: CIA.

—Yo soy un adversario político de Castro, aunque los castristas se empeñen en calificarme como agente de la CIA y no dejen de insultarme desde todos los ángulos...

El 27 de diciembre de 1991, unos días antes de entrevistar a Montaner, he escuchado a Carlos Aldana en su intervención ante la sesión plenaria de la Asamblea Nacional del Poder Popular. Sin citarlo, pero sabiendo todo el mundo a quién se refería, Aldana ha calificado a Montaner de cabecilla y cuadro profesional de la CIA, con dedicación completa. El miembro del Buró Político del PCC informa que ese agente de la CIA es el remitente de una carta enviada a los disidentes cubanos del interior, "desde Madrid, donde radica uno de los centros de la CIA que orienta esta actividad contra Cuba" (4).

Montaner conoce esas acusaciones recientes. Para este escritor, se trata de un montaje de la Dirección de Seguridad del Estado. Y me habla de una carta que circula estos días en los medios del exilio:

—En esa carta, que simula estar escrita por exiliados cubanos, como si fueran unos opositores rabiosos a Castro, se dice que yo estoy haciendo negocios con Cuba, desde Venezuela, con un señor que se llama... Eliseo, sí, Eliseo no sé qué, a quien ni siquiera conozco, pero sé que existe y tampoco hace negocios con Cuba.

—¿Y qué se supone que le vende a los cubanos?

—No sé, dicen que les vendo cosas desde la isla Margarita y yo nunca he estado en esa dichosa isla. (La isla Margarita pertenece a Venezuela.)

Reconoce haber hecho "un poco de dinero", pero mucho menos que Jorge Mas Canosa o Francisco Aruca, a través de su editorial Playor, que edita básicamente libros de texto, pero también libros políticos de temática cubana. Montaner no abandona el tema de la acusación que le hacen desde La Habana:

—Han realizado todo tipo de campañas de difamación. Hay un miserable que debe conocer, un tipo que maneja a gente de la prensa, Luis...

—... Báez.

—Sí, Luis Báez. Publicó un libro donde decía que en mi casa se consumían drogas. ¡Y yo no fumo ni un cigarrillo!

—Bueno, lo dice otro, no Báez...

—Sí, dice que lo dice Padilla...

—Luis Báez es amigo mío.

Se lo he dicho a Montaner por dos razones: primero porque es cierto, y segundo para comprobar su reacción. No tarda ni un segundo en decirme:

—Bueno, pues entonces le dice de mi parte que es un hijo de puta.

Luis Báez publicó, en efecto, un libro que tituló *Los que se fueron* (5) en el que aparecen por vez primera en Cuba entrevistas con diez destacados anticastristas que desde hace muchos años residen fuera de la isla. El libro fue un *best seller* en Cuba. Uno de los entrevistados, Jorge Roblejo Lorié, afirma que en una ocasión el poeta también exiliado Heberto Padilla visitó la casa de Montaner y le dio la impresión de que "Carlos Alberto Montaner es aficionado a las drogas".

Báez hace esta breve semblanza de Montaner:

"Escritor cubano al servicio de la Agencia Central de Inteligencia. Esta Agencia sufraga los gastos de la editorial Playor, que él dirige, a la vez que sirve de fachada para sus actividades de inteligencia contra Cuba y políticos, comerciantes y periodistas españoles."

Dice Montaner:

—Es lógico que yo tenga la peor opinión de Castro y del sistema, lo que no me impide admitir que es una realidad política con la que hay que contar.

—Si llegara a la presidencia de Cuba, ¿qué haría con Castro?

—Lo que más le convendría al país es sepultar a los castristas, pero sepultarlos bajo los votos. Y creo que la función de un demócrata no es prohibirle a otro el ejercicio de la política. Si Castro desea convertirse en la cabeza de la oposición, y la sociedad cubana decide aprobar una ley de borrón y cuenta nueva, creo que nadie podrá prohibirle su derecho a ejercer ese nuevo liderazgo.

—Usted personalmente, ¿votaría a favor de esa ley de borrón y cuenta nueva?

—El pueblo es el que tiene que decidir. Pero creo que si los cubanos se inclinan por la venganza y la represalia, las posibilidades de reconstruir Cuba son muy remotas.

El 14 de agosto de 1990 fue una fecha clave para la oposición cubana en el exterior. Ese día, representantes de cinco partidos políticos suscribieron en la capital española la Declaración y Pacto de Madrid y fundaron la Plataforma Democrática Cubana (PDC).

La Declaración de Madrid lanza la propuesta de un encuentro nacional, en el que participen los grupos de oposición, del interior y exterior de la isla, el Gobierno cubano y observadores internacionales. Es en definitiva una propuesta de diálogo entre todas las partes interesadas en el futuro de Cuba.

El objetivo final es la convocatoria de unas elecciones libres, pero antes deben darse estos requisitos previos: amnistía general, modificación de la Constitución "a fin de eliminar de la misma aquellos artículos que impiden el desarrollo de una sociedad libre y democrática", libertad de expresión, respeto a los derechos humanos y legalización de los grupos que en el interior de la isla defienden los mismos, y libertad sindical.

"No queremos sangre en el trayecto hacia la democracia. No queremos venganzas ni atropellos cuando Cuba sea libre" (6).

La Declaración está suscrita por Carlos Alberto Montaner, presidente de la Unión Liberal Cubana (ULC); Enrique Baloyra, que aglutinará y presidirá la Coordinadora Socialdemócrata, y José Ignacio Rasco, presidente del Partido Demócrata Cristiano de Cuba. En el documento original aparecen otras nueve firmas más que corresponden a grupos o personas representados en las tres grandes corrientes citadas: la liberal, la cristianodemócrata y la socialdemócrata.

Desde que en el verano de 1990 Gustavo Arcos, secretario general en el interior del Comité Cubano Pro Derechos Humanos, lanzó su propuesta de diálogo entre todos los implicados, de dentro y de fuera, esta invitación a una solución pacífica a los problemas de Cuba es la más importante realizada hasta el momento.

Un diálogo que rechaza una parte importante, la más conservadora, del exilio y el propio Gobierno cubano. En una entrevista que mantuve con Carlos Aldana en su despacho oficial del Comité Central el 2 de enero de 1991, me dijo textualmente:

—Con los exponentes de la comunidad cubana en Estados Unidos que no pretenden cambiar el régimen social en Cuba, ni están comprometidos con la política de bloqueo y de hostigamiento a Cuba, que no tienen las manos manchadas de sangre, mantenemos un diálogo desde hace años, unos diez años diría yo.

Ese diálogo, según Aldana, versaría sobre problemas comunes, como la reunificación familiar o la mejora de la comunicación entre las familias de uno y otro lado. "Para hablar con nosotros no hay que simpatizar con nosotros, no hay que apoyar todas nuestras decisiones, ahora bien, para hablar con nosotros sí que hay que respetarnos". Por el contrario:

—Con los que están comprometidos con el hostigamiento y el bloqueo, con los que tienen las manos manchadas de sangre, con esos nosotros no tenemos absolutamente nada de qué hablar, nada.

Montaner, que siempre ha mostrado interés por Carlos Aldana, me dice:

—Siempre pensé que Aldana tenía la suficiente flexibilidad como para entender que el régimen había llegado a su fin. Que había que buscar la forma en que nuestra sociedad evolucionara pacíficamente en otra dirección...

El escritor afincado en Madrid ha reflexionado mucho sobre el hombre que dirige el importante Departamento Ideológico del PCC. Mantiene que de los discursos de Aldana hay que dejar a un lado la parte ortodoxa de los mismos y quedarse con algunos esporádicos planteamientos en los que, en opinión de Montaner, el dirigente cubano dejaba entrever que era partidario de una negociación política.

—Por lo que conozco de su psicología, creo que es uno de esos hombres capaces de ver los problemas con realismo.

Un hecho, sin embargo, marcó "el punto de no retorno de la dictadura", según Montaner:

—Cuando fracasa el golpe militar en la Unión Soviética el verano del 91, Castro se quedó sin ningún asidero ni esperanza, y en vez de buscar una evolución pacífica y razonable, decidió cavar la trinchera y prepararse para resistir no se sabe exactamente qué, pero desde luego no para ceder el poder.

Ahí se frustraron las esperanzas de diálogo. Entonces, ¿qué salidas ve Montaner para Cuba?

—Castro ya no tiene con qué alimentar a su pueblo. Y sólo le quedan dos opciones: o reprime cada vez más o ensaya formas de apertura política y económica que rectifiquen el curso de la Revolución.

Para Montaner, hay algunas medidas de orden socioeconómico que podrían aportar fondos a la maltrecha economía cubana. Una sería una revitalización del turismo. Para ello, sin que Estados Unidos abandone el bloqueo, lo único que tendría que hacer Castro es autorizar la entrada de 100.000 turistas cubano/americanos, como en 1979. Llevarían dinero y aire fresco a la sociedad cubana, se produciría una especie de apertura social de la isla. Por otro lado, el líder cubano debería legalizar las asociaciones que defienden los derechos humanos o que tienen un carácter más político existentes en el interior.

Si Fidel no varía el rumbo, éste es el apocalíptico cuadro que dibuja Montaner:

—El desenlace es imprevisible. Puede suceder de todo: desde un militar que se subleva; un conflicto entre militares que desemboque en una guerra civil; una protesta estudiantil que termine en una masacre como la de Tiananmen, en Pekín; una marcha de las cacerolas protagonizada por amas de casas desesperadas, que luego la policía no se atreva a reprimir; o bien una quiebra de la autoridad política ante la insubordinación del aparato administrativo y de los cuadros políticos intermedios...

Hay un problema añadido: la falta de una oposición firme y seria en el interior de la isla. No hay una cabeza capaz de arrastrar tras de sí a una masa importante de ciudadanos. La división y atomización de la disidencia en el interior es palpable. Sólo la creación de la Concertación Democrática Cubana (CDC), a imagen y semejanza de la Plataforma de Montaner, se presenta como el intento más serio de unificar los grupos opositores. Claro que de los ocho grupos que componen la CDC, los líderes de seis estaban encarcelados en mayo de 1992. En palabras de Montaner:

—Antes de que un líder sobresalga, antes de que pueda levantar cabeza, se la cortan. Antes de que los movimientos opositores cobren fuerza, los disuelven. Pero igual que yo no sé cuál será el desenlace, ellos están convencidos de que el régimen llega a su fin. Sé que cuando la policía de la Seguridad del Estado detiene a un disidente, ya no lo intimidan como antes, diciendo que lo van a matar. Ahora les dicen: yo voy a morir, pero tú te vienes conmigo. Asumen ya el punto de vista de un derrotado rabioso.

Hay un dato curioso en la biografía de Montaner. Su padre, Ernesto Montaner, de setenta y cinco años, era amigo de Fidel. En más de una ocasión, afirma Montaner, Castro se quedó a dormir en la casa de su padre. En 1955, cuando éste sale de la cárcel, y preparaba su exilio en México, fue al hotel Central de La Habana, donde su padre vivía tras su divorcio. Montaner, que entonces tenía tres años, acudió también a visitar a su padre.

—Mi sorpresa fue enorme cuando toqué la puerta y me abrió el propio Fidel. Estaba en calzoncillos, recién duchado y perfumado. Yo creo que esperaba a alguna mujer, posiblemente a Nati Revuelta (7). Yo intentaba hablar con él, imagínate, el héroe del Moncada, pero tuve la impresión de que él deseaba que me marchara pronto.

Regresamos un poco al pasado. A aquella vieja ciudad de La Habana que lo vio nacer. Hablamos de quiénes estarían dispuestos a regresar a vivir a la isla si el régimen se democratiza o simplemente desaparece Fidel. Montaner apunta un dato: no cree que regrese más de un 5 por 100 de los exiliados.

—Cuando vieran las condiciones en que habrían de vivir en Cuba, después de haber vivido en Estados Unidos, se sentirían totalmente desalentados. Mucha de la gente que está fuera tiene en la memoria la próspera ciudad de La Habana de 1958...

—Y habría un serio problema de viviendas. Habría tiros por conseguir una casa, un apartamento... —le digo.

—Eso no debe ocurrir. Creo que nadie del exilio debe ir a Cuba reclamando su antigua vivienda y echar a los pobres cubanos que las ocupan desde hace treinta y dos años.

La noche se ha apoderado ya de la ciudad de Madrid. Carlos Alberto Montaner está cansado. Acaba de volar desde el otro lado del Atlántico, no sé si de Miami o de Caracas. La maleta la tiene aún en el despacho. Y sufre un fuerte catarro. Es hora de despedirse. Cuando recojo mis cosas, Carlos Alberto Montaner, el duro opositor a Castro, me hace una insólita pregunta:

—¿Y cómo son las cubanas? ¿Es cierto que las muchachas son tan bonitas como dicen....?

Sí, Montaner. Lo son.

FRANCISCO ARUCA: LA OSADIA

Se ha afeitado los brazos hasta quitarse el último vello. Se ha pelado casi al cero. Se ha puesto un pantalón y una camisa chillona, como la de un adolescente y se ha mezclado en la fila de familiares que están saliendo de la prisión La Cabaña.

Pasa la primera verja de seguridad. Sin problemas. El corazón le late como si acabara de correr 100 metros lisos. Se aproxima a la segunda verja. El guardián mira a aquel joven que avanza entre niños y madres llorosas y le grita:

—Y tú, ¿qué haces aquí?

No se acobarda. Contesta lo más tranquilo que puede:

—He venido de visita.

—Tú no puedes estar de visita. Eres demasiado viejo.

El guardián cierra con siete candados la verja. De haberla traspasado sería un hombre libre. El funcionario conduce al joven a la oficina del penal. Le dice al teniente:

—Este muchacho dice que estaba de visita, pero como usted ve tiene al menos diecisiete años.

El joven piensa para sí mísmo: "Me ha tumbado dos años, y además cree que entré ilegalmente, no que deseo escapar". El teniente ordena que sea identificado por el soldado que lo dejó entrar. Le echan un vistazo. Nadie lo reconoce. Lógico. No había entrado. Estaba intentando salir de la cárcel.

—¿Te han requisado?

—Sí —contesta el joven.

—¿Dónde? —insiste uno de los soldados.

El joven piensa aceleradamente: "¡Cooooñó, ahora sí que me jodió! Yo nunca he entrado, no sé dónde se requisa. He de hacerme el bobo" (8).

—¿Qué es requisar?

—Registrar —replica el soldado

—Entonces, no.

La situación empeoró. El soldado dedujo:

—Llévalo al teniente, puede haber entrado con algún arma.

El teniente lo interroga más a fondo. ¿A quién viniste a ver? El joven contesta que a su hermano mayor, que se llama Francisco González Aruca, sentenciado a treinta años. El teniente mira el libro del penal. Positivo. Hay un González Aruca.

—Me salvó que en esa época no funcionaba la polaroid. No existía ninguna foto de González Aruca en el penal. Sólo en la Dirección de Seguridad del Estado.

El teniente se queda pensativo.

—Mire, teniente, mi madre está fuera esperando. Soy el único hijo que le queda, si ve que me retraso, va a armar un escándalo, pues pensará que me están haciendo algo aquí dentro. Es verdad que me he colado, pero no sabía que los mayores de catorce años no podíamos entrar. La culpa es de ustedes...

El teniente, claramente enojado, le grita:

—¡Bueno, cooooñó, vete p'al carajo y no vuelvas más!

Pero regresó.

Diecisiete años después regresó a Cuba y le surgió la idea que lo haría millonario: montar una agencia de viajes en Nueva York. Eso era en 1978. Ahora, en 1991, aquel joven barbilampiño acude con frecuencia a La Habana, almuerza en el restaurante La Divina Pastora, que está en picado debajo de La Cabaña y le dice a su esposa norteamericana mientras se bebe un mojito (9):

—Ahí arriba estuve encarcelado. De ahí me fugué.

Efectivamente, de allí se fugó Francisco González Aruca, Francisco G. Aruca a secas desde que se convirtió en un afamado hombre de negocios y un periodista radiofónico controvertido.

Salir de La Cabaña le tomó media hora de un día a finales de enero de 1961. Pero salir de Cuba le iba a llevar año y medio. Durante todo ese tiempo, Aruca estuvo refugiado en la embajada de Brasil. Intimó con el entonces embajador Vasco Leitao Dacunha, que meses después sería ministro de Relaciones Exteriores de su país. Un día de septiembre de 1962, la señora Virginia de Leitao, esposa del ministro, coincide con Raúl Castro en un cóctel. Le dice a Raúl:

—¿Cuándo le van a dar un salvoconducto a ese pobre chico que tenemos en la embajada?

—¿Pobre chico? A ese chiquitico le echamos treinta años y se fugó de la cárcel a las dos semanas —contesta Raúl, todavía enojado.

—Pero ¿qué hubiera hecho usted? ¿No habría intentado la fuga al menos?

Francisco G. Aruca consiguió el salvoconducto. Y comenzó una carrera llena de éxitos económicos comerciando, entre otros, con el gobierno que le había condenado a treinta años de prisión.

Mientras conduzco a través de La Pequeña Habana, en la ciudad de Miami, hacia el edificio de Unión Radio, escucho Radio Progreso. Son las nueve de la mañana. Habla Francisco G. Aruca, en su programa "Ayer en Miami". Un título fatal para la radio, que lo que tiene que dar son las noticias del día. Pero Aruca sabe lo que quiere: comentar las salvajadas que, desde su punto de vista y posición ideológica, dijeron veinticuatro horas antes sus muy anticastristas colegas de Radio Mambí y La Cubanísima.

No tiene la voz de Armando Pérez Roura, pero sí el mismo genio:

—Aunque no estamos en el momento más optimista, yo sí lo soy. A diferencia de Montaner, que quiere tender un puente de plata para que Fidel huya, o de Mas Canosa que desea tender un puente de entendimiento entre los que desde aquí quieren tumbar al Gobierno de Cuba, yo mantengo que el mejor puente debe ser el que una a La Habana con Cayo Hueso, al sur de La Florida...

Entra una cuña radiofónica de identificación de la emisora.

"Esta es Radio Progreso. Estamos ofreciéndole nuestra programación matutina, con noticias, comentarios, música cubana y pausas humorísticas... Porque queremos informarle y motivarle, pero no volverle loco... Radio Progreso, ¡mi alternativa!"

Mientras dura la breve cuña, docenas de llamadas telefónicas han entrado a la central de la emisora. Aruca las va pinchando y saltan al aire:

—Aruca, el puente que usted dice entre Cayo Hueso y La Habana ya se ha abierto: ayer se vino un piloto cubano con su Mig-23, ja, ja, ja....

—El Mig-23 es un transporte individualista. No beneficia a la sociedad. Ayer en Miami, ¡otra! —contesta Aruca sin apenas inmutarse.

—Señor Aruca, a mi hijo lo fusilaron en Cuba y usted es un

traidor a los cubanos muertos, a los mártires de Cuba, por querer dialogar con el tirano Castro... Lo va a pagar caro.

—Comprendo sus sentimientos. Pero no podemos traer la revancha hasta aquí contra las personas que disienten de usted. Yo no fusilé a su hijo. Pasé por situaciones muy similares a la que dice usted, fusilaron a mi mejor amigo y a mí me condenaron a treinta años. Pero me alegro de no haber seguido encerrado en mi propio sufrimiento. Le recomiendo lo mismo, aunque sé que eso no es posible... Ayer en Miami, ¡otra!

El programa ha terminado. Aruca se dirige a su despacho, que más parece el congelador de un frigorífico. Es de baja estatura y escasa barba. Ahora entiendo cómo pudo engañar a aquel teniente en 1961 y escapar a treinta años de presidio.

Si su competidor Pérez Roura tenía una imagen de Cuba en forma de machete mambí (10), Aruca ha colocado tras su espalda un bellísimo grabado de La Habana del pasado siglo en el que se ve perfectamente el castillo de los Tres Santos Reyes Magos del Morro, en donde estaba La Cabaña, el penal del que se fugó, a la entrada del puerto de La Habana.

En el par de horas que hablo con Aruca, echará mano de una calculadora que tiene a su derecha al menos una docena de veces. Cuando se fugó de La Cabaña y llegó a Estados Unidos, pasó sólo unas semanas en Miami:

—Miami es un manicomio. Pero como no tiene rejas, ni en las puertas ni en las ventanas, todos los locos andan sueltos. No aguanté esta ciudad y me marché.

Llegó a Washington. Estudió con becas y trabajando como maletero en el hotel Madison y en la prestigiosa universidad de Georgetown. Se graduó en economía. Fue profesor en la capital americana y también en Puerto Rico. Fundó la revista *Areito*, nombre tomado de un viejo baile de los indios taínos, los pobladores de la isla antes de la llegada de Colón. Desde esa época, Aruca hablaba de la necesidad de un diálogo con el Gobierno de Cuba.

Aruca afirma que nunca fue un hombre de derechas. Al triunfar la Revolución, formó parte del Movimiento Revolucionario del Pueblo, antifidelista y anticomunista, pero de izquierdas. Realizaban atentados. Fue por lo que lo apresaron y condenaron.

Pero defender el diálogo entre la muy visceral colonia de exiliados cubanos se paga caro. Hasta con la vida. A su íntimo amigo Carlos Muñiz, propietario de Viajes Varadero, le metieron dos balazos en la cabeza en 1979. Al igual que Aruca había acudido en 1978 a La Habana formando parte de la delegación de 75 exiliados que dialogaron con Castro. El resultado de aquella visita fue doble: Fidel liberó a 3.600 presos políticos y permitió que agencias de viaje norteamericanas iniciaran vuelos charter entre Estados Unidos y Cuba.

Aruca recuerda aquellos viejos tiempos. El vio el negocio enseguida. Dejó la enseñanza y montó Marazul con otros cinco socios, todos procedentes del grupo de *Areito*. Comenzaron con una pequeña oficina en Nueva York y 1.900 dólares de capital.

Hoy Aruca es millonario. Le digo:

—Le acusan de haberse hecho millonario a costa de los sentimientos de los cubanos exiliados...

—¡Ojo! Me he hecho millonario, pero no con los sentimientos de nadie. Me he hecho millonario satisfaciendo una necesidad legítima y trabajando de forma ética.

Tira de calculadora. Me cuenta que cuando el Gobierno cubano ofrece en el 78 la oportunidad de transportar pasajeros desde Estados Unidos a Cuba, las grandes agencias rechazaron la oferta. Primero porque la comisión que le daba el Gobierno de La Habana era bajísima: un 4 por 100. Segundo, por razones políticas. Muchos temían a la comunidad exiliada más radical. Y los temores no eran infundados, como se comprobaría con el asesinato del propietario de Viajes Varadero. Pero Aruca no se amilanó y comenzó a embarcar cubanos hacia la isla.

—Al principio, lo importante no era conseguir una comisión alta, sino que nos dieran volumen, que nos autorizaran a enviar a mucha gente. En 1979, 100.000 personas viajaron a Cuba. Fue un buen año para todo el mundo. Ganamos dinero, todos ganamos dinero. El Gobierno cubano debió ganar unos 120.000.000 de dólares.

Como buen economista, Aruca diversificó los riesgos de su agencia y se inventó los "viajes de interés" revolucionario: a la Nicaragua sandinista, a la isla de Granada (antes de la invasión). Centenares de jóvenes norteamericanos viajaron a estos países. Además de ir a las playas y a los centros de diversión, celebraban encuentros con líderes políticos, sindicales. Llegó un momento en que el negocio con Cuba representaba sólo un 20 por 100 del movimiento en Marazul.

Por ello, cuando el Gobierno cubano cancela todos los vuelos el 20 de mayo de 1985, Aruca no se arruina. El Gobierno de Estados Unidos acababa de poner en marcha Radio Martí, que transmitía desde la sede de La Voz de América, organismo federal americano dependiente de la Agencia de Información de los Estados Unidos. Radio Martí comenzará un sistemático bombardeo informativo hacia Cuba. El Gobierno de La Habana contesta suspendiendo las visitas familiares. Sólo se permiten las visitas a la isla por razones humanitarias, es decir, cuando se tiene un familiar gravemente enfermo en la isla.

El Gobierno cubano sabe que no puede tener indefinidamente cerradas las puertas al millón de cubanos que viven fuera y tienen familiares en la isla. En junio de 1986, Aruca es convocado a La

Habana. Le quieren hacer una oferta: transportar 50 pasajeros semanales, "en visita familiar", a un precio razonable.

Entre 1980 y 1985, este tipo de visitas se restringieron. Según Aruca, entre todas las agencias de viajes no enviaban más de 200 pasajeros semanales. La demanda era muy superior y muchos vendieron el paquete de una semana en La Habana hasta por 1.500 dólares. "Una verdadera explotación", sostiene Aruca.

¿Solución? En palabras de Aruca:

—Los cubanos sabían que si llegaban a un acuerdo conmigo yo iba a respetar el precio y jamás cobraría dinero negro por debajo de la mesa. Me dieron la exclusiva para vender 50 pasajes semanales dentro del cupo de "visita familiar".

Ahí comenzaron a odiar a Aruca. A odiarle y a envidiarle. Aruca vendió los pasajes a un precio razonable, 395 dólares la semana, con todo el papeleo resuelto, visa, permisos, etc.

—Con ese dinero cubría todos los gastos de flete de un avión de 99 plazas. Cincuenta eran fijas. Las otras 49 las vendía fácilmente entre los pasajeros que viajaban por razones humanitarias, periodistas, diplomáticos, invitados a congresos, religiosos... O lo que yo llamo el cupo "del que tiene un padrino se bautiza", que es el que por sus contactos en Cuba conseguía el visado.

Aruca tira una vez más de calculadora.

—Comenzamos a llenar nuestro vuelito —mira la calculadora—. Con los 49 asientos a 225 dólares billete de ida y vuelta estaba sacando a la semana 11.000 dólares de ganancias, que no es cáscara de coco.

En 1991, poco antes de mi entrevista con Aruca, en el mes de marzo, el Gobierno cubano eleva la cuota familiar a 91 pasajeros, y excluye de la misma a hijos de cubanos nacidos en Estados Unidos y los cubanos que emigraron antes del triunfo de la Revolución. En marzo de 1991 Aruca transportaba unos 320 pasajeros en dos vuelos semanales. Casi 17.000 al año. Hay otra compañía, ABC Charters, con tres vuelos a la semana, pero no puede llevar pasajeros del cupo familiar. Unos pasajeros a los que tanto el Gobierno de los Estados Unidos como el de Cuba les han limitado la cantidad de dólares que pueden gastar en la isla: 100 dólares por día admite Washington, y 500 dólares los cubanos, independientemente del tiempo que permanezcan de visita.

A pesar de todo, oferta y demanda no coinciden. Aruca señala que en el mes de marzo de 1991 tiene una lista de espera de unas 30.000 familias, lo que supone alrededor de 100.000 pasajeros. Hay quienes esperan años en la lista de Marazul.

Todo este tráfico de pasajeros genera millones de dólares de beneficios al Gobierno cubano. Esa es la razón del odio de "la comunidad" hacia Aruca. (En Cuba y en Miami no se habla de exiliados ni de emigrantes, sino de "la comunidad".)

Uno de sus principales enemigos, Armando Pérez Roura, director general de Radio Mambí, me dijo cuando lo entreviste en su emisora:

—Aruca es un obrero, un empleado de Fidel Castro. Representa aquí los negocios del tirano.

El Nuevo Herald, un suplemento en español del *Miami Herald,* mucho más agresivo contra Castro, retrataba así a Francisco Aruca el 29 de julio de 1989:

—Francisco Aruca, el hombre que muchos exiliados cubanos ven como su única esperanza de volver a ver a sus madres, hermanos o hijos, y que para otros es un agente comunista...

Pocos días antes, Aruca había intervenido en la fundación de la Coalición Cubano-Americana y tomado la palabra en el Centro de Convenciones James L. Knight. Esa fue otra actividad, en esta ocasión de signo claramente político, que le granjeó la enemistad de muchos miembros de la comunidad.

Aruca fue el primer tesorero de la Coalición Cubano-Americana (CCA), cuyos objetivos son básicamente humanitarios: hacer todo lo posible para que las familias de uno y otro lado puedan comunicarse más y mejor y que los cubanos de Miami se integren al medio norteamericano. Son partidarios también de un diálogo con Castro con el fin de que éste introduzca reformas palautinas en su sistema, al tiempo que Estados Unidos rebaje su presión sobre la isla.

Aruca terminaría abandonando la Coalición, precisamente porque sus negocios con Cuba podían perjudicar la imagen de la misma.

José Cruz, presidente de la Coalición, tiene una excelente imagen de Aruca, del que admira su "actitud de ofrecer en Miami, a través de la radio, algo liberal y tolerante".

Un periodista que lo conoce bien, Sergio López Miró, dice de este polémico empresario:

—A través de Radio Progreso, nombre idéntico al de una emisora de La Habana, de la que incluso importa programas, ha introducido el elemento cubano no anticastrista. Pone música de Pablito Milanés, de Silvio Rodríguez. Apela a la necesidad de reforzar los lazos comerciales. Sus tesis coinciden con la de muchos cubanos de la isla, que son reformistas: el cambio tiene que ser lento, no se puede precipitar; Fidel no puede desaparecer porque habría una guerra civil... Suena racional, pero sirve para mantener a Fidel en el poder.

Aruca devuelve la pelota:

—El posible éxito de nuestra emisora está en que damos las noticias sin editorializar, sin comentar, sin manipular. Muchas veces las noticias se tergiversan y manipulan de manera burda.

Pone un ejemplo: en un discurso de Fidel en los primeros días de marzo, ante un numeroso grupo de estudiantes, Fidel dijo una frase que comenzaba así: "Cada uno debe recordar y repetir yo soy la revolución, yo soy la independencia de la patria, yo soy el honor de la patria...".

—Los del *Nuevo Herald* le quitaron la primera parte, el "cada uno debe recordar...". Resultado: salieron diciendo que Fidel se había vuelto ya totalmente loco, pues se creía Luis XIV al decir que él era la revolución y la patria.

Cuando ya mis manos están casi congeladas, por el aire acondicionado, termino la entrevista con Francisco G. Aruca. Me estrecha fuertemente la mano y quedamos en vernos alguna vez en La Habana. Salgo del edificio Unión Radio. El inmueble ha sufrido algunos ataques de los enemigos de Aruca. Han destrozado los cristales en un par de ocasiones. Recuerdo la última llamada telefónica que atendió ese día.

—Ayer en Miami, ¡otra! —dice Aruca.

Esa mañana, el empresario periodista ha estado hablando de la necesidad de estrechar lazos económicos y comerciales con la isla. Mantiene que el bloqueo no soluciona nada, sino que, al contrario, retrasa la democratización del régimen cubano. Exportar es bueno, y es bueno para el pueblo cubano que se puedan exportar medicinas a la isla. El nuevo radioescucha le dice:

—Aruca, al primero que hay que exportar de Cuba es a Fidel y a los vendepatrias como usted.

Aruca sonríe.

—Ayer en Miami, ¡otra!

NOTAS

(1) *Cambio 16.* Número 1.000, 21 de enero de 1991, Madrid.

(2) *The Cuban American National Foundation.* Boletín informativo número 57, octubre de 1989, Miami.

(3) Establecimientos comerciales abiertos sólo para los extranjeros, en donde religiosamente ha de pagarse en dólares o los llamados "certificados" o "bonos rojos" creados para el uso de los soviéticos y los ciudadanos del Este europeo.

(4) *Leales a la verdad.* Editora Política. La Habana, 1992.

(5) Luis Báez: *Los que se fueron.* Editorial José Martí. La Habana, 1991.

(6) Plataforma Democrática Cubana. Pacto de Madrid, 14 de agosto de 1991.

(7) Natalia Revuelta fue una de las mujeres que ayudaron a Castro en la etapa preguerrillera, con la que según varias biografías tuvo un largo romance.

(8) En Cuba se utiliza mucho la expresión ¡coooñó!, arrastrando la o y acentuada como una expresión de asombro. No tiene ninguna connotación malsonante.

(9) Bebida nacional cubana a base de ron, hierbabuena, azúcar y agua mineral

(10) Mambí: así llamados los cubanos insurgentes contra la dominación española. *Nuevo Catauro de Cubanismos*, de Fernando Ortiz. Editorial Ciencias Sociales. La Habana, 1985.

TERCERA PARTE

LA ECONOMIA

13

LA OPCION CERO

> Marranito, marranito,
> come, come tu maicito.
> Come y ponte más gordito,
> p'a comerte en mi caldito.
> ¡Ay mi pobre marranito!,
> te van a volver jamón,
> ¡pobrecito mi puerquito!,
> y tu cuerpo chicharrón.
>
> (Canción de **Aaron González**,
> cantada por **Benny Moré**)

Enfilé la carretera hacia La Habana al atardecer de una tarde de mayo. Había mucha gente al borde de la carretera pidiendo botella. Así llaman en Cuba al auto-stop.

Detuve el coche ante una joven vestida con un uniforme blanco. Era médica. Se dirigía a La Habana para visitar a su marido. Cumplía los dos años de Servicio Social, después de haberse graduado.

La conversación comenzó a girar sobre las deficiencias del transporte. La transportación, dirán los cubanos. Hablamos del Período Especial. De los tiempos difíciles. De la escasez de buenos alimentos.

Le cuento un chiste:

—Una mujer le dice a su esposo toda agitada al llegar a su casa: Gerardo, ¡ya he resuelto el problema de la carne!

El marido pregunta:

—¿Mi amor, y cómo?

—¡Me voy a vivir con el carnicero!

La joven médica se ríe mostrando su blanca dentadura. Me dice:

—¡Chiiiiico, tú sí que estás en talla!

No sé qué quiere decir. Después de 5.000 kilómetros recorridos en automóvil partiendo del extremo más oriental de la isla de Cuba, Punta Maisí, desde donde he divisado la brumosa silueta de Haití, no había escuchado esa expresión tan cubana. Significa que estoy a la última.

Atravesamos un hermoso campo lleno de árboles que reconozco. Son mangos. Uno aprende a la fuerza agricultura viajando por Cuba. Todos los cubanos a los que he dado botella me han enseñado algo. Desde aquí les agradezco el cursillo acelerado recibido. Te dicen: ¡mira una ceiba!, el hermoso árbol nacional cubano, "el más grande de todos, el gigante de los campos, que con cien brazos abiertos parece amenazar los cielos eternamente" (1). De las ceibas escribió Bartolomé de las Casas.

He aprendido a diferenciar lo que en España llamamos palmeras. Las hay de muchas clases y procedencias. La original de Cuba es la Palma Real, alta, hasta de 20 metros, esbelta, se levanta orgullosa en los verdes campos del interior de la isla. Por eso está representada en el escudo nacional de la República de Cuba.

Los campesinos la adoran. Un viejo guajiro al que subí en mi coche por las montañas de Guantánamo me dijo que la palma servía para todo: el tronco, para construir las paredes y el suelo del bojío —palabra más auténtica que bohío— sus pencas o guanos (grandes hojas) para techar la casita y la mata de corojo, un fruto del tamaño de una nuez que se esconde entre las ramas, para hacer aceite y alimentar a los puercos. El animal preferido del cubano.

La médica, que dice llamarse Marlys, se alegra de que haya aprendido esas cosas de su país. Me propone detener el coche para coger unos mangos, que son grandes como melones en esta época del año.

—Quiero llevarle un regalo a mi esposo. Además en La Habana no se encuentran.

Le digo, hablando en cubano, si eso no será "un ilícito". Algo ilegal, prohibido. Marlys se ríe. Me señala con la mano las personas que caminan al borde de la carretera, con una bolsita de plástico a punto de reventar en la mano, una jaiba. En Cuba jamás se tira una jaiba, y menos en Período Especial.

—Todos llevan mangos que han tomado de los árboles. ¡No ves que se caen!

Efectivamente. Mientras que media Cuba pasa necesidades, los mangos de Cienfuegos se caen de lo grandes que son.

Detengo el coche. Le permito a Marlys que tome unos cuantos

mangos, pero no la acompaño. No quiero que me detenga cualquier policía —aunque en 5.000 kilómetros no he visto ni una docena patrullando las carreteras— robando mangos al Estado cubano. Yo no puedo decir que lo hago por hambre.

La médica regresa al automóvil. Hay mangos de más de un kilo de peso. En La Habana costarán una fortuna. Pero ella no los quiere para venderlos en el mercado negro sino para comerlos con su familia. En pocos minutos el coche se impregna de un olor dulzón. Le digo a la médica que se abroche el cinturón de seguridad. Lo hace después de recibir instrucciones. Cuando lo consigue, me dice:

—¡Me encanta ponerme el cinturón! ¡Es como en las películas!

Nunca se había puesto uno.

En el trayecto a La Habana hablamos de lo que todo el mundo habla este mes de mayo de 1991 en Cuba: el Período Especial. Ella me devuelve cortésmente un chiste. Lógicamente de hospitales:

—Llega un paciente al hospital con síntomas de flatulencias. Lo atiende un recién graduado. Lo reconoce y dice:

—¡Está claro! ¡Es un caso de cólera!

—No es posible —contestan ayudantes y enfermeras—. El cólera provoca diarreas.

—No hooodas, chico. ¡Diarrea le da al que come!

Nos reímos. Hablamos de la escasez en Cuba. Le cuento que he conocido a un médico en un pueblecito de la sierra de Guantánamo, El Salvador: Manuel Blanco Pegó. Es también de La Habana, pero el Servicio Social lo destinó más lejos que a Marlys: justo al otro extremo de la isla. Vive feliz, le comento, en la montaña. He visitado su consultorio —lo que en Cuba llaman el médico de familia— y sobre su mesa he visto un grueso libro que le ha enviado el ministerio.

No es un libro de medicina propiamente dicho. Su título lo dice todo: *Libro de las plantas medicinales, aromáticas y venenosas*. Lo ha escrito Joan Tomás Roig y ha sido editado por la Editorial Científico Técnica de La Habana.

A falta de medicinas, que comienzan a escasear, las autoridades sanitarias hacen campaña para que se practique "la medicina verde". El joven doctor, de veinticuatro años, ya ha comprobado la eficacia de algunas recetas: la hoja amarga de la naranja o el limón bajan la fiebre. Estudia en el libro cómo curar a los seis hipertensos, quince asmáticos y dos epilépticos que tiene en su territorio serrano. A las nueve embarazadas ya sabe cómo manejarlas.

Cuando salí de aquella bella zona montañosa de Guantánamo, que en algunos momentos me recordaba a Asturias, no tenía una idea exacta de lo que me iba a encontrar por el camino. Hasta Guantánamo había viajado en avión, desde La Habana. El regreso lo haría en automóvil, sin rumbo fijo.

El viaje fue como un regreso al pasado. Vi más bueyes que en toda mi vida. Pero no pastando. Sino arando. Arrastrando viejas carretas de madera o tirando de las cajas de los tractores. Es el mes de abril de 1991. Hace sólo unos meses, Fidel Castro ha informado al país de que en vista de las graves carencias de combustible no queda más remedio que echar mano de la tracción animal.

Ya está bien de holgazanear en el monte, sin otro cometido que engordar o cubrir de vez en cuando a las vacas. Dirá Fidel Castro en un discurso pronunciado el 28 de septiembre de 1990, en el XXX aniversario de la fundación de los Comités de Defensa de la Revolución (CDR):

—A algunos bueyes ha habido que perdonarles la vida, indultarlos y decirles: "Señores, no van a formar parte de la dieta, van a trabajar ahora, van a contribuir a la producción en Período Especial" (2).

Las 5.000 personas que llenan a rebosar el teatro Carlos Marx estallan en risas y aplausos.

No será el único grupo de animales indultados por Castro. Unas semanas más tarde, el 27 de diciembre de 1990, cuando se clausura la Asamblea Nacional del Poder Popular, la Nochevieja está próxima y la inmensa mayoría de los cubanos anda a la caza y captura de un marranito, un cerdito, un puerco, como al que cantaba Benny Moré. Castro advierte a los diputados que los puercos hay que sacrificarlos cuando hayan alcanzado su peso óptimo. Por ello, grita, entre bromas y veras, en el Palacio de Congresos:

—¡Decretamos la amnistía general para los cerdos!

Doscientos mil puercos se salvaron esa semana del cuchillo del matarife.

Fidel había anunciado que para finales de año también estaría en marcha un programa de domesticación de 100.000 bueyes y unos 300 búfalos, de los que dice "son muy buenos también". Esos tres centenares de búfalos son los primeros "de unos rebaños que irán creciendo".

Lógicamente, si desaparecen del mercado 100.000 bueyes, hay que sustituir esa carne por otra. Fidel informa que se está comprando carne de ave y que se comprará más si es necesario indultar a más bueyes. La cifra de astados en la agricultura que hay en esos momentos, según Fidel, es de 212.000. Si es preciso, se destinarán hasta 400.000.

Carlos Rafael Rodríguez, vicepresidente del Consejo de Estado, el más veterano de los líderes cubanos, ha dicho que antes de la Revolución en Cuba había 5.000 tractores. Hoy hay 90.000. Y es imposible alimentarlos, con gasolina, a todos.

La imagen que tengo en mi retina de la Cuba campesina es maravillosa, idílica, pero medieval. Carlos Rafael Rodríguez ha respondido a las críticas:

—No somos camboyanos. No estamos ruralizando la sociedad cubana.

Carlos Rafael mantiene que al campo sólo van los voluntarios. Es difícil resistirse en Cuba a ser voluntario en estos tiempos en que docenas de miles de personas son enviadas a realizar tareas agrícolas.

La Habana, con sus 2.700.000 habitantes, es el mercado más necesitado de alimentos. El Gobierno ha vuelto a una práctica muy antigua en la Revolución: enviar oficinistas, obreros, funcionarios, estudiantes, soldados, al campo. En la provincia Habana, una de las catorce del país, se construirán, anuncia Fidel, 61 campamentos agrícolas, con una capacidad como para unas 310 personas cada uno. ¡Veinte mil personas!, se asombra Fidel ante los cederistas que lo escuchan.

Gerardo, un camarero del hotel Victoria que ha pasado dos semanas en uno de esos campamentos, me comenta la experiencia:

—¡Chico, aquello es una jodedera! ¡Yo no nací para la agricultura!

Me muestra sus manos agrietadas y la espalda llena de picaduras de mosquitos. Al atardecer caen como caían las bombas yanquis sobre Bagdag en la Guerra del Golfo.

—Menos mal que es fácil empatarse con una compañera... —se consuela Gerardo, recordando agradables atardeceres enamorando a una habanera.

En mi viaje a través de la isla me detengo en la Empresa Citrícola de Ciego de Avila, en el corazón agrícola de Cuba. Emilio Varela, director, me dice mientras recorro la plantación que la casi totalidad de los 175 tractores con que cuenta la empresa han sido retirados de la circulación y sustituidos por bueyes. Ya tienen 24 yuntas trabajando y están domando a otras 115. Reciben un 30 por 100 menos de gasoil.

Además, los tractoristas no están bien vistos esta primavera en Cuba. En su discurso ante la Asamblea Nacional del Poder Popular, a finales de diciembre, Castro ha atacado a los tractoristas vagos:

—Cuando ese trabajador de la máquina no puede trabajar en la máquina, tiene que ir al surco.

Fidel atiza fuerte a los tractoristas, a los que acusa de haberse convertido "en una élite social". Cuando se rompía el tractor, afirma ante los sorprendidos diputados del Parlamento cubano, se iban a casita en vez de quedarse a trabajar en otra cosa. Y, "¡qué casualidad: los tractores se rompen siempre el fin de semana y se arreglan el lunes!".

Los tractoristas no serán los únicos vapuleados: también los oficinistas de las empresas agrícolas. Castro afirma que las oficinas se habían convertido en peluquerías, donde la gente pasaba el tiempo contando chismes. En Período Especial, dice Fidel, Cuba no puede permitirse el lujo de mantener gente vaga y ociosa:

—Lo que hay que hacer es crear una atmósfera de condena, realmente, al bergante, al holgazán, al perezoso, al vago, al parásito; ésa debe ser tarea de nuestras masas, es el clima moral el que tiene que presionar sobre ellos.

Hay que trabajar, sí. Pero también divertirse.

Fidel se ha ocupado también del tiempo libre. El Período Especial conlleva otros problemas: se cierran fábricas, se acortan jornadas laborales, por lo que la gente tiene mucho más tiempo libre. Ante los cederistas, el líder cubano ha dicho que "si no podemos trabajar cinco días, trabajamos cuatro, y si no nos alcanzan la materia prima y el combustible en la industria para trabajar cuatro, trabajamos tres y damos tiempo libre, que bien empleado no se sabe lo que vale".

Castro dice que ha hablado con los trabajadores de *Juventud Rebelde*, el periódico de la UJC. Como ahora es semanal en vez de diario les sobra mucho tiempo. Se dedicarán a estudiar computación o idiomas —"aprendan inglés y no ruso", es la nueva consigna de Fidel—. También pueden hacer otra cosa:

—Un joven puede pasear con su novia en bicicleta. No tiene que ser en un Ikarus húngaro (autobús), que es una ruina sobre ruedas.

Fidel bromea con el auditorio, como tantas veces.

—A lo mejor le decimos a los ingleses: miren, se fastidiaron, ahora nosotros tenemos la jornada de treinta horas y ustedes siguen con la de no sé cuántas.

No todos los jóvenes cubanos tienen bicicleta. Y si la tienen: ¿dónde van? Porque no pasan todo el tiempo dándole a los pedales.

Descubro que la imaginación cubana en tiempos de crisis sigue siendo alucinante.

Bruce Springteen podría escribir la segunda parte de su *hit* mundial *Túnel del amor* basándose en la historia de un pequeño municipio de la provincia oriental de Las Tunas, Jobabo.

La revista *Bohemia* lo llamó "Profundo amor".

Los 442 habitantes del municipio de Jobabo, especialmente los más jóvenes, se aburrían como monas los días de asueto. A propuesta del delegado de la Zona de Defensa, los vecinos utilizaron para su recreo personal "un mayúsculo túnel refugio" construido para defenderse de un ataque enemigo.

El delegado debió pensar que si estaban en Período Especial en tiempo de paz, podrían sacarle partido al túnel y "ampliar en la paz las utilidades de un refugio en tiempo de guerra".

A falta de otro sitio mejor donde ir, las parejas de Jobabo acuden al túnel socavado en las afueras del poblado, que tiene ya 108 metros, y en donde, según *Bohemia*, existe "una sala de estar que se ha habilitado como centro de recreación".

Se han instalado unas mesas y allí, en la oscuridad del túnel del amor, "los más jóvenes se regocijan" (3).

Para su deleite, podrían degustar algunos de los vinos que hace Rosalina Peña Pérez, a quien todos en el pueblecito de Jobabo llaman Nena Peña, aunque la Nena ya no cumplirá otra vez los cincuenta años.

Nena Peña tenía un problema hace trece años: su nietecita cumplía diez primaveras y ella quería que lo festejara por todo lo alto:

—Se me ocurrió preparar un barril con platanito, fruta bomba (en Cuba el nombre real de esta fruta, papaya, se identifica con el órgano sexual femenino, por eso se la rebautizó), y arroz, con un poco de levadura. Los resultados fueron tan buenos, que mientras más días pasaban aquello estaba mejor.

Nena Peña descubrió que sus vecinos apreciaban aquel mejunje y comenzaron a llevarle la materia prima para que les hiciera unos "aliña'os".

Un "aliña'o" es un viejo rito de las provincias orientales de Cuba: la mujer, cuando va a dar a luz, pone vino a añejar y lo conserva hasta que el hijo cumple quince años. Los famosos "quince", que es algo así como la mayoría de edad social (la mayoría de edad legal es a los dieciséis).

Nena Peña fue mejorando sus "aliña'os" y hoy es directora de una microempresa que tiene cuatro empleados fijos y otra media docena temporales. El primer secretario del Partido Comunista de la provincia, Alfredo Jordán Morales, un voluminoso cubano de cuarenta y dos años, miembro del Buró Político, alaba los "aliña'os" de Nena Peña en cuanto tiene una oportunidad. En 1991 produjo en su pequeña empresa de Jobabo 133.000 litros.

A todo esto: ¿de qué hace Nena Peña su vino?

¡La imaginación a la botella! Nena Peña los fabrica de diversos sabores: guayaba, remolacha, pasas, marañón, uva (cuando la hay, que es casi nunca), cerezas, grifú, naranja, mandarina, tamarindo, fruta de malla, piña, grosella, tomate, cidra y caña de azúcar.

Cuando no hay frutas, utiliza hojas: de yuca, de caña santa, de romerillo, de jiba, de coco o de ciruela.

¿Está bueno?

Bien. En una ocasión bebí uno de estos vinos caseros. Fue en la también oriental provincia de Guantánamo.

Viajé por el municipio de San Antonio del Sur, que tiene parte bañada por el Caribe y otra montañosa, en la bella sierra del Magüey. Visité algunas zonas agrícolas acompañado del secretario del Partido de la localidad, Andrés Delice Martínez, un ingeniero agrónomo "moro", que es el que está entre negro/negro y mulato.

Después de un día de intenso calor, llegamos a la casa de huéspedes del Partido, un barracón de madera con media docena de cuartos, una sala de juntas/comedor, una cocina y un baño. El cocinero nos ofreció un vaso de vino de naranja. Me lo bebí. No repetí. Un andaluz manchego acostumbrado a beber el perfecto Guadianeja de Manzanares no repite un trago de vino de naranja.

El ingeniero Delice me deja clavado:

—Yo prefiero el de tomate. En cuanto se acabe éste, que hicimos en Navidad, preparamos el de tomate.

Claro que eso al menos se puede tragar. Pero ¿qué me dicen de esta receta que me dio un amigo de Guanabacoa, una localidad a 20 kilómetros al este de La Habana: tómese medio litro de alcohol de quemar, que en Cuba denominan gualforina, el llamado alcohol boricao, que es como un *after shave*, al que se le añade otro medio litro de agua y unas gotas de la cola local, que tiene un sabor espeso y dulzón. Se agita y se cuela a través de un trozo de pan duro. Dicen que le quita el fuerte olor a alcohol. Sírvase a placer.

La cocina de Período Especial no se anda a la zaga.

Amén de la imaginación de cada ama de casa, como el problema alimenticio es un asunto de Estado, la revista *Bohemia* dedica todas las semanas una o dos páginas a recetas de cocina a cual más sorprendente.

De las muchas que he leído, escogí la de la semana del 24 de junio de 1992. La idea central es la de aprovechar todo aquello que pueda echarse uno al estómago sin morir en el intento.

Por ejemplo: las hojas del campo.

Esta es una receta a base de hojas de calabaza: se separan las hojas más verdes y se frotan unas contra otras al lavarlas; se hierven con agua unos quince minutos. Se combinan con conservas, un sofrito o huevo.

Bohemia recomienda el mismo procedimiento para las hojas de yuca, de boniato, de remolacha.

Si se desea, se puede hacer una deliciosa sopa de hojas varias: hervir en agua hojas de verdolaga, bledo y boniato, cáscaras de zanahoria y flor de calabaza. Agregar cebolla, ají, tomate, ajo y sal. Cocinar durante veinte a treinta minutos. Se sirve con pedacitos de pan fritos o gotas de limón. Dice *Bohemia* que "si quiere dar a su familia algo más fuerte, agregar una yema de huevo a cada plato".

Casi coincidiendo con el inicio de las penurias, el Gobierno cubano lanzó al mercado unas hamburguesas que pretenden competir con las McDonald. El pueblo las bautizó inmediatamente como McCastro.

Las McCastro son una invención del Centro de Investigaciones de la Industria Alimenticia. Tienen un espesor de 1,20 centímetros y están compuestas de: un 60 por 100 de carne de cerdo, y el resto es plasma y sangre del cerdo, harina de soya y especies. Se sirve con un pan de ajonjolí, rociado con un poquito de mostaza y ketchup. No papas. No pepinillos en vinagre.

En La Habana, a las pocas semanas de ponerse a la venta en catorce lugares distribuidos por toda la ciudad, se consumían 80.000 McCastro's por día. La Cocinita, muy cerca del hotel Riviera, que está sobre el malecón, es uno de los lugares más concurridos. Cuestan dos pesos. No están del todo mal. Fidel dijo sobre las McCastro:

—Son mejor que las McDonald, más nutritivas y deliciosas.

Sólo tienen un problema: la cola. Una hora como mínimo de espera. Le quitan el hambre a cualquiera.

El deporte favorito de los cubanos es hablar de comida. Y más en el Período Especial. Como tienen buen sentido del humor, se pasan el tiempo contando chistes sobre comida.

Marlys me cuenta otro, mientras nos aproximamos ya a La Habana:

—Es una jovencita que adelgazó tanto tanto con el Período Especial que se tomaba un jugo de tomate y parecía un termómetro.

Nos reímos. Y me cuenta si he oído hablar del caso del filete empanado.

Le digo que no.

Dice que fue un caso que salió en la prensa y todo. Me lo cuenta.

Unos desaprensivos vendían por las calles y en unos lugares llamados "bonchos" o "la piloto", una especie de restaurante-bar-discoteca clandestinos, filetes de ternera empanados. La policía terminó cazándolos y se descubrió que lo que había dentro de la capa de harina eran trozos de bayeta, de las que se utilizan para fregar los suelos.

La forma de cocinarla era tan perfecta que pocos se dieron cuenta de la estafa. Los hábiles cocineros cogían una bayeta, la deshilaban cuidadosamente y los trocitos de bayeta los sumergían en vinagre hasta que la fibra se descomponía. Luego, sazonaban la fibra con tomate, ajo y cebolla y embadurnaban todo con harina y huevo. Y a venderla a 20 pesos.

Marlys, que parece conocer bien el panorama, habla de otras muchas artimañas que sobre todo el habanero ha ido desarrollando para salir adelante. Unas legales y otras menos.

Me cuenta que hay peluquerías clandestinas distribuidas por la ciudad en casas particulares. En una ocasión conocí una de ellas.

—Chico, no sé cómo se las arreglan, pero allí no falta el champú.

Claro que ella nunca consigue ver "el pomo", es decir el frasco original del champú.

—¿No te pondrán alguna porquería? —pregunto.

—Bueno, a mí como si me echan agua con fango. El caso es

que me desrizan bien el cabello —manía de las negras y mulatas cubanas: alisarse el pelo— y me queda limpito.

Yo sí lo sé: al menos la peluquera que yo conocí, frecuentaba el bar del Habana Libre. Había sido bailarina y la dejaban pasar los cientos de vigilantes que hay en ese hotel. Son especialistas en detener a chicas inofensivas y en dejar pasar a las profesionales. Aquella chica, agradable e inteligente por otra parte, salía un par de veces al mes con algún turista. Lo único que pedía era champú de la diplotienda, a la que sólo tiene acceso el extranjero que paga en dólares.

Marlys dice que a veces ella ha ido a una de esas peluquerías. Hay que anotarse primero en la cola. Luego te puedes marchar a casa. Cada cierto tiempo, que es establecido por los propios colistas, debe uno presentarse en la cola para "marcar". Repasan la lista y el que no está pierde su turno.

En ocasiones, Marlys ha tenido que marcar en la cola de la peluquería a las tres o las cuatro de la madrugada.

Otras formas de ganarse la vida estos días duros en La Habana es haciendo zapatos a mano, normalmente con piel robada a alguna empresa estatal. O haciendo muebles de encargo: un "juego de cuarto", como llaman en Cuba al dormitorio, compuesto por una cama, una mesita de noche y una butaca, cuesta 1.500 pesos, prácticamente el salario mínimo de una persona en un año. Claro que el carpintero da facilidades de pago.

Hay quienes fabrican veneno contra las cucarachas y lo venden de casa en casa. O sastres que te hacen un pantalón con tela robada. Amas de casas que fabrican en sus domicilios "durofríos", el popular polo español. O hacen pizzas en sus casas y las venden a las vecinas que no tienen horno. Otras simplemente compran cien trozos de pizza en una pizzería estatal a dos pesos y las revenden a tres pesos en la calle. Claro que ésa era una empleada de uno de estos establecimientos que tanto gustan a los cubanos —¿cómo pueden tragar esa masa de harina mal cocinada y fría que le venden en La Habana después de una interminable cola de una o dos horas en los días festivos?—. O jóvenes que graban casetes con música rock.

De tanto hablar, nos ha dado sed. Se lo comento a Marlys. Pero no hay nada que hacer. Lo malo de viajar por el interior de Cuba para un turista extranjero es que uno no encuentra, como en cualquier país del mundo más o menos civilizado, un lugar donde detenerse a tomar un café, un refresco, una cerveza o comer un bocadillo. A no ser que se atraviese por una capital o población importante donde haya un hotel para turistas.

Marlys me cuenta el último chiste de la noche:

—Un joven se acerca a Fidel y le dice: "Comandante, tengo hambre".

El comandante le responde: "Tú estas equivocado. Te lo voy a demostrar".

El comandante lleva al joven a un restaurante y le encarga un gran almuerzo. Mientras esperan, le pide un vaso de agua. "Bébete el agua", le dice al joven. Esperan. Pide otro vaso de agua y lo mismo: "Bébete el agua". El joven se la bebe. Así trasiega siete vasos de agua antes de que le lleven el almuerzo. Cuando al fin llega la comida y la despliegan sobre la mesa, el chico dice:

—La verdad es que estoy lleno, ya no puedo comer.

El comandante le responde:

—¿Ves? Tú no tenías hambre, tú tenías sed.

La Habana está ya a pocos kilómetros. Pasamos junto a las las playas del Este, por la autopista que los cubanos llaman "la ocho vías", una formidable ruta en perfectas condiciones que llega hasta Santa Clara, a 469 kilómetros de La Habana.

Veo una valla que advierte sobre la necesidad de ahorrar energía eléctrica: sobre un fondo negro, se recorta la silueta de la ciudad, el *sky line*. Una sola frase: Luz, sólo la necesaria.

Hay que tener cuidado al conducir de noche en La Habana. Las bicicletas, que ya ruedan por miles, son un verdadero peligro. Cuando uno quiere darse cuenta las tiene encima del coche. La mayoría no llevan ningún tipo de luz. Las compraron sin faros para ahorrar dinero. Ahora se arrepienten de ese disparate. Ha habido muchos accidentes, algunos mortales, que en unas primeras semanas fueron silenciados por la prensa.

Dejo a Marlys en la avenida del Prado. Me dirijo a mi hotel, el Victoria.

Esa noche solitaria pienso en el recorrido que hice por la isla y lo que he visto.

He visto un hermoso país con bellísimas y solitarias playas de arena blanca como los copos de nieve. Una gente agradable y culta, a la que le encanta conversar con el extranjero, y mucho más si es español. He visto docenas de escuelas repartidas en los puntos más remotos de Sierra Maestra o Sierra Magüey. He comprobado la existencia de médicos de familia en las aldeas más alejadas de la civilización. He visto escasez, pero no miseria. Las ciudades y pueblos que he recorrido necesitan de una buena mano de pintura, pero no vi chabolas.

Aun así, el deterioro económico es palpable: vi docenas de fábricas cerradas, tractores tirando de viejos autobuses a los que se les ha quitado el motor, miles de bueyes arando la tierra o tirando de viejos carretones, carreteras vacías de automóviles y repletas de personas que piden botella, hoteles en los que es raro encontrar la mitad de las cosas que ofrece la carta, y eso que pagaba en dólares.

¿Cómo se llegó a esta situación?

La crisis se apoderó del país poco a poco. Durante todo el año anterior, 1990, el órgano oficial del Partido Comunista de Cuba (PCC) fue anunciando gota a gota, como si se tratara de un enfermo moribundo, la llegada del Período Especial en Tiempo de Paz.

El lunes 22 de enero de 1990 aparentemente era un día más en Cuba. Seguramente luciría el sol, como es habitual en el invierno cubano. Pero muchos habaneros tiritarían de frío al ver sumergirse en las "heladas" aguas del Caribe a españoles, italianos y otros locos europeos que parecían disfrutar de un baño frío: 25 grados.

Helados se iban a quedar los más avispados de los 710.000 lectores de *Granma*, el órgano oficial del Partido Comunista de Cuba (PCC), cuando leyeran en la página 2 un artículo titulado "Información al pueblo del Comité Ejecutivo del Consejo de Ministros".

Era un recuadro a tres columnas que abría la página.

El artículo comienza recordando a los cubanos que desde hace veinte años ha sido práctica en el intercambio comercial entre Cuba y la Unión Soviética que en los dos últimos meses del año los soviéticos embarquen algunas provisiones de cereales, algunos productos alimenticios y diversas materias primas, con cargo al monto de las exportaciones del año siguiente.

Desgraciadamente, informa *Granma*, el mes de enero de 1990 está a punto de concluir y nada de eso ha sucedido. Las 100.000 toneladas de cereales que llegaban habitualmente en esas fechas siguen en tierra soviética.

El periódico habanero puntualiza que ha habido buena voluntad por parte de las autoridades soviéticas cuando los cubanos le recordaron que debían anticipar, como siempre en años anteriores, esas mercancías para que las despensas de la isla tuvieran algo en su interior al comenzar el nuevo año.

Pero dificultades no explicadas sufridas por las empresas comerciales y navieras soviéticas han provocado este inesperado retraso en la llegada de recursos absolutamente imprescindibles para la buena marcha de la isla.

El Gobierno ha tirado de algunas reservas de divisas y ha comprado unas toneladas de cereales para piensos. Ha enviado barcos propios a Canadá donde recogerán el trigo para que no se paralice la producción de harina. Ha adquirido también al contado y en dólares la harina que habría de comprarse meses más tarde.

La nota de *Granma* sigue a ritmo pausado, no alarmista, dando la lista de pequeñas desgracias producidas a consecuencia del retraso de los envíos soviéticos.

En algunas provincias "se han producido afectaciones" —palabra muy cubana para expresar que algo falla, que algo falta, que algo no llega— en el reparto de pan. Por ejemplo: se ha debido restringir el consumo de pienso en los animales: se les ha garantizado el alimento a las gallinas, para que sigan poniendo huevos; se les ha reducido sensiblemente al resto de las aves y a los cerdos y se les ha suprimido de manera total a la ganadería vacuna. ¡Vacas, a adelgazar!

A estas alturas de la lectura de la nota, los cientos de miles de cubanos que cada día leen *Granma* —las colas para comprar el periódico son tan largas como las del pan— comienzan a sentir un ligero escalofrío. Ya saben, el invierno cubano.

Pero están acostumbrados. De cuando en cuando algún producto desaparece por meses de las bodegas —tiendas para todo, no confundir con lugares donde se expende alcohol—. Pero luego reaparece.

El lector habitual de *Granma* sabe que aunque hay algunas noticias inquietantes procedentes de la Unión Soviética, o de sus otrora países satélites, la vieja madrecita Rusia no va a dejar abandonados a sus lejanos hijos de Cuba.

Sí. Es cierto. Hasta la televisión cubana ha transmitido las imágenes de la caída del Muro de Berlín el 9 de noviembre de 1989. Un mes después de que Mijail Gorbachov estuviera precisamente en esa ciudad celebrando el 40 aniversario de la fundación de la República Democrática Alemana.

Sí. Eso es cierto. Pero también lo es que Mijail Gorbachov era nombrado el mes de mayo del año que acaba de terminar, 1989, jefe del Estado soviético por un período de cinco años y con poderes especiales unos meses antes. La estabilidad parecía asegurada.

¿Cómo los iba a dejar abandonados el compañero Mijail, si había estado en la primavera de ese mismo año en la cálida isla y las gentes de La Habana se habían echado a la calle para saludarle y mostrarle sus respetos?

Bien. Volviendo a *Granma*. Si la escasez de piensos persiste, se deberán "sacrificar anticipadamente varios millones de aves con la consiguiente afectación —otra vez— primero de carne de ave y con posterioridad en la producción de huevos" (4). Lógico.

El lector se queda un poco más frío cuando lee que "las reservas estatales de materias primas ya han sido empleadas". Puede imaginarse lo que viene después: "Como esta situación... en lo inmediato no tiene perspectivas razonables de mejorar, se hace imprescindible tomar como mínimo las siguientes medidas".

El lector de *Granma* supo ya que algo serio estaba pasando. Pero jamás llegaría a sospechar esa mañana del lunes 22 de enero de 1990 lo que se avecinaba.

Sí: se le quitarán 20 gramos diarios a su bollito de pan allí donde está "normado" —otra palabra muy cubana: racionado— o se subirá el precio cinco centavos donde no lo está, La Habana. Se subirá el precio de los huevos de 12 a 15 centavos la unidad. Se da un ligero toque de esperanza: si la situación mejora, y llega el pienso a las granjas, es posible que baje el precio del huevo.

Y alegría: se ponen a la disposición de la población 30.000 toneladas de cítricos. ¿Razón? Los barcos polacos, alemanes y soviéticos que deberían haber transportado los cereales y diversas materias primas en noviembre y diciembre, tenían que regresar a su destino con los cítricos caribeños.

De las 158.805 toneladas de naranjas, de toronjas, de limas, tan sabrosas, correspondientes a los envíos de diciembre y de los primeros quince días de enero, que debían haber sido embarcadas, sólo pudieron salir 100.509.

El resto, un total de 58.296 toneladas corren el riesgo de pudrirse. Como el Estado no dispone de suficientes cámaras frigoríficas, "se destinan al consumo directo de la población 30.000 toneladas" extras.

No está mal.

No hubiera estado mal, si todo hubiera quedado ahí. En una más o menos importante afectación en los huevos y el pan. Pero no. Dos días después, el mismo periódico insiste en el tema en un artículo explicativo tres veces más amplio que la propia nota del Comité Ejecutivo del Consejo de Ministros.

El nuevo artículo de *Granma* pone al corriente al lector de la entrada de buques cargados de alimentos.

Con el estilo literario que caracteriza a un redactor de *Granma*, Susana Lee —"no es del Partido y ha llegado a ser redactor jefe", me dijeron en una visita que hice a *Granma*, para demostrarme que no se exige el carnet de militante para escribir en el órgano del PCC— escribía que el "Antonio Maceo" llegó a Cienfuegos con 20.000 toneladas de trigo para pan, y a La Habana ha llegado el soviético "Ravni Kotari" con otras 20.600 toneladas del mismo y vital producto.

Se da noticia de cómo otros buques o están siendo cargados o han salido de Canadá, de Francia y de Bélgica con harina, trigo y piensos.

"Estamos confiados en que las dificultades presentadas tendrán una solución positiva, pues las tradicionales relaciones bilaterales entre la URSS y Cuba, así lo han evidenciado y en tal sentido se han realizado todos los trámites necesarios y explicado a los dirigentes y funcionarios soviéticos los problemas que nos provocaba cualquier demora" (5).

El periódico reconoce un dato escalofriante:

—La situación ya era tal que la simple rotura de un barco dejaba sin pan a una parte de la población y sin pienso a millones de animales mayores y menores.

La nota informa que todo el pan que se consume en Cuba se produce a través de harina y de trigo importados, la inmensa mayoría de la URSS, y un poco que se adquiere en el mercado internacional pagando en dólares. En total, 603.000 toneladas entre harina ya elaborada y trigo "para ser molinado", como dicen en Cuba.

El cordón umbilical que unía a Cuba con la Unión Soviética era vital en productos básicos para los cubanos. La isla produce otras muchas cosas, pero su clima no es el adecuado para los cereales.

El Gobierno cubano, lógicamente prepocupado por estos retrasos, transmitía a través del artículo de Susana Lee un mensaje de largo aliento: "será de gran importancia para nuestro país ver cómo se desarrolla la situación a lo largo de 1990, y cuál será el futuro de nuestras relaciones económicas con los países del Este de Europa".

Malas. Las relaciones van a ser malas. El año que arranca con esa nota pondrá casi el punto y final a un importante intercambio comercial, el 85 por 100 de todo el comercio cubano, entre la isla y los países socialistas del Este europeo, con la Unión Soviética a la cabeza.

El año anterior, 1989, ha terminado con una nueva cumbre entre los presidentes soviético y norteamericano en la mítica Malta. Mijail Gorbachov y George Bush han certificado la defunción de la Guerra Fría.

En ese año diversas repúblicas soviéticas han comenzado a dar síntomas de rebeldía. Pero la bomba de relojería aún no ha explotado. Nadie, ni siquiera Fidel Castro, que en el último 26 de julio (1989) ha tenido un golpe de inspiración y ha dicho que incluso si algún día estallara la URSS, Cuba seguiría construyendo el socialismo, puede prever el alcance de la crisis que se avecina sobre Moscú.

Carlos Aldana, miembro del Buró Político, y buen conocedor de la URSS, en donde ha estudiado y a donde viaja con frecuencia, me dirá meses después que si bien Castro se anticipó a las consecuencias negativas de la glasnot y la perestroika, nunca nadie podía pensar que el Partido Comunista de la Unión Soviética llegaría a ser declarado ilegal y desaparecer.

Entre esa nota del mes de enero aparecida en *Granma* y otra importantísima que aparecerá el 29 de agosto, el periódico comunista cubano registra estas noticias: el Partido Comunista de la URSS (PCUS) deja de ser el partido dirigente, como rezaba en la Constitución; Lituania y Letonia se independizan; Yeltsin es elegido presidente del Parlamento ruso y abandona el PCUS; Gorbachov prepara un plan de privatización de las empresas y de introducción de la economía de mercado; en Bulgaria, cuyo esquema había sido imitado por los cubanos en los años setenta, como me reconoció Aldana, es saqueada la sede del antiguo Partido Comunista mientras una multitud rabiosa grita: "¡Que ardan los comunistas!, ¡cuarenta y cinco años es suficiente!".

Las dos Alemanias, una de las cuales, la comunista, había sido un firme aliado y proveedor de los cubanos, está a punto de reunificarse. De hecho lo harán dos días después, el 31 de agosto, de que *Granma* escriba estas fatídicas seis palabras:

—Período Especial en Tiempo de Paz.

Cuba, que es un isla, no es ajena lógicamente a las convulsiones del mundo exterior, y mucho menos las que tienen lugar en los países otrora comunistas. Todo su esquema se viene abajo. En una entrevista con Roberto Robaina, el primer secretario de la Unión de Jóvenes Comunistas (UJC), me dirá con pena en octubre de 1991:

—Se nos ha caído el mundo en que nos estuvimos mirando. Yo estuve mirando ese mundo treinta años y ese mundo se me ha desbaratado de un día a otro. Recuperarse de ese golpe es difícil. Eso aquí ha hecho un daño terrible.

Robaina se entristece cuando rememora su primer viaje a la URSS:

—¡Yo soñé la primera vez que fui a Moscú! Soñé porque para mí la Unión Soviética era el paraíso del mundo. Y soñé la primera vez que fui a la República Democrática Alemana (RDA). Me habían hablado de que Berlín era como el París del socialismo. Miraba todo aquello y deseaba que mi país alguna vez se pareciera a aquella RDA, que parecía tener cosas buenas y necesidades aparentemente resueltas. ¡Y eso se ha desplomado!

A pesar de todo, había que seguir adelante. Ese 29 de agosto de 1990, bajo el título "Información a la población", *Granma* comunica a los cubanos las dificultades que tiene la URSS para el suministro de "diferentes productos básicos que tradicionalmente hemos recibido de ese hermano país" (6).

Entre los "productos básicos" que no llegan como es debido está el petróleo. Un producto que hasta entonces no había fallado, pero que es vital para la supervivencia de una isla que consume casi 15.000.000 de toneladas de crudo y sus derivados y sólo produce 1.000.000. La Naturaleza le ha dado a Cuba bellísimas playas, pero no ha regado sus costas de pozos petrolíferos, como a sus vecinos mexicanos o venezolanos.

Para ese mes de agosto, los soviéticos han enviado 2.000.000 de toneladas menos de petróleo. La quinta parte de lo pactado. "Es imposible que tan elevado déficit deje de tener consecuencias serias en el funcionamiento de la economía y la vida del país", dice el periódico.

Además, "el país no dispone de recursos financieros en moneda libremente convertible para buscar este combustible de otras fuentes". Todo ello obliga a tomar una serie de medidas drásticas. Los cubanos toman nota:

Reducción de la venta de gasolina: un 50 por 100 menos a las empresas estatales y un 30 por 100 menos a los vehículos privados. En esos momentos, un ciudadano recibía bonos por 230 litros para el trismestre. Al mes, 76 litros, para los vehículos del tipo Lada soviéticos, un automóvil similar a los modelos Fiat/Seat tipo 124. Los de menor cilindrada recibían menos.

En sucesivas reducciones, los propietarios de un Lada —que

son una ínfima minoría en la población— recibirán 40 litros por mes. Los médicos disponían de una "cuota adicional" que antes de la crisis era de 103 litros más al mes y en junio de 1992 se habían quedado en unos magros 20 litros.

Se decretan reducciones en el consumo eléctrico. En el transporte. En las cocinas de los comedores colectivos. Sólo en La Habana, una ciudad de 2.700.000 habitantes, se repartían 3.000.000 de comidas diarias en los centros de trabajo. Con el empeoramiento de la situación, los trabajadores de centros en los que "se comía muy bien desde hace muchos años", como el Ministerio de Cultura, se quedarán a dieta: le darán un huevo duro y a otra cosa.

Todos los hogares cubanos tienen la obligación de reducir al menos en un 10 por 100 su consumo de electricidad. Los que no logren ese ahorro, sufrirán sanciones: cortes de luz por un mes y multas. En los meses siguientes, se generará todo un sistema de robo de energía eléctrica de los troncos municipales. Se manipularán los contadores particulares. Pero a pesar de ello, habrá un efectivo ahorro de energía a nivel nacional.

Se reducen inversiones y la producción de cemento y materiales de construcción. Prácticamente se paraliza en todo el país la construcción de nuevas viviendas, salvo en algunos puntos especiales de la Sierra, en donde el Gobierno tiene interés en desarrollar para evitar su despoblamiento. También se paraliza la edificación de nuevas escuelas.

Granma anuncia algunas decisiones que tendrán una inmediata circulación en la agencias internacionales de prensa: se destinarán animales al transporte y la agricultura, en sustitución de tractores y camiones.

Y lo que es más importante: se anuncia el cierre de la importante fábrica de níquel Ernesto "Che" Guevara de Moa, al oriente de la isla. El níquel es, junto al azúcar y los cítricos, uno de los principales rubros exportadores cubanos, además del turismo y algunos productos farmacológicos.

Será el preludio del cierre de docenas de fábricas en todo el país. También el del recorte de la jornada laboral: se decreta la suspensión del trabajo los sábados, salvo en aquellos centros de que dispongan de suficiente materia prima. No se recortan los salarios.

La nueva nota de *Granma* termina con un significativo párrafo:

—Estos hechos que se vienen sucediendo comienzan a transformar la vida de nuestro país de una situación normal a un Período Especial, en época de paz. Hay que estar preparados para ello. (En las primeras notas oficiales se habla de Período Especial "en época de paz", pero terminará por imponerse la terminología "en tiempo de paz").

En efecto, desde ese día la vida cotidiana cubana comienza a verse afectada de forma inmediata.

Período Especial en Tiempo de Paz. ¿Y eso qué es?, se preguntaban los primeros días los cubanos que habían leído *Granma* o habían escuchado los programas informativos de la televisión.

El 28 de septiembre de 1990, Castro habla ante los miembros de los Comités de Defensa de la Revolución (CDR), reunidos en el teatro Carlos Marx, de La Habana. Celebran el XXX aniversario de su creación. Por vez primera, Fidel va a pronunciar las fatídicas palabras: Período Especial.

—El Período Especial se concibió para caso de guerra, para el caso de un bloqueo total del país en el que no entrara ni saliera nada de aquí (7).

Muchos años antes, en 1979, el ministro de las Fuerzas Armadas Revolucionarias (FAR), Raúl Castro, había diseñado junto con sus colaboradores los planes para el caso de una invasión por parte de los Estados Unidos. Se le llamó el Período Especial en Tiempo de Guerra. Sólo hubo que cambiarle una palabra al plan y ponerlo en práctica.

—...sin duda, ya nos estamos adentrando en ese Período Especial en época de paz —sigue diciendo Fidel a los cederistas.

Irá más lejos aún: Fidel apuntará que puede haber algo peor que el Período Especial. Teóricamente, Cuba vive en el Período Especial en Tiempo de Paz en la primera fase. Nadie sabe cuántas fases están previstas. Pero Fidel alerta sobre la peor:

—Hay que estar preparados para trabajar con menos, con menos, con menos y casi cero. Ya sería la situación extrema, pero hay que pensar en esa variante.

La llamada "opción cero" rondaría despachos, sería motivo de comentarios en las colas, en los centros de trabajo durante los meses siguientes.

Mientras, la población iba a ir aprendiendo con cuentagotas lo que significaba el Período Especial: el periódico *Granma* seguiría machacando el tema en las proximas semanas, cada vez con notas más frecuentes, en las que se abordaban los más distintos temas.

El 24 de septiembre, la "información al pueblo" versa sobre las medidas adoptadas en relación a la prensa escrita. Tanto el papel como las tintas y la maquinaria con que en Cuba se imprimen cuatro periódicos nacionales y quince regionales son importados de la Unión Soviética. Las dos industrias papeleras del país están paralizadas por falta de pulpa y cloro, también soviéticos.

Las medidas que se toman incluyen la desaparición de todas las revistas del país, salvo *Bohemia*, la más veterana. Se mantiene el diario *Granma*, con menos páginas y su tirada de 710.000 ejemplares (en unos meses se reducirá a 400.000). *Juventud Rebelde* y *Trabajadores* pasan de diarios a semanarios. Deja de publicarse *Bastión*, el periódico de las Fuerzas Armadas. Los periodistas de las redacciones clausuradas son "reubicados" en otros centros de trabajo.

Dos días más tarde, *Granma* golpea de nuevo. Es la nota más larga de la serie que aparece en estas semanas.

Granma informa sobre tres temas: la distribución y sistemas de venta de productos alimenticios o textiles; la distribución y venta de electrodomésticos, y el sistema de venta por grupos.

El lenguaje utilizado por la burocracia cubana para referirse a estos temas exige de un pequeño cursillo. En Cuba existen varias formas de venta.

Está la venta normada. A ella tienen acceso todos los ciudadanos cubanos, que deben estar provistos de su correspondiente "Cartilla de abastecimientos", creada en 1962. Popularmente, se la conoce como libreta de racionamiento. Ahí se incluyen los productos básicos de consumo, que se venden a precios realmente bajos. La venta normada se realiza en las llamadas "bodegas".

Existe el mercado paralelo. En establecimientos especiales de la llamada red minorista se ponían a la venta determinados bienes considerados como no absolutamente imprescindibles para la supervivencia de una persona. También se la conocía popularmente como venta "por la libre". Es decir, no se necesitaba cartilla.

En el mercado paralelo quedan muy pocos productos a raíz de la nota del 26 de septiembre. Los únicos requisitos necesarios para acceder a esos productos eran: tener dinero y paciencia. Los precios eran más elevados que en el mercado normado. Y las colas enormes.

Ello había generado una casta de ciudadanos denominada por las autoridades cubanas como los "antisociales" y a los que *Granma* se refiere como los "coleros", "parásitos" y "merólicos".

Los "coleros" habían montado un perfecto sistema para acaparar los productos a la venta, bien haciendo colas o de acuerdo con los vendedores. En ocasiones, antes de que se abriera el establecimiento habían desaparecido los bienes a la venta. De esta forma, se desarrolló un floreciente mercado negro.

El tercer sistema de distribución y venta es el recién bautizado como "venta controlada".

Así como en el sistema de "venta normada", es decir por la cartilla, el Gobierno se compromete a poner en manos de los ciudadanos un mínimo de alimentos al mes, el sistema de venta controlada no conlleva ese compromiso. Simplemente, cuando haya producto, se pone a la venta. Eso sí, no se puede adquirir todo el que se quiera, sino el que corresponda por habitante, según las cantidades disponibles por el Estado. Se anota en la cartilla de cada usuario que ya ha adquirido su ración. Los precios son también más elevados que los de la norma.

¿Qué productos son los que aparecen en un mercado u otro?

En la venta normada: arroz, azúcar, café, carne, cigarrillos, compotas, detergente, fríjoles, aceite, mantequilla, harina de maíz, leche enlatada, sal, pan, huevos, tomate, pescado, pasta de dientes, jabón de lavar y jabón de tocador.

También pasan a incluir la lista de productos normados los artículos industriales esenciales: calzados, confecciones, tejidos, ajuares, productos de higiene y uso personal, muebles, juguetes.

En la venta por la libre, o mercado paralelo, y que desde el 26 de septiembre pasan a la venta controlada, se ofrecen: carnes y pescados, conservas, mayonesa, especias, conservas de frutas, galletas de sal (los populares "saladitos cubanos"), cuchillas para afeitar, queso, salazones de cerdo, tocino y chorizo, entre otros.

Quedaron en la venta paralela algunas aves vivas, cangrejos, sopa de almejas, arroz, café, sal, según las disponibilidades del Estado.

Permanecen en la venta paralela algunos tejidos especiales, modelos de ropa de años anteriores, y "otros artículos a muy altos precios", señala *Granma*

Puede darse el caso de que un mismo producto esté por la norma y la venta paralela. El precio marca la diferencia. Si por la norma una cajetilla de cigarrillos "Populares" cuesta 30 centavos, los mismos en el paralelo cuestan ocho pesos: 26 veces más caro.

En este sistema, hasta que la crisis comenzó a agudizarse, podían conseguirse bebidas alcohólicas, cerveza y ron, cada día más escasos.

La larga nota de *Granma* del 26 de septiembre de 1990 sigue dando disgustos a muchos cubanos que tenían la esperanza de conseguir un frigorífico, un televisor o un simple ventilador.

Aun a costa de ser tedioso, no me resisto a reproducir la lista que *Granma* hace de los productos que pueden o no adquirirse y en qué condiciones:

Refrigeradores: Se venderán todos los equipos cuyos bonos del Plan CTC o Zafra están distribuidos.

El Plan CTC o Central de Trabajadores de Cuba, la organización sindical, o el Plan Zafra son recompensas ganadas por los trabajadores según su trabajo y los méritos, una especie de puntuación, alcanzados.

Los frigoríficos que quedaron disponibles, agotados los cupos CTC y Zafra, pasaron a manos de los consultorios médicos de barrio (médicos de familia) y círculos infantiles.

Televisores en blanco y negro: se dispondrá de 22.800 unidades del modelo Krim-234. Para adquirir uno de ellos se necesita: primero, el Plan CTC, y segundo, entregar a cambio un televisor modelo Krim-218. Si no, no hay venta. *Granma* informa el por qué: los Krim-218, de los que existen en el país 1.173.000 aparatos, son unos televisores soviéticos que consumen una elevada cantidad de energía eléctrica, 180 watios, mientras que el nuevo modelo consume 40 watios.

Televisores en color: Es complicada también su adquisición. Hay una doble vía:

1. Los trabajadores que ya dispongan del bono, o le haya asignado en sus asambleas de centros de trabajo por emulación personal, podrán comenzar a adquirlos en un plazo de dos semanas.

En ese tiempo, dice *Granma,* se les "insta" a que vendan al Estado su antiguo televisor en blanco y negro, por el que se le pagarán 150 pesos que servirán de anticipo del televisor en color. Este trueque tiene a su vez un doble objetivo: a) retirar de la circulación televisores en blanco y negro que consumen más energía, y b) aprovechar las piezas de recambio de los televisores en blanco y negro para arreglar los televisores averiados de los pobres infelices que no tienen bono para la televisión en color.

2. Agotados todos los bonos, el Estado calcula que le quedarán unos 20.000 televisores en color. Irán todos a parar al Plan CTC, para ser distribuidos como recompensas en el año siguiente, 1991. Ahora bien, informa el periódico cubano, "para esta segunda variante, sin embargo, la tenencia de un televisor en blanco y negro será requisito indispensable, pues el sistema de venta será por reposición".

Aire acondicionado: Dice textualmente *Granma:*

En las actuales condiciones, dada la imperiosa necesidad de ahorrar electricidad, el alto consumo de estos equipos ha obligado a desechar su venta aun en los casos en que le haya sido asignado (unos 1.000 quedan pendientes). En compensación a quienes se hallen en esta situación, se les ofrecerá —a la presentación del bono del aire— un ventilador chino y a precios de los que se entregan a los ganadores de la emulación de zafra (120 pesos).

Quedan todavía: ventiladores, de los que sólo se venderán los que ya tienen bono CTC, los demás pasarán a la reserva para usos sociales; lavadoras: todas a la reserva; radios, tocadiscos, grabadoras: como hay varios miles, gastan poca enegía y se estropean si se almacenan, se ponen a la venta por la venta normada de productos industriales, a base de un aparato por jefe de núcleo familiar, a escoger, claro, uno de los tres, y en el plazo de un año; batidoras: se les entregarán a los ganadores del Plan Zafra; planchas: reservadas para los nuevos matrimonios las 13.700 que quedan; máquinas de afeitar: como gastan poco, se venden por la libre; cafeteras y ollas de presión: aunque no son estrictamente un electrodoméstico, como gastan energía, se las envía a la venta normada, es decir, la libreta.

Granma se despide con esta joya:

"Por último en este acápite (8), se ha orientado priorizar —dentro de las posibilidades— la reparación y mantenimiento de los efectos electrodomésticos... La perspectiva inmediata, no obstante, indica que poco podrá adquirirse en estos rubros considerando lo anteriormente mencionado" (9).

Cuando terminé de leer este artículo de *Granma,* le pedí un ron doble al camarero del Victoria. Sólo así podría tragarse el último párrafo. Me lo sirvió y me dijo:

—¡No es fácil ser cubano, chico!

Y cada día iba a ser peor. Claro que el cubano, dicharachero y guasón, es capaz de reírse de su propia muerte. Los chistes que comenzaron a circular sobre el Período Especial pronto fueron centenares.

—¿Sabes cómo se llamará el año 2040? —le pregunta un cubano a otro.

—No, chico...

—El Año del Cincuenta Aniversario del Período Especial.

Y es que, una vez que el *Granma* y la Tele Rebelde martillearon a la población con las medidas excepcionales, al principio, decían, transitorias, y luego, como se vio tras el hundimiento de los ex socios europeos, definitivas o de largo plazo, los cubanos se fueron acostumbrando a vivir en Período Especial. En realidad, los cubanos vivían, si no en período, al menos sí de una manera muy especial desde 1962.

El mes de marzo de 1962, los cubanos asistían al alumbramiento de una criatura que iba regular su actividad consumidora durante años. A algunos, hasta el día de su muerte.

Ese mes nacía la "Libreta de abastecimientos de productos básicos", conocida popularmente como "la libreta de racionamiento" o "la libreta" a secas.

No era un invento cubano. Los españoles, y algunos otros pueblos en determinadas épocas de su historia, la habían utilizado. Yo no llegué a verla, pero mis padres me hablaron de ella y algún que otro pan racionado mordisqueé en mi infancia. Tras la guerra civil española, el dictador que se había sublevado contra la República legalmente constituida, Francisco Franco, impuso la libreta de racionamiento ante la escasez de alimentos. Duró unos pocos años.

En Cuba, la libreta ya no podría militar en la Unión de Jóvenes Comunistas (UJC), pues ha cumplido la edad límite, treinta años. En todo caso, podría pedir el ingreso en la organización de las personas adultas, el Partido Comunista.

Las causas del nacimiento de la libreta son, en una definición del ministro de Comercio Interior, Manuel Vila Sosa, hecha precisamente al cumplirse sus treinta años, las siguientes:

—Elevación de los salarios de los trabajadores tras el triunfo de la Revolución, en 1959; creación de nuevos empleos, que redujo el paro existente en 1958 de 627.000 desempleados en un 40 por 100; drástica reducción de precios de productos alimenticios de primera necesidad, de la electricidad, del teléfono, del alquiler de las viviendas, y sobre todo el inicio del bloqueo que Estados Unidos decretó contra la isla, bloqueo que se mantiene en forma tan persistente como la cartilla.

Todo ello generó una mayor capacidad adquisitiva de los cubanos. Pero en el mercado, sobre todo el alimenticio, los productos no eran suficientes. Tradicionalmente, Cuba apenas si producía alimentos —dedicada al forzoso monocultivo de la caña de azúcar— y la mayoría se importaban de Estados Unidos.

—La alternativa a la cartilla era una subida exorbitante de precios —dice el ministro Vila Sosa (10).

La población cubana creció también en estos treinta años: de los 6.000.000 de habitantes que tenía la isla en 1959, se pasó a 10.800.603 cubanos, según datos hechos públicos en julio de 1992 por el Comité Estatal de Estadísticas.

Los dirigentes cubanos han desarrollado toda una teoría, no exenta en ocasiones de cierta lógica —para ello hay que tener en cuenta su entorno sociopolítico, no comparar a Cuba con Suecia— en defensa de la libreta, que a la postre no es sino el reconocimiento de que el Estado no puede disponer de todo lo necesario para alimentar a toda su población todo el tiempo.

Lo primero que rechazan es el término con que popularmente la conoce la gente en Cuba: libreta de racionamiento. Dice el ministro Vila Sosa:

—Hay que dejar bien claro que nuestro sistema de abastecimiento no es de racionamiento sino de distribución. Distribuimos todo lo que hay en función de toda la población. Mientras en un sistema de racionamiento se raciona de una forma a unos y de otra forma a los demás.

El sistema "no se puede aplicar en ningún otro lugar del mundo, porque habría que hacer una revolución como la nuestra", mantiene el responsable del Comercio Interior.

Hablé en una ocasión de la cartilla de racionamiento con Roberto Robaina, primer secretario de la UJC. El líder juvenil me decía que la Revolución le había dado al pueblo cubano las mejores cosas de toda su historia.

—También le ha dado una cartilla de racionamiento —le contesté.

Robaina aceptó el reto:

—Defendemos esa cartilla de racionamiento que tanto se critica en el mundo por la sencilla razón de que nosotros, con los niveles de producción y con el estado económico que tenemos, seríamos un caos sin libreta. Lo poco que tenemos lo tendría cada vez menos gente. La solución es que lo poco que tenemos lo compartamos más entre nosotros.

Para Robaina es enervante que en el exterior algunos medios presenten a los cubanos como anormales. Como si quisieran vivir siempre pegados a la cartilla.

—¡Claro que nos gustaría resolver el problema de la libreta! Que nadie tenga la menor duda. No hay una etiqueta que diga: cubano igual a libreta para siempre.

La libreta es consecuencia de una agresión del vecino imperialista y en ese sentido, afirma Robaina, el pueblo la acepta:

—Los cubanos asumen con alegría el tema de la libreta. Nuestro pueblo ve lo que pasa en otras partes del mundo. ¡Cuántos países no quisieran tener una libreta como la nuestra!

¿Y qué tiene la famosa libreta? ¿Qué garantiza el Estado cubano a sus ciudadanos por el simple hecho de serlo?

Hay dos tipos de libreta: la de alimentos y la llamada de productos especiales. Esta última incluye ropa, calzado y otras pequeñas cosas como hilos o peines.

El Estado se compromete a entregar a todos los ciudadanos una serie de productos básicos para su subsistencia de forma periódica. En la de alimentación, hay diversas cantidades de estos productos (para más detalles ver anexos): arroz, azúcar, café, carne, fríjoles, aceite, mantequilla, harina, maíz, leche, pan, sal, tomate, huevos, pescado y viandas, como llaman en Cuba a las patatas, diversos tipos de plátanos, boniato, yuca, etc. Además estan incluidos cigarrillos, puros, compotas, detergente, jabón de tocador y para lavar, y pasta de dientes.

Los aparatos electrodomésticos sólo se pueden conseguir a través de los centros de trabajo, con el llamado Plan CTC (Central de Trabajadores de Cuba). El sindicato distribuye entre los trabajadores destacados los aparatos existentes. Antes del Período Especial estos productos estaban en el mercado liberado a precios relativamente altos.

Una de las personas que más sabe en Cuba sobre lo que comen y visten los cubanos es Eugenio Rodríguez Balari, presidente del Instituto Cubano de Investigaciones y Orientación de la Demanda Interna, un organismo adscrito al Consejo de Ministros. Balari lleva al frente del Instituto desde que se fundó, hace justamente veinte años en mayo de 1991, que es cuando lo entrevisté en su despacho oficial.

Balari es licenciado en Historia y doctor en Economía. Tiene bajo su mando en este Instituto a un centenar de investigadores sociales, economistas, sociólogos, psicólogos, matemáticos y en general estudiosos del mercado con los que ausculta semestralmente los gustos y necesidades de la población cubana.

Me entrega un librito editado por su Instituto, *Nivel y modo de vida de la población cubana*, que no está a la venta. Es para uso interno y restringido (ver anexos). Está lleno de datos estadísticos y en su primera página, en letras bien grandes, dice:

—En Cuba se creó desde 1962 un sistema de garantía de los abastecimientos básicos para toda la población. La libreta de los abastecimientos que establece los derechos de los consumidores a obtener determinadas cuotas de productos en *per cápitas* o *per núcleos* a precios muy bajos y congelados. Este sistema rige para toda la población del país.

Lo primero que le pregunto a Balari es:

—¿Puede un cubano sobrevivir con lo que le garantiza el Estado a través de la libreta?

La respuesta es no.

El cubano consume 2.950 calorías diarias, según los datos que me proporciona Balari. Las obtiene por distintas vías: la del comercio minorista (cartilla y otros); en lo que en Cuba llaman "servicios gastronómicos" (restaurantes, pizzerías o puestos callejeros de venta de hamburguesas, o croquetas) y los comedores sociales (obreros o de estudiantes).

Según el presidente del Instituto de Demanda Interna, en la isla funcionan 16.000 comedores, para obreros y estudiantes (no cuenta los militares) que diariamente proporcionan 4.000.000 de comidas. Es decir, prácticamente el 40 por 100 de los 10.800.000 cubanos que viven en Cuba toman una comida al día fuera de sus casas. Los estudiantes de forma gratuita. Los trabajadores pagan un precio módico: 50 centavos.

Balari sostiene que no se puede hablar de que la población cubana esté pasando hambre.

—La Organización Panamericana de la Salud calcula que hay unos 140.000.000 de latinoamericanos que sufren subalimentación. Hay otros 40.000.000 de desnutridos, lo que quiere decir llanamente que pasan hambre. Pero no se puede decir que los 10.800.000 de cubanos estén desnutridos ni subalimentados.

El Gobierno cubano sostiene que su población ha crecido tres centímetros de media en las tres últimas décadas, gracias precisamente a la mejor alimentación.

En las sesiones de la Asamblea Nacional del Poder Popular de diciembre de 1990, el vicepresidente Adolfo Díaz ofreció en nombre del Comité Ejecutivo del Consejo de Ministros un detallado informe del consumo medio de alimentos de los cubanos durante el año anterior, 1989, cuando aún la crisis no había hecho más que amagar.

Ésta es la lista ofrecida por Díaz, tomada del diario *Granma* del día 27 del citado mes y año:

108 kilos de cereales: 296 gramos diarios.
51 kilos de azúcar: 140 gramos diarios.
12 kilos de fríjoles: 33 gramos diarios.
35 kilos de carne: 99 gramos diarios.
230 huevos: cuatro huevos y medio semanales.
18 kilos de pescado: 49 gramos diarios.
144 kilos y medio de leche y derivados: 394 gramos.

17 kilos de grasas: 47 gramos diarios.
66 kilos de viandas: 181 gramos.
59 kilos de hortalizas: 162 gramos diarios.
56 kilos de frutas: 153 gramos diarios.

Esa dieta se iba a ver seriamente afectada por el Período Especial. En mayo de 1991, Balari me actualizó la "Libreta de abastecimientos básicos". En enero de 1992, esa libreta sufrió serios recortes (ver anexos).

La libreta garantiza a cada miembro de un núcleo familiar —independientemente del número de personas que compongan ese núcleo— una lista de productos alimenticios al mes, a un precio realmente bajo. De ella, sólo dos productos, el arroz y el azúcar, vieron aumentar la cuota: en el primer caso se pasó de cinco libras mensuales por persona (2.300 gramos) a seis libras (2.760 gramos). En el caso del azúcar se pasó de cuatro libras mensuales (1.840 gramos) a cinco libras (2.300 gramos).

El resto de los productos siguieron igual, con la diferencia de que en muchos casos pasaban meses sin que apareciera el artículo en la bodega del barrio. Es el caso de la leche enlatada o el detergente. Si un mes no llegaba el producto que al cubano le corresponde por su cartilla, no se acumula para otro mes. Se pierde irremisiblemente. Antes de enero del 92, esos productos los debía la bodega al consumidor.

Un chiste resume los atrasos en la llegada de algunos alimentos:
Una cubana le pregunta a otra:
—Oyeme, chica, ¿en qué mes estamos?
—Depende: si es por la libreta, en febrero, si es por el calendario, en junio.

Productos tan necesarios como el papel higiénico, que corresponde un rollo por núcleo, y para retirar el nuevo es necesario devolver el rollito de cartón del antiguo, desapareció de la circulación en Cuba en 1991. La crisis de papel no sólo afectó a *Granma*.

Prácticamente todo el año 1991, los cubanos, a los que les encanta ir bien aseados, lo pasaron sin jabón. La sosa cáustica, imprescindible para su fabricación, que debían enviar los soviéticos nunca llegó. El detergente era inexistente. La gente en Cuba hierve la ropa, como una medida higiénica ante la escasez de jabones para lavar.

La falta de detergente fue tan angustiosa en el verano de 1991 que mucha gente decidió llevar las sábanas y otras prendas de gran tamaño a la lavandería estatal. No esperen un servicio rápido: las sábanas las devolvían lavadas (?) un mes más tarde. El detergente apareció fugazmente para desaparecer de nuevo en enero de 1992.

Una noche prometí a unos amigos cubanos hacerles una cena española: ensalada y pollo al vino blanco. Fui al diplomercado y conseguí casi todo lo necesario. Faltaba perejil, pero bueno, nos podíamos arreglar. Mas era imposible cocinar ese plato sin cebolla. No había en el súper especialmente destinado a los diplomáticos y otros extranjeros residentes en Cuba. Las ciudadanas soviéticas, como tantas veces, las habían acaparado para revenderlas en el mercado negro.

Se inició una laboriosa búsqueda de una cebolla por La Habana. Pensé en pedirla en mi hotel. Hasta que una de las invitadas, Cecilia, recordó que en su casa había cebolla. Nos ofreció una. Cociné mi plato y quedó sabroso, gracias a la cebolla de Cecilia.

Al día siguiente supe que esa noche nos habíamos comido "la cebolla" del mes del núcleo de Cecilia. La joven no dijo nada, pero sabía que al entregarnos la única cebolla que había en su casa, su madre debería esperar un mes hasta que le dieran otra por la cartilla.

Agradecí el extraordinario gesto de generosidad de Cecilia y su familia, pero me quedó durante días un mal recuerdo de aquella cena.

En La Habana ese tipo de dificultades son cotidianas. Por el contrario, reconoce Balari y yo he podido comprobar, en las zonas del interior, en el llano y en la loma, como llaman los cubanos a las zonas de baja montaña, lo que escasea son productos como la pasta de dientes, mientras que es más fácil conseguir productos alimenticios.

Los cubanos se quejan de que además de que faltan productos indispensables, cada uno llega en una fecha distinta. Me decía un ama de casa:

—¡Chico, esto ahora es una regadera! Cada día aparece un producto. Antes llegaban todos al tiempo y uno iba una vez a la bodega y se traía todos los mandados.

La mayoría de los productos fueron reducidos sensiblemente en enero del 92. Esa reducción es muy importante en la carne y el pollo. En mayo de 1991 se recibía una libra de pollo cada nueve días y en enero del 92 entregaban una libra al mes por persona (la libra tiene 460 gramos, poco menos de medio kilo).

El pollo y el huevo son productos muy apreciados por el cubano. Pero los pollos consumen pienso. Y el pienso es importado. De modo que el Gobierno cubano decidió entregar un pollito recién nacido a cada cubano para que lo criara en su casa y le hincara el diente cuando estuviera gordito.

La experiencia se inició en el mes de diciembre de 1991. Tuvo tal éxito, en palabras de Roberto Borrego, director de la empresa avícola Habana, de la capital, que "el pueblo ha mostrado creciente interés por obtenerlos, lo cual se expresa en la constante pregunta: ¿cuándo llega el pollito?", según referencia del periódico *Tribuna de la Habana* (11).

Hasta el mes de marzo de 1992, el Gobierno de Cuba había vendido a la población 1.571.000 pollitos. Borrego aclaró al periódico capitalino que la adquisición de un pollito no sustituía a la carne de pollo que le corresponde al ciudadano por su cartilla. El director de la empresa avícola informó que estaban listos otros 300.000 pollitos, "preparados para un engorde rápido". Además, el pollito "se brinda vacunado contra la viruela".

He visto algunos de estos pollitos en los hogares cubanos. En los pequeños apartamentos de La Habana el pollito o perece pronto, porque la gente no sabe cómo alimentarlo o no tiene con qué, o se convierte en un animal doméstico, como si fuera un gato o un perrito.

Las reducciones en la cuota de enero del 92 afectaron también seriamente a la carne: de 345 gramos cada nueve días, se pasó a la misma cantidad, pero al mes. Además, en vez de carne se entregó desde ese mes de enero picadillo, compuesto en un 60 por 100 de carne picada, un 30 por 100 de soya y el resto de sangre

De aceite y manteca se pasó de recibir libra y media al mes a sólo media libra. De 20 onzas (28 gramos) al mes de fríjoles, se pasó a la mitad, 10 onzas (14 gramos). De cinco huevos semanales se pasó a cuatro. El pescado se redujo de una libra cada veintiún días a una libra al mes.

Muchos de estos productos llegaban de la extinta Unión Soviética y otros ex países satélites. Por poner un par de ejemplos: la URSS proporcionaba 1.500.000 toneladas de trigo, y el resto que necesitaba la población, 500.000 toneladas más, se adquiría en el mercado occidental en divisas convertibles. Bulgaria enviaba 25.000 toneladas de pollo. La desaparecida República Democrática Alemana enviaba 23.000 toneladas de leche en polvo, que junto a los envíos soviéticos de lácteos completaban 400.000.000 de litros que, al igual que el pollo búlgaro y gran parte del trigo, dejaron simple y llanamente de llegar a Cuba de un día para otro.

¿De dónde sacar esos productos? Para complicar más las cosas, el ministro de Comercio Interior, Manuel Vila Sosa, decía en marzo de 1992 que el Estados disponía de un 50 por 100 menos de divisas que años anteriores para la adquisición de productos alimenticios en el mercado mundial.

A pesar de la escasez, se mantuvieron los precios. En el mes de mayo, el contenido global de la cesta básica costaba un total de 29,29 pesos cubanos. Sobre un sueldo medio bajo de 120 pesos representaría un gasto en alimentación por la cartilla de un 25 por 100. Si no hay niños menores de seis años en la casa, que consumen un litro diario de leche, que cuesta 7,50 pesos al mes, el importe de la canasta entregada por cartilla sería de 21,8 pesos.

Balari me explicó en mayo del 91 que curiosamente uno de los problemas sanitarios que tenía el país, a pesar de la cartilla, era el de la obesidad:

—Debido a una sobrealimentación, el 20 por 100 de la población tiene tendencia a la obesidad —dice.

Interrumpo a Balari:

—Estoy de acuerdo en que no he visto hambrientos en las calles, ni en los pueblos que he recorrido, pero no me diga que la alimentación es perfecta. Porque esa obesidad es provocada por un excesivo consumo de azúcares, de grasas de cerdo...

Balari sonríe. El sabe que la alimentación no está balanceada, como dicen hoy los especialistas.

—Le he hablado desde el punto de vista fisiológico. Ahora bien, desde el punto de vista de la demanda no podría decirle las mismas cosas. Porque en la demanda entran a jugar otros factores: los gustos, las preferencias, las motivaciones.

En resumen, Balari reconoce que "esas calorías y proteínas que se garantizan a la población, se hace en base a una estructura relativamente monótona de unos 30 ó 40 productos".

En efecto. Los cubanos no se mueren de hambre. En todo caso se podrían morir de aburrimiento por comer casi siempre lo mismo.

El Período Especial vino a acortar precisamente la variedad en la oferta al escasear muchos de los productos —antes odiados y ahora añorados— que llegaban de los países socialistas europeos, como las latas de carne rusa. Además de que ha disminuido la variedad de la oferta, se ha reducido al menos en unas 100 calorías diarias el total ingerido por los cubanos en los últimos dos años, reconoce el ministro de Comercio Interior, Manuel Vila Sosa.

¿Dónde compran los cubanos y qué hay de sus famosas colas?

El llamado comercio minorista consta de 19.000 puntos de venta distribuidos en los 169 municipios del país. Los hay de varias clases: la bodega, que es la red más extensa y la que habitualmente proporciona los productos normados, los supermercados, las plazitas, los agromercados, las carnicerías, las lecherías.

La cartilla comenzó en los años sesenta regulando prácticamente todo, y conforme la isla se fue desarrollando se fueron eliminando productos de la llamada "venta normada", es decir por la cartilla. Esos productos pasaban al mercado libre o venta paralela.

El Período Especial afectó dramáticamente esta tendencia: se comenzaron a retirar productos de la venta libre hasta que el Gobierno la cerró definitivamente.

Granma anunciaba el 17 de noviembre de 1990 esta medida. La razón: el mercado paralelo se había convertido "en lugar de concentración de elementos parásitos, antisociales y coleros, que se lucraban con el sudor del pueblo o no permitían que estos bienes llegaran a la población".

Así, productos como el ron, que se vendían por la libre, pasó a expenderse por la cartilla a razón de dos botellas por núcleo familiar al mes. Las colas ante las roneras, locales que vendían el ron, eran impresionantes. Cuando los vecinos sabían que había llegado el preciado líquido a la ronera del barrio, comenzaban a formar la cola desde la medianoche del día anterior.

Los coleros profesionales obtenían buenos beneficios después de una noche de insomnio. Desde finales de octubre de 1991, el ron y el aguardiente pasaron a la cartilla. Dos botellas al mes, a elegir un tipo u otro, y a un precio bastante elevado: 11,20 pesos botella. En esa época, ese ron a granel alcanzaba un precio de 25 pesos botella entre semana y hasta 30 los fines de semana.

El tabaco, el otro producto tan cubano, sufrió también el mal del Período Especial. Si en mayo de 1991 la cajetilla de cigarrillos Populares costaba 32 centavos, en septiembre subirán a 1,60. Se redujo de cuatro a tres cajetillas por mes las entregadas por la libreta a los mayores de diecisiete años.

Como había un floreciente mercado negro, pues se seguía vendiendo también por la libre, en el mes de marzo de 1992 el Gobierno decidió incrementar en cinco veces el precio de la cajetilla, colocándolo al mismo nivel de lo que costaba en el mercado negro: ocho pesos. Un precio que sería el doble de lo que gana al día un trabajador medio-bajo, con un salario de 120 pesos mensuales.

El diario *Granma* se ocupó de la noticia y justificó la medida así:

—El Estado no fomentará el hábito de fumar, ni gastará importantes recursos vitales en divisas para abaratar un vicio que afecta a la salud.

Además, desde comienzos de 1992 regía una nueva norma: los que hubieran cumplido diecisiete años antes del 1 de enero del nuevo año, tendrían derecho a sus tres cajetillas por la libreta. Los que los cumplieran a partir de esa fecha, estaban condenados a engrosar el ejército de no fumadores o de pagarlas en el mercado paralelo a precio de oro.

Una forma muy drástica de eliminar un vicio, que, en opinión de muchos, podría forzar a algunos jóvenes adictos al tabaco a buscarse el pitillo a cualquier costa y a cualquier precio.

Al estar prácticamente todos los productos en junio de 1992 normados, la gente tiene la seguridad de que su ración de alimentos está asegurada. Las colas no son tan largas como cuando había productos "por la libre".

En ocasiones, las colas habían llllegado a ser de varios días. Por ejemplo, en las primeras semanas de 1991 salieron a la venta en una ferretería del barrio del Vedado, en La Habana, tapas para el retrete. Hubo gente que aguantó hasta dos días de cola para conseguir una. Colas igual de largas se producían cuando ponían a la venta algodón. Las cubanas, a falta de productos más modernos, utilizan el algodón cuando menstrúan. Recuerdo el comentario de una cubana cuando pasé ante una cola de algodón:

—Si los yanquis nos bombardearan con Tampax, iban a ver lo bien que los recibíamos.

Aunque las nuevas y drásticas medidas de meter casi todos los productos en la cartilla ha aliviado un poco las colas, aún sigue habiendo, y muchas, en Cuba. Y no sólo para los alimentos. ¡Hay que ver las colas de las guaguas, de hasta dos y tres horas de espera en la ciudad de La Habana!

Para muchos cubanos, la cola es una especie de centro social, un *Hola* callejero, una tertulia de Luis del Olmo, un club de solteros donde uno puede enhebrar el hilo que le conduzca a una relación más estrecha. En la cola se habla y habla y se pasa revista a las novedades del día, de la semana y del mes. Hay tiempo.

Las colas han sido muy útiles para una población que por sus años está ya jubilada y aburrida: los abuelos. Las colas están llenas de ellos y a la postre se entretienen y hacen ejercicio: caminan de cola en cola.

Le pregunté una vez a Robaina, que es un político con sentido del humor, si a falta de Coca-Cola, Cuba no se había convertido en una gigantesca Cuba-Cola. (Por otra parte, ¡qué alivio que no haya Coca-Cola! El viejo republicano español Arturo Soria padre les echaba unas broncas monstruosas a mis hijas Lola y Pilar, en presencia de Miguel Angel Aguilar, cuando eran una crías: "¡No beban Caca-Cula!", les gritaba para pasmo de las infelices criaturas).

Robaina soltó una carcajada:

—¡No, chico! ¡Cuba-Cola no! A nosotros no nos gusta hacer colas. A todos nos gustaría llegar a un lugar y que te sirvieran el refresco más rápidamente.

Optimista a tope, Robaina dirá:

—Mira, además, nosotros tenemos lo que millones de personas no tienen en este continente: tenemos colas porque tenemos qué y con qué comprar. Ellos no tienen con qué comprar.

El líder juvenil comunista me recuerda sus impresiones de un reciente viaje a Brasil:

—Vi avenidas repletas de tiendas, la Vía Paulista, por ejemplo, maravillosa. Pero con un montón de gente paseando por esa avenida sin poder comprar absolutamente nada. Me parece que es muy triste tener tiendas llenas y bolsillos vacíos. Eso no quiere decir que la solución sea tiendas vacías y bolsillos llenos.

Si mal está la alimentación, peor anda la ropa, el calzado, la vivienda. La poca ropa que se ofrece, además, tiene un diseño sencillamente horroroso, afirman ellos y ellas. El cubano, que es un tipo al que le gusta ir de punta en blanco, no se resigna a vestirse de cualquier forma.

Robaina ha sido uno de los dirigentes que ha entendido este

problema y desde la UJC que dirige ha renovado un poco el vestuario de los jóvenes, básicamente diseñando camisetas de manga
corta, "pullovers" los llaman en Cuba, con colores más atractivos
que los de las fábricas estatales clásicas.

Balari me reconoció que en la demanda de ropa, la mujer cubana prefiere llevarse el tejido que le corresponde en metros, sin
confeccionar, y entregarlo a algún sastre del barrio para que el diseño sea más moderno. Igual sucede con los zapatos: los que ofrece habitualmente el mercado oficial son zapatones más propios de
las frías estepas siberianas que de un país caribeño como Cuba.

Los tejidos son en su mayoría de produción propia. Según el
Instituto de Demanda Interna Cuba produjo 281.000.000 de metros cuadrados de tejidos, e importó otros 87, básicamente de China y Japón.

La ropa ha sido también un tema que ha preocupado a Fidel.
El mismo día que habló por vez primera del Período Especial, el
28 de septiembre de 1990, ante los miembros del CDR que celebran su XXX aniversario, dijo Castro:

—Si tuviéramos que estar con la misma ropa unos cuantos
años, lo estaremos. Echamos mano a los "escaparates" (armarios)
o los baúles. Habrá que hacer ropa nueva para los niños que nacen y los que crecen. Pero si nos faltara materia prima para la industria textil, entonces reduciríamos al mínimo indispensable
también las producciones textiles y estoy seguro de que a pesar de
todo nuestras mujeres van a estar bien vestidas.

Fidel les había dicho casi lo mismo a las mujeres cubanas en su
congreso, celebrado unas semanas antes. Afirmó bromeando que
a pesar de que había poca ropa, las veía que cada día se cambiaban el vestido o la blusa. También recordó que las familias no suelen tirar la ropa usada:

—El que más y el que menos ha ido guardando su trajecito por
ahí igual que hacen las familias que guardan la cuna, y guardan la
ropas del mayorcito para el más chiquito. Todo el mundo sabe
cómo es la cosa.

El Instituto de Demanda Interna que dirige Balari ha contabili-
zado desde 1974 la ropa y el calzado medio de los cubanos. La
ropa la mide en metros cuadrados, según un sistema ideado por
Balari: los encuestadores pedían permiso a los encuestados y me-
tían la nariz en los "escaparates" o armarios y contaban prenda
por prenda, que tenía su equivalente en metros cuadrados.

Así, se llegó a los siguientes datos: en 1974, la "tenencia *per cápita*" de ropa era de 24 metros. En la última encuesta de 1987 había
subido a 69 metros cuadrados.

Las encuestas llevadas a cabo por el Instituto de Demanda Interna, desde 1974, muestran que el vestuario promedio de un cubano es el siguiente:

Ropa exterior: camisas: 8,61; camisetas de manga corta, 2,38; pantalones, 6,23; otros, 7,72. Ropa interior: camisetas, 1,94; calzoncillos, 6,26; calcetines, 5,63; otros, 2,14.

El vestuario medio de una mujer se compone:

Ropa exterior: blusas, 7,70; camisetas de manga corta, 2,29; faldas o sayas, 2,86; pantalones, 4,46; vestidos, 2,86; otros, 7,72. Ropa interior: ajustadores, 4,61; bloomers, que es como llaman en Cuba a la braga, 7,44; medias, 2,65; otros, 2,85.

El número de prendas *per cápita* de los cubanos aumentó en todos sus renglones, salvo en el caso de los vestidos de la mujer: el primer año de realizarse esta encuesta, 1974, disponía de 3,92 vestidos, cuatro años más tarde bajó a 3,50; en 1982 era de uno menos, 2,52, y en 1987 subió un poquito, 2,86 vestidos *per cápita*, pero menos que trece años antes.

El número global de piezas de vestir del cubano de ambos sexos pasó de 17,33 piezas en 1974 a 43,52 en 1987 (ver Anexos).

Si problemática es la ropa, mucho más lo es el·calzado. En 1974 la media de zapatos que poseía un cubano era de 3,04 pares *per cápita*, que pasó a 4,49 en 1987.

En el pleno de la Asamblea Nacional, celebrado en diciembre de 1990, el secretario nacional de la Central de Trabajadores de Cuba (CTC), Pedro Ross Leal, miembro del Buró Político, habló de la necesidad de "priorizar la reparación del calzado" ante la angustiosa carencia existente en toda la isla.

Afirmó que sólo un 57 por 100 de los obreros habían recibido un par de zapatos a lo largo de 1990. El país necesitaba producir 3.315.000 pares de zapatos por año, pero con mucho se alcanzaría un 82 por 100.

Los zapatos se convierten así en una preciada joya para un cubano. Además, sobre todo en ciudadades como La Habana, muy extensas y con cada vez menos autobuses circulando, se gastan con rapidez. Ello ha preocupado seriamente a los dirigentes cubanos y la prensa se ha ocupado del problema.

En 1990 se repararon 1.700.000 pares de zapatos en La Habana. La falta de materias primas, el famoso "pegamento 525", conocido como barge, y de suelas de goma, agobiaba a las autoridades. Un zapato de buena piel admite un clavo, uno de piel sintética, no.

El imaginativo cubano se inventó un pegamento criollo, a base de almidón de yuca. Como había muchas quejas sobre el servicio, se dispuso lo que el periódico *Trabajadores*, órgano de la Central de Trabajadores de Cuba (CTC), llama "el sistema usuario frente al banquillero".

Consiste, en el propio lenguaje de *Trabajadores,* en que se "permite al público velar por la calidad de la reparación y como norma se logra la atención al momento, cuando se trata de remiendos, parches y costuras" (12).

A pesar de que La Habana cuenta con 84 zapaterías, los dirigentes de la capital sintieron la necesidad de "acercar el servicio a la población" y por las calles de La Habana comenzaron a desparramarse "banquilleros", como llaman al zapatero remendón, quienes provistos de "un sencillo equipamiento" solucionaban las necesidades más perentorias.

Para quien no ha visitado nunca Cuba, ni ha leído su prensa, este lenguaje decimonónico y la minuciosidad con la que abordan los temas aparentemente más nimios puede resultarles sorprendente. Pero así es la vida en Cuba y la prensa refleja los problemas que angustian a su población, problemas que no lo son o no con esa gravedad, en cualquier otro país occidental.

Si escaseaban los zapatos en 1990, lo mismo sucedió con la ropa. Los trabajadores de algunas provincias, como Camagüey o Las Tunas, no habían recibido ninguna muda de ropa interior en todo el año. Ross Leal afirmó que debía hacerse una mejor distribución pues algunas provincias habían recibido en 1990 una muda y media.

El país produjo ese año 2.000.000 menos de camisas, con lo que sólo se pudo abastecer al 52 por 100 de la población. Recordó Pedro Ross en la Asamblea Nacional:

—Como ha dicho correctamente Fidel, en el futuro inmediato nuestras mujeres podrían tener que usar las mismas ropas durante cinco años.

No es ninguna broma. Cuando uno viaja con frecuencia a Cuba observa cómo sus amigos y conocidos visten prácticamente siempre la misma ropa. No es extraño que en lugares como La Habana, donde hay un flujo importante de turistas, exista un mercado subterráneo de venta de ropa obtenida en las diplotiendas, a las que sólo tienen acceso los extranjeros, o bien que algunas jóvenes sean un poco cariñosas con los foráneos a cambio de una blusa, sin que necesariamente se les pueda aplicar el calificativo de prostitutas.

El Período Especial iba a golpear muy fuerte en este apartado de la ropa. El aviso de Fidel y de Pedro Ross de que posiblemente las mujeres tendrían que llevar la misma ropa hasta cinco años seguidos, se cumplió. Aunque no de forma tan drástica.

Hasta 1992, la llamada "Libreta de Productos Especiales" que corresponde a cada cubano tenía una vigencia de un año. Con el Período Especial esa misma libreta durará para dos años.

Si antes de 1992 a cada cubano le correspondían cuatro metros de tela por año, ahora se la darán cada dos años. Cada año disponían de cuatro cupones para ropa interior: la mujer podía elegir cuatro piezas entre bragas o bloomers, como las llaman en Cuba, y sostenes; el hombre, cuatro camisetas o calzoncillos. Ahora deberán alargar la vida de sus prendas íntimas dos años más.

Unas prendas íntimas que llegaban en los primeros seis meses del año con cuentagotas. Las mujeres se quejaban además de que las bragas o bloomers son modelo inquisición.

—Chico, son tan grandotas que te cubren medio cuerpo. ¡Fíjate que las llaman las "matapasiones"! —se quejaba una joven casada.

Hay también un cupón para zapatillas, antes unas por año, ahora para dos años. Y otro cupón más para unos zapatos. Esa misma ama de casa se interrogaba:

—¿Qué voy a hacer con mi hijo? ¡Los pies de un niño crecen mucho en dos años!

Además, la calidad de los zapatos ha bajado muchísimo. Hasta hace unos años, a Cuba llegaban unos zapatos de piel, procedentes de la República Popular China, de una aceptable calidad. Ahora distribuyen unos de plástico que apenas si duran un suspiro.

Por último, hay en esa libreta una casilla para la llamada "ropa hecha", o confeccionada. Cada año, el titular de la cartilla podía elegir una de estas cuatro prendas: un pantalón, una blusa, una chaqueta, una falda. Si uno sigue la secuencia, y toma este año un pantalón, dentro de dos años una camisa y dentro de otros dos una chaqueta, deberá mantener el pantalón bien cuidado: habrá de durarle seis años. ¡Y que no se le ocurra engordar!

El ama de casa molesta con los bloomers gigantes, la escasez de zapatos para su niño, y las penurias cada vez mayores que ha de soportar, contó este chiste:

—¡Mira, chico! ¡Vamos tan p'atrás, tan p'atrás que un día de éstos vamos a conocer a José Martí personalmente!

Hay cupones también para cosas menores, como hilos o peines. También para champú y desodorantes, productos éstos prácticamente desaparecidos del mercado desde hace meses.

La vivienda es otra de las grandes angustias, posiblemente la primera de todas, de los cubanos, agravada con el Período Especial.

Balari me dice en su despacho que el régimen había diseñado cuatro "programas estratégicos": la ampliación y diversificación de las exportaciones desde el turismo a los productos farmacéuticos; en segundo lugar, la sustitución de importaciones, especialmente en maquinaria; en tercer lugar, el desarrollo del programa alimentario, con vistas a alcanzar el mayor nivel de autosuficiencia en productos alimenticios; el cuarto programa sería el de los servicios sociales, desde educacionales a sanitarios o de vivienda.

Este último ha sido prácticamente paralizado. El Gobierno cubano mantiene que incluso no construyendo ni escuelas ni hospitales en unos años, seguirían estando muy por encima del resto de los países de América Latina y no les falta razón. No es así en el tema de las viviendas. He conocido verdaderos traumas entre familias cubanas por el problema de la vivienda: parejas divorciadas que deben seguir viviendo durante años en la misma casa porque no tienen otro lugar donde ir, y a veces uno de los dos o los dos al tiempo, mantienen una nueva relación; hijos que se casan y deben quedarse a vivir con los padres de uno de ellos, a veces compartiendo cuarto por años.

Datos del Instituto de Demanda Interna afirman que el déficit de viviendas es de 280.000 en todo el país. De no haberse producido el parón por el Período Especial, y seguido adelante con el programa de construcción de viviendas se habría llegado al año 2000 con 250.000 construidas, el 90 por 100 de las que se necesitan.

El número total de viviendas que hay en el país es de 2.569.000, de las que 539.000 están en la capital, La Habana. De acuerdo con estas cifras, se podría deducir que habría 1.000.000 de personas en Cuba, el 10 por 100 de su población, necesitado de una vivienda propia.

El ritmo de producción de viviendas desde 1984 a 1989 muestra el inicio de la crisis en 1988: si en 1985 se construyeron un total de 71.367 viviendas en todo el país, esa cifra bajó a 39.449 en 1988 y a menos de la mitad al año siguiente, 34.589.

La construcción de viviendas en Cuba se realiza a través de tres vías: la estatal, la de cooperativas y las construidas por la población, básicamente a base de las llamadas microbrigadas, grupos de trabajadores de cualquier sector que se unen para en horas libres construir viviendas con la esperanza de que alguna sea para él. Normalmente había que participar como microbrigadista en la construcción de varios bloques, lo que lleva años, antes de lograr una propia.

Era este último grupo, el de las microbrigadas, el que mayor número de viviendas construía antes de las crisis: 45.119 en 1985, frente a las 24.195 que edificó el sector estatal. Sin embargo, muestra de la crisis, al reducir el Estado el suministro de materiales a las microbrigadas en 1989 las viviendas realizadas por la población bajaron a 8.394 frente a las 34.589 construidas por el sector estatal.

Es común que muchas parejas de casados, que no poseen vivienda propia, acudan un fin de semana a las llamadas "posadas", que son hoteluchos de escasa higiene, y tras aguantar una larga cola, consigan una habitación donde pasar un rato a solas, sin padres, hermanos, ni parientes cercanos.

La Habana, que es una de las zonas más necesitada de viviendas, tenía un programa de construcción a un ritmo de unas 20.000 por año. Pero, según Balari, ese programa, en mayo de 1991, estaba a la mitad. Un año más tarde, prácticamente se había eliminado. Se construían 30.000 viviendas que ya habían sido iniciadas con anterioridad al Período Especial. También se construyen viviendas allí donde una industria importante requiere de mano de obra, ya que resulta a la larga más barato que tener que transportar a centenares de trabajadores, dada la escasez de combustible.

Fidel Castro se refirió a la interrupción del programa de viviendas en el discurso en el que anunció el inicio del Período Especial:

—Nos duele muchísimo, porque llevamos tres años haciendo inversiones en fábricas de bloques, de ladrillos, de tubos, de todo; en la industria del cemento, en todo. Y tiene que doler mucho, después de tantas ilusiones que pusimos en esos programas tener que parar. Pero debemos estar dispuestos a hacerlo, porque no podemos andarnos con sentimentalismos o con emociones en esto, cuando lo fundamental es salvar al país, salvar la Revolución.

La drástica reducción en el nivel de vida que sufre el cubano en los tres ultimos años, desde 1990, ¿podría desembocar en una revuelta popular, en un estallido social que pusiera contra las cuerdas, por vez primera en treinta y tres años, al régimen de Fidel Castro?

En una conversación con Robaina, en octubre de 1991, le comenté que tenía noticias de pequeños incidentes ocurridos en el cinturón que rodea a La Habana.

Poblaciones como Guanabacoa, por ejemplo, con una alta proporción de trabajadores, muchos de ellos de color, y en donde se practica masivamente la santería —la síntesis religiosa cubana del catolicismo conquistador y las creencias africanas llevadas a Cuba por los esclavos negros— se habían producido altercados en bodegas y farmacias. Una de éstas había sido asaltada por un grupo de ciudadanos pacíficos que solicitaron una medicina y al no encontrarla destruyeron el establecimiento.

Robaina, que no huye de ninguna pregunta, dijo:

—Creo que basta con que haya una situación económica como la que tenemos actualmente para que exista tensión. Pero no creo que estemos en las puertas de una revuelta popular.

—Quizá no masiva, pero ¿qué pasará con esos pequeños focos que pueden ir surgiendo o ya han surgido aquí o allá?

—Esos pequeños focos se pueden producir cuando hay negligencia, cuando hay irresponsabilidades. Creo que mejor que dedicarnos a controlar esos pequeños focos, que a la larga son controlables, porque basta saber las dimensiones que han tenido o que pueden tener para saber que no significan nada que desestabilice la Revolución, creo que lo que hay que hacer, como en la medicina, es un trabajo preventivo.

Para Robaina, en esta época de escasez y penuria, lo que más perjudica a la Revolución no es que falte este o aquel producto, sino "los malos tratos a la población, los privilegios, las diferencias".

—Tenemos suficiente fuerza, en primer lugar en las masas populares y en segundo lugar en la estructura de gobierno, de partido, incluso en la propia estructura policial y militar, como para controlar cualquier incidente. Pero en mi opinión no creo que debamos conformarnos con saber que tenemos capacidad para controlar lo que pasa. Hay que ir al fondo del problema, que es evitar que esas cosas lleguen a suceder.

Para Robaina, el caso del asalto a la farmacia de Guanabacoa se debió a una incorrecta información, a una mala atención. "Quizás cuando vas a por una cosa que necesitas con urgencia y te la encuentras cerrada, te irrita, y te irrita ahora más que antes".

Robaina muestra sin embargo su convicción de que ese tipo de incidentes no es masivo.

—Ahora, que hay tensión entre la población como para que pueda pasar, la hay. Y de hecho, ha pasado.

¿Solución en estos meses de alta tensión?

—Disminuir los factores de irritación. Por ejemplo, si hay que distribuir una pipa (cisterna) de agua, en estos tiempos el pipero tiene que ser más puntual que nunca. Debe parar donde debe y no donde conoce a un amigo. Eso se puede resolver y ahí es donde podemos ayudar para que no suceda nada peor.

En los últimos viajes que hice durante 1991 a Cuba, supe de algunos pequeños brotes de violencia en establecimientos comerciales, fundamentalmente lugares donde se vendían alimentos o medicinas. Pero no podría afirmar que la población estuviera al borde de un estallido social. Por otra parte, ¿quién sería el adivino que podría vaticinar a fecha fija que una aldea, una ciudad, un país se van a rebelar de la noche a la mañana?

Sí observé desde que comencé a frecuentar la isla, a partir de 1988, que cada vez más abiertamente los cubanos criticaban aspectos negativos de su sociedad. Pocos incluían asuntos políticos en sus críticas, al menos ante un periodista extranjero.

Pero sí atacaban con dureza la existencia de un floreciente mercado negro surtido con productos robados por los propios empleados o directores de las empresas estatales y la corrupción, especialmente dentro del servicio gastronómico. Claro que mientras criticaban a esos "delincuentes sociales", como los llama el régimen, se veían forzados a recurrir al mercado negro para adquirir los productos inexistentes en el mercado legal.

Llamé a mi compañera de viaje Marlys para que reuniera a unos cuantos amigos. Les dije que la conversación sería estrictamente confidencial, y que no revelaría sus nombres reales (Marlys tampoco lo es).

Los temas de conversación salían a borbotones, con la espontaneidad que tienen los cubanos cuando discuten entre sí, sin cohibirse.

—¿Cómo sobrevivís en Período Especial? —pregunto al grupo de media docena de chicos y chicas.

—Con mucho mercado negro —contestan casi a coro.

"Chica 1" cuenta que su mamá compra latas de leche a 4 pesos, cuando su precio por la libreta es de 90 centavos. El jabón de tocador, que cuesta 35 centavos, se vendía en mayo del 91 a 5 pesos, catorce veces su valor. La botella de aceite de medio litro, a 5 pesos también, diez veces su valor en cartilla.

"Chico 2" interviene:

—Mi mamá compró el otro día un pollito, no un pollo criollo grande, no, uno chiquitico. ¡Por 20 pesos!

—¡Pues te salvaste! —contesta "Chica 2"— porque en mi barrio están a 25 pesos.

Hablan de que el niño cuando sobrepasa los seis años deja de recibir el litro de leche fresca al día.

—Justo cuando necesita el calcio para el crecimiento, vitaminas, minerales, todo eso, se le quita... —interrumpe alguien a la médica Marlys.

—Y marisco...

Marlys no se ha dado cuenta y sigue:

—... y la fruta. Un niño necesita mucha fruta... ¿Cómo?, ¿alguien dijo marisco? ¿Qué cosa es eso, chica?

Hay una gran carcajada. El marisco, del que Cuba es un buen productor, se dedica exclusivamente al turismo extranjero, que paga en dólares, y a la exportación.

Alguien cuenta un chiste:

—Camarón que se duerme, al plato del turista.

Y otro:

—¿Sabes cómo le llaman a la langosta? La internacionalista, porque es sólo para extranjeros.

Interviene "Chica 2":

—¿Sabéis que os digo? Que nosotros, al pan, pan, y ¡olvídate de la mantequilla!

"Chica 3" dice:

—Un estudiante de medicina me contaba el otro día que a nosotros no nos dan mariscos porque los cubanos no tenemos enzimas para poder comerlos.

—Yo los vine a conocer, los camarones, a los veinte años —señala "Chica 2".

(No dijo cómo, pero está claro: la invitó un turista).

"Chica 1" le replica:

—Yo sólo los he visto en las revistas de turismo.

Hablan de los restaurantes para cubanos. Citan La Torre de

Marfil, uno de los más elegantes en su estilo. "Chico 3" quería llevar a su novia, porque había ahorrado 60 pesos. Pero fue imposible. Dice en su lenguaje cubano:

—Te pasas días y días discando el número de teléfono. Pero nadie lo agarra. Nunca contestan. ¿Sabéis por qué? Porque tienen las reservaciones hechas siempre para sus amistades, para los "mazorcas", que les dan al capitán 50 ó 100 pesos de propina...

—Por favor, ¿me explican que es un mazorca? —inquiero.

—Pues un potentado. Alguien que hace mucha plata en la bolsa negra (mercado negro).

Las reservas para estos restaurantes normalmente se deben hacer por teléfono. En una ocasión asistí a un caso alucinante: unos amigos cubanos querían celebrar su aniversario de bodas en El Polinesio, uno de los restaurantes del hotel Habana Libre, el más grande de la capital. También el más insufrible y deteriorado.

Estabamos en el hall del hotel, tomando un mojito. Que es lo mismo que tomarlo en la terminal del aeropuerto Kennedy de Nueva York: el trasiego de gente es continuo. Uno se marea de ver gente, no de tomar tragos.

Mi amigo se levantó y se dirigió a El Polinesio. Regresó hecho una furia:

—Dicen que la reserva ha de ser telefónica.

Tuvo que buscar un teléfono y desde dentro del hotel hacer una reserva por teléfono a un restaurante que estaba dentro del mismo hotel. Me cuenta que en ese hotel, especialmente en el Caribe, el cabaret que hay en la primera planta, algunos de los empleados, normalmente los que distibuyen mesas, disfrutan de un buen nivel de vida. No sólo por las propinas en dólares, sino por reservar mesa a un cubano. Añade su esposa:

—Mira, chico, aquí todo el mundo va a resolver el día a día, ¿sabes? El otro día yo estaba parada en un escaparate viendo unas pitusas (pantalón vaquero) y entonces viene uno por detrás y me dice: tengo todas las tallas. Me costaba un poco más, pero como me decía el vendedor, me los entrega ya mismo, sin colas ni libretas. ¿Te cuadra? Claro que me cuadró y se los compré.

En las calles venden de todo. Clandestinamente, claro. Pero los del barrio conocen quiénes son los que están en el negocio de la bolsa negra. ¿Por qué no los detienen entonces? Nadie tiene respuesta. Pero la sospechan.

Marlys cuenta que en la Biblioteca Nacional, a donde ella acudía a consultar libros, iba con mucha frecuencia una joven con una jaiba (bolsa). Se daba una vuelta entre las mesas y salía al pasillo. Varias docenas de estudiantes la seguían. Era una merólica, que vendía piezas conseguidas a través de un extranjero, quien a su vez las había comprado en una diplotienda.

—Un día le compré una sayica (falda). ¡Chica, si es que no tenía nada que ponerme! Era blanca, lindísima, con tremendo swing (palabra inglesa que significa movimiento y los cubanos usan por tener clase, estilo. Un chico también puede tener "tremendo swing").

El lenguaje oficial ha bautizado a esta actividad ilegal de venta de productos obtenidos en las diplotiendas como "hacer shopping" (comprando, en inglés). Por esa vía se encuentran "un pomo" (bote) de champú a 60 pesos y otro de gel para baño, de no muy buena calidad y tamaño pequeño, 40 pesos.

Estos precios son de cuando el dólar se cotizaba en el mercado negro a 5 e incluso 10 pesos. En junio de 1992, por un dólar se conseguían hasta 35 pesos en el mercado negro. Es decir, los precios del champú, o la ropa, hay que multiplicarlos por cinco o seis.

Así, un huevo, que costaba por la libreta 15 centavos tras la última subida oficial, se vendía en el mercado negro a 2 pesos unidad, casi 14 veces su valor.

Esos precios son prohibitivos para la inmensa mayoría de los cubanos. Sólo recurren a comprar productos tan caros en casos de extrema necesidad. ¿Cómo se las arreglan entonces?

Unos venden las joyas de la familia al Estado, que las restaura si están deterioradas y las revende a los turistas o las funde para obtener oro y plata. A cambio el Estado entrega unos bonos, conocidos popularmente como "chavitos", con los que se pueden comprar objetos prohibitivos para el resto de la ciudadanía, como algún electrodoméstico.

Pero sobre todo se sobrevive con imaginación.

Con un laxante de nombre Laxagal, o leche de magnesia, los cubanos preparan unos efectivos champús caseros. El problema es que el Laxagal escasea y la leche de magnesia hace tiempo que "no sale al mercado", en el argot habanero.

—Con el Laxagal te queda el pelo ondeadito, brillosito, como mojadito.

El Laxagal lo usan como un antiácido para limpiar el estómago antes de hacerse determinadas pruebas radiológicas. Lo malo, dice "Chica 2", que se ha puesto Laxagal, es que cuando te lavas la cabeza, se va el efecto y las moscas acuden a tu pelo como desesperadas, pues te queda un olor dulzón:

—Fíjate en la parada de la guagua y si ves a alguien con un regadero de moscas por su cabeza es porque se dio Laxagal.

Otros remedios para lavarse el pelo: agua con azúcar; espuma de jabón de lavar con clara de huevo. O agua con vinagre. Que tiene un inconveniente: huele muchísimo. Pero quita la caspa.

"Chico 3", que cursó sus estudios internado en una residencia para becarios de la Universidad, en unos edificios situados en el malecón habanero, cerca del hotel Riviera, cuenta una anécdota que afirma es real, "y si no que me muera", dice:

—Un angoleño que había en el cuarto mío, el cabrón se ponía

el champú después de ducharse y ahí se lo dejaba, como si fuera una colonia.

Pregunto cómo andan de colonia, de perfumes.

—¡Uy, chico, eso no existe!

"Chica 2" dice:

—El desodorante que yo he usado más ha sido agua con bicarbonato.

Abro la boca tanto que parece que me van a venir todas las moscas de la cabeza de alguien con Laxagal. ¿Agua y bicarbonato?

—El bicarbonato es un antiácido que contrarresta el ácido clorhídrico que hay en el estómago. Por tanto, también debe eliminar los ácidos del sudor —dice Marlys.

—Pero eso debe irritarte profundamente la axila...

—¡Claro! ¡Por supuesto que me irrita, pero o huelo mal o me irrito.

Una forma de alargar un frasquito de colonia es mezclarlo con agua y bicarbonato o leche de magnesia.

—El problema es que comenzaron a desaparecer las cosas: dejó de salir el bicarbonato, el perfume, la leche de magnesia.

La falta de detergente, prácticamente inexistente en el último año, la suplen también con otra pizca de imaginación: ponen pasta de dientes, si es que tienen, en la lavadora, si es que también tienen la fortuna de poseer una.

Otro sistema es coger el fruto de la planta de henequén, con el que se fabrican las pitas. Del tronco se saca una bolita, que tiene un líquido azucarado con el que se puede fabricar una bebida alcohólica, el pulque mexicano. Pues bien, el ama de casa cubana toma esa bolita y la mete en un calcetín, y todo bien atado lo introduce en la lavadora. Actúa como un eficaz detergente.

Al henequén, además de para fabricar cuerdas y obtener fibras para hacer tejidos, se le ha encontrado otra utilidad en medicina: a falta de hilo especial, sirve para coser heridas.

El Período Especial, entre otras muchas cosas, llevó a Cuba un nuevo día: el Día del Esfuerzo Especial. Ese día, toda Cuba realiza un esfuerzo extra para ahorrar combustible. En los comedores obreros se cocina con carbón y leña. Se apagan los aparatos de aire acondicionado incluso de los jefes. Se clausuran los ascensores.

Recuerdo que en el mes de mayo de 1991 fui al periódico *Granma*, en donde tenía una cita de trabajo. No había ascensor. Era día de Esfuerzo Especial y subí no sé cuántos pisos a pie y a oscuras. Fue el día en que por toda La Habana se corrió el rumor de que los días del Esfuerzo Especial nadie podría cocinar en sus casas. Todo deberían comer en una olla colectiva que se cocinaría en mitad de la calle, con leña, bajo la dirección de los Comités de Defensa de la Revolución (CDR). Cuando se lo conté al general que manda los CDR, Sixto Batista, se moría de la risa:

—¡Ese es un rumor absurdo! —dijo.

Efectivamente, ningún vecino fue obligado a comer de ninguna olla colectiva.

Por la noche, me quedé helado: la televisión hizo un amplio reportaje de cómo la población había contribuido en el día del Esfuerzo Especial. Mostraron imágenes del hospital Frank País. Las trabajadoras de la limpiezan estaban lavando a mano en una fuente pública la ropa del hospital.

Marlys, la médica del grupo, se indigna:

—¡Así no se puede esterilizar nada y además es una estupidez! La asepsia en un hospital debe ser total.

—¿Hacéis más colas que antes?

Hay una fuerte risotada. Todos dicen que sí. Que antes ir a por el pan era una colita de media hora. Estos días de mayo del 91 es de varias horas. "Chica 1" cuenta:

—El otro día pasé por una panadería y sólo vi cinco personas. Me dije: voy a comprar unos bomzitos (un panecillo redondo conocido como bom, que gustan mucho a los cubanos). Estaba leyendo y no caí en la cuenta de que la cola no se movía. Me acerco a la puerta y leo un letrerito: Hoy no hay pan. Resulta que estaban formados ya en cola para el día siguiente, domingo, y eran poco más de las doce del mediodía del sábado.

Cambio de tercio. ¿Pasáis hambre?

Ninguno dice que sí abiertamente. Pero está claro que se quejan de la falta de alimento. "Chica 2" querría tener un poquitico más de leche. Le gusta tomar una poca de vez en cuando.

—Pero como dice una amiguita mía: en este país los vasos cada vez se hacen más chicos, y la leche más clara.

Y es que, en opinión de estos jóvenes, los fraudes en la alimentación abundan: igual que en la España de la posguerra aguaban el vino, en Cuba aguan la leche y ¡la cerveza!

Sólo que a la cerveza le ponen algo más que agua: detergente. "Chico 3" cuenta cómo un amigo suyo tuvo que ir al hospital después de haberse bebido unos vasos de una pipa —camión cisterna—. Los repartidores, en eso nada tiene que ver el Estado, añaden unos cuantos litros de agua con detergente para que haga espuma y se llene antes el recipiente, normalmente cubos, que la gente entrega a los piperos del fin de semana. Un espectáculo por otra parte cada vez menos frecuente.

Las dificultades de este grupo de jóvenes iban a aumentar con el paso de los meses. Si "Chica 2" tiene problemas para encontrar un vaso de leche, muchos más tendrá para conservarlo sin que se deteriore.

La falta de petróleo incidirá de una forma directa en la energía eléctrica. Aunque desde los últimos meses de 1991 muchas poblaciones del interior de la isla sufrían cortes de energía, La Habana había estado al margen de esos apagones.

El Gobierno había ordenado un seguimiento diario del consumo de energía eléctrica, del que responsabilizaba a las autoridades provinciales. Se había hecho un cálculo de lo que cada provincia podía consumir y debían atenerse a ello a rajatabla. La provincia que un día se excedía en el consumo, al día siguiente tenía que ahorrarlo de la única forma posible: cortando el fluido hasta equilibrar el déficit.

Eso fue lo que le sucedió a La Habana. Los primeros días de julio de 1992, una oleada de calor hizo que los habaneros pusieran de nuevo en marcha todo tipo de ventiladores y aire acondicionado. La orden de ahorrar el 10 por 100 respecto al año anterior se saltó a la torera. El consumo se disparó.

Si La Habana tiene un límite marcado de 6.432 megavatios por día laborable y 5.822 los sábados y domingos, los primeros días de julio esos límites fueron sobrepasados en más de un 10 por 100: consecuencia, racionamiento eléctrico.

Primero se comenzó con cuatro horas y después, en algunos barrios, hasta con ocho. Sin apenas petróleo propio, Cuba dependía energéticamente del crudo que le llegaba de la Unión Soviética. Pero los nuevos dirigentes de su heredera, la Federación Rusa, amén de sus propias dificultades, no querían saber nada de los acuerdos anteriores con los cubanos.

El petróleo se retrasaba. Los apagones eran pues inevitables. Cuando a un cubano se le dice que sólo a una hora de vuelo de Santiago de Cuba, en Santo Domingo, capital de la República Dominicana, hay apagones diarios de diez y doce horas desde hace años, o que en Colombia, una de las más saneadas economías del continente, productora además de petróleo, hay de seis a ocho horas diarias de racionamiento eléctrico, encoge el hombro y dice:

—¡Pero chico, eso aquí no ha pasado nunca!

Pues que se vayan acostumbrando. Porque difícilmente podrá el Estado proporcionar, como lo venía haciendo hasta ahora, luz eléctrica al 92 por 100 de su población, 9.500.000 personas sobre los 10.800.000 que viven en la isla.

Este es uno de los logros de la Revolución, del que se ufanaba Castro en el discurso del 28 de septiembre de 1991 cuando habló por vez primera del Período Especial. Ese día recordó que cuando triunfó la Revolución, sólo el 50 por 100 de la población cubana recibía fluido eléctrico. Algo más de 3.000.000 de un total de 6.000.000.

En ese discurso, Fidel pronunció una palabra clave: Juraguá.

Había estado en Juraguá, una hermosa zona situada a 8 kilómetros de Cienfuegos, la bella ciudad del sur. Asomándose a la bahía de Cienfuegos, el régimen cubano tenía dos obras vitales para su futuro a medio construir: una central electronuclear y una refinería de petróleo.

Cienfuegos está situada en el centro casi perfecto de una bahía circular, cerrada por dos pinzas: la de la izquierda es Rancho Luna y la de la derecha Jaguá, donde aún quedan restos de una fortalea colonial. El cruce de un lado a otro ahorraba muchos kilómetros a los viajeros que en el siglo XIX hacían la ruta La Habana-Trinidad. Cuando llegaban a las pinzas de la bahía, una balsa cruzaba a coches y caballos. Desde entonces se conoce ese cruce como Pasa Caballos.

La primera víctima del Período Especial en este complejo industrial situado entre la aldea de Jaguá y Juraguá ha sido el puente que iba a unir las dos puntas de la bahía.

Pasé un par de días visitando la central nuclear y la refinería.

Jamás imaginé cómo serían de gruesos los muros de las cúpulas que albergan un reactor nuclear hasta que vi los de Juraguá. La cúpula que acoge al primero de los cuatro reactores VVER-440 soviéticos está prácticamente terminada.

Docenas de albañiles van y vienen. Sobre la puerta principal que da entrada a la cúpula de 110 metros de altura y 40 de diámetro, hay un letrero en ruso y español:

—Que el átomo sea un obrero y no un soldado.

Lo firma un tal Kurchatov. El ingeniero nuclear Julio Paz Ferrer, subdirector de seguridad de la central, que me acompaña, me ilustra: Kurchatov fue uno de los padres de la bomba atómica rusa.

Cuando llegué a la central, un guía me condujo al edificio principal de oficinas. Hay otro letrero allí, en ruso y español. Este dice:

—¡Viva la amistad soviético-cubana!

En nombre de esa amistad, la central la construyen trabajadores del contingente Lenin. No entiendo nada de energía nuclear. Sólo sé que algunas revientan de vez en cuando y siembran el terror en las poblaciones cercanas. He leído que los norteamericanos no quieren que se construya esta central. Temen por su seguridad. Tienen miedo a que, si la central cubana sufre un accidente, los vientos mortales llenos de radiación alcancen las pacíficas costas de Florida. El ingeniero cubano Julio Paz se ríe de esa imbecilidad yanqui, dice:

—Esta central es tan segura como cualquiera de las que ellos tienen. Lo que pasa es que no desean que la terminemos, pero por razones políticas.

Me da un cursillo acelerado de centrales: en 1976 se inician los primeros contactos con los soviéticos para la colaboración y ayuda

de la primera central nuclear cubana. Contará con cuatro reactores VVER-440, que se montarán en dos fases: primero el I y II reactores, que son las obras que yo presencio a punto de concluir. Más
tarde se construirán los otros dos.

Los reactores son del tipo agua-agua, moderados y refrigerados
por agua ligera, a presión. Cada uno generará un total de 417 megavatios, lo que sumará un total de 1.668. Cuando triunfó la Revolución, la potencia eléctrica instalada en el país era de 369 mv.
Cada reactor ahorrará 600.000 toneladas de petróleo, en total
2.400.000 toneladas, casi la mitad del petróleo que los cubanos esperaban recibir en 1992.

En un lugar vallado y fuertemente custodiado, el ingeniero Julio Paz me muestra algo que, asegura, no ha visto ningún extranjero, salvo los técnicos soviéticos: la vasija, el compensador y los
compresores de volumen de la planta número 1. El corazón ató-
mico de la central. Tiene forma alargada, como de cohete gigantesco, de unos 20 metros de largo.

El ingeniero me dice que está allí almacenado desde 1990. Sólo
falta adquirir el combustible: uranio-235, ligeramente enriquecido. Debe ser enviado de la Unión Soviética cuando la primera fase
esté lista, lo que parece cuestión de semanas.

Le pregunto al ingeniero:

—¿Qué pasaría si por cualquier catástrofe, y el comandante
Castro lo ha dicho en un discurso el 26 de julio de 1989, se produjera una guerra civil o simplemente la Unión Soviética desapareciera?

El ingeniero mira al suelo. No quiere, no puede responder. No
desea enfrentarse a lo que sería la muerte de la central. Estudió
energía nuclear en la Unión Soviética y después la Revolución lo
paseó por diversas centrales nucleares del Este europeo para que
fuera aprendiendo: Bulgaria, República Democrática Alemana,
Checoslovaquia.

Julio Paz fue de los primeros en llegar a la central de Juraguá,
en 1982, cuando se comenzaron a contruir las bóvedas. Como Julio Paz, otros 458 ingenieros cubanos han recibido instrucción en
los ex países socialistas.

Es un proyecto gigantesco que proporcionaría a Cuba la cuarta
parte de la energía que consume. Pero su costo, de 2.000 millones
de dólares, sólo puede ser financiado por una potencia como la
Unión Soviética. El problema es que ya no existe el socio capitalista y las negociaciones para que los rusos terminen la central son
lentas. Unos días dicen que sí y otros días que no seguirán construyendo la central.

Lo malo, además, es que la técnica utilizada en la construcción
es tan diferente de las occidentales, que sería casi imposible reci-
clarla.

—En la planta electronuclear hemos invertido el trabajo de más de 10.000 hombres durante muchos años y su suerte en este momento es incierta —dice Fidel en septiembre del 90 cuando anuncia el comienzo del Período Especial.

Igual de incierto será el futuro de la refinería de petróleo, que visito al día siguiente y está a unos pocos kilómetros de la electronuclear. Aunque la refinería tiene una ventaja sobre la Central: puede entrar en funcionamiento en cualquier momento. Finalmente, la primera fase fue rematada y sólo necesitan la materia prima: el petróleo, barcos cargados de petróleo.

Gilberto Pérez Capo, de treinta y ocho años, es el subdirector de la refinería. Se formó en Rumanía. Me da un paseo por toda la planta, que es realmente impresionante: altas torres metálicas, escaleras de caracol, 1.200 kilómetros de cables, 5 kilómetros de tuberías. En la construcción se invirtió nueve años y 20.000 trabajadores, entre técnicos y constructores, como llaman en Cuba a los albañiles que movieron 26.000.000 de metros cúbicos de tierra.

En la actualidad, hay 1.300 personas mirando al mar.

La refinería, construida con ayuda y tecnología soviética, tuvo un costo de 2.000 millones de dólares. Todo está a punto. En abril de 1987 apretaron por vez primera el botón que la ponía en funcionamiento. Era una prueba. En junio de 1990 refinaron las primeras 50.000 toneladas de crudo. Cuando el 27 de junio entraba en el puerto de Cienfuegos un petrolero con crudo para la refinería, los centenares de trabajadores gritaron de júbilo.

Hoy miran el Pasa Caballos con la confianza de que algún barco cargado de oro negro cruce el estrecho pasillo, se adentre en la bahía y comience a llenar la panza de estos gigantescos depósitos pintados de amarillo.

Dirá Fidel en el discurso que inaugura el Período Especial, en septiembre del 90:

—La primera fase de la refinería de petróleo se terminaba ahora, para procesar 3.000.000 de toneladas. Ni siquiera se puede echar a andar.

El ingeniero Pérez Capo, como tantos otros funcionarios cubanos, es reacio a dar datos sobre la refinería. Pero en su voz se nota un cierto temor a que este gigantesco complejo se oxide antes de ponerse a refinar los 3.000.000 de toneladas de crudo que es capaz de procesar al año.

Con las otras dos refinerías existentes en la isla, la de La Habana y la de Santiago, Cuba podría refinar casi todo el crudo que consumía antes de la crisis del petróleo, unos 11.000.000 de toneladas.

Para hacerla más efectiva, los soviéticos construyeron un oleoducto que va desde Matanzas hasta el mismo corazón de la refinería: 187 kilómetros de tuberías que corren subterráneas de norte a sur de la isla. El puerto de Matanzas, de mucho más calado, puede recibir buques de hasta 150.000 toneladas, y en un santiamén lo descargan y el preciado líquido corre veloz por el oleoducto.

El sistema es perfecto. Pero falta lo fundamental: los funcionarios cubanos andan a la caza y captura de empresas multinacionales o países que quieran refinar aquí su crudo. Pero alquilar una refinería no es lo mismo que alquilar un apartamento. No se puede poner un anuncio en las páginas de avisos clasificados del periódico *Diario 16* diciendo: "Alquilo refinería en isla caribeña. Capacidad: 3.000.000 de toneladas".

El ingeniero Pérez Capo no quiere decirme quiénes han visitado la refinería, como posibles clientes. Es un secreto de Estado. Pero como todo secreto, es un secreto a voces. A esta refinería de Cienfuegos le han echado un vistazo españoles, mexicanos, venezolanos, colombianos, iraquíes, iraníes. Pero aún nadie se ha decidido, en junio de 1992, a alquilarla.

Para Cuba, que cobraría el servicio en especie, es decir, en petróleo refinado, sería un balón de oxígeno. El país agoniza sin ese líquido viscoso que ya es imprescindible para el desarrollo. Porque los bueyes y la bicicleta no pueden ser, por sí mismos, la solución.

Aunque ayuden.

Si los campos del interior de Cuba me sorprendieron por la imagen medieval de bueyes arando campos o tirando de carretones, la ciudad de La Habana me sorprenderá agradablemente por los miles de ciclistas que por ella circulan.

—La bicicleta ha venido para quedarse —repite desde 1990 Fidel Castro

En mayo de 1991 conocí a un grupo de músicos cubanos en Santiago. Formaban el grupo Opus 13, de los que había escuchado algunos temas. Eran buenos. Hacían una mezcla de son con algunos apuntes de jazz. Tomé unos mojitos con ellos en la capital de Oriente y visité la Virgen de la Caridad del Cobre, patrona de Cuba, con dos de sus bailarinas, que me enseñaron mucho de santería.

Grababan su nuevo disco en Santiago, porque el estudio de EGREM en La Habana estaba a tope y había, cómo no, una cola tremenda de músicos esperando estudio.

Lo que no sabía era que estaban grabando una canción a la bicicleta.

Unas semanas después, conduciendo por La Habana, anunciaron el nuevo *hit* de Opus 13: El rap de la bicicleta. No me resistí a grabarlo:

(Léase a ritmo de rap, tiene más gracia).

¡Qué locura tengo con mi bicicleta,
ahora llego a tiempo a todas mis metas!
Voy a mi lugar y me siento a gusto
pero le pongo candado para no pasar susto.
Si voy a la escuela, o a otro lugar,
qué alegría, ¡en la parada no me tengo que añejar!
Voy por avenidas, tomando medidas
pa que no haya contratiempos
y así cuido mi vida...

La entrada en vigor del Período Especial iba a ir irremisiblemente aparejada con la aparición de la bicicleta de forma masiva en Cuba.

Las primeras comenzaron a distribuirse en un centro de investigación de La Habana, Luego se entregaron 10.000 a estudiantes habaneros. Después llegaron 200.000 en los últimos meses de 1990. Para el 91, la isla recibía 500.000 bicicletas y cinco fábricas distribuidas por la isla comenzaban a montar modelos propios. Chinos y soviéticos son los principales proveedores.

Fidel defenderá la bicicleta diciendo que si en Holanda hay 12.000.000 de bicicletas, para una población de 15.000.000 de habitantes, ¿por qué no puede haber también varios millones de bicis en Cuba?

Las bicicletas efectivamente han resuelto un problema de transporte en la capital. Pero han creado nuevos problemas: robos, accidentes, talleres de reparación, neumáticos de repuesto.

El tema más preocupante es el de los robos. Cuentan un chiste en La Habana:

—¿Sabes qué les encontrará la policía a los antisociales cuando los detenga en el año 2000? Dos bicicletas y una caja de fósforos.

Eugenio Rodríguez Balari, presidente del Instituto de Demanda Interna, realizó una encuesta a finales de 1991 y descubrió que al 60 por 100 de los poseedores de bicis en La Habana les habían robado su máquina en alguna ocasión. Lo mismo sucedía en Camagüey, donde el porcentaje se elevaba a un 73 por 100.

La imagen más típica esos días en La Habana es ver a los miembros de la Policía Nacional Revolucionaria (PNR) deteniendo a jóvenes ciclistas para pedirles la documentación de su vehículo de dos ruedas que deben llevar siempre encima.

El otro gran problema son los accidentes. Conducir durante la noche en La Habana es un verdadero riesgo. Centenares de ciclistas caminan por las calles sin ninguna luz que los identifique. Se importaron sin dinamos para ahorrar dinero. Con las restricciones en el encendido público, el ciclista sólo es visible cuando ya se ha sentado sobre el capó del coche

Durante los primeros meses, las autoridades cubanas silenciaron lo que todo el mundo sabía: la enorme cantidad de accidentes, algunos mortales, provocados por las bicicletas. Ahora ya se reconoce ese peligro y Balari ha puesto en marcha un programa de seguridad con el eslogan "¡Atención: Vida en la vía!".

Se han abierto carriles para bicis en las grandes avenidas y se intenta dotar a los ciclistas de algún foco fosforescente para que pueda ser visto en la noche.

Los cubanos han desarrollado su imaginación con la bici y he visto algunas provistas de un pequeño motor, sacado quizá de un frigorífico viejo, o vaya usted a saber, lo que le da velocidad y descanso al ciclista. Otros han unido dos bicis y colocado en el centro un pequeño carrito de madera para llevar al niño.

Ya se anuncian las bici-taxis y desde luego la estampa más extendida es la del cubano dándole duro al pedal transportando en la parte trasera, en la que han colocado una tabla de madera, a la novia. Lo malo es cuando la dama está algo llenita, al gusto del cubano.

La prensa se hace eco a diario del problema de las bicis. Lo tratan desde todos los ángulos. *Bohemia* publica chistes:

—Una novia tiene agarrado del cuello a su novio y le grita: ¡Díme que me quieres más que a tu bicicleta!

Además, aparecen con frecuencia páginas enteras con "Consejos útiles para conservarla en buen estado", "Cómo engrasar la bicicleta" o "Resuelva usted mismo algunos problemas de la bicicleta".

El Estado se preocupa por preparar a especialistas en las reparaciones más importantes. Estudian mil fórmulas para resolver el problema de los pinchazos. Las llantas de goma salen a la postre del petróleo, que la isla no tiene.

En otras ciudades, como la bella Cienfuegos, los dirigentes del Poder Popular local han decidido inundar la ciudad de quitrines, coches o volantas que es como llaman a las españolísimas calesas, llegadas aquí por vez primera desde otra ciudad con hermosa bahía, la españolísima Cádiz.

Oswaldo Carvajal, responsable en el Poder Popular (ayuntamiento) de todo lo relacionado con la tracción animal, envió a comienzos de 1992 a cinco jóvenes de la localidad para que aprendieran la técnica de la fabricación de los quitrines o calesas en Bayamo, la antigua ciudad pionera en la lucha de la independencia y merecedora de que sus hijos salgan en la primera estrofa del himno patrio: "Al combate corred bayameses".

La fama de los quitrines de Bayamo es tanta que incluso hay una famosa canción, que llegó a cantar el popular dominicano Juan Luis Guerra.

Los cienfuegueros están encantados con que sus autoridades vayan a inundar la ciudad con coches de caballos. Dice Carvajal:

—La gente aquí está arrebatá de contento. Sobre todo la gente joven, que es más novelera, ¿usted sabe? Nosotros cienfuegueros somos gentes inventosas que no jala (tira) p'atrás, sino que jala p'alante.

Cienfuegos llegaría a tener a comienzos de 1992, 70 de estos coches de caballo, que actuaban como taxis y miniguaguas con capacidad para transportar entre seis y doce personas. Otros trabajos comenzaron a ser realizados en Cienfuegos con carretas tiradas por bueyes o caballos, como la recogida de la basura, el reparto del pan, amén de trabajos en la agricultura.

El caso es ahorrar gasolina al precio que sea.

Una mañana de diciembre desperté en el hotel a hora temprana. Puse Radio Rebelde para escuchar el informativo. Al principio pensé que había bebido demasiado la noche anterior.

La radio estaba diciendo cosas para mí ininteligibles: "Los servicios se dividirán en fundamentales, normales y complementarios. Estos últimos con recorridos en las zonas periféricas".

Pegué el oído.

"Los fundamentales tendrán a su cargo el 75 por 100 de la transportación mediante recorridos de 57 rutas".

Bueno. Lo cacé. Hablan del transporte. Alguna nueva reducción. No me equivoqué. Los 38.000 viajes que los autobuses de La Habana hacían al día, quedaban reducidos a 18.000. En una ciudad de 2.700.000 habitantes no es mucho.

Me enteré que los autobuses que circulan por la noche "hacen confrontas", es decir, se unen a otras rutas para aprovechar gasolina. Pero me quedé de piedra cuando al explicar que las paradas de los buses estarían a partir de la fecha a 500 metros unas de otras, el locutor dijo muy serio:

—Se trata de que el pasajero vaya al encuentro de la guagua, no la guagua al encuentro del viajero.

Ese día se anunció también que todos los autobuses deberían reducir su velocidad para ahorrar gasolina. Para controlarlos —más burocracia— se reforzaba el Cuerpo de Inspectores Estatales del Transporte, que a partir de la fecha, y vestidos con uniforme amarillo, fiscalizarían los cobros del billete de la guagua y tendrían potestad para detener a todos los vehículos estatales que circularan por la vía pública con espacio disponible. Los 136 agentes especiales obligarían a estos vehículos a detenerse y transportar pasajeros, actuando de guagua improvisada con objeto de aliviar la tensión del transporte.

Otra medida consistía en "discontinuar" (apagar) 31 semáforos en la capital y convertir otros ocho en intermitentes para que los vehículos ahorraran gasolina al no tener que detenerse tantas veces. Quinientos autobuses habían sido jubilados por falta de repuestos, fundamentalmente neumáticos. Las llantas procedían de

Bulgaria, el viejo maestro del comunismo cubano, pero ya no llegaba ni la muestra.

Los trenes que hacían un recorrido diario, por ejemplo el que va de La Habana a Santiago, saldría en días alternos. El ahorro se llevaba a todos los niveles, incluido el militar.

En los cuarteles, los carros de combate para prácticas funcionaban con gasógeno y las cocinas con carbón en vez de gas butano.

Juventud Rebelde, en un artículo premonitorio publicado el 5 de mayo de 1991, dirá que si las cosas empeoran, llegará la "opción cero":

—Si la "opción cero" es la que se impondrá cuando no llegue a nuestros puertos ningún barco con suministros exteriores, está claro que no podremos imaginarnos la vida tal como transcurre hoy. Sería imposible habitar edificios altos, movernos en automóvil o leer un periódico.

Castro había hablado ya de la "opción cero" en varias intervenciones durante las primeras semanas de 1991.

—Debemos estar preparados para la "opción cero" combustible —decía.

Cuando lleguen esos días, si es que llegan, dice Fidel, "se requerirá del extremo heroísmo, del extremo patriotismo".

Curiosamente, aunque la situación doce meses después era mucho peor —entre otras cosas había desaparecido del mapa la Unión Soviética— ni Fidel ni otros dirigentes volverán a hablar de la "opción cero". Para muchos a los que les pregunté en mis viajes durante 1992, decían que eso era un imposible, que nunca se llegaría la "opción cero". Pareciera que los dirigentes cubanos se habían dado cuenta de que asustar en exceso a la población era poco rentable. Carlos Aldana, miembro del Buró Político, le dirá a la agencia alemana DPA el día 10 de marzo del 92 que "la llamada 'opción cero' es mitológica".

Pero había un hecho inamovible: sin petróleo la isla se hunde. Ese era el punto flaco.

El preciado líquido había sufrido un bajón progresivo espeluznante: en 1989, la Unión Soviética envió 13.000.000 de toneladas de las 13,3 previstas; en 1990, llegaron 10.000.000 de toneladas; en 1991, entre 8 y 9.000.000; para 1992, el crudo que podía pagar la isla se situaba en una cifra nunca fijada por las autoridades cubanas, pero que se situaba entre los 4 y los 6.000.000 de toneladas.

En el discurso que Fidel pronuncia en el I Congreso de la Organización de Pioneros José Martí, el 1 de noviembre de 1991, Castro explicará de forma muy sencilla a los adolescentes cubanos las grandes cuentas del Estado:

—Cuando triunfa la Revolución gastábamos 4.000.000 de toneladas de petróleo, y con una tonelada de azúcar se compraban siete de petróleo, ¡siete! (13).

El líder cubano dirá a los pioneros que con 2.000.000 de toneladas de azúcar, se conseguían en 1959 y 1960 de 13 a 14.000.000
de toneladas de petróleo. La situación ha cambiado tanto que ese
día que habla los pioneros, a finales de 1991, con 1.000.000 de toneladas de azúcar apenas si se consiguen 1,3 millones de toneladas de petróleo.

—Todo el azúcar del país no alcanzaría para comprar el petróleo que necesitamos.

Efectivamente, para adquirir los 13.000.000 de toneladas de
crudo que Cuba consumía antes de la crisis, el último año, en
1989, se deberían invertir 10.000.000 de toneladas de azúcar, cifra
jamás alcanzada por Cuba.

Hubo un intento, una vez, en 1970, de alcanzar "la zafra de los
10.000.000". Se hizo popular en todos los rincones del mundo donde había algún izquierdista soñador que veía en Cuba el nuevo
tipo de revolución que habría que trasplantar al resto del mundo.

Dirigida por el Ejército, con millones de cubanos volcados en la
zafra, y docenas de miles de extranjeros que llegaron a la isla más a
estorbar que a cortar caña, todo el esfuerzo del Estado se destinó a
conseguir la mítica cifra de 10.000.000 de toneladas de azúcar.

Fue un fracaso. Y no porque solo se consiguieran 8.500.000 toneladas, sino porque todos los recursos del Estado se habían des-
viado a la zafra y sectores importantes de la producción habían
sido abandonados.

Castro reconocerá en el discurso del 26 de julio de ese año que
habían sido los dirigentes y él mismo los culpables del fracaso.

Ese mismo año, Castro visitó la Unión Soviética. A su vuelta, los
lazos económicos con los soviéticos se estrecharon más y más.
Cuba envió a Moscú a sus mejores alumnos a estudiar economía y
planificación al estilo soviético. Un año después, en 1971, se creará la Comisión Cubano-Soviética de Colaboración Económica,
Científica y Técnica. Unos meses más tarde, en julio de 1972,
Cuba se sumará al Consejo de Ayuda Mutua Económica (CAME),
o mercado común de los países socialistas.

Un estudioso de las relaciones cubano-soviéticas, Julio A. Díaz
Vázquez, dirá en su libro *Cuba y el CAME*:

—Los países miembros del CAME constituyen para Cuba un
mercado seguro, ajeno a la inflación y a la crisis... Han resultado
ser el factor decisivo para que en la economía cubana no sean de-
terminantes las caídas de los precios del azúcar y del petróleo, los
desastres naturales y la violenta depreciación de la cotización del
dólar (14).

Durante casi veinte años, el CAME será un perfecto colchón en
el que la Cuba socialista descansará sin mayores problemas: el comercio está asegurado, se programa en planes quinquenales, no

hay que estar pendiente de las oscilaciones de los precios del mercado capitalista.

Pero esa situación va a sufrir un dramático cambio entre 1989 y 1991. El CAME desaparece del mapa. Cuba se queda sola. Durante años ha practicado un monocultivo del azúcar, a los que suma algunos cítricos y níquel. Eso era suficiente para, al menos, vivir holgadamente, para mantener unos niveles de vida más que aceptables, si se mira su entorno geográfico.

Pero ¿cuál es la situación en 1992, cuando sus viejos socios desean seguir negociando pero efectuando todas las transacciones en dólares?

La cosecha de la zafra de 1992, por diversos problemas, entre ellos el retraso en el envío de crudo y las lluvias, alcanzó una cifra no oficial que rondaba los 6.000.000 de toneladas de azúcar. Una cantidad algo superior a los 5.600.000 de toneladas, vaticinados por el ministro del Azúcar cubano, Juan Herrera.

En 1991 la zafra había supuesto un total de 7.600.000 de toneladas. La de 1992 debía ser menor, entre otras cosas porque se había utilizado un 30 por 100 menos de recursos (básicamente gasolina) que el año anterior.

Así, si Cuba invirtiera todo el azúcar de que dispone en 1992 en la compra de petróleo, sólo podría adquirir algo menos de 8.000.000 de toneladas de crudo.

Pero es que Cuba tampoco puede permitirse el lujo de intercambiar toda su azúcar por petróleo. Necesita dejar una buena cantidad para consumo interno, y adquirir otros productos en los que es muy deficitaria, como granos, trigo, piensos, abonos, medicinas.

Porque la crisis generada en la Unión Soviética no alcanza sólo al petróleo.

En un discurso de cinco horas de duración, uno de los más dramáticos que he escuchado de Fidel Castro, con motivo de la inauguración del IV Congreso del Partido Comunista de Cuba (PCC) el líder cubano expuso con toda crudeza la situación económica de la isla.

—Nuestro pueblo solitario —dirá Castro a los diputados al Congreso en Santiago— se apoyó en aquellos sólidos pilares que eran el campo socialista y la Unión Soviética.

Pero, reconoció, "esos pilares se han derrumbado, mientras el bloqueo americano permanece y tenemos que trabajar sobre los restos de lo que fueron aquellos pilares".

Entre un rosario de cifras, Fidel ofreció una lista de los incumplimientos comerciales de la URSS. Esta lista, de elaboración propia basada en los datos de Castro, incluye los envíos de la URSS desde el 1 de enero al 30 de septiembre de 1991. Se inicia con aquellos productos de los que no llegó absolutamente nada en nueve meses:

1. Arroz.. 0 por 100
2. Azufre.. 0 por 100
3. Sosa caústica .... 0 por 100
4. Detergente .... 0 por 100
5. Algodón/Textiles .... 0 por 100
6. Repuestos de electrodomésticos .... 1 por 100
7. Neumáticos .... 1,6 por 100
8. Papel y cartón .... 2 por 100
9. Laminados de acero .... 2 por 100
10. Jabones... 5 por 100
11. Manteca.. 7 por 100
12. Leche condensada...................................... 7 por 100
13. Repuestos: y maquinaria industrial .... 10 por 100
14. Pescado fresco y en conserva.................... 11 por 100
15. Hojalata.. 15 por 100
16. Fertilizantes... 16 por 100
17. Aceite .... 16 por 100
18. Carne en conserva..................................... 18 por 100
19. Leche en polvo .... 22 por 100
20. Equipos agrícolas....................................... 38 por 100
21. Cereales.. 45 por 100
22. Mantequilla.. 47 por 100
23. Petróleo.. 95 por 100

Al tiempo, Fidel anunció que 84 proyectos de colaboración cubano-soviéticos habían sido paralizados. Además, claro, de las ya citadas refinería y central electronuclear de Juraguá, de suerte incierta.

Esta situación era bautizada por Carlos Lage en una larga comparecencia con periodistas extranjeros el mes de mayo de 1992 como "un doble bloqueo".

Al bloqueo americano, consciente, se sumaba el bloqueo con los viejos amigos socialistas, inconsciente.

—Cuba había logrado unos acuerdos de intercambio con la URSS favorableš, no sólo por los créditos que recibíamos para el desarrollo, sino también por el precio del azúcar y de otros productos de importación. No son un subsidio, como se dice en el extranjero.

Fidel Castro dirá que se trata de "precios resbalantes":

—Cuando el precio de los productos que ellos nos exportaban subían, subía proporcionalmente el precio de los productos que nosotros les exportábamos.

Es por ello que la capacidad de importación de Cuba en 1991, al no existir los precios resbalantes, bajó en un 50 por 100, dirá Carlos Lage, brazo derecho de Castro para los temas económicos. En 1992, esa capacidad para importar se reduciría un 58 por 100 respecto a 1992.

En cifras, según Lage, Cuba dispuso del equivalente a 8.000 millones de dólares para importaciones en 1989, por lo que esa cifra se reducía drásticamente a 3.360 millones en 1992.

A la caída de esa capacidad de importación y la carencia de créditos de la URSS, es a lo que los dirigentes cubanos han bautizado como "el segundo bloqueo".

El secretario del Consejo Ejecutivo del Consejo de Ministros, Lage, reacio a dar cifras —como todos los altos funcionarios cubanos— por miedo a que el enemigo obtenga información que pueda perjudicar a Cuba, afirmó que en 1992 no se habían recibido créditos ni de la URSS ni de ningún otro país.

En resumen: Cuba iniciaba el año 1992 con menos de la mitad del petróleo que recibía en 1989; con una capacidad importadora de un 58 por 100 menos respecto a ese mismo año; sin ningún crédito de su ex socio soviético; con graves retrasos acumulados del año anterior de envíos de muy diversas materias desde la URSS, que incluían productos tan diversos como trigo o detergente, hojalata, algodón o neumáticos.

Lage admitió en esa comparecencia a la prensa que hasta el mes de mayo la única transacción con la Federación Rusa había sido de 1.000.000 de toneladas de azúcar, "a precios de mercado internacional". A cambio habían recibido petróleo. Pero no precisó la cantidad. Aunque, de seguir el razonamiento de Fidel Castro, no habría sido más de 1.300.000 toneladas de petróleo.

¿Cuánto tiempo duraría esta situación de Período Especial? ¿Resistiría más sacrificios el pueblo cubano? ¿Resistiría el propio Fidel?

Sí, es cierta esta aseveración de Lage:

—La Revolución le ha dicho a la población que una situación como esta no se resuelve en doce meses ni en veinticuatro. Y que el camino para vencer estas dificultades requiere esfuerzos y tiempo. Lo importante es que tengamos decisión para llevar a cabo esa batalla.

Los dirigentes cubanos desean demostrar al mundo que a pesar de las dificultades, de la escasez, de las penurias, pueden salir adelante. Castro sabe que si hace concesiones, como él dice, de carácter democrático, podría obtener beneficios económicos inmediatos. Pero también insiste una y otra vez en que el que hace concesiones está perdido. Que se lo digan a Gorbachov.

Y mucho menos, hacer concesiones a Estados Unidos.

Cuando el 19 de abril de 1991 Fidel celebró con un discurso el XXX aniversario de su victoria sobre las tropas entrenadas por la CIA que invadieron Cuba por Playa Girón, Fidel dijo:

—Quien cede una vez, le piden más y más y terminan cortándole la cabeza —e hizo un significativo gesto con su dedo índice cruzándose el cuello.

No importa si faltan blusas, filetes de vaca, zapatos, gasolina, ron, leche fresca o boniato. Fidel Castro piensa que su pueblo puede resistir tanto como sus adorados Sagunto y Numancia.

Lo dijo en ese discurso en el que recordaba su victoria sobre "el imperialismo yanqui":

—Faltan muchas cosas, faltan muchas materias primas, pero lo que no faltará jamás en Cuba es vergüenza.

NOTAS

(1)   Esteban Pichardo: *Pichardo Novísimo*. Editorial O'Reylly. La Habana, 1953.

(2)   *Granma Internacional*, 14 de octubre de 1990, La Habana.

(3)   *Bohemia*, 12 de junio de 1992.

(4)   *Granma*, 22 de enero de 1990.

(5)   *Granma*, 24 de enero de 1990, La Habana.

(6)   *Granma*, 29 de agosto de 1990, La Habana.

(7)   *Granma Internacional*, 14 de octubre de 1990, La Habana.

(8)   Consultados siete diccionarios de la lengua española en ninguno de ellos aparece esta palabra, entendible por otra parte. Se mantiene aquí para dar una idea al lector del estilo literario de este tipo de informaciones en la prensa oficial cubana. Ni en el Diccionario de la Real Academia Española de la Lengua, ni en el de Julio Casares, entre otros, aparece la palabra "acápite".

(9)   *Granma*, 26 de septiembre de 1990, La Habana.

(10) *Granma Internacional*, 29 de marzo de 1992.

(11) *Realidad de Cuba*, 28 de marzo de 1992, México.

(12) *Trabajadores*, 15 de abril de 1991, La Habana.

(13) Fidel Castro: *Debemos preservar siempre la esperanza*. Editora Política. La Habana, 1991.

(14) Julio A. Díaz Vázquez: *Cuba y el CAME*. Editorial de las Ciencias Sociales. La Habana, 1988.

14

EL FRENTE ECONOMICO

¡Turistas, quédense aquí
que voy a hacerlos gozar;
turistas, quedense aquí,
que voy a hacerlos gozar,
cantándoles sones, sones
que no se pueden bailar!

Nicolás Guillén
(*Visita a un solar*)

¡One, two, cha, cha, cha! ¡One, two, cha, cha, cha!

George adelanta un pie. One. Luego el otro. Two. Luego hace un malabarismo que ni yo entiendo y dice:

—¡Cha, cha, cha!

Su cimbreante cintura de mulato con 50 kilos de peso y casi un metro setenta de estatura, da tres golpes de cadera, echa adelante y atrás el cuerpo y deja embobada a la matrona canadiense que tiene frente a él.

—¡No, no, no! ¡No in this way!

George no sabe ya cómo decirle a la carnicera de Toronto que observe sus pies, su cintura y escuche la música. Que repita en voz alta:

—¡One, two, cha, cha, cha!

George lleva una hora batallando con esta señora entrada en carnes —Janet Spencer resultó ser realmente propietaria de una carnicería en Toronto— en un intento frustrado, pero no frustrante, de enseñarle a bailar el son cubano.

Imposible. George le grita a su compañero, Johnny:

—¡Dame una conguita!

Parece un ritmo más facilón. La gorda de Toronto mueve sus carnes flácidas y George le sonríe. Cuando la gorda ha cogido un poco el ritmo, George se desplaza bailando hacia otra señora de la misma edad que la carnicera, algo menos gruesa, pero con el mismo pésimo sentido del ritmo.

George le grita:

—¡No, no! Listen: one, two, cha, cha, cha....

Miro al mar. Miro a los camareros que pasan ante mí. Miro el periódico que tengo en la mesa: *Granma,* órgano oficial del Partido Comunista de Cuba (PCC).

No. Esto no es una sala de aerobic en donde se adelgaza con el método de Jane Fonda.

Esto es Cuba. Sí. La Cuba roja y socialista.

Media hora más tarde, George y Johnny apagan "el radio", como lo llaman en Cuba, y dan por concluida la clase. Hasta mañana. "I'll see you tomorrow, mam".

Los he estado observando cobijado en una sombrilla de la piscina del hotel Bucanero, a unos 25 kilómetros al oeste de Santiago de Cuba.

Johnny se escabulle. Hay una canadiense de unos treinta años que parece estar interesada en clases particulares. George se sienta a mi mesa y nos tomamos un "ronsito".

George me dice su verdadero nombre: Jorge Alayo Antonmarchi. Tiene veintisiete años. Es de La Habana. Su compañero de trabajo, Johnny, es realmente Juan Bautista Martínez, de veintidós años. Ambos son recién graduados de la nueva Escuela de Animadores Turísticos y éste es su primer destino: hotel Bucanero, Santiago de Cuba.

El hotel ha sido copado por canadienses. De hecho entre varias compañías turísticas tienen contratado el hotel para todo el año 1991. Aquí envían a miles de sus compatriotas. Canadá es el primer cliente turístico de Cuba: 85.000 por año.

Son gente de clase media, como la carnicera de Toronto. Apenas si salen del hotel. Aquí tienen barra libre, pueden beber cuanto les apetezca, si la bebida es de fabricación nacional. Al anochecer, ellas y ellos andan dando tumbos, hartos de cerveza cubana y ron con cola nacional.

Jorge Alayo y Juan Bautista Martínez han escogido un nombre de guerra, George y Johnny, para que a sus alumnas les resulte más sencillo pronunciarlos. Hay pocos hombres en las clases de baile, me dice George. Y aprenden poco. Pero al final, estas pálidas mujeres de media edad se van encantadas de haber sudado un poco la camiseta bailando el "one, two, cha, cha, cha" que les marca implacable George.

Los dos amigos son la avanzadilla de la nueva Cuba. La Cuba que busca cambiar el azúcar por algo aún mucho más dulce: el turista. La zafra puede fallar. Demasiado esfuerzo para pocos dólares. El sol, la playa limpia, de un verde esmeralda precioso, la arena fina, la música, la tranquilidad, son la mejor zafra que tiene Cuba en estos momentos: la zafra del sol.

La situación de la isla es desesperante. Hundido el socialismo en la vieja Europa, a los cubanos no les queda más remedio que explotar sus propios recursos.

Por usar la terminología oficial: el régimen cubano ha priorizado tres actividades: el turismo, la industria biotecnológica y el plan alimentario.

Los dos primeros, turismo y biotecnología, son una segura fuente de ingresos en divisas en un plazo breve. El tercero, intentará hacer a Cuba cada vez menos dependiente del exterior en materia alimentaria.

Este es el frente económico en la desigual guerra que Cuba libra contra su enemigo imperialista, Estados Unidos, y sus propias deficiencias.

Los cubanos se quejan de no tener, como sus vecinos mexicanos o venezolanos, pozos de petróleo. Pero tienen 5.746 kilómetros de costa, con 280 playas paradisiacas. Limpias. Las ventajas de ser industrialmente subdesarrollados es que las aguas de Cuba son transparentes como el cristal. Dirá Fidel:

—Nosotros tenemos mares puros rodeados por la corriente del Golfo (de México). Tenemos excelentes recursos naturales. No tenemos petróleo, pero tenemos lugares por ahí que son una maravilla y como tenemos que vivir y como necesitamos dinero y necesitamos recursos, y como hay que salvar la Revolución, entonces haremos también todas las inversiones necesarias en el campo del turismo (1).

En ese mismo discurso dirigido a los miembros de los CDR reunidos en el Carlos Marx en 1990, Castro les dirá que Cuba es mucho más linda y más limpia que el viejo Mediterráneo:

—En el Mediterráneo se vierten los residuos de 140.000 industrias y allí no crecen ya ni los peces.

Fidel no ha podido ser más claro en ese mensaje pronunciado ante los delegados de los Comités de Defensa de la Revolución (CDR). No todos los cubanos entienden por qué Cuba ha de dejar sus mejores playas, su mejor comida, sus mejores recursos al turista. Será una lenta labor del Gobierno explicar que el turismo es necesario porque genera divisas. Dólares contantes y sonantes.

—Pensar que el turismo sólo nos trae capital es una barbaridad. Nos trae otras cosas.

Esas cosas, en palabras de Roberto Robaina, primer secretario de la Unión de Jóvenes Comunistas (UJC), son: prostitución, corrupción entre los trabajadores del sector turístico, la división del país en dos zonas: la cubana y la llamada "zona verde", el área dólar.

—Ahora bien, ¿que hemos llegado al turismo porque necesitamos el capital de la forma más rápida posible?, eso también es verdad.

Es por ello que el turismo está considerado como un sector prioritario. Cada habitación de hotel generaría unos ingresos brutos de 20.000 dólares anuales, si estuviera ocupada todo el año. Por cada dólar ingresado, el Estado cubano tiene unos gastos de 38 centavos, y por lo tanto unas beneficios netos de 62 centavos.

Muchos dirigentes cubanos ven todavía en el turismo un peligro. Una entrada de ideas, cosas y personas que pueden dañar la salud moral de la población. A muchos dirigentes cubanos les dije que mis primeros libros antifranquistas, aquellas piezas prohibidas editadas por Ruedo Ibérico, en Francia, llegaron a mis manos a través del turismo. La entrada masiva de turistas provoca, irremisiblemente, un cambio en la población autóctona.

Algunos dirigentes me han confesado que odian el turismo. Ojo, no al turista, no a la persona que quiere visitar Cuba. Odian la idea de tener que acotar trozos de su país, precisamente los más maravillosos, para el esparcimiento del turista. Saben que es un negocio necesario, pero mentalmente rechazan esa nueva conquista. Salvo que ahora en vez de arcabuces y espadones el invasor exhibe un "verdolaga", un billete de cien dólares.

¡Bienvenido, Mister Dólar!

Fidel se referiría a ese tema en su discurso de apertura del IV Congreso del Partido, en octubre del 91.

Hablando de los beneficios que generan las empresas mixtas, capital estatal y extranjero, en el sector turístico, Castro afirmará:

—Es absolutamente correcto hacer esa asociación y ganamos los dos. O se quedan las playas sin usar y el hotel sin hacer. Eso no está reñido, en absoluto, con ningún principio del marxismo leninismo, ni del socialismo ni de la Revolución. Podría estar reñido con algún sentimentalismo: quisiéramos que el hotel y todas las ganancias fueran para nosotros, pero eso pertenece a la cuestión de los sueños, no de las realidades.

La llamada Ley 50, del 15 de febrero de 1982, por la que se regían estas empresas mixtas, pertenece ya también al país de los sueños.

Durante años, la colaboración entre el Estado cubano y los inversores extranjeros estuvo regida por esa ley, que apenas si comenzó a usarse mediada la década pasada. De ahí surgieron las primeras aventuras conjuntas en el sector turístico, que era prácticamente el único terreno en el que Cuba permitía la entrada de socios capitalistas.

Desde que el 19 de abril de 1986 se inicia el llamado Proceso de Rectificación de Errores y Tendencias Negativas, la economía cubana entrará en una nueva vía de la que ya no podrá salirse.

Bajo la Ley 50 surgen importantes colaboraciones entre Cuba y diversas empresas, básicamente españolas, alemanas, italianas, mexicanas y brasileñas. Sólo en 1991 los inversores extranjeros depositarán en Cuba 500 millones de dólares.

España, a través de las cadenas hoteleras Grupo Sol, Ibercusa y Gruesva, será el principal socio de Cuba en el sector turístico. Además de constituir sociedades mixtas al 50 por 100 con el Estado cubano, empresas españolas prestarán asesoramiento en este sector que Cuba comienza a desarrollar a finales de los ochenta.

Otras compañías que invirtieron en Cuba hasta junio de 1992 fueron: en el sector turístico, la alemana LTI, la jamaicana Superclub y en algún sentido Otis de México, una subsidiaria de la central norteamericana que sirve ascensores para los nuevos hoteles. Los italianos de Italcable firmaron un acuerdo para renovar el tendido telefónico internacional.

Otras tres empresas extranjeras contrajeron diversos compromisos en el campo de la búsqueda y explotación de yacimientos petrolíferos. La más importante, la francesa Total, suscribía un contrato de exploración por seis años. Cuba no debía aportar ni un dólar. Total corría con todos los gastos. Pero si encontraba petróleo, obtendría una sustanciosa tajada durante veinticinco años. Petrobrás de Brasil y Taurus Petroleum de Suecia estaban también en negociaciones con los cubanos para un contrato similar.

Por ultimo, y dentro de los grandes acuerdos firmados, la empresa de ingeniería vasca Miesa había formalizado un contrato con los cubanos para reducir el consumo de energía en grandes empresas estatales, como las minas de níquel Ernesto "Che" Guevara, situadas en Moa, al oriente de la isla.

La Ley 50 se había revelado corta para el desarrollo de la inversión extranjera en Cuba. Aunque los negocios últimamente los llevaba de forma directa Carlos Lage, vicepresidente del Comité Ejecutivo del Consejo de Ministros, responsable de la economía, lo que aceleraba los trámites burocráticos, todavía el inversor no se sentía seguro con la vieja legislación de 1982.

Diez años después, el 10 de julio de 1992 se iba a reunir, como todos los años por esas fechas, la Asamblea Nacional del Poder Popular. En tres días de sesiones, el Gobierno cubano iba a introducir una importante serie de modificaciones a la Constitución, contenidas en 32 folios, que cambiarían radicalmente la forma de hacer negocios en Cuba en los meses siguientes.

De entrada se modificaría el artículo 14. En la Constitución de

1976 se leía: "En la República de Cuba rige el sistema socialista de economía basado en la propiedad socialista de todo el pueblo sobre los medios de producción".

Las modificaciones introducidas en julio dejaban este artículo así: "En la República de Cuba rige el sistema de economía basado en la propiedad socialista de todo el pueblo sobre los medios fundamentales de producción".

El cambio brutal salta por sí mismo: el Estado cubano pasa de ser propietario de "todos los medios de producción" a ser propietario sólo de "los medios fundamentales".

El siguiente artículo reformado de la nueva Constitución define cuáles son esos medios fundamentales: la tierra que no pertenece al pequeño agricultor o cooperativista, el subsuelo, las minas, los recursos marítimos, los bosques, aguas, centrales azucareras, fábricas, medios de transporte y cuantos bancos, empresas o instalaciones fueron expropiados a los imperialistas, latifundistas y burgueses.

Sin embargo, se añade un párrafo en el que se dice que todos esos bienes "no pueden ser transmitidos en propiedad a personas naturales o jurídicas, salvo los casos en que la transmisión de dichos bienes se destine a los fines del desarrollo económico y social del país".

Esa transmisión debe hacerse con la aprobación del Consejo de Ministros o de su Comité Ejecutivo.

El nuevo párrafo abre la puerta para que tanto ciudadanos particulares como empresas puedan en su día ser propietarios de bienes que adquieran al Estado o de fábricas o instalaciones que construyan en la isla.

La reforma constitucional también liquida el monopolio que el Estado ejercía sobre el comercio exterior. De esa forma, si una empresa extranjera se instala en Cuba, amén de ser propietaria de sus instalaciones, podrá exportar cuando y cuanto quiera.

Estos cambios constitucionales, entre otros más, fueron por vez primera en los últimos veinticinco años, aplaudidos por la Jerarquía Católica cubana. En una carta pública firmada por Jaime Ortega, arzobispo de La Habana y presidente de la Conferencia Episcopal Cubana, la Jerarquía Católica afirmaba que la nueva legislación ayudaría a cerrar las brechas abiertas por la Constitución de 1976, en áreas como la religión, la educación y la familia.

"Al examinar la nueva ley de reforma constitucional —escribe el arzobispo Ortega— consideramos que se ha llevado a cabo un cambio positivo en la formulación de los conceptos citados".

Mientras, los disidentes y opositores a Castro, del interior y del exterior, los calificaron de superficiales.

Las autoridades cubanas se muestran muy reacias a facilitar información sobre las firmas extranjeras que están negociando con Cuba futuros contratos. Los Estados Unidos, afirman los cubanos, presionan a estas compañías para que no comercien con Castro, so pena de cerrarles los mercados estadounidenses.

Es por ello que Fidel elogiará, en la inauguración del Sol-Palmeras, el valor de los empresarios españoles —el país que más está invirtiendo hasta 1992— por poner sus dineros en Cuba:

—¡La cantidad de gente que les habrá preguntado si están locos!

Muchos habrán preguntado a esos empresarios qué tipo de negocios hacían con los comunistas, dice Fidel, ante la sonrisa de los empresarios, ejecutivos y trabajadores que lo escuchan. Una palabra, comunista, "que asusta muchísimo". Por eso dirá que los españoles tienen fama de valientes y ahí están, regando la isla de hoteles.

—No se arrepentirán nunca esos españoles que no cruzaron los mares como Colón, en unas lentas carabelas, sino en modernos aviones. Fueron los primeros, les corresponde por ello un lugar de honor en la historia de estos programas (de colaboración).

Los últimos datos sobre la capacidad turística de la isla facilitados por el presidente del Instituto Nacional del Turismo (INTUR) en julio de 1992 hablan de 16.000 camas. Rafael Sed Pérez, responsable de la empresa turística cubana más antigua, fundada en 1976, afirmó que para el año 1992 esperaban unos ingresos por turismo de unos 325 millones de dólares.

Las 16.000 habitaciones se distribuyen entre las tres empresas cubanas que trabajan en el sector turístico de esta forma: Intur, 10.000 camas; Cubanacan, S. A., 5.000, y Gaviota, unas 1.000.

El ritmo de crecimiento previsto por el Gobierno cubano es de 4.000 camas o capacidades en el argot turístico por año.

De acuerdo con los datos de Sed Pérez, así se distribuye la llegada de turistas y los ingresos obtenidos por Cuba en 1991 y los primeros meses de 1992.

	Numero de turistas	Ingresos (millones de dólares)
1991	424.000	250
1992 (*)	174.000	129
1992 (**)	550.000	325

(*) Hasta abril de 1992

(**) Previsión: crecimiento de un 30 por 100 respecto a los ingresos de 1991.

Los turistas que más visitan la isla son:

	1991	1992 (A abril del 92)
1. Canadá	85.000	53.000 (aumenta)
2. Alemania	71.000	25.500 (baja)
3. España	47.000	12.500 (sube)
4. Italia	28.000	12.400 (sube)

México se situaba en el primer cuatrimestre de 1992 como el tercer país con un total de 13.700 turistas llegados a la isla, adelantando a españoles e italianos, que habían aflojado el ritmo de afluencias turísticas.

Las cifras sobre ingresos por turismo en Cuba han sido siempre muy contradictorias. Pareciera que, o los dirigentes cubanos no quieren decir exactamente cuánto ingresan o bien que las distintas empresas dan también diferentes cantidades.

Unas semanas antes de los datos facilitados por el presidente del Intur, la Agencia de Información Nacional, (AIN), emitía un comunicado titulado "En el camino hacia la independencia económica", leído en los informativos de la televisión cubana, en el que se afirmaba que los ingresos que se esperaban por turismo para 1992 eran de unos 600 millones de dólares, casi el doble de lo previsto por el Intur (2).

El propio Fidel, en el discurso de inauguración del IV Congreso dirá que en 1991 se preveían unos ingresos de 400 millones de dólares, aunque incluía los ingresos directos de las instituciones turísticas y los indirectos captados de otras empresas. Para 1992 esperaba que la cifra llegara a 600 millones de dólares.

En el sector turístico trabajan 36.000 cubanos. Tras las primeras experiencias turísticas a gran escala, el Gobierno introdujo lo que llamó "el principio de idoneidad". Todos los trabajadores del sector han sido sometidos a un duro proceso de selección. Con esa terminología que emplean los cubanos, fueron clasificados en cuatro apartados: idóneos, no idóneos, idóneos no necesarios y no aptos. Un total de 981 trabajadores fueron declarados no idóneos, se informó durante los debates del IV Congreso del Partido, celebrado en octubre del 91.

El tema no es baladí. Muchos turistas se quejan del mal servicio que por lo general encuentran en Cuba: retrasos insufribles a la hora de pedir alguna comida o bebida, mala atención de los camareros, mal estado de las instalaciones.

La desidia y lentitud en el servicio gastronómico —si es lento pagando en dólares, imagínense cuando el cliente es otro cubano— llegó a tales extremos que Fidel se refirió al tema cuando inauguró el Sol-Palmeras en Varadero:

—El cubano es la persona más hospitalaria del mundo, más amable, más atenta. Pero basta con que usted le ponga un uniforme de camarero y ya se vuelve una cosa terrible.

Eso es malo para el turismo. Encuestas realizadas por tour-operadores europeos muestran que el índice de repetición es muy bajo: el 1 por 100 en Gran Bretaña y un poco más alto en España.

Eso es malo. Por ello, cuando Fidel Castro inauguró el Sol-Palmeras, el primer hotel construido en sociedad con españoles en la

mítica playa de Varadero, pidió a los trabajadores del hotel que estén a las alturas de lo que la Revolución, y los socios españoles de
la cadena Sol, esperan de ellos.

Castro se sorprendió cuando supo que el índice de trabajador
por cama en el Sol-Palmeras, dirigido por españoles, es de 0,74.
"Es el más bajo de Cuba", dirá en los debates del IV Congreso del
Partido. Un total de 336 trabajadores para 438 camas. La cifra que
se manejaba en Cuba, según el presidente de Cubanacan, Abraham Maciques, era de dos trabajadores por cama.

Fidel dirá en la inauguración del Sol-Palmeras, un bello establecimiento de cuatro estrellas, que ese mismo día había inaugurado un hotel ciento por ciento cubano, el Paradiso, y que con la
mitad de las camas del Sol, tenía mucho más personal.

Castro se extenderá en la ventajas de la colaboración turística
con empresarios de España, uno de los países que más turistas recibe de todo el mundo. Una muy importante: el ajuste de la plantilla al mínimo necesario.

—Vean, ya podemos empezar a sacar provecho, porque la cuestión del número de trabajadores con relación al número de habitaciones es un índice muy importante (3).

Lógicamente los socios extranjeros del sector turístico quieren
reducir la nómina y elevar la productividad del cubano.

Al tiempo, se debe mejorar la oferta de servicios que ofrece la
instalación hotelera. No bastan playa y sol.

Durante 1991, los hoteles cubanos reservados al turismo internacional comenzaron a vender, además de cremas para el sol, toallas y alguna que otra bagatela, libros extranjeros y sobre todo revistas y periódicos. Los había de todos los países y de todos los colores políticos: *The New York Times*, *Herald Tribune*, *Le Monde*, o *El
País* de Madrid. Revistas estaban todas las importantes: *Cambio 16*,
Time, *Newsweek*.

Además, muchos hoteles mejoraron su oferta televisiva. Cuba
dispone de dos canales, Tele Rebelde y Cubavisión. Las dificultades energéticas por las que atraviesa la isla han reducido conside-
rablemente el número de horas de emisión, hasta quedarse en
cuatro diarias los días laborables.

La mayoría de los hoteles turísticos disponen de un tercer canal, el Canal del Sol, en el que se proyectan películas desde las seis
de la tarde hasta la medianoche: una extranjera y una cubana. La
selección de películas extranjeras no es mala. Se emiten numerosas cintas norteamericanas que Cuba, lisa y llanamente, piratea.

Lo malo de este Canal del Sol son sus anuncios: durante meses
he sufrido el spot del hotel El Viejo y el Mar, instalado en el complejo turístico de la Marina Hemingway, al oeste de La Habana
cuando ese hotel estaba cerrado, por remodelación. Lo mismo
sucede con otros anuncios sobre excursiones o restaurantes. Es-

tán pésimamente realizados, son antiguos y si uno se traga una película entera significa que tendrá que soportar una y otra vez el mismo spot.

Como novedad, los hoteles más lujosos comenzaron a instalar antenas parabólicas en 1991, a través de las cuales el visitante tiene la opción de conectarse con el mundo exterior. Se ven desde la CNN hasta HBO.

Si no quiere perder turistas, dicen muchos de los viajeros que a Cuba arriban, el Gobierno debe controlar los precios: durante 1991 los precios en dólares cobrados a los turistas en diversos establecimientos hoteleros, especialmente restaurantes, subieron de forma espectacular: una botella de vino blanco español, Faustino V, pasó de 12 dólares a 27 en cuestión de semanas en el hotel Victoria, y a 49 en el popular Floridita, precioso restaurante que frecuentaba Ernest Hemingway restaurado con gusto.

Le media docena de restaurantes que operan en La Habana, frecuentados por hombres de negocios, diplomáticos y periodistas, tienen unos precios que en absoluto se corresponden con la calidad y variedad, sobre todo variedad, que ofrecen en sus menús.

Es muy habitual encontrar que la cerveza o el vino no están fríos, que el hielo es escaso en el restaurante, y que faltan la mitad de los platos que ofrece la carta. La explicación que más veces he escuchado para estas deficiencias es:

—¡Chico, imagínate, es que ayer tuvimos una celebración aquí y se comieron toda la carne!

—¿Y por qué no se previó?

Nunca obtuve respuesta a esa elemental pregunta.

Otro servicio cuyo deterioro ha sido progresivo es el del alquiler de coches. Las colas en Havanautos, la empresa estatal más importante de las dos que trabajan en la isla, son tan grandes como las de los cubanos a la hora de comprar pan o ron.

Los funcionarios, salvo honrosas excepciones, son lentos, a veces mal encarados y en ocasiones descarados. Cuando las reservas escasean, una botella de ron resuelve el problema. Se parece a México. El concepto de "mordida" comienza a calar entre este tipo de empleados. Algunos te piden ellos mismos lo que desean:

—Mira compañero, ¿me podrías hacer un favorcito?

Ya está. Ahí caíste, como dicen en Cuba. Algunos piden una marca determinada de bebida, un perfume o champú.

Los coches que entregan son cada vez más viejos. Es fácil que a los dos o tres días reviente una llanta o que falle el motor. Pero lo peor de todo es la suciedad: en el interior de los muchos vehículos que alquilé durante cuatro años en Cuba encontré de todo: latas de cerveza, de maní, cigarrillos por el suelo y hasta preservativos usados.

Decidí cambiarme a la otra agencia, Cubanacan. Comenzaron

bien, pero el servicio se fue deteriorando. Eso sí, nunca me topé con funcionarios corruptos.

Donde los hay y a montones, y de vez en cuando *Granma* da cuenta de que media o una docena de ellos han sido detenidos, es en las gasolineras. El turista en Cuba no puede pagar la gasolina, absolutamente racionada, con moneda de ningún tipo. Debe adquirir en la misma agencia donde le alquilan el coche unos cupones especiales para turistas y miembros del Cuerpo Diplomático. En La Habana funcionan distintos tipos de gasolineras: para todo el público o exclusivas para vehículos del Estado.

Pero hay una red, relativamente amplia, de gasolineras para turistas. Algunas exclusivas, como la del hotel Riviera, al lado del malecón habanero. Otras mixtas. Teóricamente, el turista no tiene que hacer cola. Goza de prioridad —igual que en los restaurantes mixtos, la cola es para los cubanos— y puede poner cuanta gasolina quiera. No tiene límites.

Pues bien: la mayor cantidad de mentiras que he escuchado en varios años en Cuba provenían de los gasolineros:

—Compañero, ya no nos queda gasolina. Estamos en la reserva militar.

Pero si uno deja asomar el pico de un dólar, te llenan el depósito. La peor de todas las gasolineras que conozco es la situada frente al hotel Riviera de La Habana. Allí el empleado te ofrecerá absolutamente de todo, desde un cigarrillo de marihuana a una caja de puros, una chica para pasar el rato, y lo más usual, que pagues en dólares y no con cupones. Dólares que lógicamente van a engordar sus bolsillos. En una ocasión, en vista que decía a todo que no, me preguntó el vendedor:

—¿Quieres este Rolex?

Me quedé de piedra.

Tienen un truco maravilloso en esa gasolinera, una de las más concurridas por los turistas: hay dos grifos. Lo normal es que el cliente sitúe el coche en uno u otro. Pero no. Los empleados exigen que se quede en el medio de los dos. De esa manera, si el cliente sospecha algo, y está mirando el contador de uno de los dos grifos, cualquiera de los empleados irá automáticamente al otro y comenzará a llenar el deposito.

Lo de llenar es un decir.

Un día descubrí que pedí 40 litros, suficientes para llenar el depósito del Nissan. A los pocos metros, cuando la aguja del depósito de gasolina se estabilizó comprobé que había dejado de temblar en la mitad. Me habían robado exactamente 20 litros.

Regresé de inmediato y se lo dije a quien me había servido. No arreglé nada. Negó la mayor: que hubiera pedido 40 litros.

Me acordé de unas palabras de Maciques, el presidente de Cubanacan:

—Cada trabajador turístico es un vocero de la Revolución.

Mal ejemplo dan los gasolineros. Pero los de La Habana. Recuerdo a una viejita que servía gasolina en el trayecto de Santiago al hotel Bucanero, donde George le enseñaba salsa a la carnicera de Toronto. Me llenó el depósito y le deje un dólar de propina. La señora me dijo que no tenía que darle propina alguna. Que sólo cumplía con su trabajo. Le dije:

—Señora, en donde yo vivo es costumbre agradecer un servicio bien realizado con una propina. Cómprele un refresco a sus nietos.

Para Castro, queda claro que el turismo es una de las tablas de salvación a la que debe atarse cada vez más esta flotante isla del Caribe.

El líder cubano, que siempre da la impresión de saber de todos los temas, es mucho más modesto cuando habla de turismo:

—Nuestros socios extranjeros no traen sólo capital. Traen otras cosas que tienen una importancia tan grande como el capital. Traen algo que se llama experiencia, ¡experiencia!, en organización y explotación de instalaciones turísticas.

Así hablaba cuando inauguró el Sol-Palmeras de Varadero. Y comentó algo en lo que lleva absolutamente toda la razón: los cubanos no saben aún sacarle la plata al turista.

—No sabemos cómo se maneja un hotel, como se maneja el turismo y —¡caballeros, no sé si emplear la palabra o no!— cómo se le saca más dinero al turismo, cómo se explota mejor el turismo.

Contó que mientras visitaba los bungalows del Sol-Palmeras, preguntó cuántas personas cabían en uno de ellos. El gerente español le contestó que dos personas.

—¿Y si viene un matrimonio con un niñito?

El gerente español replicó rápido:

—Se le pone una camita. Y se le cobra.

Y Fidel, contó ese día de mayo de 1990, iba haciendo más preguntas: ¿y si piden tal cosa? Y recibía siempre la misma respuesta: se le da y se le cobra.

—Nosotros no sabemos nada de eso. A decir verdad, caballeros, no sabemos ni cobrar. Es la falta de experiencia y no estoy exagerando.

La colaboración exterior en materia turística es básica para el desarrollo de esta industria en la isla. Las empresas extranjeras aportan capital, experiencia y mercados. La tasa de ocupación media en los hoteles cubanos fue en 1991 de un 52 por 100. La del Sol-Palmeras, que pasa por ser junto con el Sol-Meliá, un nuevo hotel de cinco estrellas también ubicado en Varadero, se situó en un 70 por 100.

Si en los demás hoteles la media de ingresos anuales por cama era de 20.000 dólares, en el Sol-Palmeras se elevaba a 30.000. No es de extrañar que ese año de 1991, el Sol-Palmeras obtuviera unos ingresos de 20 millones de dólares. Datos del Gobierno cubano sostienen que Cuba recuperaría la inversión realizada en ese hotel en dos años y los empresarios españoles en tres. Negocio redondo.

Si bien es cierto que el servicio en los centros turísticos es aún deficiente, en líneas generales, también es preciso reseñar la pésima conducta que algunos turistas mantienen en la isla. Conozco a quienes viajan con frecuencia a la isla y dejan la propina en moneda local, el peso cubano que ha cambiado en el mercado negro, y que no le resuelve nada o muy poco al camarero.

He presenciado espectáculos bochornosos. Una vez vi cómo un grupo de empresarios/ejecutivos españoles hacían el imbécil —es la palabra más suave que se me ocurre, y eso que ya pasaron algunos meses— a las tres del tarde en el hotel Comodoro.

El Comodoro es un hotel remozado, al que se le adosaron bungalows. Es el más caro de La Habana, 150 dólares diarios la habitación. Los bungalows son excelentes y la vigilancia discreta. Es decir, con discreción el cliente puede entrar acompañado a su cuarto de alguna persona, usualmente una joven cubana.

Almorzaba yo un día con un funcionario del Ministerio de Relaciones Exteriores cubano y con un reportero londinense.

Al principio no me extrañaron los berridos que soltaba uno de los españoles de un grupo de unos 12. Los gritos procedían de la bocaza de un señor de más de cincuenta años, de amplia cintura y redondeada barriga que fumaba un puro que a punto estuvo de asfixiarlo.

El individuo primero peleó con los camareros y luego comenzó a insultarlos, jaleado por algunos de sus acompañantes.

Cuando los decibelios llegaron a un grado extremo y el resto de los comensales estaba pendiente del susodicho barrigudo empurado, apareció la policía. Eran miembros del cuerpo especial de la Policía Nacional Revolucionaria (PNR), destinados a la custodia y protección de los centros turísticos.

Había como 20 policías. Cuando abordaron al excitado cliente, éste les gritó:

—¡A mí, de uno en uno!

Entre los uniformados había una mujer. El barrigudo empurado se dirigió a ella:

—Yo pago en dólares y puedo hacer lo que quiera.

Hubo un par de policías, de los más jóvenes, que estuvieron a punto de replicar contundentemente al barrigudo español. Sus compañeros los calmaron.

Mi colega británico, viendo la vergüenza ajena que estaba pasando, me consolaba diciendo: "En Inglaterra también tenemos borrachos pendejos". Había aprendido esa palabra en sus viajes por el continente americano.

La policía se llevó a la mitad de los españoles. A los pocos minutos, estaban otra vez vociferando en la piscina y pidiendo otro doble de ron Havana Club.

Las que no regresaron eran las dos chicas cubanas que los acompañaban. Me enteré de la historia completa: el barrigudo había observado cómo dos turistas alemanas tomaban el sol en topless. Le dijo a sus amigas cubanas que hicieran lo propio. Las dos jovencitas se desprendieron del sujetador del bikini. Fue entonces cuando los camareros discretamente les dijeron a ambas que no podían hacer eso. Entonces saltó el barrigudo empurado:

—¿Por que ellas no y éstas sí? —decía señalando a las alemanas.

—Muy sencillo, señor: ellas tienen derecho a estar aquí y las cubanas no. Pero tenemos la cortesía de permitirles que lo acompañen a usted.

Puede que esa norma sea estúpida. ¿Por qué una alemana sí y una cubana no? Pero más estúpido es arrojar al rostro de un cubano la prepotencia de las divisas: "Hago lo que quiero porque pago en dólares".

En mayo de 1991 visité el valle de Viñales. Es de los lugares más hermosos que existen en Cuba. Al llegar al verde valle, donde se cultiva el mejor tabaco de la isla, una enorme valla al borde de la carretera muestra, en lugar de un anuncio de Coca-Cola, a un miliciano con un fusil apuntando de frente. Dice la leyenda:

—Con precisión. Sin fallar.

Viñales está en la provincia cubana más cercana a México, Pinar del Río. Es una visita obligada para los turistas. Había llegado hasta allí camino del cabo de San Antonio, el extremo más occidental de la isla, que mira de frente al Cabo Catoche, en la península mexicana de Yucatán. Completaría así mi recorrido de punta a punta de la isla: 1.250 kilómetros desde Punta Maisí a Cabo San Antonio.

Me hospedé en un hotel mixto del Intur: el Ranchón de San Vicente. Había husmeado los alrededores y había descubierto a mi llegada al valle otro restaurante, La Cueva del Indio. Eran las diez de la mañana y ya había una cola como de 30 personas. No estaba para colas.

En el hotel me recomendaron La Casa del Marisco, un restaurante reservado para turistas. Estaba situado justo frente a La Cueva del Indio.

Mi restaurante exclusivo era atendido por dos personas. Hacían una langosta enchilada estupenda. La cerveza estaba fría. Los baños limpios, con papel higiénico y jabón. ¿Qué más podía pedir?

Me sentó mal la comida.

Viñales es una zona muy turística a la que acuden —era un domingo— centenares de cubanos de los alrededores para ver las cuevas del valle, con estalactitas y estalagmitas goteando agua desde hace siglos.

Mi restaurante estaba cercado por una alambrada de púas. Me sentía como una vaca yanqui en algún rancho de Texas. De vez en cuando algún cubano se acercaba, traspasaba la valla y pedía un vaso de agua o permiso para ir al baño. Invariablemente le decían que ellos debían acudir al restaurante de enfrente.

En La Casa del Marisco estaba comiendo yo solo. Había una segunda mesa con dos jóvenes españoles acompañados por dos mulatas preciosas. Le pregunto al camarero más joven:

—Oiga, esto debe molestar mucho a los cubanos, que no puedan tomar un vaso de agua aquí, que no puedan siquiera usar el baño...

El camarero, que no quiere comprometerse demasiado, me suelta una frase que he escuchado mucho en Cuba:

—¡Chico, no es fácil ser cubano!

El camarero mayor, quizás más politizado, me asegura:

—No, no. Al turista no se le odia. El cubano no se molesta, porque saben que necesitamos las divisas y el turismo es una forma rápida de conseguirlas.

Es posible. Pero el turista suele sentirse violento ante estas situaciones. Especialmente, el viajero latino, que suele ser más joven, desea salir a las calles, pasear y mezclarse con la población nativa.

Es entonces cuando descubren que hay dos Cubas en las zonas turísticas: la de la cola, la del Período Especial, la de la vigilancia constante por parte de los CDR, la del trabajo voluntario, y la Cuba del turista extranjero, la llamada "zona verde", donde mandan la "fula", el "verdolaga" o el "guachintón", como llaman en la isla al dólar americano.

Recuerdo una frase que hay a la entrada del Tropicana, el cabaret más famoso de Cuba:

—Los cubanos valen más que el dólar.

Estoy de acuerdo. Pero no tienen dólares.

Y los necesitan.

Por ello el frente económico es prioritario para el Gobierno de Cuba. Un frente que tiene tres cuerpos de ejército: el turístico y el médico/farmacológico, que pueden generar importantes divisas al país. Ambos orientados lógicamente hacia el turista extranjero. El tercero, el Plan Alimentario, destinado a los cubanos, pretende desarrollar la agricultura hasta conseguir que las importaciones de alimentos sean cada vez menores.

A caballo entre el turismo y la medicina, Cuba desarrolla una mezcla de ambos: el turismo de salud.

"Si lo desea, usted puede disfrutar de la bella playa de Varadero al tiempo que se somete a un tratamiento antiestrés o una cura de adelgazamiento".

Esa oferta la hace una de las tres empresas cubanas dedicadas al turismo, Gaviota S. A. La denominan "medicina suave", no asistencial, porque no le van a operar. Tampoco le someterán a complicados y a veces molestos análisis clínicos.

En Varadero le aplicaran tratamientos de fangoterapia o talasoterapia: el fango y el agua de mar al servicio de la medicina.

Más amplios son los programas que ofrece la compañía cubana Servimed, una división de Cubanacan S. A.

Servimed cuenta con una amplia red de clínicas a lo largo del país, aunque lógicamente las más importantes se encuentran en La Habana.

En una ocasión sufrí una lesión de hombro. Aunque tenía varios amigos médicos cubanos que se ofrecieron a llevarme a cualquier hospital de La Habana, decidí probar en mis propios huesos los servicios médicos para turistas.

Acudí a la Clínica Cira García. El trato fue bueno. Las enfermeras no muerden, como en algunos centros de la Seguridad Social española. Los médicos son jóvenes, pero parecen experimentados. (Tampoco era yo un paciente con una dolencia grave).

Mientras esperaba mi turno para recibir mi diaria dosis de resonancia magnética, entablé conversación con un grupo de ecuatorianos que pasaban unos días en La Habana. Habían llegado de Quito, con un programa especial de "turismo de salud" que incluía, por 1.500 dólares, una semana de revisiones rigurosas, viaje y estancia, más las comidas y un par de salidas turísticas, la inevitable visita al Tropicana y una excursión a las Playas del Este.

Había de todo. Unos se quejaban de que no les habían dicho nada que no supieran ya y otros estaban felices porque su mal tenía remedio. En eso se parecía a cualquier consulta de cualquier país.

Un fallo en el que coincidimos todos los pacientes: el sistema de entrega de las medicinas. Primero, el galeno receta. Segundo, se paga en caja. Tercero se retiran los medicamentos en la farmacia. Si es que hay. Muchas veces, cuando ya está pagada la medicina recetada, el empleado dice que se halla agotada.

¿Quién devuelve el dinero?

Nadie. Lo más que uno puede conseguir es cambiarlo por una muñeca, un tarro de gel de baño o un paquete de algodón.

Pero dejando aparte las pequeñas burocracias cubanas —¿qué sería de Cuba sin burócratas?, o como bromean en la isla: para cada solución, hay un problema— el Cira García ofrece remedios para diversos males de probada eficacia y a precios mucho más bajos que los de cualquier país occidental.

En el Cira García, situado en el barrio de Miramar, en La Habana, se puede uno tratar con el Interferón cubano, que es un valioso remedio para: cáncer de riñon, de pulmón, cérvico, uterino y de páncreas; sirve además para combatir la leucemia, los tumores cerebrales o la hepatitis aguda tipo B.

Se pueden tratar los cálculos renales a base de un novedoso método llamado litotricia extracorpórea.

En otras clínicas de La Habana existían tratamientos contra el mal de Parkinson, la retinosis pigmentaria o la soriasis. La empresa Servimed cuenta con centros antiestrés y balnearios.

Estos son algunos precios recogidos de un periódico poco sospechoso de procastrismo: *The Miami Herald*. Un trasplante de riñón que cuesta en Miami 37.000 dólares, puede realizarse en el Cira García por una cantidad que oscila entre los 12.000 a 15.000 dólares. Instalar un marcapasos coronario: 37.500 dólares en Miami y 11.000 en Cuba. El Interferón es más barato que en cualquier otro lugar (4).

¿La razón de este abaratamiento? Lo explica el director del Cira García, Ricardo Roque Izquierdo:

—Nuestros precios son más baratos porque nuestros médicos cobran un salario. (En el mundo capitalista los profesionales liberales fijan sus propias tarifas).

Y también porque hay detrás todo un ejército de científicos e investigadores desarrollando un nuevo frente en defensa de la Revolución. Cualquiera de ellos, médicos o investigadores, ganaría muchísimo más en cualquier país occidental que en la Cuba roja y socialista. Conozco a investigadores altamente cualificados que ganan 400 pesos al mes por catorce horas de trabajo. (Poco más de trece dólares al cambio en el mercado negro).

Quise saber cómo eran estos científicos y qué hacían. Qué era exactamente el "Frente Biológico", como lo bautizó Fidel Castro.

Uno se imagina a un investigador como un viejo de barba blanca, gruesas gafas cabalgando en la punta de la nariz, un guardapolvo lleno de manchas y agujeros, olvidadizo, huraño y solitario.

Tengo delante de mí a una joven de veintinueve años de grandes ojos negros, piel blanca, pero bronceada por el sol caribeño y enormes pendientes que se balancean como péndulos cuando mueve la cabeza con un ligero toque de coquetería mientras me habla de interferones, hibridomas, biomasas, enzimas de restricción, unidades analíticas y vacunas recombinantes.

Se llama Vivian Morera Córdoba, tiene veintinueve años, milita en el Partido Comunista de Cuba (PCC) y es licenciada en Ciencias Químicas. Trabaja en la Unidad Analítica del Centro de Ingeniería Genética y Biotecnología (CIGB) de La Habana. Su especialidad: estudiar la estructura primaria de las proteínas.

Está acompañada por Tania Curras Valdés, de veintisiete años, ingeniera química. Trabaja también en el CIGB, en el departamento de control de calidad. Milita en la UJC.

Con ambas pasaré un par de horas en este edificio ultramoderno, limpio como una patena, sede del Centro de Ingeniería Gené-

tica. Soy un alumno torpe para este tipo de cosas y ellas unas excelentes profesoras que me explican lo que allí hacen los 400 científicos que laboran en jornadas de catorce y dieciséis horas. Lo que
aquí llaman "consagración al trabajo".

Estas dos jóvenes cubanas y otros casi 10.000 científicos distribuidos por todo el país son los niños mimados de Fidel y la Revolución. La esperanza en un futuro próspero: aquí se fabrica el petróleo que a Cuba le falta, en forma de vacunas, Kit's o juegos de diagnóstico, proteínas que curan el infarto, anticuerpos monoclonales
y docenas de cosas más de las que en mi vida había oído hablar.

Cuba ha apostado por el futuro. Si después de varios meses recorriendo el interior de la isla me llevo la impresión de haber regresado al medievo, al pisar este edificio de ocho plantas inaugurado en 1986, moderno, con un eficaz aire acondicionado, lleno
de laboratorios, cámaras de baja temperatura (menos 20 grados
centígrados), cámaras de incubación, teatro para 400 personas
con traducción simultánea en cuatro idiomas, cinco bibliotecas,
laboratorios de idiomas, centro de computación, siento que traspaso el umbral del siglo XXI.

No es una exageración. De aquí salen algunos productos médicos que están revolucionando la industria farmacéutica o al menos
compiten seriamente con los de las grandes potencias. Todos ellos
conseguidos a través de la ingeniería genética.

El buque insignia del centro es el Interferón. El primer Interferón producido en Cuba nació en el mes de junio de 1981. Se utilizó para combatir la epidemia de dengue, una grave enfermedad
febril y epidémica que entonces azotaba a la isla, introducida, acusan los dirigentes cubanos, por los Estados Unidos.

Un año después se consiguieron los primeros interferones por
vía genética. En 1983 Cuba era el cuarto país productor de interferones del mundo. En 1991 era el número dos, tras Estados Unidos. El Interferón es muy eficaz en el tratamiento de pacientes
con cáncer y enfermedades virales.

Del centro irán saliendo nuevos productos, como el Factor de
Crecimiento Epidérmico, una proteína obtenida mediante procesos genéticos que se ha mostrado como un remedio muy útil para
la restitución y regeneración de los tejidos de la piel. Los hospitales de Cuba lo emplean en enfermos con graves quemaduras, úl-
ceras varicosas o cirugía estética.

Dos importantes vacunas se producen en este centro situado al
oeste de La Habana: la vacuna recombinante contra la hepatitis B
y la vacuna antimeningocócica.

La vacuna contra la hepatitis B sólo es producida por otros tres
países. Los cubanos están comercializándola aceptablemente en
diversos países latinoamericanos, al igual que la vacuna contra la
meningitis B, creada por Concepción Campa Huergo, de cuarenta

y un años, directora del Instituto Finley y miembro del Buró Político. Brasil es un buen cliente de este último tipo de vacunas. El país carioca había adquirido hasta el junio de 1992 un total de 15 millones de dosis.

Eficaz, rápido y barato se ha revelado el "Juego de diagnóstico" o "kit" desarrollado para detectar el SIDA. Tiene un alto grado de fiabilidad.

De revolucionario califican también los científicos cubanos el hallazgo de una proteína llamada Estreptoquinasa: se ha comprobado que un paciente que lleva hasta seis horas con el corazón detenido por un infarto, puede volver a recuperarse totalmente.

La Estreptoquinasa, descubierta en 1990, es capaz de hidrolizar los coágulos que producen los infartos. Al producirse un infarto, las arterias principales del organismo se obstruyen con coágulos. Este medicamento disuelve los coágulos y desaparece de inmediato el efecto del infarto. Estados Unidos dispone de un fármaco parecido, el Activador Tisular Plasminógino (TPA, por sus siglas en inglés), que tiene el inconveniente, según las dos científicas que me asesoran, de producir efectos secundarios.

Fidel Castro anunció en su informe de apertura del IV Congreso del PCC que Cuba era el único país que producía este fármaco por vía genética. Los demás países lo obtenían a base de productos naturales y, según Fidel Castro, no tiene la misma eficiencia.

Pero de todos los medicamentos desarrollados por los investigadores cubanos, hay uno que ha alcanzado fama aún antes de que se comercializara: el PPG-2.

Este no fue desarrollado en el Centro de Ingeniería Genética, sino en el Centro Nacional de Investigaciones Científicas (CNIC), fundado en 1965.

El PPG es una denominación para uso interno que nada tiene que ver ni con la composición del producto ni con su nombre comercial. El nombre científico del fármaco es Policosanol y se comercializa bajo el nombre de Ateromixol.

Las diplotiendas y farmacias para turistas se han llenado en los primeros meses de de 1992 con este sensacional producto, que según las autoridades cubanas tiene extraordinarios efectos benéficos en el combate del colesterol, sin que provoque reacciones adversas. Por si fuera poco, propicia cambios favorables en la vida física, psíquica e incluso sexual de los pacientes.

El producto se obtuvo a través de la mezcla de varios alcoholes de alto peso molecular. La investigación se llevó en el más riguroso de los secretos, hasta mediados de 1991, cuando se comenzó a probar y se dio a conocer en los medios de prensa cubanos.

La revista *Cuba* informaba en mayo de 1992 que "al administrarse (el PPG) a ratas machos, se advirtió que aumentaba el número de montas y erecciones. Los pacientes que lo ingieren

—hombres, no mujeres— aluden también a un incremento de su actividad sexual. ¿Por qué? No hay aún una respuesta precisa".

Y es debido a este aparente efecto del PPG por lo que muchos turistas, sobre todo de mediana y avanzada edad, adquieren en su visita a Cuba toneladas de estas grageas, a 50 dólares la cajita. Todos esperan rejuvenecer y volver a tener el mismo ímpetu que en sus años juveniles.

Cuba cuenta con una población universitaria de 300.000 alumnos. Y si hay algo de lo que Castro se siente orgulloso es de los 173 centros de investigación científica distribuidos por todo el país, con 10.000 profesionales trabajando en la llamada "jornada de consagración". Otras 20.000 personas se emplean como personal auxiliar.

El 15 de enero de 1990, Fidel habló a los científicos en el Día de la Ciencia Cubana y no encontró mejores palabras para demostrarles su agradecimiento que éstas:

—Si me faltaba algo por decir de la ciencia, podríamos decir que la ciencia puede salvar al país de grandes dificultades (5).

Con el impulso que en medios y personas Cuba dio a su desarrollo científico, llegó a colocarse entre una de las primeras potencias de nivel medio del mundo, por encima de países como España. Por ejemplo, mientras Cuba tiene 1.050 científicos e ingenieros por cada millón de habitantes, España tiene 500, Argentina 350 y la India 110 (6).

La presidenta de la Academia de Ciencias de Cuba, Rosa Elena Simeón declaraba al periódico *Trabajadores* que Cuba dedica el 1,2 por 100 de su Producto Nacional Bruto (PNB) a la investigación. De acuerdo con la Comisión Económica para América Latina (CEPAL), el país que le sigue en ese *ranking* es Brasil, con el 0,9 por 100.

Fidel suele visitar al menos una vez al mes, siempre de improviso, los principales centros de investigación de La Habana, situados al oeste de la capital, camino hacia la provincia de Pinar del Río.

Junto al Centro de Ingeniería Genética y el Centro Nacional de Investigaciones Científicas, se encuentran otros centros de investigación, una Facultad de Medicina y un hotel especialmente construido para los científicos extranjeros que acuden a La Habana a participar en algún congreso o estudiar algunos de los adelantos cubanos.

También se han levantado edificios de apartamentos en donde viven los científicos. Para Fidel, cada minuto de uno de sus adorados investigadores es oro puro. El autobús no está hecho para esta clase privilegiada de Cuba, que, a cambio de una vivienda y un buen salario, cumple agotadoras jornadas de diez, doce y hasta catorce horas. Esa es la llamada "consagración al trabajo".

El Gobierno cubano, al igual que actúa en otros sectores estratégicos, no ha dado una cifra exacta sobre cuánto es lo que gasta en sus centros de investigación y cuánto es lo que recauda por la venta al exterior de algunos de sus productos pioneros. La revista *Bohemia* publicó en diciembre de 1990 que ese año Cuba había ingresado 200 millones de dólares por la venta en el exterior de sus productos farmacéuticos.

Siete mil de los 10.000 investigadores de Fidel se dedican a encontrar remedios para sanar el cuerpo enfermo. Los otros 3.000 se encierran en sus laboratorios en busca de un mejor y más abundante alimento para ese mismo cuerpo.

Son la avanzadilla del país en la que ha sido definida por el régimen como la "prioridad número uno": el Plan Alimentario, que completa la trilogía del frente económico.

Mil doscientos profesores universitarios colaboran en esa incesante búsqueda en los siete centros de enseñanza de nivel superior que forma expertos en agricultura que luego se desparramarán por todo el país.

Su misión: buscar nuevas semillas que se acomoden mejor al clima caribeño, sustitutos de los fertilizantes que antes llegaban puntualmente de la Unión Soviética o piensos para las desnutridas vacas y gallinas de la isla.

La caña de azúcar, por ejemplo, sirve además de para endulzar el café, para alimentar al ganado. Un producto llamado Saccharina, elaborado con fibra de caña y miel proteica, se ha revelado como un eficaz pienso. Creada por Arabel Elías, miembro del Comité Central del Partido e investigador del Instituto de Ciencia Animal (ICA), la Saccharina contiene un alto nivel de proteínas.

Otros centros, como el Instituto de Investigaciones Fundamentales de la Agricultura Tropical, desarrollaron un producto denominado Azotabácter, un biofertilizante que a través de una serie de bacterias capta el nitrógeno del aire.

En el Centro Experimental Liliana Dimitrova desarrollan semillas de nombres tan curiosos como el "frijol engañador" o el "frijol chévere" (cojonudo). En otros lugares trabajan con un mineral, la zeolita, para convertirlo en pienso.

El país entero se conciencia con el tema agrícola. La prensa dedica páginas enteras a estas materias con titulares tan sugestivos como "Confesiones entre tomates" o "Una mujer y sus bueyes" (*Bohemia*, 27-12-91 y 20-9-91), que podrían servir perfectamente como títulos de películas eróticas.

El azúcar y su zafra son sin lugar a dudas las reinas de la agricultura cubanas.

En 1969, miles de jóvenes idealistas europeos se emocionaron con en el reto que Fidel lanzó al mundo: lograr la mayor cosecha de azúcar de toda la historia. Fue entonces cuando aquellos jóvenes admiradores de los barbudos de Sierra Maestra, hoy transformados en barrigudos neoliberales o en el mejor de los casos socialdemócratas light, aprendieron una nueva palabra: zafra.

Fueron muchos los que se su sumaron a "la zafra de los diez millones" y subieron a los aviones de Cubana de Aviación rumbo a La Habana. Machete en mano, aprendieron que una cosa es la solidaridad y otra la zafra.

Fidel se había propuesto una meta excesivamente ambiciosa: conseguir una cosecha de 10.000.000 de toneladas de azúcar. El promedio alcanzado en años anteriores estaba sobre los 6.000.000 de toneladas. El Gobierno puso a disposición del azúcar todos los recursos con que contaba el país, en hombres y medios. Miles de macheteros comenzaron una zafra que se quedó en 8.540.000 toneladas. El desencanto cundió en el país. El propio Fidel reconoció su culpa en un vibrante discurso pronunciado el 26 de julio de 1970.

—Porque el azúcar es el petróleo cubano. Y no es una metáfora.

Cuando Fidel tomó el poder, las plantaciones de azúcar ocupaban más de la mitad del suelo cultivado en la isla. El 53 por 100, según Jaime Suchlicki (7). El 10 por 100 de todo el territorio nacional. Antes de la Revolución, las ventas de azúcar al exterior, fundamentalmente a Estados Unidos, representaban el 85 por 100 del total de las exportaciones.

Durante la II Guerra Mundial, la producción de azúcar se paralizó en muchos de los países europeos y asiáticos. Cuba siguió produciendo a ritmo acelerado y vendiendo su azúcar a buen precio. Terratenientes cubanos hicieron grandes fortunas en esa época. Según el profesor Suchlicki, un cubano americano residente en Miami, de las 161 "centrales" azucareras, 121 estaban en manos de cubanos. El resto se repartía así: 36 estadounidenses, tres españolas y una francesa.

Aunque los nuevos dirigentes de Cuba quisieron diversificar su fuente de ingresos, para hacerla menos dependiente del exterior, la isla estaba irremisiblemente unida al monocultivo azucarero. Sólo se cambiaría de mercado: la Unión Soviética por los Estados Unidos.

La mecanización llegó a la zafra y los macheteros fueron sustituidos en su inmensa mayoría por 60.000 tractores y 4.600 cosechadoras. La zafra de 1990 se realizó en un 70 por 100 con máquinas (8). Antes de la mecanización, la zafra ocupaba a 350.000 macheteros. En 1989, esa cifra se redujo a 59.000, según el "Informe sobre el Programa Alimentario" presentado en la Asamblea Nacional del Poder Popular el 26 de diciembre de 1990.

En 1989, el último año del que se dispone de una cifra oficial, Cuba exportó 6.000.000 de toneladas de azúcar. Con la desaparición de los regímenes socialistas en el Este europeo y de la propia Unión Soviética, Cuba inició una búsqueda desesperada de nuevos mercados. Pero ello no iba a resultar fácil. Porque al igual que en 1959, el azúcar representaba el 80 por 100 de las exportaciones de la isla

Durante el primer trimestre de 1990, Cuba sólo había vendido algo más de un millón de toneladas de "dulce" (1.040.262). Los países compradores seguían estando encabezados por la ex Unión Soviética, pero las cantidades adquiridas eran ya mucho más bajas respecto a años anteriores: 131.312 toneladas. Le seguían Egipto (127.461), México (114.979), Bulgaria (72.816), Brasil (31.306), Irak (14.238) y Japón (12.443) (9).

Dos países árabes, Egipto e Irak, se colaban entre los principales compradores de azúcar de la isla. Sería un área geopolítica hacia la que mirarían los cubanos en el futuro. Brasil, buen cliente también en otros apartados, como el biotecnológico, adquiría azúcar de la isla. Desaparecían muchos de los antiguos socios del mundo socialista que compraban en mercados más cercanos.

Ello se revelará con toda amargura un año más tarde, cuando la Organización Internacional del Azúcar informe que las ventas del dulce cubano al Este de Europa habían caído de 615.000 toneladas en 1990 a tan sólo 82.000 toneladas en 1991. En 1991, las ventas de azúcar representaron unos ingresos de 1.000 millones de dólares.

Para 1992, la Organización de las Naciones Unidas para la Agricultura y la Alimentación (FAO) preveía una cosecha de 112,8 millones de toneladas, un 0,3 por 100 menos que el año anterior. El consumo estaría por debajo, en 109,4 millones de toneladas, entre otras causas por el descenso en las importaciones de la ex URSS.

Cuba iba a sufrir ese año de 1992 dos serios reveses: una mala cosecha, que estaría probablemente por debajo de los 6.000.000 de toneladas, frente a los 7.623.000 de toneladas recogidas el año anterior (1991) y una dificultad mayor para venderla en el exterior.

Varias causas influían en esta caída de más de millón y medio de toneladas respecto a la zafra del año anterior. La principal, la falta de petróleo que debía llegar precisamente del viejo socio soviético. La zafra se retrasó por falta del líquido alimento para esos 60.000 tractores y 4.500 cosechadoras, así como para las 156 centrales azucareras que ese año existían en la isla, de acuerdo con el "Informe sobre el Programa Alimentario".

Desde los primeros años de la Revolución, Cuba intercambiaba su azúcar por petróleo soviético. Un intercambio que ha servido a los opositores al régimen para hablar de "subsidio", pues la ex URSS llegó a pagar el dulce cubano hasta cuatro veces su valor en el mercado mundial. Pero también es cierto que en ocasiones

Cuba ha pagado un sobreprecio por el petróleo básicamente ruso.

Pero sobre todo, el problema que hará peligrar la economía cubana a partir de 1992 es la caída progresiva de los precios del azúcar y el aumento de los del petróleo en las últimas tres décadas.

Uno de los argumentos que más reitera Castro en los últimos meses es que en 1960 por cada tonelada de azúcar Cuba podía adquirir hasta siete toneladas de crudo. De haberse mantenido esa proporción, Cuba podría conseguir todo el petróleo que necesita, algo más de 13.000.000 de toneladas, que es lo que recibió por última vez en 1989, antes de la desintegración de la Unión Soviética, con sólo 2.000.000 de toneladas de azúcar. La tercera parte de lo que se cosecha en un mal año, como 1992. Una situación idílica que hizo exclamar a Fidel en la clausura del V Congreso del Sindicato de Trabajadores Agropecuarios y Forestales:

—¡Estaríamos riéndonos de los peces de colores! —afirmaba Fidel el 22 de noviembre de 1991 (10).

La realidad del mercado mundial es muy distinta: obligada a comprar petróleo en dólares contantes y sonantes, Cuba obtiene por la venta de un millón de toneladas de azúcar 1,4 millones de toneladas de crudo. Es decir, necesitaría 10.000.000 de toneladas del dulce, cosecha que jamás pudo alcanzar, para conseguir todo el petróleo que requiere.

Pero es que además Cuba precisa importar otros bienes, entre ellos alimentos, con lo que es prácticamente imposible dedicar toda la producción azucarera a la compra del petróleo. Y como si se tratara de una pescadilla que se muerde la cola, a menos petróleo menor cosecha. La situación es sin duda desesperante.

El corresponsal de la agencia británica Reuter La Habana, la mejor del mundo en información económica, Pascal Fletcher, afirmaba en marzo de 1992 que a pesar de estos reveses del mercado "el Estado caribeño ha desafiado hasta ahora las predicciones de quienes dijeron que su economía se derrumbaría en cuestión de meses" (11).

Efectivamente, aunque a trancas y barrancas, los cubanos sobrevivían. Fidel había recurrido una vez más al envío de decenas de miles de cubanos a las tareas agrícolas. Si las máquinas estaban paradas por falta de petróleo, hombres y bueyes harían el trabajo a mano.

Campamentos para "los movilizados" comenzaron a construirse desde julio de 1990, especialmente en el cinturón agrícola de los grandes núcleos urbanos. En la provincia Habana, con 3.000.000 de bocas que alimentar, se levantaban 61 campamentos capaces para acoger a 20.000 movilizados, a los que los campesinos llaman "cascos blancos". Algunos de los campamentos recibían nombres tan sugestivos como "Burbuja de amor", uno de los merengues que hizo famoso al cantante dominicano Juan Luis Guerra.

Los 2.000.000 de trabajadores agrícolas de Cuba recibían el apoyo de miles de movilizados con un objetivo claro: producir todos los alimentos posibles, pues el Gobierno no tiene dinero para adquirir el 40 por 100 de los alimentos que debe importar.

Unos movilizados que llegaban por 15 días a los campos de trabajo, procedentes de la ciudad, muchos de ellos funcionarios acostumbrados al despacho y el aire acondicionado, que de repente se encontraban en el surco, bajo un sol de justicia, con millones de mosquitos sobre sus espaldas y cardos y espinas entre las matas que debían arrancar.

—Me admiro de los movilizados... Porque esos no tienen callos en las manos; esos llegan, empiezan a hacérseles ampollas y se topan con un montón de horas de trabajo (12).

Unos meses después, el propio Fidel aseguraba ante los delegados del primer congreso del recién creado Sindicato de Trabajadores de las Ciencias que se sentía muy satisfecho después de haber visto trabajar en el campo a un grupo del Centro de Investigaciones Psicológicas y Sociológicas de la Academia de Ciencias.

A los cientos de miles de movilizados hacia la agricultura, que habitualmente pasan 15 días en el campo, se sumaban los 277.000 estudiantes de enseñanza media que habitan las llamadas "escuelas en el campo". Visité alguna de ellas en mis viajes por el interior de la isla.

Los chicos, mitad estudiantes mitad campesinos, son utilizados como obreros agrícolas una parte de la jornada. Es un sistema que tiene sus ventajas: el joven convive con la naturaleza, aprende a cultivar la tierra y ese contacto directo lo enriquece; el inconveniente: que esas tareas agrícolas lógicamente son robadas al estudio (ver capítulo" Los Mitos").

La Federación de Estudiantes Universitarios (FEU) así como la Federación de Estudiantes de Enseñanza Media (FEEM) organizan grupos de estudiantes voluntarios que entregan sus vacaciones al Estado para trabajar en el campo. Este es el llamado Ejército Juvenil del Trabajo (EJT), que aportó en 1991 otros 350.000 jóvenes a las tareas agrícolas.

Con el cierre de docenas de fábricas que o bien consumían mucho petróleo o bien carecían de materias primas, miles de trabajadores fueron declarados "sobrantes o disponibles" a los que era necesario "reubicar". Nacía así otro problema para el Gobierno cubano, ¿Qué hacer con los "sobrantes"?, ¿qué con los "disponibles"?

El trabajador "sobrante" es el que tiene un contrato y debe ser reubicado. El "disponible" es el que "al extinguírsele la entidad donde laboraba" tampoco puede ser trasladado a otra, en definición del Comité Estatal de Trabajo y Seguridad Social (CETSS).

El mismo organismo afirmaba en marzo de 1991 que estas medidas son "una característica de los tiempos actuales, lo mismo que la introducción de animales de tracción en la agricultura y la sustitución de hidrocarburos por elementos alternativos de energía" (13).

Por su parte, la revista *Bohemia* escribía en su número del 3 de abril de 1992:

—El cese de abastecimientos del exterior ha obligado a interrumpir la producción en determinadas fábricas. Citemos algunos ejemplos: madera para fabricar ventanas o muebles, pegamento para el calzado, herramientas de corte para el maquinado de metales...

A ello, añade la única revista que queda en Cuba debido a la escasez de papel, hay que sumar "la falta de petróleo para las calderas y/o gasolina para el transporte e incluso de electricidad".

Esas "causas ajenas a nuestra voluntad" produjeron un total de 155.000 trabajadores "sobrantes" (la revista no especifica en qué período de tiempo) que debieron ser "reubicados". A esos trabajadores se les ofrecían algunas alternativas: otro puesto de trabajo, asistencia a un cursillo de perfeccionamiento o, en la mayoría de los casos, trabajo en la agricultura.

Si a pesar de todo el trabajador no puede ser "reubicado", recibirá un salario completo por una sola vez. Los siguientes meses cobrará el 60 por·100 de su salario hasta que se le encuentre un puesto de trabajo. Si un trabajador se niega a aceptar alguna de esas tres soluciones, o bien abandona o es suspendido injustificadamente, cobrará sólo un mes de salario y el resto de los meses "no percibirá otra garantía salarial mientras permanezca en esa situación" (14).

Una salida que le queda al trabajador "sobrante" o "disponible" que no ha aceptado las alternativas que le ofrecen es emplearse por cuenta propia. Es el llamado en Cuba "trabajo individual", sector minoritario en el que hay, según Carlos Aldana, miembro del Buró Político, unos 80.000 cubanos. Estos trabajadores necesitan de un permiso especial de su municipio para ejercer actividades habitualmente relacionadas con trabajos caseros.

Fidel Castro, rememorando como en la Sierra Maestra sustituían una pieza de metal del fusil automático Johnson por un trozo de madera, se preguntaba en las sesiones del IV Congreso del Partido si no sería posible "liberar fuerzas productivas en este tipo de trabajos" (15).

—¿Por qué privar al ciudadano de un derecho en su tiempo libre de prestar algún servicio a otras personas sin que ello signifique hablar de talleres ni de negocios privados, ni de promover ningún tipo de desarrollo capitalista?

La autopregunta de Fidel marcaba las pautas: sí, puede autorizarse este tipo de trabajo individual. De ello se hablaba en Cuba muchos meses antes de que se celebrara el IV Congreso del Partido, en octubre de 1991. Pero nunca se daba el visto bueno definitivo.

El responsable del Departamento Ideológico del Partido Comunista, Carlos Aldana, me habló de este asunto en varias ocasiones. Una de ellas, a los pocos días de clausurado el Congreso del PCC.

—Sería una tontería nuestra tocar una corneta ahora mismo llamando a la generalización del trabajo privado —dijo Aldana.

Dos razones lo impedían, según Aldana: primera, que podría provocarse un gran desorden; la segunda, que nacería "una delincuencia masiva, porque todo el que se creyera el cuento ese nuestro, iría a buscar los recursos y los medios donde pudiera".

Está claro que en una sociedad como la cubana, esos recursos sólo se encuentran en un lugar: en los almacenes del Estado. Si el Estado no los puede vender, se roban. Así de fácil.

El tema de la liberación del trabajo individual se alargaría meses después de celebrado el Congreso del Partido. En julio de 1992 aún no había aparecido regulación alguna. El Gobierno seguía estando mucho más interesado en solucionar el problema agrícola que en el hecho de que los ciudadanos pudieran encontrar un fontanero o un electricista que les solucionara pequeñas averías domésticas.

Por eso, no fueron pocos los "sobrantes" y "disponibles" que decidieron aceptar la única oferta real de trabajo que se les hacía: ir al campo, a veces dejando a su familia, que no había sido declarada "sobrante y disponible", en la ciudad.

Entre reubicados y movilizados, un verdadero batallón de cubanos invadió las áreas rurales.

¿Es necesario todo este trasiego de gentes hacia el campo? Los más críticos dicen que no. Que en el fondo ese masivo envío de mano de obra inexperta a los campos no es más que una forma de concienciar a la población que se siente cada vez más agobiada por la escasez de los productos alimenticios.

Sólo en la ciudad de La Habana, en 1991 se movilizó a más de 200.000 personas, el 10 por 100 de la población. Aunque muchos de ellos son "voluntarios a la fuerza", la mayoría son voluntarios de verdad, casi siempre miembros del Partido o de la Unión de Jóvenes Comunistas (UJC), que acuden al campo "para dar ejemplo". En los últimos meses de 1991 y en los primeros de 1992.

En segundo lugar, el campo cubano dispone de suficiente mano de obra con esos 2.000.000 de "obreros agrícolas" que trabajan en las granjas y empresas del Estado, más los 200.000 campesinos privados, propietarios directos de tierras o miembros de cooperativas privadas, agrupados en la Asociación Nacional de Agricultores Pequeños (ANAP).

El problema es el bajo rendimiento de los empleados estatales y la pésima organización en el campo, reconocida por los dirigentes cubanos.

—Había desorganización en la agricultura, y grande; malos hábitos, muy malos (16).

Fidel Castro decía lo anterior a los miembros del sindicato agrícola en noviembre de 1991. Y añadía que de esos 2.000.000 de obreros agrícolas, había "una gran cantidad de gente en tareas no directamente productivas".

La burocracia, ese enemigo del régimen cubano tan feroz como los Estados Unidos, hacía engordar el número de administrativos que se dedicaban a "normar" el trabajo del obrero agrícola. "Había tantas normas como normadores", reclama Fidel.

La norma en Cuba es casi palabra sagrada. El normador, un reyezuelo. Decreta cuánto es lo que hay que recoger y en cuánto tiempo para todas y cada una de las faenas agrícolas. Normalmente, se ponía una norma muy baja, que se alcanzaba con el trabajo de la mitad de la jornada laboral. El resto del día o se empleaba en "superar la norma" para conseguir una gratificación o simplemente se vagaba.

—Juanito, no nos metamos con la norma que tenemos Asamblea para tres semanas.

Fidel tutea al presidente de la Asamblea Nacional del Poder Popular, Juan Escalona, el duro fiscal del juicio contra el General Arnaldo Ochoa, en el que éste fue condenado a muerte. El pleno de la Asamblea está reunido, como cada año, en los últimos días de diciembre de 1990. Sesionará durante dos días. La estrella este año es el Informe que el Gobierno presenta sobre el Plan Alimentario. Cuando alguien ha hablado de normas ha saltado Fidel. Juanito, dejemos las normas.

Pero se termina hablando de ellas. Reynaldo Capote, director de la Empresa Estatal de Cultivos Varios de Guines, una población cercana a La Habana, informa a sus compañeros diputados. Afirma que el trabajador agrícola tenía un bajísimo rendimiento. Que en realidad, de las ocho horas de jornada laboral apenas si cumplía cinco o seis.

—En nuestra empresa llegó a haber 4.000 normas y 20 normadores de plantilla —dice el compañero Capote.

Burocracia. Ineficaz. Capote da unos datos increíbles: su empresa, una de las más grandes del país, tiene 1.400 trabajadores. De ellos, sólo una tercera parte, unos 400, "están vinculados directamente al campo", es decir trabajan realmente el surco. El resto se repartía de esta forma: 92 directivos, 300 mecánicos, 100 albañiles y 200 oficinistas.

Fidel pone el grito en el cielo. Vocifera contra los jefes y superjefes que se pasan el día recorriendo la finca en jeep y dando órdenes.

Como la empresa de Capote funcionaban la mayoría en el país.

Contrasta el nivel de productividad de los 2.000.000 de obreros agrícolas con el de los campesinos propietarios. El presidente de la ANAP, Orlando Lugo Fonte, reconocía esta evidencia cuando lo entrevisté en mayo de 1991 en su despacho de La Habana.

—El campesino privado tiene muchísima más destreza, más cultura agrícola. Trabaja más. Vive en su finca, y se levanta en la madrugada y se pone a trabajar. El obrero agrícola del Estado tiene una jornada de ocho horas. El campesino privado trabaja todas las horas que sean precisas, hasta por las noches, y se lleva a su mujer y a toda su familia al campo.

Por ello, los cultivos que exigen una mayor atención, como el tabaco, el café o el cacao están prácticamente en manos privadas.

Con el triunfo de la Revolución, en enero de 1959, iba a cambiar radicalmente el rostro de la Cuba campesina. El 17 de mayo de 1959 Fidel firma la primera Ley de Reforma Agraria.

Escogió un lugar mítico: el puesto de mando desde el que el comandante en jefe había dirigido la guerra contra Fulgencio Batista, la llamada Comandancia General, en La Plata, Sierra Maestra, a unos 200 kilómetros al oeste de Santiago de Cuba.

La ley expropió las fincas mayores de 30 caballerías, una medida agrícola cubana muy antigua que aún sigue utilizándose, equivalente a 13,4 hectáreas. Es decir, fincas mayores de 402 hectáreas. Acusados de hacerle el juego a la contrarrevolución, los propietarios de las fincas de 400 hectáreas vieron reducidas sus tierras en la sexta parte cuatro años después.

El Gobierno aprobó en 1963 una segunda Ley de Reforma Agraria que fijaba el límite de la propiedad individual en cinco caballerías, es decir 67 hectáreas, que afectó a 11.000 campesinos.

Antes de la Revolución, sólo el 16 por 100 de la tierra era cultivada por sus propietarios. Con la reforma, todos los propietarios tenían necesariamente que trabajar su parcela o venderla al Estado.

Tras las dos reformas agrarias y las sucesivas adquisiciones del Estado en los años siguientes, éste se quedó como propietario del 74,17 por 100 de la tierra cultivable de Cuba. Del total de 6.838.000 hectáreas cultivadas, 5.072.200 eran de propiedad estatal, informaba Adolfo Díaz, vicepresidente del Consejo de Ministros a la Asamblea Nacional del Poder Popular en diciembre de 1990.

El resto de las tierras estaba en manos privadas. Un total de 857.000 hectáreas, agrupadas en 1.332 Cooperativas de Producción Agropecuaria (CPA), lo que representa un 12,53 por 100. Lo que quedaba, 864.000 hectáreas, correspondían a campesinos privados agrupados en las Cooperativas de Créditos y Servicios (CCS) y a algunos agricultores no afiliados, es decir otro 12,63 por 100.

El mismo día que se firmaba la primera Ley de Reforma Agraria se creaba la Asociación Nacional de Agricultores Pequeños (ANAP). En esa organización se agruparán todos los campesinos que continúan siendo propietarios de sus tierras, bien a través de cooperativas o bien de forma individual.

En la ANAP están los 65.000 miembros de las Cooperativas de Producción Agropecuaria (CPA), los 120.000 englobados en las Cooperativas de Créditos y Servicios (CCS) y los 15.000 agrupados en las "Asociaciones Campesinas".

Las CPA son cooperativas clásicas, que comenzaron a surgir en Cuba en 1977. La reforma constitucional de julio de 1992 dedicará un artículo, el 20, al apoyo y promoción del cooperativismo entre los pequeños agricultores, como "una forma de propiedad colectiva".

Las CCS son cooperativas que agrupan a quienes no quieren, precisamente, estar en cooperativa alguna, es decir en las CPA. Las CCS se ocupan más bien de gestionar créditos para el campesino individual o de facilitarle la adquisición de fertilizantes y gasolina. Aunque sólo hay 80.000 campesinos individuales, según el presidente de la ANAP, los familiares de éstos que trabajan directamente el campo, así como algunos contratados ocasionales, son miembros también de la ANAP, con lo que se alcanza esa cifra de 120.000 asociados.

Por último, las "Asociaciones Campesinas" están integradas por un reducido núcleo de campesinos privados, unos 15.000 en todo el país, que cedieron sus tierras al Estado a cambio de una renta vitalicia. Son todos de edad avanzada y en su día prefirieron unirse a la ANAP.

Nidia Frometa Matos es fuerte y alta. A pleno sol, en la carretera que va de San Antonio del Sur, a Sabana, en la provincia de Guantánamo, se empeña en hablarme de "la cultura del tomate". Madre de cinco hijos, a sus treinta y ocho años, dirige una CPA, la "Domingo Hernández", uno de los tantos mártires y héroes de Cuba, caído en "la lucha contra bandidos". A través de "cursos dirigidos", Nidia ha llegado a graduarse como técnico en Sanidad Vegetal. Su difunto padre fue quien aportó las tierras a la cooperativa y desde 1983 dirige esta CPA guantanamera. "Fui elegida en votación secreta", dice orgullosa.

Alcanzo a ver a dos docenas de hombres trabajando en la recogida del tomate. Cobijados bajo la sombra de un naranjo, Nidia me explica que no es imprescindible ser propietario de tierras para ingresar en la cooperativa. Se puede aportar el propio trabajo. Claro que a fin de año, si la cooperativa arroja beneficios, el que es propietario tendrá una bonificación mayor que el que no lo es.

Como Abel Córdoba, de veintinueve años, quien ingresó en la CPA "Domingo Hernández" en 1983, al abandonar el Ejército, y que en 1989 obtuvo una bonificación de 1.070 pesos, además de su salario de diez pesos diarios. La directora, propietaria, ganó un poco más, pero no mucho: 1.200 pesos. "El año pasado no tuve utilidades", comenta con cierta pena Abel. Fue un mal año para la cooperativa.

El trabajo aquí es duro. Normalmente la cooperativa siembra según las indicaciones de los representantes del Ministerio de Agricultura. En este momento, mayo de 1991, de la recogida del tomate, los 85 cooperativistas han necesitado mano de obra extra para su finca de 148 hectáreas. El Estado les garantiza esa mano de obra a través de "movilizados" del municipio. El salario lo pagan a medias, entre la CPA y el Estado.

Todos, cooperativistas y movilizados, viven en una aldea cercana, Corojo, a la que pueden regresar a pie al finalizar el trabajo. Tiene 288 habitantes. Hay un médico, luz eléctrica, un círculo social y una tienda mixta, donde se venden todos los productos a los que tiene derecho el cubano mediante su cartilla de racionamiento. La vida en esa zona en la que se inicia la montaña es monótona. Pero Abel dice que él dispone de televisor en color —lo que es un verdadero lujo— y un frigorífico.

En una finca de al lado, Jerónimo Arias Mato me mira con curiosidad y me dice que él no se suma a ninguna cooperativa, porque "toda mi vida me he mandado yo, y que venga ahora un muchacho joven y me mande, pues no me gusta".

Arias Mato es uno de los 80.000 campesinos que tiene tierras propias en Cuba. La inmensa mayoría de ellos están agrupados en las llamadas Cooperativas de Créditos y Servicios (CCS). Siguen siendo propietarios y la cooperativa les ayuda a la hora de solicitar préstamos y comprar semillas o gasolina al Estado.

Pero este hombre nacido en Baracoa, la primera ciudad fundada en Cuba por los españoles, y que compró su finca hace cuarenta años por 1.300 pesos, quiere seguir viviendo de forma independiente.

Ninguno de sus ocho hijos quiso dedicarse a la agricultura. Todos ellos, dice este campesino de sesenta y siete años, fuerte como el roble —cuando se lo digo se palpa el biceps derecho con satisfacción— eligieron trabajar para el Estado. Uno es capitán, otro policía del Ministerio del Interior, otra ingeniera, otro profesor, una hija directora del cine en el municipio de San Antonio, otra funcionaria en La Habana y otro más veterinario. El militar, que combatió en Angola, ha pedido una excedencia para echarle una mano a su padre durante unos meses. Luego volverá a su cuartel.

Cuando Jerónimo dejara de trabajar la tierra, ésta habría pasado a manos del Estado, de no haberse realizado la reforma constitucional de julio de 1992.

Hasta entonces Jerónimo sólo podía vender su tierra al Estado, que le habría pagado una cantidad global según el llamado "pago total inmediato" o bien le hubieran entregado una pensión vitalicia. Si alguno de sus ocho hijos quería conservar la tierra, en aquel entonces debía abandonar su profesión y dedicarse de lleno a cultivar la propiedad.

En julio de 1992, la Asamblea Nacional modificó una treintena de artículos de la Constitución de 1976. Entre ellos, el referido a la propiedad de la tierra. El nuevo artículo 19 establece que un campesino como Jerónimo podrá vender su tierra no sólo al Estado. También a una CPA, o a otro campesino como él, independiente. En cualquier caso, el Estado tiene derecho preferente a la compra "mediante el pago de su precio justo".

A Jerónimo le gustaría que algún hijo se quedara con el terruño. Pero parece que a ninguno de ellos le seduce la idea de vivir aquí, en un hermoso lugar, aunque alejado de la civilización. Aun así los ingresos son buenos: como todos los campesinos del mundo, Jerónimo afirma que tiene unos ahorros en el Banco local, pero no quiere decir cuánto. Sólo consigo sacarle una cifra: en 1987 logró su récord: obtuvo 30.000 pesos en un año por la cosecha del tomate. Si se compara con lo que gana un ingeniero, unos 4.800 pesos anuales, se concluye que Jerónimo es un campesino afortunado.

Tiene además la alimentación resuelta, tema absolutamente fundamental en estos momentos en Cuba. Es casi como ser millonario. Paseo por la finca de Jerónimo. Su casa está a medio construir aún por falta de cemento, no de dinero.

Me muestra la zona donde se encuentran sus animales domésticos. Tiene un buey para el trabajo —también un tractor, que pasa días enteros parados "está muy malo lo del combustible", dirá— y tres puercos (cerdos) más un lechoncito.

Mientras señala al pequeño animal, que ya pesa sus kilos, me dice:

—A ése no lo dejo crecer. ¡Me lo voy a comer antes!

Le digo si no es malo comer tanto cerdo, alimento favorito de los cubanos. Se ríe este campesino astuto, tocado con sombrero de alas dobladas en forma de barquillo, como si fuera un vaquero tejano.

—Mire, mi mamá, Andrea Matos, tiene ciento quince años y aún vive, aquí cerquita, en Sabana. Y se conserva bien por haber comido mucho macho (cerdo). Y yo nunca he estado enfermo.

La boyante situación económica de Jerónimo tiene una explicación lógica: ni pierde el tiempo ni "cubanea", es decir, no se dedica a holgazanear como muchos de esos 2.000.000 de obreros agrícolas. Está claro que el incentivo material funciona. Por ello, el Gobierno, tan reacio a reconocer esta evidencia, la acepta en el caso de los campesinos. Entre otras razones porque teme que el campo se despueble.

Para ello impulsa planes, como el Plan Turquino, o eleva los salarios de los campesinos, que en su mayoría doblan a los de cualquier funcionario o profesional de una ciudad.

El Plan Turquino, que lleva el nombre de la montaña más alta de Cuba, situada en la Sierra Maestra, consiste en evitar que el campesino de la montaña baje al llano, donde están los núcleos urbanos.

De las 14 provincias cubanas, ocho albergan los siguientes macizos montañosos: Sierra Maestra y Escambray, dos míticos nombres asociados con la lucha guerrillera castrista; el Guaniguanico y la cordillera Sagua-Baracoa. A ellos se suma la Ciénaga de Zapata, al sur de la provincia de Matanzas, en cuyo centro se encuentra la famosa Bahía de Cochinos o Playa Girón, como gustan de llamarla los cubanos, por donde en 1961 los anticastristas apoyados por la CIA invadieron la isla. La Ciénaga de Zapata es una zona semipantanosa, en donde abundan cocodrilos y mosquitos.

En toda esta zona, que ocupa un 17 por 100 del territorio nacional, viven 710.000 cubanos, el 6,7 por 100 de la población. La mayoría de ellos, 550.000, residen en 1.812 pequeños asentamientos (una media de 330 personas por núcleo). El resto vive en comunidades urbanizadas.

Es precisamente en estas áreas donde se cultiva la inmensa mayoría del café y el cacao, así como gran parte de los aceites vegetales que produce la isla. Por ello, el Gobierno diseñó un programa, oficialmente iniciado el 3 de junio de 1987, al que bautizó como Plan Turquino (17).

Hasta esa fecha, de entre 10.000 a 15.000 personas emigraban anualmente de la montaña hacia el llano. En 1991 ese flujo se detuvo y repuntó una curva a la inversa: viejos campesinos regresaban a sus sierras, por otro lado hermosas.

El Gobierno inició un plan de construcción de viviendas, electrificación y mejora de la red sanitaria. Los cafetales, que en 1987 registraban de 20.000 a 25.000 plantas por caballería (13,4 hectáreas), pasaron en 1991 a 160.000 plantas por caballería.

Así, la agricultura en la montaña, al igual que el importante sector forestal, comenzó a revitalizarse.

Otro sistema para atraer a los cubanos hacia las zonas rurales y especialmente a la agricultura fue aumentar sensiblemente los salarios del obrero agrícola.

—La remuneración es parte de la consideración social que ese hombre merece y si no establecemos el principio de que el obrero agrícola debe ser el mejor retribuido, pues todo el mundo querrá ser, ¿qué?, ¿ingeniero, catedrático, filósofo? (18).

Fidel Castro les habla en estos términos a los miembros del sindicato agropecuario en noviembre de 1991. Les asegura que "nosotros debemos convertir el trabajo agrícola en uno de los trabajos más honrosos, más estimulados y más apreciados de la sociedad". Y de hecho, ya es uno de los mejor pagados.

Conocí en varios puntos del país distintas empresas estatales agrícolas, así como cooperativas, en las que el trabajador del campo superaba con creces los sueldos de cualquier profesional de la ciudad. El comandante en jefe repite a los miembros del sindicato la nueva consigna: "En el Período Especial la cuestión alimentaria es la fundamental".

Los campesinos "son estimulados salarialmente", dirá el informe sobre el Plan Alimentario de diciembre de 1990. De un salario base de 125,50 pesos el obrero agrícola pasará a uno de 225 pesos durante su primer año en una empresa agrícola. Luego irá cobrando cada vez más y recibirá compensaciones económicas según la productividad. Muchos campesinos sobrepasarán los 400 pesos mensuales, que es lo que cobran la inmensa mayoría de los científicos en los centros de investigación de La Habana, tan mimados por Fidel. Pero es que el Comandante tiene el problema bien claro: o se paga, o no hay campesinos.

—La gente se va del campo y el país se llena de trabajadores a la sombra —dirá en esa sesión de la Asamblea de 1990.

En 1986, tras el III Congreso del Partido, el llamado Mercado Libre Campesino es eliminado. Los campesinos privados vendían directamente al cubano los productos agrícolas excedentes de la cuota que les había fijado el Estado.

Hubo unos años, desde los primeros ochenta, en que el mercado estaba mejor surtido. Eso sí, los precios subieron como la espuma. Fidel, el enemigo número uno del Mercado Libre, aunque muchos de sus colaboradores aún siguen pensando que fue una buena experiencia, se opondrá a la existencia del Mercado Libre simple y llanamente porque los campesinos estaban haciendo pequeñas fortunas y surgió una casta de intermediarios que según el líder cubano se lucraban a costa del sudor del pueblo.

Es entonces, 1986, cuando el Gobierno crea el Plan Alimentario. Aún la Unión Soviética y los "países satélites" siguen firmes en sus convicciones marxistas, pero los dirigentes cubanos reconocen la excesiva dependencia alimenticia que el país tiene del exterior y quieren ponerle remedio.

Dos años más tarde, en 1988, el propio Fidel asumirá la dirección del Comité Ejecutivo del Consejo de Ministros y semanalmente convocará una reunión con los responsables del Plan Alimentario.

Conforme el socialismo este-europeo se desmorona, Fidel prioriza, como dicen en Cuba, cada día más el Plan Alimentario y posteriormente el llamado Plan Especial en Tiempo de Paz, al frente del cual coloca a uno de sus delfines, Carlos Lage.

En 1990, Plan Alimentario y Período Especial van unidos de la mano. En su informe a la Asamblea del Poder Popular, a finales de año, el Gobierno afirma que se han promocionado los huertos municipales y el autoconsumo. Los solares y parquecitos de La Habana comenzarán a ser cultivados por vecinos concienciados. Donde haya un trozo de terreno baldío, allí hay un cubano sembrando plátano, calabaza, yuca, boniato, malanga, maíz, arroz, fríjoles. Cualquier cosa que crezca y sea comestible. En cualquier lugar. En La Habana, un solar situado en la Quinta Avenida del elegante barrio Miramar, a pocos metros de la Embajada de la ex URSS, se convierte en polo de atracción periodística y turística: los vecinos han convertido el yermo en una magnífica huerta.

Una palabra se pone de moda en Cuba: el autoconsumo. Cualquier cubano que me encontraba me hablaba de su autoconsumo, de su huertecita en la fábrica o en la cuadra.

Otra palabra de moda es "acopio". Los habaneros culpan de casi todos sus males a la Unión Nacional de Acopio, simplemente "acopio".

En mi viaje por la campiña guantanamera del municipio de San Antonio del Sur, donde viven 298 campesinos propietarios y un total de 1.140 personas trabajando para ellos, la inmensa mayoría sus propios familiares, visité una central de acopio.

Camino de Sabana, atravieso parte del hermoso valle de San Antonio. Me cruzo en la carretera con docenas de carretas tiradas por bueyes. Otros animales aran la tierra, como se hacía en la antigüedad más remota. La tierra se abre tras el arado y al campesino lo sigue una ristra de garzas blancas que picotean en la tierra. Yo creo que se están comiendo la semilla. ¡Pobre de mí! No entiendo nada de agricultura y se encarga de aclarármelo Andrés Delice Martínez, ingeniero agrónomo, secretario local del Partido, que me acompaña:

—Las garzas están al acecho de las lombrices que salen a la superficie cuando se abre la tierra.

Inteligentes. Se dan un festín. Cuando llegamos a la central de acopio, dos jóvenes intentan sujetar a los bueyes que tiran de su carreta llena de pepinos en la báscula. Los bueyes, me dice Hermi Mendoza, uno de los jóvenes, no están aún bien amaestrados y continuamente se mueven, sacan la carreta de la báscula y dan peligrosos cabezazos. Sus largos cuernos pasan rozando el cuerpo de los jóvenes. Al fin consiguen pesar su carga. Hoy les pagarán los pepinos a 4,40 pesos el quintal. Miro la tablilla, similar a tantas que he visto en lugares parecidos en España, y leo la lista de precios: pepinos, 6,20 el quintal (46 kilos).

Se lo digo al encargado. Me contesta que en los últimos días los campesinos privados están llevando mucho pepino y el precio ha bajado. A mayor oferta, menor precio. Le digo:

—Jefe, eso es economía de mercado.

Se ríe.

Recorro el centro de acopio, que no es muy grande. Existe otro en el valle, para que quede cerca de los huertos. Veo fríjoles, malanga, tomates, garbanzos, algo más pequeños que los españoles. Hay un camión a medio llenar con acelgas. El encargado me informa que el día anterior llegó mucha acelga. Se llenó un camión y se envió al centro provincial de acopio, en la capital, Guantánamo. Este medio camión espera a ser cargado para salir en la misma dirección.

El problema es que espera a pleno sol. Las acelgas, frescas el día anterior, comienzan a ennegrecer. Cuando lleguen al consumidor serán basura.

Ese es el peor problema de la Cuba agrícola: acopio.

En otra ocasión, saliendo de Cienfuegos, una fuerte lluvia comenzó a caer sobre la carretera. Delante de mí iba un camión lleno de lechugas. Sin toldo. Cuando las hortalizas llegaran a La Habana estarían podridas.

De nuevo acopio.

La Unión Nacional de Acopio es la encargada de distribuir en el país los productos agrícolas. Es la encargada de recoger los alimentos y distribuirlos. Así de sencillo. Sobre el papel.

En Cuba la distribución se convierte en un problema de Estado.

—Ha habido problemas con los envases, problemas con el transporte y también ha habido negligencia por nuestra parte —me dirá el presidente de la ANAP.

El Plan Alimentario concibió la Unión Nacional de Acopio como un organismo central encargado de hacer llegar los productos allí donde son necesarios: si sobra tomate en Guantánamo y falta en La Habana, se envía de un sitio a otro.

Claro que hay que tener camiones, que a su vez tengan llantas en condiciones —cosa muy difícil en Cuba— y disponer de gasolina —tan difícil de obtener como las llantas—. Por último, hay que tener envases para empacar los productos agrícolas. Por falta de madera, importada de la ex URSS, no hay suficientes cajas para embalar. Así, los productos se amontonan sobre el camión y cuando llegan al consumidor le han ahorrado un trabajo: el tomate se lo entregan hecho puré.

Con una ingenuidad que a veces uno cree que es tomadura de pelo, el presidente de ANAP me dirá que el problema de la distribución tratan de solucionarlo "con un experimento, bueno, mejor, algo que estamos reviviendo". Presto atención. Me quedo de piedra cuando me dice:

—Estamos tirando el producto directamente del productor a la red minorista.

En cristiano significa que están llevando directamente de la huerta al mercado, "placitas" se llaman en Cuba, las frutas, verduras, hortalizas, en fin, todos los productos agrícolas perecederos.

Pensé que así lo hacían siempre, pero no. Antes, en palabras del presidente de la ANAP, la cooperativa o la empresa estatal entregaban el producto a la central de acopio municipal, de allí se remitía al centro de acopio provincial, en donde se decidía si había que enviarlo a alguna otra provincia.

—Comprenderás que cuando ese producto llegaba, por ejemplo a La Habana, estaba ya deteriorado —me dice el presidente de ANAP.

Sí. Lo comprendo. Lo he visto.

Muy entusiasmado me cuenta que desde mayo de 1991 están haciendo experimentos en La Habana con el berro.

—El berro lo cortan a las dos de la madrugada en la cooperativa, lo envasan a las siete y el camión se dirige directamente a La Habana, a la "placita". La población está muy contenta porque el berro llega fresco y se come todo el que seamos capaces de traerle.

Me cuenta entusiasmado Orlando Lugo:

—Tenemos indicaciones del comandante de seguir incrementando la berrera, por lo mucho que le ha gustado a la población el berro fresco.

Lógico. Los experimentos seguirán con la lechuga y los cítricos.

Pero hay que resolver el problema de los envases.

—Los envases, tú ya sabes, ahí es donde radica la traba. El envase tiene que estar rodando siempre. Cuando no esté en el campo llenándose, tiene que estar encima del camión.

Lógico también. Pero a veces se tira una semana, ocioso en algún rincón de la "placita". Vacío. Me lo cuenta el propio Orlando. Yo los he visto.

—A veces, esos envases se estancaban en el patio de las industrias y se nos afectaban los productos porque no teníamos cajas para la población.

Cuando abandono el despacho del presidente de la ANAP recuerdo a otro insigne ingenuo: Jorge Lezcano, primer secretario del PCC en Ciudad de La Habana.

Unos días antes, el 11 de abril, el diario *Granma* le ha dedicado una página entera. En entrevista, Lezcano repasa toda la actividad agrícola de la capital, sus movilizados y la nueva red de distribución que se ensaya en la capital.

Lezcano cuenta a tres reporteros de *Granma* que el primer problema es saber en cuántos puntos de la capital se distribuirán los alimentos que llegan: en los 161 previstos, en los 466 que crearon o en los 1.500 que existen. Si se hace en los primeros 161, el producto queda muy alejado de la población —casi tanto como ir a retirarlo al campo—. Los otros 466 puntos parecen escasos por el mismo motivo, Los 1.500 demasiados porque se necesita "mucho transporte".

—Ahora lo que tenemos que hacer es evaluar eso —dice muy serio Lezcano (19).

Evaluar. Cuba se pasa el tiempo evaluando a personas y cosas.

Lezcano cuenta "algo que nos ocurrió con el tomate de Pinar del Río". No se pudo garantizar una distribución equitativa, afirma. El tomate pinareño llegó en camiones con "pallets" grandes (cajas). Como eran muy grandes, pues los "pallets" se utilizan para el reparto a las industrias, "no se pudo distribuir mediante el sistema nuestro".

Así que se dejó el hermoso tomate de Pinar del Río en sólo 16 puntos de la capital, una ciudad de casi tres millones de habitantes, de una enorme extensión geográfica, dado que apenas si existen edificios altos. Los atribulados vecinos debieron recorrer kilómetros para ir en busca del tomate de Pinar del Río, además de soportar una larga cola.

Lezcano explica que los productos deben ir a los mercados concentradores —habrá dos en la capital, pero sólo funciona uno a medias pues aún no están terminados—. De allí, cada municipio de la ciudad de La Habana, que cuenta con varios, se ocupará de llevarlos a las "placitas". Para Lezcano eso es una obra digna de titanes:

—Yo creo que realmente se ha hecho una heroicidad.

¿Una heroicidad llevar tomates a la población? ¿Qué hicieron entonces los 2.000 cubanos que murieron en la guerra de Angola?

Pero así es el lenguaje y las explicaciones que los dirigentes cubanos dan a problemas tan sencillos como el de transportar unos kilos, o unas toneladas de tomate, unas cuantas docenas de kilómetros y ponerlos a disposición del consumidor.

Hablando de los movilizados capitalinos, el ingenuo Lezcano —¿es ingenuidad o incompetencia?— dice que después de una reunión con el ministro de Agricultura, Carlos Pérez, se tomó la decisión de estudiar el funcionamiento de los 61 campamentos de movilizados que existen en la provincia.

—Se estudiarán las experiencias que hay en todos los campamentos para generalizar entonces las técnicas de vanguardia e implantarlas como una norma, como un principio organizativo que todo el mundo debe cumplir.

Lezcano informa que se hará un estudio "lo más completo posible" sobre "el módulo de implementos y herramientas" que debe haber en cada campamento. También se realizarán "vídeos didácticos" sobre cómo realizar determinados cultivos. Antes de salir al campo, como si futbolistas de club millonario fueran, los movilizados estudiarán con su jefe de brigada el vídeo y atacarán al tomate.

Un jefe de brigada que plantea también sus problemas. Recuerdo una ingeniosa frase que se dice en Cuba: para cada solución, siempre hay un problema.

Lezcano ha descubierto que si se deja un jefe de brigada permanente en el campamento, podrá dirigir mejor el trabajo que si cada quince días llega un novato de la capital. El primero ya sabe qué hay que hacer. El segundo tarda la mitad de los quince días en enterarse.

La ineficacia y bajísima productividad del trabajador cubano llegó a ser tan alarmante que tras el llamado Proceso de Rectificación de Errores y Tendencias Negativas iniciado el 19 de abril de 1986, tras el III Congreso del Partido, se pensó en crear brigadas de obreros de alto rendimiento. Algo así como la élite del proletariado cubano. Había que combatir la tendencia de muchos cubanos reflejada en este chiste que circula por La Habana:

—El trabajo forma al hombre, según Martí —dice un cubano a otro.

—Pues yo me quiero quedar deformado —contesta éste último.

En 1987 nacía el primer grupo de obreros de alta productividad. Se les llamó, nadie sabe bien por qué, "contingentes".

El Contingente Blas Roca es, sin duda, amén del más veterano, el más famoso en el país. El contingente lleva el nombre de uno de los comunistas más venerados de Cuba, Blas Roca —su verdadero nombre sin embargo era el de Francisco Calderío— que fue secretario general del Partido desde 1934 a 1961. Falleció en 1987.

Ese mismo año, el 1 de octubre, nacía con 164 hombres y 84 equipos el Contingente Blas Roca. Cuatro años después contaba con 6.000 trabajadores, repartidos en 38 brigadas, y con 1.600 máquinas. Sus éxitos en diversos campos, como la construcción y posteriormente la agricultura, hicieron popular una frase en Cuba: trabajar a ritmo de contingente.

Ello significa trabajar de diez a catorce horas diarias, sábados y domingos incluidos. Prácticamente, los miembros de un contingente apenas si tienen un par de días libres al mes. Realmente trabajan duro, pero muchos críticos de este sistema se preguntan si en realidad esas doce horas de trabajo de los contingentes no son equivalentes a la jornada normal de ocho horas de un trabajador nipón, norteamericano o alemán.

Las bases sobre las que sustentan su éxito los contingentes no difieren en apenas nada de las de una empresa capitalista bien organizada. Así resume esos principios el diario *Granma* del 1 de octubre de 1991: "Cuidado de la maquinaria, control de costos, ahorro, uso racional de los recursos laborales y técnicos, atención al hombre, remuneración salarial con arreglo al trabajo...". Un salario que sobrepasa los 500 pesos mensuales, entre tres y cuatro veces el salario que puede considerarse mínimo en Cuba.

Cándido Palmero, jefe del Contingente Blas Roca, habló ante los delegados del IV Congreso del Partido e introdujo una palabra que hay que anotar en el particular diccionario laboral cubano: el multioficio.

Es otro término de moda, como normar o reubicar. El multioficio es todo lo contrario de la superespecialización, que en Cuba había llegado a ser tan agobiante que prácticamente para cada pequeña faena dentro de una fábrica o una empresa agrícola había una persona y ésta sólo podía realizar esa función. Si algún eslabón de la cadena productiva fallaba, cosa frecuente en Cuba, pues el absentismo laboral es alto, todo se paralizaba.

Hoy, las empresas tienden a que sus empleados puedan realizar distintas tareas. Es en el sector turístico donde más se ha desarrollado esta tendencia al multioficio.

Son estos contingentes los que acaparan los máximos honores y distinciones que otorga el Estado, con títulos como "Unidad del Pueblo y para el Pueblo", "Modelo" o el más elevado de "Colectivo Moral". Los trabajadores individuales también pueden ser distinguidos con éstos y parecidos títulos. Ser "Héroe del Trabajo" es una distinción reservada a los mejores, normalmente trabajadores incansables que a través de los años han soportado jornadas de doce horas, sin apenas tomarse un día libre.

Si es cierto que el bloqueo al que somete Estados Unidos a la isla desde 1961 ha perjudicado enormemente el desarrollo económico del país, también es cierto que la baja productividad del trabajador cubano —por causas diversas— no favorece en nada ese desarrollo.

En realidad, el país entero debería trabajar a ritmo de contingente. El propio Fidel, en varias ocasiones, ha reconocido que en el campo las jornadas de ocho horas se convertían realmente en cuatro o cinco horas de trabajo y el resto del tiempo se pasaba "cubaneando", un término por él inventado y que lo dice casi todo.

El problema es que la economía de la isla no es nada boyante y sus principales socios parecen haber desaparecido del mapa. Con una deuda externa calculada extraoficialmente en unos 16.000 millones de dólares, de los que la mitad corresponderían a la Unión Soviética, Cuba se topa con serias dificultades para encontrar dinero fresco.

En contadas ocasiones los gobernantes cubanos han dado cifras sobre su deuda. Una de ellas fue en 1990. El entonces vicepresidente del Banco Nacional de Cuba, Amado Blanco, informó que la deuda cubana "con Occidente" ascendía a finales de septiembre de 1989 a 8.000 millones de dólares (20).

La deuda contraída con la Unión Soviética nunca ha sido fijada, ni por los cubanos ni por los propios soviéticos. Sin embargo, una fuente de la Embajada de la ex URSS en La Habana me dio la cifra de 15.500 millones de rublos como la deuda contraída por Cuba con Moscú desde 1960 a 1991. Cifra que sería equivalente al cambio oficial de esa época a unos 17.000 millones de dólares (El cambio se situaba en 1 rublo igual a 1,1 dólares).

Fidel, pionero en América Latina en el planteamiento de que la deuda del Tercer Mundo es impagable, intentaba negociar sin embargo en esas fechas con el Club de París. "Estamos muy interesados en normalizar nuestra situación con nuestros acreedores", decía Blanco. España, con 1.000 millones, es el país occidental al que Cuba debe más dinero, seguido por Francia, Canadá, Italia, Alemania y Japón.

En esa misma fecha de septiembre de 1989, las reservas en moneda convertible de Cuba se situaban en unos magros 120 millones de dólares, de acuerdo con Blanco. De entonces a julio de 1992, la situación ha empeorado. En esos tres años, tanto la Unión Soviética como los países socialistas del este europeo han desaparecido como tales. Hoy son naciones con economía de mercado, que pretenden sumergirse en las turbulentas aguas del capitalismo y que han dejado prácticamente sola a la Cuba roja y socialista de Fidel.

El propio Castro ha bromeado con la deuda contraída con sus ex camaradas europeos al afirmar que "nuestros deudores se están desintegrando".

Los cambios en la Constitución introducidos en julio de 1992, con el objetivo de captar recursos externos y el desarrollo de los tres frentes económicos, turismo, biotecnología y autosuficiencia alimentaria son la clave de la salvación del actual sistema cubano.

La isla puede llegar a producir hasta 8.000.000 de toneladas de azúcar, 50.000 toneladas de níquel, 400.000 toneladas de acero y 1.000.000 de toneladas de cítricos, según el informe presentado al IV Congreso del Partido por el responsable de la economía cubana, Carlos Lage (21).

El mismo Lage aseguró que los ingresos por tabaco y pesca en 1991 serían de 250 millones de dólares, el turismo algo más de 400 millones. Como es costumbre, no ofreció datos de los ingresos recaudados por los productos biotecnológicos, de los cuales afirmó que, al igual que el resto de la industria médica, "crece pujante".

La revista *Bohemia* publicó en 1992 que la biotecnología proporcionaba a Cuba unos 200 millones de dólares. Datos extraoficiales darían la cifra de 350 millones de dólares por la venta del níquel, segundo rubro exportador cubano.

Durante la celebración del IV Congreso del Partido, Fidel señaló que en 1991 la isla recibiría unos 3.000 millones de dólares menos en bienes y productos procedentes de los antiguos países comunistas.

La situación era extremadamente crítica. Tanto que Lage cerró con estas palabras la exposición hecha ante sus compañeros delegados del IV Congreso:

—Es urgente aumentar los fondos exportables, aunque duela aplazar las necesidades de la población... El Período Especial obligará a cada cubano a definirse. El verdadero revolucionario es en esta hora más firme, más convencido, más optimista. El oportunista se desenmascara. El cobarde se margina o se pasa al enemigo.

La pregunta del millón: ¿cuántos cobardes hay en Cuba en julio de 1992 y cuántos habrá en los próximos meses si el Frente Económico no gana la batalla? ¿Cuántos se marginarán y se pasarán al enemigo?

NOTAS

(1)   *Granma Internacional*, 14 de octubre de 1990, La Habana.
(2)   *Excelsior*, 8 de marzo de 1992, México.
(3)   *Granma Internacional*, 27 de mayo de 1990, La Habana.
(4)   *The Miami Herald*. International Edition. 18 de mayo de 1990, Miami.
(5)   *Granma Internacional*, 28 de enero de 1990, La Habana.
(6)   *Trabajadores*, 23 de septiembre de 1991, La Habana.
(7)   Jaime Suchlicki: *Historical Dictionary of Cuba*. The Scarecrow Press Inc, Metuchen, N.J., & London. 1988.
(8)   *Granma Internacional*, 31 de marzo de 1991, La Habana.
(9)   *Granma Internacional*, 31 de marzo de 1991, La Habana.
(10)   Fidel Castro: *La Cuestión alimentaria, prioridad uno*. Editora Política. La Habana, 1991.
(11)   *Epoca*, 23 de marzo de 1992, México
(12)   Fidel Castro: *La Cuestión alimentaria, prioridad uno*. Editora Política. La Habana, 1991.
(13)   *La Jornada*, 30 de marzo de 1991, México.
(14)   *Trabajadores*, 8 de abril de 1991, La Habana.
(15)   *Este es el congreso más democrático*. Editora Política. La Habana, 1991.
(16)   Fidel Castro: *La Cuestión alimentaria, prioridad uno*. Editora Política. La Habana, 1991.
(17)   *Bohemia*, números del 13 de diciembre de 1991 y del 5 de junio de 1992, La Habana
(18)   Fidel Castro: *La Cuestión alimentaria, prioridad uno*. Editora Política. La Habana, 1991.
(19)   *Granma Internacional*, 11 de abril de 1992, La Habana.
(20)   *Excelsior*, 6 de agosto de 1990, México.
(21)   *Este es el congreso más democrático*. Editora Política. La Habana, 1991.

15

LOS ANTISOCIALES

Quien hace altar de là ganancia pierde
la condición, la latitud, el puesto.
Silvio Rodríguez
(*Bolero y habaneras*)

Los nombres que les han puesto los cubanos son divertidos: "maceteros, coleros, vagos, lumpen, merólicos, burócratas, jineteros, boliteros".

Los calificativos que les aplica Fidel, feroces: "vergantes, holgazanes, lumpen, fronterizos, desclasados"... Y antisociales.

Las condenas que les imponen los jueces, implacables: doce años por desviar hacia el mercado negro ron robado al Estado o cinco años por tener un puñado (pequeño) de dólares.

El Período Especial en Tiempo de Paz en el que vive Cuba desde finales de agosto de 1990 trajo estos lodos: un crecimiento alarmante de los delitos contra la propiedad, tanto privada como estatal. Centenares de cubanos repartidos por toda la isla se dedicaron a robar a manos llenas productos de primera necesidad que colocaban en un mercado negro sediento y próspero. La bolsa negra, la llaman en Cuba. Docenas de dirigentes estaban normalmente implicados en la mayoría de estos robos.

Había que hacer algo. La Fiscalía General de la República, en colaboración con el Ministerio del Interior (MININT), desarrollaron la "Operación Cascabel". Alguien debía ponerle, no un cascabel al delincuente, sino unas esposas.

Sí, había que hacer algo porque el Informe de la Fiscalía aportaba datos alarmantes en su "rendición de cuentas" ante el pleno de la Asamblea Nacional del Poder Popular de julio de 1991: los delitos habían crecido un 26,9 por 100 en 1990 respecto al año anterior. Seis meses más tarde, en la misma Asamblea Nacional, el aumento de los delitos en 1991 respecto a 1990 era de un 30 por 100.

El delito más frecuente son los robos.

El pueblo rebautizó la "Operación Cascabel" como la "Operación Maceta". Un "maceta" en Cuba nada tiene que ver con el tiesto donde se cultivan plantas. Un "maceta" es el individuo que se ha hecho millonario con el tráfico de todo tipo de productos, robados normalmente en las empresas del Estado. Es el socio capitalista de la banda delictiva.

Aunque "merólicos" y "jineteros" eran personajes habituales del hampa cubana, la "Operación Maceta", que recibió un sorprendente e inusitado despliegue en la prensa oficial cubana, habitualmente poco dada a estos derroches informativos, obligó a los periodistas extranjeros a aprender el significado de palabras que no venían en los diccionarios.

"Merólico": el que se dedica al robo de todo tipo de bienes en las empresas del Estado. Si es por piezas, las monta. Si es tela, te consigue un sastre. Todo lo resuelve. Habitualmente sus clientes son cubanos.

"Jinetero": el que trafica con diversas cosas, que van desde su propio cuerpo, a la venta de puros o el cambio ilegal de moneda. Sus principales clientes son los turistas extranjeros. En este apartado se incluyen las famosas "jineteras", jóvenes cubanas que deambulan en los alrededores de los principales hoteles del país, básicamente en La Habana, en busca de clientes. Pueden prostituirse o por dinero o por "especies" en forma de ropa, perfumes, calzado.

"Coleros": soportan grandes colas en los establecimientos del mercado paralelo —la otra red legal comercial cubana, en la que se adquieren productos fuera de la cartilla de racionamiento—. Acaparaban los escasos productos que se ponían a la venta y los revendían en el mercado negro. En la mayoría de las ocasiones, ni siquiera hacían cola, simplemente se ponían de acuerdo con algunos de los empleados, quien desviaba el producto hacia el "colero".

El auge de la delincuencia llegó a ser tan preocupante que Fidel, al que lo enerva el delito común, decía en la Asamblea Nacional en diciembre de 1991:

—Si a mí me preguntaran, yo diría: pelotón para el ladrón.

La "Operación Maceta", iniciada en el otoño de 1990, puso de manifiesto que los delincuentes eran muchos más de los que se creía. Que la corrupción estaba incrustada en las empresas estatales. Como sostiene el citado Informe de la Fiscalía, "de cada cuatro personas detenidas relacionadas con los llamados 'delitos económicos', una mantenía esta categoría: dirigentes y funcionarios estatales, principalmente de las instancias municipales".

Estos funcionarios y dirigentes, "llamados a ser ejemplares en su vida laboral y social, incitaron y promovieron la corrupción, el amiguismo y el paternalismo con fines desmedidos de lucro personal". La Fiscalía pidió para ellos la aplicación de "severas medidas penales".

Hay también un alto porcentaje de trabajadores desempleados, uno de cada cuatro, entre los autores de estos delitos.

Medio millar de personas fueron detenidas en gigantescas redadas montadas por la policía cubana en octubre y noviembre de 1990, de los que lógicamente más de un centenar eran funcionarios. *Granma*, el periódico oficial del régimen, daba amplia noticia de estas operaciones. Así se supo a través de diversas informaciones que además de dirigentes y funcionarios, entre los delincuentes se encontraba "un exiguo número de oficiales y agentes del orden interior".

Nunca se llegó a especificar el número o porcentaje de estos oficiales y agentes del MININT. Pero sí daba que pensar al régimen: la administración y la policía estaban infiltradas de alguna forma por los llamados "antisociales", delincuentes comunes.

La "Operación Cascabel" reveló el robo, la malversación de fondos y bienes públicos, el tráfico de divisas, el chantaje, los fraudes y la falsificación de documentos como los delitos más comunes llevados a cabo por "macetas" y "merólicos". Saltó también el escándalo de la venta ilegal de obras de arte, a las que no eran ajenas galerías españolas. Al menos, una galería de Madrid se beneficiaba de este ilegal tráfico. Y el fraude en la venta de gasolina o la venta ilegal de cupones: 893 gasolineras del país realizaban actividades de este tipo; 103 empleados fueron despedidos.

El *Granma* de esos días publicaba hechos tan curiosos como la detención, en esta redada a nivel nacional, de un tal Leandro, alias "La Japonesa", quien además del "meroliqueo" de turno, se dedicaba también al tráfico de drogas y organizaba orgías sexuales con adolescentes.

Lo que muchos cubanos honestos se preguntaban a finales de 1990 es cómo había sido posible que durante meses un "macetero" de La Habana llegara a vender miles de sacos de cemento, obviamente robados al Estado, en un país en el que se había detenido la edificación de viviendas por la escasez de materiales de construcción.

Sólo hay una respuesta: los vecinos que adquirían el cemento, por supuesto, no denunciaban a este "merólico". Los miembros de los Comités de Defensa de la Revolución (CDR), ojos y oídos de la Revolución, no denunciaban al vecino que construía ilegalmente un nuevo cuarto para su vivienda. Los policías que vivían cerca de estas obras clandestinas hacían la vista gorda.

Fidel decía en la Asamblea Nacional de diciembre de 1991:

—Hemos tenido flojera en los jueces, en las autoridades, en los fiscales, hemos tenido un leguyelismo excesivo.

El Gobierno cubano debía detener a cualquier precio los datos escalofriantes de la Fiscalía General de la República presentados en el plenario anterior de la Asamblea Nacional, seis meses antes, en julio de 1991.

Al tiempo que señalaba el peligroso aumento de los delitos, especialmente de hurto, el informe reconocía la necesidad de elevar el nivel de eficiencia de la Fiscalía. Casi la mitad de los expedientes despachados en el el período estudiado —primer semestre de 1990— habían sido archivados sin identificar a los culpables.

Un signo preocupante era el aumento de los calificados "delitos económicos", que "propician el enriquecimiento, la especulación, la corrupción y otras manifestaciones ajenas a nuestro modo de vida socialista".

En mayo de 1992 le preguntaron al ministro de Justicia si el Período Especial había incrementado la delincuencia y en especial el delito económico. Carlos Amat respondió:

—Sí, yo pienso que sí, y es lógico. Yo creo que toda sociedad que, como la nuestra, sufre los rigores de la escasez causados por un bloqueo brutal, siempre hay personas sin escrúpulos que pretenden medrar a costa de ello. Un síntoma es la aparición de la bolsa negra (1).

La Fiscalía achacaba a "las negligencias y deficiencias de algunos mecanismos de control estatal y a la falta de exigencia y vigilancia requeridas" el desarrollo de "un clima de corrupción e impunidad que facilitó la comisión de estos hechos delictivos".

El informe detalla que en las "verificaciones fiscales", es decir las inspecciones que miembros de la Fiscalía hacían en empresas estatales, se detectaron a lo largo de 1990 un total de "12.296 violaciones, de las que 9.498 corresponden a las normas que regulan el control, preservación, uso y destino de los recursos". Un 77 por 100 del total. Ello produjo la aplicación de medidas disciplinarias a 1.179 dirigentes y funcionarios de esas empresas y 1.208 a trabajadores. Hubo un total de 262 hechos "presuntamente delictivos y se iniciaron 146 procesos penales".

El titular de la Fiscalía General, Ramón de la Cruz Ochoa, declaraba unos meses antes de la realización de este informe a *Bohemia* que si se observa la corrupción que existe en la mayor parte de los países subdesarrollados y desarrollados, la "corrupción en Cuba es muy incipiente y casi inexistente", pero "si vemos las necesidades del momento, puedo contestar que en ciertos sectores de nuestra economía existe corrupción" (2).

El fiscal fija en la ciudad de La Habana y en sectores que tienen que ver con los servicios, distribución de alimentos y artículos de primera necesidad, principalmente, el foco donde la corrupción es más común. "Puedo mencionar algunas empresas de comercio, gastronomía, acopio, y las relacionadas con el combustible y con los materiales de construcción", como las más vulnerables a este tipo de delitos.

El fiscal De la Cruz recuerda en esa entrevista una fase que acuñó el mítico Ernesto "Che" Guevara en los primeros años de la Revolución:

—Aquí se puede meter el pie, pero no la mano.

Para atajar el problema, los 850 fiscales que existen en el país tienen la orden de dedicar el 90 por 100 de su tiempo a inspeccionar las empresas estatales. En Cuba, el fiscal promueve la investigación casi al mismo nivel que la policía.

Uno de los aspectos destacados por la Fiscalía es el de "los faltantes de mercancías y materias primas que se enmascaran y ocultan mediante manipulaciones en las operaciones contables".

Bajo ese nombre de "faltantes" o el de "mermas" —dos palabras a incluir en el diccionario de la picaresca cubana— se esconden robos de materias primas o productos elaborados que engordan el mercado negro.

La Fiscalía ofreció una lista de los "métodos y formas" en que se llevan a cabo estos delitos económicos:

– Se reciben mercancías que no se reportan ni se incluyen en el inventario.

– Se altera y falsifica la merma real en el proceso de elaboración de un producto.

– Se realizan ventas en efectivo que no se informan.

– Se simula el traslado de mercancías a otras unidades.

– Se falsifican facturas de supuestas ventas.

– Se alteran y falsifican los inventarios.

– Se destruye, se roba o se falsifica la documentación inicial.

Con el rostro lleno de indignación, 2.000 personas se pusieron de pie en el teatro Heredia de Santiago de Cuba y comenzaron a gritar:

—¡Guerra, guerra, guerra!

Eran los delegados del IV Congreso del Partido Comunista (PCC), reunidos en la capital de oriente en octubre de 1991. Habían discutido el grave problema del delito. Pedían sanciones eficaces y duras contra los delincuentes que "roban los bienes del pueblo".

Los gritos y las consignas surgían descontrolados:

—¡O los delincuentes o los revolucionarios! —decían por un lado.

—¡Qué la cárcel se respete! —replicaban por otro.

Fidel Castro, en la larga mesa de la presidencia, escuchaba con cara de pocos amigos.

Habló Antonio Peña, un oficial de las Fuerzas Armadas Revolucionarias (FAR), delegado por Matanzas. Y habló con toda la crudeza que el problema requería: responsabilizó al descontrol y la negligencia de los responsables de almacenes e instituciones comerciales como la causa primera de que se estuvieran produciendo tantos robos en el país, de que la corrupción hubiera mordido en el tejido social cubano.

Intervino Vilma Espín, una veterana de la guerra en Sierra Maestra. Señaló que había que llamar a las cosas por su nombre: se decía "faltante" y "desvío de recursos" a lo que no era sino robo puro y simple. Y quienes lo realizaban no eran sino ladrones.

Tomó la palabra el general de brigada Pascual Rodríguez, delegado por Ciudad de La Habana. Informó que en todo el país se habían distribuido armas. Si era necesario, se distribuirían más.

El jefe del Contingente Mártires de La Coubre, de Artemisa, provincia de La Habana, dijo que ellos ya tenían sus caballos y sus dos fusiles para cuidar día y noche los cultivos que trabajaban.

Fidel preguntó que por qué sólo dos fusiles.

Tres meses más tarde de esta "orientación" de Fidel, como llaman en Cuba a este tipo de insinuaciones del máximo líder, que inmediatamente se convierten en órdenes, en la isla había 2.116 destacamentos de campesinos armados y 5.342 patrullas de obreros agrícolas con suficientes armas como para reprimir el delito en las empresas y depósitos agrícolas.

El dato era facilitado en la sesión plenaria de fin de año de la Asamblea Nacional del Poder Popular por el diputado y presidente de la Asociación Nacional de Agricultores Pequeños (ANAP), Orlando Lugo Fonte.

En los 2.116 destacamentos había nada menos que 116.532 campesinos, un 5 por 100 aproximadamente de toda la fuerza campesina de Cuba. De ellos, 28.097 eran colaboradores directos de la policía.

Esa masiva incorporación de ciudadanos a tareas parapoliciales se organizó a través del llamado Sistema Unico de Vigilancia y Protección (SUVP), "que aglutina a todos los sectores y las fuerzas de la sociedad e involucra hasta la propia ciudadanía para enfrentar la delincuencia", en palabras del ministro de Justicia, Carlos Amat, a la revista *Cuba Internacional*, impresa en la isla, pero de distribución exclusiva en el extranjero y los hoteles para turistas foráneos.

El surgimiento del SUVP provocó una riada de tinta en el exterior. Nacidas casi en paralelo con los llamados Destacamentos o Brigadas de Acción Rápida, alguna prensa de la oposición a Castro llegó a confundirlas. Las Brigadas eran fuerzas integradas básicamente por militantes del Partido cuya misión principal era acallar de inmediato cualquier signo de disidencia política. El SUVP se orientó más bien a reprimir la delincuencia económica interna.

El ministro Amat explicaba a *Cuba Internacional* el significado del SUVP:

—Algunas agencias de prensa occidentales han propalado que queremos implantar un estado de vigilancia sobre los ciudadanos. Es otra de sus invenciones. El Sistema Único de Vigilancia y Protección se creó fundamentalmente para garantizar sobre todo la seguridad de la propiedad social: fábricas, escuelas, hospitales... mediante varias medidas que incluyen un sistema de vigilancia nocturna y en algunos casos diurna. Además, nos apoyamos en él para detectar los eslabones débiles que propicien la comisión de delitos, en los sistemas contables, de organización del trabajo, etc.

El SUVP está formado por miembros de las organizaciones de masas que trabajan conjuntamente con la Policía Nacional Revolucionaria (PNR) y las direcciones de Comercio Mayorista y Minorista y la Comisión de Prevención y Atención Social.

Estudiando lo dicho en el IV Congreso del Partido y en las dos sesiones plenarias de la Asamblea Nacional que se celebraron en 1991, tuve la convicción de que el problema del delito económico, los robos en campos y fábricas, era uno de los más graves con que se enfrentaba la Revolución en estos días de Período Especial. Y lo mismo que yo, cientos de miles de cubanos. La corrupción, la malversación, el robo descarado se había extendido peligrosamente en Cuba.

Como gráficamente dicen en la isla, se había producido un gran relajo en la custodia de los bienes del Estado. Cada cual iba a resolver su problema cotidiano: qué comida llevar hoy a casa. Se olvidaban de todo lo demás.

Un relajo que afectaba a gran parte de la población que consideraba normal, por ejemplo, montar en el autobús, la popular guagua cubana, sin pagar. El hecho llegó a ser tan alarmante que Evidio Rodríguez, miembro del Buró Político del Partido en Ciudad de La Habana, denunció este dato: una tercera parte de los habaneros, casi un millón de personas, no pagan el billete del autobús. Ello ocasionó a la empresa estatal de transporte unas pérdidas en 1990 de 18 millones de pesos (el Gobierno cubano equiparaba en esa época, primavera de 1991, el valor del peso al del dólar norteamericano).

Si los pasajeros se colaban sin pagar, los conductores y cobradores se embolsaban buena parte del dinero de los que sí pagaban. El miembro del Buró Rodríguez aseguró que estos empleados sustraían 35.000 pesos diarios a la empresa.

La rapiña se había extendido a casi todos los servicios que ofrecía el Estado.

Sin hacer una muestra exhaustiva, he aquí una breve relación de delitos aparecidos en la prensa cubana durante 1991 y los primeros meses de 1992, que dan una idea de la variedad de trucos utilizados para arañar unos pesos, miles en ocasiones, al Estado:

"El caso de los plátanos perdidos". Así titulaba *Bohemia* la vista del juicio contra el ciudadano Lázaro Manuel de la Luz Sotomayor, quien se apropió de 12.250 kilos de plátano y luego dijo al juez que como se había tomado unos tragos de ron se le había olvidado donde puso los bananos.

—Mientras esperaba la llegada del camión procedente de Cienfuegos (con los plátanos) —declaró en el juicio Sotomayor— me tomé unos traguitos que al parecer me cayeron mal, porque ni a tres tirones puedo acordarme qué ocurrió aquel día con los dichosos plátanos.

Esa amnesia temporal le costaría seis años de cárcel a Lázaro, un empleado de la Empresa Comercializadora de Productos Agrícolas del Municipio Cerro, en La Habana (3).

El hurto en sus diversas modalidades es el delito más extendido en Cuba, con un 70 por 100 del total. El robo de alimentos y de ganado para ser sacrificado ocupa el primer lugar.

Los alimentos se roban en las bodegas, tiendas minoristas o en el restaurante. Todos los consumidores del mundo han denunciado alguna vez que en la carnicería de su barrio el kilo tiene 900 gramos. A ese tipo de balanzas amañadas le llaman en Cuba "una pesa dormida".

El día 30 de enero, dos inspectores del Movimiento de Inspectores Populares, pertenecientes a la Dirección Provincial de Precios de La Habana salieron de caza. Pasaron a una de las pizzerías que hay en la capital, la Unidad Loipa, en el barrio del Vedado. Pidieron varias raciones de pizza. Comprobaron que el tamaño de la ración no se correspondía con lo normado.

Si cada pizza debía ser dividida en diez partes iguales, o raciones, a las que los cubanos llaman "pizzeta", los inspectores comprobaron que de las diez raciones, la pizzería se quedaba con tres. Es decir, el 30 por 100 de la producción.

En diez días, habían robado 5.400 raciones de pizza. Además, cada pizza debía ser regada por seis onzas de salsa napolitana (carne picada y tomate). El recipiente que utilizaba el cocinero tenía capacidad sólo para cinco onzas. En diez días había birlado 52 kilos de salsa (4).

Lo que más asombraba a estos dos inspectores es que "teniendo las empresas sus inspectores propios y especialistas en peso y control de calidad detecten tan pocas infracciones". No debía asombrarles.

—En casa de Bárbaro hay tela roja —se decían entre sí los vecinos de un barrio habanero.

Es decir, había carne fresca de res. El rentable negocio fue descubierto un día cuando un vecino con conciencia social encontró los restos de un buey en un solar. Se siguió la pista —un sencillo reguero de sangre— que condujo a la policía al domicilio de Bárbaro Sánchez, donde encontraron sólo 10 kilos de carne de res. El resto había sido vendida.

Bárbaro, en compañía de otros tres compinches, habían penetrado por la noche en la vaquería La Victoria, agarrado un toro por los cuernos al que habían acuchillado a 300 metros. Fueron condenados a cuatro años de prisión (5).

No siempre se roba de forma tan salvaje como lo hizo Bárbaro Sánchez, haciendo honor a su nombre. Hay también robos de cuello blanco e informáticos.

Guillermo Enrique Basabe Cruz y Marina Magaly Soler Hidalgo, dos empleados de ventas en el Departamento de Tráfico Internacional de la compañía aérea Cubana de Aviación, montaron un fraude que le hizo ganar al primero más de medio millón de dólares, y a la segunda, ¡aprendiz!, unos miles.

El truco consistía en apoderarse de los numerosos billetes de avión con destino a muy diversas partes del mundo, reservados por organismos estatales y anulados a última hora. Ambos empleados revendían estos boletos en dólares a turistas extranjeros.

Con ese sistema, Basabe se hizo con 542.608 dólares y Marina con 3.527. Al cambio en el mercado negro, Basabe habría obtenido una fortuna, aunque de hecho medio millón de dólares ya lo es: casi 18 millones de pesos cubanos. El sueldo de 3.750 científicos cubanos durante un año, que es uno de los grupos sociales con mayor salario mensual del país, unos 400 pesos.

Durante cuatro años volando con frecuencia a La Habana, jamás había conseguido que me dejaran salir sin pagar el correspondiente exceso de equipaje. Los empleados del aeropuerto se mostraban inflexibles.

Hasta el verano de 1991, cuando los efectos del Período Especial se hacían sentir en los estómagos de los ciudadanos.

El mes de agosto volé a México procedente de La Habana. En el momento de registrar el equipaje me dijo el empleado:

—Tiene exceso. Ha de pagar 70 dólares.

Saqué un billete de cien. Lo puse, como tantas veces, sobre el mostrador. El empleado me dijo, mientras miraba a derecha e izquierda:

—Guárdelo. Pero hágame un favorcito: cómprenos una Coca-Cola y un par de cajetillas de cigarrillos.

Los robos de coches o partes de ellos, son otro de los grandes negocios de los profesionales del delito en Cuba. Tras el corte casi radical de las relaciones comerciales con los viejos socios comunistas, muchos de los propietarios de coches soviéticos se ven y se las desean para encontrar repuestos, llantas. Si quieren solucionar el

problema rápidamente debe comprar el repuesto a algún empleado corrupto de una de las empresas dedicadas al transporte o adquirirlo en el mercado negro.

Por último, en este muestrario de los tipos de delitos que se
suelen cometer en los últimos meses en Cuba, hay que reseñar el
de tráfico de divisas realizado en colaboración con empresas radi-
cadas en Miami.

Lo denunció la influyente columnista Soledad Cruz en *Juventud Rebelde* en marzo de 1992. En Miami, la segunda capital cubana
del mundo después de La Habana, han proliferado pequeñas empresas que se dedican desde conseguir llamadas telefónicas a
Cuba hasta transportar medicinas o dinero (6).

Legalmente, un cubano residente en el extranjero puede enviar ambas cosas a sus familiares que viven en la isla. Pero ha de
hacerlo a través de empresas con las que el Gobierno cubano tiene contactos oficiales, como *Cuba Paquetes*.

El Gobierno cubano aplicó un cambio de un peso por un dólar
durante años. En los últimos años entregaba dos pesos por dólar.

Sin embargo, en cualquier periódico de la ciudad de la Florida
se pueden leer anuncios en los que se ofrece un cambio de cinco
pesos por dólar y además se entregan en cualquier punto de la isla.

Si un cubano de Miami envía 100 dólares, su familiar recibirá
500 pesos en su casa habanera, por ejemplo. Detrás de esa sencilla
operación se esconden verdaderas redes de traficantes en divisas.
En julio de 1992 el cambio en el mercado negro estaba en 33 pesos por dólar.

Así, la empresa de Miami sólo tiene que cambiar 15 dólares en
el mercado negro para entregar al pariente de Cuba sus 500 pesos. Los 85 dólares restantes quedan para pagar los gastos de "la
mula" que lleva los dólares a Cuba y para obtener unos pingües
beneficios. Si se tiene en cuenta que en Miami viven 800.000 cubanos de origen, más otro millón de padres cubanos, pero nacidos
ya en territorio norteamericano, se comprenderá el alcance de
este tipo de negocios en el que están envueltos tanto cubanos de
Miami como del interior de la isla.

Otro delito de cuello blanco cada día más frecuente en Cuba
se realiza con las tarjetas de crédito. Cuando un cliente entrega la
tarjeta de crédito en un restaurante, el camarero hace varias copias del modelo de factura. Entrega una sola al cliente y guarda las
demás. En sucesivos días, las irá rellenando con el importe real de
comidas que ha servido y que le han pagado en efectivo. En la caja
del restaurante entregará como pago el recibo robado de la tarjeta
de crédito y se embolsará los dólares. Negocio redondo.

Otro delito muy extendido en Cuba es el del juego ilegal. El
más famoso de todos es el de "la bolita".

Tan popular como la Loto en España o Estados Unidos, el juego de "la bolita" se realiza a través de una emisora venezolana, Radio Tachira, que se capta fácilmente en La Habana. Esa emisora realiza un sorteo diario, durante el cual el locutor venezolano repite una y otra vez "rueda la bolita, rueda la bolita".

Lo que no sabrá quizás ese locutor es que miles de habaneros estaban pendientes de "la bolita" venezolana. He ido con frecuencia a La Habana Vieja, acompañando a algún amigo aficionado al juego. Estoy seguro de que todos los vecinos podrían señalar a los "boliteros" del barrio.

La "Operación Maceta" implicó también la detención de "boliteros". Las condenas eran duras: a Roberto Gutiérrez Salamanca, un "colector mayor y banquero", de treinta y siete años, es decir que recogía las apuestas y pagaba al ganador, le cayeron en el mes de marzo de 1991 siete años de cárcel. Tenía amplios antecedentes por la misma actividad, el juego. La otra actividad relacionada con este juego es la de "listero", persona que anota los nombres de los jugadores y sus apuestas en una lista.

El "bolitero" Gutiérrez llegó a hacer una fortuna de 111.000 pesos —punto de referencia: el salario de un obrero medio es de 200 pesos al mes—. Como cualquier otro delincuente del mundo, a Gutiérrez le perdió la ostentación. Se compró ilegalmente un automóvil soviético marca Moskvich por 46.000 pesos, diez veces su valor legal.

El juego, al igual que en todos los países donde está prohibido, es una pasión para muchos cubanos. Se apuesta con casi todo: desde una pelea de gallos, a un partido de pelota vasca que se juega en cualquier solar. También hay apuestas en partidas de dominó —deporte nacional de sobremesa—, las cartas o el billar.

Durante todo el año de 1991, las publicaciones cubanas daban pelos y señales de juicios celebrados contra delincuentes. Resultado de la "Operación Cascabel" fue la condena de Carlos Manuel Novo Muñoz, quien en compañía de otros 23 socios se dedicaba a la venta de vídeos reproductores (vídeo-casetera lo llaman en Cuba) y televisores. Fue sentenciado a cinco años de cárcel.

La intención de darle tan amplia publicidad a este tipo de noticias estaba marcada por la dirección del país: que el ciudadano sepa que el delito no queda impune y que a través de los medios de información se moralice al pueblo.

Así iniciaba la revista *Bohemia* su reportaje sobre el juicio contra Carlos Manuel Novo, el vendedor de vídeo-caseteras:

—Si el ciudadano Carlos Manuel Novo Muñoz no se hubiese dejado arrastrar por el afán de lucro y la desmesurada ambición de convertirse en un acaudalado representante de la "libre empresa", a estas alturas, como gerente de una importante empresa importadora extranjera, continuaría disfrutando del respeto y consideración de la sociedad. Pero tomó el sendero de la ilegalidad, que lo condujo irremisiblemente ante el Tribunal Popular Provincial de Ciudad de La Habana (7).

El redactor de *Bohemia,* al tiempo que informa del juicio, aprovecha para meterle un rejón a la "libre empresa". Para ir "educando" al pueblo.

En Ciego de Avila conversé con los redactores de la emisora local, Radio Surco. Uno de los programas de mayor éxito en la primavera de 1991 fue la serialización de un juicio contra empleados de una gasolinera local que habían robado un millón de bonos de gasolina.

Aunque el juicio pudo ser seguido por todos los que quisieran, pues a las puertas del juzgado se instalaron unos altavoces que llevaban el sonido directo a la plaza principal de la ciudad, la emisora de Ciego de Avila transmitió días después el juicio completo en capítulos de media hora.

No todos los antisociales eran cubanos. Para cometer muchos de los delitos, especialmente los relacionados con el mercado negro, se necesita de la colaboración de ciudadanos extranjeros.

Me dijo en una ocasión un cubano:

—Si realmente la policía fuera estricta, detendría a todos los ciudadanos de La Habana. No tienes más que mirarle los zapatos.

En efecto, los zapatos han salido casi todos de las diplotiendas, vedadas al común de los cubanos. A algunos se los puede haber regalado un turista extranjero. Pero ¿cuántos turistas generosos existen para calzar a casi tres millones de habaneros? La realidad es que la mayoría de esos zapatos son adquiridos en el mercado negro.

Un mercado negro que lógicamente se alimenta con la colaboración de muchos extranjeros.

La ex Unión Soviética llegó a tener hasta 13.000 ciudadanos en Cuba, entre técnicos, asesores y tropas militares y sus familiares. En los primeros meses de 1991 aún quedaban 10.000, cifra que iría reduciéndose paulatinamente.

Familiares de estos asesores soviéticos, especialmente las esposas, se dedicaron durante años al lucrativo negocio de adquirir todo tipo de productos —desde patatas a sujetadores— en las tiendas especiales creadas por el Gobierno cubano para los extranjeros, llamadas diplotiendas.

En ellas el pago se efectúa en dólares. Salvo los soviéticos y los ciudadanos de los extintos países socialistas europeos que pagaban con los llamados "pesos rojos", una especie de certificados en forma de papel moneda que el Gobierno entregaba a sus amigos comunistas en sustitución del dólar y que tenía su mismo valor oficial.

Estos "pesos rojos" eran adquiridos por los técnicos socialistas extranjeros a un precio muy bajo. Si además los cambiaban en el mercado negro, quintuplicaban sus poder adquisitivo.

Un ejemplo: si una botella de ron costaba diez dólares, la soviética entregaba diez "pesos rojos". Si los había cambiado en el mercado negro, esos diez pesos rojos le habían costado dos dólares, pues por cada dólar, a mediados de 1991, se pagaban cinco "pesos rojos". Así, la soviética se llevaba una buena botella de ron cubano por dos dólares que ella revendería en el mercado negro a cinco o seis veces su valor.

Esta actividad fue bautizada rápidamente por los cubanos como "hacer *shopping*" (*shopping* es una palabra inglesa que significa ir de compras).

La palabra se hizo tan común que el primer delincuente cubano capturado en la "Operación Maceta", y cuyo juicio fue ofrecido por la televisión, se llamaba precisamente "Luisito Shopping".

Diversas fuentes cubanas que en alguna ocasión habían adquirido productos del *shopping* me hicieron una lista de los ciudadanos más aficionados a esta modalidad de enriquecimiento por la vía rápida: en primer lugar, los soviéticos, le seguían palestinos y angoleños.

Quise ver con mis propios ojos cómo trabajaban estos extranjeros y pasé dos días visitando distintas tecnitiendas. En una de ellas, situada en el Reparto Flores, al final de la Quinta Avenida, presencié cómo un grupo de angoleños se llevaban toneladas de ropas y diversos objetos de belleza femeninos.

Había dos productos que llamaron especialmente la atención de los angoleños: unas camisetas o T-Shirts con el emblema de la marca automovilística BMW y un juego de barras de labio, con media docena de barritas de distintos colores.

La prohibición de que una misma persona pudiera comprar de forma ilimitada el mismo tipo de prenda ya regía. Daba igual. La cajera hizo caso omiso de esa orden. Cuando un joven angoleño fue a pagar, yo me situé tras de él para saber si la cajera le llamaba o no la atención por la cantidad de camisetas que llevaba bajo el brazo. Pero no. Eran viejos conocidos.

—¿Y que llevas hoy, Ramón? —preguntó la cajera al angoleño.

Ramón depositó 20 camisetas exactamente iguales sobre el mostrador. La cajera las contó. Costaban a 2,95 dólares cada una. O sea, 59 dólares. Ramón depositó un billete de cien dólares. Mi acompañante, que conocía el truco, me dijo:

—Observa la vuelta.

Al angoleño le correspondían 41 dólares. Le devolvieron 31. La cajera se había cobrado su comisión, diez dólares. Y todos tan contentos. Detrás de Ramón, llegaron a la caja otros muchos "ramones". A las que seguían otras muchas comisiones.

Los angoleños se resarcirían de esa comisión en cuanto salieran a la calle y comenzaran a vender sus camisetas y pinturas.

Yo también hice *shopping*.

Pero con una diferencia: no cobraba más de lo que me costaban a mí los productos que adquiría en las diplotiendas. En realidad, era un *shopping* de encargo, que cada vez me molestaba más. Siempre pensaba que algunos de los dependientes de las diplotiendas pensaría que yo era un turista dedicado al *shopping* profesional.

Una de las cosas malas que ha creado el racionamiento en Cuba es que en cuanto un cubano descubre a un extranjero de corazón blando, éste está perdido. Será bombardeado un día y otro con las peticiones más peregrinas.

Viví tantos meses en el hotel Victoria que conocía a todos y cada uno de sus empleados. Muchos estaban esperando que yo hiciera un viaje a La Habana para desempolvar los dólares que cuidadosamente habían ido reuniendo centavo a centavo para encargarme la compra de las cosas que necesitaban. Que eran de todo tipo.

Normalmente, decidí, para no hacer tantas visitas a la diplotienda, concentrar mis compras por encargo en un sólo día. El 14 de febrero de 1991, día de los enamorados, compré todo esto por encargo de mis amigos del hotel: una hebilla de pelo (2,70 dólares), tres bolsos de señora (a 6,50 cada uno), tinte para el cabello rubio plata (3,95), unas gafas de sol para mujer (5,90), tres pares de calzoncillos talla 1 (a 5,50 los tres), una camiseta con tirantes (2,95).

Cuando entregué los calzoncillos, pensé que la cubana me iba a pegar con ellos. Eran sencillamente horrorosos. Modelo soviético de la II preguerra mundial. Le encantaron. Hacía meses que a su marido no le daban, por la cartilla, ningunos. Le parecieron de lo más sexy.

Mis compras por encargo para amigos cubanos han abarcado de todo. He adquirido: un carrito de bebe (¡la vergüenza que pasé empujando mi carrito desde el coche de turista hasta la humilde casa de la persona que me lo había encargado!), pilas para reloj, para calculadora, colonias y desodorantes de todas las marcas y precios, champú en cantidades industriales y muchos, docenas de pantalones vaqueros.

Siempre pensé que los trabajadores del sector turístico sufren muchísimo más que el común de los cubanos: ellos están todo el día pasando ante la pequeña diplotienda que hay en todos los hoteles para extranjeros. Tienen el dinero en el bolsillo, pero no pueden cruzar la puerta de la tienda y pedir lo que necesitan. En una ocasión fue dramático: una mamá angustiada estaba esperando que llegara a La Habana para que le comprara polvo de talco. Su bebé estaba con el culito en carne viva.

Si un empleado del hotel, o cualquier otro cubano, es encontrado en posesión de uno de estos productos, un bote de champú ("pomo", dicen en Cuba), o una colonia que sólo puede haber salido de una diplotienda, por ejemplo, puede ser sancionado. Normalmente lo sancionan con algunos días de suspensión de empleo, aunque también conozco casos en los que el empleado ha sido despedido. Se salvará si hay un turista —en este caso yo— que mantiene ante la policía o la dirección del hotel que ese producto ha sido regalado por mí. Aunque los responsables del hotel, o la policía, saben que todo es mentira.

Pero harán la vista gorda. Como me decía un amigo:

—¿Qué extranjero va a comprar la ropa cubana que se vende en las diplotiendas, absolutamente pasada de moda? El Gobierno sabe que todas esas prendas terminan en el mercado negro. Pero hacen la vista gorda. Al fin y al cabo, las diplotiendas son una válvula de escape para la tensión de un mercado en el que no hay ninguna oferta, pero sí una fortísima demanda.

Llegó un momento en que el *shopping* llegó a ser tan masivo que los diplomáticos occidentales se quejaron a las autoridades cubanas.

Cuando el principal supermercado de La Habana destinado a la colonia diplomática sacaba a la venta algún producto escaso, como unos simples tomates, cebollas o verdura fresca —habitualmente escasa— las matronas soviéticas se enteraban antes que nadie.

En los primeros minutos de la mañana habían agotado las existencias. Cuando llegaban las esposas de los diplomáticos occidentales, menos madrugadoras, se encontraban con los estantes vacíos y las colas llenas de soviéticas con dos y tres carritos repletos de comida.

El Gobierno cubano llegó a prohibir la entrada a las diplotiendas a todos los que no fueran diplomáticos, a mediados de 1991. Para los técnicos, un rango inferior al de diplomático, se creó una red propia, las llamadas tecnitiendas.

Al principio, en las tecnitiendas se mantuvo una estricta disciplina: se limitó la cantidad de alimentos o prendas que podía comprar una misma persona. Por ejemplo: no más de dos pollos o dos pantalones vaqueros.

Pronto esta orden cayó en el relajo cubano. El *shopping* siguió siendo una actividad lucrativa y no son pocos los extranjeros destinados en Cuba que han regresado a sus países con una pequeña fortuna hecha en el mercado negro de La Habana.

El Gobierno eliminó los certificados o "pesos rojos" en junio de 1992. Si las nuevas repúblicas ex soviéticos exigían al Gobierno cubano el pago de su petróleo en dólares, los ahora rusos, lituanos, o azerbajanos, deberían pagar sus compras en Cuba en dólares. (Entre otras cosas: diplomáticos soviéticos que ocupaban extraordinarias residencias por las que pagaban 100 pesos rojos se despertaron un buen día con la noticia de que debían saldar sus rentas en dólares y al precio que pagaban los diplomáticos occidentales: entre 2.000 y 4.000 dólares al mes. Prácticamente todos los soviéticos se fueron a vivir a su embajada, un mastodóntico edificio —¿el más feo de La Habana?— situado en la elegante Quinta Avenida de Miramar).

No todos los antisociales eran dirigentes y funcionarios de poca monta o desempleados.

En marzo de 1991, dos embajadores cubanos fueron llevados a los tribunales.

Juan Bautista Infante Dilu, ex embajador en Nigeria y director en ese momento de la empresa Cubatecnia, fue acusado de malversación, abuso de autoridad, tráfico de divisas y falsificación de documentos. Se le pidieron seis años de cárcel.

El delito: comprar guayaberas en La Habana que vendía en Nigeria al doble de su valor.

Otro embajador, Iván César Martínez Montalbo, ex representante cubano en el Congo, era juzgado el 25 de marzo de 1991 acusado de tráfico de divisas, apropiación indebida y falsificación de documentos. Había comprado varios aparatos de aire acondicionado que justificó como gastos de reparación de los que ya existían en la oficina. El fiscal pidió tres años de cárcel para Martínez.

¿Cuáles son las causas íntimas que han movido a tantos cubanos a iniciar el camino de la delincuencia común? ¿La escasez del Período Especial? ¿El cansancio de un sistema político/económico que apenas si les da oportunidad de consumir productos que le entran por los ojos en las películas que exhibe la televisión local?

Una noche le hice esa pregunta a Carlos Aldana, responsable de Ideología del Comité Central del Partido, en su despacho oficial.

Para este alto funcionario, existen varias causas.

—En primer lugar, fallos que hemos tenido en nuestro sistema de educación. En un momento determinado, perdimos el rumbo, nos desorientamos en la educación ética de nuestros niños.

Aldana fija esa pérdida del rumbo hacia mediados de la década de los setenta, cuando Cuba imitó el socialismo del Este europeo que poco tenía que ver con la idiosincrasia del cubano.

—En segundo lugar, hubo fallos determinados por cierto idealismo, cierto paternalismo, sobre todo en la legislación laboral, que es sumamente tolerante, sumamente permisiva, que tolera conductas laborales que en otras circunstancias serían incompatibles con el cargo.

Al no ser así, reflexiona Aldana, el empleado, dirigente o funcionario termina por corromperse.

—También hemos sido idílicos en la cuestión del tratamiento penal, en la noción de rehabilitación. Durante muchos años fuimos muy ingenuos.

Aldana recuerda que llegó incluso a contarse un chiste sobre este tema:

—Es el famoso cuento del delincuente que, cuando es detenido, le dice al policía: bueno, ya, denme la charla para acabar esto rápido.

Se supone que la policía en el momento de la detención de un delincuente debía exhortarle y aconsejarle a que fuera un hombre digno y un buen ciudadano. Llegó un momento, rememora Aldana, en que incluso la dirigencia del país pensó que había demasiados abogados en la isla y de hecho se llegó a limitar el ingreso de nuevos alumnos en las facultades de Derecho.

De esa escasez de abogados surgió en un momento dado, cuando según Aldana se observó que el sistema estaba necesitado de la rehabilitación para los delincuentes, la figura del juez lego.

Para el presidente del Tribunal Supremo, José Raúl Amaro Salup, la figura del juez lego cumple un papel parecido al del jurado en el sistema anglosajón. Aunque con una ventaja para el sistema cubano:

—El jurado funciona exclusivamente en los procesos de tipo penal y se pronuncia sólo por la inocencia o culpabilidad. El juez profesional es el que impone la pena. En Cuba, los jueces legos participan en todo tipo de procesos y con iguales derechos y condiciones que los profesionales (8).

El juez lego es un ciudadano común y corriente elegido mediante votación en su fábrica o barrio para ese puesto, por un período de cinco años.

De acuerdo con el presidente del Supremo, no se necesita ni ser de miembro del Partido, ni de ninguna otra organización. Sólo que tenga cierto nivel escolar y sobre todo "condiciones éticas y morales inobjetables".

El Gobierno cubano rectificó el rumbo a comienzos de la década de los ochenta, cuando vio que la delincuencia no era ajena al socialismo. En 1984 un decreto ley regula la Organización Nacional de Bufetes Colectivos y al año siguiente se abren nuevas facultades de Derecho.

En 1985, en toda la isla sólo había 725 letrados. En marzo de 1992, la cifra se había más que duplicado: 1.855 abogados, distribuidos en 250 bufetes colectivos que atienden los 169 municipios del país (9).

Para Aldana, el problema delictivo se enfocó casi exclusivamente en la sanción.

—Fuimos sumamente severos —recuerda el dirigente cubano—. Se produjo una crítica y una réplica a esa severidad, que entre nosotros la llamamos el proceso de despenalización.

El Gobierno observó preocupado que las cárceles estaban llenas de ciudadanos que habían cometido faltas que no necesariamente debían ser penadas con la cárcel. En 1988 se produce una importante revisión del Código Penal. Figuras delictivas que tenían que ver con conductas que no acarreaban peligrosidad social fueron despenalizadas. Por ejemplo, conducir un vehículo sin llevar la licencia de conducir.

En ese mismo año de 1988 se introdujeron nuevas figuras delictivas no contempladas anteriormente, como el enriquecimiento ilícito y la corrupción, que serían dos de los delitos más repetidos cuando la isla comenzó a vivir el mayor período de crisis económica de su historia.

En plena resaca de la despenalización, afirma Aldana, "comenzamos a vernos sometidos a tensiones económicas", que provocaron un aumento alarmante de los delitos económicos.

—Ese es el punto en que nos encontramos ahora —sostiene Aldana, en octubre de 1991.

Un momento en el que hay un exceso de dinero entre la población y prácticamente una nula oferta, limitada tan sólo a lo que se ofrece por la cartilla de racionamiento. A ello, Aldana suma lo que llama "nuestras gratuidades":

—La gente no necesita el dinero cuando se enferma, no necesita dinero para estudiar, no necesita dinero para resolver diversos problemas culturales, o deportivos —cuyos espectáculos son gratuitos siempre— e incluso la gente no necesita dinero cuando se muere porque nosotros enterramos a la gente gratis.

Es así como surge una apetencia de productos que no son ofrecidos en la red comercial legal, y que "sólo tiene una respuesta, asaltando, quitándoselo a otro si lo tiene, metiéndose en un almacén y robándola".

Otro renglón más a sumar:

—Estuvimos cincuenta y ocho años bajo la influencia de Estados Unidos y aún queda una imagen de una sociedad (la norteamericana) opulenta, plena de bienes de consumo. Ello tiene también una influencia en estas conductas delictivas. Surgen aspiraciones de consumo que no tienen respuesta en nuestra sociedad y que dan lugar o a la evasión, es decir, tratar de irse del país hacia donde se supone que sí hay esa oportunidad, o al delito, es decir la búsqueda ilícita de posibilidades de obtener esto o aquello. Un automóvil, una casa.

Aldana medita sobre este asunto, que no pretende agotar, pues afirma que él no es un especialista. Pero las ideas clave las tiene claras:

—La televisión, el cine, a través de las películas norteamericanas, contribuyen a este espejismo de sociedad opulenta. También los parientes que viven en Estados Unidos. Esa gente tiene una influencia tremenda: escriben, mandan fotografías, hablan por teléfono... Son miles y miles de cartas, docenas de miles de llamadas, viajes a Cuba. La gente viene y trae el cuento de la opulencia, trae cosas. Todo eso crea apetencia.

Le pregunto a Aldana si también el turismo tiene ese efecto negativo.

—Yo no diría que el turismo es negativo. Pero en ese aspecto, nos hemos abierto al turismo en un momento de gran escasez. En un momento en el que con una porquería el turista corrompe a cualquiera. A una chica, por ejemplo, que no puede adquirir aquí un buen par de medias. En ese sentido, y sólo en ese sentido, el turista resulta una influencia negativa. Pero no se le puede echar la culpa, en su inmensa mayoría, a los turistas. No se puede decir ni siquiera que lo haga deliberadamente. No estoy sugiriendo eso.

Aldana finaliza su reflexión sobre el delito con esta frase:

—Generalmente, el que roba no es al que más le hace falta lo robado. Roba para venderlo.

¿Cómo se defiende un ladrón, o cualquier otro delincuente, en una sociedad socialista como la cubana?

La pregunta se la hacía en 1985 Juan Escalona, en aquel año ministro de Justicia, quien sería después el fiscal encargado del caso contra el general Arnaldo Ochoa, condenado a muerte en 1989.

Escalona presentó un informe sobre la situación de la justicia en Cuba en ese año, con motivo de celebrarse la asamblea constitutiva de la Organización Nacional de Bufetes Colectivos:

—¿Cómo podemos situarnos al mismo tiempo como defensores de quienes, con su conducta, se colocan en conflicto con la sociedad y con los intereses de los trabajadores? (10).

El mismo Escalona se autorrespondió: la sociedad está interesada en que ningún delito quede impune, mas, una vez aclarados los hechos, también hay interés en que la sentencia sea justa.

Distribuidos por todo el país, los bufetes colectivos sustituyeron a los abogados tradicionales. Hasta 1973, aún se podía ejercer por libre la abogacía. Ya no. En la actualidad, si un cubano necesita los servicios de un abogado, acude al bufete colectivo de su municipio. La primera consulta es totalmente gratuita. Si necesita más asistencia legal, deberá pagar al bufete de acuerdo con una lista de precios establecida.

Visité en Cienfuegos tanto la sede del Tribunal Popular Provincial, como el principal Bufete Colectivo de la bella ciudad del sur.

La directora del bufete, Mery Margarita Rodríguez Almeida había convocado a la élite del despacho. Conversé durante varias horas con media docena de abogados cubanos de los más diversos temas.

De ambas visitas, a abogados y jueces, me llevé una impresión que se corresponde con los datos: si la militancia en el Partido Comunista o la Unión de Jóvenes Comunistas en una fábrica es de un 10 a un 20 por 100, aumenta cuando crece la importancia del centro de trabajo. Por ejemplo, en los centros de investigación de La Habana. Esa militancia alcanza en el mundo del derecho hasta un 70 por 100.

La directora del Bufete de Cienfuegos, Mery Margarita, me afirma que en absoluto es requisito para ser del bufete militar en el PCC o en la UJC.

—Sólo es preciso ser titulado en Derecho por una universidad

de nuestro país y tener las condiciones morales y políticas acordes
con nuestra sociedad.

—¿Cómo se pueden medir las condiciones morales?

Sonríe Mery. Responde:

—La persona que quiere ingresar en el bufete ha de presentar
una solicitud y unos avales de su conducta. Porque aquí no puede
ingresar una persona que sepamos que es un borracho. No se le
exige militancia en el Partido, pero tampoco admitimos a un contrarrevolucionario acérrimo.

Pregunto por los precios. En todo el mundo los abogados son
caros. Aquí, no tanto. El cliente acude al bufete y puede solicitar
ser representado por un abogado en concreto o ponerse en manos
de la directora, que encargará el caso al especialista en el tema que
se trate. Las minutas van de los 10 pesos por la redacción de un documento, a 100 pesos por la defensa en un caso de asesinato.

Hasta mediados los ochenta, el divorcio era gratuito. Hoy se cobran 80 pesos. La picaresca cubana había descubierto que una
boda trae acarreado la entrega por parte del Estado de una serie
de bienes —no demasiados: unas cervezas, unos bocaditos, tres
días en un hotel, alguna ropa extra (ver capítulo "El amor")— lo
que había provocado un increíble aumento de bodas y divorcios
de fin de semana. Hoy se cobran las separaciones, por lo que han
disminuido sensiblemente.

El abogado recibe un salario mensual de 100 pesos, sólo por
pertenecer al bufete y realizar las primeras consultas gratuitas. Después cobrará un porcentaje sobre los casos que lleva. De los 100 pesos que el bufete ingresa por la defensa en un caso de asesinato, el
letrado se llevará 45 pesos. De los 80 del divorcio, obtendrá 15 pesos si es sencillo y hasta 50 si el caso se le complica y alarga.

Pregunté a los abogados de Cienfuegos si pensaban que en
Cuba se respetaban los derechos procesales. Todos dijeron que sí.

—¿Y en el "caso Ochoa"? Fuera de Cuba fueron muchos los
periódicos que afirmaron que la sentencia estaba dictada aun antes de que se hubiera iniciado el juicio... Que se trató de un proceso político...

Fue como si hubiera puesto una bomba encima de la mesa de
la directora. Todos ellos querían hablar. Esto saqué en claro:

—¡Eso es una mentira, una calumnia!

Para estos letrados cienfuegueros, el juicio contra el general
Ochoa "fue el proceso que más publicidad tuvo en toda la historia
de la Revolución".

Pasé una mañana entera viendo juicios en la sede del Tribunal
Popular Provincial de Cienfuegos. No se diferencian mucho de
cualquier otro juzgado del mundo. Sorprende un poco escuchar
hablar del "compañero defensor" o del "compañero fiscal". Pero,
por lo demás, todo es igual.

Eso sí, en aquella primavera de 1991, muchos juicios fueron aplazados. Motivo: faltaban testigos. Causa: el Período Especial había dificultado sensiblemente el transporte de testigos y acusados. El Gobierno cubano decidió que en vez de transportar a centenares de testigos de los pueblos a los tribunales provinciales, fueran éstos los que se trasladaran a los municipios.

Así, el tribunal acumula casos en un municipio concreto y cuando ya hay varios en espera de juicio se traslada el juez profesional y los abogados defensores y se celebran las causas en el lugar donde radican la mayoría de los que deberán testificar ante el tribunal.

La crisis económica afectó a los juzgados cubanos tanto como a cualquier otra empresa estatal. Amén de las restricciones en gasolina y electricidad, el Tribunal Popular de Cienfuegos tomó una serie de medidas para el ahorro en materiales que, de no ser porque la situación es verdaderamente trágica, producirían risa.

El presidente del Tribunal Provincial, un joven juez de treinta y seis años, con trece de experiencia, José Raúl Amaro Potts, me contó cómo desde mediados de 1990, cuando ya se adivinaba la crisis en toda su crudeza, se tomó la decisión de ahorrar papel, tinta, cintas de maquinas de escribir.

Entre las medidas adoptadas figuran: escribir las sentencias a un solo espacio para ahorrar papel, utilizar papel usado por una cara para redactar copias de sentencias que van al archivo, eliminar el papel cebolla, más caro y escaso que un papel amarilletón sobre el que los jueces escriben a lápiz para ahorrar tinta de bolígrafo, reservar el bolígrafo para firmar las sentencias, entintar una y otra vez las cintas de las máquinas para hacerlas vivir hasta tres veces más que antes del Período Especial...

—Probamos con todo tipo de productos para entintar las cintas y alargar su vida —me cuenta el presidente del tribunal, Amaro Potts—. Hemos probado las cosas más inverosímiles. Por ejemplo, aceite. Pero no nos dio resultado. Descubrimos que dejaba unas manchas horribles en el papel...

Por lo demás, en este Tribunal de Cienfuegos se repetían las estadísticas que rigen a nivel nacional: de vez en cuando un crimen pasional, pero cada vez más delitos contra el patrimonio, en donde están englobados todo tipo de robos, malversaciones, corrupciones de funcionarios.

Cuba entera luchaba desde 1991 contra este tipo de delitos que socavaban los cimientos de la sociedad socialista. Pero también es cierto que muchos de los que luchaban contra esos delitos tenían que delinquir alguna vez, o al menos cometer alguna falta menor. Me dijo un amigo cubano en una ocasión:

—Yo todo los días realizo algún "ilícito": compro algo de comida en el mercado negro, me consigo gasolina de manera más o menos legal o lucho por conseguir un poco de jabón para mi casa.

Siempre se encuentra a alguien que resuelve el problema. Difícil será erradicar esos vicios que han sufrido todas las sociedades socialistas en períodos de crisis. El mercado negro parece inevitablemente unido a ellas.

Aunque tengo la impresión de que no es la compra de un kilo de naranjas, o unos zapatos, en el mercado negro lo que más preocupa a las autoridades cubanas. Les preocupa más que sean dirigentes y funcionarios los que muchas veces —uno de cada cuatro detenidos por estos motivos, recuérdese el dato— están detrás de las bandas organizadas que roban a manos llenas de las empresas estatales.

Lo que molesta en definitiva es lo que Raúl Castro bautizó en una ocasión como el "Sociolismo organizado". A él se refirió el fiscal general Ramón de la Cruz Ochoa en la revista *Bohemia:*

—A veces se manejan muchos recursos, incluso algunos de ellos pueden sobrar, pero otros son deficitarios y entonces, en vez de utilizarse los mecanismos que tiene la economía para suplir esas faltas, empieza el cambalacheo entre empresas, el trapicheo, el "sociolismo" y el trueque de cosas... (11).

No es extraño que los máximos dirigentes cubanos estén preocupados por este problema. Roberto Robaina, primer secretario de la Unión de Jóvenes Comunistas (UJC) me dijo en octubre de 1991:

—La dimensión que adquirió este problema demuestra la confianza que algunos delincuentes llegaron a tener.

Indignado, el líder juvenil amenazará:

—Se han acabado las contemplaciones. Los que queden sueltos, tienen que vivir permanentemente asustados, conscientes de que en cualquier momento el pueblo, la Revolución, el Partido, el Gobierno y la Policía les pueden dar un "macetazo".

Y que los "macetas" no protesten si se les rompe el cráneo a macetazos. Porque si fuera Fidel, ya se sabe lo que haría:

—Pelotón para el ladrón.

NOTAS

(1)   *Cuba Internacional,* mayo de 1992, La Habana.
(2)   *Bohemia,* 8 de febrero de 1991, La Habana.
(3)   *Bohemia,* 26 de junio de 1992, La Habana.
(4)   *Juventud Rebelde,* 17 de febrero de 1991, La Habana.
(5)   *Granma,* 3 de abril de 1992, La Habana.
(6)   *Realidad de Cuba,* 29 de marzo de 1992, México.
(7)   *Bohemia,* 19 de julio de 1991, La Habana.
(8)   *Cuba,* agosto de 1991, La Habana.
(9)   *Cuba Internacional,* marzo de 1992, La Habana.
(10)   *Cuba Internacional,* marzo de 1992, La Habana.
(11)   *Bohemia,* 8 de febrero de 1992, La Habana.

16

LOS MITOS

Yo me quedo,
por todas esas cosas
pequeñas, silenciosas
con ésas yo me quedo.

Pablo Milanés
(*Yo me quedo*)

Me gusta ir a Cuba. Al bajar de la escalerilla del avión, el viento húmedo y pegajoso te azota el rostro. Los poros de la piel comienzan a abrirse. El aire es limpio. El olor a mar llega hasta la pista del José Martí.

Antes de salir a la calle y comenzar a disfrutar del excelente clima cubano, hay que pasar tres embudos en el aeropuerto.

El control de pasaportes es el primero. Encerrados en cajones de madera, los policías de aduanas revisan concienzudamente el pasaporte. Se toman su tiempo, que es mucho. Miran y remiran fotografías, sellos, visados. Te echan un vistazo y dos y tres. Miran a un cristal que está situado frente a ellos y a la espalda del viajero. Quieren ver si tienes algo escondido entre tus piernas.

¿A qué viene? ¿Cuánto tiempo se quedará? ¿Dónde va a hospedarse? Las preguntas rutinarias que podrían hacerse en unos segundos le toman varios minutos al agente cubano.

Después, hay que esperar las maletas. Armese de paciencia. Como tardarán un mínimo de media hora, tiene tiempo para buscar un carrito. Que es otra odisea. En todos los aeropuertos del mundo, los carritos están en la sala donde llegan pasajeros y maletas. En el José Martí están en la calle. Tomando el sol. Hay que convencer a algún funcionario de aduanas para que te deje salir al exterior y coger uno.

Por último, la revisión del equipaje. Lo mejor es coincidir con la llegada de un vuelo procedente de Miami, cargado de cubanos que regresan, tras visitar a sus familiares que viven en Florida, con una mano delante y otra detrás y han vuelto con dos chaquetas puestas, cuatro sombreros con docenas de pendientes colgados en ellos, tres o cuatro pañuelos alrededor del cuello y bolsos de tela alargados —¿viene de ahí la palabra gusano?— repletos de ropa, jabones, perfumes, zapatos, chicles, chocolate, juguetes... y medicinas.

La policía se ocupará de los cubanos y se olvidará de usted. Antes de salir a la calle, una amable señorita/compañera le entregará un folleto en el que se le explica que ha llegado a Cuba, y que si presenta alguno de estos síntomas: fiebre, escalofríos, diarrea, vómitos, lesiones de la piel y mucosas, afecciones oculares, o cualquier otra dolencia, no olvide acudir a los servicios médicos del lugar donde se hospeda, o a cualquiera de las docenas de centros de salud del país.

Para un viajero avispado, en el aeropuerto mismo registra dos datos: la oferta sanitaria es excelente y prácticamente todos los cubanos que llegan de Miami van cargados de medicinas.

Es una realidad como un templo: sobran médicos, faltan medicamentos.

Pero gracias a ese escrupuloso recibimiento al visitante, Cuba es uno de los poquísimos países de América, incluidos los Estados Unidos y Canadá, que no han registrado ningún caso de cólera desde que en los primeros días de 1991 hizo su mortal entrada por el puerto peruano de Chimbote.

Desde entonces a marzo de 1992, la Organización Mundial de la Salud (OMS) registró 339.308 casos de cólera en el país andino, de los que 2.998 personas fallecieron. Le siguieron en esta trágica lista Ecuador, con 52.364 casos y 710 fallecidos; Colombia, con 13.028 casos y 226 fallecidos, y México, con 3.204 casos y 38 fallecidos. Estados Unidos reportó 28 casos y Canadá 2. En ninguno de estos dos países hubo muertos (1).

Cuba, con Uruguay, Paraguay y algunas otras islas del Caribe se salvó de la peste colérica, a pesar de recibir más de 400.000 extranjeros por año, entre los que se incluyen turistas, hombres de negocios y participantes de las docenas de congresos de todo tipo que en esta isla se celebran anualmente.

Una amplísima red de médicos y centros de salud repartidos por todo el país hacen posible el milagro de que no sólo el cólera, sino otras muchas enfermedades que azotan a Latinoamérica sean prácticamente desconocidas en la isla.

Si hay mitos en la Revolución cubana, uno de ellos es el del excelente estado de salud de su población. Los otros dos son la educación y el deporte. En los tres campos, Cuba alcanza índices comparables a los de los países más desarrollados del globo.

Es un mérito de la Revolución que los observadores más imparciales reconocen y que sólo los más feroces anticastristas de Miami discuten.

Para éstos últimos, Cuba ya era un país con unos buenos índices de salud antes de la llegada de Castro al poder. Es cierto que esos índices estaban por encima de muchos de los países latinoamericanos. Pero lo que hizo la Revolución fue elevarlos al nivel de las primeras potencias mundiales. Negarlo es negar la existencia del día y la noche.

Robert McNamara, secretario de Defensa de los Estados Unidos con el presidente John Kennedy, dijo el 12 de enero de 1992 en La Habana, ante Fidel Castro y otras destacadas personalidades norteamericanas, soviéticas y cubanas que celebraban un encuentro para aportar luz sobre la crisis de los misiles de octubre del 62:

—Aplaudo lo que Cuba ha hecho en materia de educación y salud.

¿Qué es lo que hizo realmente Cuba por la salud de sus ciudadanos?

Tras el triunfo de la Revolución, prácticamente la mitad de los 6.286 médicos existentes en la isla abandonaron Cuba. El Gobierno revolucionario se había incautado de todas las clínicas privadas y había socializado la medicina. Unos 3.000 galenos decidieron emigrar, la mayoría a los Estados Unidos, donde la medicina privada proporciona pingües ingresos.

Aunque, como recordaba Castro al periodista italiano Gianni Miná, el Gobierno revolucionario nunca prohibió la práctica de la medicina privada, todos los médicos que se graduaron a partir de 1959 hicieron un doble juramento: el de Hipócrates, considerado mundialmente como el padre de la medicina, y el de renunciar a la práctica de la medicina privada.

En pleno fervor revolucionario, ninguno de los jóvenes doctores se negó a ese doble juramento. Poco a poco, la medicina privada se fue extinguiendo de Cuba, aunque en 1986 aún quedaban, según el propio Fidel, medio centenar de galenos que trabajaban por cuenta propia.

Los Estados Unidos alentaron en los primeros meses de la Revolución a los profesionales y especialmente a los médicos a dejar solo a Castro y éste prometió vengarse: si en 1959 contaba con unos 3.000 doctores para una población de unos 6.500.000 habitantes, en 1992 la isla disponía de 42.634 médicos para una población de 10.700.000 habitantes.

Se pasó en treinta y tres años de un médico por cada 2.166 habitantes a un médico por cada 274. Casi diez veces más. Un total de 300.000 cubanos trabajan para una red sanitaria que abarca 15.141 médicos de familia, 421 policlínicos y 267 hospitales. (En Cuba hay 169 municipios) (2).

El ministro de Salud Pública, Julio Teja, afirmaba en marzo de 1992 que al término del curso escolar de ese año el número de médicos se elevaría a 48.000.

Antes del triunfo revolucionario en la isla había una sola Facultad de Medicina, donde se graduaban anualmente unos 300 estudiantes. En la de enfermeras se licenciaban una media de 80 por año. Hoy hay 70.000 enfermeras, además de otros 50.000 técnicos y auxiliares.

En 1992, Cuba contaba con 22 Facultades de Medicina y cuatro de Estomatología. Un total de 7.515 dentistas se han graduado en éstas últimas (un dentista por cada 524 habitantes). Existen 57 Institutos Politécnicos de la Salud, de los que 23 se dedican a la enfermería.

Los índices más importantes que miden el nivel medio de salud de un pueblo son el de mortalidad infantil y la esperanza de vida al nacer.

En julio de 1992, la revista *Cuba Internacional* realizó una edición especial con motivo de la II Cumbre Iberoamericana de Jefes de Estado celebrada en Madrid en la que aparecían las últimas cifras oficiales: la tasa de mortalidad infantil se situaba en un 10,7 por 1.000 y la esperanza de vida en 75,2 años.

El adelanto dado por Cuba en la reducción de los índices de mortalidad infantil es realmente espectacular. Antes de la Revolución, este índice se situaba entre el 60 y el 70 por 1.000, según Fidel Castro, aunque los datos estadísticos de aquella época no son muy precisos, reconoce el comandante cubano.

—No hay estadísticas realmente porque muchos casos no se registraban, sobre todo los que nacían en el campo —dice Fidel (3).

Es curioso, sin embargo, que un estudioso del hecho cubano, radicalmente anticastrista, como el profesor Jaime Suchlicki, ofrezca en su *Historical Dictionary of Cuba* un dato mucho más alto y espeluznante: el promedio de infantes muertos antes del primer año de vida entre los años 1950 a 1955 era de 125 por cada 1.000 nacidos.

El propio profesor Suchlicki da el dato de que la esperanza de vida al nacer era de cincuenta años. También que entre las principales enfermedades transmisibles se encontraban la sífilis (62 casos por cada 100.000 habitantes) o la tuberculosis (31 casos por 100.000). "Las infecciones parasitarias eran endémicas en la población rural, adulta y joven y la anemia y los trastornos gastrointestinales eran comunes" (4).

Hoy, las tasas de mortalidad cubana son comparables a las de países como Estados Unidos, España, Israel, Austria, Bélgica o Italia, según datos del Fondo de las Naciones Unidas para la Infancia (UNICEF) y están muy por encima de sus vecinos latinoamericanos, en donde todavía hay índices por arriba del 100 por 1.000, como los casos extremos de Haití o Bolivia. Otros países más desarrollados del área mantienen índices superiores al doble del cubano, como México con 25,1, Colombia con 21,5 y Venezuela con 23,7.

A Fidel Castro le gusta señalar que el índice de mortandad infantil es tres veces mayor en los barrios negros de la capital de Estados Unidos, Washington D. C., que en la propia Cuba.

En el informe al I Congreso del Partido Comunista de Cuba (PCC), celebrado en 1975, Fidel Castro abordó este tema:

—Antes de la Revolución, el estado sanitario del país se podía calificar de pésimo. El presupuesto de salud pública era ridículo. Para ingresar en un hospital hacía falta recomendación política. Los médicos estaban concentrados en la capital, donde con un 22 por 100 de la población radicaba el 61 por 100 de las camas existentes. No existía en absoluto la medicina rural. Miles de personas, especialmente niños, morían todos los años por enfermedades evitables. Los servicios médicos constituían un negocio más, a los que no tenían acceso los sectores humildes del pueblo o los recibían en las peores condiciones (5).

El presupuesto destinado a la salud pasó de 22,7 millones de pesos en 1959 a 1.000 millones en 1990, informaba el mes de agosto de 1992 la oficial Agencia de Información Nacional (AIN), lo que representa un 12 por 100 del presupuesto nacional.

Al año siguiente del triunfo de la Revolución, se creó el Servicio Médico Rural. Los jóvenes doctores eran enviados a los rincones más remotos de la isla, en donde permanecían durante dos años cumpliendo el Servicio Social, sustituto del Servicio Militar obligatorio.

Ese fue el antecedente del llamado "médico de la familia".

Visité algunos de estos médicos tanto en el interior de la isla como en la capital, La Habana. En los pequeños poblados disponen de una sencilla vivienda que al tiempo es lugar de consulta. En los poblados de la sierra recorren a caballo los pacientes diseminados en pequeñas agrupaciones y asentamientos urbanos. Sus medios materiales no son muchos, pero, en algunos casos ayudados por viejos curanderos, comienzan a utilizar la medicina verde para aliviar dolencias menores, como dolores de tripa o cabeza.

En la ciudad de La Habana he visto cómo por cualquier malestar, por pequeño que sea, el médico atiende a los vecinos, se desplaza a su casa y, si puede, les proporciona algún medicamento.   .

La existencia del médico de familia, las masivas campañas de vacunación, el seguimiento paso a paso de las embarazadas, el cuidado de los ancianos, son algunos de los elementos que han hecho posible el milagro de la salud en Cuba.

Un dato: en 1991, de los 173.000 nacimientos que hubo en Cuba, el 99,8 por 100 tuvo lugar en algún centro hospitalario o clínica de salud (6).

Cuando llega el tiempo de las vacunas, cientos de miles de cubanos se movilizan: desde las mujeres integradas en la Federación de Mujeres de Cuba (FMC) a los miembros de los Comités de Defensa de la Revolución (CDR). Prácticamente cada esquina cubana se convierte en una clínica ambulante donde los niños reciben sus vacunas.

La FMC que dirige Vilma Espín desde su fundación en 1960 organizó en los primeros meses de la Revolución las llamadas Brigadas Sanitarias, que tuvieron un destacado papel en la invasión de Playa Girón. En 1962 un total de 11.000 mujeres formaban parte de estas Brigadas y veinte años después, en 1983, eran todo un ejército: 53.286 brigadistas que habían realizado más de 600.000 visitas sanitarias (7).

Es así como Cuba ha conseguido, por ejemplo, erradicar totalmente una de las seis enfermedades más fácilmente transmisibles de acuerdo con la OMS: la polio.

Todas las personas menores de cuarenta y cinco años fueron vacunadas en Cuba contra la poliomelitis cuando eran niños. En treinta años, los servicios sanitarios de la isla administraron 57.887.760 de vacunas, anunciaba *Granma* en el mes de febrero de 1992.

De igual forma se ha logrado erradicar totalmente la difteria y se producen pocos casos de tétanos, tosferina, tuberculosis o sarampión.

La cirugía cubana está bastante desarrollada y son comunes en la isla los transplantes de riñón y de córnea. Se practican otros más delicados como de corazón, médula ósea, hígado, páncreas e incluso pulmón.

La cirugía cardiovascular infantil tiene un alto nivel. Gracias a ella, los fallecimientos por malformaciones congénitas disminuyeron drásticamente.

Sin embargo, hay un problema no resuelto y que ha sido denunciado en numerosas ocasiones por las autoridades cubanas: la maternidad precoz (ver capítulo "El amor").

Cada vez con mayor frecuencia jóvenes que no han pasado la pubertad quedan embarazadas. Sus frágiles cuerpos aún no están maduros para el alumbramiento y tanto la madre como el bebé corren serios riesgos.

En un país caribeño como Cuba, no son extraños los embarazos prematuros. Los jóvenes cubanos se inician pronto en las relaciones sexuales. Los cambios de pareja son frecuentes. A pesar de todo, el SIDA, el mayor peligro de la promiscuidad, está bastante controlado. Para algunos, demasiado controlado, ya que se tiene a los pacientes en clínicas especiales, llamadas por el pueblo sidatorios, en condiciones semicarcelarias.

Los resultados del aislamiento de los enfermos de SIDA son elocuentes: hasta el 5 de mayo de 1992 los datos oficiales del Gobierno cubano revelaban que sólo había 772 cubanos seropositivos. Hasta esa fecha habían fallecido 67 personas.

Que la salud en Cuba está garantizada es una realidad palpable. No hay que abrumar con más cifras. Pero, ¿es todo tan de color rosa?

Por supuesto que no.

En mis frecuentes viajes a Cuba he tenido la oportunidad de conocer algunos centros hospitalarios cubanos, algunas veces como paciente. También entablé amistad con algunos médicos.

Uno de ellos trabaja en un importante centro hospitalario de La Habana. Tiene treinta y cuatro años. Antes estuvo destinado en un centro de la Provincia Habana. Por supuesto que no quiere dar su nombre. Le podemos llamar "Juan".

"Juan" piensa que las Facultades de Medicina cubanas se han convertido en fábricas que dan títulos a una media de 4.000 por año.

En la década de los setenta, Cuba "exportó" médicos. Primero con el Destacamento Carlos J. Finlay, nombre de un célebre doctor cubano del pasado siglo, quien descubrió que el mosquito era el transmisor de la fiebre amarilla. Después, doctores cubanos fueron enviados a diversos países africanos y asiáticos, como Angola, Etiopía, Argelia, Irak o Yemen. Más tarde, en la década de los ochenta, Nicaragua sería el punto de destino de los "médicos y maestros internacionalistas".

Hoy el internacionalismo se practica más atrayendo enfermos que exportando médicos. Además del llamado "turismo de salud", programas que combinan la visita turística a la isla con la consulta médica, Cuba ha desarrollado una valiosísima labor con los niños que resultaron heridos tras la explosión de la planta nuclear de Chernobyl, Ucrania, en abril de 1986.

Cuba ofreció sus servicios médicos especializados a las autoridades soviéticas de entonces y en dos años de programa por la isla pasaron 9.000 niños y algo más de 1.000 adultos que fueron tratados de diversas afecciones, como la leucemia, distintos tipos de cáncer, enfermedades cardíacas y de riñón, y trastornos digestivos y endocrinos.

Para "Juan", una vez acabado ese internacionalismo, con las guerras africanas terminadas, y los sandinistas derrotados en las urnas, Cuba tiene un fabuloso excedente de médicos. ¿Cómo utilizarlos? Colocando un médico de familia en cada rincón de la isla: escuelas, círculos infantiles, centrales azucareras, construcción, fábricas, terminales de guaguas...

Para este informante, la poca experiencia de los médicos de familia hace que éstos eludan cualquier problema más o menos serio que se les plantea en su consulta:

—El médico de familia se ha convertido en un policía de tránsito. Remite sus casos, por falta de experiencia, al especialista. Es como un semáforo.

Uno de los graves problemas con los que se enfrentan estos jóvenes médicos y en general todo el sistema cubano de salud es la cada vez más agobiante falta de medicamentos.

El 23 de febrero de 1991 me encontraba en La Habana aquejado de una fuerte gripe. Acudí a mi amigo "Juan". Me recetó tetraciclina y un expectorante.

—Yo te acompaño a la farmacia, pues no sé si habrá lo que necesitas.

Se echó el talonario al bolsillo y salimos a la calle. Recorrimos tres farmacias céntricas, del barrio del Vedado, uno de los barrios de la antigua burguesía cubana, en donde se encuentran los principales hoteles de La Habana.

Me tuve que conformar con unas sulfamidas y té caliente con limón. No pudimos encontrar otra cosa.

Desde entonces decidí prescindir de los servicios de mi buen amigo "Juan" y acudía, cuando tenía algún problema, a la Clínica Cira García, dedicada exclusivamente a extranjeros que pagan en dólares. Aunque también ahí escasean algunos medicamentos.

Un par de meses más tarde, en abril, el Ministerio de Salud Pública dictó órdenes estrictas para la adquisición de medicamentos. Estos sólo se podrían comprar mediante recetas y éstas estarían debidamente "foliadas, acuñadas y tener la firma registrada de médicos o estomatólogos" (8).

Como en tantos países, los ancianos habían adquirido el vicio de automedicarse, sobre todo cuando las medicinas se las dan gratis. Cuba contaba en agosto de 1992 con 1.172.000 jubilados. La jubilación puede solicitarse a partir de los sesenta años en el caso de los hombres y de los cincuenta y cinco en las mujeres, siempre que hayan trabajado durante veinticinco años.

Cuba, por su clima, que a los turistas les parece maravilloso, es un país donde abundan los asmáticos debido a la constante humedad. Se supone que un 10 por 100 de la población padece de este mal en mayor o menor intensidad. Cada vez es más difícil encontrar una medicina adecuada para ellos.

Lo mismo sucede con los diabéticos y su casi imprescindible insulina. Otros productos muy utilizados por los médicos y escasos son los diuréticos, los expectorantes, y no digamos la penicilina. Por una aspirina, un cubano es capaz de invitarte a una cena, si tiene comida. Escasea asimismo el algodón, que es usado también por la mujer cubana como sustituto de pañitos higiénicos o compresas.

Equipos médicos sofisticados, comprados en divisas, se pasan en ocasiones meses en espera de piezas de repuesto. Muchas veces se estropean sencillamente porque los aparatos no son eternos, pero en opinión de mi confidente doctor, también por la desidia de los galenos y personal auxiliar que maltratan los aparatos puestos a su disposición. La humedad también es mala compañía de estos sofisticados artefactos.

La falta de materiales como placas para los Rayos X, papel para los electrocardiogramas y electroencefalogramas, o reactivos para los análisis clínicos es otra de las penalidades que han de sufrir médicos y pacientes.

Carlos Franqui, castrista de la primera época y luego feroz opositor a Fidel, escribe en su libro *Vida, aventuras y desastres de un hombre llamado Castro* que las mejores medicinas y los mejores hospitales están a disposición de los dirigentes del país, pero no del común de los cubanos.

Franqui asegura que no sólo Fidel, sino todos los dirigentes utilizan medicinas importadas de Europa y Estados Unidos y envían a los "funcionarios grandes o pequeños a curarse, no a Moscú, a Occidente". Según el opositor a Castro, el comandante suele repetir jocosamente esta frase:

—Denme medicinas buenas de los países malos, pero no me den medicinas malas de los países buenos.

Si faltan medicinas —y de eso buena culpa tienen los norteamericanos, que las incluyeron en el bloqueo o embargo comercial en 1964— también falta actualización de los galenos cubanos, me informa "Juan".

Las revistas científicas, y en general la literatura médica, llegan cada día con mayor retraso y cada vez son más escasas. El Período Especial no perdona. Los médicos se quejan de que no pueden informarse debidamente de los adelantos en su especialidad, salvo un grupo de privilegiados que se encuentran en los hospitales dedicados al turista o a los que acude la élite del país, desde deportistas a altos funcionarios.

Existe un Centro Nacional de Información Científica, en el barrio del Vedado. Pero según el doctor "Juan", las actualizaciones más recientes de su especialidad databan de 1988. ¡Tres años de retraso!

En el mismo barrio del Vedado entrevisté en mayo de 1991 a Fernando Vecino Alegret, un cubano alto, con indudables rasgos españoles, quien al preguntarle por su edad me dijo:

—Tengo cincuenta y dos años, la misma edad que el Rey de España.

Vecino Alegret lleva quince años al frente del Ministerio de Educación Superior. Y sabe mucho de lo que les falta a los estudiantes cubanos.

El Período Especial no ha respetado a nadie en Cuba. Y si en los juzgados falta papel para redactar las sentencias, ya se pueden hacer una idea del papel que se necesita para imprimir los libros de texto para tres millones de niños y jóvenes cubanos que estudian en colegios y centros superiores.

Para el curso 91-92, el ministro Fernando Vecino calculaba que Cuba registraría un déficit de un 30 por 100 de papel para libros. Pero no sabía en ese momento el ministro que la situación iba a empeorar mucho más en los siguientes meses.

Además de libros, los estudiantes universitarios sufrirían en el nuevo curso escasez de otras muchas cosas: productos químicos para realizar pruebas de laboratorio, o recipientes de cristal; cuadernos y bolígrafos. En general, todo el material escolar que tradicionalmente era adquirido en los antiguos países socialistas europeos.

Peor sería la orden dada por Fidel: no más escuelas. Realmente el país tenía suficientes aulas en todos los niveles de enseñanza, pero aún se quería seguir creciendo. Fueron canceladas las nuevas construcciones de centros educacionales, al igual que los nuevos hospitales. Se continuaron las obras que estaban a medio camino, como el Instituto Superior Politécnico de La Habana y dos Institutos Superiores de Ciencias Agropecuarias, uno en La Habana y otro en Bayamo.

El ministro Vecino Alegret me decía con pena que 26 nuevos proyectos habían sido archivados.

Pero no debería quejarse. Muchos países de América Latina querrían tener el nivel educacional del que goza Cuba.

Porque si la salud fue un objetivo prioritario de Fidel, la educación no le iba a ir a la zaga. Sería con el tiempo otro de los mitos de la Revolución.

Cuba había sufrido como todas las colonias que en el mundo han sido el abandono de la metrópoli en el tema educacional. Los primeros españoles que llegaron al continente americano, la mayoría de ellos soldados en busca de fortuna, dedicaban la mayor parte de su tiempo a la conquista de nuevos territorios, a la búsqueda de oro y a masacrar a los indígenas. Si les sobraba algo de tiempo, ya lo emplearían en divertirse con las nativas. Por si fuera poco, muchos de esos soldados eran tan iletrados como los propios indígenas.

Cuba no fue una excepción. Los indios taínos y siboneyes fueron, o eliminados en la conquista o esclavizados. El mismo camino siguieron las docenas de miles de negros transportados como animales desde Africa.

Cuando aquellos primeros soldados dieron paso a los colonos y surgieron los primeros terratenientes, éstos nada hicieron por ilustrar a sus esclavos y empleados. Las primeras escuelas que aparecieron en la isla eran exclusivamente para los españoles o los criollos, descendientes directos de los colonizadores. Todas estaban dirigidas por la Iglesia Católica.

Las primeras clases formales en la isla se iniciaron con la Sociedad Económica de Amigos del País, fundada en 1792. Pero los alumnos seguían siendo pocos y de los estratos más altos.

Hasta 1841 la metrópoli no reconoció la obligación de ofrecer una educación mínima a los niños y jóvenes cubanos, aunque éstos fueran pobres y de color. A partir de ese año, comenzaron a surgir escuelas en la isla, pero se practicaba una doble segregación: racial y sexual.

El ya citado profesor cubano americano Jaime Suchlicki anota que en 1860 había 285 escuelas, de las que tan sólo dos eran para alumnos negros. Al final del siglo, cuando Cuba alcanzó su independencia, había unos 80.000 estudiantes en la isla, lo que representaba tan sólo un 16 por 100 de la población en edad escolar (9).

La Constitución de 1901, hecha en muchos aspectos a imagen y semejanza de la nueva metrópoli, los Estados Unidos, reconoce a los cubanos el derecho de una educación libre y obligatoria. Se registra un auge en la enseñanza. Aumenta el número de las escuelas y de los niños escolarizados. Pero la mayoría de los centros se instalan en las ciudades. El campo, donde vive la mitad de la población, sigue tan ignorante como en el pasado siglo.

La única universidad con la que contaba Cuba hasta mediados del presente siglo estaba situada en La Habana. Había sido fundada por los españoles en 1728. Las familias más adineradas solían, sin embargo, enviar a sus hijos a las universidades norteamericanas.

Es en 1947 cuando se crea la segunda universidad, en la capital de la provincia de Oriente, Santiago de Cuba. Una tercera se fundará al año siguiente en Santa Clara, en el centro de la isla.

· Para ese año, la Federación de Estudiantes Universitarios (FEU) se había convertido en una organización poderosa e influyente. Creada en 1922, la FEU es la organización estudiantil más antigua de las que existen en Cuba.

La FEU se distinguió siempre, como la mayoría de los sindicatos y organizaciones estudiantiles de todo el mundo, por su inconformismo frente al poder.

En los últimos años de la presidencia de Gerardo Machado, que había sido elegido en 1925, pero cuyo régimen degeneró en una sangrienta dictadura, los estudiantes le hicieron frente. Machado tomó la drástica decisión de cerrar la Universidad nada menos que durante tres años, de 1930 a 1933, cuando al fin es obligado a abandonar el país.

El ex sargento Fulgencio Batista creará en su primera época al frente del país, en los años cuarenta, unas escuelas cívico-militares en las zonas rurales, dirigidas por sargentos del Ejército que actuaban como profesores. Curiosamente, en una de estas escuelas estudia en los años cuarenta un jovencito llamado Raúl Castro Ruz. Aprendería tanto, que junto con su hermano Fidel terminaría derrocando al creador de las escuelas.

La situación escolar iba a cambiar dramáticamente con la llegada de Castro al poder.

El último censo realizado antes de la Revolución fue el de 1953. De acuerdo con él, la población de Cuba en ese año ascendía a 4.376.529 personas. De ellas, algo más de un millón, 1.032.849, eran analfabetas, lo que representaba un 23,6 por 100.

A los dos años del triunfo revolucionario, en 1961, Castro decidió movilizar a docenas de miles de personas para acabar con el analfabetismo. Como si se tratara de erradicar una enfermedad infecciosa, Fidel declaró 1961 como "El año de la alfabetización".

Un total de 303.192 personas, de las que algo más de un 10 por 100 (34.772) eran maestros, se desparramaron por toda la geografía cubana. Trabajadores de distintas profesiones, estudiantes, obreros, amas de casa e incluso adolescentes de diez y doce años, se sumaron al ejército alfabetizador.

No quedó un rincón en la isla en el que no hubiera alguien enseñando a leer a alguien. Resultado: el nuevo censo realizado en 1961 abarcaba una población total de 6.933.253 personas, de las que 979.207 eran analfabetas el 1 de enero.

En doce meses, 707.212 cubanos aprendieron a leer. El resto, 271.995 (3,9 por 100) de la población siguieron siendo analfabetos.

Algunos se habían negado a coger un libro. Otros se consideraban demasiado viejos. Algunos eran enfermos mentales. Había también un pequeño porcentaje de emigrantes haitianos que apenas si sabían hablar español (10).

Un eufórico Fidel dijo al finalizar la campaña, con un indudable éxito:

—Cuatro siglos y medio de ignorancia han sido demolidos.

El esfuerzo educador en Cuba provocó un cambio radical en las estadísticas: si en 1958 había 7.679 escuelas, en 1989 eran casi el doble: 13.400. De un total de 811.345 estudiantes se pasó a casi tres millones en 1992. El 23,6 por 100 de analfabetos existentes en 1953 se quedó en un magro 1,9 en 1989 (11).

Ante un auditorio bullicioso, Fidel Castro diría el 9 de febrero de 1990 que la isla tenía en ese momento 12 veces más maestros que en 1958. En efecto, de los 22.798 educadores que existían antes de la Revolución se pasó a 300.000. En esta cifra están incluidos los profesores de Educación Física, "que son muchos", como dirá Fidel. El deporte también es educación.

Ese día de febrero se clausuraba en el teatro Carlos Marx de La Habana —*Granma* siempre escribe Karl— el congreso Pedagogía

90, al que habían asistido importantes delegaciones del extranjero.

Fidel se recreará en lo que considera uno de los éxitos más rotundos de su régimen.

—Siempre oí decir antes de la Revolución, y fue una demanda constante, que era necesario que hubiera más maestros que soldados (12).

Cuando cesaron los aplausos de los jóvenes que lo escuchaban, Fidel dirá orgulloso que "tenemos más de dos profesores y maestros por soldado". El líder cubano afirmará que los gastos en educación son los más elevados del presupuesto nacional, prácticamente el doble de lo que se gasta en defensa. En salud se invierte prácticamente lo mismo que en las Fuerzas Armadas.

Los gastos que destinó Cuba a la educación en 1992 ascendieron a 1.800 millones de pesos, de acuerdo con *Granma* (13). Oficialmente, el Gobierno cubano equipara el peso con el dólar.

Tras el triunfo revolucionario y la consiguiente explosión demográfica, Cuba llegó a tener millón y medio de niños en la enseñanza primaria. En 1990 esa cifra se había reducido a casi la mitad, 850.000, que representaba un 40 por 100 del total de alumnos. El índice de natalidad había descendido al aumentar el uso de anticonceptivos. Algo más de un millón de niños, 1.080.000 exactamente, el 48 por 100, cursaban la secundaria.

Cuba dedica especial atención a los jóvenes con algún tipo de deficiencia, mental o física. En 1992 había 512 escuelas que acogían a 63.000 alumnos disminuidos.

Los círculos infantiles se extienden también por la isla, aunque por su alto costo y las dificultades actuales no alcanzan a cubrir las necesidades totales de la población, madres trabajadoras en su totalidad.

Por ello, los círculos son los únicos establecimientos educativos cubanos en los que se cobra una mensualidad, de acuerdo con los ingresos familiares. Nadie paga más de 40 pesos al mes, que es bastante. Y suele tratarse de matrimonios de profesionales, ambos trabajando y percibiendo salarios por encima de los 250 pesos cada uno. Hay muchos padres que sólo pagan 5 pesos al mes.

En la bella Cienfuegos visité uno de los 1.146 círculos infantiles que existen en la isla y que acogen a 147.000 niños.

El nombre del círculo fue lo primero que me llamó la atención: "Semillitas de Septiembre". Había dudado mucho si visitar ése u otro que tenía otro nombre tanto o más sugestivo: "Soldaditos de la Revolución".

Me decidí por el primero. Le pregunté a Teresa Becerra Torres, la directora, por qué ese nombre de "Semillitas de Septiembre". Sencillo, me contestó: en recuerdo de los que se sublevaron en Cienfuegos contra el dictador Batista, el 5 de septiembre de

1957. En Cuba siempre hay una fecha o el nombre de un mártir para bautizar escuelas, hospitales o calles. Eso sí, desde el triunfo revolucionario está prohibido poner el nombre de alguien que esté vivo. Fidel no tiene ni un callejón con su nombre.

Recorrí las instalaciones del "Semillitas". Estaban impecables. Igual que otro círculo que visité en el municipio Playa de La Habana, "Tesoritos del Mar", que dirigía una eficiente mulata llamada Ofelia Morán. Los niños son acogidos en los círculos a partir de los cuarenta y cinco días de su nacimiento hasta que cumplen seis años e ingresan en las escuelas primarias.

Para 180 niños, en el "Semillitas de Septiembre" había un total de 48 trabajadores, entre personal docente, 32 personas, y auxiliar. Casi un educador por cada seis niños.

Allí les enseñarán a andar y, aunque parezca increíble, desde los cuarenta y cinco días tendrán un especialista en música a su disposición. Los bebés, sobre todo a partir de los dieciocho meses, comenzarán a imitar sonidos. No es extraño que Cuba sea una fábrica de excelentes músicos. Desde jovencitos también se les enseña el himno patrio. Lo cantan todas las mañanas, formaditos, mientras una maestra iza la bandera. Desde niños memorizan el verso:

> *"No temáis una muerte gloriosa,*
> *que morir por la Patria es vivir".*

Además del himno nacional, los infantes del "Semillitas" cantan *El Huerto*.

La directora me conduce al primer piso. Entro en el aula de Julia Barceló, una maestra de color, algo gruesa, y simpática. Sus alumnos, jovencitos de cinco años, se levantan de sus pequeñas sillas.

—Saluden al compañero —les dice Julia Barceló.

—¡Hola! —corean.

Sus pantaloncitos y faldas color vino rojo, como lo llaman en Cuba, y sus blusitas blancas están impecables. La guardería se encarga del lavado de ropa. Es el primer año que llevan este uniforme, tan típico y tópico en las fotos cubanas. Así vestirán hasta que terminen el 6º grado. Tendrán entonces doce años. Después pasarán al color mostaza y los chicos usarán pantalón largo.

Julia Barceló les dice:

—¡Niños, a cantar *El Huerto*!

La chiquillería entona graciosamente una canción. Algunos incluso mueven ya cadenciosamente la cadera.

> *Cuanta hortaliza*
> *vemos crecer*
> *en nuestro círculo.*
> *¡Viva Fidel!*

Julia me cuenta que ella misma compuso la canción, que tituló *El Huerto*. A los niños les encanta.

Como les encanta jugar en un huerto de verdad. Desde que son infantes, aprenden a cultivar la tierra. En el círculo habanero "Tesoritos del Mar", la directora Ofelia me mostró el huertecito: los chicos habían sembrado algunas verduras y ellos mismos las cuidaban y regaban.

Recuerdo una frase de Fidel en el congreso de Pedagogía 90:

—La concepción del estudio y del trabajo sí era de antes, y ¡muy importante!, porque era una idea de Marx y Martí, que en ningún país se había llevado a la práctica.

Visité en la agrícola provincia de Ciego de Avila un Instituto Preuniversitario en el Campo, llamados IPUEC, con esa manía que tiene el cubano, y en general el latinoamericano, por simplificar todo en sigla aunque resulten tan horrorosas como ésta: IPUEC. Estaba situado en el asentamiento Ceballos, perteneciente al municipio de Ciego.

En realidad, los alumnos con los que hablo, les llaman Pre en el campo. Elijo a un grupo de chicas que están chapeando unos cítricos. Chapear es limpiar, a golpe de machete guajiro, la planta.

Se toman un descanso y converso con ellas, en presencia de ¡siete profesores! Están un poco cortadas, pero al fin se rompe el hielo cuando me dicen sus nombres. Yo me quedo de piedra: ¡qué nombrecitos se gastan las cubanas, extraídos de los folletones de la tele, de novelas de amor o simplemente inventados!: Idelina, Yaneli, Caridad y Arelis. Todas tienen dieciséis años. Apuntan algunas bellezas ya.

—¿Os gusta este trabajo?

Sonríen. Los profesores miran. Pero no podría decir que dieron respuestas falsas por ello.

—Nos gusta hacerlo y además debemos hacerlo —dice Arelys, cuyo hobby es correr 400 metros lisos.

Yaneli tambien practica atletismo. Tiene una marca de 9,6 en 60 metros.

—Este trabajo me ayuda para superarme en el deporte. Además, tenemos que cumplir la norma.

La norma es palabra muy cubana. Es la "tarea" que se les ha impuesto: la norma de estos días consiste en chapear 84 plantas por cabeza en las tres horas que obligatoriamente pasan en el campo, de 8 a 11 de la mañana.

Le pregunto al director, Lázaro Padrón Pereira, qué sucede con los alumnos que escurren el bulto y no cumplen la norma.

—Se toman medidas —contesta.

Las chicas de exóticos nombres me informan en qué consisten las medidas: te doblan la norma. Lógico.

Cuando terminan el trabajo agrícola, sudados y agotados algunos, se duchan, almuerzan y comienzan las clases. Me sorprenden las horas dedicadas a alguna de las materias. Esta es la lista, similar en todos los Pres:

Con cinco horas semanales: Matemáticas.

Con cuatro horas: Preparación Militar Inicial (PMI) y Computación.

Con tres horas: Física, Química y Biología.

Con dos horas: Literatura española, Inglés, Marxismo y Educación Física.

Aparte están las 18 horas semanales de trabajo en el campo.

Le digo al profesor que me parecen muchas horas de Preparación Militar, situada en el segundo nivel de intensidad, y pocas las destinadas a Literatura española, a la que se le dedica igual tiempo que al Marxismo. O al Inglés.

El director, que es quien imparte precisamente clases de Marxismo, responde que no es para tanto. Que además en el 11º grado, se mezcla ya mucho la enseñanza del Marxismo con el Pensamiento martiano. En el 12º grado, el último antes de ingresar en la universidad, estudian algo más duro y aburrido: Economía marxista.

La conversación se generaliza cuando pregunto si tantas horas de trabajo en el campo son realmente para formar al alumno o porque el país necesita esa mano de obra joven y gratuita —como son gratuitos para los alumnos la enseñanza, la comida, el vestido, los libros, las medicinas e incluso algún dinero de bolsillo que reciben los chavales.

Lázaro Padrón contesta que las dos cosas.

—El trabajo en el campo enseña a los chicos a valorar el trabajo manual, el esfuerzo del campesino, el trabajo que cuesta conseguir los alimentos. Es instructivo, por supuesto. Las relaciones entre los alumnos mejoran mucho en el campo. Y no cabe duda de que son una fuerza productiva importantísima.

En Cuba hay un tipo de centros llamados Escuelas Vocacionales. Allí van los alumnos más distinguidos por su dedicación e inteligencia, 40.000 en 1991. Tienen menos trabajo en el campo que los demás estudiantes: sólo una vez a la semana realizan lo que en Cuba llaman "una actividad productiva". Las Escuelas Vocacionales son muy mimadas por el régimen. Pero alertó Fidel en la clausura de Pedagogía 90:

—No debemos correr el riesgo de que se nos intelectualicen demasiado los jóvenes que están en esas escuelas. Tengo que reconocer que ésa es una preocupación.

El ministro de Educación Superior, Fernando Vecino Alegret, me dirá semanas más tarde que la Revolución trata de educar a sus hijos "con la mentalidad de productor, no sólo de consumidor".

—En el mundo desarrollado, el espíritu consumista va a hacer mucho daño a los jóvenes.

Su hija estaba esos días en el campo, me contó el ministro cuando lo entrevisté, a finales de mayo del 91. Para este dirigente, sin esa cuantiosa fuerza productiva que son los jóvenes cubanos, no se podría haber invertido tanto en educación. En total, me dice Vecino Alegret, hay 300 Pres y casi 200 escuelas secundarias en el campo.

Toda la enseñanza es gratuita en Cuba. Pero a cambio el estudiante presta sus brazos como jornalero unas horas o unos cuantos días al año. El sistema tiene sus detractores. Pero la impresión que me llevé después de visitar el Pre de Ciego, y otro más que había visto en Holguín, aparte de lo que docenas de jóvenes me han contado de sus experiencias campesinas, me hacen pensar que con quince o dieciséis años pasar unos días en el campo arrancando patatas no perjudica a nadie.

El Pre en el campo es la concepción de educación y trabajo por excelencia. Como Ciego de Ávila es una provincia tan agrícola, todos los Pres están en áreas campesinas. Los Pres de las ciudades envían a sus alumnos durante 45 días en las vacaciones del verano a algún campamento agrícola. Nadie se libra de "ir a la agricultura", como dicen popularmente en la isla. Los estudiantes universitarios, a través de la FEU, van voluntariamente: en 1991, de los 300.000 estudiantes, más de 100.000 se anotaron a la agricultura, en lo que llaman las Brigadas Juveniles del Trabajo (BJT).

En Cuba los niños saben de dónde salen los muslos de pollo.

Mientras conducía desde el Pre de Ceballos hacia la capital, Ciego, recordé haber leído que muchos niños de Nueva York no saben que los muslos de pollo provienen de un animal. Piensan que son así, sin más, que los fabrican en algún lugar del país. Como si fuera chicle, pero con sabor a pollo.

Recuerdo otra anécdota, ésta vivida por mí: en Tucson, Arizona, hay uno de los mejores restaurantes de marisco del Oeste norteamericano. ¡En mitad de un desierto! Avionetas particulares llevan al restaurante camarones y langostas. Una vez pedí una langosta. Me sirvieron sólo la cola. Pregunté a la camarera qué hacían con tantas cabezas —el restaurante era enorme, parecía un supermercado— y pensó que le estaba tomando el pelo. ¿Cabezas? Esto no tiene cabezas, señor. Este marisco es así. Decidí no amargarme la cena. Comí y callé.

Regreso con mis amigas Idelina, Yaneli, Caridad y Anelis. Les pregunto cómo se entretienen, en qué se divierten. Hacen mucho deporte, responden. Me dicen que una vez por semana, los sábados, les ponen música y bailan.

Con 516 alumnos, de los que el 60 por 100 son chicas, las noches de los sábados deben ser animadas. Sonríen. Todas tienen o han tenido novio. El director interviene raudo: no se ha dado, que él recuerde, ningún caso de embarazo.

Si son buenos alumnos, igual se ganan una cena en un restaurante de la capital, Ciego de Avila. Forma parte de la emulación socialista en la escuela. Cada mes se elige al mejor alumno, al mejor dormitorio, la mejor brigada de trabajo y el mejor grupo docente. Al último mejor alumno le dieron un juego de pluma y bolígrafo y un *cake*, o sea, un pastel. Otras veces los premian llevándolos a ver un partido de béisbol, el deporte nacional.

Yo me premié ese domingo aburrido que pasé en Ciego con un partido de béisbol. Salí aún más aburrido.

Antes de abandonar el Pre de Ceballos, pregunté quién había sido el personaje que daba nombre a la escuela: Manuel Suárez Delgado. Me dijeron que fue un canario que salió de la isla en el pasado siglo y se unió en Cuba a las tropas mambises que luchaban por la independencia. No se desperdicia la historia en Cuba.

A la puerta de absolutamente todas las escuelas de Cuba, al menos todas las que yo vi, y fueron muchas en 5.000 kilómetros, hay un busto de José Martí. Al lado, la bandera cubana. Y en casi todas un letrero: "Somos felices aquí".

Es una señal inconfundible cuando uno viaja por la isla: bandera y busto, ¡escuela! Precaución. Niños que cruzan la calzada.

Si algo realmente emociona en esta isla, de tantas carencias por otro lado, es ver cómo las escuelas brotan de absolutamente todos los rincones del país.

Para llegar a Punta Maisí, el extremo más oriental de la isla, desde donde se divisa en los días sin bruma la silueta de Haití e incluso pueden verse barcazas llevando a desesperados haitianos en busca de El Dorado clandestino norteamericano, tuve que atravesar dos serranías, las Alturas de Baracoa y la Sierra del Magüey.

En los 42 kilómetros que recorrí de Baracoa a Maisí, entre acantilados y frondosos bosques, conté siete escuelas al borde de la carretera. Una cada seis kilómetros. Niños de diversas edades enfundados en sus uniformes vino rojo o color mostaza, según la edad, se cruzaban en mi camino por docenas. Prácticamente el ciento por ciento de los niños comprendidos entre los seis y los quince años están escolarizados.

Los datos exactos facilitados por la revista *Cuba Internacional* en julio de 1992 son: la población de cinco años está escolarizada en un 94,1 por 100; los chicos de la educación básica, entre los seis y los catorce años, están escolarizados en un 98 por 100; el 99 por 100 de los graduados de 6º grado (once-doce años) continúan estudiando; el 98,7 de los que finalizan el 9º grado (catorce-quince años) pasan también a cursos superiores (14).

Poco antes de llegar a La Máquina, cabecera de un municipio con 28.000 habitantes repartidos en 64 asentamientos, me cruzo con "una divorciada" que sale del pueblo hacia Baracoa.

No es una señora. La divorciada es la combinación de un camión de doble tracción soviético que aquí llaman Gas-66 al que se le ha adosado la carrocería de un autobús. Sólo un motor poderoso podría arrastrar por estos empinados cerros, con algunos tramos sin asfaltar, una guagua llena de pasajeros. Como la cabina del camión y la carrocería van separados, algún cubano zumbón de la serranía bautizó a ese extraño artefacto como la divorciada.

En las oficinas del Partido del municipio me entrevisto con Eduardo Pérez, miembro del Buró municipal, encargado del departamento ideológico. Me ofrece estos datos: en La Máquina hay 88 escuelas y un total de 3.492 estudiantes de primaria y 1.744 de secundaria. Unos 60 alumnos por escuela. Ademas, el municipio cuenta con un Pre, en el que estudian 366 alumnos.

Como todos los cubanos cuando hablan de estos temas, los datos fluyen imparables: existen 43 consultorios médicos y 49 farmacias. Antes del triunfo de la Revolución no había acceso al municipio por carretera. Los 64 asentamientos están electrificados por plantas propias o mediante la red nacional.

Atravesando unos kilómetros más, ya por un camino polvoriento lleno de baches, llego hasta el punto donde Cuba se acaba por este lado oriental: Punta Maisí. Subo 165 escalones del solitario faro que domina la zona y observo el maravilloso paisaje.

Con sus 121,9 pies de altura (37,15 metros), el faro de Maisí se mantiene impecable desde que en 1857 fue construido por los españoles.

René Uranga, un tipo bonachón y entrado inexplicablemente en carnes, lleva veintinueve de sus sesenta y cinco años viviendo en este lugar solitario y hermoso. Dice que no se aburre. Desde lo alto del faro, entre mechas, aceites y luz de queroseno, los días más claros divisa la isla de Haití y en ocasiones algunas barcazas con haitianos desesperados que huyen de su atribulado país.

El torrero Uranga me saca de un error:

—Donde estamos ahorita no es Punta Maisí. Esto es Punta de la Hembra. Mire allí, a unos dos kilómetros, eso es Punta Maisí.

Bajo del faro y Uranga me invita a tomar agua fresca, que buena falta hace. Entro en su despacho, lleno de fotos y recuerdos marinos. Hay también una librería con las obras completas de Lenin.

—¿Ha leído los libros de Lenin?

El torrero me mira y sonríe:

—Algo —contesta.

Ese mismo año de 1991 había entrevistado a una avispada y menuda cubana que se llama Carmen Rosa Báez y que es, con sus veintitrés años, presidenta de la FEU, que agrupa a 110.000 universitarios. Le pregunto por el nivel ideológico de los estudiantes.

—Todos los que ingresan en la FEU son revolucionarios. Nosotros decimos que nuestras universidades son para nuestros revolucionarios.

El acceso a la universidad es común al de muchos otros países: depende de la nota media durante el bachillerato y de un examen de ingreso.

—Por lo general, el estudiante vanguardia, el revolucionario, es el que tiene mejor expediente —dice muy convencida Carmen Rosa, en su despacho de La Habana.

Muy cerca de donde está la sede de la FEU se encuentra el Ministerio de Educación Superior. Me dice el ministro Vecino Alegret:

—El estudiante cubano quiere a su Revolución, aprueba el sistema unipartidista y defiende el liderazgo de Fidel. Pero —añade— son unos estudiantes "rebeldes". En el sentido de que no aceptan cualquier orden, sino que están acostumbrados a que se dialogue con ellos.

—¿De qué se quejan más?

—De muchas cosas. Fundamentalmente del abastecimiento alimentario en "la beca" (el lugar donde residen) y del transporte.

Pero sobre todo, y eso me lo dijeron muchos estudiantes con los que conversé a lo largo y ancho de la isla, se quejan de la masificación de algunas carreras y la falta de empleo cuando terminan sus estudios. Especialmente, los que se han dedicado a las especialidades menos "productivas", como las Letras, la Sociología, el Arte. Lo que el país necesita hoy son técnicos agrícolas.

Una queja tambien bastante generalizada es el Servicio Social. Obligatoriamente, a no ser que hayan cumplido el Servicio Militar, al finalizar los estudios deberán dedicar dos años al Servicio Social. Los destinos se conceden según el escalafón final, que se realiza no sólo con las notas medias de la carrera, sino también con otros baremos más ideológicos, como su actitud revolucionaria, su presencia en actividades políticas, etc.

Estudiantes de La Habana son destinados a la otra punta de la isla. Eso, en un país donde las dificultades económicas y la escasez de carburantes es tan angustiosa, es como una condena o extrañamiento.

En total, en Cuba había en 1992 unos 300.000 estudiantes universitarios, casi el 12 por 100 de los tres millones de cubanos que realizan algún tipo de estudios. Muchos siguen cursos de postgrado o se reciclan. Sobre todo los que no intervienen en los procesos productivos más necesarios en estos momentos.

Por ejemplo, los maestros.

—Tenemos una reserva de 18.000 maestros —gritaba eufórico Fidel en el Carlos Marx aquel 9 de febrero del 90.

Cualquier observador que no conociera la isla se quedaría pasmado: Fidel habla de reserva de maestros como si se tratase de tomates o de soldados.

Pero era así. Esos 18.000 maestros formaban parte de un nuevo experimento educacional cubano: con casi 300.000 profesores en la isla, bien podía concederse un año sabático a 18.000. Recibirían su sueldo completo. A cambio deberían volver a clase, pero como alumnos. Los maestros comenzaron a reciclarse y muchos de ellos, que habían accedido a la enseñanza en los primeros años de la Revolución, con escasa preparación teórica, cursaban estudios superiores en su año sabático.

Muchos escogerán luego el camino del internacionalismo. Aunque menos que en la década de los ochenta, pero aún hay países que solicitan maestros a Cuba. En febrero de 1990, Fidel dio la cifra de mil maestros cubanos trabajando en docenas de países del Tercer Mundo. Y anunció que seguirían saliendo.

Cuba también exporta médicos. En 1992, según Castro, había mil médicos en distintos países del Tercer Mundo. Algunos de los países más desarrollados de la América hispana, como Colombia, han utilizado a médicos cubanos en diversas campañas de vacunación.

Otros, como Venezuela, contratan entrenadores.

Porque el tercer mito de la Revolución cubana es el deporte.

Uno de los días más felices de Fidel Castro, en un año lleno de amarguras y dificultades, fue el 10 de agosto de 1992. Al anochecer, el lugar reservado para las grandes ocasiones, para las grandes recepciones ofrecidas a los jefes de estado y otros ilustres visitantes, el Palacio de la Revolución, se llenó de unos muy singulares personajes. A ninguno de ellos le sobraba un gramo de grasa. Todos rebosaban salud. La flor y nata del deporte cubano. El quinto mejor equipo olímpico del mundo.

Fidel dirigió, radiante, unas palabras a los representantes de Cuba en los XXV Juegos Olímpicos de Barcelona, España. No estaban los 192 atletas que componían la delegación, pues algunos estaban compitiendo en torneos postolímpicos.

El sorprendente quinto puesto alcanzado por Cuba en el medallero olímpico, por encima de todos los países de la Comunidad Económica Europea, con la excepción de Alemania, que había sumado fuerzas en la reunificación, era justificado por Castro de manera muy sencilla: el deporte es un derecho del pueblo cubano y la causa fundamental de los éxitos de Cuba radica en la masiva participación de sus ciudadanos en actividades deportivas.

Cuba registra hasta tres millones de personas que practican algún deporte de forma regular. En un país de más de diez millones de habitantes, eso significa casi una tercera parte de la población. Castro afirmó ese 10 de agosto que "el 83 por 100 de nuestra delegación (olímpica) proviene de los Juegos Escolares".

El deporte se practica en la escuela prácticamente desde el primer día en que los niños ingresan en el primer grado. Decía Fidel:

—Nuestro país ha dedicado recursos económicos y humanos al

deporte; igual que a la salud y a otras actividades, ha dedicado esos recursos al deporte como parte de la educación del pueblo, como parte de la salud del pueblo, como parte del bienestar del pueblo (15).

Ese esfuerzo de un pequeño país se ve recompensado en la alta competición. Los números de Barcelona 92 son elocuentes por sí mismos: Cuba conquistó 14 medallas de oro, 6 de plata y 11 de bronce. Tanto por el número de medallas de oro como por el número total de medallas, los cubanos ocuparon el quinto lugar en el ranking de preseas obtenidas en las Olimpiadas más concurridas de toda la historia de la humanidad, con una participación de 172 países.

Como le gusta repetir a Fidel, y repitió esa noche del 10 de agosto ante sus atletas recién llegados de España, "en medallas de oro per cápita somos los primeros del mundo".

Cierto. Al dividir las medallas tanto de oro como las totales por el número de habitantes se establece una clasificación que da una idea muy aproximada de la potencialidad deportiva de un país.

Así, Cuba sería el país número uno del mundo en trofeos olímpicos deportivos tras los Juegos de Barcelona. Logró una medalla de oro por cada 764.285 habitantes. Muy por encima del segundo, Alemania, que por vez primera competía con sus dos equipos, el del Este y el del Oeste: la media alemana estaba en una medalla de oro por cada 2.357.934 habitantes. Mucho más alejado, se situaban el equipo de la ex Unión Soviética, con algo menos de seis millones de personas por medalla de oro y los Estados Unidos, con casi siete millones de habitantes por medalla (ver anexo).

El propio Fidel, que había pedido al despedir a su equipo que intentaran quedar entre los diez primeros, parecía no creérselo aún:

—Esto es algo verdaderamente asombroso; no algo inesperado para nuestro pueblo, pero sí asombroso para el mundo.

¿Cómo se logró ese milagro, si es que era un milagro?

Cuba se había iniciado en los Juegos Olímpicos en 1900, en la Olimpiada de París. Allí conquistó su primera medalla de oro, que colgó del pecho de Ramón Fonst, un excelente esgrimista que repetiría el triunfo con otras cinco medallas en la siguiente Olimpiada, la de San Luis (EE UU). Claro que aunque Fonst era cubano, había sido criado en Francia y a los once años ya era campeón de florete en aquel país.

Pasarían décadas sin que Cuba obtuviera más que alguna medalla suelta: una de plata en Londres 48, una de plata en Tokio 64.

No sería hasta 1972, en Múnich, cuando el deporte cubano comenzó a destacar, tímidamente, con tres medallas de oro, una de ellas para el mítico Teófilo Stevenson, el fabuloso boxeador cubano que repetiría triunfo en las dos siguientes olimpiadas. El boxeo cubano comenzaba a amenazar con convertirse en hegemónico. En Barcelona 92, de 51 combates en los que participaron púgiles cubanos sólo perdieron cinco. El resultado no pudo ser más espectacular: siete medallas de oro, dos de plata. Arrasaron.

El resto de los oros se fue a deportes tan varios como la lucha, el judo, el atletismo (salto de altura y lanzamientos), esgrima, voleibol femenino y, cómo no, béisbol.

¿Béisbol? ¿Boxeo?

Efectivamente. La razón: ninguno de esos atletas son profesionales, por tanto pueden seguir compitiendo en Juegos Olímpicos. A pesar de que a unos y a otros se les hacen ofertas millonarias desde los Estados Unidos para que abandonen Cuba y jueguen en las Grandes Ligas norteamericanas, en el caso de los beisbolistas, o peleen en los millonarios hoteles de Las Vegas.

La noche que Castro homenajeó a sus atletas en el Palacio de la Revolución habló del profesionalismo olímpico, "que ha ido mercantilizando el deporte". Y se refirió al baloncesto y al mundialmente famoso *Dream Team*, el Equipo de Ensueño norteamericano, plagado de estrellas multimillonarias:

—Ustedes vieron los resultados en *basketball*: un país que tiene decenas y decenas de equipos de profesionales que se dedican exclusivamente a eso, con grandes recursos, echa mano de todo ese poderío que no tiene nada que ver con el olimpismo, que no tiene nada que ver con el deporte amateur —que fue el alma del olimpismo a lo largo de la historia— para hacer allí una exhibición de supremacía y prepotencia en partidos donde siempre les sacaba 30 ó 40 puntos de ventaja a los adversarios.

Las Olimpiadas, y en general las grandes citas deportivas, como los Campeonatos Mundiales, son un buen lugar para "tocar" a los atletas cubanos. Cuando Conrado Martínez Corona, presidente del Instituto Nacional de Deportes, Educación y Recreación (INDER) pronunció un breve discurso de saludo a Fidel, en la recepción del Palacio de la Revolución, terminó con estas palabras:

—Y aquí estamos, en la Patria, todos los que fuimos, sin que los consabidos sobornos hicieran mella en el patriotismo (16).

Todos sabían lo que Conrado quería decir: nadie había desertado, nadie había prestado oídos a los cantos de sirena, al sonido de millones de dólares contantes y sonantes que podrían recibir algunos de los miembros del laureado equipo de béisbol, alguno de los púgiles campeones del mundo o algunos atletas, como la bella Ana Fidelia —en honor de Fidel sus padres le pusieron Fidelia— Quirot, conocida como *La Tormenta del Caribe*.

Espectacular, como todas las atletas de color, pero mucho más sexy que las norteamericanas —se le nota la sangre caliente de su ciudad natal, Santiago de Cuba—, Ana Fidelia es el típico ejemplo de la superación deportiva en la Cuba Roja de Fidel.

Como cualquier otro niño cubano, Ana Fidelia se inició en el atletismo a los doce años, en su escuela santiaguera. Ella misma recuerda que al principio no le daba mucha importancia, ni se tomaba demasiado interés. Sólo el normal. Pero sus sucesivos entrenadores sí se lo tomaron. Vieron que en aquella gacela negra había posibilidades y le siguieron la pista.

Resultado: a sus veintiocho años, Ana Fidelia es por supuesto la atleta más importante de todos los tiempos en América Latina y una de las más completas del mundo. Su palmarés deportivo: ocho medallas en Juegos Panamericanos, dos de ellas de oro, en las distancias de 400 y 800 metros; una medalla de plata en 800 metros lograda en los Campeonatos del Mundo de 1991 celebrados en Tokio y, por fin una de bronce en la misma distancia en Barcelona 92.

Ana Fidelia conseguía imponer su nombre en una prueba olímpica prácticamente reservada a las atletas blancas y europeas. Desde 1928, sólo tres norteamericanas y una japonesa habían subido al pódio en unos Juegos Olímpicos como ganadoras de esa modalidad.

Ana Fidelia lloró. Porque iba a por el oro. Pero una inoportuna lesión la dejó en bronce.

En 1991, tras los Juegos Panamericanos celebrados en La Habana, donde cosechó dos medallas de oro y una de plata, Ana Fidelia conversó con los periodistas. Advirtió: nada de preguntas políticas, yo soy una deportista.

Se le preguntó por esos "sobornos" a los que se refería Conrado. Dijo:

—Nunca me han ofrecido eso, pero si alguna vez lo hacen, no sé cómo reaccionaré: si diré una grosería... o no sé qué. Pero quiero que sepan que por nada en el mundo, ni por la mayor cantidad de millones de dólares, dejaría de ser cubana.

Uno de los momentos más emocionantes en la carrera de Ana Fidelia fue en 1988. Ese año se celebraron los Juegos de Seúl, a los que Cuba no asistió en solidaridad con Corea del Norte. Al principio, los entonces países socialistas europeos se sumaron al boicot. Pero terminaron asistiendo, incluidos los chinos. Quedaron solos Cuba y Etiopía. De haber asistido, Ana Fidelia habría tenido muchas posibilidades de conquistar alguna medalla.

Fidel se la dio. A ella, que es la niña mimada en los ultimos años del deporte cubano, y a Javier Sotomayor, plusmarquista mundial de salto de altura y medalla de oro en Barcelona 92.

Coincidiendo con la clausura de los Juegos en Seúl, Fidel colgaba del cuello de los dos atletas la Medalla de Honor al Mérito Deportivo de Cuba. Ana Fidelia y Javier, ambos licenciados en Educación Física, tuvieron así la recompensa. Una decisión política los dejaba fuera de la Olimpiada. Otra decisión política los recompensaría moralmente.

En varias ocasiones se ha acusado a Castro de utilizar el deporte como un arma de propaganda de su régimen. (Por otro lado, ¿quién no lo hace?) El periodista italiano Gianni Miná le hizo en junio de 1987 una entrevista a Fidel que concluía con un capítulo dedicado al deporte. Y terminó batiendo una marca. Así:

—Comandante, estamos llegando a la conclusión de nuestra larga entrevista.

—Bueno, creo que hemos roto un récord —contestó Fidel.

Efectivamente lo habían roto: la entrevista había durado casi dieciséis horas. Desde las 2 de la tarde del domingo 28 hasta pasadas las cinco de la madrugada del día siguiente.

Para Fidel, el apoyo estatal al deporte tiene un doble sentido: por un lado, mantener una población más sana y por otro proporcionar al cubano elementos para su "recreación", como llaman en la isla al uso del tiempo libre.

—Casi desde el principio se impulsó el deporte, y debo decir, francamente, por convicción, aunque todo es propaganda. Ya hemos llegado a que es buena la propaganda si se va a traducir en todos estos resultados (sanitarios, recreativos y de éxito deportivo) (17).

Una propaganda conseguida a un bajo costo y con un alto rendimiento. Aunque los detractores de Fidel acusan que los deportistas de élite de la isla forman una casta privilegiada, la verdad es que tampoco llevan una vida de lujo. La propia Ana Fidelia, que sería millonaria en dólares en cualquier país en el que decidiera vivir —por no hablar de boxeadores, beisbolistas o jugadores de *basket*— decía tras colgarse sus dos medallas de oro y una de plata en los Panamericanos de 1991 que cuando se retirara tendría un coche. Ese era el acuerdo al que había llegado con la autoridades deportivas de su país: después de veinte años de sacrificios y éxitos, un automóvil.

El 31 de julio de 1990 me encontraba en La Habana. Mientras tomaba un mojito en la barra del Victoria puse atención a la televisión. Se retransmitía un partido de voleibol de la Copa del Mundo, en el que participaba el equipo femenino de Cuba (medalla de oro en Barcelona 92). El comentarista de Tele Rebelde, hablando del equipo contrario, dijo:

—Son tan profesionales, que tienen dos camisetas: una para jugar y otra para entrenar.

A los cubanos no les sobra precisamente el dinero y aunque hacen todo lo posible porque sus deportistas de élite dispongan de todo lo necesario para competir en el exterior, tampoco se puede decir que haya un derroche. Sucede sin más que son tantos y tantos los que practican deporte, quizás porque les falten otros medios de recreación, que se cuenta con una fenomenal cantera.

El éxito principal de Cuba en Barcelona 92, amén de las 31 medallas conseguidas, radica en este dato: de los 192 atletas del equipo cubano, 146 se situaron entre los ocho mejores del mundo en su especialidad.

Todos los países de América Latina juntos lograron 16 medallas de oro: 14 de ellas eran de Cuba. Cuatrocientos millones de latinoamericanos conquistaron dos medallas de oro. Cuba sola, con 10.700.000 habitantes logró 14.

La escalada cubana había sido progresiva: había pasado en el ranking mundial del puesto 14º en Múnich 72, al 8º en Montreal 76. La Olimpiada de Moscú no cuenta: faltaron grandes potencias, como Estados Unidos, y luego los cubanos no acudirían ni a Los Angeles 84 ni a Seúl 88. En Barcelona subieron al 5º puesto. Los cubanos se quedaron a dos medallas del 4º, China. Mil cien millones de chinos obtuvieron sólo dos medallas de oro más que diez millones de cubanos.

Fidel decía eufórico en el Palacio de la Revolución ante sus mejores atletas:

—Nuestro país ha quedado por encima de todos los antiguos países socialistas de Europa. ¡Por encima de todos!

El año anterior, en los Juegos Panamericanos, en los que desde siempre habían arrasado los Estados Unidos, los cubanos dieron la campanada: obtuvieron 140 medallas de oro, frente a 130 de sus principales rivales, los norteamericanos. Cierto que jugaban en casa. Cierto también que algunas de las principales figuras de Estados Unidos estuvieron ausentes. Pero a pesar de todo, el mérito deportivo de los cubanos no puede ser discutido.

Por cada millón de habitantes, los Estados Unidos lograron 0,6 medallas de oro. Los cubanos obtenían siete medallas por cada millón de habitantes. Un porcentaje once veces mayor.

Un eufórico comentarista deportivo escribía en *Granma* tras el éxito olímpico:

—Ha sido otra vez Cuba, que, como lo hace en la salud, en la educación o como lo hace ya en el universo científico-técnico, se pasea entre la élite mundial ante la mirada impotente de los gigantes (18).

Salud, educación, deporte. Es el saldo positivo de la Revolución. Se puede discutir el precio que el pueblo cubano ha pagado por esos mitos exhibidos por el régimen. Pero no se pueden discutir sus resultados.

Cuando salgo del aeropuerto y enfilo la avenida Rancho Boyeros hacia el centro de La Habana, conduzco con cuidado: cada día hay más ciclistas en la ruta.

El Período Especial y la falta de gasolina, y por tanto de transporte público, ha convertido a la isla en un gigantesco velódromo. Cientos de miles de bicicletas han sido entregadas a la población. Miles de cubanos recorren a golpe de pedal docenas de kilómetros cada día para ir al trabajo.

En las próximas Olimpiadas, Cuba será una firme candidata a las medallas sobre dos ruedas.

Por la ventanilla del coche entra el aire tibio y húmedo de La Habana. Perfecto para el turista. Pero no para el cubano: la intensa humedad produce asma. Hay miles y miles de asmáticos en Cuba. El "Che" Guevara era uno de ellos.

Y no hay medicinas.

NOTAS

(1) *Juventud Rebelde,* 8 de marzo de 1992, La Habana.

(2) *Cuba Internacional.* Edición Especial, julio de 1992, La Habana.

(3) Gianni Miná: *Habla Fidel.* Edivisión. México D. F., 1988.

(4) Jaime Suchlicki: *Historical Dictionary of Cuba.* The Scarecrow Press, Inc. Metuchen, N. J. & London, 1988.

(5) *Granma Internacional,* 14 de julio de 1991, La Habana.

(6) *Granma,* 9 de abril de 1992, La Habana.

(7) *La mujer rural y urbana.* Editorial de Ciencias Sociales. La Habana, 1989.

(8) *Granma Internacional,* 7 de abril de 1991, La Habana.

(9) Jaime Suchlicki: *Historical Dictionary of Cuba.* The Scarecrow Press Inc., Metuchen, N. J. & London, 1988.

(10) *Granma Internacional,* 15 de marzo de 1992, La Habana.

(11) *South,* junio de 1990, y *Granma Internacional,* 26 de julio de 1992, La Habana.

(12) *Granma,* 25 de febrero de 1990, La Habana.

(13) *Granma Internacional,* 26 de julio de 1992, La Habana.

(14) *Cuba Internacional.* Edición especial, julio de 1992, La Habana.

(15) *Granma Internacional,* 23 de agosto de 1992, La Habana.

(16) *Granma Internacional,* 23 de agosto de 1992, La Habana.

(17) Gianni Miná: *Habla Fidel.* Edivisión. México D. F., 1988.

(18) *Granma Internacional,* 23 de agosto de 1992, La Habana.

CUARTA PARTE

LA SOCIEDAD

17

LA RELIGION

> Madre mía,
> con verdadera alegría,
> hoy quiere mi lira pobre
> cantarte Virgen del Cobre,
> alma de la tierra mía.
>
> **Guajira de Celina y Reutilio**
> (*A la Caridad del Cobre*)

Juan Moreno sólo tenía diez años, era negro y nadie podía esperar que fuera otra cosa que un esclavo "cobrero" que arañaría el metal de las escarpadas rocas de Sierra Maestra hasta que muriera.

Pero el destino del joven negrito iba a cambiar un día de 1608, cuando salió a recoger sal en compañía de los hermanos Juan y Rodrigo de Hoyos, indios naturales del país, a la cercana bahía de Nipe.

Además de sal, encontró algo tan valioso que las autoridades coloniales españolas le tomaron declaración setenta y cinco años después. Quizás era la primera vez que el testimonio de un esclavo negro era enviado a la Corte. El relato que hizo el negrito Juan Moreno (¿a qué conquistador racista se le ocurrió ponerle ese apellido?) se conserva en el Archivo de Indias de Sevilla y es una joya de la literatura indígena hablada.

"... estando una mañana la mar en calma, salieron de dicho cayo Francés para la dicha salina, antes de salir el sol, los dichos Juan y Rodrigo de Hoyos y este declarante. Embarcados en una canoa y apartados de dicho cayo Francés, vieron una cosa blanca sobre la espuma del agua que no distinguieron lo que podía ser, y acercándose más les pareció pájaro y ramas secas. Dijeron dichos indios, parece una niña, y en estos discursos, llegados reconocieron y vieron la imagen de Nuestra Señora de la Santísima Virgen con un niño Jesús sobre los brazos en una tablilla pequeña, y en dicha tablita unas letras grandes, las cuales leyó dicho Rodrigo de Hoyos, y decían: "Yo soy la Virgen de la Caridad", y siendo sus vestiduras de ropaje se admiraron que no estaban mojadas, y en esto llenos de gozo y alegría, cogiendo sólo tres tercios de sal, se vinieron para el Hato de Barajuá" (1).

Con su poquita de sal y la talla de madera que no medía más de 35 centímetros, los tres humildes pescadores llevaron el encontrado tesoro a la hacienda de Barajuá. Poco tiempo después, la imagen es trasladada a su hogar definitivo, el pueblecito de El Cobre, cerca de las minas de Santiago del Prado. Allí le construyeron una humilde ermita y allí, un siglo después, se dará lectura a una Real Cédula en la que se reconoce no sólo que aquellos negros cobreros no eran esclavos, sino que eran propietarios de las tierras que trabajaban.

Habrían de pasar mas de sesenta años para que Carlos Manuel de Céspedes proclamara en 1868 el fin de la esclavitud y en sus primeros pasos hacia la independencia de Cuba acudiera al santuario del Cobre para dar gracias a aquella virgencita de madera encontrada flotando en las aguas del Caribe.

Hoy, la rústica ermita es una basílica, la única que hay en toda la isla, y el tataranieto del primer presidente de la Cuba libre, uno de los más influyentes dirigentes de la Iglesia Católica.

Situada en plena Sierra Maestra, a una hora de camino de Santiago, viajando al oeste, el Santuario del Cobre es uno de los lugares que más desean visitar los cubanos, sea cual sea su raza o ideología. El paisaje es agreste y hermoso. Por estas tierras, hace treinta y dos años, Fidel y los suyos iniciaron la lucha contra Batista. Camino del santuario se pasa cerca de la Cárcel Provincial de Boniato, donde estuvieron presos los asaltantes del Cuartel Moncada, el primer aldabonazo de la Revolución.

Cuando alguien sabe que vas a viajar al Santuario, sobre todo los que viven a mil kilómetros, como la gente de La Habana, lo primero que te piden es:

—Tráeme una piedra del Cobre, compañero, aunque sea chiquita

Dicen que da buena suerte y sobre mi mesa tengo una del tamaño de una nuez que compré a unos chavales que sacan unos pesos al día arañando en las impresionantes montañas, en donde las piedras graníticas con incrustaciones amarillentas de cobre están a flor de piel. Igual que aquel negrito, Juan Moreno, hacía tres siglos antes.

Es domingo, 5 de mayo. En el motel Rancho Club, a las afueras de Santiago, he recogido a dos cantantes del grupo Opus 13, Yenna y Kenia, que como tantas otras cubanas tienen nombres rarísimos extraídos de telenovelas o mismamente, como en el caso de Kenia, del puro mapamundi. ¿Qué tal si le hubieran puesto Unión Soviética? Pues los hay.

Yenna y Kenia, a las que conozco de La Habana, se morían de ganas por viajar al Santuario del Cobre. Y no precisamente por rezar a la Virgen de la Caridad. Ellas tienen hecho el santo, es decir, practican la santería, fusión sincrética de la religión católica y de las creencias africanas llevadas a Cuba por los esclavos negros. En su religión yoruba, conocida en Cuba como Regla de Ocha, Yenna es hija de Yemayá y Kenia de Oshún. Por eso Kenia/Oshún está tan feliz de ir a ver a su patrona, La Caridad del Cobre. Porque los viejos esclavos identificaron inmediatamente a esa virgen de madera, que portaba un trozo de metal dorado en su brazo derecho, y una pequeña imagen del Niño Jesús en el izquierdo, con la orisha Oshún, que es precisamente, entre otras muchas cosas, la dueña del cobre.

Ambas, Yenna y Kenia, seguirán con atención la misa, mirarán todos los rincones de la iglesia, blanca, muy limpia, abarrotada de fieles. La mayoría está allí por curiosidad, por cumplir una promesa o por hacer una visita a Oshún. Pocos son los que abiertamente declaran ser católicos practicantes.

—Yo vine porque a mi bebito le dieron unas fiebres. Hice promesa de si se curaba, dar las gracias a la Virgen —dice a la salida de la misa una señora entrada en carnes, morena, que lleva casi a rastras un niño que ya debe haber cumplido dos años.

La señora ha tardado casi un año en cumplir la promesa, "por el problema del transporte, ¿sabes, compañero?". Pero al fin se va feliz con su hijo a cuestas y la promesa cumplida.

Después de la misa, es una tradición, como en tantas iglesias españolas, subir por la parte trasera del retablo mayor y besar los pies de la Virgen. Hay una cola tremenda para estampar un beso en los pies de esta pequeña imagen, negra, como la otra Virgen más adorada de Cuba, la de Regla, que está en La Habana y tiene su par sincrético en Yemayá, de quien es hija mi amiga Yenna.

Es curioso. Estas dos Vírgenes representan a dos hermanas del "panteón de los orishas" que tienen una fuerte relación con el amor, la sensualidad, la maternidad, la coquetería, la femineidad. Aunque hay matices.

La Virgen del Cobre es Oshún, la diosa del amor y de las aguas dulces, mientras que la de Regla es Yemayá, la dueña del mar. Mientras Yemayá es dulce y maternal, Oshún representa la coquetería y hasta cierto punto la infidelidad. Tan es así, que un viejo dicho de los santeros afirma que Oshún coquetea hasta con los muertos. Aficionada al baile, corre veloz como el venado en cuanto escucha el sonido de los tambores anunciando fiesta.

Una hermosa leyenda traída de Africa por los antiguos esclavos y transmitida oralmente, cuenta que Oshún, a la que le gusta pasear por el monte totalmente desnuda, embadurnada en miel, atrajo al valiente guerrero Oggún. Este la persiguió ciego de pasión. Veloz como el rayo, Oshún consiguió llegar a un río, sobre el que se arrojó. Fue arrastrada por la fuerte corriente y así llegó hasta el mar, donde gobierna Yemayá. Esta, compadecida de la impetuosa Oshún, le regaló el río, para que viviera en él. Desde entonces es su protegida y hermana.

Esta historia, que pudiera haber sido extraída de un libro de leyendas precristiano, es muy creída por los cubanos. Los entendidos, cuando quieren juzgar a una joven, rápidamente la identifican con Oshún o Yemayá, según su coquetería, su disponibilidad para seducir o su grado de fidelidad amorosa.

Uno de los síntomas de la apertura del Gobierno cubano a los cultos religiosos es que además de libros y artículos sobre santería y noticias relacionadas fundamentalmente con las Iglesias evangélicas, se vende desde hace pocos meses una colección de bellísimas postales con los más importantes santos e iglesias de la isla, que son curiosamente los que se corresponden con sus pares más populares de la Regla de Ocha: cuatro Vírgenes, la del Cobre, que representa a Oshún; la de Regla, a Yemaya; Santa Bárbara, a Changó, y Las Mercedes, a Obatalá. Más un santo, San Lázaro, que sería Babalú Ayé.

La colección de postales, impresas en Italia por Ediciones Gianni Constantino, forman parte de una serie sobre Cuba que incluyen estampas de La Habana Vieja, de las esponjas y corales del Caribe, de las famosas orquídeas del Jardín Botánico, de las irrepetibles playas cubanas y de sus exóticas aves.

Curiosamente, sin embargo, de varios mapas que existen de la zona, aunque aparece el pueblecito de El Cobre, en ninguno de ellos se señala que allí está la Basílica con la Patrona de Cuba. Sólo uno de la media docena que conozco lo cita, y es uno que, ¡casualidad!, está en inglés: Santiago de Cuba, "City with a history", en donde se recomienda visitar "El Cobre Sanctuary". En inglés se dice que "es la única basílica del país, conocida por la imagen mestiza de la Virgen de la Caridad del Cobre".

Los demás mapas ignoran el santuario, aunque detallan todos los lugares históricos del área, que son muchos: la Granjita Siboney, donde Fidel y los suyos prepararon el fallido asalto al Cuartel Moncada en 1953, el cementerio Santa Hifigenia, donde está enterrado el padre de la Patria, José Martí, o el hotel Versalles y el restaurante El Cojo.

Sin duda, esos mapas fueron realizados antes de que el IV Congreso del Partido Comunista aprobara que los creyentes, incluidos los católicos, pueden ser miembros del Partido y ocupar cargos de responsabilidad en el Estado.

Los santuarios donde se veneran cada una de estas imágenes son muy visitados, pero una gran parte, por no decir la mayoría, de los fieles acuden a adorar a los orishas yorubas más que a los santos católicos.

Hace un calor espantoso el 17 de diciembre de 1991. Calor de sol caribeño al mediodía y calor humano. Centenares de personas se encaminan hacia el Santuario de El Rincón, cercano al pueblo de Santiago de las Vegas, a unos veinte kilómetros al sur de La Habana. La mayoría marchan a pie. Pero los hay, y muchos, que van de rodillas, arrastrándose, cargando enormes pedruscos.

Un chico joven, que se llama Alexis, salió de La Habana Vieja a la una de la madrugada. Once horas y media después, está casi a las puertas del Santuario. Un amigo, con un puñado de ramas secas va barriendo el suelo de la carretera para quitar cristales o cualquier otra cosa que pudiera dañar sus manos. Desde que salió va arrastrándose como un lagarto. Tiene ya cara de agotado. Y eso que es un atleta, "uno de nuestros mejores remeros", dice el que le limpia el camino.

Hice promesa para que mi hijito naciera bien y ahora la cumplo —dice Alexis.

Allí todos cumplen. En una casita de madera, bajo el porche, Gustavo y Adela han montado un altar lleno de pequeñas imágenes: un San Lázaro (Babalú Ayé), una Santa Bárbara (Changó), la Caridad del Cobre (Oshún) y el guía de los caminos, San Antonio de Padua (Elleguá) y un Corazón de Jesús.

—¿Y qué pintan en el altar esas dos botellas de cerveza? —pegunto.

Contesta Gustavo:

—Son para Elleguá. En realidad, su bebida es el ron, pero con esto de la escasez, pues nada, compañero, cerveza.

—¿Son ustedes católicos?

—No, yo... yo soy de Oriente —dice Adela, la dueña de la casa. Gustavo está mejor informado.

—Yo es que tengo fe en San Lázaro porque sé que ha curado a mucha gente.

Pero no sabe decirme de nadie que conozca y que haya tenido una experiencia directa. Todo son referencias, cuentos que se narran a lo largo de la romería más importante y popular de la isla.

Al pie del altar hay montañitas de monedas. De repente, mi amigo Mauricio Vicent dice que tiene que ir al baño y se cuela detrás de la casa de Gustavo y Adela. Sale al rato y me entrega un muñequito de barro. Es un Babalú Ayé.

—No sabes cómo está eso ahí dentro, hay más gente que en la cola del pan.

Vicent sabe de que habla. Sabe que el altar es un reclamo. Los entendidos conocen que allí pueden encontrar figuritas de orishas hechas a mano que servirán para adornar el canastillero, antiguos escaparates del siglo XIX adaptados para colocar los receptáculos de los orishas y sus atributos (2). Hoy, la gente se las apaña como puede: instalan el canastillero en algún viejo armario, que puede o no tener las puertas de cristal.

Pasa una señora dando violentas volteretas. Uno de sus acompañantes dice que prometió recorrer los dos últimos kilómetros del camino dando "vueltas de carnero". En efecto, Melvis Panero, una mulata de unos 40 años, algo entrada en carnes, apoya la cabeza en el suelo, hace el pino y luego se deja caer sobre el duro suelo de adoquines pegándose un costalazo de aupa.

—Su mamá estaba enferma de cáncer y se ha curado —dicen los familiares que la acompañan y animan.

Quien puede enfermar es ella. En cualquiera de esos golpetazos se quiebra una vértebra. Pero consigue llegar sana y salva, aunque agotada, al Santuario de El Rincón, como otros tantos miles de cubanos. Doscientos mil dicen los sacerdotes que atienden la iglesia donde se encuentra el católico San Lázaro o el orisha Babalú Ayé han acudido este diciembre de 1991.

En Regla de Ocha, Babalú Ayé es un orisha contrahecho y lleno de pústulas, dueño de las enfermedades y las plagas. San Lázaro es el patrón de los desamparados, de los leprosos y allí al ladito de la ermita hay un hospital atendido por monjitas de las que alaba Fidel.

—Este sanatorio es de enfermos de Hansen, no de lepra —dice sor Eva María, una de las tres religiosas españolas de las trece que se ocupan del sanatorio. Todas ellas son de la orden Hijas de la Caridad.

El bacilo de Hansen, que toma su nombre del médico noruego que lo descubrió el siglo pasado, Gerhard Armauer Hansen, suena más limpio, más aséptico que lepra, odiosa y temida palabra. En este sanatorio de El Rincón hay 207 enfermos, dice la monjita española que lleva cuatro años destinada aquí. En total, en la isla hay de cinco a seis mil "enfermos del mal de Hansen".

A la entrada de la ermita hay dos cubanos, negros, con lepra. Uno de ellos no tiene manos. Sus negros muñones se apoyan sobre una gigantesca hucha de madera, como de un metro de alta, en la que ha escrito que se admiten limosnas para el sanatorio. Pocos son los que no arrojan unos centavos.

El interior del santuario está abarrotado. Desde donde habitualmente se coloca el órgano, en la parte alta de la iglesia, se ven perfectamente los dos mundos que hay allá abajo, las dos religiones —¿o es una sola?—, los dos cultos, los dos altares.

Sobre el principal, acompañado de varios sacerdotes y monaguillos, el arzobispo de La Habana, Jaime Ortega, está celebrando, como todos los años, la Santa Misa. Aproximadamente la mitad de las personas que hay en el templo no miran hacia el altar principal. En un lateral, junto a una columna, se ha levantado un segundo altar: bajo un gran retrato de San Lázaro se ha construido el trono de Babalú Ayé. Hay centenares de velas, docenas de montones de monedas que arrojan desde al aire y suenan metálicamente al llegar al suelo. La gente se pasa meses ahorrando monedas para luego esparcirlas sobre el orisha señor de las enfermedades. Permanecen un rato ante aquella amalgama de monedas, velas, cera, sudor y gente. Oran en silencio. ¡Qué pedirán!

Cuando termina la misa, el arzobispo no quiere hablarme sobre la existencia de los dos cultos, de los dos altares. Sólo dice que cada año va más y más gente y que eso es bueno. La monjita española me echa una mano:

—Yo no estoy muy de acuerdo con la santería, pero ¿qué se puede hacer? ¿Quién le quita a un pueblo estas tradiciones? Tendrías que estar todo el tiempo peleando, saliendo y diciendo quiten esa vela, quiten esa vela. Hay que entender la mezcla de razas.

Al finalizar la misa, la gente comienza el regreso a La Habana. A pie. En la puerta del Santuario, un cura alto, joven, apuesto, a pesar, o quizá por ello, de su prematuramente encanecido cabello, reparte estampas de San Lázaro. Hacía meses que no "salían al mercado", me dice un amigo. La gente se abalanza sobre el curita para conseguir una estampa. Una mulata bella, cuando ya la tiene en su mano, se vuelve y le comenta a sus amigas:

—¡Qué sabroso está ese cura!

Y es que la santería lo admite todo. No diferencia sotanas.

Cuando me alejo de allí pienso en las palabras que me ha dicho el arzobispo, o mejor en las que no me ha dicho. Nada de declaraciones. El sólo habla en el púlpito. Recuerdo al viejo padre, Mario, del Santuario del Cobre, al otro lado de la isla, cuando le pregunté si después de estar cuarenta y tres años cuidando la misma iglesia, la de la Santa Patrona, creía que el socialismo implantado en la isla hace treinta y tres años había perjudicado a la Iglesia Católica:

—Esa pregunta no se la contesto —dice gruñón y molesto.

Lo mismo dirán los dos coadjutores que le han enviado hace sólo un año y mucho menos hablarán las 27 religiosas de la orden de la Madre Teresa de Calcuta, que atienden la Basílica.

Lo más que dice el padre Mario es que hay tres misas diarias y que los domingos "viene gente de toda la isla".

—Antes estaba la iglesia vacía, pero desde hace tres años, se llena los domingos —dice el anciano sacerdote.

Eso sí, su rigurosa y estricta educación preconciliar le hacen inca-

paz de comprender el sincretismo cubano, la mezcla de lo católico
con lo yoruba africano. Dice que lo acepta, pero que poco a poco
"vamos instruyendo a los fieles para que comprendan dónde está la
verdad". Unos fieles que se reparten, según el color de su piel, más o
menos como es la isla: mitad blanca y mitad negra y mulata.

Uno de sus ayudantes, pelo casi rapado que lo asemeja más a
un *yuppie* neoyorquino que a un cura cubano, avisa que la Basílica
va a ser cerrada. Si queremos datos, que los pregunte en La Habana, dice.

Me deja tiempo, menos mal, para echar un vistazo, en compañía de Yenna y Kenia a los votos y rogativas hechas a la Virgen del
Cobre, algunas de ellas guarnecidas en una vitrina. Por ejemplo,
la que la madre de Fidel llevó personalmente al santuario cuando
su hijo alcanzó el poder.

Se trata de un muñequito de oro de no más de diez centímetros
de alto, vestido con uniforme verdeoliva y un letrerito que le cruza
el pecho donde se lee: Fidel Castro. Al lado, una tarjetita dice: "Figura de oro entregada como promesa a la Virgen de la Caridad por
la señora Lina Ruz, madre del comandante Fidel Castro".

Pero hay que salir de la Basílica. El joven coadjutor, implacable,
está echando los cerrojos y no es cosa de quedarse allá a pasar la
noche. Dejo a Yenna y Kenia en el motel el Rancho, pues tienen
ensayo con el grupo Opus 13. Al día siguiente grabarán una canción, mejor oda, himno o no se sabe muy bien, a la bicicleta, el
nuevo dios cubano en estos tiempos difíciles sin gasolina y sin amigos soviéticos. Bien guardaditas mis dos bellas amigas llevan cada
una sendas piedras de cobre. Cuando regresen a La Habana las
colocarán al lado de las soperas de sus santos orishas. También
nos llevamos una colección de panfletos. Uno de ellos dice: "Nos
llaman cristianos y nos gloriamos de llevar ese nombre. Nos dicen:
seguidores del Crucificado y queremos llevar a todos los hombres
la noticia salvadora que nace en el árbol de la Cruz".

Efectivamente, otros folletos multicopiados tienen la imagen
de un Cristo crucificado y otros una gigantesca cruz sobre la isla
de Cuba. Se lee: "500 años de Evangelización. ¡De la cruz nace la
Salvación!". Y luego, en un recuadrito informativo, se indica que
"La cruz peregrina de la evangelización" recorrerá distintos municipios de la diócesis de Santiago.

Es curiosa la actitud de los sacerdotes cubanos, especialmente
de los más jóvenes. El miedo al contacto con el periodista se repetirá en otras muchas ocasiones. Por ejemplo, en La Habana.

Al atardecer del mes de febrero me acerqué a una de las iglesias mas hermosas de la ciudad, enclavada en La Habana Vieja, la
Iglesia de la Merced, en la calle Cuba. Me habían recomendado
hablar con el padre Carlos Bernal Soto.

Llego a su iglesia el día que se celebra la Virgen de Lourdes. La tradicional misa de las seis de la tarde registra por esa razón un mayor número de visitantes. Es una misa concelebrada con tres sacerdotes en el altar y un coro de jóvenes, chicos y chicas entre los quince y los veinte años, que cantan himnos religiosos acompañados por un órgano.

La iglesia es preciosa y al fondo se muestra la inmaculada imagen de la Virgen de la Merced, en el centro del enorme retablo. A pesar del Período Especial por el que atraviesa la isla, con fuertes restricciones al consumo eléctrico, la iglesia está bellísimamente iluminada y conforme avanza la ceremonia se van encendiendo más y más luces.

Hay un hecho curioso: el barrio es uno de los considerados en estos momentos más peligrosos de La Habana. Como en todos los cascos antiguos de las grandes ciudades, aquí vive la gente de menos ingresos y por ende los robos, los tirones, los asaltos, son más frecuentes que en cualquier otra parte de la ciudad. A pesar de ello, llegan gentes de otros barrios lejanos. La mayoría jóvenes, que se detienen unos momentos en la entrada y giran a su derecha, donde se arrodillan ante una segunda imagen de la Virgen de la Merced, que está al ladito de la puerta, y dicen en voz baja "Jekua Babá, Jekua".

—Es el saludo a Obatalá, pues ese joven no está rezando a la Virgen de la Merced, sino a su par sincrético, Obatalá —dice Cecilia, una amiga cubana.

Obatalá es el paralelo yoruba de la Virgen de la Merced. Es el orisha mayor, creador de la tierra y del hombre. Como fue él quien puso la cabeza sobre los hombros del muñeco que había construido con sus propias manos, se le considera el dueño de las cabezas, y por eso dicen que cura la ceguera y la demencia. Su color, al igual que el vestido de la Virgen de la Merced, es el blanco, símbolo de la deidad pura por antonomasia.

Cuando termina la misa, se celebra una pequeña procesión en honor de la Virgen de Lourdes. Después hablo con el párroco, el padre Carlos Bernal Soto. Le digo que su nombre me ha sido recomendado por un grupo de católicos relacionados con la defensa de los Derechos Humanos. Su rostro se contrae. Dice que no conoce a nadie de los que le nombro y que en todo caso si quiero preguntarle algo, que le envíe un cuestionario. ¡Un cuestionario, si eso no lo pide ya ni el propio Fidel!

—Padre, lo único que necesito es que simplemente me hable de su trabajo en esta parroquia, de quién viene, cuántos fieles hay, de la vida cotidiana de un sacerdote en este barrio deprimido.

Ni por ésas. De cuantos sacerdotes y mandatarios de la Iglesia Católica que entrevisté en Cuba, sólo uno se avino a conversar ampliamente: monseñor Carlos Manuel de Céspedes García-Menocal, tataranieto del ilustre prócer cubano del mismo nombre. El Céspedes histórico fue el primer presidente de la Cuba insurrecta y el que comenzó, en 1868, la primera guerra de la independencia contra España. Entre sus muchos méritos cuenta con el de haber abolido la esclavitud en la isla.

El Céspedes de ahora, en el momento en que lo entrevisto, es director del Secretariado General de la Conferencia Episcopal cubana. Pero durará pocos meses más. Dicen que hablaba demasiado con los periodistas extranjeros, cosa que molestaba al Gobierno cubano, según unos, y según otros a la propia Jerarquía Católica, mucho más conservadora que el tataranieto del primer presidente cubano.

Su espíritu abierto se nota en su despacho: en un lugar destacado hay un Elleguá, el orisha señor de los caminos, o San Antonio de Padua en el culto católico. Al contrario que el padre Mario de El Cobre, monseñor Céspedes no cree que haya que "instruir en la verdad" a los miles de cubanos que practican la santería.

Céspedes, en contra de lo que otros muchos sacerdotes católicos opinan, sabe que no se puede separar en el creyente cubano su parte africana de la católica. El mismo ha sido motivo de escándalo por asistir a la presentación del libro *Los orishas en Cuba*, de Natalia Bolívar Arostegui, sin duda el *best-seller* más buscado en Cuba.

La Jerarquía Católica gusta de referirse al sincretismo cubano como "la religiosidad popular". Aun así, en la más importante reunión de la Iglesia cubana, el llamado Encuentro Nacional Eclesial Cubano (ENEC), que tuvo lugar del 17 al 23 de febrero de 1986, con presencia de los siete obispos, sacerdotes, religiosos y religiosas, seglares y otras autoridades eclesiásticas invitadas de otros países, se habló de que "estas formas de religiosidad popular merecen un tratamiento pastoral particular" (3).

El documento final del ENEC, un tomo de 266 páginas, reconoce la existencia e importancia de "la religiosidad popular" que "incluye diversas formas de sincretismo religioso con referencia al catolicismo y a las diversas religiones animistas de origen africano". Quizás a los obispos cubanos se les coló una palabra: animistas. El animismo es la religión que practican "algunos pueblos incultos" que atribuye una actividad voluntaria a los seres y fenómenos naturales, según el Diccionario Ideológico de la Lengua Española de Julio Casares.

¿Eran pueblos incultos los africanos que fueron cazados como bestias salvajes y llevados por la fuerza a la isla cubana para ser vendidos como esclavos?

Natalia Bolívar sostiene que antes de la llegada de los primeros esclavistas al África negra, existió un gran imperio llamado de Ifé, que se extendía desde la Ghana actual hasta el valle del Níger y que tuvo un gran apogeo entre los siglos X a XIII. Se hallaron restos de una gran ciudad, Benin, y ricas piezas escultóricas.

"En contra de lo que muchos suponen —dice Bolívar—, en el siglo XVI, por ejemplo, los indios más avanzados eran agricultores neolíticos, usaban herramientas de piedras pulidas y muy pocos de ellos se iniciaban en la utilización de los metales. Con escasas excepciones, los africanos del mismo período eran agricultores equipados con instrumentos de hierro".

Pero en ese encuentro católico del 86, los obispos cubanos reconocieron que "tenemos mucho de que arrepentirnos" por el modo en que se hizo la renovación litúrgica. También reconocen que "en nuestro pasado inmediato hemos comprobado como mientras nuestras comunidades se empobrecieron (de fieles) la religiosidad popular creció" (4).

Cinco años más tarde, la Conferencia Episcopal reconocerá de forma más explícita lo que la santería o "religiosidad popular" ha hecho por la religión: "Bajo el anonimato de esa religiosidad, no fácilmente discernible, se ha guardado en gran medida la fe del pueblo cubano" (5).

La sede de la Conferencia Episcopal está situada en el elegante barrio de Miramar, muy cerca de la Quinta Avenida. Al pulsar el timbre, se escucha una agradable musiquilla. Abre la puerta una monja y se agacha. Del suelo recoge, cuidadosamente envuelto en plástico transparente, el ejemplar del día de *The New York Times*, uno de los periódicos que más odia Castro, junto con *The Miami Herald*, otro rotativo de amplia lectura entre la comunidad influyente de La Habana. Ambos llegan regularmente por suscripción en el avión que vuela todos los días de Miami a La Habana.

Rodeado de libros, monseñor Céspedes me regala algunos que hablan sobre las a veces tormentosas relaciones entre la Jerarquía Católica y el Gobierno revolucionario.

—En estos momentos no podemos hablar de persecución, aunque sí de discriminación de los creyentes católicos —dice monseñor.

Y cita un ejemplo curioso. Gustavo Andújar es un católico licenciado en Biología que se ha hecho famoso en medio mundo por un singular invento: las McCastro, o hamburguesas hechas con carne de cerdo y adobadas con una salsa de su invención.

Andújar, un especialista en conservación de carnes, podría ser un excelente director del centro en el que trabaja. "Pero nunca lo será, precisamente porque es católico. Eso es discriminación".

La conversación con Céspedes tiene lugar unos meses antes de que el IV Congreso del Partido Comunista apruebe la modificación de sus Estatutos. Desde octubre del 91, los creyentes de cualquier religión pueden ingresar en el PCC y ocupar altos cargos dentro del Partido o del Estado. Como de ese tema se hablaba muchos meses antes, Céspedes anticipa una opinión: "No creo que sea una maniobra del Partido, sino una reevaluación normal del sistema".

El 14 de octubre de 1991 se clausuraba en Santiago de Cuba el varias veces aplazado IV Congreso del PCC. Por vez primera, un documento oficial del Partido recogía la nueva filosofía de la dirigencia comunista. En el séptimo párrafo, el dedicado a quiénes pueden ingresar y cómo en el PCC, se dice que el ingreso sigue dependiendo "en primer lugar, de la ejemplaridad de quienes de forma absolutamente voluntaria aspiren a militar en sus filas" . En segundo lugar, a las conocidas características de los aspirantes, como la de ser "revolucionarios, patriotas de vanguardia, sin distinción de sexo, o color de la piel", se añadía una nueva frase: en la admisión de aspirantes no se deben "considerar tampoco como obstáculo las creencias religiosas" (6).

Hacía casi un año que los dirigentes cubanos filtraban a los periodistas extranjeros la gran novedad: los creyentes podrán ser del Partido. Pocos periodistas valoramos entonces el alcance de este tema. Carlos Aldana, el influyente miembro del entonces Secretariado del Comité Central, decía ya en diciembre del 90 que "como Gobierno, no queremos ser ateos, como Gobierno y siguiendo lo sostenido por Martí, queremos ser laicos, pues es el laicismo lo que corresponde al Estado para no excluir a los creyentes".

Meses después, el hecho se consumaba. Un eufórico Fidel Castro, pregonaba el día de la inauguración del IV Congreso que "muchos creyentes son gente honesta a quienes no se les puede negar el honor de ingresar en el Partido". El líder cubano, que se educó en escuelas religiosas, de jesuitas principalmente, añadía que "si la Iglesia dice que el creyente no ingrese, es un asunto de ella, no del Partido".

La principal emisora cubana, Radio Rebelde, también variaba sensiblemente su posición frente a los creyentes. En un editorial del día de Nochebuena de 1991, decía que "aunque la religión es un asunto de fe, de creencia en algo sobrenatural, y que la existencia real de Cristo no está demostrada científicamente, el cristianismo nació en favor de los más pobres y fueron muy perseguidos y hay que respetar esa creencia".

Dos semanas después de clausurado el Congreso, en una larga conversación nocturna con Aldana en su despacho del Comité Central, me explicaba el alcance real del concepto: los creyentes pueden ser militantes del PCC.

En primer lugar, resaltó la diferencia entre dos países tan cercanos como México y Cuba. En el primero, la Iglesia Católica no puede ser propietaria de sus inmuebles, carece de personalidad jurídica y sus religiosos no tienen derecho al voto. Pero nadie la ataca por ello. En Cuba, por el contrario, tienen personalidad jurídica, son propietarios de sus residencias e iglesias y los religiosos no sólo pueden votar sino que podrían ser elegidos para cargos públicos.

Lo que le encantaría al Gobierno cubano es que "en el seno del Partido estén presentes no sólo los creyentes sencillos, sino que sería muy feliz si hubiera personalidades, teólogos, dirigentes de la Iglesia, predicadores...". Lo mismo en la Asamblea Nacional del Poder Popular, el máximo órgano lesgislativo cubano. Pero yo estaba intrigado por algo:

—Señor Aldana, ¿qué interés puede tener un católico en pertenecer a un partido que defiende el materialismo histórico?

Fue entonces cuando entendí el verdadero alcance de la propuesta aprobada por el PCC. Lo importante no es que un católico ingrese en el Partido. Lo importante es que el Partido, al decirle a la opinión, a la sociedad, al Estado cubano, que un creyente puede ser miembro del Partido, le está diciendo que no puede discriminar ya a nadie por razones ideológicas

Le expuse a Aldana si un científico católico, como Gustavo Andújar, el inventor de las McCastro, podría llegar a ser director de su centro de investigación. Aldana contestó con sinceridad:

—Creo que si es un católico militante, activo, de fe declarada y manifiesta, difícilmente llegaría a ser director de la actual sociedad cubana.

Lo que hizo el IV Congreso fue dar un primer paso. El segundo llegará cuando se reforme la Constitución, en donde hay "una omisión casi increíble", en palabras de Aldana. En efecto, el Artículo 41 dice que "la discriminación por motivo de raza, color, sexo u origen nacional está proscrita y es sancionada por la ley".

—Tenemos que añadir también que no habrá discriminación por su fe religiosa —dice Aldana.

—¿Por qué no añadir también que tampoco la habrá por sus creencias políticas? —le pregunto.

No duda mucho. Responde Aldana:

—Sí, yo creo que sí, que se puede añadir también "o por sus creencias políticas".

—Acláreme algo: ¿usted cree que se podría o que se va a añadir?

—Yo creo que se podría añadir. Pero no puedo afirmar que se vaya a añadir. Estamos hablando de creencias, de credo político. Nadie puede perseguir a otro porque piense de esta manera o aquella. Y la realidad es que en la sociedad conviven personas que piensan de forma distinta a la nuestra y ya no son tan agudas ni evidentes las manifestaciones de discriminación.

Lo que se pretende pues con la aceptación por parte del PCC de creyentes en sus filas es romper con el aislamiento y la discriminación que sufrían en su vida laboral o social. Aldana recuerda que en alguna de las discusiones previas al Congreso le preguntaron:

—¿Y hasta dónde podría llegar un creyente en Cuba?

—Hasta ministro del Gobierno —contesté—. Si hay un creyente que tiene vocación política de servicio público, y destaca en la profesión que ha elegido, puede ser perfectamente ministro del Gobierno.

Sin necesidad de ser miembro del Partido. Lo mismo, insiste este dirigente, hay que acabar con el hecho de que determinadas carreras universitarias estén, si no oficialmente, al menos oficiosamente, vetadas a los creyentes. Por ejemplo, la Psicología, la Psiquiatría.

—Y yo me pregunto, ¿cómo puede entender un psicólogo ateo los conflictos de personalidad de una persona con fe religiosa, cuando hay un umbral que no puede trascender que es el de la propia fe?

El Gobierno cubano recibió el aplauso de muchas comunidades religiosas de la isla. Ninguna de la Iglesia Católica. Y ahí es donde le duele al responsable del Area Ideológica del Partido, Carlos Aldana. Y por ahí ataca:

—Hemos recibido felicitaciones de grupos dentro de la Iglesia Católica que tienen una actitud de compromiso con la Revolución. Pero no de la Jerarquía. Desafortunadamente, la Jerarquía Católica en Cuba es una extensión del pensamiento miamense (de Miami), una extensión de cierta proyección política más bien anexionista. Están muy identificados con el programa de restauración capitalista.

Se le nota en alguna forma indignado. Y sigue el ataque. Esa Jerarquía, en palabras de Aldana, reacciona ante los cambios que realiza el PCC "porque se dan cuenta de que los cambios tienden a fortalecernos".

La misma indignación que expresaba un obispo, que prefiere permanecer en el anonimato, quien me decía en La Habana:

—El problema es que el régimen se ha apoderado de todas las palabras: Patria, Martí, Independencia, Revolución, Marxismo-Leninismo, Fidel, y el que no esté de acuerdo con todo el conjunto, con todo el bloque, es presentado como un traidor.

El obispo, sin perder los nervios, pero indignado, prosiguió:

—Ningún creyente puede aceptar todo eso en bloque. Lo que quieren es poner en entredicho la cubanía de los obispos cubanos. Pero yo puedo ser martiano y no marxista, ser independentista, pero no fidelista.

Y la pregunta definitiva la contestaba así:

—¿Cómo va a ingresar un creyente en un partido con las connotaciones ateas y de lucha contra Dios que tiene éste?

Otro obispo, éste el arzopbispo de La Habana, en el boletín mensual *Aquí la Iglesia* de julio de 1990, planteaba el espinoso tema de los católicos y su pertenencia al PCC. Monseñor Jaime Ortega se hacía estos interrogantes:

—Se admiten algunos creyentes en el Partido. Pero, ¿se admitiría también que los que ya son miembros del Partido vuelvan a practicar una religión... o que otros militantes comiencen a frecuentar una iglesia, y deseen, por ejemplo que sus hijos sean bautizados?

Más dura y contundente, y sobre todo de mayor peso, fue la opinión expresada por todos los obispos de Cuba, en una circular dirigida al pueblo cubano el 21 de noviembre de 1991, poco más de un mes después de la clausura del Congreso del PCC.

De las dos conclusiones finales, una no tiene desperdicio: "Pero si el PCC sigue conservando su ateísmo integral y explicación de la realidad física, personal, social y política basada en los postulados del materialismo, a un católico le es moralmente imposible pertenecer a dicho partido, sin perder por ello su identidad cristiana".

Volvían así los viejos demonios a interponerse entre el Gobierno cubano y la Jerarquía Católica. En conversaciones privadas con uno y otro bando he llegado a una conclusión: oficialmente se soportan, pero extraoficialmente se odian. Y así fueron las relaciones durante la mayor parte de los años de la Revolución.

El punto de ruptura con la Iglesia Católica está marcado en una fecha histórica: el 17 de abril de 1961. Ese día, en la llamada Bahía de Cochinos por los norteamericanos y Playa Girón por los cubanos, una ensenada que penetra en la Ciénaga de Zapata donde se crían en cautiverio cientos de miles de cocodrilos, y por libre millones de mosquitos, desembarcaron 1.400 exiliados cubanos que habían sido entrenados y armados por la CIA norteamericana. Entre los invasores había tres sacerdotes. Fidel Castro jamás perdonaría la presencia de sotanas entre los que él llamó "mercenarios".

En aquellas fechas, el joven Gobierno revolucionario tomó drásticas decisiones: clausuró las dos universidades, nacionalizó las 324 escuelas católicas, se suprimieron por decreto importantes festividades católicas, como la Semana Santa o la Navidad. En septiembre de 1962 son expulsados un obispo y 131 sacerdotes y religiosos. La mayoría de los sacerdotes y monjas dedicadas a la enseñanza abandonan también el país. Se habla de unos 300.

José Felipe Carneado, designado por el Partido tras la invasión de Playa Girón como el hombre del Comité Central que debía "entenderse" con las distintas iglesias cubanas, rememora aquellos dramáticos días: "Las masas, en una reacción muy espontánea y elemental, procedieron a pintar las puertas de las Iglesias, a colocar banderas en lo alto de las torres e incluso se ocuparon algunos conventos, algunas propiedades de la Iglesia" (7).

Carneado recuerda que fue enviado a Playa Girón, en la provincia de Matanzas, a 157 kilómetros al sur de La Habana, para "poner las cosas en orden". Los combatientes revolucionarios, tras descubrir a los sacerdotes entre los invasores, pintaron los muros de las iglesias, se apropiaron de los conventos y acosaron a los religiosos de la zona. Unos religiosos que, recuerda hoy el veterano dirigente Carneado, "eran capellanes de camisas negras y saludo fascistoide". La misión que le fue encomendada a Carneado por el Partido era la de que bajo ningún concepto el Partido podía enajenarse "la simpatía y la buena voluntad de los creyentes honestos" (8).

Desde aquella fecha, el anciano Carneado, de setenta y seis años de edad, se ha ocupado de las relaciones con las Iglesias, católicas, protestantes, evangelistas, santeros, etc. Este veterano comunista condenado a muerte por el dictador Batista, intenta desde hace treinta y un años compatibilizar su materialismo marxista con las creencias sobrenaturales de los creyentes.

En su despacho de jefe del Departamento de Atención a los Asuntos Religiosos del Comité Central del Partido Comunista de Cuba (su título es tan largo como sus tres decenios al frente de la oficina) hay dos grandes bloques de libros: en un lugar Biblias. Biblias de diferentes países, impresas en diferentes papeles y de muy variados tamaños. Una de las que más le gusta, quizá su joya preferida, es la que le regaló la Sociedad Bíblica de España, escrita en castellano en el siglo XVI. En otro lado de su despacho, sobre un mueble de caoba, las obras completas de Vladimir Ilich Lenin y un busto del padre del socialismo soviético, que le hace sombra a un gran retrato de Fidel Castro. Carneado suele decir con humor que unos y otros, comunistas y cristianos, "tenemos un objetivo común, algo así como una utopía compartida". Carneado tiene también una librería sincrética.

No es extraño pues verlo junto a monseñor Céspedes en la presentación de un libro sobre la santería, conversando amistosamente con el obispo en una lluviosa tarde habanera en la sede de la Unión Nacional de Escritores y Artistas de Cuba (UNEAC). Desde aquella temprana fecha de 1961 hasta 1986, año en que se celebra el Encuentro Nacional Eclesial Cubano (ENEC) "no hubo cambios sustanciales en las relaciones entre el Gobierno y la Iglesia Católica", dice Céspedes.

El Gobierno cubano acusó siempre a la Iglesia Católica de estar gobernada por curas españoles, pero no precisamente progresistas, sino franquistas. A pesar de ello, hay en todo el país unos 800 centros de culto, de ellos 180 en La Habana. Cuatro veces más que casas de cultura, uno de los grandes logros de la Revolución. En 1991 había 240 sacerdotes, siete obispos en activo y uno retirado. La mitad de los sacerdotes son extranjeros y la otra mitad cubanos. Tienen que repartirse el país, algunos recorriendo diez y doce pueblos. Hay también unas 400 religiosas de distintas órdenes a las que Castro ha elogiado en numerosas ocasiones su dedicación y espíritu de sacrificio.

En los primeros años de la Revolución, en Cuba había 723 sacerdotes católicos, que quedaron reducidos a 210. Las 2.225 monjas se quedaron en unas 300. Lo mismo sucedió con los pastores de las iglesias protestantes, sobre todo las que dependían de los Estados Unidos (9).

Los datos de creyentes que maneja Carneado en el Comité Central afirman que de los cuatro millones de católicos que había en la Cuba de 1959 (con una poblacion total de unos 6.000.000), se pasó a un millón en 1979 y fija para el año 1992 sólo 120.000 creyentes. En igual medida bajaron los protestantes, que pasaron de 250.000 al triunfo de la Revolución a unos 50.000 en 1970.

Un obispo cubano me recordó que en aquellos primeros años de la Revolución, concretamente entre 1965 y 68, los católicos eran enviados a campos de trabajo junto con los homosexuales y delincuentes comunes. En las escuelas, que ya eran todas estatales y la enseñanza de la religión estaba prohibida, había hostilidad hacia los hijos de católicos conocidos. Esa hostilidad, afirma el actual obispo de La Habana, sigue existiendo.

En el boletín *Aquí la Iglesia* del mes de febrero de 1990, monseñor Jaime Ortega se quejaba de que algunos maestros habaneros habían prohibido a sus alumnos asistir a la catequesis. Monseñor acudió a una escuela cercana al Obispado y charló con una de las maestras que se oponían a que sus estudiantes se iniciaran en la religión católica. ¿El motivo? Según el arzobispo Ortega, la maestra le contestó:

—Nosotros no podemos ayudar a la religión. Al contrario, debemos lograr que los niños tengan una visión materialista del mundo.

A pesar de eso, la sangre no llegó al río. Y siguiendo a Fidel Castro, esta vez en São Paulo, Brasil, "si se analiza la historia de nuestras relaciones con la Iglesia, a pesar de esos problemas, no se dio un solo caso de un sacerdote maltratado, de un sacerdote fusilado y en los casos en que se dieron casos de prisión estuvieron el mínimo tiempo en ella". Esto lo decía el 17 de marzo de 1990.

La penúltima vez que Fidel había acudido a la Nunciatura de la Santa Sede en La Habana, la Embajada del Estado Vaticano, fue un poco antes, el 23 de octubre de 1989. Ese día se celebraba la llegada al Papado de Juan Pablo II, aunque había sido elegido un 16 de octubre. Fidel, como suele ser habitual en él, nunca confirma su asistencia a acto alguno, y mucho menos a un cóctel en una embajada.

Estaba el nuncio español Faustino Sainz charlando amistosamente con Raúl Castro en el bello jardín de la legación diplomática, cuando se acercó un sirviente y le dijo: le buscan en la puerta, monseñor.

—Me acerqué y allí estaba Fidel —recuerda en un salón adornado con hermosos cuadros el nuncio español.

Fidel conversó con los invitados. Uno le preguntó si le preocupaba la visita del Papa Juan Pablo II, aceptada por los dos Estados, pero sin fecha fijada. Castro contestó a la gallega:

—En absoluto, será un acontecimiento muy agradable para toda la Iglesia y todos los cubanos. Lo que me preocuparía sería una visita de Bush (George).

Después de recorrer la Nunciatura, Castro quiso saludar al personal de servicio. En la cocina se topó con otra española, sor María Fe, de la Orden Siervas de San José, que se ocupan de cuidar ancianos en un asilo cercano. Sor María Fe aprovechó la ocasión.

—Comandante, hace cuatro meses que tenemos la guagua averiada y no podemos trasladar a los ancianitos al hospital. Si pudiera decir a alguien que nos la arregle...

Fidel se volvió a uno de sus ayudantes y le musitó algo al oído. Al día siguiente, un moderno y nuevo autobús llegaba a las puertas del asilo, pero era tan grande que no cabía por la puerta. Hubo que devolverlo y cambiarlo por otro más pequeño, un RAF, un minibús soviético para doce plazas, al que los cubanos llaman "rafito".

Lo malo es que alguna de las compañeras de sor María Fe pensaron, cuando la oyeron orar en las primeras horas del día siguiente, que la hermana se había vuelto loca. ¡Estaba rogando a Dios por el comandante Fidel Castro! Ninguna sabía que minutos después de la una del mediodía llegaría un autobús por cortesía especial del líder comunista.

Claro que si la monjita oraba por Fidel, éste las alababa en público. En aquella fiesta de la Nunciatura, se habló del excelente trabajo que las monjas realizaban en algunos hospitales, sobre todo con subnormales o enfermos en fase terminal, como los que se encuentran en el Centro La Edad de Oro. Fidel escuchó la conversación y comentó:

—No es que tengamos necesidad de enfermeras, Cuba se caracteriza precisamente por todo lo contrario, hay abundancia de médicos y enfermeras, pero hay hospitales y enfermos de unas características tales que requieren el amor de las religiosas.

Es más, repitiendo lo que había dicho en alguna otra ocasión, el líder cubano afirmó que las monjitas "son un verdadero ejemplo de trabajo revolucionario", pues con menos medios, conseguían relizar muchas más cosas que los trabajadores sanitarios cubanos.

Después de eso, Castro, en compañía del nuncio y el arzobispo de La Habana, Jaime Ortega, se encerraron en una de las salas de la residencia, en donde permanecieron durante casi cuatro horas. Sobre las doce de la noche, el comandante salía de la Nunciatura. Entre los tres habían dado buena cuenta de una botella de Lepanto, el brandy español que más le gusta a Fidel.

Tenían mucho de que hablar. Por ejemplo, de la visita del Papa Juan Pablo II. La invitación por parte del Gobierno cubano había sido realizada en 1989 y Roma la había aceptado. Pero la fecha no se concretaba. El portavoz del Vaticano, Joaquín Navarro Valls, había dado la fecha del 8 al 24 de diciembre de 1990 como los días en que el Papa estaría en Cuba. El anuncio molestó profundamente en La Habana.

Habían existido contactos oficiales entre representantes de los dos Estados. Monseñor Fiorenzo Agnelli, que se ocupa en el Gobierno Vaticano de los temas relacionados con la salud, había visitado Cuba en tres ocasiones, la última de ellas en junio de 1989. Monseñor Agnelli tenía una doble misión que cumplir: llegar a un acuerdo para que las religiosas de las Siervas de María y de las Hermanitas de los Ancianos Desamparados tuvieran una mayor presencia en los hospitales cubanos y en segundo lugar tantear el terreno para una visita papal.

El primer punto no revestía mayores problemas. Sí el segundo. A comienzos de 1989, la Jerarquía Católica inició una fase de "calentamiento" previo a la visita del Papa. Para ello, utilizó la imagen más querida de los cubanos, católicos o no: la patrona, la Virgen de la Caridad del Cobre. En Cuba, un Estado oficialmente ateo que dejará de serlo cuando se modifique la Constitución, tal como acordó el IV Congreso del PCC, están prohibidas las procesiones y manifestaciones religiosas en las calles y vías públicas. Igual que en México. Pero como en el país azteca, las autoridades cubanas hicieron la vista gorda y dejaron que la virgen morena saliera de su Basílica santiaguera e iniciara una larguísima procesión por la isla, que debía durar todo el año, hasta la llegada de Juan Pablo II.

No era la primera vez que la Virgen del Cobre recorría la isla. Lo había hecho en 1952 y había vuelto a viajar a La Habana, en donde presidió la misa que celebraba el reciente triunfo revolucionario en presencia de todos los barbudos, Fidel incluido, que habían derrocado a Batista.

Los católicos afirman que en su última gira la Virgen del Cobre fue recibida por multitudes llenas de fervor. Los comunistas, que no era para tanto. En San Felipe, un pueblecito situado en la zona de Guira de Melena, a una hora de camino al sur de La Habana, un grupo de fieles exaltados intentó volcar la furgoneta en la que viajaba la Virgen del Cobre si no la bajaban y dejaban que la pasearan a hombros por las calles del pueblo. La policía de tráfico, que escoltó a la Patrona en su largo recorrido por la isla, cedió y bajó la imagen.

Ese percance fue demasiado para las autoridades cubanas. El 16 de mayo de 1990, silenciosamente, la Virgen del Cobre regresaba a su casa en Sierra Maestra y allí permanece. La cacareada visita de Juan Pablo II comenzó a enfriarse. Y es que los beneficios que cada una de las partes pretendía obtener con la presencia del Papa viajero en la isla eran muy contradictorios.

El Gobierno cubano, además de una colaboración más estrecha de las religiosas en sus hospitales y el envío de medicinas, intentaba mejorar su imagen a nivel internacional. Dejar entrar al Papa y que convocara a no se sabe cuántos miles de fieles en plazas y lugares públicos era un síntoma de apertura.

Católicos más radicales mantienen que Castro quería aliarse con la Iglesia para "neutralizarla". El miedo a que se creara en torno a los dirigentes católicos un núcleo opositor al régimen, al estilo de Polonia y su actual presidente, Lech Walesa, podría ser neutralizado si el Gobierno utilizaba y manipulaba en su interés esa visita.

Así lo entendió Gustavo Arcos, secretario general del Comité Cubano Pro Derechos Humanos, la organización de este tipo más veterana en la isla, quien pronosticaba a comienzos de agosto del 90 que "la visita del Papa habría sido el fin del castrismo, como sucedió en Polonia".

La Jerarquía Católica por su parte estaba necesitada de un mayor espacio en el que desarrollarse y sobre todo una mayor presencia en los medios de comunicación. A fines del 89 habían conseguido algunas cosas. Por ejemplo, que los sacerdotes pudieran volver a entrar a las prisiones, acceso que les había estado prohibido desde los primeros años de la Revolución. Los presos que lo deseaban podían asistir a misa, confesar y comulgar. Además, se había autorizado que la Iglesia habanera dispusiera de una pequeña imprenta donde editar sus libros y folletos.

Los grupos de católicos más radicales, como los del ilegal Movimiento Liberación, pretendían encender la mecha entre los católicos más inconformes con el sistema. El líder del Movimiento, el ingeniero Oswaldo Payá Sardiñas, merece el respeto de los otros grupos de la disidencia interna mucho más que el de la propia Jerarquía Católica a la que Payá acusa de ser excesivamente blanda con el régimen castrista.

Para Payá y los suyos, al igual que otros grupos disidentes, la visita del Pontífice debía ser utilizada para llamar la atención del mundo y del propio Juan Pablo II sobre la situación de los Derechos Humanos en Cuba. (En mayo de 1992 Payá se encontraba detenido).

¿Es eso lo que quiere evitar el Gobierno cubano al no concretar una fecha para la visita?

Jorge Gómez Barata, que es un tipo flaco y fibroso que trabaja en el Departamento Ideológico del Comité Central, antiguo Departamento de Orientación Ideológica (DOR), se ríe un poco de todas estas teorías. Experto en temas religiosos y en el exilio cubano, Gómez Barata me decía un día en una de las salas del Comité Central que comparar a Cuba con Polonia era un absurdo: "Jamás podría darse esa similitud en Cuba, porque la mayoría de los católicos cubanos son revolucionarios".

Listo como un lince, dialéctico, Barata recuerda que la Constitución cubana aprobada por abrumadora mayoría en febrero de 1976 acepta la libertad de creencias religiosas. En efecto, el artículo 54 dice que "el Estado Socialista, que basa su actividad y educa al pueblo en la concepción científica materialista del universo, reconoce y garantiza la libertad de conciencia, el derecho de cada uno a profesar cualquier creencia religiosa y a practicar, dentro del respeto a la ley, el culto de su preferencia".

Así pues, concluye Barata, "el problema de la Iglesia Católica en Cuba no es con el Partido, ni es con el Gobierno. Su problema es con el pueblo". Porque para este comunista, "sus templos siguen abiertos, pero su rebaño se ha visto sensiblemente disminuido".

La entrada de sacerdotes extranjeros estuvo prácticamente suspendida desde 1965 a 1987. Un hermano de Céspedes, Manuel Hilario, que había ido a estudiar a Venezuela, debió esperar, siendo cubano y descendiente de uno de los grandes próceres de la Patria, doce años hasta conseguir el permiso para entrar en Cuba. Pero no como sacerdote.

Las relaciones, a raíz de ese Encuentro eclesial se fueron distendiendo y entre el 87 y el 89 ingresaron treinta nuevos sacerdotes a Cuba. Colombianos y centroamericanos en su mayoría, más un brasileño y un argentino. En la habanera Iglesia del Cristo del Buen Viaje se ha abierto una Casa Diocesana del Laico y ya no está tan mal visto acudir a ella a estudiar el catecismo o a participar en ceremonias religiosas. La Catedral de La Habana, una hermosa muestra del barroco criollo del siglo XVIII, situada a cien metros de la popular Bodeguita del Medio, la taberna en donde Ernest Hemingway engordaba su barriga a base de mojitos, se llena todos los domingos de fieles que escuchan con atención la Santa Misa.

En un país donde las estadísticas son escasas, los responsables de la Conferencia Episcopal llevan, como pueden, las suyas propias. Por ejemplo: los dos seminarios que existen en la isla, uno en La Habana y otro en Santiago, tienen un total en estos momentos de 50 alumnos. En la década de los sesenta llegó a haber hasta 80 aspirantes a sacerdote, cifra que decayó sensiblemente en los setenta cuando las relaciones se tensaron y sólo veinte cubanos ocupaban los dos seminarios.

También se ha incrementado sensiblemente el número de bautizos y las clases de catecismo. Datos de la Jerarquía Católica afirman que de los 7.000 bautizos celebrados en 1979 se pasó a 21.000, tres veces más, en 1989. De éstos, 3.000 eran mayores de siete años, entre los que abundaban jóvenes de veinte a veinticinco años de edad.

Este incremento, sin embargo, debe ser matizado: todos los cubanos que quieren iniciarse en la santería, "toman el santo", deben como primer requisito bautizarse por la Iglesia Católica.

¿Hasta qué punto esos jóvenes que se bautizan lo hacen porque quieren luego tomar el santo yoruba?

Porque si los bautizos aumentan, las calles de La Habana están cada día más llenas de iyabós, los recién iniciados en la Regla de Ocha. Se les reconoce por su vestidura absolutamente blanca, de pies a cabeza. Hace un par de años, era raro verlos por las calles, pues aunque no estaba de forma absoluta prohibida, tampoco eran bien vistos y los vecinos, los cederistas, podrían denunciarlos o provocar problemas a quien abrazara en público la religión yoruba.

Esa situación ha cambiado. Un día de primeros de enero de 1992, caminando por las calles de La Habana con José Manuel Martín Medem, corresponsal de Radio Nacional de España, contamos en un trayecto de quince minutos en coche cuatro iyabós. Por la tarde, Medem se cruzó con otros tres. Todos eran jóvenes y de ambos sexos.

Unas semanas después, con ocasión de la presentación del nuevo embajador cubano ante la Santa Sede, el Papa Juan Pablo II se congratulaba de que las relaciones mejoraran.

La aceptación de una presencia más activa de los católicos en la vida pública, no sólo favorecerá el diálogo con la Iglesia sino que contribuirá al bienestar de la comunidad civil —dijo el Pontífice al embajador cubano Hermés Herrera Hernández, ex viceministro de Cultura.

El embajador cubano le contestó al Papa con el argumento favorito de Fidel: alabando a las monjitas, ensalzando "la abnegada labor realizada por las religiosas que prestan sus cuidados a ancianos y enfermos en nuestras instituciones sanitarias".

El clima que Juan Pablo II establecía en Roma no se correspondía sin embargo, exactamente, con el que se respiraba en esos mismos momentos en La Habana. Los responsables católicos siguen viendo con desconfianza al régimen castrista y los altos funcionarios del Partido no ocultan su disgusto por lo que consideran una dependencia excesiva del extranjero de la Jerarquía Católica.

El primer aviso lo dio Castro en su visita a Brasil, en marzo de 1990, con motivo de la toma de posesión de Fernando Collor de Melo. Ante más de 1.300 cristianos de las comunidades de base brasileñas reunidas en São Paulo, Fidel Castro denunció que mientras en Brasil había "una iglesia de los pobres", en Cuba hay una "iglesia de los ricos, de los latifundistas, de los terratenientes".

Pero lo que más dolió a la Jerarquía Católica fue que la identificara con Miami y los contrarrevolucionarios.

—La Jerarquía de nuestra Iglesia se sentía más Iglesia de los que vivían en Miami, de los que habían abandonado la Patria, de los que se pusieron al lado de Estados Unidos, que Iglesia de los católicos cubanos... La Iglesia Católica cubana es muy dependiente de otras jerarquías católicas occidentales, de la ayuda de la Iglesia Católica de Estados Unidos... Nunca llegó a identificarse con la Revolución y ha estado agazapada, esperando que la Revolución tuviera dificultades para actuar contra ella... (10).

El nuncio español Faustino Sainz Muñoz se hizo cargo de la Nunciatura en La Habana a comienzos de 1990. Pasar por su residencia es obligado para los periodistas extranjeros, y aunque como buen diplomático y mucho más un cura diplomático curtido en el Vaticano, pregunta más que responde, se pueden obtener de él algunas informaciones de interés. Está firmemente convencido de una cosa:

—La Iglesia Católica, su Jerarquía, es muy cubana. El comandante Castro la acusó de estar del lado de los de Miami, pero eso no es cierto. Lo que sucede es que no está a las órdenes de Fidel.

Gómez Barata, el alto funcionario del Departamento Ideológico del Comité Central piensa distinto. "La Iglesia cubana ha perdido todas sus oportunidades históricas de estar con el pueblo: se puso al lado de los colonizadores españoles, de los esclavistas, durante la República estuvo al lado de la oligarquía y de los yanquis y cuando la Revolución triunfó se puso del lado de la contrarrevolución".

Y sobre todo, la Jerarquía Católica no condena el bloqueo al que Estados Unidos somete a la isla desde 1961. Salvo en una ocasión, en 1969, guardó silencio sobre una de las espinas que Castro tiene clavadas en su corazón.

Todo lo contrario de las llamadas "otras iglesias", protestantes, evangelistas, adventistas, etc., etc. A los pocos días de su regreso de Brasil, Castro recibe una carta firmada por el presidente del Consejo Ecuménico de Cuba (CEC), presbítero Raúl Suárez Ramos. Lleva fecha del 27 de marzo y está encabezada con un "Muy apreciado presidente".

En dos hojas, el presidente de más de 70 iglesias cubanas no católicas, deja bien clara la actitud de estos creyentes hacia la Revolución cubana y su máximo líder.

La carta recuerda que en "su reciente visita a Brasil, donde su calidad humana, revolucionaria y de estadista y visionario se puso a prueba una vez más, lo puso en contacto con cristianos revolucionarios". En la misiva se condenan "las agresiones económicas, políticas, radiales y televisivas de las Administraciones gubernamentales de los Estados Unidos". Y ello ha sido así, esa solidaridad con el Gobierno de Cuba se ha expresado porque "entendemos que pese a sus errores (los de la Revolución), ha sido una bendición para nuestro pueblo pobre, y muy superior al pasado capitalista" (11).

El obispo Suárez terminaba solicitándole un encuentro con la Junta Directiva del CEC, reunión que tuvo lugar el 2 de abril.

En ese encuentro, Fidel reconoce que es un problema la falta de templos y aprovecha para criticar "el ateísmo proveniente de manuales importados". Unos meses después, a comienzos de septiembre, una reunión similar tiene lugar entre los miembros del CEC y altos funcionarios cubanos, presididos por Carlos Aldana.

Se escuchan alabanzas a la Revolución que más parecen propias de un Congreso del Partido que de una reunión de religiosos.

Por ejemplo, Dora Arce Valentín, presidenta del Movimiento Estudiantil Cristiano, afirma en la tribuna que "hay que rescatar con urgencia la mística de la Revolución, el sentido de pertenencia al proceso transformador y creativo que debe ser la construcción de una sociedad y de un ser humano nuevo" (12).

Jesús Castellano, profesor del Seminario Evangélico de Teología, afirma: "Los cristianos deben optar definitivamente por la Revolución... sin la pretensión de evangelizar a los marxistas y sin la cobardía de ocultar su fe" (13).

No es de extrañar que en las palabras de clausura, un eufórico Carlos Aldana diga que "los cristianos revolucionarios y los marxistas son en efecto hermanos, porque el amor a los humildes, a la Patria, a la obra redentora de liberación nacional, de justicia y de progreso social constituye una fraternidad que nos abarca a todos" (14).

Esa hermandad iba a dar sus frutos. El 31 de marzo de 1991, la emisora CMBF de La Habana, que habitualmente transmite sólo música clásica, ofreció por vez primera en treinta años un servicio religioso.

Transmitido desde la Iglesia Metodista, en el céntrico barrio del Vedado, durante treinta y cinco minutos los cubanos pudieron escuchar cantos, lecturas del evangelio y diversos sermones de pastores cristianos evangélicos. En el acto litúrgico estuvieron representadas todas las iglesias cristianas de Cuba, salvo los católicos, sin duda los creyentes más numerosos de la isla junto con los que practian la santería.

El obispo metodista Joel Ajo fue bien explícito en su sermón: "Pido la bendición de Dios sobre los que dirigen nuestro país para que continúen abiertos y dispuestos a hacer la voluntad de Dios".

Si el negrito Juan Moreno tuvo la fortuna de hallar sobre el mar a la Virgen del Cobre y por ello pasó a los Archivos de Indias, los cristianos ecuménicos recibieron el premio de las ondas por su indudable apoyo a la Revolución en los momentos más difíciles de su historia.

NOTAS

(1) Encuentro Nacional Eclesial Cubano. *Documento Final e Instrucción Pastoral de los Obispos.* Tipografía Don Bosco. Roma, 1987.

(2) Natalia Bolívar Arostégui: *Los orishas en Cuba.* Ediciones Unión. La Habana, 1990.

(3) Encuentro Nacional Eclesial Cubano. *Documento Final e Instrucción Pastoral de los Obispos.* Tipografía Don Bosco. Roma, 1987.

(4) Encuentro Nacional Eclesial Cubano. *Documento Final e Instrucción Pastoral de los Obispos.* Tipografía Don Bosco. Roma, 1987.

(5) *Plan Pastoral de la Conferencia Episcopal Cubana.* LXXIV Asamblea Plenaria de la Conferencia Episcopal. La Habana, 1990.

(6) *Este es el Congreso más democrático.* Resoluciones, principales intervenciones y relación de Miembros del Buró Político y del Comité Central. Editora Política. La Habana, 1991.

(7) *Cuba: Testimonio cristiano, vivencia revolucionaria.* Carmelo Alvarez. Editorial DEI. San José de Costa Rica, 1990

(8) Natalia Bolívar: *Los orishas en Cuba.* Ediciones Unión. La Habana, 1990.

(9) *La religión en la Cultura.* Colectivo de Autores. Editorial Academia. La Habana, 1990.

(10) "Respuesta de Fidel en torno a la posibilidad de que los creyentes puedan ingresar al Partido". *Granma,* 25 de marzo de 1990.

(11) "Pese a sus errores la Revolución ha sido una bendición". *Granma,* 15 de abril de 1990.

(12) "Como Gobierno no queremos ser ateos, queremos ser laicos". *Granma,* 9 de diciembre de 1990.

(13) "Como Gobierno no queremos ser ateos, queremos ser laicos". *Granma,* 9 de diciembre de 1990.

(14) "Como Gobierno no queremos ser ateos, queremos ser laicos". *Granma,* 9 de diciembre de 1990.

18

LA SANTERIA

Esta tierra mulata
de africanos y españoles,
Santa Bárbara por un lado
y Changó por el otro.
Nicolás Guillén

El Obbá coloca la cabeza del chivo degollado a unos centímetros de la boca de Cecilia, una bella mulata de veintiséis años. La
joven entorna un poco sus ojos, saca la lengua y acaricia lenta,
pausadamente, el cuello sangrante del mbori, regado por la sangre de otras dos docenas de animales: tres chivos más, dos carneros, una tortuga, ocho palomas, seis gallinas, tres pollos y un pato.

Cuando vi a aquella joven "lavar el santo", comencé a entender
que hay personas en Cuba que se toman lo de la santería muy,
pero que muy en serio. Descubrí que cientos de miles de cubanos
la practican y que si pudiera obtenerse una estadística fiable, posiblemente serían los distintos ritos sincréticos los más practica-
dos en la isla. Mi interés por este tema comenzó en Santiago de Cuba.

Me costó trabajo la cita.

El Departamento Ideológico del Partido Comunista de Santiago de Cuba había sido tremendamente eficaz en organizarme encuentros con periodistas locales del diario *Sierra Maestra* y de Tele
Turquino; con los presidentes locales de las empresas de turismo,
el Intur, Cubanacán, Gaviota; me pasearon por diversas empresas:
Retomed, que se dedica a la fabricación de artefactos médicos, en

donde hablé con militantes del Partido; Combinado 30 de Noviembre, donde fabrican las mejores tuercas del país, y en donde charlé con chavales de las Juventudes Comunistas. También visité el Instituto Superior Tecnológico, donde me enfrasqué en una discusión de horas con una docena de polémicos estudiantes, e incluso aguanté tres horas y media bajo un sol de justicia socialista caribeña para presenciar el desfile del Primero de Mayo de 1991.

Pero jamás me consiguieron una cita con una santera. Me decían: "Chico, es que eso no es fácil".

—Compañero, pero si Santiago de Cuba está llena de santeros, de babalawos, de paleros, de espiritistas, de brujos...

Ni por ésas. Hasta que alguien, del propio Partido, por supuesto, se apiadó de mí.

—Yo te llevaré a la mejor santera de Santiago.

Así es como conocí a Marcia Rengifo Inciarte, una curiosa y gruesa mujer de sesenta y cuatro años que vive en una casa unifamiliar con las paredes repletas de pósters de Pablo Milanés. Mulata, con el pelo teñido de rojo, llena de collares de santo, viste un traje azul con esmerados encajes sobre el exhuberante pecho.

Lo primero que ella me dijo fue que no era una santera, sino una espiritista. Lo primero que yo le dije fue:

—Me costó trabajo llegar a usted. Parece que la gente del Partido no tiene mucho interés en que los extranjeros conozcan a los santeros...

Se asombró.

—Pero si aquí viene gente de todo tipo, aquí viene gente con carnet del Partido, ¡qué le digo, si vienen hasta del Comité Central!

Reconoce que con un poquito de temor, pero mucho menos que antes. Porque a estas alturas de la Revolución, visitar una santera, practicar la santería, acudir a la consulta de un espiritista, no implica necesariamente una mancha negra en el expediente del militante comunista. En eso, el régimen ha abierto la mano en los últimos tiempos. Muchísimo más desde que el IV Congreso del Partido aprobó que los creyentes de cualquier rito o religión pueden militar en sus filas.

—Yo soy revolucionaria y fidelista y tengo fe en esto. A lo mejor uno que lleva sólo el carnet del Partido le hace más daño a la Revolución que nosotros —dice Marcia.

La santería. La primera vez que uno escucha hablar de santeros, paleros, babalawos o indiobones piensa en algo misterioso, secreto, clandestino, reservado, tenebroso y esotérico. Y resulta que los babalawos son carne de primera página del *Granma,* el periódico oficial del Partido, se escriben libros sobre el tema, se dan conferencias, se organizan peregrinaciones y ni siquiera es preciso ya solicitar permiso al Ministerio del Interior para realizar un rito santero en la propia casa.

Lo increíble es que en cuatro siglos no se haya perdido la esencia de estos ritos africanos llevados a Cuba con los primeros esclavos en el siglo XVI. A Santiago de Cuba, precisamente, llegaron los primeros "negros ladinos", entre 1503 y 1528. Así llamados porque sabían hablar español.

Inmediatamente después se inicia el tráfico con los "negros bozales" (1), llamados así porque no sabían ni una palabra de español. Aníbal Argüelles Madero e Ileana Hogde Limonta afirman en su libro *Los llamados cultos sincréticos y el espiritismo* que durante 370 años y en cuatro diferentes etapas llegaron a Cuba un total de 435.194 esclavos negros. Los últimos 60.000 son llevados ilegalmente, pues desde 1920 se había suspendido el comercio de esclavos. En el pasado siglo, había en Cuba más negros, tanto libres como esclavos, que blancos (2). Sin embargo, el Atlas Demográfico Nacional editado por el Comité Estatal de Estadísticas en 1985 afirma que sólo en el siglo XIX llegaron unos 900.000 esclavos africanos y 150.000 culíes chinos (3).

La mayoría proceden del antiguo Dahomey, de Togo y sobre todo del suroeste de Nigeria. El escritor y antropólogo cubano Fernando Ortiz, quizás el hombre que más supo de todo esto, afirma que a Cuba arribaron más de 90 etnias. Las más importantes: yorubas o lucumís, congos, carabalíes, mandingas, ewe-tshi y hamitos negroides.

De todas ellas, las más importantes son la Yoruba y la Conga. Yoruba era una denominacion lingüística que agrupaba a numerosas tribus. Una de ellas, la Ulkumi, dará origen a la palabra Lucumí, nombre que se aplicará indistintamente a estos cubano-africanos y a uno de los cultos que se desarrollarán posteriormente. Cuando se establecen, a la fuerza, en Cuba, los yorubas se esparcirán por el occidente (La Habana) y los congos en oriente (Santiago).

Con el paso del tiempo, los negros más inquietos huyen de sus amos. Nacen así los cimarrones, los negros que escogen la libertad y se refugian en el monte, donde se reúnen en los llamados palenques, que darán origen a pequeñas aldeas. Aunque algunos palenques llegaron a prosperar, el cimarrón, por lo general, bajaba a los poblados en busca de alimentos, que conseguía por las buenas o por las malas (4).

Las autoridades coloniales españolas deciden que para evitar la formación de palenques es mejor organizarlos por procedencia geográfica, lo que a la larga no hará sino mantener viva la herencia cultural africana. Nacen así cofradías y cabildos, que serán oficializados por la Iglesia Católica en el siglo XVIII, siempre y cuando tengan nombres católicos.

Algunos de estos cabildos, que con el tiempo se convertirán en sociedades de recreo y ayuda, y más tarde en casas de culto, sobreviven aún. En Matanzas, el Cabildo de Santa Teresa, fundado en

1816. En Sancti Spiritu, el Santo Arará Magino, también de 1916, y en Cienfuegos, los de Santa Bárbara y La Sociedad del Cristo.

Las cofradías estaban integradas por negros ladinos, que son los llegados de España, fundamentalmente de Sevilla y saben hablar castellano. Se reunían para celebrar fiestas religiosas cristianas y de paso hacer toques de tambor y bailar. Los negros bozales, o "negros de nación", como los bautizara Fernando Ortiz, por su parte se agrupan en los cabildos. Estos negros llegaron directamente de África y no sabían nada de la lengua española.

La Iglesia Católica española, curiosamente, dejará que sus fieles negros alternen sus ritos afro con los estrictamente católicos. Lo contrario que en las zonas caribeñas dominadas por los ingleses, en donde los negros serán duramente castigados por adorar a sus viejos dioses.

Pero tampoco hicieron esto por simple bondad. Los dueños de las plantaciones de azúcar cristianizaron a sus esclavos. Estos se dieron cuenta de inmediato de que muchos de los personajes bíblicos tenían una correspondencia con sus deidades africanas. Y comenzaron a identificar a unos con otros, más para engañar al patrón que por devoción a los santos católicos.

Cuando el amo creía que sus esclavos estaban orando ante la imagen de Santa Bárbara, en realidad, estaban adorando a Changó, su par sincrético. Pero a unos y otros esta confusión les benefició y así comenzó a diseñarse el sincretismo cubano o mezcla de dos religiones, la católica y la negroide africana.

Por la distancia geográfica dentro de la isla y la procedencia de los esclavos africanos, rápidamente se fueron diseñando distintas Reglas o cultos. Así, en el occidente, con fuerte implantación yoruba, creció la Regla de Ocha o Santería. En el oriente, más negroide, surgió la Regla Conga o Palo Monte. Con menor influencia, nació la Regla Arará, la Gangá Longobá y más importantes, pero mucho más misteriosas, las Sociedades Secretas Masculinas Abakuá.

Lydia Cabrera, una estudiosa cubana afincada en Miami, en donde falleció recientemente, afirma en su clásico libro *El Monte*, la biblia para los santeros, que la palabra Regla "es empleada por el pueblo en el sentido del culto o religión". Para ella hay dos grandes Reglas, la de Ocha o Lucumí y la Conga o Palo Monte, que se corresponden a las dos etnias más importantes, la lucumí y la conga, que mantendrán vivos sus idiomas yoruba y bantú respectivamente hasta nuestros días (5).

La palabra Regla está tan extendida al hablar de culto o religión que algunos negros se refieren a la religión católica como la Regla de Blancos, mantiene Cabrera.

Aunque vulgarmente a todos estos ritos se les conoce como "santería", lo correcto es denominarlos "cultos sincréticos" (6).

Básicamente, todos ellos son politeístas y tienen varios dioses. Lo contrario que los católicos o mahometanos, que tienen un solo dios. Tampoco cuentan con textos sagrados, sino de libretas que se pasan de generación en generación, ni se organizan institucionalmente.

La Jerarquía Católica cubana ha tratado de desprestigiar en ocasiones estos cultos, tratándolos de animistas. Para ello, mantienen que el animismo es una religión practicada por pueblos poco desarrollados y a veces incultos. Sus creyentes atribuyen una actividad voluntaria a los seres y a los fenómenos naturales.

Reynaldo González, director de la Cineteca cubana, autor de libros sobre estos temas (*Contradanzas y latigazos*), dice tras la mesa de su despacho, en donde destaca un enorme póster de Charlot:

—Efectivamente, hay un principio animista, pero no en el sentido peyorativo. Porque yo también, por esa regla de tres, considero que hay animismo en la Iglesia Católica. ¿O no lo es cuando Cristo dice este es mi cuerpo y es un trozo de pan, o ésta es mi sangre y es un vaso de vino?

De todas las reglas, la de Ocha es la más extendida en Cuba. Heredó de los yorubas una rica mitología en la que existen más de 200 deidades. El paso del tiempo, y la lejanía de la tierra africana, ha hecho que sean unas 20 deidades, llamadas orishas en yoruba, las que se adoren más frecuentemente.

La religión que profesan estos yorubas está profundamente vinculada al concepto de familia, que es el conjunto de vivos y muertos que surgen de un ancestro común. Estos ancestros tienen el control sobre las fuerzas de la naturaleza. Los que más poder o aché tuvieron fueron divinizados y formaron el panteón orisha, el panteón de las divinidades yorubas (7).

Los babalawos son los sacerdotes de Ifá, de donde nacen todas las religiones, afirman sus creyentes. El babalawo interpreta el oráculo Ifá, que es un complejo sistema adivinatorio y determina cuál de los muchos dioses yorubas ha de "asentarse" sobre el iniciado o iyabó.

En torno a los babalawos crecen los santeros, que son los que ya han tomado el santo y toda una jerarquía de ayudantes: padrinos y madrinas de los que quieren iniciarse en la regla, llamados babalochas e iyalochas. La yumbona, o asistente de la madrina en una ceremonia de santo. El osainista, que se ocupa de recoger en el monte las hierbas necesarias para el culto. El oriaté, especialista en interpretar el dialoggún, otro sistema adivinatorio. Y por último, los alubbatas, tocadores de los tambores sagrados Batá, en donde se supone que reside la deidad Aña.

Por su parte, la Regla Conga o Palo Monte, también llamada de Mayombé se basa en la creencia de fuerzas sobrenaturales y en elementos de la naturaleza, sobre todo plantas y animales que se encuentran en el monte, que es sagrado. De ahí su denominación de Palo Monte y a sus seguidores de paleros, frente a los santeros de la Regla de Ocha.

La principal jerarquía en Regla Conga es el Tata-Nganga, que es quien posee la nganga, el recipiente mágico que contiene una enorme variedad de objetos orgánicos e inorgánicos: tierra de cementerio, plumas de ave, especialmente las auras tiñosas, unas aves repugnantes, especie de buitres que en México llaman zopilotes; huesos de animales; sangre de animal y humana. Para que la nganga tenga una fuerza especial, es conveniente poner dentro de ella un cráneo humano, con restos de masa encefálica, a ser posible perteneciente a alguien que en vida fue una persona inteligente y destacada.

El Tata-Nganga tiene también, como el babalawo, una corte de ayudantes: el mayordomo o bakúfula, quien se ocupa de preparar las ceremonias; la guandi-nganga, la categoría más alta que puede alcanzar una mujer, aunque su principal misión, cómo no, consistirá en preparar la comida; el mokude kuenda enfinda, que busca las hierbas y por último el gallo, el solista que inicia los cantos (8).

Otras dos Reglas, la Arará y la Gangá Longoba existen en la isla, pero sus practicantes son mucho menos numerosos. La Arará se centra en la zona de la provincia de Matanzas, al norte de la isla, donde se encuentra Varadero y sus practicantes son negros originarios del actual Dahomey. Creen que de la unión de dos deidades, Mawu y Lisa, nació el mundo.

Mucho más importantes son las Sociedades Secretas Abakuá. A sus practicantes se les llama ñañigos y no han gozado de muy buena fama que se diga. A las sociedades ñañigas se les ha relacionado con actos de violencia y actividades conspirativas. Lydia Cabrera las califica como una sociedad "delictuosa y peligrosísima por su agresividad" (9).

La primera sociedad abakuá se funda en 1836, y sus integrantes se organizan en potencias, juegos y tierras. La potencia es el conjunto de objetos sacros y de hombres probados como creyentes y viriles. Prima en este rito el machismo más exacerbado. "Sólo lo que sea potente, macho, puede tener acceso a sus secretos", dicen los autores de *Los llamados cultos sincréticos.*

Las sociedades abakuá nacieron ante el temor de los negros de ser represaliados tras la sublevación de sus hermanos de la vecina Haití, el siglo pasado. Su fundamento religioso tiene origen en una mítica leyenda tejida alrededor de una deidad, el Pez Tanze y dos tribus, Efor y Efik.

Una hermosa princesa de la tierra de Efor, llamada Sikán, cometió la imprudencia de sacar al Pez Tanze del río, y murió. La princesa fue sacrificada y con su piel se hizo un tambor, pues se creía que la voz de dios se escuchaba a través del Pez Tanze. Después de probar con la piel de varios humanos, se dieron cuenta que la voz era irrepetible, hasta que utilizaron la de un mbori, un chivo. Así nació el tambor Ekué, que tiene un valor sagrado

Es precisamente por esta leyenda en la que una mujer, la princesa Sikán, mata al pez sagrado, que se desarrolló un machismo feroz entre los ñañigos. Tanto es así que se considera una debilidad incompatible con el ingreso en la sociedad abakuá el ceder ante una mujer o tener delicadezas con ella.

En un principio sólo había negros en las sociedades ñañigas, pero ya se admiten de todas las razas y colores. Se desarrollaron mucho en los puertos y en general en todo lo relacionado con el transporte marítimo.

Es por ello que actualmente se dice que el Puerto de La Habana está en manos de ñañigos que en algunos momentos han provocado problemas de orden político al régimen castrista.

Por último, aunque tiene un origen muy distinto, habría que reseñar el espiritismo, ya que con el curso de los años ha tomado numerosos elementos tanto de los católicos como de los ritos sagrados africanos.

A mediados del pasado siglo, llegó la doctrina espiritista a Cuba, procedente de Estados Unidos. En el primer Congreso Internacional de Espiritistas celebrado en Barcelona, España, en 1988 se encuentran tres representantes cubanos.

Es significativo cómo se dividieron, por creencias religiosas, los cubanos en el pasado siglo: los calambucos (10) o beatos católicos están con la metrópoli, España; los protestantes son partidarios de la anexión a Estados Unidos; los santeros tenían a los esclavos como sus directos antepasados, mientras que los espiritistas se identificaron con los independentistas, desde los comienzos de la rebelión contra España, en 1868.

El espiritismo, al igual que los ritos africanos, se dividió pronto en tres ramas. La científica, con gran influencia de los espiritistas norteamericanos. El llamado "cordon", que mezclaba la línea científica con el cristianismo, y por último "El cruzao", que se alimenta tanto del espiritismo como de la Regla Conga.

El ejemplo más claro de esta increíble fusión de espiritismo, catolicismo y santería lo encontré en la casa santiaguera de Marcia Rengifo.

Después de echar unos traguitos de ron Paticruzao, Marcia me llevó a su altar. Me quedé impresionado. En una habitación de regular tamaño, una pared estaba completamente llena por lo que bien podría ser un retablo de una iglesia de pueblo. Marcia me fue explicando lo que allí había, una extraña mezcla de imágenes de santos, Santa Cecilia, San Antonio de Padua, la Virgen de las Mercedes, Santa Bárbara, un cáliz, las muletas de San Lázaro, fotografías de artistas, estampas, postales de Santiago de Compostela, botellas de cerveza y aguardiente.

—¿Qué es una espiritista, Marcia?

La vieja de color se acomoda en su silla frente al altar y contesta:

—Cuando tenía veinticuatro años, comencé a sentir algo raro dentro de mí, como unos fluidos internos, veía cosas, imaginaba cosas, que luego sucedían...

Maestra de escuela, al fallecer su madre reconoce que "me descontrolé emocionalmente". Su primer marido, creyente de la Regla Conga, la más cercana al espiritismo, la animó a profundizar en sus visiones. Desde 1972 "pasa consulta" en su casa santiaguera.

—Aquí viene la gente con problemas, físicos o psíquicos, y yo trato de ayudarla. Pero no soy yo quien habla, sino mi espíritu protector.

—La primera regla de una buena espiritista —dice Marcia— es no intentar curar lo que puede curar un médico.

—El que cura es el médico, yo aquí lo que hago es un esclarecimiento, le digo al que me consulta si tiene un problema de hígado o de vesícula.

Pero también hace despojos, y recomienda baños. El primero consiste en pasar por el paciente pañuelos de diversos colores, según la corriente establecida entre éste y los espíritus convocados. Los baños han de prepararse con albahaca, salvadera, algodón, comino, canela, azúcar, unas gotas de alcohol y agua de colonia. Lo más espectacular, el "agua magnética".

Para obtenerla, la espiritista debe convocar a la Comisión Médica de los Espacios, que sólo ella ve y sólo ella sabe lo que dicen. El rito consiste en llenar una botella bien limpia con agua, a la que se le pone una mijita de albahaca. Se coloca la botella en el altar, se convoca a la Comisión Médica de los Espacios. Se reza y luego se bebe. Hay quienes se curan, dice Marcia.

Cuando salgo de la casa de esta espiritista santiaguera, me pide que le envíe postales de la ciudad hermana española, Santiago de Compostela, para adornar su altar. Y si es posible, un almanaque en donde se vean plazas y calles de la ciudad gallega. Me alejo pensando en las cosas tan raras que te piden los cubanos.

Y recuerdo otros encargos: líquido para limpiar las lentillas de mi amiga Siria, vitaminas, discos de José José, las memorias de Ronald Reagan. Pero la petición más extraña fue una que recibí por teléfono a mi casa de México:

—Compañero, ¿podrías traerme una Biblia?

De piedra. No la Biblia. Yo me quedé de piedra. Después, cuando comencé a leer literatura relacionada con los cultos sincréticos

cubanos, me di cuenta de por qué: la Biblia narra historias que en
ocasiones son muy similares a las de los viejos cuentos africanos.
Por eso les gusta a algunos cubanos leer el libro sagrado de los católicos.

Meses después, en la V Feria del Libro de la Habana de febrero
de 1992 no me sorprendió en absoluto saber que el libro más vendido había sido la Biblia. Un mes después, el diario *Granma* informaba que en 1992 se distribuirían en las librerías del país 70.000
Biblias para su venta, regalo de las Sociedades Bíblicas Unidas, así
como miles de ejemplares del Nuevo Testamento y otros textos religiosos.

En aquella feria del libro, conocí a jóvenes cubanos que soportaron hasta tres horas de cola para entrar al local de PabExpo, tomar tres o cuatro Biblias y aguantar otra hora de cola para pagarlas. (Luego tendrían que sumar otras tantas de espera del autobús). Bajo sus brazos llevaban un verdadero tesoro. Le pregunté a
una chica:

—¿Qué sientes al leer la Biblia?

—Me relaja, me relaja mucho —dijo esbozando una sonrisa
bajo la que asomaba un ramillete de perlas.

Esa misma sensación siente el europeo al leer las leyendas religiosas afrocubanas. Por ejemplo, la de la creación del mundo.

Olofi era tan poderoso que crear el mundo le pareció una tarea fácil. Pero una cosa es hacer algo y otra que funcione. Cuando
distribuyó los cargos entre sus hijos, se encontró con que los hombres siempre estaban peleando y tuvo que hacer de Ayáguna el
orisha de las pendencias. Pero Olofi es la paz porque es completo,
y no puede comprender por qué Ayáguna siempre está atizando
las peleas. Así que un día le dijo:

—¡Por favor hijo mío!

Pero Ayáguna le respondió:

—Si no hay discordia no hay progreso, porque haciendo que
quieran dos, quieren cuatro y triunfa el que sea más capaz y el
mundo avanza.

—Bien —dijo Olofi— si es así, durará el mundo hasta el día en
que le des la espalda a la guerra y te tumbes a descansar.

Ese día no ha llegado todavía y Olofi comprendió que su creación dejaba mucho que desear y se desilusionó y desde entonces
ya no interviene en las cosas del mundo (11).

¿Cuentos para niños?

Lo más difícil para un extranjero es saber qué hay de cierto en
todo lo que se relaciona con la santería en su sentido más amplio.
Por ello, conseguir entrar en el círculo donde se desarrollan auténticos y sinceros ritos santeros, "no es fácil", término tan cubano
como el de "hacer amistades" o "resolver". Uno "resuelve" desde la
comida del día, a la llegada a tiempo al trabajo, el lugar donde ha-

cer el amor con su pareja o encontrar unos litros de gasolina en
Período Especial. Yo resolví asistir al asentamiento de un santo.

La protagonista era Cecilia Agüero, aquella bella mulata que
pasaba su lengua rosada por el repugnante cuello sangrante de un
mbori, chivo, después de haber aguantado de pie, y con un frugal
desayuno, siete horas de matanza de dos docenas de animales.
¿Por qué decidió "hacer santo"? ¿Por qué esta militante de las Juventudes Comunistas, licenciada en Filología rusa, ex oficial de las
Fuerzas Armadas Revolucionarias de Cuba, ex traductora de ruso
en el Museo de la Revolución y actual estudiante de inglés y computación además de bailarina del cabaret Caribe decide ponerse
bajo la protección de Yemayá, una de las orishas mayores de la Regla Ocha?

—Estaba en el hospital, recuperándome de una "interrupción"
—difícil que una cubana diga aborto— y mi compañera de cama,
Eldrich, hija de la orisha Oshún, me habló por vez primera de la
santería con conocimiento de causa. Yo no hacía más que llorar y
llorar hasta que Eldrich me dijo: "Deberías ir a ver a la dama de
amarillo".

La dama de amarillo es Oshún, dueña y señora de las aguas
dulces, de la belleza, la coquetería y sobre todo, en ese trance por
el que atravesaba Cecilia, de la maternidad.

Cuando Cecilia salió del hospital, lo primero que hizo fue visitar a Oshún, que en su representación sincrética es la Virgen de la
Caridad del Cobre, que tiene su sede principal al otro lado de la
isla, en el pueblecito de El Cobre, a una hora de Santiago de
Cuba, pero también en una pequeña iglesia en La Habana. Luego
consultó a los babalawos, los "sacerdotes" de la Regla de Ocha o
santería. Y a espiritistas. A través de los distintos sistemas de adivinación, le hablaron de su pasado, de su presente y su futuro.

Uno puede o no creer. Pero se puede quedar de piedra cuando
en una de estas sesiones un espiritista que no me conocía absolutamente de nada, ni nadie de los presentes sabía de mi vida pasada, me dijo que un hermano mío, llamado Pedro, había muerto
en un accidente hacía años. Y así había sido.

En la Regla de Ocha hay tres formas de adivinación: el tablero
de Ifá, el dialoggún y el oráculo de biaguué. Raro es el cubano
que no ha ido en alguna ocasión a que le tiren los caracoles o los
cocos.

El primero de los sistemas, el tablero de Ifá es el más complejo
y sólo puede ser utilizado por los babalawos, que es la categoría superior dentro de la santería. No se sabe qué es más apasionante, si
el sistema en sí o la leyenda que lo origina.

La leyenda o pattakí en lengua yoruba dice así: en los primeros
días de creado el mundo, había tan pocos humanos que los orishas
recibían pocas ofrendas y sacrificios. Por ello, tenían que trabajar

para subsistir. ¡Un dios trabajando! Ifá, que era uno de los orishas mayores, se dedicó con poca fortuna a la pesca. Hambriento, habló con Eshu, quien le recomendó que recogiera 16 nueces de palma y él le enseñaría el arte de adivinar el futuro con lo que podría ganarse holgadamente el sustento. Y así fue. Y así nació el sistema del tablero Ifá, un complejo sistema binario de adivinación.

Consiste éste en un tablero redondo sobre el que se arrojan ocho eslabones de una cadena y según caigan de un lado u otro se van anotando las combinaciones, que pueden llegar a ser 4.096. Para cada una de ellas hay una historia que el babalawo debe conocer, o bien consulta en su libreta. Esa historia, o letra, conocida con el nombre de oddum, será la que indique al iniciado su signo y su destino.

A Cecilia, cuando decidió "hacer el santo", ceremonia que dura siete días, le "echaron los caracoles", es decir, leyeron su vida de arriba abajo por el sistema dialoggún. Sobre la estera de santo se extiende una alfombra de bejuco. En ella durmió los siete días que duró la ceremonia. El Obbá, o maestro del rito de iniciación, fue arrojando en la estera los caracoles, en número de dieciséis, que previamente habían sido buscados y "preparados" por su iyalocha o madrina de santo.

El caurí o caracol fue utilizado como moneda en muchos pueblos de Africa. Los santeros cubanos le atribuyen un poder mágico, y según la forma en que cae, se lee el oddum o "letra".

El oriate, que es quien interpreta el dialoggún, le dirá al paciente su buena o mala suerte, casi siempre acompañada de moralejas como éstas:

—El hombre paciente se hace rey.

—El agua no se puede atar con una soga.

—La paja seca le dijo a la verde: cuando yo finalice mi vida tú comienzas la tuya.

—El sol no puede atrapar la luna.

—El viento dijo: yo no puedo matar al rey, pero le vuelo el sombrero.

El oriate interpretará el significado de moralejas como éstas que van saliendo en una complicada combinación binaria de los caracoles arrojados una y otra vez sobre la esterilla. Cuando se ha terminado la ceremonia, se dice que el paciente "ha quedado registrado" en la Regla de Ocha.

—Todo me salió iré, bien —recuerda meses después Cecilia, una joven aparentemente alegre y sana, pero que sin embargo padecía de algunas molestias estomacales y no era muy afortunada en su vida amorosa.

Muy parecido es el sistema de adivinación biaguué más conocido como el sistema de los cocos. Pero como en el caso del Ifá, es más curiosa la leyenda en que se inspira:

El dios creador Olofi habia visto que Obi (coco) era una persona llena de virtudes. Lo puso en el lugar más alto que encontró. Pero Obi se volvió orgulloso y maltrataba a las demás personas. Olofi lo castigó a servir a todos los orishas, por lo que no hay ninguna actividad en que no esté presente. Así es. El coco está en todos los ritos sincréticos y como sistema de adivinación funciona igual que el dialoggún: ocho trocitos de coco son arrojados sobre la estera y se van haciendo anotaciones según caiga hacia arriba la parte blanca o la más oscura.

Cuando la joven Cecilia decidió "hacer el santo" o tomar "asentamiento" debió "registrarse" primero. El que sería luego su maestro de ceremonia, el Obbá, le echó los caracoles y le confirmó lo que ya sabía: que era hija de Yemayá, la orisha dueña de las aguas saladas, el mar, y la maternidad universal.

Pero en los siete días que dura la ceremonia de asentamiento, uno de ellos es clave y es al que más temen los iyabó o novicios en la Regla de Ocha. Se trata del día del Itá, cuando durante horas y horas, en presencia de la iyalocha y la yumbona, la madrina y su ayudante, y otras santeras que asisten al Obbá, éste arroja una y otra vez los caracoles sobre la blanca sábana que cubre la esterilla.

—Mi Itá fue bueno. Tendre salud, y tranquilidad, me dijeron los caracoles. Pero también que debo aprender a quererme más a mí misma, pues doy más de lo que recibo.

A muchos iyabós les prohíben comidas o bebidas o cualquier otra cosa, según el capricho de los orishas que hablan a través de los caracoles. A Cecilia no le prohibieron demasiadas cosas. Pero sí que evitara el color negro o las listas en sus vestidos, que se cuidara de los huecos y hoyos en la calle, que no debe dejarse fotografiar en un año.

Como regla general, los iyabós deben estar todo un año sin hacer determinadas cosas, como dar la mano a desconocidos, comer los animales que le fueron sacrificados a la divinidad protectora, quitarse los collares de santo cuando vayan a bañarse. También cuando haga Teillé, es decir el amor. Y si es mujer, cuando menstrúe. Cada día debe saludar a sus deidades protectoras antes de salir de casa.

—Fui liberada del trono ese mismo día porque los caracoles me fueron muy favorables. Salió el signo de la desesperación, lo que significaba que no podía permanecer encerrada mucho tiempo —recuerda Cecilia.

Lo normal es que el Yabó o recién nacido a la Regla de Ocha permanezca siete días sin salir del reducido espacio del trono. Pero algunos orishas, como Elleguá, que es el dios de los caminos, son rápidamente liberados, pues su carácter no les permite estar tanto tiempo recluidos en un espacio fijo. Otros que han llevado mala vida son "penados" hasta con quince días de trono, lo que es un verdadero suplicio. El trono es un triángulo de no más de dos metros de lado.

Conocí a un joven que estaba haciendo Changó al que "condenaron" a quince días en el trono. Claro que aquel joven, como el orisha al que se consagró, era un pinta: le gustaba la juerga, el trago y el baile, como a Changó. Los antiguos ritos del pasado siglo obligaban al iyabó a permanecer hasta seis meses en la casa de la madrina, sin poder hacer absolutamente nada. Lógicamente, las nuevas formas de vida, el trabajo y todo lo demás han ido reduciendo ese período a los más normales y llevaderos siete días.

Pero veamos cómo es por dentro un "asentamiento".

Antes de fijar el día del asentamiento, a Cecilia le entregaron sus guerreros protectores: Elleguá, señor de los caminos (San Antonio de Padua); Oggún, señor de los metales y del monte (San Pedro y San Miguel Arcángel), y Ochosí, señor del arco y la flecha (San Norberto). Estas tres deidades están consideradas como "activas" a la hora de enfrentarse a los problemas y por ello tienen un papel protector.

A petición de su iyalocha o madrina, Cecilia recibió también el bautismo cristiano, como hacen prácticamente todos los que se inician en santería.

Luego vino la parte más difícil. Aunque ella seguía trabajando normalmente en el cabaret Caribe, del hotel Habana Libre, debía ir juntando las mil y una cosas necesarias para tomar el santo. Al verla bailar sobre el enorme escenario del Caribe, uno piensa lo distinta que es esta seductora mulata que encandila cada noche a los turistas agazapados tras una botella de ron Havana Club, de la novicia o iyabó preocupada por iniciarse en la religión de sus ancestros. Lo distinta que es esta militante ejemplar de las Juventudes Comunistas y la humilde iyabó que reunirá con paciencia, meses y muchos amigos, todo lo que necesita para hacer el santo:

Cuatro soperas para los cuatro orishas, Yemayá, Obatalá, Oshún, Changó; sábanas, toallas, batas, sayas, blusas, bragas, sostenes, killas (pañuelos de pico), zapatos, cepillo de dientes, peine, todo ello de inmaculado blanco, el único color que le estará permitido vestir durante los tres primeros meses, y la manteca de corojo y la de cacao y la cascarilla (cascara de huevo machacada y seca) y la miel y el aguardiente y el vino seco y el algodón y los veinte platos, los diez cocos, las diez velas, el carbón, los cubos, la palangana, unas tijeras nuevas y seis manos de caracoles; y luego la comida, arroz, sal, café, ajo, chícharos, manteca, aceite, fríjoles, tocino, vinagre, leche, tomate y un racimo de plátanos, que colgado en el techo de la casa, atado con una cinta roja, recogerá los maleficios y el mal de ojo de los enemigos; y cuando ya esté casi todo, los animales que serán sacrificados, los que llaman "cuatro patas" y los de "pluma": dos chivos, una chiva, dos carneros, una jicotea (tortuga), ocho palomas, una guinea (especie de gallina de color ceniza con pintas blancas), cinco gallinas, tres pollos y un pato...

Una de las operaciones más complicadas es la adquisición de los animales. Aunque hay personas especializadas en la cría y venta de los que más se usan en los ritos santeros. Pancho, un anciano que todavía se mueve con agilidad, se dedica a esta lucrativa actividad en Guanabacoa, a una media hora de La Habana, y en donde se encuentra el mejor museo dedicado a los cultos sincréticos de la isla. Me extraña que este hombre tenga corrales enteros llenos de animales y varios empleados en un país en donde casi todo es del Estado y no está permitida la pequeña empresa. Un amigo de Guanabacoa me dice:

—A Pancho lo conoce todo el mundo y todos saben a qué se dedica. La policía lo deja tranquilo, sólo de vez en cuando le cae encima si ve que ha acumulado demasiados animales.

Reunir todo lo necesario para el santo, en el llamado Período Especial en Tiempos de Paz en que vive la isla, no es fácil. Este Período sería el paso previo a la Opción Cero, o a la guerra con Estados Unidos.

Es decir, el Gobierno cubano reconoció hace meses que atravesaba la mayor crisis económica de la historia de la Revolución. Sólo con paciencia, fe, mucha fe, y la ayuda de amigos, familiares y otros creyentes, la joven Cecilia, al igual que otros muchos cubanos, llegará tras muchos esfuerzos y varios meses a recolectar lo que necesita y tomar el santo.

Al fin se fijó el día para que comenzara la ceremonia, 3 de enero de 1992. La yumbona, segunda madrina, recogió a Cecilia en su casa. Esta debía recoger cualquier piedrecita que encontrara en el camino y ponerla junto a su Elleguá. Ya en la casa de la madrina, donde permanecería los siguientes siete días, el Obbá o santero mayor que dirigirá la ceremonia, le hace el Ebbó de entrada, ceremonia de ofrenda y purificación.

—Sentada en mi estera de bejuco, donde debo dormir durante toda una semana, el Obbá me presenta el pollo y la paloma que serán sacrificados ese día: los pone sobre mi cabeza, el cuello, los hombros, las rodillas, los pies y las palmas de las manos.

Por la noche, Cecilia fue llevada al río, una de las ceremonias más hermosas, pero que como todas las demás, no puede ser fotografiada.

—Era una noche fresquita en La Habana. Yo llevaba mi ropa vieja blanca. Llegamos a las afueras de la ciudad a un riachuelo que estaba helado. Acompañada de mi yumbona y otra santera, y alumbrándonos sólo con una velita, me introduje en el río, donde me rasgaron mis ropas. Me bañaron en el río. ¡Qué frío sentí! Me

echaron cinco cuencos de agua por el cuerpo, porque cinco es el
número de Oshún, la dueña del río. Después metí la mano en el
río y recogí mi otán, mi piedra sagrada donde vive Oshún. Después bañaron todo mi cuerpo con miel y me enjabonaron con jabón amarillo, del que se usa para lavar la ropa. En todo este año,
no podré usar otro jabón para asearme.

Ese primer día terminó a las doce de la noche con una misa espiritual. Al día siguiente nacía al mundo Cecilia de su iyalocha y su
yumbona, Omi Lai y Oddu Ala en sus nombres yorubas, o Isolina y
Guillermina. Como bebé recién nacido nada puede hacer por sí
misma. Esa mañana la pasa detrás de la puerta de entrada a la casa,
de cara a la pared, en penitencia. No puede hablar con nadie.

Si llega alguna santera, de las siete que en total tienen que asistir a la ceremonia, Cecilia debe saludarlas según el antiguo rito: se
arroja el suelo y se apoya primero del costado derecho y después
del izquierdo, situando el brazo respectivo sobre su cadera. Así saluda Yemayá, pues cada orisha tiene su propio saludo.

Cuando se han reunido todos los santeros y el Obbá, preparan
la habitación que será la sede del trono. Es una reducida habitación de no más de doce metros cuadrados. En un rincón, en forma
de triángulo, se ha colocado el trono: además de la esterilla de bejuco, está el pilonque, un taburete de madera en forma de tambor
bataá, que será su única silla y adornando la pared tela azul satinada, con la que también se hace una especie de toldillo, adornado
con cintas blancas. El azul es el color de Yemayá, que vive en las
profundidades del mar y el blanco semeja la espuma de las olas.

La iyalocha y la yumbona introducen a Cecilia, cuando todo
está preparado, al cuarto de santo o Idobú. Debe llevar los ojos
Ofellu Ollú, es decir, cerrados.

—No veo nada. Me conducen de los brazos. En mis manos tengo la tinaja que llevé al río con mi otán dentro, mi piedra sagrada.
Se la entrego a mi madrina y colocan frente a mí una tablita que
semeja una puerta. Debo golpearla. Tun-Tun.

—¿Quién es? — responde el Obbá

—Soy yo —responde la iyabó Cecilia

—¿Qué busca?

—Santo

—¿Qué santo?

—Elegguá.

Este diálogo se repite con los otros cuatro santos que va a tomar: Obatalá, Oshún, Changó y por último Yemayá. Los siete santeros discuten si deben raparle la cabeza al cero, como manda el
rito o la dispensan, porque es una Mcheza, es decir, una artista.
Sólo le hacen una calva, de buen tamaño, sobre la que dibujan un
osún, es decir una pintura que contiene los cuatro colores básicos
del señor de las cabezas, llamado también Oshún, cuya misión

principal es vigilar las cabezas de los iniciados (12). En la Regla
Conga o Palo Monte esta ceremonia se llama rayamiento, precisamente porque al iniciado se le hacían cortes en el rostro. Actualmente se les pintan rayas de distintos colores.

Terminada esta parte de la ceremonia, a Cecilia le cubren la cabeza con una killa o pañuelo blanco de tres puntas y le colocan
sus pulseras y collares.

La importancia de los collares o elekes en santería es enorme.
Tienen un valor sagrado y representan por sus distintos colores a
las deidades y sus fuerzas. Han de fortalecerse periódicamente con
sangre de animales sacrificados en alguna ceremonia (13).

Ya puede abrir los ojos, sentada en su trono. Pero lo que le espera al día siguiente, tercero del rito, es terrible. Ese día se celebra la matanza.

A temprana hora, el Obbá ha llegado y preparado sus Oyinaldo, los cuchillos, que son sagrados. En un corral pequeñito, donde está tambien el baño de la humilde casa de la iyalocha, están
los "cuatro patas" y los "plumas" amontonados y formando tremenda gritería, como dice la madrina Isolina.

Uno a uno, van pasando al Idobú los animales: dos chivos, una
chiva, dos carneros, una jicotea (tortuga), ocho palomas, una gallina guinea, cinco gallinas, tres pollos y un pato. Veinticuatro en
total. El Obbá, con los cuchillos sagrados bien afilados o con sus
propios dedos, y animado por los cantos continuos en yoruba de
los santeros presentes, irá degollando cada animal en orden establecido. "O du mareilla mú fella o mi", "Madre piadosa de Regla,
da consuelo a tu devoto". La Virgen de Regla se sincretiza en Yemayá, el santo que tomará Cecilia.

Con una habilidad pasmosa, atraviesa el cuello de los "cuatro patas" con su Oyinaldo. Los "plumas" se los ventila más fácilmente:
con las puras manos. Agarra el cuello de los pollos, que son de tamaño crecido, y en décimas de segundo, crak, les parte el pescuezo.

De noche, cuando termina la ceremonia, el Obbá me pide que
lo lleve en mi coche hasta su casa, en el barrio Centro Habana, ha-
bitado fundamentalmente por negros y en donde la policía suele
pedir la documentación y cachear con frecuencia a los que pasan
por allí, muy especialmente si su piel es oscura.

—No quiero que me encuentren con todos estos cuchillos —me
dice el Obbá, que no es ningún delincuente, sino todo un licenciado en Filología rusa, como Cecilia, y además en Filología francesa.

Sobre el suelo están las soperas, así llamadas porque en cualquier otra casa servirían para hacer sopa, normalmente ovaladas.
Antiguamente, se hacían de guiro, el fruto de un árbol muy común
en Cuba que ahora sirve como instrumento musical de percusión y
que algunas personas no entendidas las confunden con la calabaza.

Luego se fabricaron en barro y ahora en porcelana. La iyabó comprará la más lujosa que esté al alcance de sus posibilidades.

Dentro de las soperas, que pertenecen a las santeras presentes, y las nuevas de Cecilia, están los atributos, los otanes, las cosas que cada cual haya querido meter dentro para protegerse. Abrir la sopera de una persona es uno de los mayores sacrilegios que puede cometerse en esta religión.

En ese momento están abiertas, pero apenas si puedo ver su interior. La sangre de todos los animales sacrificados ha ido regando los recipientes y una enorme mancha rojiza se extiende en el suelo.

Siria, una amiga de Cecilia que ha sido especialmente invitada para ver esta ceremonia, que suele ser muy reservada, no puede aguantar mas de cinco minutos viendo matar animales. Su amiga la iyabó permanecerá siete horas en pie viendo como a un metro de sus narices van cayendo uno tras otros las dos docenas de animales.

Pero además, tiene que participar. Antes de que el animal sea sacrificado, éste le es presentado por el Obba sobre los hombros, los senos y los pies. Si se trata de un cuatro patas, debe soplarle sobre las orejas, los ojos y la frente una pasta formada de coco (el orisha Oshún siempre presente) y guinea, que es una especie de pimienta negra picante.

Las cabezas de los cuatro patas se quedan en la sala de santo. Aún harán sufrir a Cecilia. Los demás animales se van para la cocina, donde otro santero se ocupa de cocinarlos. A cualquier persona que llegue a la casa durante los siete días que dura el rito hay que ofrecerle comida. En tiempos de escasez, ni que decir tiene que se corre como reguero de pólvora el lugar donde se va a celebrar un santo para ir a comerse un plato de carnero.

Pero el santo de Cecilia, porque así le salió en su dialoggún, cuando le echaron los caracoles, ha de celebrarse con discreción. Con pocos invitados. Sólo los familiares más cercanos.

Cuando todos los animales han pasado ya al mundo de los muertos, se almuerza. ¿Alguien tendría apetito después de presenciar tal matanza? Pero es obligado que Cecilia se coma lo que le presenten: arroz y carne de algunos de los animales sacrificados. Debe comer sentada en su esterilla, no levantar el plato del suelo y no hablar con nadie. Durante el primer año que dura la iniciación del iyabó, ha de comer siempre en ese mismo plato y con la misma cuchara. No podrá compartir su comida con nadie. No podrá beber una gota de alcohol, muy especialmente en público.

—Después de almorzar, viene la peor parte, el lavado de los santos —recuerda Cecilia.

El Obbá irá tomando del suelo una a una las cabezas de los cuatro patas y se las ofrecerá a Cecilia, quien tendrá que pasar su lengua despacito por el cuello sangrante.

—¡Qué asco! Cierro los ojos para no ver lo que hago, pero no puedo dejar de hacerlo. Cuando todo eso termina, me siento mejor. Ya puedo recibir visitas, y puedo hablar con mis amigos, pero no puedo tocarlos. ¡Ni siquiera a mi novio!

En realidad, durante esos siete días Cecilia no podrá hacer teillé con su novio. No podrán amarse, entre otras cosas porque Cecilia deberá permanecer en el trono, del que sólo puede salir para ir al baño, y siempre acompañada por una santera. Se supone que es un bebé recién nacido y no sabe caminar.

Al día siguiente se celebra el medium. Es el cuarto día. Comienza con otra ceremonia muy clásica: Cecilia debe beber umiero y ser lavada con él por su madrina y su yumbona.

El umiero se ha preparado el día anterior. Básicamente tiene agua, que debe ser de lluvia, de río, de mar o agua bendita. A ella se le echan numerosas hierbas recogidas del monte, que no pueden ser previamente hervidas. Además, contiene aguardiente de caña, miel de abeja, maleo de caña, manteca de corojo o palma silvestre, manteca de cacao, cascarilla o cáscara de huevo machacada, pimienta negra picante. Y por si fuera poco, sangre de los animales sacrificados.

En ayunas, Cecilia tomará unos traguitos de umiero. No es extraño lo que cuenta luego:

—Me aflojó el estómago y tuve que ir al baño muchas veces.

La verdad es que a Cecilia no le dio una simple diarrea, sino que contrajo una amebiasis de la que tardó semanas en curarse, entre otras cosas por la escasez de medicinas adecuadas en Cuba.

Yemayá, el santo que Cecilia está tomando, había dicho algo muy parecido:

—Ibí bayán odu mi (me duele el vientre).

Sólo que la orisha Yemayá, cuando dijo eso, lo que estaba haciendo era crear los ríos sobre la tierra. La leyenda o patakki de Yemayá es de los más bellos del panteón yoruba.

Según lo describe Natalia Bolívar (14), "al principio, aquí abajo sólo había fuego y rocas ardientes. Entonces Ólofi, el todopoderoso, quiso que el mundo existiera y convirtió el vapor de las llamas en nubes. De las nubes bajó el agua que apagó el fuego. En los huecos enormes entre las rocas se formo Olokún, el océano, que es terrible y a quien todo el mundo teme. Pero el mar también es bueno, porque es la fuente de la vida y el agua hizo venas en la tierra para que la vida se propagara. Esa es Yemayá, la Madre de las Aguas. Por eso también se dice que antes que nada existiera, Yemayá estaba tendida cuan larga era y de repente dijo:

—Ibí bayán odu mi.

Y así, de ella salieron los ríos, los orishas y todo lo que alienta y vive sobre la tierra".

El cuarto día, Cecilia estrenará dos trajes, uno de los cuáles sólo se lo volverá a poner cuando esté muerta y le sirva de mortaja. El primero de los trajes es el del almuerzo, confeccionado por su madrina con tela de cuadritos blancos y azules. Le pintarán la cara con vivos colores y parecerá más una india sioux que una iyabó.

—Yo no pude verme las pinturas, pues me estaba prohibido mirarme en el·espejo. De hecho no lo podré hacer en todo un año, aunque por mi trabajo, se me permite hacerlo, pero sólo para eso, para arreglarme antes de salir a bailar.

El segundo traje se llama Traje del Trono. Es de tela azul satinada con adornos blancos, los que como ya queda dicho representan los colores de Yemayá: el azul del mar y la espuma de las olas. Así vestida y con su corona puesta, llegan los músicos, pues se celebra esa tarde el tambor.

La ceremonia del tambor puede hacerse con los tambores sagrados Batá o con Cajón, que es una caja de madera de unos 60 centímetros de lado, que en manos de tres negros que lo aporrean de forma endiablada producirán tanto ruido como toda una orquesta.

Los tres negros, más el Obbá y las siete santeras, y otros invitados, pues éste día sí se permite la entrada de más gente, se pasaron cinco horas entonando cantos a medio·panteón Orisha: a Changó, a Obatalá, a Oshún. Y a Yemayá, claro. Cuando se inició el canto a Yemayá, Cecilia comenzó a bailar. Primero "con suaves ondulaciones, como las aguas que agita blandamente el soplo de la brisa, pero pronto se encaracola y va aumentando en intensidad, como un oleaje que se enfurece". Así describe Natalia Bolívar la danza de Yemayá (15).

—Sentí una especie de mareo bailando a Yemayá, después de dar vueltas y más vueltas.

En realidad, lo que le sucedió a Cecilia es que "le bajó el Santo". Sucede con frecuencia en las ceremonias de iniciación. Los santeros invocan al santo "para que las vibraciones del orisha tomen posesión de la cabeza del iyabó y le entreguen su aché" o buena suerte (16).

En otras ceremonias, el santo "monta" a alguno de los presentes, que actúa como "caballo" y sólo habla y se mueve por el Santo, nada de lo que él diga o haga es propio.

Una calurosa noche de agosto, mi amigo Julio me llevó a Guanabacoa, sin duda la ciudad más santera de la isla, en donde hay un magnífico museo dedicado a los ritos sincréticos. Situada a unos 30 kilómetros al este de La Habana, Guanabacoa es el mayor municipio de la Provincia Habana. Allí se concentra una gran población trabajadora, tanto de la industria como de la agricultura. Hay mayoría de negros y mulatos y la santería es absolutamente común en todos los hogares. Los mejores babalawos viven allá y hasta allí llegan quienes quieren "registrarse" o simplemente que les echen los caracoles para ver qué les aguarda el futuro.

El primer escalón de una larga escalera tiene grabada la fecha de 1909, año en que se construyó ésta que debió ser una hermosa casa, con recias columnas que adornan el portal.

—Lleva un poco de ron, pero que sea blanco —me había advertido Julio.

En efecto, en los ritos de la santería los licores, ron, aguardiente, han de ser blancos, aunque he visto a más de un santero atizarle al Havana Club siete años, un ron añejo de los mejores del mundo.

Antes de que nos echemos un traguito, uno de los habitantes de la casa derrama unas gotas por las esquinas.

—Hay que dar de beber a los muertos —dice mientras veo cómo los difuntos se tragan media botella.

La ceremonia a la que he sido invitado, y a la que pocas veces permiten asistir a un no iniciado y mucho menos extranjero, es un "don de gracias a los muertos". Marta Bichó Figueredo, de 49 años, celebra su noveno mes como iyabó y también como Cecilia es hija de Yemayá. Es una negra flaca, simpática, que trabaja en un círculo infantil (guardería).

La sala donde se va a celebrar la ceremonia es amplia, con dos grandes balcones a la calle. En torno a un altar, rodeado por seis macetas con distintas flores destinadas a distintos orishas, hay una muñeca de azul que representa a Yemayá.

A los pies de la mesita sobre la que se ha construido el altar hay una palangana blanca de plástico con umiero. Contiene pétalos de flores blancas y colonia barata. Por fortuna, no le han añadido sangre alguna.

En la pared donde se ha colocado el altar hay un póster turístico de Cuba en inglés. Dice: "Lobster. Los tesoros del Caribe. Real treasure from the Caribean Sea". Dudo que alguno de los presentes haya probado alguna vez ese tesoro caribeño que es la langosta.

Antes de que se inicie la ceremonia, todas y cada una de las 20 personas que estamos sentadas en corro nos vamos levantando, metemos las manos en la palangana, cogemos un poquito de agua y nos frotamos las manos, los brazos y el cuello. Después, sacudimos los dedos ante el altar para dejar las impurezas que hemos cogido en la calle. Algunos tocan con los dedos el altar.

Entre los asistentes hay dos espiritistas. Uno de ellos, un joven de unos veinticinco años, será el que dirija la ceremonia. Comienzan a rezar, primero un padre nuestro, luego entonan cantos en español que parecen villancicos, y los asistentes con los pies o las manos van haciendo ritmo. Una santera toma un viejo libro de oraciones en su mano y comienza a rezar:

—Ampáranos, en el nombre de Dios ¡ay Dios!

—Sea el Santísimo, sea —contestan los demás.

El calor asfixiante de la calle se va colando en la sala. La santera sigue implorando y cada vez los tonos de las voces son más altos.

—Avanza y ven, que el coro te llama.

Mi amigo Julio me informa: están llamando al mal muerto. Es el que debe bajar primero, luego los demás muertos, para que no hagan daño a la iyabó.

Aguanto. Esperamos desde hace tres horas y parece que el mal muerto no baja. El espiritista o guía canta:

—Yo te haré una coronación…

El coro responde:

—Y en coronación, en coronación, bajan los seres.

El guía insiste:

—Congo de verdad/ si vas a la tierra a hacer caridad.

Si los congos son buenos/ buenos de verdad

ellos bajan a la tierra/ a hacer caridad.

Repiten varias veces el estribillo "congo, conguito, congo de verdad". Y luego comienza el llamamiento más quejumbroso, más enervante:

—Yo te llamo, yo te llamo.

Le contesta el coro:

—Pa'que tú me llamas si tú no me conoces.

• El espiritista cierra los ojos. Mueve su cuerpo hacia delante y hacia atras. Como lo haría Ray Charles o Stevie Wonder en un escenario.

—Yo vengo de tierra extraña.

—Pa'que tú me llamas —le contesta el coro.

—Yo vengo del canuco.

—Pa'que tú me llamas/si tú no me conoces.

Así, en una larga letanía en la que ya las palmas y los pies han formado un acoplamiento perfecto con el canto, el espiritista va desgranando hermosas frases:

—Yo vengo de río arriba/ yo vengo cuesta abajo/ yo vengo de mi sabana/ yo vengo de muy lejos.

El coro contesta a cada frase con el "por qué tú me llamas, si tú no me conoces".

Cuando aparentemente el muerto está ya rondando la sala, el coro inicia el "Buenas noches Nené"

—Buenas noches Nené, saludándolo a usted.

—Yo saludo mi carabela, saludándolo a usted.

El coro repite su estribillo una y otra vez. Y el guía va saludando "a mi escarabajo, a mi loma arriba, a mi criollo, a Mambe (Dios)…".

—Buenas noches Nené, saludándolo a usted…

—Buenas noches criollo/ yo vengo del más allá/ y vengo a hacer caridad.

El ritmo ya es abiertamente desenfrenado. Frente a mí, una anciana de unos sesenta años, ha ido golpeando con sus endebles piernas cada vez más fuerte el piso de madera. Una de las madrinas que está presente se levanta, toma una de las botellas de ron blanco que hay frente al altar. Bebe un trago largo, pero no lo embulle. Da la vuelta a todo el círculo y escupe sobre nuestras cabezas el ron. La iyabó enciende un puro y da largas chupadas, pero tampoco se traga el humo: lo echa hacia el altar, maceta a maceta. La otra viejita, la que cada vez golpea más y más fuerte, tiene los ojos cerrados. Se levanta. Baila. Baila y da vueltas. Increíble a su edad.

—La ha montado el mal muerto —me informa Julio.

Dura unos largos y tensos minutos. El canto y el ruido de palmas y pies no ha cesado. La viejita gira y gira, se sube las faldas. En cualquier momento puede perder el equilibrio.

Cuando ya parece medio enloquecida, unas santeras la retiran del círculo. Tienen que calmarla. Pero desde la sala se escucha cómo golpea con su cabeza las paredes, el suelo, se arrastra, grita, con una voz ronca, gutural, como un animal mortalmente herido.

Yo siento algo extraño dentro de mí. No creo que realmente un muerto se haya montado sobre la vieja. Pero ella sí lo cree. También mi amigo Julio y todos cuantos están en la sala. Se sigue cantando, pero hay cierta preocupación por la anciana, a la que, para colmo de males, acaban de operar. Siguen los cantos y la anciana vuelve al salón, aparentemente calmada.

Siete horas después de iniciado el don de gracias a los muertos, y cuando otros muertos menores se han bajado y han montado, de forma menos violenta a otros creyentes, me marcho. Mi amigo Julio se queda. Al día siguiente me dice que la viejita volvió a ser montada y de forma aún más violenta, tanto que incluso estuvo a punto de arrojarse por los balcones a la calle.

Dicen que la persona que es montada no recuerda al día siguiente absolutamente nada de lo que hizo. Lo mismo le sucedió a Cecilia, a quien después del toque de tambor sólo le quedaban dos días para finalizar su rito de iniciación o asentamiento. Uno de ellos fue dedicado al Itá, a averiguar con los caracoles su futuro. El último día salió a la calle.

Acompañada de su yumbona, la segunda madrina y rigurosamente vestida de blanco, como habrá de vestir durante un año, se dirigió a un mercado de frutas y verduras. Vendedores y compradores, todos sabían que iba a robar. Sí. La última prueba de una iyabó consiste en robar frutas que debe ofrecer a su madrina arrodillada ante la puerta de la casa en donde ha vivido los últimos siete días.

Hay otros que roban mucho más descaradamente.

Ricardo Hernández es un santero que vive en la populosa calle de Aguila, número 619, en el centro de La Habana. Por una estrecha escalera subo acompañado de una ex bailarina de Tropicana, que es quien ha establecido "el contacto" con el santero para que me tire los cocos.

La ex bailarina parece haberse especializado en periodistas. Yo la conocí a través de una colega venezolana. Eran mis primeros pasos por el mundo de la santería, en febrero de 1991. Le pregunto a Daisy cuánto debo pagarle al santero y me responde:

—Al babalawo no se le debe hablar de dinero, yo me ocuparé de eso.

Y bien que se ocupó. La "consulta" normal con un babalawo es de 3,10 pesos cubanos. Lo que yo debí entregar a Daisy, quien a su vez se lo haría llegar al babalawo, o al menos eso me dijo, fueron cien veces más, 350 pesos.

Y todo para escuchar una ristra de simplezas y vaguedades que cualquier aficionado a la psicología podría haber dicho. Pero el negocio es el negocio. Y si en la casa de la iyalocha Isolina se respira la típica austeridad del hogar medio cubano, televisor ruso en blanco y negro, aparato de radio tipo años cincuenta, tresillo remendado con telas de mil colores, en la del babalawo Ricardo se nota la riqueza del santero pudiente: dos televisores en color, uno de ellos absolutamente nuevo, vídeo, ventiladores, y el moderno transistor conectado con Radio Martí, la emisora de La Voz de América, institución del Gobierno de los Estados Unidos, que se dedica a bombardear por las ondas a Cuba.

—Yo me hice santo por salud, no para conseguir riquezas —me dice el babalawo Ricardo cuando entro en el dormitorio, donde, además de una amplia cama, hay un tercer televisor.

Me lo creo, pues yo en ese momento no sé los precios de las consultas. Después sabré por qué este babalawo tiene owó, dinero, riqueza. Me tira unas cuantas veces los cocos. Según caigan para arriba o para abajo, mostrando el lado más claro o el más oscuro, se forman combinaciones numéricas en base a las cuales el babalawo te lee el pasado, el presente y teóricamete te previene sobre el futuro.

Antes he tenido que santiguarme con un billete de cinco pesos, después he tomado entre mis manos los cocos y dos semillas secas y junto al dinero aproximo todo a mi boca.

—Pide un deseo —dice Ricardo.

Así lo hago. Hasta ahora no se ha cumplido.

Cuando regreso a mi hotel, en donde la mitad de las personas que conozco son practicantes de la santería, cuento mi experiencia. Se parten de la risa al saber que pagué cien veces más de lo que vale una consulta.

—Pero chico, si eso ya es legal, si no es clandestino ir a consultar un santero.

Menos mal. Porque el babalawo me había dicho que como yo pensaba demasiado necesitaba "un lavado de cabeza" y no precisamente con champú. Tras una segunda ceremonia, me imagino que me habría arruinado, ya que el babalawo habría necesitado más tiempo y diversos productos como huevos y algún animal.

Pero la inmensa mayoría de los santeros que se dedican a esta actividad de forma digamos profesional, suelen ser personas que creen sinceramente en lo que hacen.

La madrina o iyalocha de Cecilia, es una anciana de color que lleva años practicando su religión y vive modestamente en una destartalada casa del Vedado. Su ayudante en la ceremonia de Santo de la joven bailarina, la yumbona Guillermina, es una gruesa y simpática enfermera negra. El Obbá, el babalawo mayor que dirigirá toda la ceremonia, es un joven de treinta años, Osmai Isaac, que trabaja para el Estado como traductor de ruso y francés. Sabe también inglés perfectamente.

Lo que se descubre al profundizar en el tema de la santería cubana es que no todos los que la practican son viejos negros ignorantes y analfabetos. Es increíble la cantidad de licenciados y gente culta, tanto negra como blanca, que practica la santería.

En distintos ritos santeros a los que asistí conocí a muchas personas que tenían estudios medios y superiores. Y una cosa curiosa: muchas santeras están casadas con oficiales de las Fuerzas Armadas Revolucionarias (FAR). Esto, unido a que en dos ocasiones a Fidel Castro se le posó una paloma blanca sobre los hombros, en medio de cientos de miles de personas, provocó la especulación de si Fidel practicaba o no la santería.

La primera vez que sucedió este inusitado hecho fue el 8 de enero de 1959. Fidel acacaba de llegar a La Habana, después de un triunfal paseo de siete días por toda la isla. El día del triunfo de la Revolución, el 1 de enero, Castro se encontraba en el otro extremo de la isla, Santiago de Cuba. Lo que en principio parecía un inconveniente, el lo convirtió en un baño de popularidad de una semana que terminó en el campamento militar de Columbia, en Marianao, un municipio de Ciudad de La Habana. Fidel pronunció "un gran discurso victorioso ante las decenas de miles de cubanos que llevaban largas horas esperándole" (17).

Cuando Fidel terminó de hablar, una paloma que revoloteaba en lo que se llamaría Ciudad Libertad se posó sobre el hombro de Fidel. Aunque un conocido biógrafo del líder cubano, Tad Szulc, habla de que "una paloma tras otra se posaban sobre los hombros de Fidel", iniciándose así "la deificación de Fidel, que llegó a ser un fenómeno en Cuba después de su victoria", otros veteranos cubanos que recordaron conmigo el hecho hablan de una sola paloma.

Pero lo más sorprendente aún es que, treinta años después, en el XXX aniversario que conmemoraba su entrada triunfal en La Habana, el 8 de enero de 1989, otra paloma blanca se volvió a posar sobre el hombre de Castro ante miles de personas y en el mismo lugar, Ciudad Libertad, de La Habana.

¿Cómo es posible que una paloma elija, entre miles de personas a una sola y se pose sobre su hombro y se quede allí un buen rato? ¿Cómo se explica que el hecho se produzca dos veces, en el mismo lugar? Los santeros dicen que porque Fidel es un "elegido".

Casa del barrio Centro Habana. El matrimonio, ambos de color, están en la cocina y yo echo un vistazo a la extensa librería que hay cerca de la puerta, donde, como es de rigor, se encuentra Elleguá, el señor de los caminos. El centro de la sala, como en tantos hogares, está ocupado por un televisor soviético Elektron. En el mueble, debajo de la tele, hay una figura que representa a Yemayá. Encima, una foto enorme de Fidel fumando un puro. Los orishas y Fidel.

La esposa es santera. El marido, teniente coronel del Ejército. Además de miembro del Partido y por lo que se ve, un estudioso del marxismo. Entre sus libros hay ensayos sobre la filosofía marxista-leninista, el materialismo histórico, la economía política, selecciones de obras escogidas de Marx, Engels, Lenin y Mao, amén de diversos materiales sobre la guerra, el entrenamiento militar, las guerrillas, editados por las FAR. También están los Estatutos del Partido.

El marido no reconoce practicar la santería, pero desde luego es absolutamente consciente de que su esposa dedica la mayor parte de su tiempo libre a la misma.

¿Cuántos militares hay que creen en estos ritos? Imposible de saber. ¿Es Fidel practicante? Lo más lógico es que no, pero desde luego los creyentes de la santería siguen impactados por esas dos palomas blancas que se posaron sobre sus hombros. La paloma en el rito yoruba simboliza a Obatalá, el orisha mayor, creador de la tierra, enviado a ella "para hacer el bien y para que gobernara como rey del planeta", en versión de la estudiosa Natalia Bolívar.

No es extraño por ello que entre muchos santeros, Castro sea una figura respetada y que cuente con el apoyo político de muchos de ellos. En el mes de mayo de 1990, *Granma* publicaba una nota de la sociedad religiosa Ifá ayer, Ifá hoy, Ifá mañana, de origen yoruba. En ella se hacía una condena a la "teleagresión" norteamericana a través de TV Martí, así como del bloqueo económico y las continuas maniobras navales y aéreas cerca de las aguas cubanas que Estados Unidos realiza con frecuencia.

—Fidel es un privilegio de la naturaleza. Los orishas lo protegen.

Lo dijo en el periódico de las Juventudes Comunistas, *Juventud Rebelde,* uno de los más respetados babalawos, Enrique Hernández Armenteros, Enriquito. Fundador y máxima jerarquía de la Asociación Religiosa Afrocubana Hijos de San Lázaro (Babalú Ayé), Enriquito ha incursionado en las tres ramas de los ritos afrocubanos: la Regla de Ocha, la Conga y la Abakuá. Su casa/museo de

Guanabacoa es una de las más visitadas por los practicantes y aficionados al sincretismo y no tiene pelos en la lengua a la hora de hablar bien del comandante Castro.

Nada podría gustarle más a Castro. No son pocas las veces que altos funcionarios cubanos se han quejado de que la Iglesia Católica no se pronuncie en contra del bloqueo, cosa que sí han hecho los santeros y los miembros de las Iglesias Cristianas agrupadas en el Consejo Ecuménico de Cuba.

Y nada podría gustar menos al arzobispo de La Habana, Jaime Ortega. En el boletín *Aquí la Iglesia* de noviembre de 1990, se quejaba de que en el programa de televisión *Puntos de vista* dedicado a la religión, sólo se hubieran entrevistado a practicantes y creyentes de los cultos sincréticos y no se incluyera a un sacerdote católico.

"Da la impresión —dice el boletín firmado por el arzobispo— de que, al difundir tanta información sobre cultos africanos y presentar las manifestaciones de religiosidad popular más o menos sincréticas como las más comunes entre los cubanos, y en dependencia más de los cultos africanos que de la Iglesia Católica, se pretende atribuir un rango de religión independiente y aún predominante a lo que no pasa de ser, en gran número de creyentes, una característica de su religiosidad o una modalidad en la expresión de su fe religiosa".

El arzobispo Ortega reconoce "que en los últimos años ha florecido en Cuba la santería en todos los estratos de nuestra población, sin importar el color de la piel o la edad, ni la militancia política". Ortega confía en que "no pocos de los que han comenzado el camino de la búsqueda de Dios por esas vías, han llegado a la plena fe católica más tarde".

—Aquí, el rival de la Iglesia Católica se llama santería. No es el protestantismo, sino la santería —dice Reynaldo González, el director de la Cineteca.

Estudioso del tema, se ve que no siente mucha simpatía por la Jerarquía Católica que critica las creencias afrocubanas.

—Cuando uno es católico y tiene un día desesperado, vas al cura y qué te hace el cura, ¿qué te hace? Te dice: hijo, has pecado y ahora vas a rezar tres Avemarías y no sé cuántos Padrenuestros. Pero el negro es más positivo, el negro te dice: no mi hermano, lo tuyo es que tienes el hígado podrido. Vamos a buscar mastuerzo y hacemos un cocimiento, pero le vas a dar un obsequio al santo, porque si tomas su hierba gratis se va a poner bravo...

Aún hay más. Hay remedios para el hígado podrido de los que habla Reynaldo González o para el corazón enamorado. Dice González:

—Una muchacha puede acudir, porque tiene mal de amores, a hacerse un despojo, una especie de exorcismo para alejar lo malo. El negro le dice: te vas a bañar con miel, la miel de Oshún, que es la dulzura y la ternura y le vas a dar de beber al hombre que quieres conquistar algún líquido, agua, que te has pasado por tus partes pudendas, y con ese agua le haces un café y entonces consigues un pañuelo suyo y le hacemos un amarre. Verás como ese hombre te va a querer...

La joven, afirma Reynaldo, sale de allí encantada. La pregunta es: ¿se siguen haciendo esos amarres?

—Sí, claro, todo el tiempo.

Pero, ¿cómo una chica culta puede creer en eso...?

—¿Es qué las chicas cultas no van a las iglesias en España? Si yo respeto la santería católica, por qué no se respeta la santería yoruba? ¿Qué significa poner una palma de olivo detrás de una puerta? Mire, si hay una iglesia llena de mierda y de tonterías es la católica. Que si los ojitos de Santa Lucía, que si el brazo de Santa Teresa... Los ex votos que te venden en las iglesias en Madrid ¿qué son? ¡Puro fetichismo!

¿Y el Partido, cómo ve el Partido Comunista Cubano estas prácticas religiosas?

Reynaldo afirma que "en la etapa del sectarismo", en la década de los sesenta, hubo incomprensiones.

—Vivíamos el sarampión ideológico, la declaración de ateísmo, pero todo eso se ha limado muchísimo. En realidad podría decirse que nunca hubo confrontación. La mayoría de los practicantes de estos ritos eran gente humilde, pintores, jardineros, fontaneros. Pero ahora no, ahora la practican gentes de toda condición, lo mismo blancos que negros y, por supuesto, militantes del Partido.

Lo primero que le pregunté a Cecilia Agüero es cómo podía combinar su vocación religiosa con la pertenencia activa a la Unión de Jóvenes Comunistas (UJC).

—¿Y por qué no? Son dos líneas de conducta que no se contradicen. Puedo cumplir con mi santo y con la UJC. El santo ayuda, no perjudica. ¿Qué tiene de contradictorio que ponga flores a mi santo y pague la cuota de la UJC?

Eso sí, cuando acude a las reuniones de la UJC en su barrio, Cecilia abandona momentáneamente su riguroso atuendo blanco de iyabó y su media docena de collares.

—Con ello me evitaré problemas —afirma.

Aunque oficialmente a raíz del IV Congreso del PCC, celebrado en octubre del 91, los creyentes pueden ser miembros del Partido, queda una duda: ¿qué pasa con los que ya son miembros? ¿Podrían reconocer ahora que mintieron al rellenar la solicitud de ingreso al declararse ateos o no practicantes de religión alguna?

José Felipe Carneado, jefe del Departamento de Atención a los Asuntos Religiosos del Comité Central del Partido Comunista, reconocía en el periódico mexicano *La Jornada*, en noviembre de 1991, sólo unos días después de clausurado el Congreso del Partido, que "el sentido común dice que si uno quiere ingresar al PCC es mejor no confesar religión alguna".

—Cuando pedí el ingreso en la UJC —recuerda Cecilia— yo dije que no tenía creencia religiosa. Si ahora rectificara, podrían acusarme de haber estado mintiéndoles durante diez años.

Pero la realidad se impone: ya nadie va a investigar si los militantes de la UJC o del PCC mintieron o no en cuanto a sus creencias. El Congreso dejó la puerta libre a los creyentes y no es una casualidad que en los últimos meses, este tema casi tabú a nivel oficial, haya aparecido con frecuencia en las páginas del órgano de los comunistas cubanos, el diario *Granma*.

Al tiempo, se han editado varios libros, el más exitoso, el de Natalia Bolívar, *Los orishas en Cuba*, a cuya presentación acudieron nada menos que Carneado y monseñor Carlos Manuel Céspedes, secretario de la Conferencia Episcopal cubana. La tirada inicial de 20.000 ejemplares se agotó prácticamente en unos días y hoy se venden en el mercado negro a veinte veces su valor inicial de 10 pesos. Es decir, 200 pesos, casi dos veces el salario mensual de la bailarina Cecilia Agüero, que gana 137 pesos.

Otro libro, *Los llamados cultos sincréticos y el espiritismo*, fue uno de los más solicitados en la Feria habanera del Libro. En él se dan una serie de datos sobre el número de practicantes de cada rito.

De acuerdo con los permisos solicitados a la Policía Nacional Revolucionaria (PNR) para celebrar cultos en los domicilios particulares, se confeccionó una encuesta (el libro no dice de qué año) según la cual de un total de 3.283 solicitudes de permisos, el 90 por 100 pertenecían a practicantes de la Regla de Ocha, un 1,1 por 100 a la Conga y un 1,3 a las sociedades Abakuá.

En cuanto a los espiritistas, de los 349 centros inscritos en 1963, poco después del triunfo de la Revolución, se pasó a 112 centros legalmente registrados ante el Ministerio de Justicia. El número de practicantes espiritistas registrados sería de 7.517, pero como hay centros aún no inscritos, se da como válida la cifra de 10.000 espiritistas en toda la isla.

Al igual que en los ritos sincréticos, en el espiritismo la mayoría de sus miembros son mujeres: un 54 por 100, frente a un 46 por 100 de hombres. Entre los santeros y paleros también abundan más las mujeres, con un 72 por 100, frente a un 28 por 100 de hombres. Por ocupación, la mayoría son amas de casa y jubilados, aunque se observa un aumento entre los jóvenes.

Los autores del citado estudio concluyen que se ha duplicado el numero de practicantes desde el triunfo de la Revolución y citan como ejemplo un informe de la provincia de Matanzas, en donde entre los años 1970 a 1983 se pasó de 1.292 santeros a 2.168. Hay que tener en cuenta que en torno a cada santero se mueven docenas de iniciados o que quieren iniciarse.

En cuanto a las Sociedades Secretas Abakuás, tan temidas en otros tiempos, el Ministerio de Justicia registró en la década de los setenta 111 asociaciones ñañigas con un total de 6.816 practicantes. En la actualidad, el Ministerio de Justicia reconoce legalmente a tres: la Asociación Abakuá el Bien Para Usted Mismo y la Unión el Mejor Entendido, ambas del barrio habanero de Marianao, así como la Asociación Religiosa Africana Abakuá de Socorros Mutuos, del municipio Regla, tambien cerca de La Habana.

Otro índice para averiguar la relevancia de las prácticas de religiones sincréticas consiste en saber cuántas personas acuden a las romerías de los distintos santos católicos que tienen estrecha relación con los orishas. Por ejemplo, a la del santuario de El Rincón, cerca de La Habana, donde está San Lázaro o Babalú Ayé, acudieron en 1986 un total de 64.180 personas. Al santuario de El Cobre, donde se encuentra la Virgen de la Caridad u Oshún, 15.000 personas, las mismas que al santuario de la Virgen de Regla o Yemayá, en La Habana. A la iglesia habanera de Santa Bárbara o Changó fueron 3.557 personas.

Los autores del libro aportan el dato de que casi la mitad de las gentes que acuden al templo de Santa Bárbara en estas romerías van vestidas de rojo, el color de Changó.

Prácticamente, ninguno de estos grupos ha tenido enfrentamientos serios con el Estado revolucionario. Más bien el Estado ha recuperado la parte cultural de sus ritos, como la música, los cantos y los bailes. El Ballet Folclórico Nacional ofrece una bellísima muestra de las danzas yorubas y congas. El protocolo cubano suele incluir en los programas que prepara para los visitantes ilustres una visita al museo sincrético de Guanabacoa y, como hicieron con el presidente de la Xunta de Galicia, Manuel Fraga Iribarne, obsequiarle con una explosiva danza, la de Changó, el más mujeriego y juerguista de todos los orishas. Sólo que don Manuel, muerto de sueño, daba cabezazos cuando Changó y Oshún aproximaban sus respectivos sexos en una provocadora, pero hermosa danza con siglos de historia.

Ha pasado tiempo desde la resolución del I Congreso del PCC en 1975 sobre política y religión. Entonces se decía que "los valores culturales folclóricos —música, danza, instrumentos musicales— que aportan las etnias representadas en estos grupos, deben asimilarse depurándolos de los elementos místicos, de manera que la utilización de sus esencias no sirva al mantenimiento de costumbres y criterios ajenos a la verdad científica".

Dieciséis años después, la verdad es otra: babalawos, espiritistas, indiobones y Tata-Nganga pueden estar y algunos ya están en el Partido Comunista.

Las jóvenes como Cecilia no tendrán que mentir cuando al rellenar su solicitud respondan: sí, creo en la Regla de Ocha y quiero ser hija de Yemayá.

NOTAS

(1)   Fernando Ortiz: *Nuevo Catauro de Cubanismos.* Editorial Ciencias Sociales. La Habana, 1985.

(2)   *Los llamados cultos sincréticos y el espiritismo.* Aníbal Argüelles Mederos e Ileana Hodge Limonta. Editorial Academia. La Habana, 1991.

(3)   *Atlas Demográfico Nacional.* Comité Estatal de Estadísticas. Instituto Cubano de Geodesia y Cartografía. La Habana, 1985.

(4)   Fernando Ortiz. *Nuevo Catauro de Cubanismos.* Editorial Ciencias Sociales. La Habana, 1985.

(5)   Lydia Cabrera: *El Monte.* Ediciones CR, Colección del Chicherekú. Miami, 1986.

(6)   *Los llamados cultos sincréticos y el espiritismo.* Aníbal Argüelles Mederos e Ileana Hodge Limonta. Editorial Academia. La Habana, 1991.

(7)   Natalia Bolívar Arostegui: *Los orishas en Cuba.* Ediciones Unión. La Habana, 1990.

(8)   *Los llamados cultos sincréticos y el espiritismo.* Aníbal Argüelles Mederos e Ileana Hodge Limonta. Editorial Academia. La Habana, 1991.

(9)   Lydia Cabrera: *Abakuá.* Ediciones CR, Colección del Chicherekú. Miami, 1970.

(10) Esteban Pichardo: *Pichardo Novísimo o Diccionario Provincial casi razonado de voces y frases cubanas.* Editorial Selecta. La Habana, 1953.

(11) Natalia Bolívar Arostegui: *Los orishas en Cuba.* Ediciones Unión. La Habana, 1990.

(12) Natalia Bolívar Arostegui: *Los orishas en Cuba.* Ediciones Unión. La Habana, 1990.

(13) *Los llamados cultos sincréticos y el espiritismo.* Aníbal Argüelles Mederos e Ileana Hodge Limonta. Editorial Academia. La Habana, 1991.

(14) Natalia Bolívar Arostegui: *Los orishas en Cuba.* Ediciones Unión. La Habana, 1990.

(15) Natalia Bolívar Arostegui: *Los orishas en Cuba.* Ediciones Unión. La Habana, 1990.

(16) Natalia Bolívar Arostegui: *Los orishas en Cuba.* Ediciones Unión. La Habana, 1990.

(17) Tad Szulc: *Fidel, un retrato crítico.* Ediciones Grijalbo. Barcelona, 1987.

19

EL AMOR

Mi mariposa hermosa
evocó 3 almas de 3 ahorcados,
3 almas de 3 colgados,
3 almas de 3 quemados,
para que pongan en el corazón del que amo
la angustia que sintieron en su agonía.
¡Que sin verme se angustie!
¡Que se ahogue en su ansiedad!
¡Que se queme en su desesperación!
¡Que se sienta como ahorcado al no verme!
Y que yo sea en su vida
el único alivio a esas sensaciones
para siempre, amén.

Anónimo
(*Oración para encontrar amor*)

El joven español está sobre la bella mulata. Desnudos. El viejo camastro chirría. El movimiento es cada vez más impetuoso. La chica parece enloquecer. Grita. Y de repente dice:

—¡Pégame, pégame!

Aquel turista se queda semiparalizado. ¿Qué pasa aquí?, se pregunta. ¡Con lo bien que iba todo!

La mulata sigue, entre gritos y gemidos, exigiendo una dosis de palos.

—¡Pégame, pégame, si no, no me vengo! (1).

El español duda. Pero ante la insistencia y el escándalo que aquella belleza negra está armando, le da un cachete en la cara. Con cierta suavidad. Demasiada suavidad.

—¡Más fuerte, por favor, más fuerte! —exige la mulata.

El español está ya francamente aturdido. Golpea con un poco más de brío, pero no es suficiente. La joven pide mayor violencia. Quiere sentir la recia mano del hombre estrellarse contra su rostro. El español no duda más.

¡Paffffffff!

Le suelta un bofetón con todas sus fuerzas, entre molesto e intrigado. De repente, ve cómo se transmuda el rostro de la hasta hacía unos minutos apacible joven y observa que el brazo derecho de ésta se eleva con rapidez.

¡Paffffffffffff!

—¡A mí no, que a mí no me gusta que me peguen! —grita indignado el español.

Pero es demasiado tarde. La mulata ha devuelto el bofetón y su último gemido indica que ha alcanzado el orgasmo definitivo.

La anécdota no es un cuento, ni un chiste picante. Real como la vida misma. La escuché de los labios del protagonista y por la confianza que le tengo, me consta que es rigurosamente cierta.

No hay que generalizar. Pero, ¿es así como hacen el amor las sensuales, dulces y encantadoras mulatas cubanas?

Cuando un día le conté esta anécdota a Félix Pita Astudillo en la ciudad mexicana de Guadalajara, donde ambos cubríamos la I Cumbre de Jefes de Estado y Presidentes de Iberoamérica, en julio de 1991, me dijo que era un exagerado y que había toda una leyenda negra sobre el tema.

El conocido periodista cubano, enviado especial de *Granma,* el órgano del Partido Comunista, incluso se molestó ante mi insistencia en que la anécdota era real. Nos enfrascamos en una discusión sobre el sexo entre los cubanos. Félix mantenía, y sigue manteniendo, que se aman como en cualquier otro país.

Puede que así sea, pero tras un año largo de conversaciones con hombres y mujeres de distintos ambientes, color y ciudad, llegué a la conclusión de que Félix Pita es la excepción a la peculiar manera que los cubanos tienen de amarse.

Es un tópico, pero no por ello menos cierto: el sexo en el Caribe tiene una connotación muy distinta a la que se le da en los llamados países del Primer Mundo. En el Caribe y muy concretamente en Cuba, el sexo es algo inmediato, cotidiano, como el comer o el dormir.

Al principio sorprende, pero luego uno se acostumbra a ver como una mujer puede pellizcar ligeramente la entrepierna de su novio o marido, delante de un grupo de amigos, y decirle en plan cariñoso:

—¡Ay, mi cuchi cuchi, cosa linda!

Nadie se alarmará por ello ni pensará que esa señora es una desmedida. Amar en Cuba es otra cosa y los muy politizados medios de comunicación, todos del Estado (no hay otros) se ocupan de la sexualidad con frecuencia.

Los estudios sociológicos más actuales muestran una serie de datos relevantes: cada vez hay más matrimonios, cada vez hay más divorcios, cada vez hay más uniones consensuales entre jóvenes menores de veinte años, cada vez hay más madres solteras, cada vez hay más niñas madres, cada vez duran menos las parejas.

En una sociedad en la que existen pocas opciones para el ocio, es lógico que el amor, que no cuesta dinero, ocupe un lugar de primerísima importancia.

Así, sociólogos y psicólogos cubanos se han lanzado al estudio de las relaciones sexuales y de pareja entre sus compatriotas. Y aparecen libros con títulos tan largos como sugestivos, *Caracterización de algunas tendencias de la formación de parejas y familias en la población joven* o *Análisis de las investigaciones sobre la familia cubana 1970-1987* o *La mujer rural y urbana, estudios de casos*.

¿Y qué dicen estos libros? Básicamente lo mismo que encuentra el periodista: que hacer el amor en Cuba, entre cubanos, es el pasatiempo favorito de la población.

Un dato: de los niños nacidos en 1989, el 61,2 por 100 fueron hijos de parejas no formalizadas, es decir del "vamos a vivir juntos, sin papeles ni bodas por medio". Y un segundo dato que aclara mucho el anterior: en 1991 las uniones extralegales entre jóvenes de quince a diecinueve años superaban a las uniones matrimoniales en prácticamente todo el país, salvo en la capital y la provincia de La Habana (2). Esta tendencia se mantiene.

En 1940, cuando Cuba estaba enfrascada en los debates de una Asamblea Constituyente, la Alianza Nacional Feminista abogaba por la igualdad absoluta entre hijos legítimos y naturales. No lo lograron. Treinta y cinco años después, el Código de la Familia de 1975 emitido por el Gobierno revolucionario el 8 de marzo, día de la Mujer Trabajadora, suprime la distinción entre hijos legítimos y naturales, concede la igualdad jurídica del matrimonio y define iguales derechos para los cónyuges (3).

La Revolución, que cambió radicalmente la vida política y económica de la isla, también trastocó la vida familiar y los hábitos amorosos de los cubanos. Si hasta 1959, año en que Castro conquista el poder, había cuatro casamientos por cada mil habitantes, treinta años después el índice se duplica: 10,7 matrimonios por 1.000 habitantes en la ciudad de La Habana.

Y la gente se casa más, o se une más fácilmente que antes, porque a pesar de los problemas la mujer goza de una mayor libertad para iniciar o romper un vínculo amoroso. Si en los cuatro últimos años de la dictadura batistiana, del 55 al 59, había 0,4 divorcios por 1.000 habitantes, en 1989 la cifra es casi diez veces mayor, con un 3,6 divorcios por mil habitantes (4).

—La mujer ahora es mucho más decidida a la hora de terminar una relación. Si ve que el amor se ha acabado, le dice por lo sano al marido, "mira mijito, ya tú no me convienes y por eso pienso que ya aquí, tan, tan..."

Me lo dice así de claro Olga. Es una tarde soleada en Ciego de Avila, una provincia agrícola del centro de la isla. Cinco mujeres, todas ellas dirigentes de la Federación de Mujeres Cubanas (FMC), conversan en torno a una botella de vino dulce búlgaro. Olga Suárez, Susana González, Idamira Miriam, Adriana Verano y Carmen Vázquez. Durante horas hablamos sobre la mujer en Cuba. Lo que la Revolución ha hecho por mejorar su situación y lo que aún falta por hacer.

—Una mujer, una joven, siente igual que un hombre y si de repente tiene deseos de "compartir" con un compañero, ¿por qué no puede hacerlo?, ¿por qué tenemos que obligarla a casarse?

Todas están de acuerdo. Como lo estará un grupo de mujeres más jóvenes que éstas, en la Ciudad de La Habana, unas semanas después. De seis, cuatro son miembros de la Unión de Jóvenes Comunistas (UJC), una estaba casada, dos se habían divorciado, dos más estaban prometidas y una era libre como el viento. Una de las divorciadas contó el motivo de su separación:

—Yo era una agregada en casa de mi suegra...

¿Cómo?

Las seis jóvenes, la mayoría con estudios universitarios finalizados, rompieron a reír. Y explicaron que un "agregado" es el que se incorpora, por la vía del matrimonio, al hogar de su pareja. Lógicamente, por falta de vivienda propia. En Cuba, y especialmente en las grandes ciudades, los "agregados" son miles. También un "agregado" puede ser el que a última hora se suma a una comida suculenta.

—... bien, decía que yo era "agregada". Mi marido y yo nos queríamos, pero yo no podía soportar vivir con su madre, con el resto de su familia, con la poquísima intimidad que teníamos, y lo dejé. Me divorcié.

Los estudios científicos confirman la impresión periodística. Además de la escasez de viviendas, que obliga a las jóvenes parejas a "agregarse" a donde y con quien sea, los matrimonios tempranos y la falta de madurez para el mismo son causas de frecuentes rupturas matrimoniales.

En ese sentido, Cuba está entre los países con mayor índice de separaciones. En 1986, Estados Unidos tenía 4,8 divorcios por cada 1.000 habitantes; la Unión Soviética, 3,4; Puerto Rico, en 1984, 4,2 por 100, y Cuba un 3,2 en 1987.

Entre los hombres, el grupo de edad más propenso al divorcio se sitúa entre los veinticinco a los cuarenta años, con un 48 y un 59 por 100 de las separaciones respectivamente. Los menores de veinticinco años, abarcan de un 9 a un 14 por 100.

En cuanto a las mujeres, desciende sensiblemente la edad en la que la incidencia de la ruptura es mayor: entre los veinte y los treinta y cinco años se concentra el 54 y 59 por 100 de los divorcios totales.

Vilma Espín, una de las mujeres más influyentes en el sistema cubano, y no sólo por ser la esposa de Raúl Castro, con el que ha tenido cuatro hijos, sino por su presencia desde los primeros días en la guerrilla de Sierra Maestra, me confirmaba en una entrevista en abril de 1989 que, efectivamente, el número de divorcios es alto en Cuba.

—Sin embargo yo veo en el divorcio un aspecto positivo y otro negativo. El positivo es que la Revolución ha cambiado la relación de dependencia de la mujer. Muchas mujeres mantenían antes un matrimonio realmente inmoral, no había amor, pero la mujer tenía que permanecer al lado de su marido porque dependía económicamente de él.

El aspecto negativo, para Vilma Espín, estaría en las uniones a edades muy tempranas, que provoca en muchos casos una maternidad prematura.

—Eso le quita a las jovencitas la posibilidad de aprovechar una serie de ventajas que la Revolución ha puesto a su alcance, como estudiar y prepararse para tener un futuro mejor.

Lo que muchas veces no dicen los estudios sociológicos es que algunas de las causas de las desavenencias de pareja tienen su base en la propia idiosincrasia del cubano: el machismo de ellos y la coquetería de ellas, más lo que ahora llaman, por aquello del SIDA, la promiscuidad.

La botella de Johnny Walker está practicamente vacía. Cuatro jóvenes cubanos, estudiantes y trabajadores, de ellos sólo uno es militante de la Unión de Jóvenes Comunistas (UJC), han dado buena cuenta de ella. Se les suelta la lengua.

Durante horas, han hablado del sexo, de los celos, de las dificultades que tienen para divertirse, encontrar la ropa que les gusta, de Miami, de la droga y del Período Especial. No se han cohibido en absoluto. Pero ha habido algunos relatos que, a los ojos de un extranjero, parecen de película de ciencia-ficción. Mas son reales como la vida misma.

Por ejemplo, el trato que dan a sus novias, a sus parejas, sean permanentes u ocasionales. El compañero 1, "C-1" en adelante, es el más agresivo. Negro como la noche, fornido, trabaja en una gasolinera.

—¿Quién de vosotros le ha pegado alguna vez a su novia?

Todos. Sobre todo el "C-1". ¿Por qué? Por las cosas más elementales. Por ejemplo:

—Un día fuimos a Coppelia a comprar un helado. Estábamos en la cola y ella me dijo que dejara de mirar a una muchachita que estaba delante de nosotros. Yo le dije que no estaba mirando a nadie. Ella insistió. Y me hartó. Entonces, pumba, le pego una galleta.

Para "C-1", el tortazo se lo tenía bien merecido:

—Me estaba faltando al respeto.

Ninguno de los otros tres compañeros hace el más mínimo gesto de desacuerdo. Es más, "C-1" interviene: "Hay mujeres a las que les gusta que las suenes, compadre". Hablan entonces del machismo cubano y de los malos tratos hacia las mujeres.

"C-1" descubre su juego a la primera:

—Mira compay, cuando estoy con una mujer, y siento que ya, que ya llego, cuando ya estoy con mi calentura, le caigo a palos.

Y explica cómo "le cae a palos": golpeando con su enorme manaza en la frente, en los brazos de la chica o agarrándole la cabeza y sacudiéndola con fuerza contra la cama, o contra lo que tenga debajo, que a veces es el puro suelo de un parque público.

—¡Pero eso es una salvajada!

—No, compay. Si a ellas les gusta.

"C-3" interviene:

—Es cierto. A mí me han pedido muchas veces "¡jálame los pelos, jálame los pelos!" (5).

Se molestó realmente. Margarita Flores, que en 1989 era la responsable de las Relaciones Internacionales en la Federación de Mujeres de Cuba (FMC) me dijo airada cuando le hablé sobre la existencia de malos tratos hacia la mujer cubana:

—¡Eso también existe en Europa! El machismo cubano fue siempre protector, no agresivo. Es un tipo de machismo muy peculiar: mi mujer no trabaja, porque yo la cuido.

El grupo de compañeros que le atizan a la botella de whisky, siguen hablando de sus hábitos amorosos. Y hablan del "chupón".

No es otra cosa que morder en cualquier parte del cuerpo, hasta dejar una marca, una señal, un moratón. Con una doble intención: si es su chica fija, es posible que ella se lo pida para presumir de que su hombre es muy macho; si se la ha robado a alguien, para que éste al ver el "chupón" rompa con ella y vuelva al drácula inicial.

Hablan de atar a la joven y de cómo "C-1", que decididamente es el más expresivo, ha perdido a alguna noviecita por no tener con qué atarla a la cama. "Sienten como que son violadas, pero sin peligro".

Insisto en que es una salvajada. Ellos dicen que no. "C-3" afirma:

—De esa forma se acuerdan siempre de ti.

Pero se equivocan. O al menos eso piensan muchas de las mujeres que entrevisté. Una de ellas, Gris, contó una anécdota que le había ocurrido hacía pocas semanas. Al bajar de una guagua (autobús) después de un largo recorrido y una agotadora jornada de trabajo, se dio de bruces con un joven desaliñado, español, de Zaragoza para más señas, llamado Jesús, quien le dijo:

—Eres muy linda, compañera.

—Yo no me esperaba nada así, caballero. Hacía tiempo que nadie me hablaba con esa dulzura. Yo tengo pareja estable, pero decidí que podía tomarme un jugo de toronja con él. Luego nos sentamos en un parque y conversamos y dejé que me besara. Nada más.

—Es que cuando te tratan así, te sientes una reina —tercia Silvia.

—¡Claro! Es que si te dicen que tienes el pecho más precioso de todo Occidente, te derrites. Estoy harta de que me digan ¡qué clase de culo tienes, negra!, que es lo que te gritaría un cubano.

El culo. O como lo llaman en Cuba, las nalgas. Volvemos a los cuatro compañeros que se han liquidado ya la botella de whisky. Les cuento la anécdota de un amigo que viajó a Cuba de vacaciones y salió con una joven de 18 años. Fueron a una discoteca y mientras bailaban, el tipo puso las manos por debajo de la cintura de la cubana. La chica se quedó paralizada.

—Perdóname, amor. ¿No te gustan mis nalgas? Ya sé que son chiquitas, pero es que hago mucha gimnasia, ¿sabes?

—Sigue practicando, es el tamaño que me gusta —le contestó.

Todos se ríen, pero todos piensan que mi amigo era estúpido. Habla "C-4":

—Mira chico, la mujer tiene que tener tremendas tetas y tremendas nalgas, aunque eso sí, que esté de lo demás flaca. Eso es una mujer bonita.

¿Por qué esa manía por los traseros poderosos? Porque se usan. Así de sencillo. Dice "C-1":

—Aquí no hay un cubano que te diga que no le ha rajado el culo a su novia, y el que lo diga ¡es un descarao!

La explicación de esa práctica no muy ortodoxa es absolutamente machista:

—Cuando vas con una mujer, que ya está rota por delante, lo que quieres es romper por detrás, sentir que grita, que desgarra las sábanas.

—Pero —intervengo— ¿y si no se deja?

—Simplemente le digo: si no me lo das, me voy, porque yo no estoy para estas boberías.

Lo confirman las jóvenes universitarias. Es una práctica muy generalizada. Y una de ellas, que acudió una noche a una posada con su novio, que es donde los cubanos que carecen de casa propia suelen hacer el amor sobre una cama cuando tienen los pesos y la paciencia necesarios para aguantar horas de cola, cuenta:

—Las paredes del cuarto que nos dieron no llegaban hasta el techo. Era como una especie de camarote. Se oye todo. A medianoche, al lado de nuestro cuarto comenzamos a escuchar gritos: "¡Ay, ay! ¡Por ahí no, no!". Era insoportable. Creíamos que le estaban pegando una paliza a la chica. Me puse una toalla y salí a buscar al posadero. ¡Oiga, que la van a matar!

—No te preocupes, compañera, si vienen todas las semanas y siempre es igual.

Gris, la que se quedó prendada por la forma en que la trataba el turista de Zaragoza, recuerda con nostalgia cómo su abuelo, según le cuenta su mamá, le llevaba flores a su abuela después del trabajo. Eran los años veinte.

—Una vez, estando mi abuelo en la sierra, le envío un telegrama a mi abuela que decía: "Mirando este paisaje y pensando en ti, me siento más orgulloso de ser cubano". ¿No os parece maravilloso?

Porque está claro que no todos son como "C-1" y sus amiguetes. Y que no a todas las cubanas les gusta que les peguen o les hagan el amor por el trasero.

Algunos aman tanto, que cuando no pueden conseguir ser correspondidos recurren a una viejísima traidición que llegó a la isla con los primeros esclavos negros: los amarres.

Reynaldo González, director de la Cinemateca de Cuba, y experto en todo lo relacionado con las creencias y ritos religiosos afrocubanos, me dijo rotundamente que hay todavía muchas jóvenes que acuden a las casas de las espiritistas en busca de fórmulas para atrapar o mantener a su lado al hombre amado. Usualmente, son más las mujeres, dice este estudioso, que recurren a estos arcaicos trucos que los hombres.

Sea como fuere, el mundo de los amarres sigue siendo tan actual que la revista *Bohemia*, prácticamente la única que queda ya en la isla, debido a la escasez de papel, dedicaba dos páginas a las recetas amorosas en su número del 14 de febrero de 1992, bajo el título "Todavía hay quienes creen en los amarres".

Bohemia da una fórmula para quitarse del mal de amores que consiste en acudir cualquier día 5 descalzo a un lugar donde haya un pozo y dar vueltas a su alrededor repitiendo:

> *Cinco pasos, cinco vidas,*
> *cinco estigmas, cinco heridas,*
> *cinco estrellas repetidas,*
> *líbrame de ti amor ingrato*
> *y huye de mi vista en forma de gato.*

Tanto esta revista, como el antropólogo cubano Fernando Ortiz, el hombre que más investigó sobre la afrocubanía, recomiendan el pájaro mosca y también la mosca cantarida o mosca española como ingredientes efectivos para conquistar. Parece que machacada y disuelta en café o cualquier comida, hace que el que la tome se enamore locamente.

Es básico en casi todos los amarres poseer una prenda de la persona a la que se quiere sujetar o atraer. Cuanto más íntima, mejor.

Pero si quiere conocer recetas realmente alucinantes, debe leer *Herencia Clásica*, de Zaida del Río, uno de los libros más lujosos editados en 1991 en Cuba, y que los turistas extranjeros compran al por mayor. En dos páginas bellamente ilustradas, Zaida del Río ofrece una ilustrativa colección de recetas, así como la "oración para encontrar amor" que inicia el comienzo de este capítulo (6).

De las diez recetas que da para atraer, enamorar o amarrar a una persona hay una que llama "Fórmula Madre" y que consiste en todo esto:

"En un botellón se depositan los ingredientes principales que se utilizan para atraer: extracto de canela, anís, limón, azahar, romero, benjuí, agua bendita, yefá de Orula (7), corteza de sándalo, babosas, tres precipitados, aguardiente de alambique y aguardiente de isla. En el preparado de las esencias preparamos las flores de Embeleso, de No Me Olvides, de Vesedá, y de Pensamiento: Ruda (8), que es muy mágica, Hoja de Yamao, de Paramí, de Amansa Guapo, de Sensitiva, de Duérmete Puta y de Adormidera. Polvos de palo vencedor y los orines de una perra en celo. Cuando el botellón contiene todos esos ingredientes, se pone al pie de los Santos.

"En el momento en que una persona necesita una esencia, se le pide que traiga un pomo chico con orines. Sin que lo vea se le echa de la esencia del botellón más tres gotas de los orines que trajo, en otro pomo. Despues se reza tres veces la oración del Anima Sola, y se deposita el frasco tres días junto a Elleguá. Se le entrega al consultado, que usará de esta esencia en el pañuelo, en la cara y en las manos".

Con ese perfume sobre el cuerpo, que no ha salido precisamente de los laboratorios de Chanel, el hombre o mujer que pretende conquistar está seguro de lograr su objetivo. Si acaso no diera resultado la "Fórmula Madre", existe otra cuyos ingredientes son:

"Amansa Guapo, Paramí, Mierda de León o Gallina, Pelos de todas partes del cuerpo, Uñas, Corazón de Paloma seco, Pellejo de la cabeza de Guinea hecho polvo, todo lo cual debe darle en la comida, el café o los refrescos, y nunca en las bebidas alcohólicas, a la persona que quiere conquistar".

Si ya lo tiene seguro y no quiere que se le escape, debe darle a beber un amarre con estos ingredientes:

"Siete lombrices de tierra, Mierda de persona, Sangre del período, Pelos de todas partes del cuerpo, se reduce todo a polvo y se da a tomar al afectado". Dicen que no falla.

Claro que podría suceder lo contrario, que estuviera hasta las narices de su compañero y decidiera quitárselo de encima sin necesidad de pegarle cuatro puñaladas. Para ello, utilice:

"Piel de rumbo, Ceniza, Cascarilla, Cebadilla, se reduce todo a polvo y al soplarlo se dice: Luna Nueva, Cuatro Vientos, Santo Tomás ver y creer, según el viento se lleva esto, así se lleve a Fulano".

¿Por qué necesitan las cubanas tales artimañas? Todas ellas o la mayoría contestará que porque sus parejas suelen ser infieles. Un médico de unos treinta años me decía una calurosa tarde de agosto del 91 que "ser infiel en Cuba tiene también mucha relación con el hogar, la falta de un espacio vital mínimo para que la pareja se desarrolle normalmente, la familia, la educación, la ideología, las amistades y la inseguridad en uno mismo".

La falta de viviendas es tal que el cubano ha inventado una poco conocida variedad de apartamento: la barbacoa. Con los materiales más rudimentarios, las habitaciones de las antiguas casonas coloniales han sido convertidas en dúplex. Un dúplex muy sui generis, porque no hay tabiques, ni paredes. Cualquier pareja que se aloje en el dúplex deberá sellar su boca con esparadrapo a la hora de hacer el amor, me decían unos recién casados que vivían en la barbacoa del marido.

Como en otras actividades de la vida cotidiana cubana, el machismo tiene mucho que ver con la infidelidad y la distinta forma en que se acepta ésta, según sea el hombre o la mujer la que "pega los tarros", el equivalente cubano a "poner los cuernos".

Rosa, una campesina de cincuenta años, con cuatro hijos, dice que a su hija Margarita la "alertaba" sobre los novios que pudiera tener, porque "las mujeres se ilusionan mucho". Sin embargo, a su hijo lo animaba a que tuviera "noviecitas".

—Para inclinarlo hacia su sexo, ¿sabe?

Las autoras de *La mujer rural y urbana* (9) obtienen una conclusión de esta entrevista: mientras al chico se le "inclina" hacia el sexo opuesto, a la chica se le "alerta".

Otra entrevistada por estas mismas autoras, Marta, una trabajadora de una central azucarera, sostiene parecidos puntos de vista. Marta asegura que no se deben tener relaciones antes del matrimonio, "pues el que coge fiado, pierde después el interés por casarse", refiriéndose claramente al varón. Sin embargo afirma que el hombre debe usar anticonceptivos en las relaciones prematrimoniales:

—Sí, claro, debe usarlos, para no comprometerse y evitar enfermedades.

Esta distinta forma de entender la infidelidad, salió a relucir en la conversación con el grupo de jóvenes universitarias de La Habana. Silvia narró la historia de una joven casada de Santiago que cometió un acto de infidelidad.

—Todo el barrio se enteró, ¡caballero! Y aquella pobre muchachita tuvo que irse no sólo del barrio, sino de la ciudad, porque le pegaban y le tiraban todo lo que encontraban a su paso.

Y eso que esa chiquita no era "sata", la palabra que más puede ofender a una mujer. Sata, para Esteban Pichardo (10), es originalmente una especie de perro pequeño y por alusión a la lubricidad de la perra, se utiliza para definir a la mujer cubana que coquetea con todos los hombres.

Idamira Miriam, que se ocupa del Area de Educación y Prevención Social de la FMC en Ciego de Avila, decía una frase que está ya acuñada en la ideología revolucionaria cubana:

—Antes la mujer aguantaba los tarros del marido porque sólo tenía tres opciones: casarse, ser prostituta o criada.

Fundada el 23 de agosto de 1960, antes aún que los populares Comités de Defensa de la Revolución (CDR), la Federación de Mujeres de Cuba (FMC) desarrolló realmente un papel importante en la liberación de la mujer.

En un país en donde la población femenina es sólo ligeramente inferior a la masculina, el 80 por 100 de las mujeres están afiliadas a la FMC, en total 3.307.243. Desde los catorce años se comienza a militar en la FMC. El trabajo que se inició con la campaña de alfabetización al año siguiente dio sus frutos. Hoy Cuba es el país con el porcentaje más alto de mujeres alfabetizadas del mundo iberoamericano, España y Portugal incluidos (11), con un 95 por 100. Le siguen Uruguay, Argentina y Costa Rica. España se encuentra en un sexto lugar con algo menos de un 95 por 100.

El resultado, según anunció Vilma Espín en el V Congreso de la FMC, celebrado en el mes de marzo de 1990, no deja de ser espectacular: de los poco más de tres millones de fuerza de trabajo en Cuba, la mujer representa casi un 39 por 100. Sólo Portugal y Uruguay tiene un mayor porcentaje en la Población Económicamente Activa (PEC) dentro de la comunidad iberoamericana.

Antes de la Revolución este porcentaje no llegaba al 17 por 100, y de él, casi un 70 correspondía a mujeres que trabajaban en el sector doméstico. La Revolución, nada más triunfar, creó unas Escuelas Nocturnas de Superación para las Domésticas, en donde se les preparó para ocupar puestos administrativos como secretarias. También se les enseñaron oficios prácticos, como coser, bordar o cocinar. Lo mismo se hizo con las prostitutas.

Hoy, ya no son sólo secretarias. En ese Congreso de la FMC, Vilma Espín afirmó que son mujeres: el 58,3 de los técnicos, el 61 por 100 de los estudiantes de preuniversitario, el 57 por 100 de los universitarios, el 48 por 100 de los médicos, el 68 por 100 de los educadores, el 46 por 100 de los investigadores.

La mujer hoy puede ingresar en el Ejército como una combatiente más y de hecho en la guerra de Angola hubo mujeres peleando. Existen dos regimientos de Artillería y uno de Infantería integrados por mujeres. Millón y medio de cubanas forman parte de las Brigadas de Producción y Defensa y casi medio millón de las Milicias de Tropas Territoriales (MTT)

—Cuando la sociedad aprenda a conocer y utilizar las cualidades de las mujeres, tendrá posibilidades ilimitadas —dijo en una ocasión Fidel Castro (12).

Vilma Espín me decía en la primavera de 1989 que "el Partido y la Federación hacen hoy un gran esfuerzo por situar a la mujer en puestos de dirección".

La presencia de la mujer en los órganos directivos del país, decía la entonces miembro del Buró Político —no fue reelegida en el último congreso del Partido, celebrado en octubre de 1992— era importante, pero todavía no suficiente. El Comité Central registraba algo menos de un 20 por 100 de mujeres. La Unión de Jóvenes Comunistas, casi un 40. La Asamblea Nacional del Poder Popular, parlamento cubano, casi un 34 por 100 y el Consejo de Estado, máximo órgano de gobierno, casi el 13 por 100.

Hoy, el trabajo de las mujeres de la FMC se enfoca hacia nuevas metas. Por ejemplo, las dirigentes con las que conversé en Ciego de Avila creen importante desarrollar, entre otras, una labor educativa entre los jóvenes, porque, reconocen, heredan el machismo de sus padres.

Porque machistas son los cubanos. De eso no hay duda, a pesar de la opinión en contra de Margarita Flores. Escuchen a "C-1", del grupo que agotó ya una botella de whisky y le entró a saco a la segunda:

—En Guanabacoa, donde yo vivo, si un marido encuentra a su mujer con otro, le entra a navajazos y la mata.

"C-1", que ha tenido una relación estable, justifica la infidelidad de los hombres con un razonamiento increíble:

—Al principio, todo es miel. Pero luego todo es lo mismo, llegar a la casa en la noche, y arriba, a la cama, y luego más nada.

Podría parecer que "C-1", obrero de La Habana, tiene poca preparación intelectual. Pero en una larga sesión mantenida en Ciego de Avila con dirigentes de la Unión de Jóvenes Comunistas, se expresaron de la misma forma, aunque quizá con palabras más suaves. La idea es idéntica:

—Yo creo que el hombre puede ser infiel de vez en cuando, eso sí, siempre que lo haga con discreción —mantuvo uno de los presentes.

Hay un punto de contacto entre el grupo de jóvenes habaneros de ambos sexos, que hablaron por separado: una mujer normal le es infiel al hombre básicamente por dos motivos, cuando se siente engañada o cuando no se siente "bien atendida".

El primero de los casos es clásico. Cuando una mujer tiene la constancia de que su pareja la engaña sistemáticamente, recurre ella misma al engaño o por despecho o para encelar a su hombre y que vuelva a ella. Y si quiere, la cubana puede ser coqueta como ninguna otra en el mundo. Sólo tendrá un par de problemas: encontrar ropa atractiva y acicalarse. Para lo primero deberá esperar a que le llegue por la cartilla de racionamiento, oficialmente llamada "libreta de productos industriales". Lo segundo, puede resolverlo más fácilmente si cuenta con suficiente dinero.

En La Habana abundan las peluquerías femeninas, aunque no todas funcionan. Una de las mejores es la peluquería "Primavera" en el barrio del Vedado, está clasificada con la máxima categoría, A. Después de esperar varios días a que le llegue su turno, le pueden hacer todo esto, según reza en una enorme lista de precios y servicios escrito con una primorosa letra: arreglo de cejas (0,60 pesos), manos completas (1,00), lima, corte de cutícula o esmalte y brillo (0,60), masaje manual en las manos (0,50), crema blanqueadora en las manos (2,00), pedicura completa, cutícula y esmalte (2,50), depilación de cera en bozo (bigote) (1,50), depilación completa cara (3,50).

Otros servicios, para los que dan siete días de garantía, todos a doce pesos son: el tinte, la onda fría (rizado) y el desrizado.

Claro que, como dice "C-4", no es preciso que una cubana si quiere encelar a su hombre tenga que acicalarse mucho:

—Aunque tenga el carcañal lleno de churre, ella irá pavoneándose y mirando al cielo, lista para atraer a alguien.

—¿El qué?

—Aunque esté sucia y en chancletas —aclara "C-4".

Mar de Lys, una de las jóvenes del grupo habanero, resumía así el problema de la insatisfacción femenina:

—El asunto está en que los cubanos se están desgastando todo el tiempo en cosas mínimas y tampoco es su culpa. Pero si tienes que estar tres horas haciendo una cola para comprar los huevos, dos horas en la parada de la guagua, y así día tras día, te pones negativo. Entonces tienes que sacar fuerzas de muy adentro para llegar a la casa y decir a tu mujer un ¡ay, mi amor!

Interviene Silvia:

—Llegan muertos de cansancio a la casa. Se bañan, comen y ven la televisión. Luego se van a la cama y dicen, ¡ay, qué sueño!, me voy a la cama y no molestes, ¿eh?

En su lenguaje más grueso y directo, "C-1", mientras se atiza otro golpe de whisky, se queja de que la cubana siempre quiere más y más. Insaciable, dice. Y claro, él, que es un hombre fuerte, pues también se cansa y se duerme.

—Y ahí te vienen los tarros, compay. Porque si tú lo haces dos veces, pero ella encuentra a un vecinito que se lo hace tres, pues la perdiste, hermano.

Y cuenta algo asombroso: cuando una pareja se separa, el hombre al día siguiente puede salir con otra chica. Pero no ella. Ella debe esperar al menos tres meses.

—Es que si ella de un día para otro sale con un noviecito nuevo, es porque ya estaba saliendo antes, pues no lo puede encontrar en veinticuatro horas. Por eso, si a mí me pasara eso, le entraría a piñazos (13) a los dos.

"C-3" añade:

—Si una jeba (14) hace eso, es porque antes se ha estado bailando (15) a todo el barrio y entonces tus socios te miran que no me veas, como que no eres hombre.

Anibel, del grupo femenino habanero, cuenta que se divorció porque no podía soportar los celos de su marido.

—Y lo peor de todo, lo que me hartó, fue que en la pelea final me dijo: y además, ¡tú no eras señorita cuando te casaste conmigo!

—¿Señorita?

—Sí, que no era vírgen. Y yo le dije: amor, ¿qué querías que te estuviera esperando ahí, como la Virgen María sin saber que vendrías, hasta mis veintitrés años?

Sale el tema de la virginidad. Espinoso tema. En un país en el que se mantienen relaciones sexuales con la mayor normalidad y frecuencia, el hombre busca vírgenes para casarse. Una encuesta de 1985 entre jóvenes y adolescentes arrojó el dato de que el 67,2 por 100 desean casarse con mujeres vírgenes (16). En el grupo de la botella de whisky surgió una idea increíble, compartida por todos: cuando decidan casarse, irán a un Instituto de Enseñanza Media para elegir una jovencita de no más de dieciséis años, que por supuesto sea virgen.

En el grupo de las mujeres, una de ellas contó una anécdota espeluznante:

—Yo tengo una amiguita que cuando salió por vez primera con un chiquito que le gustaba, lo primero que éste le pidió fue que le dejara meter el dedo para comprobar que era virgen. ¿Tú te imaginas?

En Ciego de Avila, Carmen Mestre, que está con el grupo de mujeres de la FMC, resaltó la labor que hacen las brigadistas sanitarias de la Federación en la educación sexual. Estas voluntarias ayudan a los médicos de familia en la realización de pruebas para detectar cáncer de mama (se hacen a partir de los treinta años) y pruebas citológicas (a partir de los veinte).

—Imagínate si el cubano es celoso, que hay compañeros que si no hay enfermera y el médico de familia que debe realizar la citología es joven, se niegan a que se la hagan a su esposa —afirma Carmen.

Pero bueno, a pesar de los pesares, los cubanos, la inmensa mayoría de ellos, encuentran sus novias, se casan y son felices. Pero problemas inexistentes o que serían fácilmente solucionables en una sociedad capitalista, en Cuba, debido a las tremendas dificultades económicas por las que atraviesa el país, se convierten en verdaderas barreras a veces infranqueables.

Conocí a un importante periodista de La Habana que estaba recién divorciado, y había tenido que dejar su casa a su ex esposa.

—Mira, encontrar una novia en La Habana es fácil. El problema es: ¿dónde la llevas?

En parte, mi amigo periodista tenía resuelto su problema: disponía de un Lada soviético, y ahí, sobre las cuatro ruedas, giraba el amor. Lo malo es que con las cada vez mayores restricciones de gasolina, el coche se puede mover poco. Menos de lo que la enamorada pareja desearía moverse.

¿Dónde van entonces los cubanos para divertirse o para hacer el amor? Ahí está la primera dificultad.

Habla Mar de Lys:

—Mira el cubano es candela (17), y en cuanto su noviecita le hace un cariño ya está encendido. Y hace el amor donde sea, ahí mismito, en la finca.

—¿Finca?

—Sí, cualquier lado oscurito, detrás de un matorral. Te quita el bajichupa (18) y ¡hala, a correr!

Famosas en el mundo son las posadas cubanas. Establecimientos destinados exclusivamente al cubano, son el único sitio donde una pareja puede hacer el amor en la intimidad de un cuarto, que normalmente está sucio, mal ventilado, con sábanas rotas o usadas y a veces hasta sin agua corriente.

Bárbara Doval, una reportera de Radio La Habana, denunciaba el mes de febrero de 1991 el deplorable estado de las posadas, pero nada se ha hecho por mejorarlas.

Habitualmente situadas en la zona del extrarradio habanero, los fines de semana están abarrotadas. Lo más curioso para el ojo extranjero es ver cómo parejas de novios hacen cola en espera de que quede algún cuarto libre. Las hay que tienen un pequeño bar, en donde sirven un refresco o a veces una cerveza. Lo más normal es que la pareja lleve consigo su propia botella, que habrá conseguido en el mercado negro.

Los precios de las habitaciones son bajos, pues las hay desde 2,70 pesos por hora. (Es difícil que un trabajador cubano gane menos de 100 pesos por mes). Pero ésas son realmente repulsivas. Mal aseadas, a veces sin agua corriente, sus usuarios se quejan de que incluso algunos empleados tienen la fea costumbre de observar por detrás de la puerta.

Casi todas las puertas tienen un ventanuco, desde el que la pareja, a grito pelado, puede solicitar alguna bebida. Las más habitables, incluso con televisor a color, cuestan 20 pesos, se alquilan por día, pero ahí sí que tiene uno que hacer cola de semanas.

No es extraño pues que el cubano haga el amor allí donde pueda. Detrás de la matica, como dice Mar de Lys, en el coche, los más afortunados, que son muy pocos, o en la playa, los que viven cerca de ella.

Por todas estas razones a pocos sorprende que aumenten los embarazos no deseados. Pues aunque en Cuba es fácil encontrar anticonceptivos y los preservativos son talla caribeña, su uso, sobre todo entre los mas jóvenes, no está generalizado. Todavía se recuerda con humor el envío de condones de la República China que, por ser pequeños, fueron repartidos entre los escolares para que hicieran globos con ellos. Años más tarde, los chicos le habían tomado el gusto a jugar con los preservativos. Un día en Centro Habana, una pandilla de chavales, se entretenía en lanzar preservativos llenos de agua contra los cristales de los automóviles que pasaban por sus calles.

Pero el cubano detesta el preservativo, al que han bautizado como "el quitasensaciones" y al que incluso un conjunto musical, el Grupo Arkanar, le ha compuesto una canción, *El Rap del condón*. Habla Gris:

—Ellos siempre te dicen: ponte tú algo, una T, un DIU, qué sé yo. Tienes que ser tú la que prevengas, ellos no hacen nada.

Pero contraataca "C-1":

—A mí las muchachitas me dicen: "No, así no, tiene que ser seca, seca, sin nada de grasita. ¡Quítate el preservativo!".

No es de extrañar, pues, que las estadísticas cubanas señalen una baja en la fecundidad, pero un aumento importante de los abortos. Del grupo de seis jóvenes habaneras universitarias, cinco de ellas habían tenido entre uno y cinco abortos. ¡Y ninguna había cumplido los veinticuatro años! Todas ellas se iniciaron en la vida sexual en torno a los quince años y curiosamente, casi todas tuvieron su primera experiencia con chicos mucho mayores, entre los veinticinco y los treinta años. Dice Anibel:

—Yo nunca me hubiera acostado con uno de mi clase, porque los chicos son muy habladores a esa edad.

A esa edad y a cualquiera. Aunque es ficción, Oscar Hijuelos, premio Pulitzer de novela en 1990, dibuja con maestría el perfil del macho cubano en su novela *Los Reyes del Mambo tocan canciones de amor*. Salido de Cuba cuando era sólo un niño de cuatro años, Hijuelos ha retratado como nadie el machismo y la chulería, guapura, dicen en Cuba, del cubano cuando habla del enorme tamaño de su sexo y de la cantidad de chicas con las que se ha acostado. Esta es una pequeña muestra del estilo de Hijuelos:

"Y después, muy pagado de sí mismo, le enseñó su pinga, como se la llamaba en un lenguaje un tanto indelicado en su juventud.

Estaba sentado en la cama en el hotel Esplendor, y echado hacia atrás, quedaba envuelto en la oscuridad, mientras ella estaba de pie junto al cuarto de baño. Y el simple hecho de mirar su hermoso cuerpo desnudo, empapado de sudor y de felicidad, hacía que aquel gran miembro que tenía se le pusiera duro otra vez. Aquel miembro ardiente que, a la luz que entraba por la ventana, era grueso y oscuro como la rama de un árbol. En aquella época brotaba como una parra de entre sus piernas, surcado por una gruesa vena que lo dividía en dos mitades exactamente iguales y luego florecía hacia arriba como las ramas de la copa de un árbol o como —pensó una vez, mirando un mapa de los Estados Unidos— el curso del río Misisippí y de sus afluentes" (19).

Iniciándose en el amor tan pronto y sin tomar precauciones no es de extrañar la enorme cantidad de madres adolescentes que hay en el país. Un dato muy revelador: sólo en 1989, 6.000 adolescentes, todas menores de dieciséis años, abandonaron los estudios primarios y secundarios por haberse convertido en mamá.

El dato lo facilita Magaly Kessell, especialista en el tema del Comité Estatal del Trabajo y la Seguridad Social, quien se ocupa de un programa de ayuda a madres solteras creado en 1988. En 1990, ese programa facilitó ayuda a algo más de 8.000 madres solas, a las que se les ofrece un trabajo adecuado.

También se ocupan de la localización de los padres, pues la inmensa mayoría son madres abandonadas. En el transcurso de dos años, 1989 y 90, se localizaron a 2.000 padres. Pero Magaly Kessell reconoce que muchas veces son las propias madres las que no quieren identificar al padre, o colaborar en su búsqueda, entre otras razones porque el supuesto padre las tiene bajo amenaza.

La muestra más reciente, y la primera en su género, que estudia el problema de la maternidad infantil y del aborto, la realizó en 1991 el Centro Cubano de Investigaciones Psicológicas y Sociológicas (CIPS) de la Academia de Ciencias.

El estudio abarca cinco años, desde 1986 a 1990, y engloba a padres, madres e hijos entre los doce y los diecinueve años. Aunque el número de madres adolescentes, menores de veinte años, disminuyó en los últimos quince años, sigue siendo muy elevado, con una tasa del 57,1 por 1.000. El grupo más fecundo, el de los veinte-veinticuatro años tuvo una tasa de 122,7 por 1.000. La maternidad adolescente es más frecuente en las provincias orientales que en la zona de La Habana.

De cualquier forma, uno de cada cuatro niños que nacen en Cuba tiene una madre menor de diecinueve años, según el Centro Nacional de Educación Sexual (CENSEX). Lo que alarma es que el grupo de doce-catorce años tiende a aumentar sus tasas de maternidad.

Debido a la juventud de la madre, ha bajado el número de nacidos vivos entre las madres adolescentes, es decir hay más fetos muertos que hace unos años. Por otro lado y también debido a la juventud de las madres, en 1988 hubo 15 adolescentes que fallecieron al dar a luz, una cifra sin embargo baja comparada con la de otros países latinoamericanos.

Igualmente, según la encuesta del CIPS, ha aumentado sensiblemente el número de abortos entre las menores de dieciocho años, con un índice de 36,9 por 1.000 en 1988. Ese mismo año, hubo en Cuba un total de 155.325 abortos.

Unos datos que se mantienen constantes en los últimos años. Entre 1974 y 1984, hubo 1.314.524 abortos. La increíble cifra de un 80 por 100 de interrupciones en 1981 todavía no ha sido superada, aunque en 1988 se situó en un 77 por 100.

Rosa, la trabajadora de la central azucarera, afirma que el uso de anticonceptivos es muy bueno porque ella conoce de abortos realmente increíbles:

—Algunas mujeres viejas, con tal de abortar, se tiraban de la mesa o de un escaparate (armario).

El aborto es legal y gratuito en Cuba desde 1965, seis años después del triunfo de la Revolución, cuando se puso en marcha el Programa Materno Infantil.

Pero lo que en principio se hizo para aliviar problemas entre la población, se convirtió con el tiempo en una verdadera tragedia. Porque, dígase lo que se diga, abortar no es algo que le gente desee.

Margarita Flores, responsable del departamento de Relaciones Internacionales de la Federación de Mujeres Cubanas (FMC), me decía en el invierno de 1988 que esos índices de aborto "son muy altos, superiores a lo que deberían ser".

El problema preocupa seriamente a las autoridades cubanas, hasta el punto de que Castro se refería a él en un discurso de 1991. El comandante señaló que los médicos de familia deberían desarrollar un papel más activo en el embarazo precoz.

Vilma Espín, presidenta de la FMC, declaraba por su parte a una revista brasileña en 1988, que al inicio del período revolucionario hubo numerosos alumbramientos. Concretamente, entre los años 62 y 65, nacía un cuarto de millón de cubanos por año, que arrojaba un índice de 35 partos por 1.000 habitantes. En 1988, se había rebajado a la mitad: 16 por 1.000.

La misma Vilma, en otra entrevista concedida al periódico cubano *Granma* en agosto de 1985 se quejaba de que a los jóvenes cubanos "se les enseña matemáticas, química, física, geografía" y se preguntaba:

—Cómo no enseñarles lo que, en definitiva, hacen todos los seres humanos y de lo que depende la conservación de la especie, que es la reproducción, para que esa reproducción no sea una cosa puramente animal o natural, sino que esté acompañada de las concepciones de nuestra sociedad socialista sobre las relaciones de pareja (20).

Por el contrario, "la confusión en el campo de la moral sexual y matrimonial" para los obispos cubanos se debe "al amor libre, la infidelidad, el divorvico, la escasez de viviendas, la mentalidad anticonceptiva y el aborto", según el Plan Pastoral de la Conferencia Episcopal del mes de noviembre de 1990.

El CENSEX adjudica toda esta problemática a un uso insuficiente y escaso conocimiento de los métodos anticonceptivos. El más usado es el DIU, o Dispositivo Intrauterino, seguido por la esterilización femenina. En tercer lugar se sitúa la píldora y por último el preservativo.

El tan popular condón sólo fue utilizado en los años ochenta por un 2 por 100 de los cubanos con vida sexual activa y sólo después de una amplia campaña de promoción se elevó a un 5 por 100 en 1990, según un reportaje dedicado al Día de los Enamorados en 1992 por la revista *Bohemia*.

Gris, una de las universitarias del grupo de La Habana, se indigna ante este hecho inapelable.

—La mujer tiene que abrirse el vientre, hacerse un tajazo en su vientre para esterilizarse. En cambio el hombre no se liga, y eso que a él sólo tienen que hacerle dos crucecitas, se le cortan los conductos seminales y ya está, se acabó, todo bien, divino. Es cirujía menor. Pero no. El cubano no se liga. Que se fastidie la mujer y se destroce el vientre.

Si no se ligan los mayores, cómo se van a ligar los chicos que sin haber cumplido los veinte años ya viven en pareja.

Las uniones, legales o no, entre los cubanos de quince a diecinueve años han aumentado en los últimos años. Si en 1970 eran un 4,5 por 100 de la población unida, diez años después los que vivían en pareja eran el 6,2. Este porcentaje es mucho más elevado en la mujer: las chicas unidas o casadas entre los quince y los diecinueve años fue de un 28 por 100 en 1971 y bajó un punto, al 27 por 100, diez años después (21).

En cualquier otro país de América Latina, esas seis mil adolescentes que dejaron sus estudios primarios porque quedaron embarazadas y ni siquiera tuvieron un marido al lado, habrían tenido un futuro incierto. No es descabellado pensar que habrían terminado en la prostitución. Sólo hay que darse una vuelta por Colombia, Venezuela o México, tres de los países más desarrollados del continente.

La responsable de Relaciones Exteriores de la FEM, Margarita Flores, era una mujer agresiva cuando la entrevisté a finales de 1988. "He tenido malas experiencias con los periodistas", dijo, como si fuera la única.

Aun así, hablamos de uno de los temas casi tabú entre la dirigencia cubana: la existencia de la prostitución. Las famosas "jineteras". Ninguno de los diccionarios de cubanismos manejado registra la palabra. Sólo el Diccionario Ideológico de la Lengua Española de Julio Casares contiene la palabra "jinetear", a la que le da el significado de "pasear a caballo alardeando de gala y primor" o la de "domar caballos cerriles" o indómitos.

Algo tiene que ver con montar. Sólo que en vez de caballos montan hombres. En Cuba, y más concretamente en La Habana, pues es allí donde se da la mayor concentración —he visto algunas otras en Varadero o Santiago de Cuba, pero poco más, después de haber recorrido toda la isla— la jinetera es la prostituta, salvo que con un matiz muy distinto al que podría tener en otros lugares: no siempre cobra dinero. Es más, pocas son las que lo hacen. Prefieren el pago en especies: una cena, unas copas en una discoteca "sólo para turistas", alguna prenda de vestir, calzado.

Distribuidas por la llamada "área verde", o zona hotelera turística, donde circula el fula, la verdolaga o el guachinton, tres maneras de llamar al dólar, la única moneda que le es útil al turista extranjero, las jineteras han llegado a ser más famosas en el extranjero que en la propia Cuba.

Sobre todo por la insistencia de algunos líderes cubanos en negar lo evidente y de algunos medios de información de colocarse gafas de aumento: como en cualquier otro país, y como ha sucedido desde que el hombre es hombre, en Cuba también se practica el más viejo oficio del mundo. Durante años, los líderes de la Revolución negaron esta evidencia. Ya no.

En un encuentro que importantes dirigentes del aparato cubano, entre ellos Carlos Aldana, y Carlos Lage, dos influyentes miembros del Buró Político del PCC, así como generales y ministros del Gobierno, mantuvieron en mayo de 1991 con docenas de estudiantes universitarios, salió el tema de las jineteras y la prostitución.

Desgraciadamente, la referencia de la sesión es indirecta: Juventud Rebelde, el órgano de la UJC, hizo un resumen de una sesión de trabajo que duró cuatro días y en las que se hicieron más de 400 preguntas a los dirigentes presentes.

Aun así, *Juventud Rebelde*, y más tarde *Granma*, dedicaron un párrafo al tema. El de *Granma Internacional* decía:

"Un fenómeno que ya se está enfrentando es el de cierta prostitución vinculada al turismo, que no hay por qué admitir. Es real la presencia de esta práctica vergonzosa en los últimos tiempos, y aunque se argumentó que fundamentalmente está estimulada por otros visitantes y residentes extranjeros, se manifiesta en las instalaciones turísticas.

Impedir tal ejercicio, requiere de la acción decidida de los administradores en estas instalaciones y de la sociedad en su conjunto" (22).

Hasta aquí la cita. O sea, que hay prostitutas porque hay turistas. Cosa que es falsa. La propia prensa cubana ha informado en otras ocasiones de cadenas de prostitución "para cubanos". Uno de los funcionarios del Centro Internacional de Prensa (CPI) me decía el verano de 1991, después de que un periódico madrileño hubiera publicado un artículo, quizás exagerado, dedicado a las jineteras:

—Casi todo es verdad, casi todo es verdad. El problema es que no lo queremos ver.

¿Cuántas son? Ese es el problema. Margarita Flores dice:

—A mí no me importa si hay mil o cuarenta mil. El hecho de que haya una sola es lamentable, porque la Revolución eliminó las causas para que permaneciera la prostitución.

Aunque para la compañera Flores, más que de prostitución hay que hablar de "neoprostitución".

—No lo hacen por hambre, sino para conseguir una serie de productos de la sociedad de consumo que aquí no tenemos. Quieren un zapatico más bonito, una sayita más a la moda, eso es lo que quieren.

Margarita Flores, al igual que otros dirigentes realistas, creen que "hemos fallado en algo" y por ello "tenemos que trabajar para resolver ese problema".

Un problema que pocos se atreven a cuantificar y si lo han hecho —la Policía Nacional Revolucionaria seguro que dispone del dato— jamás lo han dado a la publicidad.

Prácticamente todos los periodistas que han pasado por La Habana han escrito sobre las jineteras que, como diría el Casares, alardean de "su gala y primor". Según las gafas que se hayan puesto, hay docenas, cientos o miles. Durante 1991, año en el que visité La Habana casi todos los meses, recorrí en distintos días y a distintas horas, nocturnas por supuesto, la zona sobre la que se extienden las jineteras e intenté hacer un cálculo de cuántas hay.

Desde el Castillo de los Tres Reyes del Morro, la antigua fortaleza colonial que controlaba la entrada al puerto de La Habana al este de la ciudad, hasta el extremo occidental de la capital, la Marina Hemingway, un puerto deportivo con hotel, cabañas, restaurantes, discotecas y tiendas, hay 17 kilómetros, que en una ciudad tan escasa de automóviles se recorren en poco menos de quince minutos.

Ese recorrido pasa inevitablemente por la zona donde el jineteo es más abundante: los seis kilómetros y medio del malecón, en donde se sitúan o están muy próximos los hoteles Dauville, Habana Libre, El Nacional, Victoria, Capri, y el Riviera, y la Quinta Avenida, en el residencial barrio de Miramar. Entre las nueve y las diez de un sábado del mes de julio, cuando aumenta el turismo, llegué a contar hasta 90 chicas que "pedían botella", es decir hacían auto-stop con la clarísima intención de jinetear.

Si a esas 90 se le suman otras tantas que estén descansando por diversas razones, y el doble más que en ese momento estén cabalgando con un cliente, no sería muy exagerado afirmar que en La Habana, una ciudad de 2.700.000 habitantes, no hay más de 400 chicas que se dediquen al jineteo, o como diría la dirigente de la FMC Margarita Flores, a "actividades antisociales". Un 0,02 por 100 de la capital.

Claro que hay jineteras de tiempo completo y eventuales, que salen un día a la semana o al mes porque necesitan conseguir un par de zapatos o simplemente quieren romper la monotonía de su vida.

"C-3" tiene una compañera de estudios, Elisa, que jinetea una vez al mes.

—En la clase no la consideramos una prostituta. Simplemente, necesita algo, un champú, unos zapatos, algo que le agrade y sale una noche y lo consigue, eso sí, siempre elige a un turista joven y guapo. ¿Por qué hay que prohibirle eso?

—Entonces, ¿no la consideran prostituta tus compañeros?

—No, qué va. A ella no.

Pero a otras sí. Un camarero me contó que una jinetera estaba con dos yumas (23) comiendo en un restaurante del "área dolar". La joven le estaba diciendo al más viejo: a ti te cobro 50 y a ti, decía dirigiéndose al joven, te cobro 30. Los precios oscilan según la oferta, pero se sitúan entre los 50 y los 100 dólares.

—Esas son las profesionales, las que van a pipiarles los peces, se los llevan a una casa particular y allí les hacen el pastel. Yo me pregunto: ¿no saben los CDR de la cuadra que en esa casa cada noche va un extranjero distinto? ¿No lo sabe la policía?

No todas las jineteras, ni mucho menos, disponen de una casa donde realizar su trabajo. La inmensa mayoría utiliza el coche del propio turista, que se destaca sobre el resto de los automóviles locales tanto por la placa como por el enorme letrero que hay en el cristal trasero y que dice "Havanautos", nombre de la principal agencia de coches de alquiler de la isla.

Hay cierto peligro para las jóvenes que viven en el área frecuentada por las jineteras. Por ejemplo, la Quinta Avenida. Si una chica que vive en esa zona sale a pasear, debe llevar su carnet de identidad encima, en realidad siempre lo deben llevar los cubanos, y se expone a que se lo pidan con frecuencia. Sólo demostrando que vive en esa zona, la dejarán tranquila, pero le dirán que mejor pasee por otro lugar.

Cuando la policía detiene a una jinetera en el pleno ejercicio de sus actividades, le abre un acta de advertencia, de acuerdo con el Código Penal (ver capítulo sobre "Los Derechos Humanos"). Es posible que en una redada, la joven duerma tres noches en una celda. A la tercera reincidencia normalmente es presentada ante el juez acusada de delincuencia social. Las penas van de uno a cuatro años de privación de libertad.

Lo que muchos observadores se cuestionan es: ¿no hay una cierta permisividad con determinadas jineteras? Lugares como la Marina Hemingway o la desaparecida, porque feneció inundada, discoteca Havana Club, eran frecuentados todos los días por las mismas chicas. Nadie las detenía. Sin embargo, si a alguna muchachita se le ocurría acercarse por allí, de forma casual era fácil que cayera en manos del cuerpo especial de policía que vigila los hoteles turísticos.

Es más: en la discoteca Havana Club, tenían pase gratis e incluso pagaban en dólares, algo absolutamente prohibido a un cubano, las modelos de La Maison, una elegante diplotienda, exclusivamente para turistas, y los lunes, que es día de descanso en el Cabaret, las bailarinas del Tropicana.

—Si vengo un lunes a bailar aquí, nadie me dice nada. Como se me ocurra acercarme cualquier otra noche, corro el riesgo de que me detengan. Además, somos conscientes de que nos dejan pasar como gancho para atraer turistas. ¿Puedes entender eso? —se quejaba una bellísima danzarina de Tropicana.

Salir con un extranjero de forma fija, como pareja estable, puede acarrear también problemas. Semanas antes de que se celebraran los IX Juegos Panamericanos en La Habana, en el verano de 1991, la policía llamó absolutamente a todas las chicas que tenían fichadas por haber sido vistas en compañía de un extranjero. Incluso aunque ese extranjero fuera su novio formal y estuvieran manteniendo esa relación durante más de un año.

—A mí me hace gracia una cosa. ¿Qué se le presenta al extranjero en la publicidad sobre Cuba? Las playas, el ron, sus bellas mulatas... ¡Y cuando vienen aquí, no pueden salir con ellas! —se queja Silvia.

El jineteo no es sólo exclusivo de las jóvenes cubanas. Lo es también de los chicos. Aunque en menor cantidad, o al menos son mucho más discretos, hay también un pequeño círculo de homosexuales cubanos en busca de clientes extranjeros. Algunos puntos de las playas del este, especialmente frente al hotel Itabo, en Santa María, a unos 20 kilómetros de La Habana, son lugares deconcentración de los "homos" cubanos. Van siempre en grandes grupos, de diez o doce personas y se pasean garbosamente por la playa exhibiéndose como sólo un maricón sabe hacerlo.

También se aplica el término "jineteros" a la, esa sí, numerosísima prole de vendedores y cambistas.

Tienen sus trucos para averiguar la nacionalidad. Por ejemplo, te preguntan qué hora es. Si picas, enseguida averiguan si eres español, italiano o mexicano (los más numerosos) y te hablarán en tu idioma y con tus propios latiguillos locales.

—Oye, tío, te cambio 20 a 1. ¿Quieres puros? ¿Quieres una mulata, tío?, ¿qué tú quieres, tío?

Aunque la policía cubana ha emprendido recientemente una fuerte ofensiva para combatir a estos "delincuentes sociales", como se les llaman oficialmente, están permanentemente en los alrededores de los principales hoteles y son una verdadera pesadilla para el turista.

Normalmente, en el cambio de dólares por moneda nacional, suelen engañar casi siempre. Pero es que además, el turista tiene poquísimas oportunidades de comprar cosas con los pesos cubanos. Y los puros que venden suelen ser falsos. El turista se arriesga por último a que en un registro a la salida de Cuba en el aeropuerto le sean decomisados.

Cuando los turistas llegan a Cuba, sobre todo los latinos, españoles, italianos, mexicanos, lo primero que preguntan a un camarero, a un taxista, a quien pueda darles un dato es:

—¿Cómo anda aquí el SIDA?

—¡Ay, viejo, deja esa trova! —suelen contestar los cubanos de a pie, porque piensan que a ellos nunca les tocará y hay una tendencia muy generalizada a no hablar del asunto.

¿Cómo está realmente el Síndrome de Inmunodeficiencia Adquirida, SIDA, la peste del siglo XX, en este país caribeño tan ardiente y bullanguero?

Las cifras, frías como siempre, demuestran que el problema no es tan grave como en otros países, desde el punto de vista sanitario. Los datos oficiales más recientes se refieren al mes de enero de 1992. Hasta ese momento y desde que se detectó el primer enfermo del SIDA en la isla, en 1986, precisamente en la persona de un artista que se había contagiado en Estados Unidos (¿una venganza del enemigo yanqui?) hay 692 casos, de los que sólo un centenar ha desarrollado la enfermedad. La mayoría son hombres, con un total de 496, de los que el 52 por 100 son homosexuales o bisexuales. Hay 196 mujeres contagiadas y un total de 58 muertos, desde que en marzo de 1986 el Gobierno puso en marcha el Programa Nacional de Lucha contra el SIDA.

Las cifras facilitadas en esa época por la Organización Mundial de la Salud (OMS) daban un total de 314.611 casos en toda América, de los que 154.791 corresponden a Estados Unidos.

Para saber qué importancia tienen estos datos, habría que compararlo con el país que más SIDA padece, los Estados Unidos. Mientras que en Estados Unidos hay un enfermo de SIDA por cada 1.677 habitantes, es decir un 0,07 por 100 de la población está infectada, en Cuba hay un enfermo por cada 14.450 habitantes, o sea un 0,007 por 100. Aproximadamente, Estados Unidos tiene proporcionalmente diez veces más enfermos de SIDA que Cuba. Proporciones muy similares se mantienen respecto a sus otros vecinos latinoamericanos.

¿Cómo consiguieron los cubanos controlar la enfermedad? El tema ha sido tan controvertido a nivel internacional que ha habido acusaciones contra Cuba ante organismos defensores de los Derechos Humanos por mantener prácticamente encarcelados a sus enfermos en los popularmente llamados sidatorios.

En un despacho lleno de papeles, compartido con otro colega, y en donde destaca un cartel contra el SIDA en el que se ve a un cubano vacilón ligando con una y otra hasta que enferma y la palma, el doctor Rodolfo Rodríguez, me dice:

—Se nos acusa de violar los Derechos Humanos de los que tienen SIDA. Nosotros decimos que estamos defendiendo los Derechos Humanos de los diez millones de cubanos que no lo tienen.

Director del Departamento de Epidemiología del Ministerio de Salud Pública, el doctor Rodríguez ha estado trabajando en el problema de las enfermedades de transmisión sexual durante décadas. Se ríe cuando recuerda que a veces las campañas anticubanas por este tema han sido tan ridículas, sobre todo la que denunciaba que la policía llevaba esposados y enfundados en bolsas de nylon a los infectados hasta los sidatorios.

—También dijeron que nuestros sanatorios eran cárceles con rejas y guardias armados en sus esquinas —dice irónico el doctor Rodríguez.

En total, Cuba dispone en estos momentos de doce sanatorios, prácticamente uno en cada provincia, y 52 laboratorios para la detección del Virus de Inmunodeficiencia Humana (VIH). En esos centros, las autoridades sanitarias cubanas han realizado hasta finales de 1991 once millones de pruebas.

—Lo que no quiere decir que hayamos chequeado a toda la población, sino que a varios grupos de personas de mayor riesgo, los hemos analizado varias veces —dice el director del Departamento de Epidemiología.

¿Y cuáles son esas personas? Por supuesto, todos los que tienen alguna enfermedad venérea. Nada más detectársele una gonorrea o una sífilis, se le analiza a él y a todo su grupo de amistades en busca del VIH. Además, se chequea obligatoriamente a todo cubano que sale al extranjero, aunque sólo sea por un día. Ese chequeo se repite periódicamente, pues la enfermedad no aparece de forma inmediata.

Cualquier cubano mayor de catorce años que ingrese en un hospital por cualquier causa, es también analizado. Ahí se incluyen a todas las gestantes. Además de todos los asmáticos, hipertensos, cardiópatas, diabéticos, obesos y epilépticos que deben acudir con regularidad a tratamiento médico. Durante un tiempo, las autoridades sanitarias investigaron barrios enteros, casa por casa, pero se abandonó esa práctica porque daba escasos resultados.

—¿Qué interés podía tener analizar la sangre de los ancianitos? —dice el doctor Rodríguez.

En cuanto se descubre el mortal virus, el infectado es trasladado a un sidatorio, palabra que utilizan todos los cubanos, pero que molesta a las autoridades.

—Estamos convencidos de que es una medida dura —reconoce el doctor Rodríguez—. Pero también estamos convencidos de que nuestros enfermos están mucho mejor atendidos y protegidos que en cualquier otro país del mundo.

El sanatorio de Santiago de las Vegas, una pequeña población a unos 20 kilómetros al sur de La Habana, es uno de los más antiguos. Pero se conserva impecable, con su edificio central y sus cabañas donde viven los pacientes, algunos en pareja, pues hay cabañitas para matrimonios donde pueden hacer una vida bastante independiente, cocinándose ellos mismos la comida.

Curiosamente, este sanatorio, conocido como "Los Cocos", está a un tiro de piedra del Santuario del Rincón, donde se venera a San Lázaro y donde hay un sanatorio para leprosos. El 17 de diciembre de 1991, cuando se celebra la más populosa romería de toda la isla, la de San Lázaro, que es la representación católica de Babalú Ayé, miles de personas pasaron por delante del sidatorio y saludaron cordialmente a los enfermos de SIDA.

El régimen interno de estos centros es rígido, se quejan algunos enfermos, aunque reconocen que con el paso del tiempo se ha suavizado.

En principio, es obligatorio el internamiento de todo portador del virus. Una vez allí, si lo desea puede aceptar o rechazar el tratamiento médico y las embarazadas pueden optar por seguir adelante con su gestación o interrumpirla.

Los fines de semana, los enfermos que viven cerca pueden salir a visitar a sus familiares, eso sí, siempre acompañados por una persona del sanatorio con el objeto de que no tenga absolutamente ningún contacto sexual con nadie. En ocasiones excepcionales y a pacientes que han demostrado una buena reacción ante su enfermedad, se les permite salir solos. Pero eso ocurre en pocas ocasiones.

Algunos que están en buen estado físico, pueden salir diariamente a trabajar, pero deben regresar al sanatorio a dormir. Reciben visitas y los que por su gravedad debieron dejar el trabajo, perciben su salario íntegro, que se le entrega mitad a él y mitad a su familia. Ni que decir tiene que el tratamiento y la estancia, como el resto de la sanidad en Cuba, son gratuitos.

Se calcula en unos 16.000 dólares el costo anual por paciente "asintomático", es decir que no ha desarrollado la enfermedad. Cuando empeoran y son trasladados de los sanatorios primero a una sala especial del Instituto de Medicina Tropical y cuando están en fase terminal al hospital Salvador Allende, en donde reciben terapia intensiva, el costo se eleva a 40.000 dólares anuales.

Las autoridades cubanas, cuando son atacadas por "tener encerrados" a los enfermos de SIDA, argumentan que ningún país del mundo, y mucho menos uno con la crisis económica que Cuba arrastra, invierte ese dinero en sus ciudadanos con SIDA. Y además, les alarga la vida.

En los sanatorios se les proporciona trabajo de acuerdo con sus posibilidades y los pacientes pueden o no realizarlo. Un 40 por 100 de los enfermos desarrolla alguna actividad productiva. La media de edad de los pacientes está entre los veintidós y los veintiséis años y se observa que asciende sensiblemente el grupo de edad de los quince a diecinueve años.

—Esos jóvenes seropositivos llevaban una vida muy desordenada y promiscua —mantiene el doctor Rodríguez.

Aunque durante un tiempo el Gobierno cubano dejaba entrar con cuentagotas a los periodistas extranjeros a los sidatorios, en los últimos meses se cortaron radicalmente las visitas, porque los pacientes protestaron:

—No somos monos de un zoológico —dijeron en su día.

Pero aún así, la prensa oficial dedica atención continuada al tema. *Granma* ha realizado varios reportajes y en uno de ellos, del mes de enero de 1990, dos enfermos contaban cómo habían llegado a enfermar.

"Pedro" fue detectado cuando se le caducó el "carnet de salud" en su empresa y tuvo que realizarse un chequeo obligatorio. Reconoce ser homosexual y promiscuo. Dice haber tenido contactos "entre 40 y 50 gentes, entre jóvenes y medios tiempos", como llama a las personas en torno a los cuarenta años. Hospitalizado desde 1987, cada seis meses es sometido a un chequeo general y cada 15 días una consulta para controlar peso y algún problema imprevisto. Además, puede acudir al médico de guardia en cualquier instante. Le dan pases de fin de semana para visitar a su madre, siempre acompañado de un enfermero. Jamás salió de Cuba, ni tuvo contactos con extranjeros, por lo que el virus lo contrajo en su propio país.

Es distinto el caso de "Juan", albañil y soldador, que mantuvo relaciones con una mexicana y una canadiense. Después se casó y tuvo una hija, pero le era infiel a su esposa en doble sentido: con hombres y con mujeres. Reconoce haber estado con unas 60 mujeres, pero no dice el número de contactos con hombres. Cuando llegó al sidatorio, se encontró con tres de sus parejas masculinas.

Estas historias confirman lo que el doctor Rodríguez tiene en sus notas: que el 98 por 100 de los casos de SIDA en Cuba se desarrollaron por la vía sexual, mientras que en países como España el porcentaje más alto corresponde al grupo de drogadictos. Sólo ha habido dos casos mortales en Cuba de pacientes que contrajeron la enfermedad por transfusiones sanguíneas, pero ello se produjo antes de que los tres millones de donantes fueran analizados rigurosamente.

El doctor Rodríguez confirma también lo que es una constante mundial: las jineteras no tienen SIDA. Tampoco el turismo ha sido importador masivo de la enfermedad, muy al contrario, mantiene el doctor Rodríguez, han sido los cubanos que han mantenido contactos en el exterior los que han introducido el virus en la isla.

Pero si Cuba está casi limpia de SIDA, no puede decirse lo mismo de otras enfermedades de tranmisión sexual. Sífilis, gonorrea, condilomas, monillas y tricomonas. Tanto los datos del doctor Rodríguez, como otros consultados en diversas fuentes, coinciden en estas cifras: unos 35.000 casos de gonorrea son reportados anualmente, de ellos, casi 10.000 corresponden a jóvenes entre los quince y diecinueve años de edad. Otros tantos casos de sífilis se detectaron, algo menos de 10.000, en 1990, la mayor parte corresponden a jóvenes entre veinte y veinticuatro años.

Y es que se vuelve otra vez a lo mismo: el cubano no quiere el preservativo y según "C-1", ellas la prefieren "seca, seca, sin grasita".

Sobre la cama cubierta con una colcha roja está recostada una bellísima cubana de blanca piel y estilizada figura. Tras ella, toda la pared está adornada con unos cortinajes de color rosa. A los pies de la cama, una alfombra en forma de corazón, también roja pero algo desgastada por el uso.

La joven se mueve con timidez, mientras el fotógrafo dispara una y otra vez.

La habitación está llena de gente. Porque este dormitorio es sólo un set que el Palacio de las Bodas de Cienfuegos pone a disposición de las parejas que contraen matrimonio. Y eso es lo que acaban de hacer Odalys Albornoz Escofet, de veinticuatro años, y el novio, Rafael Fernández López, un joven barbado de treinta y cinco años.

El fotógrafo dispara su cámara de forma mecánica y dispone de una ayudante que coloca la mano de la novia sobre su cintura, la del novio sobre el pecho. Le dice a los novios que se preparen para hacer la foto del rechazo.

—Tú, Odalys, te sitúas en la cama y te subes un poquitico la falda, no mucho y tú Rafael te acercas a ella y haces como que te quitas la chaqueta, entonces Odalys hace con el dedo no, no, no...

Rafael Fernández, un ingeniero nuclear que trabaja al igual que su novia en la cercana Central Nuclear de Jaraguá, le dice al fotógrafo que ya está bien, que el no se presta a hacer boberías y que quiere fotos más normales.

El fotógrafo se enoja y advierte:

—Pues esa foto queda muy linda.

Pero esta pareja no tiene nada de cursi. Descendiente ella de españoles, su bisabuelo Jorge Escofet, natural de Cadaqués, llegó a Santiago de Cuba el 19 de mayo de 1898, formando parte de la flota española al mando del contralmirante Pascual Cervera y Topete. El almirante estadounidense Sampson bloqueó los barcos españoles y cuando el 3 de julio el Gobierno de Madrid ordena a Cervera romper el cerco, es estrepitosamente derrotado. Cervera y el marino Escofet, al igual que otros muchos, fueron hechos prisioneros por los norteamericanos. Cuando fue liberado viajó por Estados Unidos y México, como marinero, hasta que se quedó aquí, en la bella ciudad de Cienfuegos, al sur de la isla cubana.

El hijo de aquel veterano de la guerra de Cuba es el abuelo de la bella Odalys. Nemesio Escofet Escofet respira con orgullo al ver cómo la raza de los Escofet no ha desmejorado con el cambio de país. Su nieta es realmente una belleza. Y él está tan orgulloso de ser cubano que cuando más tarde me invita a tomar un trago, "celebrar" dicen los cubanos, en la casa de los novios, me presenta a Valia, una joven soviética, amiga de la familia, y me dice:

—¿Tú crees que Valia se va a ir de Cuba? ¡Qué va, si el cubano es tremendo, chico! Porque aquí se sufre, pero también se goza.

La boda se ha iniciado en el Palacio de las Bodas a las nueve en punto de la mañana. Todas las capitales y pueblos importantes tienen su Palacio. La administradora, Antonia González Millián, hizo un resumen apretado de los servicios que ofrece esta institución, absolutamente única y muy cubana.

Aquí los novios pueden alquilar los trajes. El del hombre, por 10 pesos, si se viste en el palacio, 15 si se lo lleva a casa. El de la novia, 30 pesos si se viste en el local y 49,40 pesos si lo lleva a su hogar. Los trajes de damitas de la novia cuestan 10 y 15 pesos respectivamente, según donde se los enfunde uno. La tiara y el velo, que puede ser corto o largo, 10 pesos. Las flores, artificiales, claro, 5 pesos. Otros 5 más por los mitones o guantes.

Si lo desean, y todos lo desean, hacen un contrato con el fotógrafo: como mínimo deben ser diez fotos en blanco y negro y máximo 30, a 4 pesos placa. En color, 6 y 9 pesos según tamaño. Si quieren hacerse fotos en la calle, deben pagar un extra.

Coche. También hacen un contrato aparte. Pagarán 7 pesos por hora y podrán disfrutarlo por tres horas. Si desean viajar fuera de la ciudad, deben hacer otro contrato.

Al departamento local del Ministerio de Justicia deben pagar 30 pesos por derechos de boda, lo que les permite utilizar las dependencias del Palacio para ofrecer un brindis a sus amistades.

Eso sí, pagarán aparte lo que coman y beban, que por supuesto, tiene un límite. Por ejemplo: 36 bocaditos de jamón (si hay jamón, normalmente escasea; pero tienen suerte, hoy hay jamón) a 1 peso cada uno. Si no hay jamón, mortadela, a 70 centavos. Dos cajas de cerveza (48 botellas) a 38,40 pesos. Una de ron (doce botellas) a 32 pesos. Una de refrescos, a 2,40 pesos. Aparte, pueden tomarse una botella de Bulgarian Sparkling Wine, marca Iskra. Pedro Rafael, que ha estudiado en la Unión Soviética, decide que no. Que prefiere la cerveza cubana al "champán" (?) búlgaro.

También pueden utilizar los servicios de peluquería que ofrece el Palacio. El mínimo cuesta 8,90 pesos y la novia tiene derecho a: peinado, maquillaje, arreglo de cejas, lavado con champú, manicura y pedicura. Si quiere, hay otros extras, como una limpieza de cutis, que le costará 15 pesos. O le pueden poner, me dice la administradora, "cold wave" si tiene el pelo lacio y desea rizitos. O se lo pueden teñir o decolorar.

En total, con trajes, fotos, coche, bebida, comida, peluquería y los 30 pesos de Justicia, Odalys y Rafael se gastan 442 pesos. Mucho más de lo que ganan al mes. Pero una boda es una boda y además la familia Escofet quería celebrar a lo grande.

Aunque los novios, entre unas cosas y otras tienen derecho a estar dos horas en el Palacio, la ceremonia de casamiento no dura más de cinco minutos. Ha llegado puntual la notaria y se sienta en una mesa en la que hay una banderita cubana.

—Rafael, aceptas a Odalys....

La pregunta es igual en todo el mundo. No lo son los artículos del Código Matrimonial que la notaria les lee con voz clara. El Artículo 24: igualdad de derechos en el matrimonio. El 25, que deben vivir juntos y guardarse lealtad. El 26, que deben educar a sus hijos "conforme a los principios de la moral socialista". El 27, que alimenten a sus hijos. El 28, que ejerzan sus oficios y estudien, pero que se deben coordinar en el trabajo del hogar.

Cuando la notaria se levanta y estrecha las manos de los novios, suena una de las canciones más cursis que he escuchado en mi vida. Cuando se lo comento a uno de los amigos del novio, no da crédito:

—¡Pero si es Marisela!

Perdón, Marisela, pero no te reconocí la voz y espero no volver a escucharte. Más a los cubanos les encanta. La administradora Antonia González dice que tienen varios casetes para amenizar el brindis, pero que los más solicitados son los españoles, como Enmanuel, José José, Juan Gabriel o Ana Gabriel. ¡Bueno! Ninguno es español, sino mexicano. Pero qué más da.

Entre Marisela y Juan Gabriel, los 16 invitados le pegan duro al ron y la cerveza. A las nueve de la mañana mi estómago se resiste a ingerir alcohol. Bebo un refresco, un simulacro de cola cubana que me dejará la boca pegajosa durante toda la mañana.

Cuando dejo a los recién casados, el novio me hace una confidencia:

—Yo soy divorciado, ¿sabes? Pero aún no se lo he dicho a la familia de mi novia. Me tomaré mi tiempo.

Los recién casados de Cienfuegos no cumplen con la segunda parte del rito matrimonial, la luna de miel, porque Odalys está terminando un curso de computación en la central nuclear y no quiere dejarlo. Desea ganar una plaza fija en la central.

Pero los que sí gozaron, y ¡de qué manera!, de su luna de miel, fueron Miguel Angel Peña y Yolay Jaén, de 26 y 21 años respectivamente.

Estaba yo iniciando mi viaje a través de la isla en la oriental provincia de Guantánamo, aburrido como una mona en una ciudad fea en la que hay poco que ver. Decidí tomar un trago en el hotel que lleva el mismo nombre que la ciudad, que la provincia, que la canción y que la famosa base norteamericana.

Había muchas parejitas de cubanos besándose al atardecer. El camarero me pone al corriente:

—Están en luna de miel.

Toda una institución, según pude averiguar.

Para que un cubano pueda hospedarse por unos días en un hotel debe tener un buen motivo. Por ejemplo, haber sido elegido miembro de un "grupo vanguardia" por su centro de trabajo, a través de la Central de Trabajadores de Cuba, el sindicato cubano, o por alguna otra organización de masas, siempre como un premio al buen comportamiento revolucionario.

O porque te has casado.

—Las lunas de miel están priorizadas —me dice el director del hotel muy amablemente, al tiempo que me lee los derechos que tienen los novios.

Atención priorizada; mesa a solas en el comedor, con flores; suite con saloncito, refrigerador, televisor en color, aire acondicionado, papel higiénico (en las habitaciones normales del hotel Guantánamo colocan al lado del retrete unas viejas servilletas de papel amarillentas por el paso del tiempo); no tienen que aguardar cola para pasar al comedor; tienen derecho a utilizar el servicio de habitaciones (los demás clientes no); pueden consumir en su cuarto media caja de cerveza, doce botellas, por día, además de las dos que le dan a cada uno en el comedor, en cada una de las tres comidas, desayuno, almuerzo y cena; y por último, les hacen un precio especial.

Claro que ese sueño sólo dura tres días. Después de 72 horas, Miguel Angel y Yolay se convierten en cubanos normales de los que se pasan horas en espera de mesa y semanas para entrar en un hotel, que invariablemente está fuertemente custodiado y en el que se impide el paso a los no alojados.

La pareja de Guantánamo no ha utilizado los servicios del Palacio de las Bodas, porque les salía muy caro. Ha preferido celebrar en su casa.

Ello les ha complicado un poco la vida, por la burocracia. Lo primero que debe hacer una pareja que quiere casarse es ir a un Bufete Colectivo de Abogados y estampar "la primera firma". Allí entregarán sus documentos de identidad, que son una especie de pasaportes pequeños, en donde anotarán que Miguel Angel se va a casar con Yolay y Yolay con Miguel Angel. Les entregarán un papel en el que se certifica que ya han realizado "la primera firma" y se irán directos al Buró de Turismo de la ciudad. La segunda firma la harán el mismo día de la boda.

El Buró les hará la reserva de tres noches en el hotel Guantánamo por un total de 160 pesos. Miguel Angel, que trabaja en televisión, como iluminador, gana 172 pesos al mes. No tendrán problemas, siempre que lo soliciten con una semana de anticipación, pues están "priorizados".

Con esos mismos papeles irán a La Casa de los Novios, una tienda en donde se venden exclusivamente los productos destinados a los nuevos matrimonios.

La joven pareja tiene derecho a: dos sábanas, dos cubrecamas, cuatro fundas de almohada, tres metros de tela para un vestido femenino, unos zapatos de vestir y otros de sport para la novia, un perfume, una crema, un champú, un peine, un cepillo, una olla a presión, seis platos y seis tazas y... un colchón. Pero como no había en ese momento, lo perdieron. Ya no podrán recuperarlo.

El traje de novia lo ha alquilado por 60 pesos, más 20 de fianza por si lo mancha. Mucho más caro que en Cienfuegos. Con estos trajes de novia hay cubanos que han montado un pequeño, sencillo y lucrativo negocio: algún familiar de Miami, cuando los visita, le llevan un par de trajes de novia, que son mucho más modernos que los que alquilan en los Palacios de las Bodas y se dedican al alquiler semiclandestino del traje para obtener unos pesos.

Lógicamente, han tenido derecho también a la compra de bocaditos y cerveza. Pero Yolay está un poco triste esta tarde de abril, sentada en mi cuarto de hotel. No se ha bebido el Johnny Walker que le he servido, pues nada más mojarse los labios hizo una mueca. No le gustaba, pero educada, no dice nada. Miguel Angel sí que se lo traga a palo seco. Derecho, como dicen aquí. Pues bien, Yolay quería una tarta de novia como es de rigor, de varios pisos y con un corazoncito en el centro.

—Por culpa del Período Especial no puedo tener la tarta de pisos. Tuve que luchar mucho hasta lograr que me dibujaran el corazón.

Ahora, los novios de Guantánamo sólo tienen dos opciones en materia de tarta nupcial: redonda o cuadrada.

La pareja de Guantánamo y la de Cienfuegos parecen felices. No todo es jineteo, ni golpes, ni malos tratos.

Creada en 1960, al año del triunfo de la Revolución, la Federación de Mujeres de Cuba ha realizado una buena labor para elevar no sólo el nivel cultural de la mujer, sino también para que se incorpore masivamente a la actividad productiva.

En 1953, el año que Fidel Castro asalta el Cuartel Moncada en Santiago de Cuba, dando así el primer aviso al dictador Fulgencio Batista, la fuerza laboral femenina era de un 17,6 por 100 y prácticamente toda ella se concentraba en el sector doméstico.

Hoy, ese porcentaje está muy cerca de un 40 por 100 con resultados sorprendentes: desde 1979 el 53 por 100 de los técnicos y profesionales son mujeres. Y otro más: no hay ningún niño trabajando entre los diez y los catorce años. En el último censo previo a la subida de Castro al poder, un 11 por 100 de los niños en esa edad trabajaban (24).

Las mujeres de la FMC de Ciego de Avila con las que hablé alrededor de una botella de vino búlgaro decían que se han dado grandes avances en la incorporación, y por tanto liberación, de la mujer cubana.

—Cuando la niña es pionera o está en la Federación Estudiantil de Enseñanza Media, casi siempre es jefa de destacamento. Lo mismo sucede en las organizaciones universitarias, lo malo es que todavía nos autolimitamos cuando llegamos a ser adultas.

Por ejemplo: sólo hay un 25 por 100 de mujeres en cargos directivos a nivel provincial. En el Buró Político de Ciego, de cinco miembros profesionales, ninguna es mujer. En el Buró no profesional, sólo dos mujeres de nueve miembros. De los 30 funcionarios del Comité Provincial, sólo hay seis mujeres. En este terreno, reconocen las dirigentes de la FMC, se debe batallar todavía.

Igual que se debe luchar para erradicar el racismo en las relaciones entre cubanos.

De ese tema pocos quieren hablar, pero existe. En las páginas extras que la revista *Bohemia* dedicó al Día de los Enamorados, en febrero de 1992, había un artículo sobre: "Hablar de amor: Blancos y negros, ¿obstáculos?".

El reportaje tiene un gracioso arranque:

"El último buque cargado de esclavos africanos arribó al puerto de La Habana en 1873. Hace 119 años. En aquel momento, casi la mitad de la población de la isla era negra. A juicio de muchos, así los cubanos se salvaron de ser totalmente blancos y aburridos" (25).

Es decir, en Cuba comenzó a haber blancos, negros y mulatos y jabaítos, que no se sabe muy bien si son más blancos que negros. "El mejor invento de los españoles", dicen siempre los cubanos cuando se refieren a sus mulatas.

Pero si a los europeos les enloquece el "tape", palabra inglesa que significa cinta y la cinta es negra, ¿les sucede lo mismo a los cubanos blancos? ¿Les gustan las mujeres blancas a los hombres negros? ¿Hay o no racismo sexual?

Sigue *Bohemia:* "En Cuba, aunque susbsisten prejuicios, al negro no se le discrimina y todos somos iguales. Pero hay una zona de la vida cotidiana —por cierto, la más hermosa: la del amor— donde subyacen más resquemores y contradicciones. Hay recelos e incompresiones".

—Si mi hija se atreve a venir aquí con un negro, la boto de la casa (26) —dice la madre de una joven blanca que sale con un moreno.

Una chica blanca reconoce en el mismo reportaje que tiene amigos que han dejado de saludarla porque sale con un negro.

A "C-1" no le gustan mucho las blancas. Son malas las experiencias que ha tenido con ellas. Al intentar simplemente acercarse a una blanca, "me han dejado plantado con la palabra en la boca". Dice también que a los negros incultos les gusta salir con blancas "para presumir".

—Yo he salido con algunos negros y mulatos, porque son muy hombres —dice Anabel, una de las estudiantes habaneras. Pero para casarme prefiero uno de mi color, me da menos problema.

Al contrario sucede igual: al cubano blanco le gusta una buena mulata, pero en la cama. Para su casa prefiere una blanca. Y aunque cada vez va siendo menos raro ver parejas de diferente color, aún no es muy bien aceptado socialmente.

Este racismo sexual, sin embargo, no se observa en los centros de trabajo, donde conviven negros, mulatos y blancos, sin mayores problemas. Aunque "C-1" se queja de la policía que, como en las películas, siempre sospecha de los negros. "C-1" y "C-3" son buenos amigos y salen con frecuencia juntos. C-3 es jabaíto, delgado, alto. C-1 es negro total, petrolero dicen castizamente en Cuba. Y "C-1" se queja de que cuando van juntos por el malecón y hay un coche patrulla, "la perseguidora" la llama "C-1", pidiendo documentación, siempre le toca a él:

—A mí siempre me llama la policía y me dice: párate ahí y abre las piernas y me registran hasta los huevos. A veces te gritan para provocarte, a ver si tú reaccionas y entonces te caen a palos.

Una mulata casada con un español que trabaja en una empresa mixta se queja:

—Cuando voy en el coche con mi esposo, todo el mundo me mira como si fuera una jinetera. No pueden concebir que una persona de mi color salga con un blanco y más si es extranjero, a no ser que sea una prostituta. ¡Pero si yo fuera blanca y prostituta nadie miraría al carro!

NOTAS

(1)   *Venirse:* tener un orgasmo.
(2)   Varios autores: *Caracterización de algunas tendencias de la formación de parejas y familias en la población joven.* Editorial de Ciencias Sociales. La Habana, 1991.
(3)   Colectivo de Autores: *La mujer rural y urbana. Estudios de casos.* Editorial de Ciencias Sociales. La Habana, 1989.
(4)   Varios Autores. *Caracterización de algunas tendencias de la formación de parejas y familias en la población joven.* Editorial de Ciencias Sociales. La Habana, 1991.
(5)   *Jalar:* tirar
(6)   Zaida del Río: *Herencia Clásica.* Editorial Centro del Desarrollo de las Artes Visuales. La Habana, 1990.
(7)   *Yefá de Orula:* Yefá es un polvo blanco que usan los babalawos en la santería en los ritos de adivinación. *Orula* es el orisha adivino que se personifica en San Francisco de Asís.
(8)   *Ruda:* planta perenne de la familia de las rutáceas, de fuerte olor muy desagradable, usada en medicina.
(9)   Colectivo de Autores: *La mujer rural y urbana. Estudios de casos.* Editorial de Ciencias Sociales. La Habana, 1989.
(10) Esteban Pichardo: *Pichardo Novísimo.* Editorial Selecta. La Habana, 1953.
(11) Mercedes Pereña: *Atlas Iberoamericano.* Secretaría de Relaciones Exteriores de México. México, 1991.
(12) Colectivo de Autores: *La mujer rural y urbana. Estudios de casos.* Editorial de Ciencias Sociales. La Habana, 1989.
(13) *Piñazos:* golpes, puñetazos.
(14) *Jeba:* mujer.
(15) *Bailando:* haciendo el amor.
(16) Colectivo de autores: *Análisis de las investigaciones sobre la familia cubana 1970-1987.* Editorial Ciencias Sociales. La Habana, 1990.
(17) *Candela:* Según Fernando Ortiz, euforizarse o encenderse el ánimo. Se usa indistintamente para decir que se encolerizó o que se puso calentón con una hembra.
(18) *Bajichupa:* llamase así al Tope, o Top, especie de sostén/camiseta bajo el que no se lleva otra prenda, y deja libre el ombligo, muy usado en Cuba.
(19) Oscar Hijuelos: *Los Reyes del Mambo tocan canciones de amor.* Ediciones Siruela. Madrid, 1990.
(20) Vilma Espín: *La Mujer en Cuba.* Editora Política. La Habana, 1990.
(21) Colectivo de Autores: *La mujer rural y urbana. Estudios de casos.* Editorial de Ciencias Sociales. La Habana, 1989.
(23) *Yuma:* extranjero.
(22) *Granma Semanal.* 26 de Julio de 1991.
(24) Colectivo de Autores: *La mujer rural y urbana. Estudios de casos.* Editorial de Ciencias Sociales. La Habana, 1989.
(25) *Bohemia.* 14 de febrero de 1992.
(26) *Botar:* echar, tirar.

NOTAS

(1)   Verso: oper no organos.

(2)   Varios autores: *Participación de amplios sectores de la formación de partes...* jamaica en la Pol...jas, Instituto de Ciencias Sociales, La Habana, 1971.

(3)   *Colectivo de Autores: La mujer rural*, Editora Política, casa... Editorial de Ciencias Sociales, La Habana, 1980.

(4)   *Varios Autores: Conversaciones a futuras... juntas en... y la formación de cuadros y cuadros de la población negra*, Editorial de... ciencias sociales, La Habana, 1991 respectiva.

(5)   ...

(6)   *Zaida del Río: Retratos*, Ciego, Editorial... Centro del Desarrollo de las Artes Visuales, La Habana, 1996.

(7)   *Tela de Onda*, tela es un polvo blanco que usan los lugareños en la... emplea mucho adivinación, Orilé es el orina amarillo que se...

(8)   *Ilerba planta perenne de la familia de las rutáceas, de fuerte olor... grandula tenida en medicina.

(9)   *Colectivo de Autores: Vocabulario y términos, tomador de casa*, Editorial de Ciencias Sociales, La Habana, 1969.

(10) Escribir: Pichardo, *Pequeño Vocabulario*, Editorial Selecta... La Habana, 1934.

(11) Mercedes Cuesta, *Idioteces amarrarán*, Secretaría de Relaciones Exteriores de México, México, 1911.

(12) *Colectivo de Autores: Z... puntuación*, tomo I, Estudios de casas, Editorial de Ciencias Sociales, La Habana, 1980.

(13) *Fama*, refiriéndose a pulmones.

(14) Ave marea.

(15) Referirse a actitud el amor.

(16) *Colección de dichos, Alusión a los enamorados...* recado de una mujer, 1970... 1982, Editorial Letras Cubanas, La Habana, 1994.

(17) *Zafarse* según Fernando Ortiz, *La enfermedad o toma...* el ánimo. Se usa indistintamente para decir que se enloquece o que se pone caliente con una herida.

(18) *Aquí hay a Ruinas está al Oiges Olego, siempre de mandan* mandaría bajo el que no se lleva no a preseda y de... libro el ombligo, muy fuerte en Cuba.

(19) *Oscar Hijuelos: Los Reyes del Mambo tocan canciones de amor*, Ediciones Siruela, Madrid, 1990.

(20) *Nilita Aponte: La Mujer en Cuba*, Editora Política, La Habana, 1990.

(21) *Colectivo de Autores: La mujer rural cubana*, Estudios de casas, Editorial de Ciencias Sociales, La Habana, 1980.

(22) *Tesis extranjero*.

(23) *Granma Semanal*, 20 de julio de 1991.

(24) *Colectivo de Autores: La mujer rural y urbana*, trama... Editorial de Ciencias Sociales, La Habana, 1980.

(25) Primero, 14 de febrero de 1992.

(26) *Pablo de la Torriente Brau: ... tremendas a tres...*

20

LOS CREADORES

> Pobre del cantor de nuestros días
> que no arriesgue su cuerda
> por no arriesgar su vida.
> **Pablo Milanés**
> (*Pobre del Cantor*)

Me extrañó que dijera de forma tan rotunda que él no estaba dispuesto a hundirse con la Revolución. No era ningún disidente. Tampoco un contrarrevolucionario.

Raúl Camayd era barítono. Dirigía el Teatro Lírico de Holguín y gozaba de un enorme respeto en esta ciudad oriental.

—Yo no estoy de acuerdo con eso de que si no hay más remedio, todos nos hundimos, se hunde la isla entera. No, no. ¡Dios me salve! Yo no llego a tanto. Esas son consignas hechas y respetables, pero hay que buscar una fórmula económica que saque a flote a la Revolución, sin que necesariamente muramos todos.

El sí murió.

Raúl Camayd es la única persona, de la que tenga constancia entre las varias docenas que entrevisté en Cuba para escribir este libro, que no podrá leerlo. El 29 de julio de 1991 falleció de una enfermedad que lo aquejaba desde hacía tiempo. Camayd era un tipo de regular estatura y cincuenta y tres años de edad. Fue miembro fundador del Teatro Lírico de Holguín, del que terminó siendo su director. Había recorrido medio mundo y tenía mucha familia en el exterior. En Miami concretamente. Pero siempre regresaba a Cuba.

Recuerdo que lo comentaba con pasión. Y no era militante del Partido Comunista de Cuba (PCC).

—Pagamos un precio en Cuba por las cosas de las que disfrutamos. Ese precio consiste quizá en que nos hemos tenido que acostumbrar a la moderación, a la marca única, al monoconsumo. Hemos pagado incluso el precio de tener que callarnos la boca a veces. Pero a cambio de eso, mira mi caso: acabo de someterme a un tratamiento médico en el Almejeiras, uno de los mejores centros hospitalarios de Cuba. Un tratamiento que me habría costado no menos de 100.000 dólares en cualquier otro país. Y te lo digo con conocimiento de causa: tengo parientes en Miami que son médicos.

Conocí a Raúl Camayd una mañana de domingo en la sede de Tele Cristal, la televisión local. Había quedado citado con un grupo de escritores y artistas de esta bella provincia a la que pertenece la hermosa bahía de Bariay, el primer punto de la isla que tocó Colón, dos días después de que se topara con la tierra americana, el 14 de octubre de 1492.

Como el resto de los acompañantes de Camayd, todos los que acudieron a la cita aquel domingo de mayo de 1991 a Tele Cristal eran blancos, salvo el presidente provincial de la Unión Nacional de Escritores y Artistas de Cuba (UNEAC), Mario Nieves Cruz.

Eso tenía una explicación: esta zona de Holguín fue ocupada por emigrantes canarios y gallegos que se distribuyeron la tierra en pequeñas parcelas. No había grandes terratenientes y por tanto no hubo necesidad de llevar esclavos negros, como sucedió en la cercana provincia de Santiago.

—Hasta el año 59, resultaba difícil ver a un negro por las calles de Holguín —me decía Camayd.

Mario Nieves era un mulato apuesto que dirigía los programas informativos de Tele Cristal, despabilado y nada dogmático, a pesar de ser del PCC.

En realidad, aquella conversación con siete intelectuales holguineros fue una de las más interesantes que mantuve con gentes de la pluma y las artes en mis viajes a Cuba. De los siete, sólo tres eran miembros del Partido.

La charla comenzó a las nueve de la mañana y terminó pasado el mediodía. Los holguineros, por aquello de que era domingo, desayunaron unos traguitos de ron. Yo agua mineral. Se habló de lo divino y de lo humano. Abandoné Tele Cristal cargado de notas y libros escritos por los presentes.

Hoy releo alguno de ellos, como el de Alfredo Sainz Blanco, periodista radiofónico y poeta, titulado *Otra vez los potros sobre dorada sábana* (Premio Ciudad de Holguín 1989) y me estremezco al pensar en el fallecido Camayd:

Viene la muerte tan callando
su negra vestidura vaga conmigo
y sus ojos claros,
casi transparentes.

Alfredo hace una poesía extraña, pero hermosa. Estaba fascinado por el español Jorge Manrique.

Lo primero que se le ocurre a uno preguntar cuando se enfrenta a media docena de intelectuales cubanos es si se consideran libres. Si como creadores que son pueden desarrollar su imaginación en un régimen monolítico, ideológicamente hablando, y de partido único.

Mario Nieves, el presidente provincial de la UNEAC, fue el primero en tomar la palabra. Recordó que la Constitución concede ese derecho a todos los cubanos.

—La libertad de expresión en Cuba guarda relación con los intereses de la construcción·de la sociedad socialista. Yo quisiera mencionar aquí el debate que tuvo lugar en los primeros años de la Revolución y que dio como resultado el famoso discurso de Fidel que ha pasado a la historia con el título de *Palabras a los intelectuales*...

Recuerdo bien el discurso. Junto con *La Historia me absolverá*, la pieza oratoria que Fidel pronunció en su autodefensa tras el fallido. asalto al Cuartel Moncada de Santiago (1953), *Palabras a los intelectuales* es el texto más citado por los estudiosos del tema cubano.

Durante tres fines de semana consecutivos, los días 16, 23 y 30 de junio de 1961, una amplia representación de la intelectualidad cubana se dio cita en la Biblioteca Nacional. En presencia de Fidel y del entonces presidente cubano, Oswaldo Dorticós Torrado, los creadores cubanos hablaron horas y horas de los temas que les preocupaban.

La libertad de expresión, lógicamente, era uno de los más importantes.

Fidel pronunció un vibrante discurso, rico en su forma, no tan reiterativo como los de sus últimos años y por supuesto mucho menos dramático —en aquel año la Revolución cubana era admirada por la intelectualidad de medio mundo—. Pero la falta de dramatismo no significa decir blandura.

Castro trazó una línea que ningún intelectual debería cruzar jamás, so pena de granjearse las iras del sistema.

—Dentro de la Revolución todo; contra la Revolución ningún derecho (1).

Fidel hablaba de los intelectuales no revolucionarios, concretamente de aquéllos que se abstenían de atentar contra el sistema. Tales escritores y artistas no revolucionarios tenían derecho a expresarse. Pero "dentro de la Revolución", dirá con firmeza Fidel. Fuera de la Revolución, nada.

Contra la Revolución nada porque la Revolución tiene también sus derechos y el primer derecho de la Revolución es el derecho a existir y frente al derecho de la Revolución de ser y de existir, nadie. Por cuanto la Revolución comprende los intereses del pueblo, por cuanto la Revolución significa los intereses de la nación entera, nadie puede alegar con razón un derecho contra ella.

Quedaba claro. Y sentenciado para las generaciones futuras, que el sistema admitiría toda la libertad de creación que no dañara en lo más mínimo al proceso revolucionario.

Tan es así que la Constitución cubana aprobada en 1976 mediante referéndum nacional incluye en el capítulo IV dedicado a la educación y cultura este apartado del artículo 38, el D:

"Es libre la creación artística siempre que su contenido no sea contrario a la Revolución. Las formas de expresión en el arte son libres" (2).

Treinta años después de aquellas definitivas palabras de Castro, Mario Nieves me dice en Holguín que "hubo una serie de interpretaciones extremistas". Se llegó a la conclusión de que todo el que no estuviera con la Revolución estaba en contra de ella.

Los peores años, los de mayor oscurantismo y censura, fueron precisamente los años setenta, cuando la influencia soviética y de otros países ex socialistas europeos era mayor.

¿Cuál es la situación ahora, en mayo de 1991? Los siete intelectuales holguineros pretenden hablar casi al mismo itiempo. Se impone la voz de Mario:

—Sería ingenuo suponer, por ejemplo, que existe una prensa sin control alguno. Lo mismo que nosotros decimos que la prensa burguesa manipula la información, nosotros también la manipulamos. Es decir: hay un control en función de los intereses de una sociedad, y se abre o se cierra el paso a las obras según su integración al pensamiento revolucionario.

Aún así, a pesar de esa subordinación "al bien de la Revolución", Nieves me cita casos de creadores cubanos que están rompiendo en los últimos meses muchos tabúes. Por ejemplo, Senel Paz.

De Paz me había hablado unos días antes Abel Prieto Jiménez, un joven alto, de cuarenta y un años, de larga melena y gafas, que pasó en unos meses de ser el presidente nacional de la UNEAC a miembro del Buró Político del Partido, sin duda el órgano colegiado de mayor poder en la Cuba Roja.

Senel Paz acababa de ganar el Premio Juan Rulfo que concede cada año Radio Francia Internacional por un cuento titulado *El lobo, el bosque y el hombre nuevo.* Me dirá Abel Prieto, en su despacho oficial de La Habana:

—Es una reflexión muy interesante sobre la homosexualidad y el dogmatismo. El cuento narra la historia de un homosexual y un miembro del Partido Comunista que se conocen en Copelia —el lugar más concurrido de La Habana, en donde se venden unos riquísimos helados.

Muchos de los intelectuales, especialmente escritores, exhiben el problema de la homosexualidad como ejemplo de apertura por parte del régimen. Miguel Barnet, quizá el novelista de mayor éxito en el exterior (*Gallego*) relaciona el oscurantismo y la persecución contra los intelectuales homosexuales con los años setenta.

Afortunadamente esos años parecen haber pasado. El caso de Senel —que no es homosexual, pero ha escrito sobre ellos— no es único. El presidente de la Unión de Escritores, Prieto, me recuerda que otro joven, Roberto Urías, había publicado un poco antes un relato en Letras Cubanas titulado *Por qué lloras Leslie Caron*.

—Se trata de una reflexión íntima que hace una "loquita" cubana, que usa el nombre de guerra de aquella actriz francesa, sobre sus incomprensiones y dificultades —amplía Prieto.

No es baladí en una sociedad tan hermética como la cubana el tema de la homosexualidad sobre todo para los intelectuales. Prieto afirma que me podría dar nombres —no me los dio— de funcionarios y dirigentes del mundo de la cultura que son homosexuales. "Cada día eso es menos problemático", dice.

Incluso se llegó a plantear en las discusiones previas al IV Congreso del Partido si los homosexuales podían o no ingresar en el Partido. El tema fue debatido por la Unión de Periodistas, pero se decidió que tampoco era necesario explicitarlo en un documento oficial del PCC.

Regreso al despacho de Tele Cristal en Holguín. Con la sinceridad que le caracterizaba, el barítono Raúl Camayd ataca el tema de la libertad desde otro ángulo.

Para Camayd, circunstancias externas a Cuba, como la desaparición del bloque socialista europeo, de la propia URSS, la derrota de los sandinistas en Nicaragua o la invasión norteamericana de Panamá, influyeron decisivamente en la apertura ideológica que podría haber llevado a cabo el IV Congreso del PCC.

—De repente, nos encontramos colgados, con la brocha en la mano y sin escalera abajo. Entonces, nos autocensuramos nosotros mismos. Por ello yo afirmo que en el concepto occidental o en el concepto pre-revolucionario del término, no hay libertad de expresión ni libertad de prensa en Cuba.

La versión oficial me la ofrece Abel Prieto:

—No vamos a publicar una crítica escrita al sistema, eso está claro. Sería demagógico y deshonesto decir que no hay límites en Cuba, y esos límites estan dados por la coyuntura que vive el país y que nos obliga a mantener la unidad a cualquier precio. Hay libertades que no podemos tomarnos.

—Pero a veces una crítica positiva es considerada como un ataque —le planteo a Prieto.

—Hemos llegado a un nivel en el que la critica positiva está integrada al sistema. Ahí tienes el caso de Carlos Varela: un fenómeno surgido espontáneamente, portavoz de una generación, con canciones muy críticas desde posiciones revolucionarias.

Varela, en efecto, "enfrentó incomprensiones", como dice Prieto, entre muchos dirigentes del régimen. Pero el sistema terminó asimilándolo y ya Varela canta en actos a los que acude el propio Fidel. Sin embargo, ¿se lo tragó el sistema?

—No —sostiene Prieto—. No creo que se haya domesticado, como tampoco creo que Silvio Rodríguez se haya domesticado tampoco.

Para el presidente de la UNEAC, en Cuba se estaría registrando una especie de perestroika cultural. "No tan espectacular como la de Gorbachov, pues debemos procurar que los cambios se produzcan sin cambios".

Sostiene este miembro del Buró que temas tabúes hace unos años, como la corrupción de algunos dirigentes, el mercado negro, el oportunismo, la búsqueda de privilegios, la prostitución —que oficialmente decimos que no existe, pero que seguro que te la encuentras a la puerta de tu hotel— son temas que están siendo manejados por los escritores y en general por los medios de comunicación.

Por ejemplo, el Premio David 1991 concedido por la UNEAC a un joven principiante en las letras tocaba el mundo de los "friquies", especie de punkies a la cubana, de los jóvenes que escapan de sus casas, que se drogan con pastillas y alcohol, de los rockeros y prostitutas, hombres o mujeres, comenta Prieto.

A veces estos cambios no son entendidos por muchos dirigentes. En mis prolongadas estancias en Cuba fui registrando un hecho, aquí, otro allá. Prieto me recuerda uno que sucedió en Matanzas.

Una joven poetisa, Teresa de Melo, convocó a un recital de poesía en 1988. Las autoridades locales del Ministerio del Interior (MININT) y del Ministerio de Cultura, acudieron al recital con la intención de interrumpirlo, pues consideraban contrarrevolucionarios los poemas de Teresa. Hubo golpes. Algún joven poeta resultó lesionado. "Fue un escándalo internacional", recuerda Prieto.

La UNEAC intervino. Presentaron una denuncia. Un general fue pasado a retiro y dos oficiales fueron degradados y despedidos del MININT. El director provincial de Cultura fue cesado. La UNEAC expulsó a algunos miembros de Matanzas que estaban de acuerdo con los censores del MININT.

Ese es un caso extremo, comenta Prieto. Lo más habitual: el funcionario de turno que considera obsceno o irreverente un cuadro y decide descolgarlo. Sucedió con un pintor principiante que dibujó un falo y le retiraron el cuadro de la exposición colectiva. La UNEAC lo premió organizándole una exposición individual. El pintor expuso una obra repleta de cuadros que representaban enormes penes y genitales femeninos.

—Chocamos con criterios de moral bastante retrógrada —se queja el presidente de los escritores y artistas cubanos.

¿Es tan efectiva la UNEAC como en el caso de la defensa de la poetisa Teresa de Melo? Porque también ha habido otras poetisas, María Elena Cruz Varela, miembro de la UNEAC, premiada por la UNEAC, que se encuentra en la cárcel. Claro que, según Prieto, María Elena está en la cárcel no por sus escritos sino por su actividad política al frente del grupo Criterio Alternativo (ver capítulo "Los disidentes").

Fundada en 1961, la UNEAC se convirtió en la única organización de intelectuales, escritores, poetas, pintores y músicos del país.

Había visitado en diversas ocasiones la sede de la UNEAC en La Habana, situada en el ex burgués barrio del Vedado. Ocupa un hermoso palacete, con amplio jardín, donde de vez en cuando se celebran presentaciones de libros o recitales de poesía.

Pero nunca había subido la amplia escalinata de mármol que desemboca frente a una gigantesca fotografía de los hermanos Castro, colgada junto a la puerta del despacho que durante casi tres décadas ocupó Nicolás Guillén, el poeta del régimen por excelencia, el hombre que revolucionó la poesía popular cubana hace más de medio siglo con sus *Motivos de son*.

Aquel mulato de blanco pelo, que se afilió al Partido Comunista de Cuba en 1938 (con treinta y seis años), nada tiene que ver con el nuevo inquilino del despacho, Abel Prieto, blanco de piel y de largo y negro pelo.

Prieto, escritor de cierto éxito, ocupó el lugar de Guillén. Tras una presidencia provisional, el IV Congreso de la UNEAC, celebrado en 1988, elige a Abel Prieto, entonces viceministro de Cultura, para dirigir la Unión.

Autor de relatos (*Un miedo encuadernado en amarillo, Los bitongos y los guapos, No me falles, gallego*), Prieto es tambien crítico literario y profesor de Literatura en la Universidad de La Habana. Su capacidad de organización y el conocimiento que tiene del mundo editorial fueron sus mejores armas para ocupar un puesto envidiado en Cuba.

Un puesto que también le sirvió para dar un salto gigantesco al ser elegido en octubre de 1991 miembro del Buró Político. Entraba savia nueva en el máximo órgano del PCC y cesaban históricos como el propio ministro de Cultura, Armando Hart, o la esposa de Raúl Castro, Vilma Espín (ver capítulo "El Partido").

Salto que no habría podido dar, lógicamente, sin el visto bueno del número uno, Fidel.

Un buen amigo de Castro, el ex comandante sandinista Tomás Borge, conversó con Fidel sobre literatura. El resultado de esas opiniones y otras sobre los más variados temas vieron la luz en el libro *Un grano de maíz* que comenzó a circular a mediados de 1992. Fidel le dijo a Borge que en Cuba hay tantos escritores y poetas que "resulta imposible abarcarlos" a todos (3).

—No fue por casualidad que Abel Prieto haya ingresado al Buró Político, ¿no? —pregunta Borge.

Fidel da una respuesta que arroja mucha luz sobre su relación con los intelectuales cubanos de hoy:

—Abel Prieto ingresa no sólo como un intelectual capaz y prestigioso, sino como un gran revolucionario, son dos cosas; además es un individuo con cualidades de dirección, como cuadro de dirección, una extraordinaria persona. Pero no se hace por elegir a un intelectual, sino que es un intelectual destacado que se ha hecho acreedor a las tareas de dirección que él está ejerciendo. Mientras más lo conozco, más lo aprecio.

Para Castro, Abel Prieto es un buen organizador, un buen cuadro. El propio Castro revelará a Borge que no mantiene relaciones "más o menos estrechas" con los escritores cubanos, "porque no está en la esfera de mi trabajo directo".

Fidel, que es un devorador de escritos, consume informes y documentos, estadísticas y proyectos, y muchas más noticias del día, que le dan previamente resumidas y seleccionadas, que literatura.

Y ha declarado en repetidas ocasiones que el Nobel Gabriel García Márquez es su "guía" en materia de lectura. El escritor colombiano le recomienda a Fidel los libros que tiene que leer, y lo mantiene al día. Lo anima incluso a leer los *best-seller* del momento, para relajar ciertas tensiones.

A Borge, Fidel le dijo que estaba leyendo *El Perfume*, de Patrick Süskind. Pero ese tipo de literatura no es la que más le interesa al líder cubano.

Castro es un ávido consumidor de historia y escritos políticos. Reconoce tener dos clásicos de cabecera: la Biblia y *El Quijote*. La primera, "porque estudié doce años en colegios religiosos". *El Quijote* porque lo escribió Cervantes, su autor predilecto.

—*El Quijote* lo he leído cinco o seis veces, por lo menos. Me pasa como con las películas de Cantinflas, cada dos o tres años puedo verlas y me parecen nuevas.

Pero en su época de estudiante y sobre todo cuando permaneció en prisión tras el asalto al Moncada (1953-55), Fidel consumió toneladas de historia: primero, la historia de Cuba y los escritos de y sobre Martí. Después todo lo relacionado con Simón Bolívar, de quien tiene una buena colección sobre su vida y obra. "Bolívar es el más grande personaje dentro de los grandes personajes de la

historia", le confesará a Tomás Borge. Comparable sólo con Martí.
"Martí es un Bolívar del pensamiento", afirma.

Reconoce haber leído con fruición las andanzas de Aníbal el
cartaginés, Alejandro Magno, Julio César, Napoléon, toda la Revolución francesa, muchísimo sobre la Segunda Guerra Mundial y
casi todo sobre la Revolución mexicana, que le apasiona.

—Me siento maravillado mientras más hurgo en los hechos relacionados con el heroísmo demostrado por los indios mexicanos.
Por ejemplo, la resistencia en Tenochtitlán es algo que no tiene
paralelo en la historia.

Cuando en la Facultad de Derecho tuvo que enfrentarse a la
materia sobre legislación obrera, Castro afirma que profundizó en
los clásicos del marxismo, como el propio Carlos Marx, Federico
Engels o Vladimir Ilich Lenin.

Pero sin duda, en el corazón de Fidel hay un sitio muy especial
para el antecesor de Abel Prieto: el mulato Nicolás Guillén. Aunque reconoce el enorme mérito de Pablo Neruda, "me gusta más
Guillén".

No es extraño por ello que en el despacho de Prieto cuelguen
dos enormes fotos del comandante y el poeta. El fusil y la pluma.

Tres mil socios tenía la UNEAC cuando conversé con Prieto en
abril de 1991. Todos pagan una cuota de dos pesos, cantidad ínfima. La Unión agrupa a cinco grandes asociaciones: escritores, artistas escénicos, músicos, artistas plásticos y realizadores de cine,
radio y televisión. El último bloque es el más numeroso. El futuro
de la UNEAC pasa por la creación de uniones diferentes, ya que
los intereses de un músico son muy distintos de los de un poeta,
afirma Abel Prieto.

La UNEAC sirve como foro de discusión. "Aquí se opina y se
discute sobre todo", según Prieto. A través de la UNEAC los artistas cubanos pueden conseguir un coche o una vivienda, dos bienes preciados y escasos.

Es curioso el sistema de pago a los escritores que tienen la suerte de publicar: se les paga por folio. El precio se fija con base en el
nivel del autor y la calidad de la obra. A un escritor reconocido
como Miguel Barnet se le pagarían 12 pesos por folio. Unos 30
centavos de dólar al cambio en el mercado negro, a mediados de
1992; con ese dineral el escritor podría comprar media botella de
ron a granel en el mercado negro o una cajetilla de cigarrillos.

Las cosas se pondrían peor aún para los escasos privilegiados
que podían ver sus obras publicadas. El Período Especial en Tiempos de Paz iba a golpear a los intelectuales de la misma forma que
golpeó a los demás sectores de la sociedad. Si no había pan,
¿cómo iba a existir papel?

En abril de 1991, Abel Prieto me confesaba que los planes para editar libros en la UNEAC se reducían a diez o doce volúmenes en todo el año. En 1990 habían editado sesenta títulos.

No es extraño que algunos intelectuales, desde músicos a pintores, hayan ido desertando cuando han logrado una invitación para viajar al exterior.

En los días en que me reuní con los siete intelectuales de Holguín se comentaba mucho la reciente escapada de Arturo Sandoval, un excelente trompetista de jazz, que prefirió un contrato de dos millones de dólares en Estados Unidos a vivir modestamente en La Habana, aunque los cubanos que se quedaron digan que no vivía tan mal: tenía una moto de importación, que era una de sus pasiones, y entraba y salía de la isla cuando lo deseaba.

Para los intelectuales de Holguín, lo peor es que a partir de su fuga las emisoras cubanas silenciaron la música de Sandoval. Uno de ellos, Alejandro Querejeta, miembro del Comité Nacional de la UNEAC, novelista y poeta de cuarenta y tres años, dijo:

—No tenemos aún la suficiente madurez para darnos cuenta de que la cultura no es una sola.

Hablan de la necesidad de que se superen ciertos prejuicios. La música cubana queda amputada sin Celia Cruz, que se exilió poco después de iniciarse la Revolución; la literatura cubana no puede prescindir de Guillermo Cabrera Infante; los ritos y creencias de origen afrocubano se lo deben casi todo a Lidya Cabrera; es imposible entender a los marielitos sin leer a Reynaldo Arenas y a los poetas les sigue interesando la obra de Heberto Padilla. Todos ellos se fueron de Cuba.

Hablan también sobre los rebotados. Esos personajes siniestros —existen en todos los países y con todas las ideologías— que por contactos y amiguismo, lo que en Cuba llaman "el sociolismo", se sitúan siempre en lugares que ni les corresponden ni saben ocupar.

Alfredo Sainz, periodista radiofónico además de poeta, dice:

—El que tiene un buen expediente político a veces ocupa el cargo que debería corresponderle a otro más preparado, más capacitado profesionalmente. He visto casos de compañeros marginados. Si había una plaza y dos aspirantes lo primero que se pregunta es: ¿quién de los dos pertenece al Partido? A ése le dan el puesto.

A otros los retiran del cargo. Como al periodista Alejandro Querejeta que estuvo vetado durante ocho años. En 1980 trabajaba en el diario *Ahora*, de Holguín. Según cuenta, "mantenía una actitud contestataria con la dirección". Un día, se aplicó lo que en Cuba llaman "racionalización de plantilla" y quedó en la calle. Querejeta se oponía a la dirección del periódico por razones puramente profesionales, administrativas. Pero los directivos del periódico politizaron el caso. Querejeta era, y sigue siendo, además, un católico convencido, aunque su iglesia está en su casa y en su Biblia.

Durante todos esos años, no se le permitió escribir en el periódico ni una sola columna. Pero llegó a ser finalista del Premio Casa de las Américas, uno de los más prestigiosos del país. En cuanto fue nombrado miembro del Comité Nacional de la UNEAC, los dirigentes locales pensaron que había llegado el tiempo de levantar el veto. Si La Habana lo admitía, ellos también.

La UNEAC ha sido el paraguas que ha acogido a los intelectuales cubanos en las tres décadas de Revolución. La relación intelectuales/régimen ha estado siempre sometida a los intereses superiores de la Revolución. Los que estaban en desacuerdo se exiliaron. Otros, una minoría, emprendieron algún tipo de oposición, siempre pacífica.

La más importante de los últimos años fue la llamada Declaración de Intelectuales Cubanos o "Carta de los 10". El documento pedía a la dirección del país la convocatoria de elecciones directas a la Asamblea Nacional, la eliminación de trabas migratorias, la reactivación del Mercado Libre Campesino así como una amnistía para todos los presos de conciencia (ver capítulo "Los disidentes").

Entre los diez firmantes se encuentran algunos prestigiosos hombres de las letras cubanas, como Manuel Díaz Martínez y María Elena Cruz Verela, ambos poetas, y ganadores del Premio Nacional de poesía Julián del Casal; también Manuel Granados y José Lorenzo Fuentes.

La carta se publicó el 31 de mayo de 1991 en la prensa de Miami. Ello provocó una airada reacción del órgano oficial del PCC, *Granma*, que acusó a María Elena de haber seguido órdenes de Carlos Alberto Montaner, el escritor liberal cubano afincado en España, detrás de quien, según el periódico comunista, estaría la CIA.

Los intelectuales fieles a Fidel replicaron a aquella carta con otra, firmada por 119 personas, entre las que se encontraban desde la bailarina Alicia Alonso, al músico Leo Brouwer, el novelista Miguel Barnet, los cantantes Pablo Milanés y Silvio Rodríguez y el recién premiado Senel Paz. También firmaban, por supuesto, el presidente de la UNEAC, Abel Prieto, y dos de los intelectuales que entrevisté en Holguín: el ya difunto barítono Raúl Camayd y Alejandro Querejeta, el católico que había estado vetado durante ocho años. Y una firma curiosa: Arturo Sandoval, el trompetista que meses más tarde apostaría por el exilio.

La carta significaba un apoyo total a Castro y a su Revolución: "Los escritores y artistas de Cuba nos reconocemos en la Revolución Cubana, el acontecimiento cultural más importante de nuestra historia", comenzaban diciendo.

Para este nutrido grupo de fieles a Fidel, "la libertad que saludamos y que nuestra Revolución ha hecho posible, no es una libertad engañosa o retórica, sino una realidad carnal que significa la vida

para millones de seres humanos frente a la muerte que les deparan
el colonialismo, el imperialismo, el racismo y sus acólitos".

Y terminaban diciendo: "Querido compañero Fidel: sabemos el
papel que has desempeñado en situar a Cuba en el mundo, al servicio de las mejores causas... Que todos sepan que nosotros, también fabricantes de sueños, estamos hoy, siempre, contigo".

No todas las cartas dirigidas a Fidel en los últimos tiempos habían sido tan "cariñosas". Una que desató mucho ruido fue escrita
a finales de 1988, cuando Cuba estaba a punto de cumplir el XXX
aniversario de la Revolución.

Cien intelectuales de todo el mundo pidieron a Castro, mediante un escrito publicado en la prensa occidental, básicamente
cuatro cosas: referéndum, regreso de los exiliados, una amnistía
para los presos de conciencia y la legalización de los grupos que
luchan en Cuba por los Derechos Humanos.

El último día de ese año amanecí en La Habana y desayuné
con el *Granma*. Casi se me indigestó. En uno de los escritos más
duros —y he leído muchos en los últimos cuatro años— aparecidos en el periódico comunista, se atacaba con dureza a los cien firmantes, entre los que se encontraban el actor francés Ives Montand y los escritores Octavio Paz y Mario Vargas Llosa.

Lo que más dolió en Cuba fue que se le pidiera a Castro la celebración de un referéndum, como el que convocó y perdió el 5 de
octubre de 1988 el dictador ultraderechista chileno, general Augusto Pinochet. Escribía Félix Pita Astudillo, una de las plumas
más aceradas de Cuba:

Sólo un hijo biológico de Joseph Goebbels o un narcómano
alucinado, desde los cuarteles de Langley (sede de la CIA, en el
Estado de Virginia), sería capaz de semejante manipulación, porque el pueblo cubano no sólo acude a las urnas, sino que posee
las armas para defender el resultado de su elección.

Después, Pita adjetiva a los "sesenta gusanos", cubanos afinca-
dos en Miami, que según él firman la carta. De Ricardo Bofill, un
activista de los Derechos Humanos, Pita dice que es un "derelicto
humano", palabreja prácticamente en desuso en el castellano y
que según el Diccionario Ideológico de la Lengua Española de Julio Casares significa "buque u objeto abandonado en el mar".

Armando Valladares es un policía del dictador Fulgencio Batista. Eloy Gutiérrez Menoyo, un terrorista al servicio de la CIA. Carlos Franqui, un aventurero corrector de pruebas. Junto a ellos se
encuentran "vedetes políticas que más que divas son macilentas
rumberas o escort-girls del imperio"; perdona-vidas, sumos sacerdotes o petimetres, como el Nobel mexicano Octavio Paz y el escritor peruano Mario Vargas Llosa, dos latinoamericanos de los
que dice Pita que "son seres tan reaccionarios como avergonzados
del delantal indio de sus madres".

Recuerdo que después de leer aquel feroz artículo conversé en el salón Solidaridad del hotel Habana Libre con un grupo de funcionarios cubanos del Ministerio de Relaciones Exteriores (MINREX). La prensa extranjera había sido convocada para ser informada sobre los actos del XXX aniversario de la Revolución. Lógicamente, saltó la noticia del día: la "Carta de los Cien".

Una funcionaria del MINREX se mostraba indignada con los gusanos y contrarrevolucionarios que habían firmado el documento. Le dije, sin ánimo de ofender, que no me parecía que el actor francés Ives Montand fuera un reaccionario. Más bien, Montand se había distinguido por su izquierdismo militante muy cercano a las tesis del Partido Comunista Francés. Montand se había jugado el pellejo en alguna ocasión desafiando al dictador Francisco Franco, visitando Madrid y armando una trifulca política en favor de la democracia y los demócratas.

La funcionaria no atendió mis razones y sentenció:

—Ese es un comemierda.

Comemierda es uno de los peores insultos que puede decir un cubano.

Tres años después, hablé con Abel Prieto de aquella carta y otras manifestaciones de intelectuales extranjeros en favor de una progresiva apertura del régimen cubano. Prieto aún seguía indignado:

—Aquella carta, en la que de entrada se comparaba a Fidel con Pinochet, fue una infamia.

Prieto sostuvo que "los intelectuales cubanos son extraordinariamente libres".

Pero no hay duda de que desde que los intelectuales se inician en sus distintas actividades, más aún, desde que comienzan sus estudios, aprenden que esa libertad termina justo donde la Revolución puede ser perjudicada.

El Gobierno cubano ha dividido en cinco grandes áreas la enseñanza de las distintas artes, que son controladas por otros tantos organismos: el Instituto Cubano de la Música (ICM), el Instituto Cubano de las Artes y la Industria Cinematográfica (ICAIC), el Instituto Cubano del Libro (ICL), el Consejo de las Artes Escénicas y el Consejo de las Artes Plásticas.

Antonio Pérez Avila es vicedirector del Centro Nacional para el Trabajo Cultural Comunitario, antiguo Centro Nacional de Aficionados. En la primavera de 1991 me explicó que esos cinco organismos, tres institutos y dos consejos, se dedican a promover las manifestaciones culturales, mientras que el organismo al que él pertenecía se ocupaba de promocionar la vida cultural en la comunidad.

Cada uno de los 169 municipios que existen en Cuba cuenta

como mínimo con un museo, una galería de arte, un cine o sala de vídeo, una librería, una biblioteca y una casa de la cultura.

Un total de 4.000 personas, la inmensa mayoría "instructores de arte", trabajan en las 238 casas de cultura que había en ese momento en la isla.

Muchos eran técnicos de grado medio, pero también los había de mayor grado, salidos del Instituto Superior del Arte (ISA), una de las debilidades de Fidel en el terreno de la educación.

En 1961, en su citado discurso dirigido a los intelectuales, Castro diría:

—Cuba va a poder contar con la más hermosa Academia de Artes de todo el mundo. ¿Por qué? Porque esa Academia está situada en uno de los repartos (barrios) residenciales más hermosos del mundo, donde vivía la burguesía más lujosa de Cuba: en el mejor reparto de la burguesía más ostentosa y más lujosa y más inculta, dicho sea de paso.

Visité el lugar al que se refería Castro treinta años después. Ya no se llamaba Academia de Artes, sino Instituto Superior del Arte, el popular ISA. A las tres ramas de enseñanza con las que inició sus actividades, teatro, danza y música, se habían agregado otras dos más: la plástica y los medios de comunicación audiovisual.

El lugar es realmente paradisiaco, aunque el paso del tiempo ha deteriorado algo el viejo edificio del Country Club, rediseñado a principios de siglo por el padre del escritor Alejo Carpentier.

Ese era el lugar que escogió Fidel para crear sus "instructores de arte" de los años sesenta: el exclusivo y elegante Country Club, situado en el residencial barrio de Siboney. Los viejos campos de golf han sido habilitados como áreas deportivas y los antiguas suites son hoy aulas que acogen a unos 1.100 estudiantes, me dice un profesor, extendiéndome su tarjeta de visita en la que leo: "C. DR. Roberto Hernández". Iniciales que indican que el compañero Hernández es un "Candidato a Doctor".

Los alumnos reciben instrucción superior en materias muy diversas, como pintura, grabado, escultura, dentro de la plástica; dirección, actuación, teatrología (crítica, estudios teóricos), dramaturgia, diseño escénico, en cuanto a las artes escénicas; canto lírico, musicología, dirección musical, en la formación musical; coreografía, regiduría, ballet, danza contemporánea o folclórica, en arte danzario y en fin, todo lo relacionado con la producción, dirección y ejecución de programas de radio y televisión.

El ISA es una fábrica de artistas de nivel superior. Sus alumnos han sido seleccionados en todo el país desde que prácticamente pisan la escuela primaria. Después se desparramarán por la isla, a través de las casas de cultura o del Centro Nacional para el Trabajo Cultural Comunitario.

Cuando son alumnos, integran las "Brigadas Serranas". Acuden a las intrincadas zonas de la Sierra Maestra o del Escambray y montan diversos espectáculos para los 700.000 cubanos que residen en zona montañosa, aislados de las grandes urbes.

Uno de los espectáculos que más éxito tuvo el verano de 1990 fue la representación de algunos de los cien relatos incluidos en *El Decamerón* del florentino Giovanni Boccaccio, escrito en 1353. Claro que, me informa el candidato a doctor Hernández, algunos de los relatos de alto contenido erótico han sido aguados para que los niños, que acuden junto a sus padres a las representaciones, no se escandalicen.

Cuando abandono el paradisiaco lugar donde se encuentra el ISA queda grabado en mis oídos un estupendo fragmento de Bach tocado a la guitarra por un alumno mulato, acompañado de su profesor. Poco antes de salir, ya en la puerta, me encuentro con otro alumno alto, flaco y muy rubio. Le digo al profesor Hernández que no tiene aspecto de cubano. En efecto no lo es. Se trata de uno de los alumnos extranjeros del ISA, un polaco que responde al nombre de Dariusz Kaliszuk. Lleva un año haciendo un máster en percusión.

—En mi país, sólo hay una persona, un cubano por supuesto, que puede tocar lo que yo he aprendido aquí —dice orgulloso Kaliszuk, quien debe andar ya dándole a los tambores arará, traídos a Cuba por los esclavos negros, en algún lugar de su Polonia natal.

Lo africano ha tenido una importancia enorme en la cultura cubana y no sólo en la música o la danza, aunque lógicamente sean estas dos expresiones artísticas las de mayor contenido negroide.

Para los antiguos terratenientes españoles, los negros no eran más que un montón de músculos que trabajaban de sol a sol en los campos por un plato de comida. Sus creencias religiosas, sus cantos, sus danzas, eran considerados ritos salvajes. La mayoría de sus actividades estaban prohibidas. En el mejor de los casos, no se les reconocía ningún valor artístico. Simplemente, eran "cosas de negros".

Esa actitud fue heredada por los criollos que desarrollaron su cultura al margen de la africana. A finales del XIX la influencia afro comienza sin embargo a hacerse sentir. Pero "las cosas de los negros" estaban reservadas a los guetos o eran duramente reprimidas.

En 1912 se fundó el Movimiento de los Independientes de Color, una organización armada que luchó por la igualdad total de los negros. La esclavitud había sido abolida en el siglo anterior. Las acciones del Movimiento provocaron una dura reacción contra las actividades de los cubanos de color. Sus actividades culturales y religiosas fueron prohibidas (4).

En la década siguiente, un destacado intelectual cubano, Fernando Ortiz y Fernández sacará de las cavernas la cultura afrocubana y la elevará a donde debe estar: a la altura de la hispana. Antropólogo, abogado, historiador y escritor (1881-1969), Ortiz escribió numerosas obras sobre lo afrocubano (*Los negros brujos, Los negros esclavos*), entre ellas varias dedicadas a la música y la danza, como *Los bailes y el teatro de los negros en el folclore de Cuba.*

Ortiz fundaría en 1923 la Sociedad del Folclore Cubano. Su obra sería continuada por Lydia Cabrera, nacida en 1900 en La Habana y fallecida en el exilio de Miami, rodeada de docenas de obras sobre lo afrocubano, muy especialmente las tradiciones y crencias religiosas yorubas y lucumís llevadas por los esclavos africanos a la isla caribeña. Más reciente es una alumna de la Cabrera, Natalia Bolívar, la que ha proseguido su labor investigadora y divulgativa.

Escritores de la talla de Alejo Carpentier (*El reino de este mundo, El siglo de las luces*) iban a dedicar pluma y tiempo a las expresiones musicales africanas. La música en Cuba es una buena muestra del talento de Carpentier y de la riqueza musical de la isla.

Recoge Carpentier que en las dos primeras décadas del siglo muchos se negaban "a admitir la presencia de los ritmos negroides en la música cubana" (5).

"Hacía tiempo que los negros habían dejado de ser esclavos —escribe Carpentier—. Sin embargo, en un país nuevo que aspiraba a ponerse a tono con las grandes corrientes culturales del siglo, lo auténticamente negro —es decir lo que realmente entrañaba supervivencias africanas al estado puro— era mirado con disgusto, como un lastre de barbarie que sólo podía tolerarse a título de mal inevitable".

Más el arte de uno y otro color habrían de encontrarse antes o después. Es Fernando Ortiz quien recoge esta estrofa en *Los bailes y el teatro de los negros en el folclore de Cuba:*

> *Una fiesta se hace*
> *con tres personas:*
> *uno baila, otro canta,*
> *y el otro toca.*
> *Ya me olvidaba*
> *de los que dicen ¡olé!*
> *y tocan palmas.*

Ortiz, que estudió la influencia de los negros cubanos que llegaron desde España, y concretamente desde Sevilla, en su precioso libro *Los negros curros*, habla de la influencia andaluza en aquellos esclavos de paso y cómo en ambas culturas siempre se canta en grupo.

Poco a poco lo africano encuentra su lugar y en los años treinta se consolidan una serie de artistas negros de reconocida valía: el Trío Matamoros, Ignacio Piñeiro, Abelardo Barroso, Joseíto Fernández, Barbarito Díez, Tito Gómez y las mujeres, fantásticas, como Paulina Alvarez, a la que apodaban "La emperatriz", o más tarde la misma Celia Cruz.

Una mañana de mayo de 1991 llegué al hotel sediento. Era la hora del almuerzo. Pensé que un mojito me sentaría de maravilla. En la barra del bar había un extraño cliente. Nunca lo había visto por el Victoria. Tenía un pendiente en alguna de sus orejas, no recuerdo cuál. Subí a mi habitación. Tomé una cinta de Radio Futura y le pedí a la recepcionista que la pusiera por el sistema del hotel. El bar se inundó con el excitante ritmo de *La negra flor*.

Santiago Auserón se quedó paralizado. Me miró y dijo:

—¡Me has reconocido!

Efectivamente, allí estaba Auserón tomando un Havana Club 7 años, su ron favorito. Había perdido la cartera, pero qué importa. Estaba, por enésima vez, en Cuba. Buceaba en los archivos de la Empresa de Grabaciones Musicales (EGREM) en busca de las joyas del son cubano. La madre de todas las músicas caribeñas.

Auserón, un músico inteligente y creativo, me contó su ambicioso proyecto: publicar una colección de discos con las mejores canciones del son cubano.

Meses después, salió la primera muestra de lo que promete ser la mejor recopilación de las joyas musicales cubanas: *Semilla del son*. Están todos los primeros espadas: los Matamoros, Joseíto, Paulina, Barroso, Celina, el Guayabero, el Grupo Changüí.

Y ¡cómo no! Está el mejor de todos: Bartolomé Maximiliano Moré, más conocido como Benny Moré.

Auserón, que sabe de música cubana más que muchos cubanos, me habló con adoración de Moré. Meses más tarde escribiría en la presentación del disco *Semilla del son* una anécdota del gran artista de color:

—Cuando entre músicos cubanos se destapa una botella, la ofrenda del primer trago es casi siempre para el mismo santo: ¡para el Beny!

Beny, que murió joven, en 1963, cuando sólo contaba cuarenta y cuatro años, es una leyenda en Cuba. Lo conocen viejos y jóvenes y sin duda ha inspirado a todos los músicos cubanos de los últimos treinta años.

Hay algo curioso: todas las personas que te hablan del Beny en Cuba te dicen que jamás estudió música. Y lo dicen con asombro. Beny Moré fue un autodidacta. Con el triunfo de la Revolución, se quiso regular hasta tal extremo la actividad artística que si Beny Moré, el mejor cantante de son de todos los tiempos, viviera hoy en la isla sería catalogado como cantante "B", y le restarían de su salario mensual 50 pesos.

Todo por no tener un título superior. Por no haberse graduado.

Eso es lo que le sucede a uno de los jóvenes talentos de la música actual, Carlos Varela.

Conocí a Carlos Varela en la casa de su novia, situada en el barrio de Miramar. Había escuchado alguna de sus canciones, *El hijo de Guillermo Tell,* entre otras, por la radio, aunque no pude comprar sus discos: no los habían editado en Cuba. Pero sí en España. En ese momento, primavera del 91, Varela era uno de los músicos que llenaba el Carlos Marx, con un aforo de 5.000 personas. Pero estaba en la lista desde hacía años para poder grabar un disco en alguno de los dos estudios que quedaban utilizables en el país, uno en La Habana y otro en Santiago.

Sin embargo, había publicado un disco en España, tras una gira que había realizado poco antes.

En esos momentos, Carlos Varela estaba considerado en los sectores más conservadores del régimen como un cantautor contestatario. Varela era consciente de esa fama y huía de los periodistas extranjeros. La mayoría perseguían unas declaraciones críticas hacia el sistema.

Por ello me sorprendió el enorme retrato de un jovencísimo Fidel, en la Sierra Maestra, que había colgado a la entrada de la casa, en el salón principal.

—¿Te importa si te hago una fotografía junto a Fidel?

Varela sonrió.

—¡En absoluto! —dijo.

Cruzó los brazos y se apoyó contra la pared, pegado al póster de Fidel. Vestido de riguroso negro, cubierto con un sombrero del mismo color, y su rostro semioculto por una poblada barba, Carlos Varela parecía un gnomo simpático salido de algún libro de J. R. Tolkien. Me dice: ¡chico, aquí la gente quiere a Fidel!

—¿Qué es lo que más te atrae personalmente de Fidel?

Responde sin dudar un instante:

—¡Fidel es un cojonudo! Y no tengo ninguna duda de las buenas intenciones de Fidel con este país. Pienso que es muy duro dirigir una Revolución como ésta. Por eso no quisiera estar en su pellejo.

Que Varela está con el sistema, no cabe la menor duda. Aunque es de los que opinan que hay que cambiar cosas. La primera: la burocracia que reina en el mundo artístico.

Ser cantante en Cuba, o bailarina, o pintor, o actor, significa pasar por periódicas evaluaciones. Primero, para conseguir uno de los tres niveles con los que la burocracia ha catalogado estas profesiones: A, B, o C. Después, para que tribunales de teóricos expertos en cada ramo decidan si se sigue manteniendo la calidad necesaria para permanecer en cada una de las categorías asignadas.

—Las categorías se rigen por patrones absurdos: los burócratas están más preocupados por los años de estudio, por los títulos que uno tiene, que por el talento real.

Por ello se da el curioso caso de que Carlos Varela es un cantante de categoría "A", con derecho a un sueldo mensual de 340 pesos. Pero sólo cobra 280. ¿Por qué?

—Porque soy un "A" sin requisitos. Es decir, yo no estudié música. Soy licenciado en Artes Escénicas, iba para actor. Por tanto no reúno los requisitos para ser "A" total y me bajan el sueldo a 280 pesos.

Varela, que ya no sabe si está irritado por este tema o simplemente le hace gracia, se pregunta qué tipo de requisitos se necesitan para ser un "A", "si canto al lado de Pablo (Milanés) o de Silvio (Rodríguez) y lleno el Carlos Marx", que es el mayor teatro de Cuba.

—La burocracia es algo que nos ha atado brutalmente y de la que depende mucha gente, que come y vive detrás de un "buró" (mesa).

Para Silvio Rodríguez, quien con Pablo Milanés es el representante más cualificado de lo que en su día se llamó la Nueva Trova cubana, el tema de las evaluaciones y clasificaciones es "algo terrible, obsoleto". Pero dice Silvio que ello también tiene su lado positivo:

—El músico tiene un sueldo, una garantía mínima para vivir. No tienes que salir a la selva a romperte el alma o a rompérsela a alguien para sobrevivir. Eso le permite al músico no prostituirse, si no quiere. Puedes hacer un arte verdadero, no de consumo, si así te apetece.

Para el feliz autor de *El unicornio azul* es preciso "abrir más espacio a la iniciativa personal, que no todo esté tan burocratizado, que no haya que pedir tantos permisos para hacer algo".

Para mayor enojo de los jóvenes cantantes, los tribunales de evaluación se reúnen muy de tarde en tarde. A veces, pasan dos y tres años. Para todo el país, el Ministerio de Cultura designó a 200 músicos de las distintas especialidades para formar parte de esos tribunales de evaluacion.

Mientras se reúnen y convocan a examen, el artista cubano está en la cuerda floja: si quiere ingresar al profesionalismo ha de esperar al tribunal; si quiere pasar de un nivel a otro, también.

Alicia Pérez era una destacada concertista de piano hasta que fue nombrada presidenta del Instituto Cubano de la Música (ICM). El 1 de abril de 1989, cuando se creó el Instituto, Alicia dejó el piano por el despacho. A su cargo está el destino de 12.000 músicos profesionales que hay en la isla, de los que casi 3.000 residen en La Habana.

El Instituto se ocupa de todo lo relacionado con ellos: la adquisición de instrumentos, la conservación de las salas de conciertos, las evaluaciones, las grabaciones, los contratos, los sueldos.

A cambio de un salario fijo mensual que varia de los 138 pesos a los 340, según las categorías, los músicos cubanos han de cumplir con su "norma", es decir un mínimo de actuaciones fijas al

mes. Estas varían según la categoría del cantante y el lugar donde
actúa. En el caso de un conjunto bailable, que ameniza la fiesta de
un pueblo, se necesita actuar durante 19 noches. Si sobrepasan
esa "norma", cobran aparte la cantidad proporcional correspondiente. Si actúan fuera de su provincia, cada actuación les cuenta
doble a efectos administrativos.

¿Sobran o faltan músicos en Cuba? En un primer momento,
podría parecer excesiva la cifra de 12.000 músicos profesionales
en un país que cuenta con 169 municipios (el municipio cubano
tiene luego diversos "asentamientos"). Mas Alicia Perez dice que
no andan ociosos.

Todos los establecimientos turísticos cubanos cuentan invariablemente con un grupo musical, ya se trate de un restaurante con
media docena de mesas. Además, las formaciones cubanas son de
doce, catorce, y hasta de veinte músicos.

Los grupos de son —a ellos no les gusta el término salsa, que
aseguran es un invento de las compañías discográficas norteamericanas— serían absolutamente inviables en un país capitalista.
Pocos conjuntos pueden permitirse el lujo de llevar dos y hasta
tres personas para la percusión, media docena de músicos en la
sección de vientos, dos guitarras, un par de bailarinas y hasta dos
cantantes.

Lo que tienen más difícil es grabar un disco. Este es un problema común a todos los países. Pero también es cierto que en cualquier país al artista que llena un teatro de 5.000 localidades tres
días seguidos, se le abren las puertas de docenas de estudios de
grabación. En 1990, la compañía cubana Estudios de Grabación y
Edición de Música (EGREM) grabó 120 discos. Miles de los 12.000
músicos estaban en la lista de espera.

En Cuba existían tres estudios: dos en La Habana y uno en Santiago. Uno de La Habana lleva meses sin poder ser utilizado: el
piano de cola Steinway, imprescindible para determinadas grabaciones, está averiado. Al ser de fabricación norteamericana el bloqueo impedía que se importaran las piezas. Sólo había otro igual,
en el principal teatro de conciertos de La Habana. Si se hacían
grabaciones, no había conciertos. Se optó por lo último. Comprar
uno nuevo, de similares características costaba no menos de
80.000 dólares. Cuba no estaba en ese momento para tales gastos,
me decía apesadumbrada Alicia Pérez.

El día que conocí a Silvio Rodríguez personalmente me llevé
una sorpresa. Sabía que era un hombre huraño, poco amigo de
los periodistas.

Mantuve una entrevista con él en La Casa de las Américas, a
pocos metros del malecón. La humedad salobre del mar se colaba por las ventanas. Silvio llegó en su Lada blanco —el único lujo
que dice tener, junto a una casa en Siboney, en el mismo barrio

donde está el Instituto Superior del Arte— con media hora de retraso.

Llevaba bajo el brazo un enorme magnetofón. Pensé que había estado grabando alguna nueva canción. No era así:·

—¿No te importa que grabe la conversación?

Por supuesto que no, le dije. No era la primera vez que me sucedía. Silvio tenía una explicación:

—Una vez me entrevistó en México un periodista del periódico *The New York Times*. Manipuló muchas de mis respuestas y se inventó una enterita. Desde entonces las grabo todas. ¡No sabes el favor que me hizo!

Una de las cosas que me contó Silvio en aquella entrevista me hizo comprender lo complicado que debe ser vivir en un mundo repleto de burócratas. Silvio, que tiene contratos con compañías discográficas extranjeras y que junto a Pablo Milanés —en Cuba le suelen llamar Pablo a secas o Pablito— es uno de los artistas que más divisas ingresa al país, tiene desde hace tiempo la idea de invertir todo el dinero que ganó en el extranjero en un estudio de grabación. Gustosamente él cedería o compraría los equipos. Sin embargo necesita una casa. Y la casa sólo se la puede ceder el Estado. Pero ¡la burocracia!

Años después de que Silvio hubiera propuesto la idea, la casa seguía sin aparecer. Alicia Pérez me comentó que había cuatro o cinco en perspectiva, pero el asunto tomaba su tiempo, pues había que enviar a un ingeniero para que las revisara cuidadosamente.

—Desde hace varios años estoy fajado (lucho) por construir un estudio de grabación y la burocracia no me deja. ¡Vaya! ¡Esta es una crítica! ¿No querías una crítica?

—¿Tanto tiempo llevas con esa idea?

—¡Ufff! Ya no sé. Ya no tengo ni a quién reclamar. Le voy a tener que reclamar a Dios, rezarle un Padre Nuestro.

Le había preguntado a Silvio qué cosas no le gustaban del sistema. Me respondió que los trapos sucios de la familia los lavaba en su casa.

—Las cosas del Gobierno que no me gustan se las digo al Gobierno.

Pero está claro que este músico mundialmente conocido, poeta, compositor de cuarenta y cinco años, padre de cuatro hijos, pero no casado, viviendo feliz con su pareja, de escaso pelo y rostro pálido, como si en vez de vivir en el corazón del Caribe habitara en mitad de la estepa siberiana, está absolutamente del lado de la Revolución. Aunque eso no signifique que esté de acuerdo con todos los hombres que mandan en Cuba.

—¿Cómo sobrevive un cantante, un creador, en un régimen como el cubano?

Silvio construyó tan bien la respuesta que parecía que la tuviera memorizada. Conforme pasaban los minutos me di cuenta de que no era así. Tras el tímido cantante hay un hombre culto, que se expresa en un bello castellano:

—Antes de cantante fui hombre. Vengo de una familia pobre, como la mayoría de las familias cubanas, una familia de obreros agrícolas que fue muy beneficiada por toda una serie de leyes revolucionarias. Me hice hombre cuando triunfó la Revolución. Yo tenía catorce años.

Como otros muchos jóvenes, Silvio formó parte del batallón alfabetizador integrado por casi 300.000 cubanos que en 1961 se echaron a los campos de Cuba para enseñar a leer a todo el que hasta ese momento no había visto un libro. Estuvo en la Sierra Central, en el Escambray y en la Ciénaga de Zapata, donde ese mismo año los anticastristas armados por la CIA invadieron Cuba, en la famosa Bahía de Cochinos o Playa Girón.

La vocación musical le llegó cuando cumplía el Servicio Militar. Luego vino el salto a la televisión, los primeros conciertos, los primeros discos.

—Entonces tenías fama de rebelde. ¿Lo eras?

—No, no lo era. En realidad, esa era una época muy apologética. La Revolución estaba muy amenazada y se tenía un celo tremendo con todo lo que significara crítica.

Pero reconoce que en algunos sectores del régimen sus canciones, y las de otros de su misma generación, tropezaban con dificultades. En otros, como el lugar donde nos encontramos, la Casa de las Américas, afirma que encontró apoyo y comprensión.

—Yo creo que aquellas dificultades eran el reflejo de la lucha de ideas que había dentro del seno de la Revolución. Siempre ha habido gente más dogmática, más cerrada. Hoy es igual. Hay unos que son más dogmáticos y otros más abiertos.

Asegura no haber sido tragado por la Revolución.

—En realidad nunca he dejado de tener la misma visión crítica del principio. Y aquí estoy. Y porque tengo una larga trayectoria de compromiso con este país, con este pueblo, con esta Revolución, si a veces digo cosas que a algunos no les gustan, podrán discutir conmigo, pero es más difícil taparme la boca.

—Si vivieras fuera no correrías ese riesgo, y además, serías mucho más rico, tendrías mayores audiencias... ¿No es eso lo que persigue un artista?

Silvio, que habitualmente tiene un rostro adusto, se pone aún más serio.

—A mí me preocupa más el destino de mi pueblo que mi propio destino —se queda unos instantes pensativo—. ¡Eso parece un eslogan!

Se ríe. Le pregunto:

—¿Y no lo es?

—No. ¡Bueno!, después de que lo he dicho me pareció un eslogan. Tu mismo me dices que si viviera fuera tendría más comodidades. ¿Por qué no vivo fuera? ¡Chico, me parece que lo que ha hecho la Revolución por este pueblo es mucho más importante que el bienestar de una sola persona!

Hablé con Carlos Varela, casi un discípulo podría decirse, de regresar o no a Cuba. Posibilidad que sólo tienen algunos cubanos. Pocos: los artistas, algunos diplomáticos, las bailarinas, algún periodista. Una vez en el extranjero, desertan. Varela se echa las manos a la cabeza y dice que aunque ha salido todavía poco, alguna visita a España, alguna a México, a los tres días añora su Habana:

—Me unen muchas cosas a Cuba, porque para mí la Patria es también mi barrio, el Vedado, mi casa, mi gato, mi gente, mis amigos, además de la bandera. Por otro lado, no he conocido hasta ahora ningún sistema tan humano como éste en el que vivo.

Y si a Silvio no pueden taparle la boca, porque ya es toda una institución, sí que se la pueden tapar a Varela. Algunos programas de determinadas emisoras cubanas no emitían sus discos, cuando lo entrevisté en 1991. Para muchos veteranos de la Revolución es un verdadero disparate que Varela pida un cambio generacional a través de su canción dedicada a Guillermo Tell, en la que es el hijo quien desea disparar la flecha que atraviese la manzana, puesta ahora sobre la cabeza del padre.

También en Cuba ocurre lo que en todos sitios: hay una resistencia a ceder el paso a las nuevas generaciones. Y eso que Varela, como queda dicho, no es un contrarrevolucionario ni mucho menos. Cita a una de las heroínas de la Revolución, Haydé Santamaría, para recordarme que "no sólo hay que hacer una canción comprometida, sino que nos comprometa".

—¿Te has sentido alguna vez perseguido, vigilado? ¿Alguna vez el régimen ha sospechado de ti, de que podrías ir demasiado lejos con ese compromiso?

Medita un poco este simpático gnomo cantante de negra barba y el sombrero sobre su cabeza, que no se lo quitará a pesar del calor pegajoso en la hora de la siesta y dice:

—La sospecha siempre ha existido. Es lo que Umberto Eco hubiera llamado "el síndrome de la sospecha". El problema es que no sólo se sospecha de uno. Más bien existe la preocupación por los que acuden a mis conciertos. Y entonces te llenan el teatro de policías y agentes de la seguridad.

Mas, confiesa Varela sonriendo: "Hasta ahora no ha ocurrido afortunadamente nada". Lo ideal sería, dice, que se reconociera que "ya han pasado unos añitos".

—La Revolución en la que nacimos nos dio las condiciones para estudiar y desarrollarnos sin que nos costara un centavo. ¡Pero ya nos hemos graduado! Y comenzamos a hacer propuestas, no solo en el terreno cultural, tambien en el político, en el económico.

Vuelvo a Silvio Rodríguez. En el extranjero se tiene la imagen del autor de *¡Oh melancolía!* de que es un portavoz de la Revolución, del régimen castrista. Cuando se lo digo, ya avanzada la conversación, se ríe abiertamente.

—¡No, no, no! Yo creo que no. En primer lugar, no soy del Partido. Nunca lo he sido.

—¿Ni siquiera de la Unión de Jóvenes Comunistas?

—Cuando tenía quince años estuve militando poco menos de un mes. Me expulsaron por indisciplina. Me fui a pescar tiburones en un barco.

—¿Te hicieron un favor expulsándote?

—¡Chico, creo que sí! Porque he tenido más libertad. De haber sido militante, habría tenido que seguir en muchos aspectos la política partidaria y eso me hubiera impedido hacer muchas cosas. Al menos, para dar una serie de opiniones en público, aunque las diera en el seno del Partido. En ese sentido sí creo que me ha beneficiado.

Insisto en la pregunta: ¿te ves o no como un hombre del régimen, un estandarte del régimen?

—Me veo como un cubano que apoya la Revolución. Pero con esa implicación que le das de oficialismo, nanaina. ¡No soy oficial ni mucho menos oficialista! Con el Gobierno estoy con algunas cosas y con alguna gente. Pero con lo que sí estoy es con la Revolución.

En un país con miles de cantantes —a los 12.000 profesionales hay que sumarle cientos de miles de aficionados—, su líder máximo, Fidel Castro, no canta ni en la ducha. Se lo contó a su amigo el comandante Borge:

—Fidel, ¿usted alguna vez canta?

—Tengo pésimo oído musical. Me gusta, pero no tengo facilidad.

—¿Ni bajo la ducha? —insiste Borge

—No, bajo la ducha a veces tiemblo de frío, si el agua está fría.

Pero Fidel reconoce ser aficionado, aunque no cante. Lógicamente le gustan las canciones revolucionarias y cita entre sus preferidos a Silvio, a Pablito, a Sara. Confiesa que le gusta el nicaragüense Carlos Mejía Godoy y el chileno Víctor Jara. Además, la música clásica y como no podía ser menos en un hombre que lleva vestido de uniforme desde 1956, las marchas militares.

El también comandante Tomás Borge le contesta que según los astrólogos el gusto por las marchas militares se debe al hecho de haber nacido un 13 de agosto. Resulta, dice Borge a Fidel, que ambos han nacido el mismo día. Los dos son Leo.

—Y los Leo no caminan, sino que desfilan —afirma el comandante sandinista.

Pero después de haber viajado por Cuba, he podido comprobar que incluso los Leo tienen un paso infinitamente más atractivo y seductor que el del militar más apuesto. Si en general la raza negra tiene un estilo muy característico de caminar, el cubano, sobre todo el mulato/la mulata parecen bailar más que caminar.

Y es que la danza va en el cuerpo de estas gentes desde que nacen. Mejor: desde antes.

Marlys es una preciosa negrita hija de Oshún, la diosa de las aguas dulces, la belleza, la coquetería y la maternidad en el santoral yoruba, la religión que muchos cubanos practican bajo el nombre de Regla de Ocha.

En una calurosa tarde del verano habanero de 1991, la joven bailarina repite una y otra vez los pasos que Homero, el jefe del grupo de baile, le indica. Al fondo de la enorme sala, tres negros golpean con maestría los iyá, itotelé y okonkolo. Son los tambores batá.

Marlys acaba de finalizar sus estudios de bachiller. Y ha hecho un alto en al camino antes de ingresar en la Universidad para estudiar Economía. Dos de sus tíos son bailarines en el famoso Tropicana.

Homero es un negro robusto y ágil. Ha formado un grupo de bailarines que actúan en los hoteles para turistas, cuando la noche comienza a apoderarse de la ciudad y los mojitos engrasan el gaznate.

El Instituto Nacional de Turismo (INTUR) los contrata por temporadas. La paga no es muy buena: algo más de cien pesos. Pero muchos de estos cubanos y cubanas no bailan sólo por dinero, aunque sean profesionales que han debido pasar sus respectivas evaluaciones. ¡Nadie escapa a ellas!

Bailan porque lo llevan en la sangre. Y son capaces de hacer sacrificios enormes, como mantener una silueta adecuada. Los medios de que disponen son limitados. Las chicas llevan las mallas rotas, las zapatillas con agujeros. Pero en cuanto suena la conga, sus cuerpos se mueven con una pasmosa y excitante elasticidad.

Desde que son niños, en los círculos infantiles, o en los primeros años de la primaria, aprenden los pasos de baile. Los que mejores cualidades muestran, son enviados a escuelas especiales repartidas por todo el país. A los catorce años, buscatalentos de la Escuela Nacional de Ballet seleccionarán a los mejores. Si son realmente buenos, terminarán en el ISA, el Instituto Superior de Arte del elegante barrio de Siboney.

De allí saldran especialistas en ballet, danza contemporánea o folclórica. Quienes no precisan o no tienen plaza en el ISA, que mantienen un nivel universitario, pueden ingresar en la Escuela

Verietur, que surte de bailarinas —esas preciosas mulatas que tanta fama tienen en el mundo— a los cabarets del país.

Un día de mayo de 1991 acudí a un ensayo en el Tropicana. El Paraíso bajo las estrellas, como reza la publicidad de este famoso cabaret que cumplía esa primavera cincuenta y dos años. Tenía una idea equivocada: las bailarinas no se agotan pasados los veinticinco años. Si se saben cuidar —nada de carne de puerco, la comida favorita de los cubanos, nada de cerveza, nada de ron, mucho ensayo— pueden bailar incluso hasta pasados los treinta.

Por ejemplo, Marilyn Gutiérrez, que ya va para treinta y uno. Le pregunto si no le aburre salir, noche tras noche, a bailar ante turistas a los que se les salen los ojos al tiempo que les entra el ron por litros.

—¡No! El éxito consiste en evitar ser un robot, en motivarse con algo o con alguien. Yo salgo a la pista y me fijo en alguien del público y me digo: voy a bailar para aquella persona. Eso evita la rutina.

Marilyn, morena —en Cuba un negro es un moreno, la palabra negro es más despectiva— y bonita me cuenta que eso no significa absolutamente nada más que lo que acaba de decir: baila para una persona, pero esa persona jamás lo sabrá.

—Las bailarinas del Tropicana, cuando se fundó, estaban para entretener a los clientes. Aquí se venía a jugar, pues era además de cabaret, casino y las chicas eran casi un puro adorno.

Aquello cambió con la Revolución. Hoy, las bailarinas del Tropicana o de otros clubes, como el Caribe del Habana Libre, o los que hay repartidos por los hoteles turísticos son profesionales muchas de ellas comprometidas con la Revolución, militantes de las Juventudes Comunistas o del Partido.

Como es del Partido, Juan de Dios Ramos Morejón, con quien converso en un local del Municipio Playa, situado en la famosa Quinta Avenida de La Habana. (La Habana tiene varios municipios).

Juan de Dios es también moreno y dirige uno de los mejores grupos de danza folclórica del país: Raíces Profundas. Curiosamente, cuando acudo al ensayo de Raíces Profundas, los miembros del grupo, todos de color, están bailando la Danza de Oshún.

Quien durante años fuera bailarín del Conjunto Folclórico Nacional, y que ahora se dedica a la coreografía, me explica el sentido de la Danza de Oshún.

La leyenda, llevada a Cuba por los esclavos africanos, cuenta que Oshún fue requerida por los habitantes de una aldea para que los defendiera de Oggún, el orisha (santo) guerrero, dueño del monte. La diosa del amor embadurnó su negra piel de canela y miel de abeja, que simboliza el sexo. Se internó en el monte. Al verla Oggún, trató de poseerla. Pero Oshún se le escurría una y otra vez de sus fuertes manos. Ciego de pasión y deseo, Oggún fue arrastrado sin darse cuenta hasta el pueblo. Desde entonces dejó de atacar a los campesinos.

La leyenda queda plasmada en un bello espectáculo que Raíces Profundas prepara en homenaje a Nicolás Guillén, el poeta mulato que escribió las mejores letras de son.

Hablar del baile y de la danza en Cuba y no mencionar a Alicia Alonso sería un pecado imperdonable.

Su despacho respira ese ambiente característico de un artista: cuadros, telas, sillones antiguos, fotografías, olor a maquillaje. Detrás de una hermosa mesa de madera, Alicia Alonso. Cuando me siento frente a ella, noto a veces que me habla pero que no me mira. Su vista se apaga. Desde hace años. Da una cierta pena, pero la pregunta es inevitable:

—Con más de setenta años, y apenas visión, ¿cómo es posible que pueda bailar y sobre todo, por qué sigue bailando?

Alicia Alonso es coqueta aún. Sonríe. No dirá jamás qué años tiene (se supone que más de setenta) y es un secreto tan celosamente guardado como las defensas estratégicas del Ejército cubano. Contesta:

—Me ponen ciertas luces en el escenario, me marcan con luz roja el centro, me señalan las candilejas. Además, conozco muy bien todos los escenarios del mundo.

Como jamás habla de números —para no confesar su edad— tampoco me puede decir cuántas actuaciones ha realizado en su vida. Pero se cuentan por miles.

Primerísima bailarina del Ballet Nacional de Cuba, que ella misma fundó en 1948, del que también es directora, Alicia Alonso es un verdadero milagro de supervivencia sobre unas tablas.

A los tres años realizó su primer viaje. Su padre la llevó a los Estados Unidos, a comprar caballos. Allí también aprendió sus primeros pasos de baile, precisamente españoles. Desde entonces, sus pies no han permanecido quietos ni un solo día de su vida.

Intento obtener algún número, pero es imposible. ¿Cuántos años lleva bailando?

—Los suficientes para tener el nombre que tengo y no los bastantes como para estar aburrida del baile.

Quería escuchar de labios de una experta si los cubanos tienen algún don especial para la danza, para el baile. Por supuesto. Esto me dijo Alicia Alonso:

—Por tradición cultural, el cubano tiene un excelente oído musical. Por herencia y por clima, tiene unos músculos muy elásticos, ideales para bailar. Cuando un cubano le habla, le habla prácticamente con todo el cuerpo. Le habla y está bailando. Obsérvelos.

Tiene Alicia Alonso miles de anécdotas que contar. Recuerda un día en que Fidel se presentó de improviso al ensayo de *El lago de los cisnes*.

—Las bailarinas se pusieron muy nerviosas. Fidel dijo que no tenían que marchar como si estuvieran en el Ejército, que si no podían estar un poco más parejitas, bailar más iguales. ¡Estaban las pobres tan nerviosas!

El canto y el baile son dos importantes manifestaciones artísticas del pueblo cubano, muy pegadas a su piel, muy cotidianas y en las que miles de ciudadanos participan. Otras actividades, como el cine o el teatro, tienen también un buen desarrollo en la isla, pero la participación lógicamente es más pasiva: son espectadores.

¿Y qué ven los cubanos en sus cines y teatros?

A partir de 1990, por lo pronto, vieron muchos desnudos en sus teatros.

Raquel Revuelta es una mujer alta, que sobrelleva con elegancia sus sesenta y siete años. Actriz de reconocida fama tanto dentro como fuera de Cuba, es en abril de 1991 presidenta del Consejo Nacional de Artes Escénicas.

La visito en su despacho oficial. Muy cerca de su despacho, me entretengo en la corta espera leyendo una curiosa placa que he visto en otros muchos centros de trabajo y que dice:

SEÑALES DE AVISOS

Tipos de aviso	sonora	a viva voz	teléfono
Tipos de señal según ataque:			
ataque aéreo	continua	ataque aéreo	35962
ataque químico	toques lentos	ataque químico	35962
ataque terrestre	tres toques a intervalos	ataque terrestre	35962
cese alarma		cese alarma	

Le pregunto a Raquel Revuelta por la placa. Sonríe y dice que hay que estar preparado para cualquier emergencia.

Me ofrece un café. ¡Cómo no! Al terminar mi conversación con ella me pide disculpas:

—Me da pena no haberle podido ofrecer nada más, pero estamos en Período Especial.

Se lo agradezco. ¿Será por el Período Especial por lo que hay tantas obras teatrales en la cartelera habanera de desnudos? ¿Será por la falta de ropa?

Sonríe Raquel Revuelta. No es por eso. Simplemente, los jóvenes directores han elegido una vía experimental a veces demasiado avanzada para el gusto del público, que prefiere piezas clásicas, como las del español Federico García Lorca, quizá el dramaturgo extranjero más representado en Cuba.

Un tranvía llamado deseo, del norteamericano Tenesse Williams, se convirtió en un furgón lleno de desnudos, en 1990, recuerda Raquel Revuelta. La dirigió Carlos Díaz, un joven director de treinta años, graduado en el famoso ISA.

—¡Menos mal que no estaba aquí Tenesse Williams! —exclama Raquel, a la que sin embargo le gustó la obra—. Carlos Díaz tomó la esencia de la obra, pero la obra no estaba allí.

Sin embargo, Carlos Díaz se llevó el Premio de la Crítica, concedido por la Unión de Periodistas de Cuba (UPEC), el año que puso en escena a Williams.

Carlos Díaz es uno de los 1.800 actores, directores, escenógrafos y dramaturgos registrados como profesionales en el Consejo Nacional de Artes Escénicas. A ellos hay que sumarles unos 700 aficionados, que representan con frecuencia obras en la isla, fundamentalmente en las provincias del interior.

Como en cualquier otra actividad artística, los actores y dramaturgos están sujetos a la maldita evaluación, de la que Raquel Revuelta no tiene muy buena opinión:

—No creo ni en la A, ni en la B, ni en la C. Yo creo que hay actores buenos, actores malos y actores que deben dedicarse a otra cosa.

Raquel Revuelta opina que hay demasiados actores en Cuba y no todos son buenos. "A los que no se necesiten, se les debería dar un subsidio para que se dediquen a otra cosa", afirma Raquel, que añade sin embargo que ésa es una opinión estrictamente personal que ella intentará llevar adelante.

Raquel se inició en el teatro cuando tenía trece años. Y nada menos que haciendo el papel de madre en la obra de Henrik Ibsen *Espectro*. A raíz de ahí inició una imparable carrera en la que hubo de todo: cine, teatro y televisión. Se recuerda aún su magistral actuación en *Nada menos que un hombre*, de Miguel de Unamuno, que le valió el Premio Talía en 1947.

Después haría *La ramera respetuosa*, de Jean Paul Sartre; *Yerma*, de Lorca, o piezas clásicas como *Fuenteovejuna*, de Félix Lope de Vega.

Raquel hizo teatro antes y después de la Revolución. La diferencia:

—En el capitalismo hay halagos. La televisión es un medio que hace que todo el mundo te conozca. Pero si tú no estás diciendo lo que quieres decir, llega a ser una tortura. Hacen de uno una mercancía. En el socialismo puede ser que las cosas no salgan como uno quiere. Quizás no te conozcan ya tanto en la calle. Pero te sientes un ser humano.

Sin embargo dice que no se afilió al Partido Comunista hasta 1981. "No me preocupé por eso, me sentía del Partido siendo militante o no, un día me ofrecieron el carnet y no era cosa de rechazarlo".

Hasta 1982 los actores cubanos estaban adscritos desde que se graduaban a compañías fijas. "Entrabas en un grupo de teatro y te quedabas allí de por vida", recuerda Raquel. Aquel sistema se modificó y hoy los actores son contratados por un tiempo determinado, normalmente el tiempo que dura la obra en cartelera. Los salarios son casi idénticos a las de otras actividades artísticas: de los 340 pesos mensuales la categoría "A", a los 198 para los "C".

El Período Especial ha tenido consecuencias directas sobre el teatro. Muchas salas han sido clausuradas porque tienen el aire acondicionado averiado y no hay repuestos para repararlos, o simplemente se cierran para ahorrar energía. Las funciones comienzan a las cinco de la tarde, para evitar tener que iluminar vestíbulos y salones. Alguien dijo en Cuba que si el Período Especial duraba mucho tiempo, habría que hacer las representaciones al aire libre y a la luz del sol.

Los problemas afectan de la misma forma al cine, o quizás más, porque es mucho más costoso realizar una película.

Enrique Pineda Barnet es uno de los directores más cotizados de Cuba. Su última película, *La Bella de la Alhambra,* había batido en la primavera de 1991 todos los récords de taquilla. Más de cuatro millones de cubanos, el 40 por 100 de la población, habían visto la cinta.

Se superaron las marcas de las viejas películas de los éxitos internacionales, como las de Kung Fu, las primeras cintas de Julio Iglesias o las de Palomo Linares, me dice Pineda. Unas películas que en Cuba arrasaron. *La Bella* fue premiada con el Goya, el más importante premio cinematográfico de España y fue también candidata al Oscar de Hollywood.

La Bella de la Alhambra está basada en la novela *Canción de Rachel,* escrita por un primo suyo, Miguel Barnet. La acción se sitúa en La Habana de los años veinte. Narra la historia de una joven cubana, muy hermosa, de familia con pocos recursos. Trabaja como corista en antros de mala muerte. Su única salida de la miseria es la prostitución. Ella se resiste y termina triunfando en el teatro Alhambra —que existió uno así en La Habana— un local "sólo para hombres".

Pineda asegura que no es un filme de puro entretenimiento. Lo primero que quiso fue rendir un homenaje a la condición musical de su pueblo. Además, destaca, hay alusiones permanentes a la situación política de la época. "Como cuando Rachel —la protagonista, Beatriz Valdés— dice que aquí todo se resuelve con el tambor y la cerveza".

En la primavera de 1991 entrevisté a dos directores de cine de éxito en esos momentos en la isla: Enrique Pineda Barnet y Rogelio Paris. Dos personalidades muy distintas que estaban batiendo récords de taquilla con dos películas diametralmente opuestas. El primero con la ya citada *La Bella de la Alhambra* y el segundo con *Caravana,* la historia de un convoy militar cubano en la guerra de

Angola. Ambos son directores de reconocido prestigio, con varias películas en su haber y más de veinticinco años de oficio. Ninguno de ellos milita en el Partido Comunista.

Los dos directores se mostraron de acuerdo en que, aunque les gustaría tratar el tema, aún falta perspectiva histórica para hacer una película sobre la Revolución. El proceso para llevar adelante un proyecto cinematográfico es algo más complicado que escribir una novela, pintar un cuadro o componer una canción.

¿Cuál es el camino que sigue un guión cinematográfico hasta que se convierte en película en Cuba?

Hasta 1988 un funcionario del Instituto Cubano de las Artes y la Industria Cinematográfica (ICAIC) revisaba el guión y lo discutía con su autor. Si le gustaba, salía adelante. Si no, había que retocarlo y volver a presentarlo.

Ese año de 1988 surgieron los Grupos de Creación. Están formados por una docena de realizadores. Cada uno se halla presidido por un veterano cineasta. Cuando entrevisté a Pineda y Paris había tres Grupos funcionando en la isla. Pineda pertenecía a uno de ellos, y fue a su grupo al que presentó el guión de *La Bella de la Alhambra*, hecho en colaboración con su primo Miguel Barnet.

Cada miembro del grupo lee el guión y se reúne individualmente con el guionista. De la discusión, afirma Pineda, sale mejorada la idea. "Pero nadie te impone nada", afirma.

—¿Esa docena de personas que integran su Grupo se parecen demasiado a doce jueces, quizás sin piedad? ¿No los considera como una especie de comisariado político? —le pregunto a Pineda.

—Eso sería verlos con mucha suspicacia. Yo creo que tengo libertad para sacar adelante mi guión, mi idea. Es curioso: de los tres jefes de Grupo, sólo uno es militante del Partido Comunista, precisamente Manuel Pérez, el director de mi grupo. Y del resto, doce más, sólo hay otros tres miembros del Partido.

Una vez aprobado el proyecto por el Grupo, pasa a la Comisión de Presupuestos, donde se evalúa el costo de la película. Si hay dinero, o participa un coproductor extranjero, se sigue adelante. Si no, hay que esperar turno. Fue el caso de *La Bella de la Alhambra*.

Para reproducir con fidelidad La Habana de los años veinte, Pineda acudió a todos sus amigos y colaboradores.

—Me reuní con ellos y les dije: no tenemos dinero. Echamos mano de los viejos baúles de nuestras casas para sacar encajes, sedas, lentejuelas... De todo. Mi madre prestó sus viejas joyas.

Cuando el rodaje de la película estaba a punto de concluir, Pineda se encontró con un serio problema: necesitaba un látex, un líquido especial que sirve para avejentar a la protagonista.

—Quería que Rachel apareciera como una anciana que pretende todavía ser joven, una especie de puta vieja, embadurnada de coloretes. Necesitaba el látex.

Un amigo italiano había prometido enviárselo. En Cuba no había, ni el productor disponía de dinero en divisas para comprarlo en el exterior. Curiosamente, el productor tuvo que realizar un viaje a España en esas fechas. Pineda recuerda aún con emoción que de sus propias dietas compró el látex y se lo llevó a Cuba. "¡Costaba sólo cinco dólares!". Pero cinco dólares es casi la cuarta parte de la exigua dieta de 18 dólares de la que dispone un cubano cuando viaja al exterior.

Al tratarse de un guión sobre una guerra que aún estaba en su pleno apogeo, la que mantuvo Angola con Sudáfrica, hasta que se logró la independencia de Namibia, el guión de Rogelio Paris siguió unos pasos distintos al de Pineda.

Paris no discutió su proyecto en Grupo alguno, sino que lo presentó directamente al presidente del ICAIC, al Ministro de las Fuerzas Armadas, Raúl Castro, y a otros altos funcionarios del Partido Comunista.

El rodaje de la película, que duró seis meses, entrañó cierto peligro. La mayoría de las víctimas cubanas se produjeron precisamente en las caravanas que atravesaban el territorio angolano llevando desde medicinas hasta comida o armas.

La película tiene un buen ritmo, excelente fotografía y muy buena música. Por momentos posee ese aire épico de las viejas películas del Far West, el Oeste americano que popularizó Hollywood. Paris no niega su admiración por uno de los genios de ese cine, quizá el mayor, John Ford.

Paris vivió dos meses entre los soldados cubanos que combatían en Angola antes de dar la primera vuelta de manivela. El estreno de la cinta se produjo el 15 de noviembre de 1990 y para final de año, en sólo 45 días, había sido presenciada por 300.000 cubanos.

Un tema como el abordado por Paris corría el riesgo de convertirse en una apología de la presencia cubana en Angola. Pero Paris rechaza que lo sea:

—Yo no podía aparecer con una película que fuera una propaganda pendeja (estúpida), con una película en la que apareciera un Rambo tropical. Para mí era mucho más importante hacer una reflexión sobre el precio que Cuba debió pagar, más de 2.000 muertos, por su ayuda al pueblo angoleño.

—¿Y cuál es tu conclusión personal? ¿Mereció la pena el precio pagado?

—Sin duda. Merecieron la pena esas 2.000 bajas cubanas para que un pueblo como Namibia fuera independiente.

Paris tiene otro rasgo de sinceridad cuando me asegura al hablar de las otras trabas cinematográficas que "negar que hay determinado tipo de censura en este país sería de una ingenuidad feroz, para que te levantaras y te fueras".

Me levanté, pero no porque no creyera en la sinceridad de las palabras de Paris. Simplemente, había visto la película *Caravana* y salí de ella convencido de que allí había talento. No será una de mis películas favoritas, pero teniendo en cuenta los medios de los que disponía el director y el tema que abordaba, en el país en el que vive, se merecía un notable.

Las películas de Paris y de Pineda las había visto en pases privados. Quise tener la experiencia de asistir a una película en un cine popular. Elegí un filme cubano, a pesar de que la cartelera cubana, para sorpresa de algunos turistas, rebosa de cintas extranjeras.

En la primera quincena de enero de 1992, la cartelera de La Habana ofrecía una lista enorme de buenas películas españolas y norteamericanas. En provincias la cosa era distinta: todavía andan circulando viejas cintas búlgaras o checas de crudo y duro realismo socialista.

La lista de películas españolas estaba encabezada con directores ya clásicos del cine hispano. Entre ellas se exhibían las cintas: *El Verdugo*, de Luis G. Berlanga; *El extraño viaje*, de Fernando Fernán Gomez; *La Tía Tula*, de Miguel Picazo; *Tristana*, de Luis Buñuel; *Mi querida señorita*, de Jaime de Armiñán; *Furtivos*, de José Luis Borau; *Asignatura pendiente*, del Oscar José Luis Garci;

De Basilio Martín Patino había para darse un atracón: *Nueve Cartas a Berta*, *Canciones para después de una guerra*, *Los Paraísos perdidos* y *Caudillo*.

Entre las películas nosteamericanas destacaban *Los timadores*, de Stephen Frears, o *La hoguera de las vanidades*, de Brian de Palma.

Me decidí, a la hora de ver una película en un local comercial por el filme cubano: *María Antonia*, de Sergio Giral. Acudí al cine Yara, situado frente al mastodóntico hotel Habana Libre.

Lo primero que me sorprendió fue el lleno absoluto. Cuando el cine anda en crisis en medio mundo, vencido por la comodidad de la televisión, no quedaba ni un hueco libre. Después, me sorprendería la continua participación del espectador: la película se vive, se comenta, se aplaude o se silba constantemente. No es una sala silenciosa de cinéfilo, sino un lugar festivo donde sin perder la compostura los cubanos expresan sus emociones.

En un momento dado, una anciana hace un gesto despectivo al tocarse su sexo. A mi alrededor escuché cómo cinco o seis personas, hombres, mujeres y niños gritaban casi a coro: "¡Cooooñó!", con muchas oes y el final fuertemente acentuado. Una palabra que en Cuba se aplica en sentido admirativo y no para indicar el aparato genital femenino, al que le llaman chistosamente "el semillero".

Cuando la protagonista, María Antonia, una guapísima actriz que interpreta el papel de una prostituta tiene una escena fuerte con un cliente, suena una voz en la sala que dice:

—¡Qué rico!

Las carcajadas estallan en el Yara. Los cubanos se ríen en el cine por cualquier insignificancia. Son un público muy ingenuo y casi se podría decir que infantil.

Cuando María Antonia le va a dar una pócima a su amante, la gente grita:

—¡No lo bebas, no lo bebas!

El filme dibuja una Cuba precastrista en donde las mujeres guapas y pobres terminaban invariablemente en los prostíbulos, a los que acudían chulos, jugadores y turistas yanquis. El final es de tragedia griega: muere hasta el guionista.

Cuando María Antonia, ebria de alcohol y hechizos santeros, comienza a abrazarse a diversos hombres, llega el fin. Los no avisados se levantan de sus butacas. Pero tras un fundido en negro, aparece la misma María Antonia, vestida entonces con elegancia, que se baja de un coche Moskovich. La calle esta limpia y por ella transitan niños vestidos con sus inconfundibles uniformes carmelitas camino del colegio.

La que hubiera sido una prostituta maldita antes de la Revolución es ahora una ejemplar maestra de escuela.

Una sonrisa se dibuja en la mayoría de los espectadores.

En dos ocasiones me han robado en Cuba. Las dos veces, objetos de poca cuantía del interior del automóvil alquilado en Havanautos. Una de ellas frente a la puerta del hotel Victoria. La otra cuando me reuní con un grupo de pintores en un viejo caserón de La Habana Vieja. Los cacos sólo se llevaron una caja de kleenex y otra de chicle.

A pesar de que los rateros rompieron el cristal y tuve que esperar más de una hora a la policía para que lavantara el acta correspondiente, la tarde que pasé junto a Adriano Buergo, Gustavo Acosta, Carlos Luna, José Veigas y algunos más, hasta completar un grupo de ocho, que se fueron sumando de forma informal, como corresponde a gente bohemia, fue agradable.

Todos andaban entre los veinte y los treinta años, salvo Veigas, que era un investigador que escribía una enciclopedia sobre las Artes Plásticas en Cuba. Un volumen en el que ocupaban un importante lugar tres glorias de la isla: Wilfredo Lam, un chino negro que combatió en el 5º Regimiento en la Guerra Civil española al lado, claro, de los republicanos; René Portocarrero, de quien las autoridades cubanas hacen ahora pósters y reproducciones que venden a los turistas por un precio bastante elevado, y la mejor pintora que tuvo Cuba, Amelia Peláez, profesora de la escuela de pintura San Alejandro, donde se han formado muchos artistas cubanos hasta que llegó el ISA y la enseñanza universitaria para todas las artes.

Para abrir boca, mientras alguien destapaba una botella de ron, les conté algo que me había impresionado: visité una de las docenas de galerías que Cuba tiene repartidas por su territorio, concretamente en Baracoa, la primera ciudad fundada por los españoles en Cuba en 1512. Era una tarde lluviosa y no había otra cosa que hacer. Me alegré porque vi cosas interesantes en aquella galería provinciana. Pero sobre todo, porque charlé con tres jóvenes pintores que me contaron sus cuitas.

El principal problema era encontrar con qué pintar. Luego sobre qué pintar. A falta de materiales más dignos, vi hermosas pinturas sobre cartones y harpillera, esa basta tela de estopa que se emplea para embalajes.

Antes nos daban de vez en cuando lienzo, pero ahora con lo del Período Especial lo deben estar usando todo para vestidos, me comentó uno de ellos.

Sus colegas de La Habana sonrieron. Me contaron que algunos pintores consiguen el material sustrayéndolo olímpicamente de las escuelas donde dan clases.

—Hay materiales que de una manera u otra se te pegan, y con eso resuelves unas cuantas cosas —dice uno.

Los demás se ríen. Contesta otro:

—¡Ya! El otro día se le pegó a un administrador de una fábrica de ropa el 30 por 100 de la producción...

Otros pintores, cuando viajan al extranjero —lo que significa que tienen un nivel de calidad considerable— intercambian obra por materiales.

—¡Eso es jineteo! —interviene uno.

—¡Yo más bien diría que es un cambalache cultural!

La palabra jinetear sirve en Cuba para definir varias cosas: desde prostituirse hasta cambiar dinero en el mercado negro. En general, se trata de un tipo de comercio algo irregular o ilícito.

A mediados de la década de los ochenta, los plásticos comenzaron a revolucionar el mundo cultural cubano, hasta el punto de que se consideró que era entre los pintores donde había más críticos hacia ciertas carencias del proceso revolucionario.

Gente joven que comenzó a ver el mundo desde otra perspectiva.

Un crítico y escritor cubano, Gerardo Mosquera, escribía en *Unión,* una revista de la UNEAC, sobre esta generación:

Aldito Menéndez, inspirador del Grupo Arte Calle, pintó un letrero que decía "Reviva la Revolu", y debajo convocaba a una colecta para terminar la obra. Si los estudiantes han rebautizado la asignatura de Comunismo Científico con el nombre de "Ciencia Ficción" es porque se revelan contra la esterilización retórica del marxismo, no porque piensen, como otro chiste popular, que el socialismo es la etapa de tránsito entre el capitalismo y el capitalismo.

Oscar González Jiménez, viceministro de Cultura, que conoce bien a la nueva generación de plásticos, me decía en La Habana esos días:

—Esa generación nacida en los sesenta se educó con esta frase de Fidel: la Revolución no dice cree, sino lee.

Para este joven viceministro, de cuarenta años, hijo de unos cosecheros de tabaco de Santa Clara, esos artistas fueron educados para ser críticos y se quejan de todo lo que no les agrada: no les gustan las galerías, sino la calle, la comunidad, acercar el arte a la gente y no encerrarlo entre cuatro paredes. Y se quejan de la burocracia. Como todos los demás creadores de Cuba.

En Cuba hay un total de 136 galerías de arte, además de los museos, y las de las casas de cultura. Un total de 1.961 artistas plásticos están registrados como profesionales en el Consejo de Artes Plásticas. No se incluye ni a los artesanos ni a los aficionados ni a los que aún estudian. Sólo en la década de los ochenta se graduaron más de 800 pintores, escultores, dibujantes, grabadores, serígrafos... Un batallón de artistas en busca de una pared.

Los más cotizados, como Tomás Sánchez, tienen una vida independiente. Pintan y venden sus cuadros al Fondo de Bienes Culturales, un organismo estatal que decide qué hacer con las obras: enviarlas a un museo, venderlas al exterior o exhibirlas en las galerías para cubanos. Antes de que un cuadro cubano salga al exterior ha de ser valorado por el Museo Nacional de Bellas Artes, que decide si la pintura es exportable o bien se la queda como patrimonio nacional. En el caso de Sánchez, un enorme y fantástico mural viste una pared del amplio vestíbulo del edificio del Comité Central del Partido Comunista.

Sánchez consigue precios entre los 15.000 y los 30.000 dólares en el exterior. Hasta mayo de 1991, el pintor recibía el precio que previamente había pactado con el Fondo —muchísimo menos y en pesos cubanos— pero no veía ni un dólar de lo conseguido en el exterior. Se le compensaba con materiales de pintura. El viceministro Oscar González me dice que se estaba pensando en modificar esa injusticia: el artista debe participar de alguna forma en las ganancias obtenidas.

Del millar y medio de pintores profesionales, unos 60 tienen nivel internacional y sus cuadros se cotizan en el exterior.

Una de las cosas que me sorprendió viendo pintura joven cubana fue la importancia que muchos artistas dan al tema erótico. El crítico Mosquera escribió sobre "la escatología y la procacidad sexual propia de lo que Bajtin llamó carnavalización, como respuesta antiaristocrática de la cultura baja".

Los jóvenes pintores con los que charlé en La Habana Vieja con una botella de ron por medio me ilustraron sobre algunas de esas procacidades o nuevas visiones de los mitos, algunos intocables, de la historia revolucionaria.

Supe "del Martí de Elso". Elso Padilla fue uno de los valores más sólidos de la nueva generación de pintores que murió de leucemia en 1989, cuando sólo contaba treinta y dos años. Padilla realizó una escultura de José Martí, a quien reverencian tanto en Cuba que lo llaman "El Apóstol".

El Martí de Padilla era una estatua que representaba al ilustre escritor y político cubano casi desnudo, como si estuviera recién sacado de la tumba, en una cruz. Sus ojos eran de vidrio y su cuerpo tenía manchas de sangre. Recibió un premio en la Segunda Bienal de La Habana, pero el Fondo no quiso comprarlo. Lo tiene algún coleccionista mexicano.

La causa de esta tendencia en la joven pintura cubana habría que buscarla, de acuerdo con el crítico Mosquera, en la respuesta "de bandazo frente a la imagen retórica de un país impoluto que ofrecen los medios de difusión, chocante con las demandas de la realidad y la idiosincrasia caribeña".

¡País impoluto! Mosquera se quedó corto. Claro que él tiene que seguir escribiendo en la prensa cubana.

Una de las cosas que más sorprenden en la prensa cubana es que los discursos de Fidel Castro, la inmensa mayoría de los cuales se publican en el órgano oficial del Partido, *Granma*, aparecen con dos y tres días de retraso. Otra: la enorme cantidad de textos referidos a los logros alcanzados en la industria, la agricultura, la ciencia, la salud, el deporte. Si el mundo fuera como lo ve *Granma* —salvo cuando ataca a Estados Unidos, los disidentes internos o "los gusanos" de Miami— la humanidad estaría viviendo en un paraíso terrenal.

De los centenares de *Granmas* que han pasado por mis manos, escogí uno al azar: el del 12 de marzo de 1992. Su análisis ilustra bien el mundo que leen los cubanos.

En la primera página de ese día se destacaba como principal noticia el "acto por el XXXV aniversario del 13 de marzo". Es una de las constantes de Cuba: la pasión por los aniversarios. Casi tan fuerte como la permanente celebración de congresos. El 13 de marzo se conmemora el asalto al Palacio Presidencial y a Radio Reloj, dos momentos históricos de la lucha contra Batista.

Otras noticias. "Pinar del Río: 30.000 trabajadores movilizados al campo" (nunca faltan noticias sobre la agricultura). Otra: "Centenario de Patria: Homenaje del MININT y las FAR a trabajadores de la prensa". En esta noticia confluyen varios ingredientes que se repiten hasta la saciedad: primero, otro aniversario y segundo, el gusto por las siglas (MININT, FAR). Otra noticia: el inevitable congreso, en esta ocasión de la Unión de Jóvenes Comunistas (UJC): "Constituidas las delegaciones de Cienfuegos y Matanzas".

Otra noticia: "Macabro comercio de córneas en hospital psiquiátrico argentino". Como se ve, el ataque a un país, más bien a un presidente, Carlos Saúl Menem, que no deja escapar una ocasión para a su vez atacar a Cuba.

Y otra más: Mireya, Diago y Despaigne entre los mejores del volei mundial. Los deportes, presentes casi siempre. Y la última: *Granma* circulará en formato tabloide a partir del próximo sábado. Desgraciadamente, el Período Especial que afecta a bailarines, pintores, músicos o cineastas también alcanza a la prensa.

La prensa de provincias, fiel reflejo del hermano mayor, *Granma*, es mucho más aburrida. En mi recorrido por la isla recogí periódicos de distintos lugares. El de Ciego de Avila, *Invasor*, reflejaba el 10 de mayo de 1991 las siguientes noticias en primera página:

"Sol y calor" (información sobre el tiempo). "Diálogo dirigenta sindical francesa con trabajadores de La Cuba" (visita de una sindicalista francesa a una empresa agrícola local). "Agramonte continúa cargando el machete" (referencia a una figura histórica y el aniversario de su muerte). "Orienta el *Minsap* contra cóleras" (más siglas) y noticias varias de deportes y agrícolas.

El diario guantanamero *Venceremos* del 21 de abril de 1991, aglutina las siguientes noticias: "XXX Aniversario del Ejército Oriental". "Inventos al por mayor en la planta emulsionadora" (información agrícola sobre la caña de azúcar). "Preparativos para enfrentar dificultades mayores" (información sobre trabajadores destacados). "Al mal tiempo mucho peje" (datos sobre la pesca en la zona).

Por último, el periódico de Holguín, *¡Ahora!*, del 7 de mayo de 1991 lleva a su primera página estas noticias: "Mirada interior a un contingente" (el trabajo en la construcción). "Enseñar realidades, no promesas" (visita de un dirigente nacional del Partido). "Inaugurarán combinado alimentario en Felton" (información sobre una nueva fábrica). "Sacarle más energía a la caña" (información agrícola). "Donan medallas a la casa natal de Calixto García" (aniversarios). "Ciudad de La Habana cavó su tumba en Holguín" (deportes).

En resumen, tras este somero análisis pueden extraerse estas conclusiones, que por lo demás se mantienen constantes: en los cuatro periódicos, hay noticias relacionadas con algún aniversario y con la gricultura.

En una ocasión le pregunté a un subdirector del diario *Granma* si los cubanos no estaban ya cansados de tantos recordatorios históricos y de tantas sobreproducciones agrícolas.

Roberto Robreño es un hombre educado y elegante, sin que ello signifique que sea un dandy. De pelo blanco, a pesar de que sólo tiene cincuenta y dos años, Robreño es de esos hombres que usan durante años el mismo traje y siempre parece nuevo. Es un buen conversador y sus treinta y seis años como periodista —comenzó a los dieciséis años— han hecho de él un lince para captar rápidamente el sentido de las cosas. Olfatea la noticia y la pone al servicio del medio para el que trabaja: *Granma,* el órgano oficial del Partido Comunista,

Robreño, al que me he encontrado en numerosas conferencias internacionales por América Latina e incluso en España, es el primer subdirector de *Granma.* Le pregunté si no era monótono, aburrido, pesado, el periódico en el que trabajaba, en donde aparecen machaconamente, día tras día, noticias relacionadas con la agicultura o la construcción en remotas provincias.

—La producción azucarera es para Cuba vital. Básica para el país, por tanto interesa a toda la población. Es posible que algunas veces haya alguna saturación, pero eso se produce cuando estamos en el período de la zafra (cosecha).

Por lo demás, opina que el hecho de que *Granma* sea considerado un periódico pesado, aburrido es algo que forma parte de una leyenda. Me hace una confidencia: "Mira, aquí hay muchos compañeritos que con tal de hacerse más simpáticos o más librepensadores, le dicen a los periodistas extranjeros que *Granma* es un periódico pesado. Eso es una leyenda, repito. El que no tiene nada que decir, se pone a hablar de que *Granma* es un periódico pesado.

—Pero eso me lo han dicho hasta los periodistas de Ciego de Avila...

—¡Tiene gracia que eso lo digan los periodistas de Ciego de Avila! ¡A eso le ronca la peineta!

¿Quiénes son los periodistas que hacen los periódicos cubanos? ¿Cómo se forman? ¿Cuánto ganan? ¿Son todos del Partido Comunista?

Para llegar al despacho de Julio García Luis tuve que subir otra hermosa escalera de mármol en forma de caracol, como las de otras instituciones culturales. Llegó un momento que me entró complejo de Reth Butler (Clark Gable) visitando a Escarlata O'Hara (Vivian Leigh), en aquel histórico filme *Lo que el viento se llevó.*

García Luis es un periodista de cincuenta años, delgado, de regular estatura, que ha sido editorialista del *Granma* durante nueve años, hasta que en 1986 fue nombrado presidente de la Unión de Periodistas de Cuba (UPEC).

—¿Es cierto, como dicen por ahí, que los editoriales de *Granma* los escribe Fidel? —pregunto a Julio García.

Sonríe. Le deben haber preguntado lo mismo en docenas de ocasiones.

—¡Noooooo...! Pero es cierto que ha intervenido en la redacción de algunos editoriales importantes. Otros incluso los ha redactado personalmente. Recuerdo, por ejemplo, los que se escribieron en 1980 a raíz del Mariel (cuando 125.000 cubanos salieron hacia Miami). En esa época se instaló físicamente en el periódico. Por lo general, Fidel acude con frecuencia al diario o llama por teléfono.

El órgano clandestino del Movimiento 26 de Julio (M-26-J), el grupo creado por Fidel que lideró la lucha contra Batista, se llamaba Revolución. En 1965, el Partido Unido de la Revolucion Socialista (PURS) cambió su nombre por el ya definitivo de Partido Comunista de Cuba (PCC).

El primer acuerdo del nuevo Comité Central fue fusionar dos periódicos: *Hoy*, el órgano del antiguo Partido Comunista, y *Revolución*, el portavoz del M-26, en uno solo al que se le pone el nombre de *Granma*. Más tarde, en 1969 se integrará en *Granma* un tercer periódico, *El Mundo*.

Granma era el nombre del pequeño yate que había transportado a los 82 castristas que en diciembre de 1956 llegaron a la isla procedentes de México e iniciaron la lucha contra la dictadura en Sierra Maestra. Al desaparecer la división territorial prerrevolucionaria, la zona de la provincia oriental donde desembarcó Castro fue bautizada también con el nombre del mítico yate que hoy se exhibe en La Habana, en el Museo de la Revolución, antiguo Palacio Presidencial.

El despacho de Julio García Luis está presidido por sendos retratos del "Che" y Martí, que observo mientras el presidente de la UPEC me asegura que ésta es una agrupación profesional "donde tienen cabida todos los periodistas del país, con independencia de su especialidad". Y que, en contra de lo que se cree en el exterior, no todos son militantes del Partido o de las Juventudes Comunistas: sólo un 40 por 100 de los 4.000 periodistas afiliados en la primavera de 1991 militaban en alguna de las dos organizaciones comunistas.

Para García Luis, son demasiados periodistas. De los 4.000, unos 1.500 trabajan en La Habana y otros 1.000 se encuentran repartidos en los distintos medios provinciales. El resto, 1.500, se dedican a tareas de divulgación, de propaganda, publicidad, relaciones públicas. Es muy común que un periodista acompañe a otro colega extranjero, especialmente si éste es nuevo, no conoce el país o se encuentra viajando por el interior de la isla.

Para evitar que haya un desempleo masivo, se ha limitado el número de nuevos ingresos en las dos Facultades de Periodismo que existen en la isla, en sus dos más importantes ciudades, La Habana y Santiago: se admiten no más de 60 nuevos alumnos por año.

De cuantos creadores hay en Cuba, los primeros en sacudirse el yugo de las evaluaciones fueron los periodistas. Como los músicos, o los actores, los periodistas estaban clasificados hasta 1987 en las clásicas tres categorías de A, B, y C. Ese año se eliminó el sistema de evaluación. Entre otras cosas, dice el presidente de la UPEC, creada en 1963, porque muchos de los que alcanzaban el nivel "A" "entraban en fase regresiva; se acomodaban y se dedicaban sencillamente a cobrar el sueldo".

—En broma, decíamos que ser "A" era como tener un título nobiliario. Parecías una especie de conde o marqués, aunque luego como profesional fueras un desastre.

En 1987 entró en vigor la Resolución sobre Trabajo y Evaluación, que llevaba el número 50/1987 y que es conocida por los profesionales del ramo como "la 50".

Mediante ese sistema son los propios jefes del periodista los que evalúan el trabajo de éste. Cada dos años, los directivos del medio examinan el trabajo realizado en esos veinticuatro meses por sus redactores y determinan si ha sido bueno, estable o ha empeorado. Si mejora, sube un escaño salarial, que siguen siendo tres: 310 pesos, 265 y 231. Por vez primera, informa García Luis, a partir de ese año hubo casos de periodistas que descendieron de nivel. En palabras del presidente de la UPEC:

—En los dos primeros años fueron devaluados el 17 por 100 de los periodistas. Fue todo un acontecimiento en el país. Las causas fundamentales para bajarles de categoría fueron la mediocridad, deficiencias técnicas y bajo rendimiento. Por vez primera los directores podían despedir a un periodista que fuera holgazán, incapaz o ineficiente.

Medio centenar de profesionales debieron dejar el periodismo y muchos veteranos decidieron acogerse a la jubilación antes de exponerse a ser "devaluados".

Además, el Período Especial afectaba de manera cada día más acuciante al sector de la prensa. El papel, el material fotográfico, desde película a líquidos para el revelado; las tintas, sustancias químicas y un largo etcétera eran productos que se importaban de los ex socios comunistas europeos.

Las primeras medidas que se tomaron fue eliminar algunos de los periódicos y revistas existentes, entre ellos *Bastión,* el órgano de las Fuerzas Armadas Revolucionarias (FAR). Prácticamente sólo quedó un periódico por provincia, y *Granma* a nivel nacional. *Trabajadores,* la voz de los sindicatos, y *Juentud Rebelde,* pasaron de diarios a semanarios.

Robreño me informó que hasta mayo de 1991 la tirada de *Granma* era de 710.000 ejemplares. En unos meses se redujo hasta 400.000. Lo mismo sucedió con los demás rotativos cubanos. En mayo de 1991, *Juventud Rebelde* y *Trabajadores* tiraban unos 250.000 ejemplares cada uno. Cuba pasó de una venta de 1.600.000 ejemplares semanales de periódicos a imprimir poco más de la mitad en el plazo de un año.

A la redacción se le redujo en un 50 por 100 el combustible para los desplazamientos de sus reporteros. Se suprimieron los viajes a provincias y se limitaron al mínimo las salidas por la ciudad de La Habana. De los 20 vehículos con que contaba *Granma,* diez fueron jubilados. Los lapiceros sustituyeron a los bolígrafos. Las cintas de las máquinas de escribir eran una y otra vez entintadas para alargar su vida útil.

Julio García Luis me entregó algunos libros y folletos. Los referentes al IV Congreso de la UPEC, "El Código de Etica del periodista" —que podría ser válido en muchos países occidentales— y el dictamen sobre "El periodismo en Cuba: situación actual y perspectivas", documento aprobado en el V Congreso, celebrado en 1986, precisamente en el que García Luis fue elegido presidente.

Hojeo los libros y encuentro esta frase de Raúl Castro en el primero de ellos:

—Un periodista es, por el solo hecho de su profesión, un reproductor de ideología (6).

El documento del V Congreso insiste en esa idea al afirmar que "al Partido corresponde un papel insustituible en la orientación y el apoyo consecuente para evitar que la crítica sea episódica y fortuita". También refiere ese documento que "el objetivo principal a alcanzar es que la crítica, en tanto que método de análisis y enjuiciamiento, aparezca y fluya de modo natural en nuestra información periodística".

Hablo con García Luis del periodismo militante que respiran los medios cubanos y de su acriticismo. Responde el presidente de la UPEC:

—Dadas las condiciones históricas de Cuba, no hay posibilidad para que se dé una prensa de oposición, como pudiera ser normal, y es normal, en muchos países...

—¿No cree que debería ser normal también en Cuba?

—Bien: creo que en nuestras condiciones actuales no sólo no sería normal, sino que prácticamente es imposible. Porque lo primero es salvar la Revolución. Mientras los Estados Unidos estén amenazando con la destrucción de Cuba, con destruir la Revolución, no podemos pensar en abrir paso a corrientes, a tendencias, a una prensa de oposición, que lo único que harían sería servir a los intereses de los Estados Unidos.

Un importante periodista cubano que dirigió la oficina de Prensa Latina, la agencia de noticias oficial de Cuba en la ciudad de México, Roberto Casin desertó de su puesto en mayo de 1991, unos días después de mi entrevista con García Luis.

Casin escribió una carta/artículo a modo de despedida de sus hasta entonces convicciones revolucionarias en la que señalaba el talón de Aquiles de la prensa cubana.

En esos días también se acababa de hacer pública en la prensa de Miami la carta de los diez intelectuales encabezados por María Elena Cruz Varela, la poetisa detenida. Casin afirmó en su artículo estar plenamente de acuerdo con aquel documento y denunciaba que la prensa cubana "persistía en señalar tales manifestaciones de libre pensamiento y expresión como actitudes antinacionales".

Casin denunciaba a la UNEAC por presentar el documento de los diez intelectuales disidentes como una "¡maniobra contra la Revolución!" por el hecho de haber sido publicada en la prensa anticastrista de Miami. Se preguntaba Casin:

—¿Es que acaso alguno de los periódicos o medios de prensa del país hubiera podido difundirla? Es ridícula, falaz, pero también trágica esta acusación, porque mientras a los cubanos no les es permitido expresarse con entera libertad dentro de su propio país, se les acusa entonces de enemigos al servicio del extranjero cuando se ven obligados a hacerlo fuera de su Patria.

Para este periodista, que tras abandonar México encontró refugio en Miami, simplemente "se trata de la teoría de que todo lo que huele a oposición es el símbolo de lo siniestro y la maldad. Todo lo que no suscriba los mandamientos del Gobierno es pura ¡subversión al servicio del extranjero!".

El director es quien decide la línea de un periódico.

—El director asume la responsabilidad de lo que se publica —afirma Robreño, subdirector de *Granma.*

Pero ese director, como en cualquier parte del mundo, se ciñe a unos planteamientos generales que son los que inspiran al medio. En un país capitalista los marca el propietario. En el caso de *Granma,* está claro, el propietario es el Partido Comunista.

Como órgano oficial del Partido, los editoriales de *Granma* son supervisados por uno o varios funcionarios del Comité Central y en muchas ocasiones son escritos directamente en la sede del Comité y no en la redacción.

Cada lunes, los directivos de los medios de comunicación cubanos acuden a sus respectivos Comites del Partido, el Central en el caso de La Habana y los Provinciales en el interior. Altos funcionarios del Partido y del Gobierno conversan con los periodistas y se trazan las líneas maestras del trabajo de la semana.

Como en muchos otros países, la radio es más dinámica en Cuba que la prensa escrita. Radio Rebelde, la emisora fundada por el "Che" Guevara en 1958 en plena guerra contra Batista, es la más escuchada.

El Instituto Cubano de Radio y Televisión (ICRT), presidido por Enrique Román, ex director de *Granma,* controla las cinco emisoras nacionales del total de 54 que hay en el país. Además, los dos canales de televisión nacional. Hay ocho centros regionales de televisión, pero dada la crisis y los recortes de las horas de emisión, cada vez su papel es más reducido.

Me cuenta Román una anécdota que ilustra la influencia de los norteamericanos en la isla: la primera emisión de radio tuvo lugar, a título de prueba, en 1912. El entonces presidente cubano José Miguel Gómez (1909-1913) habló a sus compatriotas desde un estudio de La Habana... Y lo hizo ¡en inglés!

Las primeras emisiones de radio comercial comenzaron en 1922 y las de televisión en 1950. Las dificultades por las que atraviesa el país afectan también, ¡cómo no!, a los medios audiovisuales. Una reportera de los informativos me dijo en el verano de 1991 que les habían restringido tanto los movimientos en la misma ciudad de La Habana que "vamos a terminar haciendo todas las entrevistas en la cuadra del edificio de televisión", es decir en la misma manzana donde se encuentra el ICRT, frente al populoso hotel Habana Libre.

La televisión había reducido a cuatro horas sus emisiones diarias entre semana y algo más los fines de semana. Sus programas informativos son los más tediosos y oficialistas del país frente a una radio mucho más agresiva y moderna.

El programa estrella de la radio, *Haciendo radio,* de Radio Rebelde, es muy escuchado en toda la isla. A veces se diría que uno está en un país donde la libertad de prensa es total, especialmente en lo que a información internacional se refiere. El programa cuenta, además de con el estudio central, con el apoyo de un redactor en una sala llena de teletipos y otro frente a las pantallas de tres canales de televisión: dos norteamericanos, CNN y ABC y uno mexicano, ECO. Esos redactores interrumpen el programa cuando salta una noticia importante. Leen literalmente los teletipos y hacen traducciones bastante exactas de lo que dicen las televisiones norteamericanas. He escuchado trozos íntegros sin manipular del presidente George Bush.

Claro que todos esos medios no están siempre disponibles. El director de Radio Rebelde, Pedro Rojas, de cincuenta y dos años, me cuenta que en la emisora disponen de los servicios de las agencias EFE (española), France Press (francesa), Reuter (británica), AP (norteamericana), Tass (soviética), Singhua (china) y las cubanas Prensa Latina y Agencia de Información Nacional (AIN). Tambien habían solicitado en mayo de 1991 los servicios de la mexicana Notimex.

—Pero ahora mismo, de las ocho agencias, sólo nos funcionan la mitad: el teletipo de France Press está averiado desde hace cuatro años y los demás se averían con frecuencia. Cuando no se pierde la línea se rompe la máquina.

La radio ha llevado a los oyentes algunos temas de indudable carga política. *Con voz propia,* dirigido por Lázaro Barredo, ha atacado temas tan espinosos como la modernización de la prensa o la doble moral, es decir, la capacidad de simulación de la población para no dejar traslucir sus verdaderos sentimientos y lo que es peor, sus opiniones políticas verdaderas.

Barredo dijo al comenzar la primera de dos sesiones sobre la prensa que después de que en 1987 los periodistas debatieran durante veinte horas ininterrumpidas con Fidel Castro los problemas de la prensa, "no se han alcanzado los resultados apetecidos contra los formalismos y el burocratismo".

Esos dos problemas, decía Barredo en directo el 1 de abril de 1991, habían sido la causa "de un periodismo gris, aburrido, divorciado de la vida cotidiana en la mayor parte de las ocasiones, lo que redujo el papel de los periodistas y de los dirigentes de la prensa al de intermediarios desprovistos de opinión".

Barredo reconoció que cuatro años atrás la prensa cubana estaba sumergida "en la apología y el triunfalismo", y aunque se había avanzado mucho, "persiste aún un divorcio entre la claridad teórica y las dificultades prácticas para llevar adelante las transformaciones necesarias en nuestros medios informativos".

El director radiofónico concluía que no debían existir "dos países, el de la realidad y el de los medios de comunicación".

Uno de los contertulios del programa *Con voz propia*, de periodicidad semanal y media hora de duración, el periodista Pedro Hernández, recordó una curiosa anécdota:

—Hace un año, cuando comenzamos a hablar de los cambios en la prensa, hicimos una lista de los temas que no aparecían normalmente en los medios. Se llegó a confeccionar una lista de 200 temas. Los clasificamos y nos dimos cuenta de que no se correspondían con ningún asunto estratégico para la seguridad nacional. Tratamos de precisar quién o qué organismos habían dado la orden de que no se escribiera de eso y para nuestro asombro descubrimos que nunca apareció el que había dado la orden.

Pero todos la acataban.

Subsistir en Cuba siendo un creador no es fácil, como dicen los cubanos. ¡Chico, nada fácil! Aunque ese artista, ese hombre que es capaz de fabricar sueños encerrado en su casa no sea un contrarrevolucionario.

Como en el caso del misterioso personaje que prohibió nada menos que 200 temas a los periodistas o esos personajillos que prohíben que se pasen por algunas emisoras las canciones de Carlos Varela, que éste ha cantado ante el propio Fidel Castro, en los oscuros despachos existen docenas de burócratas que prefieren decir no, antes que perder su privilegiado puesto.

Una burocracia que se escuda en los altos intereses de la Patria: toda crítica debilita al país y beneficia a los Estados Unidos.

Unos burócratas que han decidido que en la prensa, en la radio y en la televisión, cada vez que se habla de Fidel Castro deben añadirse todos y cada uno de sus cargos:

Comandante en jefe Fidel Castro Ruz, primer secretario del Comité Central del Partido Comunista de Cuba y presidente de los Consejos de Estado y de Ministros.

El escritor italiano Gianni Miná le preguntó si todo eso no era muy anticuado. Fidel respondió:

—¿Y tú crees que a mí me agrada eso? ¿Tú crees que a mí me agrada incluso salir en los periódicos? Tú observarás que uno de los líderes políticos del mundo que menos sale en los periódicos de su país, soy yo.

¿Habrán leído los periodistas cubanos, los burócratas cubanos, el libro *Fidel* de Gianni Miná?

Claro que el miedo es libre y mucho más en un país en el que de la noche a la mañana el más encumbrado dirigente puede ser destituido acusado de algo tan etéreo como "deficiencia en el trabajo".

A la hora de poner punto final a este capítulo, releo las históricas *Palabras a los intelectuales,* aquel discurso en el que se decía: "Dentro de la Revolución todo, contra la Revolución nada", y que me recordaran los intelectuales de Holguín, treinta años después de haber sido pronunciado.

Fidel terminó el discurso con esta frase:

—A lo que hay que temerle no es a ese supuesto juez autoritario, verdugo de la cultura, imaginario, que hemos elaborado aquí. ¡Teman a otros jueces mucho más temibles, teman a los jueces de la posteridad, teman a las generaciones futuras que serán, al fin y al cabo, las encargadas de decir la última palabra.

Las generaciones futuras seguro que juzgarán. La historia también.

NOTAS

(1)   Fidel Castro Ruiz: *Palabras a los intelectuales.* Biblioteca Nacional José Martí. La Habana, 1991.

(2)   *Constitución de la República de Cuba.* Editora Política. La Habana, 1986.

(3)   Tomás Borge: *Un grano de maíz.* Oficina de Publicaciones del Consejo de Estado. La Habana, 1992.

(4)   Alejandro García Alvarez: *Algunos aspectos de la realidad sociocultural cubana en las tres primeras décadas del siglo XX.* Editorial de Ciencias Sociales. La Habana, 1991.

(5)   Alejo Carpentier: *La música en Cuba.* Editorial Letras Cubanas. 1988.

(6)   *Memorias. IV Congreso de la Unión de Periodistas de Cuba.* Editora Política. La Habana, 1980.

QUINTA PARTE

EL MUNDO

21

LOS ESPAÑOLES

Escuche, señor marqué
ayer perdió l'alpargata,
porque usted metió la pata
cuando hablaba con Fidel.
Allá la uva,
aquí la caña,
señor marqué,
¡vayase p'a España!

Los dandys de Belén
(*Comparsa Cubana*)

Se enfundó el uniforme verde olivo que es como su segunda piel desde hace treinta y seis años. Se calzó las botas de campaña. Se ajustó el cinturón. Se alisó un poco la canosa barba y salió de su cuarto del hotel Araguaney.

Estaba listo para iniciar una nueva jornada en movimiento. Como él dice, los soldados siempre están en movimiento. Y aunque él es comandante en jefe, sigue moviéndose de un lado a otro. Incansable.

A la puerta del hotel, lo esperaba un vehículo al que está acostumbrado: un Mercedes Benz blindado, matrícula PMM-1110-A. La puerta se la abrieron como siempre sus ayudantes. Del otro lado de la acera le llegó, reconfortante, el saludo cariñoso de sus seguidores gallegos. Nada de insultos. Esta jornada sería como si la viviera en casa, en su lejana y adorada Cuba.

El coche, precedido de motoristas y aullar de sirenas, enfiló la carretera de Lugo. Había esperado mucho tiempo este instante: el momento de ver la humilde casa donde nació su padre, Angel Castro y Argiz.

Para este soldado barbudo que cumpliría sesenta y seis años pocos días después, el 13 de agosto, su particular camino de Santiago se iniciaba el martes 28 de julio de 1992. Los 120 kilómetros que lo separaban de sus orígenes los cruzaría como el rayo.

A un lado y otro de la carretera, cada kilómetro, un número de la Guardia Civil cuidaría el camino metralleta en mano. Igual que en Cuba. Cuando este hombre se desplaza, docenas de elementos de la Policía Nacional Revolucionaria (PNR) custodian senderos, cruces y puentes. El enemigo siempre acecha.

Camino del Concejo de Láncara, que agrupa a 26 parroquias, a unos 20 kilómetros al sur de Lugo, Fidel Castro Ruz tendría tiempo de meditar sobre la culminación de uno de sus sueños más anhelados: visitar Galicia, la patria de sus padres, una antigua región al noroeste del territorio español.

Había llegado el día anterior, a bordo de un pájaro de acero construido por sus viejos y ya desaparecidos amigos soviéticos. El Ilushiyin 62-M. Era un singular peregrino haciendo su particular camino rojo de Santiago. Una ruta que siguen desde hace un milenio creyentes de toda Europa. La llamada Ruta Jacobea.

Por la carretera se cruzará con otros peregrinos, a pie o en bicicleta, émulos del nuevo mito de la cepa hispana, Miguel Induráin, el flamante campeón de ciclismo, quien acaba de poner una pica en Roma y otra en París. Induráin ha conquistado con todo merecimiento las dos grandes rutas ciclistas europeas del año, el Tour y el Giro.

Había seguido, hasta donde su conciencia se lo permitía, el rito de los peregrinos cuando llegan a la capital gallega, rito que se repite desde hace un milenio: se dirigió a la plaza del Obradoiro y contempló emocionado la catedral y su famoso Pórtico de la Gloria, una joya del románico. Penetró en el templo y se detuvo ante la columna que sostiene una escultura del Apóstol Santiago. Puso sus largos y bien cuidados dedos sobre la columna, en el mismo lugar donde millones de peregrinos han horadado el mármol.

Se saltó el resto de los ritos: no golpeó su frente contra el "Santo dos Croques", ni subió a abrazar la figura del Apóstol. El comandante tiene otros dioses, que se llaman Carlos Marx, Federico Engels, Vladimir Ilich Lenin y su compatriota José Martí.

Pero siguió atentamente y con respeto las explicaciones que su anfitrión, el presidente de la Xunta de Galicia, Manuel Fraga Iribarne, le daba sobre una de las más soberbias catedrales del mundo.

Encontraría a uno de los seguidores de su particular religión, de la que tantos abdican últimamente, al pie de un barco atunero que visitaría en el puerto de Puebla del Caramiñal, en el corazón de la ría de Arosa. El viejo correligionario Manuel Tobío, de setenta y cinco años, agitaba con sus escasas fuerzas una bandera roja con todos los símbolos sagrados: la hoz, el martillo, las siglas PC (Partido Comunista), la foto de Marx, la de Engels.

—La de Lenin se rompió ya, de vieja —dice el camarada Tobío.

Le grita al comandante, cuando éste, con dificultad, baja por la escalerilla del barco:

—¡Aquí estamos los auténticos, Fidel!

Para este viejo marinero de rías bajas, ese hombre barbado vestido de uniforme es el mismísimo Cristo:

—¿Qué quien es para mí Fidel? —contesta al estilo gallego, es decir preguntando a su vez, el camarada Tobío—. Está claro: es el que nació en el portal. Es el Cristo de la Teología de la Liberación.

No le llegó la voz de este viejo amigo al comandante. La muralla humana que formaban entre los guardias civiles y los hombres del servicio de seguridad de Fidel era demasiado densa para atravesarla.

El viento de la ría se llevó el último grito del camarada Tobío, quien quizá esperó media vida para estrechar la mano del comandante:

—¡Un recorrido por aquí, Fidel, que te tienen secuestrado!

En esta esquina de la España que insistía en condenarle, Fidel Castro encontraba buenos amigos. Recordó la noche anterior. ¡Qué bien estuvo ese joven alcalde de Oleiros!, Antxo García Seoane, un músico de orquestina retirado, con cuarenta años, que le había organizado un homenaje extraordinario donde, ¡al fin!, había podido gritar en España:

—¡Patria o Muerte! ¡Venceremos!

—Cuba no es una moneda de cambio para ser utilizada por imperialistas y gobiernos títeres —le decía en un apasionado discurso el joven alcalde de Oleiros.

Fidel se emocionó:

—Tomo agua por tres razones: cuando tengo sed, cuando hace calor y cuando estoy muy emocionado.

Antes de replicar a su pupilo el alcalde Seoane, Fidel se había bebido un par de vasos de agua. Luego dirigió su primer discurso combativo desde que llegó a España, el 22 de julio, a los 300 miembros de la Asociación Amigos de Cuba Francisco Villamil, reunidos en el hotel donde se hospedaba, el Araguaney.

Sus ojos se enrojecieron al escuchar al grupo cubano Aché Salsa cantar *La bayemesa*. No el himno nacional cubano, que tuvo originalmente ese nombre. Era otra suave y melancólica canción que le encanta:

Si siente de la Patria el grito,
todo lo deja, todo lo deja.
Ese es su lema, su religión.

El viejo soldado sabía que también hay enemigos en estas tierras. A los que más temía era a los que habían llegado desde Miami, micrófono en ristre: los periodistas cubanos exiliados en la capital de la Florida que trabajan para Radio Martí, para Radio Mambí, para La Cubanísima. Si pudieran, lo acribillarían con sus micros. Se cuidará de ellos y los evitará en rueda de prensa. "¡Gusano, a tu gusanera!", recordará el comandante, que ha sido el creador de ese eslogan que cada vez se repite con más frecuencia en La Habana.

Serán ellos, los anticastristas de Miami, quienes le amarguen la madrugada del día siguiente, miércoles 28, cuando hagan correr el rumor de que el influyente Carlos Aldana está bajo arresto domiciliario. Los tanques patrullan las calles de su Habana querida y las tropas se mueven sin motivo aparente o con el aparente motivo de dar un golpe de Estado aprovechando su ausencia. Pero ello es imposible. El Ejército, su Ejército, le será fiel hasta la muerte, piensa.

El Mercedes blindado se ha detenido en Lugo, la capital de la provincia donde naciera su padre. Una visita de cortesía al ayuntamiento. La caravana se reanuda de nuevo. Sólo quedan 20 kilómetros para su esperada cita con la historia, su personal historia.

Cruza unas suaves lomas, que en momentos recuerdan a Cuba. Distintos tonos de verdes. Campesinos que cruzan los campos con vacas. Sólo faltan las palmeras. Conforme se estrecha la carretera, se acerca la cabecera del municipio del Concejo de Láncara, situada en Puebla de San Julián.

Allí lo espera el alcalde, el socialista Eladio Capón, con el pergamino que lo acredita como hijo adoptivo de Láncara. Subido ya en la tarima, después de escuchar al nervioso alcalde, Fidel preguntará bromeando: ¿Sólo adoptivo?

Y se autonombrará hijo legítimo y natural de Láncara. Las docenas de seguidores que han llegado hasta el pueblecito lo vitorean. Ellos son los responsables de esos carteles pegados frente al edificio del ayuntamiento, en donde se lee en gallego: "Fora ianquis de Guantánamo" y "Rompámo-lo Bloqueo".

Aún le quedan más emociones fuertes. La principal. En la parroquia de Láncara —no confundir con el concejo que la engloba— se quedará mirando ese portón de madera vieja, carcomida por el tiempo y la lluvia fina y persistente de Galicia.

Alargará la mano y dará vuelta a la llave. Empujará con suavidad el portón para descubrir que en el interior hay una sola estancia, donde animales y hombres vivían en hermandad.

Se alumbra con una linterna. La vieja casona no tiene luz eléc trica. Fidel permanece mudo durante unos minutos, en la oscuridad de la humilde casa de pizarra y piedra y en ese breve espacio de tiempo pasará por su mente la película de su vida.

¡Tantos años esperando este momento! ¡Tantos años esperando pisar el suelo que pisó su padre, su abuelo!

En docenas de ocasiones había hecho saber al Gobierno español, al que fuera su amigo Felipe González, y aún antes al presidente centrista Adolfo Suárez, su intención de visitar la tierra donde nació su padre, en el último cuarto del pasado siglo. Angel Castro y Argiz, un campesino pobre que emigró a Cuba a "hacer las Américas".

Cuatro años antes, en Quito, Castro hacía la última petición expresa al entonces vicepresidente español Alfonso Guerra:

—Quiero ver la tierra de mi padre antes de morir.

Ese mes de agosto de 1988, me encontraba en Quito. Rodrigo Borja tomaba posesión de la presidencia ecuatoriana y entre los numerosos invitados se hallaban el presidente cubano y el vicepresidente español. Mantuvieron una cordial entrevista. Luego, Guerra comunicaría a González el deseo de Castro de visitar Láncara, la aldea gallega donde nació y vivió su juventud Angel Castro.

Recuerdo que Guerra comentó que el Gobierno haría todo lo posible para que ese deseo, tan humano, pudiera ser una realidad lo más pronto posible.

Pero el viaje se fue aplazando. A uno y otro lado del Atlántico, en Madrid y La Habana, surgían compromisos para sus mandatarios que los mantenían ocupados. Y no sólo eso. La relación, que en algunas ocasiones llegó a ser muy estrecha, de franca camaradería a veces, entre Felipe González y Castro se deterioraba día a día.

Fidel pensaría en esos breves instantes que pasó en el interior de la covacha donde vivió su padre, rodeado de los animales domésticos, en que otro ilustre gallego, Francisco Franco Bahamonde, aun siendo un dictador de derechas, uno de los representantes duros y puros del fascismo europeo, jamás había traicionado al pueblo de Cuba, jamás había roto relaciones con La Habana, a pesar, y seguro que sonríe al recordarlo, de que en los primeros años de fogosidad revolucionaria Franco fue objeto de sus más feroces críticas.

Un año antes, en junio de 1991, recordaba para María Asunción Mateo, esposa del poeta gaditano Rafael Alberti, el día en que un airado embajador español, Juan Pablo Lojendio, entró en el estudio de televisión en el que Fidel atacaba con dureza a Franco:

—Yo estaba haciendo críticas al régimen franquista, porque era algo que nosotros teníamos por costumbre, por tradición y casi por doctrina. Pero de una manera sumamente impolítica, incluso pésimamente diplomática (1).

Castro había leído ese día, 20 de enero de 1960, una carta del ex jefe de las Fuerzas Aéreas cubanas, Pedro Díaz Lanz, quien había escapado a Estados Unidos. En la carta se decía que tanto Estados Unidos como España habían ayudado a los anticastristas. Lojendio estaba escuchando el discurso de Fidel en su residencia. Salió como una bala y penetró en el estudio donde grababa Fidel. Le pidió que le diera la oportunidad de replicar. Pero terminó saliendo del estudio acompañado por cuatro policías.

La emisión fue interrumpida durante siete minutos, después de los cuales Fidel continuó hablando. Al día siguiente, Lojendio fue expulsado del país por el Gobierno cubano. El embajador de Cuba en Madrid fue llamado por su Gobierno a La Habana.

Fidel sigue recordando y le dice a María Asunción Mateo, treinta y un años después:

—Aquel embajador entró como un miura... Protestando y gritando, casi llegó hasta la mesa en donde yo estaba y por poco entra en un match de boxeo conmigo...

Pero Fidel, a pesar de lo mucho que lo desunía de Franco, tiene un buen recuerdo de él y así lo reconoce:

—Debo decir, con toda justicia y en honor suyo, que Franco tuvo una gran paciencia, una paciencia infinita con nosotros. Y cuando el Gobierno de los Estados Unidos quería que España rompiera las relaciones diplomáticas con Cuba, Franco se obstinó en no romperlas.

Castro recuerda también casi con admiración aquel gesto de Lojendio, quien intentaba defender a su país insultado:

—Al recordarlo a través del tiempo, antes que sentir un agravio o una irritación por aquello, más bien me parece simpática y valiente aquella reacción. Nadie me creería si digo que tengo un recuerdo grato, incluso de admiración, por lo que el marqués se atrevió a hacer.

Lo que hoy siente Fidel es muy distinto. Sólo treinta y seis horas después de que su Ilushiyin 60-M despegara del aeropuerto de Santiago de Compostela, camino de La Habana, su otrora amigo Felipe González recibía a algunos de sus más feroces enemigos: los miembros de la Plataforma Democrática Cubana (PDC).

Durante una hora y en la residencia oficial del primer ministro español, el Palacio de la Moncloa, González ha conversado con Carlos Alberto Montaner, presidente de la Unión Liberal Cubana (ULC); Mario Fernández, de la Coordinadora Socialdemócrata, y Maurilio Márquez, secretario de relaciones internacionales del Partido Demócrata Cristiano (PDC) de Cuba.

Sin embargo no ha recibido a Castro. Por separado o en grupo —a los presidentes centroamericanos— Felipe González se ha reunido con los 17 mandatarios presentes en la II Cumbre Iberoamericana de presidentes y jefes de Gobierno celebrada en Madrid los días 23 y 24 de julio de 1992. La Cumbre ha tenido una festiva continuación el día 25 en la inauguración de los Juegos Olímpicos de Barcelona y el 26 en Sevilla, donde los presidentes recorrieron la Exposición Universal 1992.

En una agria rueda de prensa, en la que el presidente Felipe González dejó traslucir su desagrado con Castro, ha dicho que él como anfitrión recibe a todos los presidentes que le han solicitado entrevista. Ergo: Fidel Castro no pidió entrevistarse con González. ¿Para qué?

Las posiciones entre los dos dirigentes parecen divergentes. La distancia que los separa, insalvable. Esa tarde de julio madrileña Felipe soltará unas cuantas andanadas contra el régimen castrista:

—No estoy de acuerdo con el sistema cubano, no estoy de acuerdo con el comunismo... El sistema cubano no funciona eficientemente, no es productivo... Cuba debe evolucionar hacia la democracia y la libertad...

En el discurso inaugural de la Cumbre, Felipe González ha dicho claramente, sin mencionar a país alguno: "No queremos presos políticos ni exiliados" en la Comunidad Iberoamericana. Es suficiente. Todos los presidentes miran hacia donde está sentado Fidel Castro.

Aunque es bien cierto que en la mayoría de los países allí representados hay presos y exiliados (Guatemala, El Salvador, Perú), hay corrupción y miseria (Brasil, México, España, Argentina, Venezuela), hay militares golpistas y brutales asesinos que aún siguen en el poder (Pinochet de Chile, Rodríguez de Paraguay).

Hace un año, en la capital del Estado mexicano de Jalisco, Guadalajara, Felipe González mantiene posturas diametralmente distintas, al menos ante el medio centenar de periodistas que atendemos su conferencia de prensa.

Comparando las respuestas que escuché en Guadalajara y Madrid, con sólo un año de diferencia, sobre un tema tan vital para Cuba como el bloqueo al que es sometida desde hace treinta y tres años por los Estados Unidos, se ven a dos Felipes muy distintos uno del otro.

Guadalajara, 19 de julio de 1991: "El bloqueo es un error histórico. Después de treinta años de bloqueo, podría haberse inventado otra cosa".

Madrid, 24 de julio de 1992: "No creo posible identificar la dificultad o el fracaso de toda una experiencia política con la decisión de un país de establecer el bloqueo".

En la conferencia de prensa de Guadalajara, Felipe responderá hasta el agotamiento a los reporteros anticastristas de Miami que "no les voy a decir (de Castro) lo que ustedes quieren escuchar".

Sí lo dirá en Madrid: Cuba no funciona.

En Guadalajara, Felipe es reservado: "No quiero desvelar los contenidos" de sus conversaciones con Fidel para que "no puedan

ser mal interpretados". O "no voy a decir lo que le he pedido al
presidente Castro".

En México, la declaración más atrevida de Felipe es que tanto
Cuba como todos los demás países de ese nuevo cuerpo que se
está formando, y que algunos ya llaman Comunidad Iberoamericana de Naciones, deben regirse por los principios de la democracia, del libre mercado, de una real voluntad integradora. Pero
también afirma: "Tienen que homogeneizarse razonablemente las
instituciones y los comportamientos, pero esa homogeneización
no significa uniformidad".

En fin, es evidente que entre Felipe y Fidel algo muy importante ha sucedido. Los lazos se han roto. Si en Guadalajara Felipe
afirma que "seguramente el Rey estará encantado de poder encontrar la oportunidad de visitar Cuba", el único país del viejo imperio colonial español en el que Juan Carlos no ha puesto el pie,
en Madrid ni Felipe ni Fidel hacen absolutamente nada para conversar a solas, aunque sea unos minutos.

Dos días después del regreso de Castro a Cuba, me reúno con
dos miembros de la delegación cubana. Comentamos la frialdad
con que ha sido acogido Fidel por Felipe González y en general el
Gobierno español. Les pregunto si conocen el motivo. Si ha habido algo en los últimos meses que haya enturbiado unas relaciones
que, aunque cada vez más frías, eran aún respetuosas.

Dan una respuesta que me irrita:

—Recuerda el reciente viaje de Felipe a Estados Unidos en
abril de 1992 —insinúa uno de los presentes.

Aunque se trata de dos amigos, y no soy ningún admirador del
presidente Felipe González, le contesto a mis interlocutores cubanos:

—¿Creéis que un presidente español debe acudir a Washington
para recibir las directrices que han de marcar su política exterior,
sus relaciones con Cuba?

Recuerdo a los dos amigos cubanos que España, afortunadamente, depende cada vez menos de Estados Unidos, al formar
parte de un bloque, la Comunidad Europea, que está en condiciones de tutear al imperio norteamericano.

Pero para la mayoría de los funcionarios cubanos, la última razón de todos los males de la isla reside en los Estados Unidos. La
presión del gigante del norte es real, qué duda cabe. Aunque no
se pueden achacar a ella todos los problemas que sufre Cuba, repasando la historia de la isla desde su independencia, se comprende esta fobia hacia Estados Unidos, hacia "los yanquis", como los
llaman siempre los cubanos.

Para España, Cuba era la joya de la Corona. La última colonia
en la que permaneció durante cuatro siglos. España y el mundo le
deben a Cuba el tabaco. Los cubanos, ¡quién lo diría!, le deben a

los españoles su popular caña de azúcar, la primera industria del país.

Cuba se independizó de España después de dos guerras: la de 1868-78 y la definitiva, entre 1895-98, para caer en el área de influencia de los Estados Unidos.

El poderoso vecino intervino en el último momento en la guerra, tras el hundimiento el 15 de febrero de 1898 del Maine, el buque norteamericano atracado en el puerto de La Habana. Fallecieron 260 miembros de los 355 que componían la tripulación.

El 10 de diciembre se firma en París el tratado que pone fin a la guerra entre España y Estados Unidos. El viejo imperio colonial cede Cuba, Puerto Rico y Filipinas al que habrá de jugar ese papel en el siguiente siglo. El 1 de enero de 1899, la bandera de las barras y las estrellas ondea en Cuba.

Para muchos historiadores, habrían sido los propios norteamericanos, aliados con cubanos que deseaban la intervención e incluso la anexión a Estados Unidos, quienes provocaron la explosión que hundió el Maine.

Durante casi cuatro años, los Estados Unidos ocuparán militarmente la isla, que estará dirigida por un gobernador nombrado por Washington.

Muestra de la poderosa influencia que sobre la isla ejercen los Estados Unidos es la llamada Enmienda Platt, que con los años dará paso a la existencia de un Gibraltar caribeño, la Base de Guantánamo.

Orville Platt, senador por el Estado de Connecticut, patrocinó la Enmienda que lleva su nombre, aprobada por el Senado de los Estados Unidos el 22 de mayo de 1903. Fue publicada como Ley de Cuba en la Gaceta Oficial de la República el 14 de junio de 1904. En ella se fijan las relaciones que deben regir entre los dos países. Un auténtico grillete puesto en el cuello de la recién independizada Cuba, colocado por el que habría de ser el gran país imperialista del siglo XX.

Mientras que el artículo 1 de la Enmienda Platt prohíbe a Cuba autorizar a un país extranjero el asentamiento en su territorio de una base militar, en el artículo 7 se obliga a la isla a vender o arrendar "carboneras o estaciones navales en ciertos puntos determinados, que se convendrán con el presidente de los Estados Unidos". Fruto: la Base de Guantánamo, en el extremo oriental de la isla.

Mediante la Enmienda Platt, los Estados Unidos, se reservan el derecho de intervenir militarmente en la isla cuando la independencia de ésta peligre o para "el sostenimiento de un gobierno adecuado". La Enmienda será abolida en 1933, pero quedará la Base de Guantánamo (ver capítulo "Los yanquis").

A pesar de esa presencia norteamericana, que llegará hasta 1959 cuando Fidel Castro derribe el Gobierno de Fulgencio Batista, sostenido por los Estados Unidos hasta casi el ultimo momento, los españoles siguieron teniendo en Cuba un punto de destino en su proceso migratorio.

Entre 1902 y 1910 viajaron a la isla caribeña unos 200.000 españoles, la mayoría gallegos y asturianos, seguidos por canarios. Se conoce el dato de que entre 1861 y 1940 llegaron a la isla 600.000 gallegos. Los últimos, huyendo de la Guerra Civil y el posterior régimen franquista.

En el siglo anterior, dos ilustres catalanes harán mundialmente famosos sus apellidos: Facundo Bacardí y Mazó y Jaume Partagás. El primero, fabricando en Santiago de Cuba el ron más famoso de la isla, el Bacardí. (Con el triunfo de la Revolución, la marca Bacardí pasará al exilio y el ron cubano será rebautizada como Havana Club).

Sí se mantiene aún el nombre Partagás para uno de los puros cubanos más famosos del mundo. Otros habanos fabricados por catalanes, de tanta calidad como el Partagás, llevaron nombres tan hispanos como El Fígaro, La Hidalguía, La Legitimidad, La Honradez.

Uno de los ilustres españoles que pasó por Cuba fue Federico García Lorca. Cristóbal Colón, que descubrió la isla en su primer viaje, en 1492, la había definido como "la tierra más hermosa que ojos humanos vieran".

Lorca escribiría 438 años después, cuando abandona Nueva York por vía marítima:

—... el barco se aleja y comienzan a llegar, palma y canela, los perfumes de la América con raíces, la América de Dios, la América española. ¿Pero qué es esto? ¿Otra vez España? ¿Otra vez la Andalucía mundial? Es el amarillo de Cádiz con un grado más, el rosa de Sevilla tirando a carmín, el verde de Granada con una fosforescencia de pez. La Habana surge entre cañaverales y ruidos de maracas, cornetas divinas y marimbos... (2).

Cuando en la madrugada del 24 de septiembre de 1991 Manuel Fraga Iribarne pisa tierra cubana en el aeropuerto José Martí, no hay maracas, ni cornetas. Pero sí gaitas.

El presidente de la Xunta de Galicia es recibido por Fidel Castro con estas palabras:

—¡Qué alegría que esté entre nosotros!

Fraga, al que ya comienzan a brillarle los ojos de emoción, responde:

—Es un placer estar de nuevo aquí.

Sí. Porque Fraga había vivido en Cuba.

Esa era una de las causas de mayor peso para que el político más conservador de la moderna España estuviera a las dos y un minuto de la madrugada bajando la escalerilla del avión de Iberia que lo había trasladado a La Habana. (Una vez más Iberia llegaba con cinco horas de retraso). Además de este motivo de índole personal, Fraga visitaba la isla en su calidad de presidente de la comunidad que más emigrantes tiene repartidos por el mundo, Galicia. Ya había visitado algunos otros focos de la emigración gallega, como Buenos Aires o Caracas.

El primer viaje de Fraga a Cuba tuvo lugar en 1925, cuando sólo contaba tres años de edad. Sus padres, Manuel Fraga Bello, natural de Villalba, Lugo, y María Iribarne, una bella moza de origen vasco-francés, se habían conocido precisamente en la isla, concretamente en la villa de Manatí, situada en la provincia oriental de Las Tunas.

Los padres trabajaban en la central azucarera de Eduardo Díaz Iuzurrun, marqués de San Miguel de Aguayo. Manuel Fraga era mayordomo y María Iribarne doncella.

En aquella central azucarera fue concebido el que llegaría a ser el político conservador más importante de la transición política española, Manuel Fraga Iribarne. Precisamente cuando María Iribarne está embarazada de Manuel, al que muchos llamarán Manolo, la familia se traslada a su Villalba natal, donde nace el varón que hará famoso al apellido paterno.

Tras una breve estancia de tres años en Galicia, los Fraga regresan a Cuba. Manolo tiene tres años y en Manatí vivirá sus primeras correrías infantiles durante cuatro años. El recuerdo del mar caribeño, de las palmeras, del clima húmedo y pegajoso, le vienen a la memoria esa noche del 24 de septiembre en que pisa el aeropuerto José Martí.

Al fondo de la pista, junto a una larga fila de más de 70 personalidades del Gobierno y del Partido Comunista de Cuba (PCC), a los que estrechará con firmeza la mano, suenan las gaitas de los centros gallegos en Cuba que han acudido a recibirle.

Puñetazos, empujones y alguna que otra patada me propinaron los a veces salvajes guardaespaldas de Castro. Mi intención, como la de otros colegas, era aproximar mi casete a los dos políticos para registrar las primeras impresiones de Fraga mientras se acercaba a los gaiteros y las jóvenes que danzaban viejos sones gallegos. Unas gallegas un tanto diferentes: había alguna que otra mulata.

—Le traigo un saludo muy especial del presidente del Gobierno don Felipe González —fue lo primero que dijo Fraga, "hombre de Estado", al presidente Castro después de las palabras de bienvenida.

Castro, que ya comenzaba a desconfiar de su amigo Felipe, asentía con la cabeza. Fraga insistió:

—Me encargó muy especialmente que lo saludara.

En algún momento de ese breve trayecto desde la escalerilla del avión al lugar donde dos centenares de gallegos soplaban sus gaitas, mientras una docena de jóvenes cubanas bailaban, Fidel debió pensar en el día que acudió a recibir a Felipe González Márquez. Eran los días finales de noviembre de 1986.

Felipe culminaba en Cuba una gira por Latinoamérica que había incluido a Perú y Ecuador. Felipe y Fidel se entendieron perfectamente, o al menos ésa es la impresión que dieron al mundo.

Un viaje que sería recordado años más tarde por el presidente cubano, sobre todo por la visita que hicieron al Tropicana, el cabaret más famoso de la isla, conocido por sus bellas mulatas.

—Estuve quince días riéndome, porque llegaban los periódicos españoles y era increíble las cosas que decían: "Castro y Felipe, la gran francachela". De las muchas fotografías que hicieron, escogieron una en la que Felipe estaba mirando así a una mulata... Otra le ponía la mano. Me he estado riendo quince días. Le he preguntado a algunos españoles:

—¿Eso le hace daño político a Felipe?

Todos le contestaron que no, afirma Fidel. Había sido idea suya la de subir al escenario del Tropicana, al término de la actuación. Felipe y Fidel, acompañados por el equipo económico del Gobierno español, Carlos Solchaga y Guillermo de la Dehesa, habían ocupado una mesa en el centro de la sala al aire libre. "Bajo las estrellas", como reza la propaganda del Tropicana. En otra mesa separada unos metros, curiosamente sentaron a Francisco Fernández Ordóñez y Javier Solana. Con el primero, el Gobierno cubano tendría un serio problema años más tarde y el segundo lo sustituiría al frente de la diplomacia española, tras su fallecimiento en julio de 1992.

Fidel le había advertido jocosamente a Felipe de que si iban al Tropicana deberían subir al escenario a saludar a las bailarinas:

—La prensa va hacer la zafra contigo —le advirtió el presidente cubano.

Y la hicieron. Aunque Castro le decía al presidente español que "esto no te va a quitar votos; lo más que puede producir es cierta envidia", la prensa más conservadora de España echó las campanas al vuelo. Pareciera que Felipe y Fidel hubieran tenido una noche de parranda, a base de ron y mulatas, cuando lo único que habían hecho era presenciar un espectáculo al que acuden cientos de personas cada noche en La Habana desde hace medio siglo.

Aquella noche sería involvidable, de cualquier forma, para Castro, que estrechaba sus lazos personales con Felipe.

Por eso, quizás en esos segundos en que recordó el viaje de su amigo Felipe, mientras Fraga le insistía "le traigo un saludo muy especial del presidente González", Fidel se preguntaría por qué las cosas no podían seguir siendo igual que antes.

Pero a rey muerto, rey puesto. Si Felipe no estaba en La Habana, aquí estaba don Manuel Fraga.

Mientras caminaban por la pista del aeropuerto, Castro estaba más interesado en causar buena impresión a Fraga que en los mensajes de Felipe. A la postre, eran casi paisanos. Su padre, Angel Castro y Argiz, había nacido el pasado siglo en un pueblecito cercano al de los Fraga, en Láncara, también en la provincia de Lugo.

Dos ilustres hijos de Galicia, de ideologías diametralmente opuestas, unidos por la morriña. Fidel estaba exultante, a pesar de lo intempestivo del horario. Fraga emocionado. Vi cómo sus ojos lagrimeaban cuando estrechaba manos entre los dos o tres centenares de cubano/gallegos que, agitando la bandera de la vieja patria, gritaban el nombre de ¡Fraga, Fraga!

Manuel Castro Villar apenas si podía mantenerse en pie. No era extraño. Ya había cumplido cientosiete años y era el más viejo de los 5.000 gallegos nacidos en Galicia que aún quedaban en Cuba. Había llegado en 1905 a la isla. Los cientos de miles de emigrantes españoles habían dejado una descendencia de más de millón y medio de personas, según el Consulado español en La Habana. Todos ellos, de desearlo, tendrían derecho a pedir la nacionalidad española. Incluido el propio Castro, al que le gusta afirmar que si quisiera podría votar en España.

Le pregunté en una de las ocasiones en que dijo eso:

—¿Y por quién votaría?

Lo pensó y respondió astutamente:

—Tendría que estudiar antes los programas.

Cuando el centenario Manuel Castro estrechó la mano de Fraga y Fidel, fue retirado por sus familiares. Los dos políticos saludaron a unas decenas más de gallegos y cubano/gallegos.

—Es la primera vez que saludo a un gallego llegado de Galicia —me dijo emocionada Aurora Díaz.

Al igual que sus paisanos de ascendencia gallega, había esperado diez horas en el aeropuerto, sin que ni cubanos ni españoles les explicaran a aquellos pobres ancianos que el avión llevaba un considerable retraso.

Cuando la fila de gallegos se acabó y mientras las gaitas seguían su llantina en la madrugada habanera, los dos políticos subieron a uno de los Mercedes Benz negro blindado, matrícula HO-52264, y enfilaron la avenida Rancho Boyeros camino de El Laguito, el lugar donde se encuentran las Casas de Protocolo, destinadas a los ilustres invitados del Gobierno cubano.

Sobre las rodillas de Fidel descansaba su habitual gorra militar. Sobre las de Fraga, un inusual sombrero Panamá, blanco, rodeado por una cinta negra, que cubriría su senil cabeza en los siguientes seis días que permaneció bajo el caribeño sol de la isla.

En torno a lo gallego, nacería en La Habana un romance político entre el más veterano dirigente comunista vivo de Occidente, Fidel Castro, de sesenta y seis años, y el más conservador de los políticos españoles, Manuel Fraga, de setenta años, ministro predilecto del difunto dictador Francisco Franco.

Ese viaje haría correr tinta y sangre. Para los anticastristas, cada día más numerosos en la vieja metrópoli, Fraga era simplemente un viejo político que chocheaba en los últimos días de poder y gloria.

Fraga replicaba que en esta isla del Caribe vivían muchos gallegos e hijos de gallegos a los que, como presidente de la Xunta, debía visitar. La Habana había llegado a ser como una segunda capital gallega. Aquí se había fundado, en 1871, la más vieja sociedad gallega del mundo, la de la Beneficencia Gallega, que aún hoy, 1991, conservaba 2.000 socios. Aquí se había levantado en 1915 el Centro Gallego más grande y espectacular del continente que llegó a tener 65.000 socios y un salón de baile con cabida para 15.000 personas. En fin, lo gallego era tan popular en la isla que a todos los españoles se les conocía bajo ese apelativo: gallego.

El viaje de Fraga a Cuba fue como una luna de miel. Si él era el novio, Cuba era la novia y Fidel Castro el padrino generoso que ponía a disposición del novio lo mejor de la casa.

En el aeropuerto José Martí sólo faltaron las veintiuna salvas de ordenanzas y los himnos nacionales para que el recibimiento que se le dispensaba al presidente de la Xunta fuera idéntico al de un jefe de Estado. Por lo demás, el político gallego iba a recibir los más altos honores y distinciones y su anfitrión prácticamente no iba a dejarlo ni a sol ni a sombra en los seis días que duró su estancia en la isla.

Ya lo advertía José Ramón Fernández, el vicepresidente de origen asturiano al que todo el mundo en Cuba conoce bajo el sobrenombre de "el gallego Fernández":

—Fraga será tratado como un presidente.

Los elogios que Castro le iba a dedicar en las distintas intervenciones públicas durante esa semana de septiembre serían de este calibre: valiente por viajar a donde pocos quieren ya viajar, Cuba; poseedor de una buena capacidad intelectual, buen político y mejor economista; padre del milagro turístico español, coterráneo y compatriota.

El presidente de la Cámara de Comercio de Cuba, Julio García Olivera, un hombrón cubano, de más de 100 kilos de peso, renqueante de la pierna derecha, recuerdo de los tres días de lucha en Playa Girón, decía que Fraga ya no era sólo un compatriota, sino que en breve en la isla se hablaría del "compañero Fraga".

¡Compañero Fraga! ¿No era inaudito? ¡El compañero de derechas Manolo Fraga!

A todo ello Fraga contestaba, entre semisollozos, empanadas, lacón y bacalao con patatas:

—En la defensa de la soberanía y el patriotismo nos vamos a encontrar (Cuba y Galicia) y por eso estamos aquí.

Para este ex franquista y padre de la nueva derecha española, su visita a Cuba aportaba "un testimonio que va mucho más allá de criterios ideológicos, para mí siempre secundarios o de pensamiento o de formulación de estrategias".

En aquella luna de miel bajo el cálido sol de La Habana se echaba en falta algo: la presencia de España como Estado, de España como Gobierno. El embajador español, Gumersindo Rico Rodríguez, llegaba un día después que Fraga. La excusa: se había enterado del viaje con sólo una semana de anticipación —¡los periodistas comenzaron a reservar plaza de avión y habitación en los hoteles cubanos un mes antes!— y cuando se enteró no encontró plaza en Iberia.

En realidad, era una estratagema para no estar presente en el apoteósico recibimiento dispensado al político gallego, más por la calidad de los presentes en el aeropuerto José Martí que por la cantidad.

Por La Habana habían pasado en los últimos meses Raúl Morodo, Adolfo Suárez y el presidente de la Conferencia Episcopal española, monseñor Angel Suquía. Fraga era uno más, quizás más importante por la personalidad del visitante.

Parecía una operación montada desde la Moncloa, con la intención de recomponer las relaciones, muy deterioradas, desde hacía algo más de un año, cuando un total de 18 cubanos penetraron en la sede de la Embajada española en La Habana en busca de asilo político.

La recepción que el embajador Rico ofreció en su residencia privada a Fraga Iribarne sirvió para que Castro volviera a pisar territorio español, después de 713 días, dos años menos 17 días exactamente.

La última vez que Castro había estado en la residencia del embajador español había sido el 12 de octubre de 1989. Ese día asistió·a la celebración de la Fiesta Nacional y lo festejó con una abundante comida: gazpacho, paella (repitió cuatro veces) y arroz con leche.

El 26 de septiembre de 1991, Fidel se presentó en la residencia del embajador español con hora y media de retraso. Habitual en un hombre que jamás confirma asistencia a fiesta alguna, y mucho menos la hora de su llegada. Razones de seguridad.

Al saludar al embajador Rico se disculpó por el retraso. El embajador le contestó con el refranero:

—Nunca es tarde si la dicha es buena, comandante.

Fidel permaneció dos horas en la residencia. Saludó a muchos de los presentes y después se retiró con Fraga, el embajador Rico y otros ilustres visitantes a un salón privado.

En el amplio jardín de la residencia, situada muy cerca del Palacio de Congresos de La Habana, donde se celebran los grandes actos políticos del régimen —allí se reúne la Asamblea Nacional o parlamento cubano— funcionarios cubanos, diplomáticos y periodistas especulaban con la presencia de Fidel:

—Hay un deshielo en las relaciones con España.

Ese mismo día, 26 de septiembre, la Embajada española, situada en La Habana Vieja, frente al Castillo de los Tres Santos Reyes del Morro, abría su puerta principal después de haber estado cerrada durante 422 días. La recia puerta de hierro había sido clausurada el 20 de julio de 1990 para evitar la entrada de cubanos en busca de asilo.

Permaneció abierta sólo durante 62 minutos, el tiempo que Fraga Iribarne permaneció en su interior en una visita de cortesía. Después, el portón volvió a cerrarse a cal y canto. Quienes necesitaran solucionar algún trámite en la embajada o el consulado deberían hacerlo por la puerta de la cochera, tras de la cual había aún miembros de los Grupos Especiales de Operaciones (GEO).

El último día de su estancia en Cuba, el 28, Fraga cumplió con el rito que impone Castro a sus visitantes: un día de pesca en alta mar, en algunos de los muchos puntos de la costa cubana. Durante doce horas, los dos políticos hablaron del mundo, de España y de Cuba. Pescaron. Castro nadó, como siempre. Y jugaron al dominó.

Rojo como un cangrejo, Fraga hablaba esa noche a los periodistas españoles en el Centro de Prensa Internacional.

Con el aire autoritario con que siempre actuó Fraga, y que ya nunca perderá, el presidente gallego resumió sus impresiones sobre la Cuba roja y socialista y su líder Fidel Castro:

Para Fraga, el comandante Castro "es consciente de la realidad, que intenta aguantarla y hacerlo defendiendo los intereses básicos de Cuba".

Fidel habría "demostrado inteligencia y capacidad de adaptación". Y Fraga lo vio "perfectamente informado, no elude ningún tema de discusión".

—Pero no está dispuesto a actuar bajo presiones —puntualizaba Fraga.

En la rueda de prensa ofrecida por Fraga salieron otros temas de interés local, como la situación de algunos presos políticos. Fraga entregó una carta a Fidel Castro en la que le solicitaba la liberación de unas docenas de presos españoles. Un año más tarde, una treintena de reclusos habían sido liberados gracias a las gestiones de Fraga.

—Fraga siempre está pidiendo cosas —diría Castro en tono jocoso durante su visita a Galicia, en julio de 1992.

Además, Fraga explicó que había comentado con el presidente Castro, en ese sábado dedicado a la pesca en las verdes aguas del sur de la isla, sobre la necesidad de una reconciliación entre todos los cubanos. Pero utilizó la tópica frase de todos los políticos para evadir entrar en más detalles:

—Son los cubanos los que tienen que decidir la forma en que hacen los cambios.

Unos cambios aceptados por Castro, eso sí, "moderados, progresivos, reformistas y ese planteamiento es bueno".

Cuando alguien le preguntó si daría asilo político en Galicia a un Castro derrocado o dimitido, el Fraga mandón y maleducado contestó:

—A nadie le gusta comentar chorradas.

La visita, polémica, que traspasó el marco de la política interna española, de Fraga Iribarne a Cuba pareció descongelar las relaciones con España. El político gallego, por ejemplo, dijo que él recomendaría una visita del Rey a la isla.

Unas relaciones definidas esos días por Fidel como "simplemente normales". Castro, muy cerca de las dos de la madrugada, hablaba con los periodistas españoles en el Palacio de la Revolución, después de la recepción oficial ofrecida a su huésped. Con su particular estilo de autopreguntarse, el comandante dijo:

—Las relaciones con España: ¿son especialmente amistosas? No. ¿Son inamistosas? No. Si tuviéramos alguna queja sería la de que nos gustaría que fueran más calurosas, que hubiera más colaboración entre España y Cuba.

Dos meses después, esa vía iniciada por Fraga tendría continuación con la llegada a la isla de otro presidente autonómico, Juan Luis Rodríguez-Vigil Rubio. Menos popular que Fraga, su militancia en las filas del Partido Socialista Obrero Español (PSOE) le confería un aire distinto a la visita del líder conservador.

De entrada: mientras Fraga se limitó a entregar una carta a Castro solicitándole la liberación de algunos presos, Rodríguez-Vigil se entrevistaba con media docena de líderes de la oposición residentes en la isla.

La actitud del presidente de la Xunta irritó profundamente a los líderes de la disidencia interna cubana. María Elena Cruz Varela, líder del grupo Criterio Alternativo, habló el 7 de octubre de 1991 como portavoz de la recién creada Concertación Democrática Cubana (CDC). La poetisa Cruz Varela tuvo durísimas palabras para Fraga, al que acusó de hacer "neoturismo político".

—Fraga debió pensar que existimos —decía con rabia María Elena, en la que prácticamente fue su última aparición en público antes de ser detenida, en noviembre, días después de la llegada de Rodríguez-Vigil.

Para la disidente cubana era increíble que Fraga hubiera sido "besado en ambas mejillas" por Castro. La poetisa cubana recordaba cómo Fraga había firmado, junto con el resto de los ministros de Franco, la sentencia de muerte del miembro del Partido Comunista de España (PCE) Julián Grimau, en 1963; Castro había bautizado docenas de escuelas en la isla con el nombre del comunista español fusilado.

Formalmente, la visita de Vigil fue correcta. Incluso, desde el punto de vista comercial, mucho más fructífera que la del político gallego. Se firmaron dos nuevas empresas mixtas y otros ocho acuerdos comerciales de distinto signo.

Llegado a La Habana en la noche del 13 de noviembre, Vigil permanecería cinco días en la capital de Cuba acompañado de medio centenar de empresarios asturianos.

En esas mismas fechas, otro centenar y medio de empresarios españoles habían pasado por la capital cubana, la mayoría para asistir a la IX Feria de La Habana, que reunió a un total de 700 empresas. España era el país que tenía una mayor representación.

El comercio estaba por encima de la ideología.

Lo diría más tarde un ilustre descendiente de asturianos, José Ramón Fernández, vicepresidente del Gobierno de Cuba.

—Los empresarios no vienen a Cuba porque sean socialistas, sino porque ven la posibilidad de hacer una inversión que les brindará resultados económicos beneficiosos. Estamos haciendo buenos negocios y las perspectivas son excelentes (3).

Lo dijo también Castro, tras la firma de diez protocolos comerciales con distintos empresarios asturianos:

—Todos queremos ser empresarios, todos queremos elevar la productividad, todos queremos competir y vender más.

El medio centenar de empresarios asturianos no se dedicó al "neouturismo". Visitaron docenas de fábricas cerradas o semiparalizadas por falta de materia prima o energía. El Gobierno cubano ofrece esas empresas a inversores extranjeros para que utilicen las instalaciones y la mano de obra, experimentada, con una buena formación y alto nivel de educación y lista para comenzar a producir. Es lo que se llaman las "empresas cooperadas". Factorías en buenas condiciones en los sectores del textil, el calzado, los muebles, cosméticos o plásticos, llamaron la atención de estos empresarios.

Todo parecía ir de color de rosa.

La sidra, el lacón, el queso, el chorizo y otros manjares asturianos corrieron por el salón donde cubanos y asturianos habían firmado acuerdos comerciales. Todos se mostraban sonrientes y algunos hasta eufóricos.

Los negocios marchaban. Cuba, el segundo mejor cliente de España, tan sólo superado por México —cuya factura se abulta por la compra del petróleo—, había adquirido mercancías españolas del 1 de enero al 31 de agosto de 1991 por un valor de 23.000 millones de pesetas. España había importado productos cubanos en ese mismo período por un valor de 5.800 millones de pesetas, según datos de la Dirección General de Aduanas española.

Por otro lado, España era el país que mayores inversiones realizaba en Cuba, especialmente en el sector turístico, tanto en la construcción de hoteles, como en la colaboración y asesoría de establecimientos cubanos. Los mejores hoteles de Varadero, el Sol-Palmeras y el Sol-Meliá son españoles.

Los días en que Vigil andaba por La Habana, dos compañías vascas acordaban la constitución de empresas mixtas, una de ellas, Cuba Vasca, S. A. (Cuvasa), tenía previsto invertir 2.000 millones de pesetas en un complejo turístico en Isla de La Juventud, antigua Isla de Pinos, al sur de la isla grande de Cuba.

Vigil declaraba que era mucho más beneficioso "estrechar relaciones con Cuba en estos tiempos difíciles" que no "aislar más a Cuba". Para el presidente asturiano, esta última posición, liderada por Estados Unidos y el sector duro del anticastrismo, "es un error tremendo".

El presidente del Principado de Asturias se había entrevistado antes de volar hacia La Habana con el Rey Juan Carlos, con el presidente del Gobierno, Felipe González, y su viaje había sido diseñado de acuerdo con el Ministerio de Asuntos Exteriores español. Este dato era conocido por los gobernantes cubanos, por lo que esas palabras de apoyo y aliento hacia Cuba sonaban como campanillas navideñas en sus oídos.

Fraga también había condenado por anacrónico el bloqueo norteamericano y Felipe González mantenía esa misma posición desde hacía años.

Así pues, Rodríguez-Vigil, además de visitar la isla y entrevistarse con representantes de las 35 sociedades asturianas (se calcula que hay unos dos millones de descendientes directos de asturianos, de los que tan sólo quedan unos 500 nacidos en Asturias), transmitía mensajes claros a Castro de cuál era en ese momento la posición española.

El domingo 17 de noviembre La Habana amaneció con un cielo azul, limpio y despejado. Ya desde las primeras horas de la mañana se adivinaba un día caluroso. Caluroso para un extranjero. Porque para los cubanos era un día fresquito. Recuerdo a la locutora de Radio Rebelde diciendo poco después de las 6 de la mañana:

—La mañana está fresquita, compañeros. ¡Abríguense! ¡Son las 6 de la mañana y estamos a 18 grados!

Juan Luis Rodríguez-Vigil me esperaba en la Casa de Protocolo situada en El Laguito, un hermoso paraje rodeado de árboles, con un lago en el centro, lleno de garzas y otros animales acuáticos. Era su último día de estancia en Cuba. El día anterior había estado, como no podía ser menos, pescando con Fidel Castro durante catorce horas. Tiempo más que suficiente para que en la soledad de alta mar le comunicara sus pensamientos más íntimos, alejado del protocolo.

Vigil aún estaba un poco impresionado de la forma física del comandante. Nadó unas dos millas y no parecía agotado. Almorzaron las cuatro langostas que pescó el propio Castro.

Pero Vigil iba a aprovechar la larga jornada de pesca para transmitir el pensamiento propio y, de rechazo, el que debía inspirar también a Felipe González:

—Hice a Castro una referencia general de que el futuro no puede ser igual que el pasado, como diría cualquier persona que vea a Cuba con frialdad. Yo no tenía por qué hacer ningún tipo de hàlago. Planteé abiertamente el tema de que lo que nos preocupa es que no exista en la isla nada que favorezca una situación que sea dramática. Comenté con Castro que todo lo que sea abrir ámbitos de tolerancia y diálogo será bueno, porque lo van a necesitar mucho.

Le pregunté a Vigil si había encontrado receptividad en Castro. Su respuesta lo dice casi todo:

—Es muy difícil de interpretar... Pero creo que sabe perfectamente cuál es el mundo con el que tiene que relacionarse a partir de ahora, tan distinto al soviético o al de los países comunistas del Este europeo.

Vigil había notado, y así me lo comunicaba mientras caminábamos a la sombra de los hermosos árboles de El Laguito, que "no creo en principio que haya un rechazo generalizado en la sociedad cubana a la figura de Fidel; otra cosa es que tengan rechazo a la estructura del sistema...".

El presidente asturiano era de los que pensaban que el propio Fidel podría encabezar un proceso de reformas, "aunque tendría un ritmo más tenue".

La pregunta del millón:

—¿Cuánto tiempo cree que podrán aguantar los cubanos bajo estas condiciones extremas?

Vigil se detiene. Medita un poco y me dice:

—Ellos creen que van a pasar dos años durísimos, y que después podrían ir reorientando la reinserción en la comunidad iberoamericana. Pero eso sí, esos dos años serán durísimos, dicen ellos mismos.

Por último, Vigil hacía esta reflexión:

—Todo depende del grado de flexibilidad que tengan los dirigentes, del grado de tolerancia que muestren con la gente que no piense exactamente igual que ellos. Depende también de cuál sea la presión exterior y el problema del abastecimiento de los productos de primera necesidad.

Aunque la salida de Vigil de La Habana fue más fría que la de Fraga, por haber recibido a representantes de la disidencia interna, el balance final que los cubanos hicieron era positivo.

Fidel elogiaba, al igual que con Fraga, a Vigil por la condena del bloqueo:

—Son pocos los que se atreven a hablar hoy con esa franqueza y libertad.

Y bromeando con los periodistas españoles en el Palacio de la Revolución, donde es protocolario ofrecer una recepción a los huéspedes ilustres, Fidel insistía una vez más en sus enormes ganas de visitar España:

—Siempre tengo previsto ir a España, incluso siempre tengo previsto ir al cielo. Al infierno es donde no tengo previsto ir.

Para redondear más la semana que Vigil pasó en Cuba, se reunió la V Comisión Mixta Científica, Técnica y Cultural cubano-española. El encuentro debía haberse celebrado año y medio antes, pero los dramáticos sucesos de la ocupación de la Embajada española en julio de 1990 trastocaron todos los planes.

La Comisión aprobó el envío por vez primera de alimentos y medicinas a Cuba por valor de 100 millones de pesetas. Otros 200 millones se destinaron a la creación de una escuela-taller que preparará a jóvenes cubanos en el arte de la restauración, de la que tan necesitada está la bella Habana, calificada por la ONU como Patrimonio de la Humanidad. Se acordaron otras colaboraciones en materia de biotecnología, turismo y formación empresarial de lo que debería ser la nueva generación de ejecutivos cubanos.

La ayuda en sí no era importante si se contabiliza en dinero. Apenas cuatro o cinco millones de dólares. Lo importante, para los cubanos, era el gesto: el deshielo en unas relaciones que habían llegado al borde de la ruptura.

Fidel Sendagorta fue uno de los diplomáticos españoles que formaron parte del equipo español que integraba la Comisión Mixta. Tomando una copa con él, en un cóctel que las autoridades cubanas ofrecieron en el Castillo de la Real Fuerza, situado en la Plaza de Armas de La Habana, con este feliz motivo, recordamos juntos los tensos días vividos en julio de 1990.

En esa época, la más dramática sin duda de cuantas habían vivido la relaciones hispano-cubanas, Sendagorta estaba destinado en la Embajada española en La Habana y actuaba como portavoz de la misma.

Sin duda alguna, su profesionalidad salvó muchas situaciones de conflicto. Fue un eficaz colaborador de los medios informativos españoles que montaban guardia casi permanente en la Embajada.

La noche del sábado 21 de julio, estaba a punto de abandonar mi hotel cuando hice una última llamada a la Embajada española. Me respondió Ignacio Rupérez, ministro consejero.

Ese día había sido el más tenso desde que se inició la crisis, el 12 de julio. Dieciocho cubanos se encontraban en el interior de la Embajada, la mitad de los cuales, de aspecto bastante sospechoso, habían penetrado esa misma madrugada del 21.

La comunidad anticastrista de Miami había hecho circular el rumor, recogido por la Agencia EFE, de que esa noche, si no de cuchillos largos, podría ser una noche tensa. Era el primer día del carnaval habanero. Las caravanas multicolores con su preciosa carga de bellas mulatas bailando el rico son, recorrían el malecón de la capital desde el hotel Riviera, cerca de la sede de la Sección de Intereses de los Estados Unidos (eufemismo de embajada) hasta la mismísima Embajada española, frente al Morro.

A lo largo de casi cinco kilómetros de hermoso paseo marítimo, con diversos puntos donde camiones-cisterna expendían cerveza en vastos vasos de papel/cartón de "a litro", los ánimos se iban caldeando: la música, las mulatas, la cerveza, el calor de la noche caribeña, eran una mezcla explosiva.

No estaba de más tomar algunas precauciones. La cabalgata terminaría sobre las tres de la madrugada y a esa hora, a pesar del centenar de miembros de la sección especial de la Policía Nacional Revolucionaria (PNR) que se ocupa de la protección de las embajadas, algún loco (?) o provocador podría intentar algún disparate contra la sede diplomática española.

El embajador español, Antonio Serrano del Haro, Ignacio Rupérez, Fidel Sendagorta, agregado cultural y el funcionario español Oscar Toribio habían cogido el cepillo de dientes y un pijama y se habían ido a dormir a la Embajada en previsión de que se produjera algún incidente. Cuatro GEOS, llegados de Madrid, los acompañaban.

Por el teléfono, la voz de Rupérez me llegaba calmada. No hay novedad, me dijo. Todo estaba tranquilo, salvo el ruido de la música que llegaba desde el malecón. Le dije que algunos periodistas españoles estaríamos esa noche por los alrededores de la Embajada, por si había algún imprevisto. Medio en broma y medio en serio, me dijo:

—Rezad por nosotros.

Esa noche, un millón de cubanos llenarían el malecón. Y salvo dos pequeños altercados que se produjeron en las cercanías del hermoso edificio de la Embajada española, con sendos jóvenes que bajaron precipitadamente de dos autobuses, la noche transcurrió tranquila, con los cuatro funcionarios españoles mirando desde los balcones el bullicio carnavalero.

La peor crisis en las largas relaciones entre Cuba y España se había iniciado en la madrugada del día 12 de julio. Un joven de veintisiete años, Luis Monteagudo Rodríguez, machete en mano, rompió una ventana de la Embajada y pidió asilo al matrimonio que habitualmente dormía en la sede diplomática española.

De Monteagudo dirían después las autoridades cubanas que tenía perturbadas sus facultades mentales. Había estado en prisión entre 1985 y 1988 por intentar lo que logró hacer en la Embajada española: penetrar en la sede de los Estados Unidos.

El hombre del machete, como pronto se le conocería, había seguido el ejemplo de una docena de cubanos que desde el día 9, tres días antes que él, habían irrumpido en la Embajada de Checoslovaquia.Todos querían lo mismo: salir de la isla.

La entrada de Monteagudo parecía un hecho aislado. Al día siguiente viernes, llegué a La Habana. La mañana del sábado 14 recibí una misteriosa invitación de un amigo que trabajaba en la Embajada española:

—Quiero tomar un mojito contigo.

Acepté, claro. Sabía que Monteagudo estaba en el interior de la Embajada española, aunque la prensa cubana no había dicho absolutamente nada.

Me encontré con mi amigo el funcionario español en la sede de la Agencia EFE.

—Cuéntame, ¿qué tal va todo? —pregunté.

Mi amigo hizo un gesto de silencio con el dedo índice sobre los labios. Me indicó que lo siguiera a la calle.

—Vamos a dar un paseo, pero en tu coche.

Me tenía sobre ascuas. Pasear en un sucio coche de alquiler y no en un hermoso automóvil alemán con potente aire acondicionado me sorprendía.

Comenzamos a dar vueltas por Miramar. Al fin me dijo:

—No me atrevo a hablar ni en EFE ni en mi coche. Temo que hayan instalado micrófonos.

Pensé que mi amigo había leído demasiadas novelas de John Le Carré en los últimos años. Descubriría en los días siguientes que muchos en La Habana habían leído últimamente a Le Carré.

—Me lo han prohibido, pero es un deber de conciencia: ayer por la tarde, cuatro policías cubanos penetraron en el jardín de la Embajada española y sacaron a la fuerza a un joven cubano. Un quinto hizo dos disparos subido a la verja que da a la avenida Zulueta.

Me quedé de piedra. Habían pasado más de veinticuatro horas. El incidente, por supuesto, era conocido por los más altos responsables del Ministerio español de Asuntos Exteriores. Pero de Madrid había llegado una orden tajante:

—Ninguna filtración a la prensa.

Afortunadamente, mi amigo creía en la libertad de prensa.

Regresé de inmediato a la sede de la Agencia EFE. El delegado, Gerardo González, me esperaba impaciente. Sabía que ese paseo no era gratuito. Nos pusimos manos a la obra. Se confirmó la noticia. La soltamos de inmediato. Por alguna extraña razón, la primera reacción en el Palacio de Santa Cruz había sido silenciar uno de los más graves incidentes que le puede ocurrir a una embajada: que sea violada por la policía local.

Los hechos habían sucedido el viernes sobre las siete de la tarde. Un joven, que nunca se pudo identificar, a pesar de que los españoles así lo solicitaron a los cubanos, saltó de un autobús en marcha que pasaba cerca de la verja de la Embajada. Corrió hacia ella y escaló los dos metros y medio de barrotes que terminan en pinchos. Cayó en un pequeño jardincito de la Embajada.

Cinco miembros de la PNR que custodiaban los alrededores de la Embajada lo siguieron. Cuatro saltaron la verja en su persecución y penetraron en territorio español, zarandearon al joven, lo izaron y lo sacaron a la fuerza hasta la calle. Lo golpearon y se lo llevaron. Un quinto policía, subido a la verja, hizo dos disparos. Nunca aparecieron los dos casquillos.

Un funcionario español, al escuchar el griterío, se asomó a una de las ventanas que da al jardincito y gritó a los policías:

—¡Ustedes no pueden hacer eso!

Sí que pudieron.

Cuando la noticia se supo en España, el escándalo fue de tal magnitud que la cancillería cubana tuvo que publicar una nota en la que se disculpaba por lo que calificaba un incidente "fruto de la propia persecución del detenido, que se había iniciado fuera de la misión diplomática".

A los responsables españoles la explicación les pareció "suficiente".

Al día siguiente, sábado, otros dos jóvenes penetraron en la Embajada, éstos sin ser molestados por la policía cubana. El apellido de uno de ellos, Miguel Angel Aldana, y sus primeras declaraciones a los funcionarios españoles provocaron un enorme revuelo en La Habana: era primo de Carlos Aldana Escalante, un destacado dirigente del Partido Comunista de Cuba (PCC), miembro del secretariado, responsable de áreas tan importantes como el Departamento de Orientación Revolucionaria (DOR) y las Relaciones Internacionales.

—¡Qué exploren mi árbol genealógico! —decía un enfurecido Aldana tres días después en una rueda de prensa,

Carlos Aldana, que conoce bien la política española, bromeó sin embargo, por si acaso Miguel Angel Aldana resultaba ser (que no lo fue) algún lejano pariente:

—En todo caso, ¡cualquiera tiene un Juan Guerra en su familia! Aunque en todo caso, éste sería un pichón de Juan Guerra.

El ideólogo del PCC sabía de las andanzas del hermano del vicepresidente español, Alfonso Guerra, acusado de tráfico de influencias y docenas de delitos más. Y dijo más:

—No todos los que se apellidan en España González, Guerra u Ordóñez son delincuentes.

Al alto funcionario cubano se le veía profundamente molesto. Ese mismo día, unas horas antes, en Bruselas, el ministro español de Asuntos Exteriores, Francisco Fernández Ordóñez, había pronunciado una frase que produjo el efecto de una bomba en La Habana:

—España seguirá dando acogida y garantizará la seguridad a las personas que quieran entrar en la embajada de Cuba.

Aldana, que sin duda conocía las declaraciones de Ordóñez por los cables de las agencias, las calificó con dureza:

—Son irresponsables y lamentables. España puede cometer un grave error de cálculo y una falta de visión histórica. España está haciendo un sensacionalismo barato.

Anticipando lo que sería la posición cubana a lo largo de toda la crisis, Aldana advirtió:

—El Gobierno español tendrá que aumentar el presupuesto para alimentar a esos tres delincuentes por tiempo indefinido.

Lo que más había irritado en La Habana eran las referencias a Fidel Castro hechas por Ordóñez. En Cuba, dicen los analistas en castrismo, se puede criticar todo. Pero Fidel es intocable. Y Ordóñez había dicho:

—Curiosamente, el derrumbamiento de estos sistemas (comunistas) se producen en cuanto se abre la puerta. Supongo que una cosa es lo que dice (Fidel Castro) y otra es lo que hace, y que tendrá mucho cuidado en abrir la puerta.

Aldana no tenía intención de hablar de ese tema. Había convocado a la prensa para hablar sobre los actos que se celebrarían con motivo del XXXVII aniversario del asalto al Cuartel Moncada. Pero su presencia ante los periodistas se convirtió casi en un monográfico sobre lo que ya comenzaba a llamarse "la crisis de las embajadas".

Ese mismo día otros cuatro cubanos habían penetrado en la residencia del embajador italiano. Cuatro días después, Cuba responsabilizaría a Canadá y la República Federal Alemana (RFA) de orquestar la entrada de cubanos en embajadas extranjeras, de acuerdo con los Estados Unidos.

Curiosamente, como destacaban diplomáticos europeos, los dos países acusados eran los que mayor número de turistas enviaban a Cuba. España era en ese momento el tercero. El conflicto se centraba así en torno a los tres mejores clientes turísticos de la isla.

Dos días después, otros tres cubanos se colaban en la Embajada suiza. En total, entre refugiados en embajadas y residencias de diplomáticos, 45 cubanos penetraron esos días finales de julio en sedes extranjeras.

Con el joven Miguel Aldana Ruiz, de veintiún años, había entrado el sábado 14 un hermano de madre, Eduardo Magdalena Ruiz, de diecisiete años.

El embajador español, Antonio Serrano de Haro, un hombre apuesto aún, a sus sesenta y un años, se encontraba en la localidad catalana de Calella de Palafrugell. Pero no de vacaciones, sino concursando en XXIV Festival de Habaneras. Había solicitado un permiso de cinco días, que le había sido concedido por el subsecretario de Asuntos Exteriores, Inocencio Arias. El problema es que el número dos de la Embajada, Ignacio Rupérez, se encontraba también en ese momento en España, disfrutando de su reglamentario mes de vacaciones.

Serrano, viudo desde 1988, había compuesto una habanera a su esposa, Helena, que interpretaría el día 7 de julio el grupo Port Bo.

Meses después, la melodía de Serrano se cantaba en los restaurantes de la Marina Hemingway:

> *Velero que la mar surcas*
> *con escoltas de sirenas*
> *llévame a la isla del azúcar*
> *en donde me espera Helena.*
> *Sus ojos tanto destellan*
> *dan tanto olvido y socorro*
> *que no necesito estrellas*
> *ni las farolas del Morro.*
> *Estribillo:*
> *La Habana se llama Helena*
> *Helena se llama*
> *y cambió su nombre Helena*
> *por el de Habana.*
> *...*
> *Llevo por mapa el pañuelo*
> *que me bordó una mulata*
> *con las hebras de tu pelo*
> *en un trozo de tu bata.*
> *Ya se ve la costanera*
> *ya se toca el malecón*
> *tu abrazo es una palmera*
> *y el puerto tu corazón.*
> *(Al estribillo).*

Tras conocerse la entrada en la Embajada española de cuatro policías cubanos, violando el principio de extraterritorialidad, el embajador Serrano de Haro regresó de inmediato a La Habana de su Helena.

El veterano diplomático estaba a punto de culminar su carrera en su último destino, Suecia, cuyo gobierno ya había dado el plácet.

Había pasado por Tetuán, Nueva York, Guinea, la UNESCO, Mauritania, Panamá y La Habana. Nunca se imaginaría que sus últimas semanas en la ciudad que tanto le inspiraba serían un infierno, en vez del paraíso caribeño al que cantaba bajo la noche estrellada.

Entradas sucesivas de cubanos en la Embajada y declaraciones a cada cual más fuerte y provocadora, de uno y otro lado del charco, le aguardaban.

El día 17, sin ir más lejos, un matrimonio de unos cincuenta años y sus dos hijos se cuelan en la Embajada. Después de una larga conversación, los funcionarios españoles los convencen de que si quieren viajar a España lo mejor que pueden hacer es regresar a sus casas y rellenar la solicitud de visado. Claro que ellos saben que de las 200 solicitudes presentadas en el Consulado español en los últimos tres años, sólo unas 30 personas lograron el permiso de salida de las autoridades cubanas.

Al día siguiente, 18 de julio, Otoniel Pichardo Rangel, de cuarenta y un años, alto y fuerte, salta la verja de la avenida Zulueta. Se hiere en un muslo con los afilados pinchos, pero consigue su propósito: recluirse en la Embajada. Los PNR en esa ocasión se quedan quietos, aunque uno de ellos realizó un disparo al aire.

Muchos meses después, cuando preparaba el material final para este libro, conocí a Pichardo. Tenía cara de boxeador. Había sido cinturón negro de judo y no pocos colegas habían escrito de él como un "infiltrado" del Gobierno cubano.

En realidad, Pichardo me pareció un pobre hombre con ganas de escapar de la isla a cualquier precio. Lo invité a una cerveza. Se bebió dos. Me mostró su pasaporte en regla: tenía varios visados del Gobierno español, pero las autoridades de emigración cubanas no le concedían la "carta blanca", el verdadero pasaporte para abandonar la isla.

Pichardo estaba sufriendo la promesa que haría Castro en aquellos días: nadie que intente salir de Cuba a través de una embajada lo conseguirá.

Dos días después, la «pensión La Gallega», como llamaban algunos funcionarios jocosamente a la Embajada española, recibió nuevos huéspedes: cinco en total. Era poco más de las 11 de la mañana. Dos jóvenes saltaron desde la terraza de una casa contigua a una terraza en la parte trasera de la Embajada. Cuando los policías cubanos corrieron hacia aquella zona, un matrimonio de unos treinta años, con una niña de pocos meses en brazos, prácticamente desnuda, se colaron por la puerta principal.

Llegué a la Embajada pocos minutos después de esta última entrada. Los dos jóvenes estaban ya recluidos en alguna de las habitaciones del tercer piso del edificio. El matrimonio, estaba atrapado entre la puerta principal de la Embajada, que se cerraría ese día para no ser abierta nunca más —salvo los 62 minutos que se abrieron para Fraga— y la cancela de barrotes de hierro que daba paso a las oficinas del Consulado y a las escaleras principales que llevaban al despacho del embajador y los diplomáticos, en la primera planta.

El desconcierto cundía aún en el interior del edificio. Pude hablar unos segundos con el matrimonio, los Wong.

—Estamos perseguidos, pues desde que uno idealiza salir de este país, ya es un perseguido —decía el marido, Sergio Wong, con su pequeña hijita, Elisabeth, en los brazos, mientras la madre, Maribel López, sollozaba.

La breve conversación fue interrumpida por un par de GEOS, llegados a La Habana dos días antes. Ante al cariz que tomaban los acontecimientos, el Gobierno español decidió enviar cuatro miembros de los Grupos Especiales de Operaciones (GEO), que habían cumplido misiones en otros países, algunos de ellos en el peligroso El Salvador.

A medida que iban entrando cubanos en la Embajada, la tensión entre los dos gobiernos iba en aumento. El punto álgido se produjo el día 18. El Ministerio de Relaciones Exteriores cubano, conocido como MINREX, emitió un comunicado de tres folios en los que se atacaba con inusitada dureza al ministro español Francisco Fernández Ordóñez.

Los calificativos que le aplicaron fueron:

—Persona de impar cinismo, escandalosa incultura, amnésico, paternalista, angustiado, desinformado, tergiversador, atribulado.

El embajador español reaccionó calificando de "verdadera ofensa" el escrito del MINREX. Los cubanos, inexplicablemente, decían que ese comunicado no era una opinión oficial del Gobierno, sino la opinión personal de un funcionario. Se escudaban en que los tres folios no llevaban ni membrete ni sello ni firma del MINREX.

Esa colección de insultos era atribuida a "un vocero" (portavoz) no identificado. Sin embargo, para quienes conocían la mecánica del sistema cubano, ese escrito sólo podía haber sido concebido en las más altas instancias del país. Muchos pronunciaban el nombre de Fidel como autor o coautor de al menos algunas partes importantes del mismo.

En una isla donde no se mueve nadie sin el consentimiento de la superioridad, difícilmente se iba a emitir un texto tan agresivo sin el visto bueno de los principales responsables de la política exterior cubana y del máximo dirigente del país.

El embajador español, Serrano de Haro, fue llamado a Madrid al poco de conocerse este insultante escrito. La prensa española pedía sangre. Desde Madrid también se insultaba y decían verdaderos disparates sobre el régimen cubano y su dirigente Castro. Serrano me comentaba poco antes de salir de La Habana:

—Los cubanos no se dan cuenta de que la opinión pública española está muy agitada, en particular por la violación de la sede diplomática.

Ordóñez declaraba a *Diario 16* en Madrid que "España no tiene intención de romper las relaciones diplomáticas con Cuba". Pero anunciaba la congelación de la ayuda a la isla, y que pediría a sus socios comunitarios que hicieran lo mismo.

Para el Gobierno cubano, éste fue uno de los mayores bofetones recibidos por Ordóñez, sin duda el ministro más odiado por La Habana. Aunque no había que dejar atrás a Luis Yáñez Barnuevo, secretario de Estado para la Cooperación con Iberoamérica y presidente de la Comisión Estatal del V Centenario del Descubrimiento.

Yáñez, que en opinión no sólo de los cubanos, sino de muchos españoles, y en razón al cargo que ocupaba, debía ser el hombre que actuara de intermediario, que apaciguara los ánimos caldeados, echó más leña al fuego el día 19 al declarar:

—El sistema (cubano) está agotado y nos tememos un baño de sangre (4).

Si en ese momento Yáñez hubiera aparecido por La Habana, habría sido linchado. Indudablemente, visto a dos años de distancia, Yáñez, cuya tarea en la Administración española era la de buscar la colaboración y cooperación con los países teóricamente hermanos de América Latina, no sólo no cooperaba, sino que cada vez que abría la boca empeoraba más la situación. La crisis obviamente necesitaba de un interlocutor válido para ambas partes y ése debería haber sido Yáñez.

En ese ambiente, cuando en Madrid se hablaba de que si Castro abría la puerta se iría todo el mundo, o de que se temía un baño de sangre —que al menos dos años después no ha tenido lugar, y que Dios no lo quiera— el Gobierno de La Habana sacó su artillería pesada: el *Granma*.

Si los tres folios del "vocero" del MINREX carecían de oficialidad y sólo reflejaban la opinión personal de un portavoz, al ser publicadas con honores de primera página en el órgano oficial del Partido Comunista se convertían en la opinión del Partido y por tanto del Gobierno.

Granma incluía además en su página tercera un chiste/dibujo en el que se ve a dos veteranos españoles de la guerra de Cuba, uno de los cuales le dice al segundo:

—No os preocupéis, cabo Ordóñez, vuestro biznieto será un gran diplomático.

La televisión oficial leyó el texto en todos sus informativos y lo mismo hizo la radio. La guerra total había comenzado.

Al día siguiente se produciría la entrada más espectacular en la Embajada española de cuantas se sucedieron esos días. Era sábado, 21 de julio. Sobre las dos de la madrugada, un grupo de cuatro cubanos saltan de una azotea contigua a la azotea de la

Embajada. Teóricamente, en la terraza de la casa particular desde la que saltaron los cuatro cubanos había un policía cubano. Uno de los GEOS españoles lo había visto minutos antes rondar por la terraza. La versión que ofrecieron los nuevos huéspedes de la «pensión La Gallega» era que habían atacado al policía y lo habían amordazado.

Tres horas más tarde, otros cinco cubanos pasaban desde los balcones de una casa en ruinas que hay pegada al costado derecho de la Embajada hasta la cornisa de la sede diplomática española. Caminaron unos metros por la cornisa y penetraron por el balcón que da al despacho del agregado cultural, Fidel Sendagorta.

Lo inaudito de esta operación es que en ese momento la Embajada española estaba acordonada, se había cortado el tráfico rodado por las calles adyacentes y 120 policías cubanos mantenían una estrecha vigilancia sobre el edificio. ¿Es posible que ninguno de ellos viera cómo cinco personas se deslizaban por la fachada principal de la Embajada, a sólo unos tres metros del suelo y cuando ya el día comenzaba a clarear?

El embajador Serrano de Haro protestó enérgicamente a José Raúl Viera, viceministro de Relaciones Exteriores, y el hombre designado por el Gobierno cubano para llevar la negociación con los españoles. Meses más tarde Viera sería inexplicablemente destituido. La crisis de las embajadas lo dejó seriamente tocado. No se dieron explicaciones sobre su cese.

Serrano se reunió una vez más con los periodistas españoles y dio su particular versión de esta entrada masiva de nueve cubanos, que elevaba la cifra total de inquilinos a 18 personas.

—Parecen atletas profesionales, quizás gente que sabe defenderse y atacar, como si hubieran recibido instrucción en artes marciales.

Eso y la frase de que parecían "una tropa bien fornida", más la forma un tanto sospechosa en que habían eludido al centenar de policías cubanos, dio pie a serias especulaciones en España sobre la verdadera identidad e intenciones de este pelotón de nueve cubanos a los que se les bautizaría como "los fornidos".

Afortunadamente, ese mismo día llegaban a La Habana procedentes de Madrid otros cinco GEOS, un refuerzo necesario solicitado por la Embajada ante el cariz que tomaban los acontecimientos.

Ese fue el primer día también en que el embajador Serrano de Haro, Rupérez, Sendagorta y Toribio decidieron dormir en la Embajada. Las emisoras anticastristas de Miami, que se captan con relativa facilidad en La Habana, habían lanzado el rumor de que esa noche la Embajada española podría ser asaltada.

Esa noche del 21, un millón de habaneros se echaría a las calles, principalmente al malecón. Comenzaban los carnavales, tan ardientes, de La Habana.

El recuerdo de los 10.700 cubanos que en 1980 penetraron en la Embajada de Perú aterrorizaba a los españoles. Temían una invasión masiva. Afortunadamente, no se produjo.

Al día siguiente, domingo 22, el embajador viajó a Madrid, llamado por su gobierno. En los hábitos diplomáticos, se trata de una medida previa a la retirada de embajadores y al siguiente paso, la ruptura de relaciones. Esa noche, Iberia sufrirá un retraso más en su salida, de una hora. Sólo que en aquella ocasión la compañía no era la culpable.

Cuando Serrano estaba con un pie en la escalerilla del avión, su interlocutor cubano, el viceministro Viera, acudió inesperadamente al aeropuerto. Durante algo más de sesenta minutos, los dos diplomáticos conversaron e intercambiaron las últimas condiciones para una salida digna de la crisis.

Las posiciones estaban claras: Cuba no permitiría la salida al extranjero a ningún cubano que estuviera refugiado en una embajada; España no puede conceder asilo político en su Embajada, porque no existe tal acuerdo entre los dos países.

La postura española es también nítida: no se obligará a nadie a salir de su sede diplomática. Pide al Gobierno cubano que garantice la seguridad del exterior de la Embajada, cuya puerta principal da a una calle de curioso nombre: calle de la Cárcel. Recuerdo de la época colonial.

Transcurren los días sin mayores novedades. Hasta que el motor de agua del palacete español se avería. Es domingo y hace un calor espantoso en La Habana. Así es siempre en la temporada de lluvias: mucho calor y un altísimo grado de humedad.

Los 18 refugiados cubanos están estratégicamente distribuidos en cinco habitaciones. Los considerados como peligrosos, los nueve fornidos, han sido divididos en dos grupos y ocupan dos habitaciones de la planta baja. Los GEOS están permanentemente encima de ellos. Los otros nueve se encuentran en la última planta del edificio, en tres cuartos distintos. Sólo se les permite salir de uno en uno y para ir al baño.

Uno de los GEOS me comentó un día que en un caso de emergencia serían capaces de controlarlos. Desde que llegaron los cinco de refuerzo, cuatro números y un oficial, los GEOS no disimulaban sus armas. En la cadera, en la sobaquera o en la pierna, eran visibles sus revólveres y pistolas. Todos eran altos y delgados, pero fibrosos. Listos para entrar en faena si era necesario.

Los GEOS, que tampoco eran de piedra, fueron objeto de sensuales "agresiones": tras los barrotes de la puerta de la cochera, pudieron presenciar el cadencioso contoneo de algunas cubanas que bailaban ante ellos. No. No eran "agentes especiales" del Gobierno cubano. Simplemente, celebraban el carnaval de la forma que mejor saben hacerlo, bailando y aquellos apuestos españoles hubieran sido para ellas una excelente pareja de baile y quién sabe si algo más. (Cuando la tensión se relajó un poco, los GEOS pudieron hacer turnos y salir, después de casi un mes de encierro, alguna que otra noche. En una ocasión me encontré a tres GEOS en una de las dos pistas de baile de la Marina Hemingway, el exclusivo recinto turístico del oeste de La Habana, bailando y charlando animadamente con tres espectaculares mulatas. "Son asiduas de la Marina", me dijo un camarero amigo. Los GEOS comprobaron de forma directa lo que son las jineteras de La Habana).

La Embajada había sido dotada también ese sabado 21 de un moderno sistema de comunicaciones vía satélite, que llevaron desde Madrid los últimos GEOS. Las llamadas telefónicas ya no pasaban necesariamente por las centrales cubanas. Se temía al espionaje telefónico. Los GEOS revisaron el edificio de arriba abajo.

El interior de la Embajada estaba en perfecto orden. Bajo control. Pero hay algo que ni los mejores policías del mundo pueden hacer en Cuba: encontrar leche para la bebé Elisabeth Wong, o pan. Uno de los empleados de la Embajada tuvo que soportar una cola de tres horas para conseguir pan el domingo 22. Ese día comieron bocadillos. La "cocinera" de la «pensión La Gallega» descansaba. Era la esposa de un empleado cubano. Habitualmente, les preparaba pollo o cerdo, con congrí, la sabrosa mezcla de fríjoles y arroz, un plato muy cubano.

Desde Madrid, se había autorizado a los responsables de la Embajada abrir un capítulo extra para gastos. Era lógico.

La Embajada albergaba antes del comienzo de la crisis, el día 12, a dos personas. Diez días después, los inquilinos de la «pensión La Gallega» eran nueve GEOS, 18 cubanos, dos personas de servicio y dos funcionarios de la Embajada que se turnaban la guardia nocturna. Treinta y una personas en total a las que había que alimentar y alojar adecuadamente.

A pesar de los esfuerzos de la Embajada por atender lo mejor posible a sus inquilinos, hubo protestas. Sobre todo de los nueve fornidos. El día 24 amenazaron con una huelga de hambre: reivindicaron mejor comida, mejor alojamiento y libre circulación por la Embajada.

Ignacio Rupérez, que estaba al frente de la Embajada desde que salió hacia Madrid el embajador Serrano de Haro, se planta ante ellos y les dice:

—Nadie los obligó a entrar. Esta es la única comida que hay y al que no le guste, puede marcharse libremente. Esto puede durar meses.

Nadie se movió. Al contrario, uno de los fornidos le dijo a Rupérez:

—Resistiremos, aunque sean diez años.

Ya es moral. Los nueve terminaron comiéndose el congrí con unas croquetas de carne.

—Seguro que comen aquí mejor que en su casa —me dijo Rupérez, que esos días demostró un temple envidiable.

Los nueve primeros autoinvitados disponían de camas, camastros o colchones. Los nueve últimos no. Un empleado de la Embajada recorrió todas las diplotiendas —tiendas especiales para diplomáticos y extranjeros, donde se paga en dólares— en busca de colchones o algo similar. No había en toda La Habana un solo colchón o colchoneta inflable de playa. Los fornidos se construyeron unos camastros con madera de contrachapado.

Dos días después se celebraba el XXXVII aniversario del asalto al Cuartel Moncada. Era el 26 de Julio, la fecha que dio nombre al movimiento creado por Fidel Castro tras el ataque al cuartel más protegido por la dictadura de Batista en Santiago de Cuba. Cada año, miles de personas llenaban las plazas donde Fidel conmemoraba con un discurso de larga duración la histórica fecha.

Ese año de 1990 el acto principal tuvo lugar en La Habana, en la plaza de la Revolución. Martí y el "Che" presidían mudos el acto. Fidel estuvo como nunca: agresivo, zumbón, duro, en forma.

Había algunas esperanzas de que Castro no dijera una sola palabra del problema de las embajadas. O que no citara a España. Hubiera sido una buena señal. Indicaría que los circuitos telefónicos entre Fidel y Felipe funcionaban y el asunto entraba en vías de solución.

Error.

Fidel sacó su artillería más pesada. Ignacio Rupérez, al igual que el resto del cuerpo diplomático acreditado en La Habana, acudió al acto. No movió un músculo. Tres días después, el 29 de julio, la Embajada de Perú ofrecía una recepción para celebrar la toma de posesión del nuevo presidente Alberto Fujimori. Inesperadamente, como casi siempre, Castro acudió al cóctel.

Los periodistas montábamos guardia. En el interior de la Embajada se encontraba Ignacio Rupérez, embajador en funciones, toda vez que Serrano estaba aún en Madrid, evacuando consultas.

Fidel saludó a Rupérez con corrección. Hubo un pequeño intercambio de palabras, en el que Fidel le dijo a Rupérez que "espero que se arregle pronto". El comandante se refería obviamente al conflicto surgido tras la invasión de la Embajada. Después, Fidel habló del tema del día: su discurso del 26 de julio.

—No veo razones para una reacción de disgusto en España por mi discurso.

Al despedirse del diplomático español, le dijo:

—Le agradezco que no se levantara cuando hablé de España.

Otros diplomáticos sí lo habían hecho, como los norteamericanos. Rupérez aguantó impávido —eran las órdenes que tenía— este chaparrón:

—¡Bien! Ahora debo referirme a la última maniobra yanqui de acción contra Cuba, que son los incidentes de las embajadas (5).

La masa que escuchaba a Fidel en la Plaza de la Revolución le contestó:

—¡Son unos descarados, Fidel!

El comandante hizo un relato detallado de los incidentes, visto, lógicamente, desde su punto de vista. Tras narrar cómo 14 cubanos penetraron entre el día 9 y el 11 en la Embajada de Checoslovaquia, Fidel habló de la entrada del primer cubano en la legación española:

—Jueves 12 de julio: un individuo que padece una enfermedad contagiosa bastante repugnante, la cual ocasiona perturbaciones mentales, en muchas ocasiones, armado de un machete salta la verja, rompe una ventana con el machete, y penetra dentro de la Embajada de España, y allí está veinticuatro horas, con el machete en la mano, un tipo loco y enfermo, un hombre al que había que mandar para un hospital, y entonces le dan refugio temporario —una palabreja nueva, ilegal por completo, inventada por algunos señores occidentales.

Castro se refiere a Luis Monteagudo Rodríguez, quien según el dirigente cubano sufría una enfermedad venérea. Después hablará de Miguel Angel Aldana Ruiz.

—Uno de los individuos, de apellido Aldana Ruiz, tima al embajador (español) diciéndole que era primo de Carlos Aldana, dirigente del Partido. Por supuesto, era la primera vez que la familia Aldana tenía noticias de este presunto pariente, como no fuera la común descendencia de Adán y Eva. Esto provoca un gran revuelo en España, creen que tienen un pez gordo, nada menos que un pariente de Aldana.

Castro afirmará que el Gobierno cubano sabía de los esfuerzos de los diplomáticos españoles de La Habana para convencer a los tres refugiados de que lo mejor era que salieran voluntariamente

—Pero de allá (Madrid), cuando oyeron eso de Aldana, dijeron: "No, no, reténganlo ahí de todas maneras". Lo consideraron un excelente material de escándalo.

El punto más conflictivo, el de la violación del recinto diplomático español por parte de la policía, lo toca Fidel de puntillas, sin decir claramente que la policía cubana penetró en la sede de la Embajada:

—La custodia policial cubana alrededor de la Embajada de España frustra el intento de un ciudadano de entrar por la fuerza en la sede diplomática. Según se informa por las agencias de prensa el individuo había saltado y fue seguido por policías que forcejeaban con él e hicieron disparos al aire. Se producen, efectivamente, disparos al aire, cuando este individuo trata de entrar: gran escandalera, gran publicidad. Vean que cosa: si no lo aguantan (sujetan), dicen que lo dejaron entrar; si lo aguantan, dicen que tiraron al aire. Entonces, ¿cuál es el papel de los policías que están allí? ¿Tendremos que buscar tarzanes o gente toda del tipo de Stevenson (Teófilo Stevenson fue un brillante campeón cubano de boxeo que ganó tres veces la medalla olímpica en la categoría de los pesos pesados), o como los grandes del equipo atlético nuestro de lucha libre para custodiar las embajadas?

A continuación, Castro, sin citar para nada el nombre de Francisco Fernández Ordóñez, se referirá a la petición que el ministro español hace en Bruselas a los socios comunitarios para que actúen frente a Cuba y a sus declaraciones sobre la "acogida" que la Embajada española dará a los cubanos que acudan a ella. Comenta también la nota de la cancillería cubana en la que se ataca duramente a Ordóñez y dice:

—Escándalo e indignación por parte de las autoridades españolas y la prensa de derecha: aparentemente, Cuba podía ser atacada y ofendida por todos los medios, pero no tenía derecho siquiera a replicar.

El comandante informará que "Cuba no tiene convenio de asilo con ningún país de Europa. Nunca los ha tenido". En efecto, ese convenio sólo existe con los países latinoamericanos.

—Ninguna embajada de Europa tiene derecho a conceder asilo político en nuestro país, y mucho menos pretender mediante el chantaje que después se le dé permiso de salida. Ninguna tiene derecho a hacer eso.

Conforme Castro va adentrándose en el espinoso problema, su tono se va haciendo más duro. Aunque declara que los cubanos no tienen ninguna animosidad contra los españoles, sí parece tenerla contra sus dirigentes.

—¿Con qué derecho se nos insulta, con qué derecho se nos amenaza porque no les demos autorización a salir a esos elementos? ¿Con qué derecho se toman medidas de agresión económica contra Cuba?

Fidel recordará el pasado, cuando Cuba era colonia española:

—A lo largo de nuestra historia, tuvimos muchos ejemplos de las consecuencias de la arrogancia y la prepotencia con que actuaron en el pasado, cuando éramos colonia, las autoridades españolas. ¡Treinta años tuvimos que luchar contra los soldados españoles!

Fue por esa prepotencia y arrogancia por lo que, según Castro, España cedió Cuba a los norteamericanos en vez de concederles directamente la independencia. Recordará también que cientos de cubanos lucharon al lado de los republicanos en la Guerra Civil española (1936-39) al grito de "¡No pasarán!".

—Ahora (los españoles), quién sabe por qué, se hacen cómplices de Estados Unidos en sus medidas de hostilidad, aislamiento y agresión contra Cuba; se hacen cómplices de las agresiones imperialistas contra Cuba.

La multitud que escucha atentamente en la Plaza de la Revolución a su líder, cobijado por la enorme estatua de José Martí, el padre de la independencia cubana, aplaude.

—Ahora somos nosotros los que decimos aquí: ¡No pasarán los imperialistas! ¡No pasará la humillación, no pasará la arrogancia, la prepotencia! ¡Porque no hay poder en el mundo, cualquiera que sea, del norte (Estados Unidos) o de Europa, que pueda poner de rodillas a Cuba, que pueda humillar a Cuba!

La multitud se va enfureciendo a medida que se endurece su líder. Se escuchan gritos:

—¡Fidel, seguro, a los yanquis dales duro!

Luego Fidel informará de las declaraciones del secretario de Estado para la Cooperación —Luis Yáñez, a quien tampoco nombra— en las que anuncia la suspensión de la colaboración con Cuba, que asciende a 2,5 millones de dólares (en esa época, unos 250 millones de pesetas).

El comandante ataca el punto que más le ha dolido:

—La cooperación suspendida temporalmente de que habló el ministro (secretario) de Estado español para la colaboración, era muy modesta, 2,5 millones (de dólares); a pesar de eso, nosotros la apreciábamos como un gesto de buena voluntad. Pero somos un país de honor y un país de dignidad, y desde hoy decimos, no que se suspenda temporalmente dicha colaboración, sino definitivamente, pues nosotros renunciamos a esos 2,5 millones de dólares.

El tono sube. La temperatura en la Plaza de la Revolución también. A Fidel se le nota dolido, como me diría luego un funcionario cubano, más que ofendido. Le duele España. Sigue Fidel:

—¿Para qué sirve una colaboración que después se utiliza como moneda de cambio para exigir condiciones políticas? ¿Cómo es posible que España haga eso? ¿Cómo es posible que cuando se trata de conmemorar con bombos y platillos, y se trata de hacer el panegírico de aquellos hechos ocurridos hace casi quinientos años y que dieron lugar a la conquista de nuestras tierras, a la esclavitud y al exterminio de nuestras poblaciones, y a la esclavización y al exterminio de decenas de millones de africanos, casi justo en el momento de conmemorar esa fecha, el Gobierno español sea capaz de tomar una medida de agresión económica contra un pueblo latinoamericano que tan heroicamente, tan valientemente, tan dignamente ha sabido enfrentarse al más poderoso imperio de la tierra?

Fidel parece exhausto después de este párrafo. Pero no lo está. Como en otras ocasiones, ha entrado en trance. Su rostro adquiere un aire de iluminado. Está absolutamente convencido de que en esta guerra absurda de las embajadas su Gobierno, él mismo, han actuado correctamente y todo el peso de la culpa es de España.

Fidel es incapaz de reconocer, al menos en este momento, que si bien las palabras de Ordóñez fueron desafortunadas —no se puede decir a un pueblo como el cubano: señores, las puertas de la embajada están abiertas, pues se podría haber producido una avalancha de incalculables consecuencias; no se puede ser el responsable de la colaboración con Iberoamérica y anticipar ríos de sangre en La Habana, como hizo Yáñez— la respuesta del "vocero" del MINREX y su posterior reproducción en *Granma* eran realmente insultantes y escritas en un tono barriobajero.

Fidel finalizará sin embargo lanzando, con sorna, una contrapropuesta:

—Le sugerimos a España y al Gobierno español, y le sugerimos a la Comunidad Económica Europea que, en nombre de los Derechos Humanos, si tendrían la amabilidad de recibir a los señores del tipo de los que han ingresado en las embajadas y que quieran ir a Europa. Ahora sí que vamos a ver de verdad quién toma en cuenta o no los Derechos Humanos, si están tan apiadados, porque no somos nosotros los que prohibimos la salida, son ellos los que no les dan entrada, a menos que entren con un machete en la embajada.

La gente que llena la Plaza de la Revolución ríe y aplaude. Fidel, ya en racha, termina este tema:

—Si quieren nos ponemos de acuerdo España y nosotros, la Comunidad y nosotros, organizamos una oficinita, o dos o tres, las que quieran, y libre salida para la Europa comunitaria y progresista a los que quieran.

La masa, encantada, le contesta:

—¡Pin, pon, fuera, abajo la gusanera!

Fidel sin embargo, astutamente, dejaría en claro un aspecto que le interesa mucho:

—Debo decir que cualquiera que sea el desenlace de este incidente, los españoles que tienen derechos o intereses en Cuba, serán respetados de forma absoluta, haya o no relaciones diplomáticas con España.

El discurso terminó. Prácticamente toda Cuba lo siguió por televisión. A la mayoría le pareció normal el tono usado por Castro para referirse a España. Al día siguiente, varios funcionarios se sorprendieron cuando les comenté que la intervención de Fidel me había parecido excesivamente dura. Sobre todo por una razón: en las casi tres horas de discurso, con referencias a España y algunos de sus dirigentes, acertadas unas, exageradas otras, no había ni una sola referencia a lo que esa misma España y algunos de esos dirigentes —Felipe González, en especial— habían hecho por Cuba.

No había la más mínima alusión a las tres décadas de ayuda, colaboración e intercambio comercial de España con Cuba en contra de los deseos de Estados Unidos.

Los sucesivos gobiernos españoles, desde la época de Francisco Franco hasta la de Felipe González, se mantuvieron firmes en su postura de no romper nunca sus relaciones diplomáticas con Cuba. Cuando Fidel estaba más aislado, ahí estaba Madrid. Junto con México, fueron los únicos países de habla hispana que jamás rompieron con la Cuba de Castro. Ni el gobierno dictatorial de Franco ni el conservador de Adolfo Suárez ni el socialista de Felipe González dejaron sola nunca a Cuba. Fidel no hizo la más mínima referencia a ello.

Mis interlocutores cubanos no entendieron o no quisieron entender mis argumentos. La palabra del líder máximo es siempre un dogma. No se discute.

El discurso fue seguido en directo por los 18 refugiados cubanos en la Embajada de España. La policía cubana había instalado altavoces frente al bello edificio de la calle Cárcel y le habían dado el suficiente volumen como para que los refugiados no se perdieran una sola palabra.

Al día siguiente, Ignacio Rupérez preguntó a todos y cada uno de los refugiados si habían escuchado a Castro y su firme decisión de no dejarlos salir de la isla si persistían en su actitud de encierro. Ninguno varió su actitud.

La crisis entró en una fase muerta. Se acercaba el mes de agosto. En Madrid, los principales funcionarios de Exteriores, comenzando por su ministro, Fernández Ordóñez, se marcharon de vacaciones. Solos en La Habana, Rupérez y Sendagorta aguantaban el chaparrón.

La «pensión La Gallega» seguía abarrotada y se pidieron camillas militares de lona a Madrid para sustituir a los camastros de contrachapados de algunos inquilinos, concretamente de los fornidos. Todo indicaba que la crisis duraría semanas o quizá meses.

Pero una vez desalojadas todas las demás sedes diplomáticas, la de Checoslovaquia, la de Italia, la de Suiza, hechos conocidos por los refugiados en la sede española, éstos comenzaron a entrever que su viaje de la Embajada al aeropuerto José Martí, con un billete de Iberia para volar a Madrid, era una quimera.

Así, comenzaron las primeras deserciones.

La salida de los cubanos refugiados en la sede diplomática española se produjo casi como habían entrado: gota a gota. Pero mucho más lenta. Si en diez días, del 12 al 22 de julio penetraron los 18 cubanos, éstos tardarían en salir nada menos que 18 días: desde el 19 de agosto al 5 de septiembre.

Durante casi dos largos meses, exactamente 56 días, los diplomáticos españoles en La Habana vivieron una verdadera pesadilla. Las relaciones entre los dos países, que habían sido buenas, llegando en ocasiones a ser excelentes, se deterioraron gravemente en el espacio de tiempo que va del 12 de julio al 5 de septiembre.

Los 18 refugiados salieron por su propia voluntad. Sólo que algunos fueron más remolones que otros. Los primeros en abandonar la Embajada fueron Ricardo Figueroa Laredo y Felipe Nerey Fonseca, el 19 de agosto.

Tres días más tarde, salen otros tres, entre ellos Miguel Angel Aldana Ruiz, el pretendido primo del dirigente Carlos Aldana, y su hermano de madre Enrique Magdalena Ruiz. También Luis Monteagudo Rodríguez, el hombre del machete, aquejado de una enfermedad venérea. Monteagudo había sido el primero en penetrar en la Embajada, seguido dos días más tarde por los hermanos Miguel Angel y Enrique.

El día 28 de agosto salen dos más. El 1 de de septiembre abandona el encierro el matrimonio Wong, con la pequeña Elisabeth, a quien la esposa del diplomático Fidel Sendagorta había tratado con cariño, preocupándose de que no le faltara leche, ni ningún otro alimento.

Al día siguiente, 2 de septiembre, el cinturón negro de judo Otoniel Pichardo salía del encierro voluntario sin lograr su sueño: irse a España. La herida que se produjo en su muslo derecho al saltar la verja de la Embajada, cuidada por un médico que acudía a la sede española, había cicatrizado.

El 3 de septiembre salen otros dos; al día siguiente, tres más y los dos últimos que completaban el cupo de 18 salen el día 5 de septiembre.

La pesadilla había terminado. La «pensión La Gallega» se quedó vacía. Los diplomáticos volvieron a sus cómodas alcobas. Pero la herida abierta entre España y Cuba tendría difícil curación.

El incidente con España no iba a quedar como un hecho aislado. España estaba cada vez más presente en América Latina y la relación personal de Felipe González con algunos mandatarios de la región era cada vez más estrecha: con el mexicano Carlos Salinas, el colombiano César Gaviria, el venezolano Carlos Andrés Pérez, el ecuatoriano Rodrigo Borja, el uruguayo Luis Alberto Lacalle o el boliviano Jaime Paz Zamora.

Había sido precisamente Felipe González, junto con Carlos Andrés Pérez, quienes en la toma de posesión de Fernando Collor de Melo en Brasil en 1990 habían tenido una larga conversación con Fidel Castro. Felipe le había pedido a Fidel que no adoptara una actitud numantina.

En sucesivos encuentros, los mandatarios iberoamericanos iban a insistir en esta línea. Tanto en foros subregionales, el Grupo de los Tres, el Grupo de Río, como en las Cumbres Iberoamericanas de jefes de estado y presidentes de gobierno, iniciadas en Guadalajara en julio de 1991 y continuadas en Madrid al año siguiente, Fidel iba a escuchar la misma cantinela: la salida del aislamiento de Cuba reside en la unión con su vecinos latinoamericanos.

Cuba ha perdido sus viejos socios comunistas europeos. Debe integrarse en su entorno regional. Pero su entorno regional ha cambiado mucho desde 1959, cuando Castro tomó el poder.

Los militares están prácticamente en todos los casos recluidos en sus cuarteles. Gobiernos civiles electos democráticamente mandan en países otrora azotados por feroces dictaduras de derecha. Argentina, Chile, Paraguay, Uruguay, Brasil, Panamá, Nicaragua.

Toda la América hispana ha renovado su clase dirigente en comicios democráticos. Una corriente neoliberal azota al continente. Todo el mundo habla de economía de mercado, de libre mercado y muchos son los países que acuerdan el derribo de los aranceles.

Pero en Cuba elecciones democráticas al estilo occidental y economía de mercado siguen siendo dos palabras malditas.

Desde la crisis de las embajadas asistí como corresponsal de *Cambio 16* y *Diario 16* a todas estas reuniones celebradas en el continente. Cuba siempre era la protagonista, incluso aunque no tomara parte de ellas. Pude observar cómo de un tono de respeto se iba pasando a otro de petición de cambios, y más tarde casi de exigencia de un cambio inmediato.

Los días 18 y 19 de julio de 1991, la capital del Estado de Jalisco, Guadalajara, se vistió con sus mejores galas. Por vez primera en la historia, los presidentes de la América al sur de Río Grande, la frontera natural que separa al mundo anglosajón del iberoamericano, se reunían en torno a una redonda mesa en el bellísimo Hospicio de Cabañas, una joya arquitectónica de la época colonial.

Fue precisamente Fidel Castro quien mejor resumió el espíritu de aquella Cumbre: por vez primera se reunían los jefes de estado y presidentes de gobierno de Iberoamérica, "sin que nos convoquen otros". Era una clara referencia a los Estados Unidos. Cuantas veces se habían sentado juntos los líderes de la América hispano-lusa, los Estados Unidos aparecían o como convocantes o como los indiscutibles líderes del grupo.

La Organización de los Estados Americanos (OEA), la ONU de América, era un claro ejemplo: Estados Unidos, tras su fracasado intento de derribar a Castro con la invasión de Bahía de Cochinos, pidió a los gobiernos latinoamericanos que rompieran sus relaciones diplomáticas con Cuba. Todos, como corderitos, cumplieron la orden. Salvo México. México salvó el orgullo latinoamericano.

En el mes de julio de 1991, 23 mandatarios (España y Portugal estaban doblemente representados al tener separados los cargos de jefe de estado y presidente de gobierno) se reunían en la segunda ciudad más grande de México.

El ambiente fue distendido y el simple hecho de ver aplaudir a Castro tras la intervención del presidente panameño Guillermo Endara, por poner un ejemplo, era suficiente para dar por buena la iniciativa española, feliz y eficazmente secundada por México, de reunir a los mandatarios iberoamericanos una vez al año.

En aquella ocasión, aunque ya se marcaban las diferencias y las heridas de la crisis de la embajada aún sangraban, Fidel Castro y Felipe González conversaron en diversas ocasiones, tanto a solas como en compañía de otros presidentes, por ejemplo con el anfitrión, Carlos Salinas.

En una de aquellas entrevistas celebrada en la suite del presidente español del hotel Camino Real, donde estaban hospedados todos los mandatarios, el comandante Castro hablaba y hablaba sin cesar con Felipe sobre el futuro de Cuba. Felipe quería meter baza, pero era difícil. Hasta que González le dijo a Fidel:

—Voy a actuar dictatorialmente. Se acabó su turno. Ahora me toca hablar a mí.

El reducido grupo de personas que estaban en la suite soltó una carcajada. Estaban por parte cubana Carlos Rafael Rodríguez y Carlos Aldana. González estaba acompañado por Francisco Fernández Ordóñez y otros asesores de la Moncloa.

Fidel siguió la broma:

—Está bien, Felipe. ¿Por qué no hacemos una cosa? Tú te vas a Cuba y yo me voy a España.

Los asistentes siguieron riendo. Felipe terminó:

—Sí, pero sólo por un tiempo.

La conversación se prolongó durante dos horas. Cuando finalizó la Cumbre, antes de abandonar Guadalajara, González ofreció una conferencia de prensa. Una docena de reporteros cubanos anticastristas, de medios de Miami, estaban esperándole con todas las baterías cargadas. Más que preguntas, aquellos militantes del anticastrismo hacían afirmaciones y comentarios o buscaban en González una respuesta condenatoria del régimen cubano. No lo lograron.

Una reportera de Radio Martí le preguntó a González si no consideraba una descortesía que el comandante Castro hubiera permanecido en su suite, durante casi dos horas sin quitarse la gorra militar. González contestó que él mismo se pondría una gorra, si con ello podía alcanzarse un diálogo constructivo.

—¿Y acaso no vamos todos nosotros uniformados? —contestó González—. ¿No vestimos todos chaqueta y corbata?

González insistió una y otra vez que en tanto él como otros colegas suyos habían hablado con Castro sobre los pilares en los que debería sustentarse la Comunidad Iberoamericana que estaba siendo alumbrada: democracia, abandono de las armas como método para resolver los conflictos, economía de mercado y voluntad integradora.

—Ese argumento le fue expuesto a Castro una y otra vez. Castro mostró una actitud dialogante y no eludió ningún tema —diría Felipe.

Fidel por su parte, en el discurso que pronunció, al igual que los demás presidentes, en la sesión inaugural no pronunció ni una sola vez la palabra socialista. ¿Un olvido? Imposible. Difícilmente Castro podría olvidar el santo y seña de su vida.

Un viejo amigo de Castro, presente esos días en la capital tapatía, el escritor Gabriel García Márquez, diría después que se había quedado sorprendido por el discurso del líder cubano y especialmente por la referencia que hizo en el sentido de que estaba dispuesto "a discutir cualquier tema" con el resto de sus colegas latinoamericanos.

La Declaración de Guadalajara incluía este punto:

—Nuestra comunidad se asienta en la democracia, el respeto a los Derechos Humanos y en las libertades fundamentales.

También se hacía una referencia a que "en este marco, se reafirman los principios de soberanía y de no intervención y se reconoce el derecho de cada pueblo a construir libremente en la paz, estabilidad y justicia, su sistema político y sus instituciones"

A Castro no podían hacerle mejor regalo. Si por un lado se pedía democracia y libertad, por otro se respetaba el derecho de cada pueblo a construir su propio sistema, de acuerdo con su historia y principios ideológicos.

Fidel regresó a su isla feliz. Nadie había condenado a su país, ni su persona había sido atacada. Las calles de Guadalajara le habían servido para darse un baño de multitudes. Vivas a Cuba y Fidel se escuchaban cuando los mandatarios se trasladaban del Hospicio Cabañas al teatro Degollado, donde se divertirían de lo lindo escuchando al muy amanerado cantante Juan Gabriel.

De tres países latinoamericanos que aún no tenían relaciones diplomáticas con Cuba, dos de ellos, Colombia y Chile, firmaban acuerdos con los cubanos para reanudar los lazos rotos. Sólo quedaba Paraguay, gobernado por el general Andrés Rodríguez, un ex colaborador del dictador Alfredo Stroessner, al que terminó derribando de un golpe militar en 1989.

La siguiente cita con otros colegas del continente la tendría Castro el 23 de octubre en la isla mexicana de Cozumel, frente a la famosa Cancún, en el corazón del Caribe.

Los miembros del llamado Grupo de los Tres, los presidentes de México, Carlos Salinas; de Colombia, César Gaviria, y de Venezuela, Carlos Andrés Pérez, celebran una más de sus reuniones en la cumbre. Además de temas de interés mutuo, sobre todo los referidos al proceso de su integración y cooperación económica, los tres mandatarios coincidieron en invitar a Fidel Castro, quien hacía tan solo nueve días había clausurado el esperado IV Congreso del Partido Comunista en su país. Tanto los miembros del G-3 como Cuba son países caribeños.

Tras día y medio de conversaciones con el líder cubano, los tres socios del restringido club del G-3 suscribían la llamada Declaración de Cozumel y posteriormente ofrecían una conferencia de prensa conjunta.

El comunicado afirma que Castro "comentó en detalle los resultados del IV Congreso del Partido Comunista Cubano, celebrado del 10 al 14 del corriente mes y las perspectivas derivadas del mismo, con especial énfasis en las posibilidades de cooperación económica con América Latina".

Los tres presidentes reconocen que "la invitación que formula el IV Congreso al capital latinoamericano para participar en el desarrollo de Cuba, coincide con uno de los objetivos primordiales que se ha trazado el Grupo de los Tres: sumar esfuerzos para promover la cooperación con el Caribe, y coincide también íntegramente en la letra y el espíritu de la Declaración de Guadalajara".

En el típico lenguaje diplomático, se afirma que los "tres mandatarios tomaron nota con vivo interés de las explicaciones del presidente Fidel Castro sobre las implicaciones y alcance que tienen para la vida institucional de Cuba las reformas de participación política que introdujo el IV Congreso".

Para estos tres influyentes presidentes latinoamericanos, "existen expectativas que deben ser alentadas", al tiempo que convienen "en pugnar por la pronta y cabal reintegración de la nación cubana al seno de la familia latinoamericana y a una real convivencia continental, con base en los principios que ya rigen en la región".

Las palabras utilizadas en esta declaración están medidas al milímetro. Aún no se escriben palabras fuertes, como "democracia", "presos políticos", "elecciones". Se habla sibilinamente de que Cuba se integre con base en los principios que rigen en la región. Que son ésos: democracia, elecciones, economía de mercado.

Hay un punto muy significativo en la larga Declaración de Cozumel: el apoyo que brindan los miembros del G-3 a Cuba para actuar de intermediario en su histórico pleito con Estados Unidos. Claro que la versión oficial está redactada de una forma más vaga: los mandatarios "ofrecieron al Gobierno de Cuba y a los países con los que ese país pudieran tener diferencias, sus buenos oficios para iniciar un acercamiento tendente a la normalización de los vínculos" (6).

El lenguaje directo con los presidentes fue mucho más esclarecedor. Cuando Carlos Andrés aterrizó en la pista de Cozumel, una nube de reporteros, por usar el tópico, se abalanzó sobre el que es sin duda el más parlanchín de los tres. Con mi corta estatura apenas si divisaba a este veterano presidente que entonces tenía sesenta y nueve años. El muro de cámaras de televisión y fotógrafos me lo impide. Pero la técnica hizo milagros y mi casete registra estas declaraciones del venezolano:

Pregunta: ¿A qué se debe la presencia de Fidel Castro?

Respuesta: Bueno, forma parte del esfuerzo que hemos hecho varios países latinoamericanos para ofrecerle alternativas al presidente Castro para su plena incorporación a la vida de nuestra América...

Pregunta: ¿Se promoverá algún plan de ayuda para el presidente de Cuba?

Respuesta: Nosotros no estamos en condiciones de ayudar a nadie, porque estamos precisamente logrando el rescate de la economía de nuestros países...

Carlos Andrés Pérez, conocido como "CAP", se metió en un lujoso automóvil y desapareció camino de la Quinta Pilar, donde se encontraban ya el resto de sus colegas.

En la tarde del día 23, tuvo lugar la conferencia de prensa. Sentado en la primera fila pude ver perfectamente. Otto Granados, entonces director general de Comunicación Social de la Presidencia de la República mexicana, y hoy gobernador del Estado de Aguascalientes, me dio la palabra. Pregunté a "CAP", con el que había soportado una dura jornada de campaña electoral en la ardiente Maracaibo, en donde él me dejó exhausto.

—A su llegada al aeropuerto esta mañana, usted dijo que venía a ofrecerle "alternativas al presidente Castro para su plena incorporación a nuestra América". ¿Podría concretar qué tipo de alternativa, señor presidente?

"CAP" se salió por la tangente. Así:

—He dicho reiteradamente que el gobernante más experimentado de nuestra América Latina es precisamente el presidente Castro. Nosotros no queremos erigirnos en (sus) consejeros. Venimos a conocer de sus propios labios las alternativas que se abren, con la nueva realidad mundial, tras las decisiones asumidas en el Congreso del Partido Comunista. Y desde luego (venimos) a expresarle de nuevo nuestro deseo de que Cuba, como país latinoamericano, como país del Caribe, se inserte decisivamente en la vida de la región, dentro de los conceptos fundamentales en que se desenvuelve la política de América Latina.

"CAP" había matizado sensiblemente su declaración de la mañana. Si en las primeras hora decía que iban a ofrecerle alternativas a Castro, en la tarde "CAP" hablaba de "expresar nuestro deseo".

A distintas preguntas de periodistas de varios países desplazados a la hermosa —y llena de mosquitos— isla de Cozumel, los tres presidentes expresaron de esta forma su opinión sobre Cuba:

Carlos Salinas: "Los problemas internos de Cuba son responsabilidad exclusiva de los cubanos. Pero seguimos con gran cuidado e interés las transformaciones internas para ir tratando de anticipar cuál sería el problema en nuestro país y en el resto de la propia región (de esas transformaciones)".

César Gaviria: "Tuvimos la ocasión de escuchar de manera detallada cómo los cambios introducidos por el Congreso del Partido de alguna manera profundizan el proceso democrático en Cuba. Aunque pueden incidir en ese proceso, no son suficientes. Evidentemente no han sido suficientes para el tipo de expectativas que tenía la opinión internacional".

Carlos Andrés Pérez: "En mi discurso ante la Asamblea General de las Naciones Unidas de este año dije que mientras la Guerra Fría, afortunadamente, ya es parte de la historia, pareciera que en América todavía persiste. Se expresa en las condiciones asumidas por Estados Unidos y Cuba. Hice un llamamiento a Cuba para que su liderazgo experimentado (Fidel Castro) asumiera la reforma conveniente, para insertarse a este concepto universal sobre la democracia, y que al propio tiempo, los Estados Unidos dejaran de lado el bloqueo, que nos parece que no tiene vigencia, ni se corresponde con la realidad hemisférica que queremos vivir".

En resumen: México estaba preocupado porque cualquier situación de inestabilidad en Cuba lo afectaría directamente. Para México, dada la cercanía de la isla, Cuba es un asunto de seguridad nacional. Un proceso desestabilizador influiría negativamente en el país azteca. Por tanto se pide un cambio pacífico.

Para Colombia, quizás el país que se expresó con más claridad, los prometidos cambios que llevaría a cabo el IV Congreso del PCC eran insuficientes.

Para Venezuela, Cuba debía democratizarse y Estados Unidos anular el bloqueo.

La imagen que nos llevamos de allí los periodistas extranjeros era la de que los tres presidentes habían quedado medianamente satisfechos —"existen expectativas que deben ser alentadas", dice la Declaración de Cozumel refiriéndose a los cambios— de las explicaciones que les ofreció Castro.

El hecho también de que a Cozumel acudiera el premio Nobel Gabriel García Márquez, uno de los pocos amigos verdaderos que le quedan a Castro, amigo también del resto de los presidentes presentes en Cozumel, indicaba que podría haber actuado un poco como mediador si las cosas se ponían tirantes.

—Supe que había cuatro amigos míos aquí y no me quise perder la fiesta —decía un sonriente Gabo García Márquez.

—A los amigos se les conoce en las dificultades y Fidel está en dificultades. ¿Le reitera su amistad? —se le preguntó.

—Todo presidente está en dificultades. Es el puesto menos envidiable del mundo —responde el escritor—. Soy amigo de Fidel cuando no ha tenido dificultades y cuando tiene dificultades, porque ser amigo nada más que cuando conviene no tiene gracia.

El ex periodista García Marquez, cada vez más intratable para sus ex colegas —salvo cuando ha de promocionar un nuevo libro; recuérdese que dijo: nunca más pisaré España, por la política migratoria que aplicaba a los latinoamericanos; pero cuando apareció su libro *Doce cuentos peregrinos*, allí estaba el ilustre Nobel nada menos que en la sede de la Expo 92, en Sevilla, capital del recordatorio del genocidio, promocionando la venta de su última obra— debió aguantar alguna pregunta más. Como ésta:

—Algunos escritores reclaman a Castro que debe dejar el poder para que se democratice la isla. ¿Cuál es su opinión?

—Que no se vaya. Que haga las aperturas, las reformas que Cuba necesita y que él sabe que necesita. Y que sus amigos reunidos con él aquí están tratando de ayudar para que se hagan, porque es la única manera de encontrar una salida pacífica y conveniente para Cuba y para toda América Latina.

Amigos que tratan de ayudar para que esas reformas se hagan. La frase, absolutamente cariñosa, pone los pelos de punta a Castro. Y exaspera a sus amigos, que con el tiempo van dejando de serlo.

Unos meses más tarde, el 20 de febrero de 1992, Juan Tomás de Salas, presidente del Grupo 16, fue recibido por el presidente Carlos Salinas en su residencia oficial de Los Pinos, al que le hizo entrega del premio "Hombre del Año 1991 en América" concedido por la revista *Cambio 16*. Lo acompañamos Pilar Pérez, gerente de *Cambio16 América,* y yo mismo. Le pregunté al presidente Salinas por su punto de vista en ese momento en torno al tema cubano.

Como presidente inteligente y diplomático, Salinas comentó informalmente que esperaba que el tema cubano no acaparara la atención de la proxima Cumbre Iberoamericana de Madrid. "Hay otros temas importantes que tratar".

Era una respuesta indirecta que, completada con un largo desayuno que los tres citados miembros del Grupo 16 celebramos con Otto Granados en la misma residencia de Los Pinos, me dio una impresión absolutamente distinta de la imagen que los mandatarios del G-3 quisieron ofrecer en Cozumel.

No revelo ningún secreto de Estado si cuento que en ese desayuno el hoy gobernador de Aguascalientes nos informó que en contra de lo que pareció por las declaraciones de los presidentes en Cozumel, éstos habían sacado una impresión "negativa" de su larga conversación con Castro.

Le dije a Otto Granados:

—Pero lo que yo escuché en Cozumel, la propia declaración final sobre el encuentro parecía indicar que los presidentes del G-3 confiaban en los cambios que Fidel les explicaba que se llevarían a cabo tras el Congreso del Partido.

Otto me miró fijamente a través los cristales de sus gafas y me dijo:

—Pero no fue así, el encuentro fue muy negativo. No se quiso dar esa impresión a la prensa internacional para no aislar aún más a Castro...

Insisto:

—Entonces, los presidentes mintieron.

Otto duda un instante y dice lacónicamente:

—Sí.

Los presidentes Salinas, Gaviria y Pérez sacaron en Cozumel la misma conclusión que muchos especialistas en el tema cubano: realizado el Congreso del PCC en condiciones de extrema presión, lo que Fidel llamó "un Congreso en armas", los cambios fueron mínimos y algunos de los que se prometieron, casi un año después aún no habían sido puestos en práctica.

Por ejemplo, la liberalización del trabajo individual en oficios como carpinteros, fontaneros, electricistas, pintores. Los cambios en la Constitución para la elección directa de los diputados nacionales no iban a introducir aire fresco en la Asamblea Nacional si no se admitía mínimamente algún tipo de tendencias dentro del partido único o se autorizaban algún tipo de asociaciones electorales no controladas por el Gobierno. El hecho de que un católico pudiera militar en el PCC, tampoco cambiaba la faz del régimen castrista. Tan solo la apertura a la inversión extranjera convulsionaba un poco la estructura del sistema. Pero poco más.

Así las cosas, apenas dos meses después tuvo lugar la V Cumbre Presidencial del Mecanismo Permanente de Consulta y Concertación Política, más conocido como Grupo de Río, en la ciudad colombiana y caribeña de Cartagena de Indias, una Habana en pequeñito.

Once de los 19 países más influyentes de Iberoamérica forman parte de este grupo, conocido también como el G-11. Los presidentes emitieron un largo comunicado el 3 de diciembre, al finalizar los dos días de cumbre.

Dos de los temas más candentes, Cuba y Haití, país este último donde se había producido meses antes un golpe de estado que había derrocado al presidente constitucionalmente elegido, Jean Bertrand Aristide, no son analizados en el comunicado.

Divergencias importantes entre los once presidentes provocaron que el tema de Cuba y el de Haití merecieran "anexos" independientes al comunicado final. El de Cuba fue muy discutido. Tanto que el último día los once cancilleres estuvieron hasta altas horas de la madrugada retocando aquí y allá un comunicado de cuatro párrafos, que en 19 líneas recoge prácticamente todas las posiciones de los presentes.

Argentina y Uruguay dieron la batalla para que las palabras democracia, libertad y Derechos Humanos aparecieran en el texto. México, Colombia y Venezuela, los tradicionales valedores de Castro, pretendieron suavizar el comunicado e introdujeron el consabido "respeto de los principios de no intervención y libre determinación".

Pero el mensaje estaba claro. Después de asistir a varias de estas reuniones, por vez primera leía en Cartagena un llamamiento claro y directo a Cuba, hecho por once presidentes de otras tantas democracias latinoamericanas, para que democratizara el régimen, de acuerdo con lo que en occidente se entiende por democracia.

Los cubanos estaban desolados en Cartagena. Los disidentes, eufóricos. Carlos Alberto Montaner, cabeza más destacada de la Plataforma Democrática Cubana (PDC), convocaba una conferencia de prensa a las puertas del Palacio de Convenciones donde tenía lugar la cumbre y se congratulaba del varapalo dado a su mortal enemigo Fidel Castro.

Algún periodista cubano perdía los nervios y le espetaba, no sin razón, que el régimen cubano había dado a la población amplios beneficios en temas como la salud o la educación, inimaginables antes de la Revolución.

No fui yo el único que salió de la bella Cartagena pensando que se había levantado la veda en el tema cubano. A partir de esta V Cumbre del Grupo de Río, las palabras iban a ser mucho más rotundas.

El segundo párrafo de la Declaración de Cartagena sobre Cuba decía:

"Expresan (los presidentes) su profunda preocupacion por la situación y el porvenir de Cuba y señalan su disposición a prestar plena cooperación para que esa nación alcance, en paz, justicia, libertad y democracia, la vigencia de los Derechos Humanos y un desarrollo económico abierto y libre".

Un golpe claro y contundente al hígado. Sin embargo, se matizaba mucho más la referencia al bloqueo que desde hace treinta y un años es sometida Cuba por parte de los Estados Unidos.

Dice el párrafo final:

"... un renovado diálogo entre Cuba y los países de todo el continente, dentro de un clima de distensión, facilitará los cambios y ayudará a resolver, conforme al derecho internacional, los problemas pendientes".

Dos meses antes, los presidentes del G-3 se han ofrecido para actuar como mediadores en el conflicto Cuba-Estados Unidos. En Cartagena, esa oferta desaparece. La presión a Estados Unidos es más tenue, prácticamente inexistente.

Mes y medio después, los teóricamente mejores amigos de Castro, Felipe González, Carlos Salinas, César Gaviria y Carlos Andrés

Pérez, se encuentran de nuevo en México con motivo de un feliz acontecimiento: la firma de la paz entre el Gobierno de El Salvador y el grupo guerrillero izquierdista —ampliamente apoyado por Castro— Frente Farabundo Martí de Liberación Nacional (FMLN).

El 16 de enero, en el castillo mexicano de Chapultepec donde tuvo lugar el heroico acto de los llamados Niños Héroes, a los que tanto cita Fidel Castro —que prefirieron morir antes que rendirse a las tropas norteamericanas a mediados del siglo pasado—, se celebró el acto que ponía fin a doce años de guerra civil en el pequeño país centroamericano.

Previamente, los tres miembros del G-3 más Felipe González se habían reunido y una vez más repasado la agenda de "asuntos pendientes", entre los que lógicamente se encontraba Cuba. Aunque Felipe González, quien seguiría viaje a Colombia, declaraba que "a un presidente no se le puede hablar más que en términos conciliadores", refiriéndose a Castro, lo cierto es que los cuatro mandatarios reunidos en México se mostraron de acuerdo en el diagnóstico cubano: Castro es un caso perdido. Escucha, pero no actúa. Jamás liberalizará su régimen.

Descorazonados, los cuatro presidentes parecían arrojar la toalla ante la tozudez de un hombre que se negaba a pasar una página del libro de la historia y escribir otra, que diera continuidad a lo que sin duda había sido una página gloriosa. Pero treinta y tres años atrás.

Y así se llegó a Madrid, a la II Cumbre Iberoamericana que daba continuidad a la de Guadalajara. Los días 23 y 24 de julio, todos los presidentes iberoamericanos, con la excepción del colombiano Gaviria, el venezolano Carlos Andrés y el peruano Fujimori, se dieron cita en Madrid.

Aunque se pretendía que la Cumbre no se "cubanizara", como me había dicho Salinas meses atrás, la presencia de Castro constituía sin duda el plato fuerte de la Cumbre.

Las cartas ya estaban todas distribuidas y cada cual jugó la suya. Ya apenas si extrañó que González, en su discurso en la primera sesión de trabajo, dijera:

—... en América Latina, hace diez años las armas sonaban en numerosos confines, las democracias eran una excepción y las economías se ahogaban en un proteccionismo estéril. Hoy, pese a los altibajos, a los problemas específicos y distintos de los países, la paz se ha ido imponiendo, la democracia es ya la norma y las economías han abierto las ventanas a la integración regional y al comercio internacional.

Las palabras duras vendrían unos segundos después:

—Entre nosotros debería quedar muy claro que ni la intolerancia ni el autoritarismo ni el recurso a las armas son ya instrumentos homologables en los albores del nuevo milenio. No queremos presos politicos ni exiliados.

Las cámaras de televisión y las docenas de ojos que presenciaban en directo el acto inaugural de la Cumbre se posaron en Fidel, vestido con su traje de gala de comandante en jefe.

No hacía falta añadir más.

El comunicado final de la Cumbre, de 30 folios, recogería en su quinto párrafo, demostrando así la importancia del tema, estas palabras:

—Reafirmamos nuestro compromiso con la democracia representativa, el respeto a los Derechos Humanos y las libertades fundamentales como pilares que son de nuestra comunidad.

Más adelante se insistía:

—Nuestro propósito es una sociedad libre, abierta y pluralista, con pleno ejercicio de las libertades individuales, sin perseguidos ni excluidos y dirigida a la consecución del progreso y de la justicia social.

Castro pronunció, como el resto de los presentes, un discurso breve. Terminó con esta frase, muy significativa del ambiente en que se desarrollaría la II Cumbre Iberoamericana:

—Nuestro héroe nacional José Martí, hijo de padre y madre españoles, en vísperas del reinicio de la lucha por la independencia, escribió algo que parece concebido para esta reunión: "Cuba no anda de pedigüeña por el mundo: anda de hermana y obra con la autoridad de tal. Al salvarse, salva. Nuestra América no le fallará, porque ella no falla a América".

Bellas palabras que sin embargo no cambiaban la actitud de la mayoría de los presidentes, por no decir todos, reunidos en Madrid: Cuba era la oveja negra, a la que se daba por perdida.

El viaje tanto tiempo acariciado por Castro a España se convertía así en algo insufrible. A la puerta del lujoso hotel Ritz de Madrid, donde se hospedaban todos los presidentes, un grupo de exiliados anticastristras, la mayoría llegados de Miami, montaban guardia permananente.

Alfonso Alemán, un ex preso político cubano que salió de la cárcel en 1979, presidente de una Asociación de ex Presos Políticos Cubanos de New Jersey, Estados Unidos, lanzaba gritos de ¡Asesino, asesino! en cuanto entraba o salía Fidel. Castro debía sufrir todos los días esa humillación una y otra vez.

Los simpatizantes de Castro descubrieron que debían de hacer algo y también se apostaron en la puerta del Ritz. Cuando aparecía Fidel, coreaban vivas a Castro. No se produjeron incidentes serios —salvo algún que otro empujón— porque la policía española estaba atenta a cualquier percance.

El viaje a Sevilla para visitar la Expo 92 iba a estar también plagado de incidentes, el más grave de los cuales lo protagonizó un antiguo compañero de estudios de Fidel, José Ramón Rasco, presidente del Partido Demócrata-Cristiano de Cuba (PDC) y miembro de la Plataforma Democrática, liderada por Carlos Alberto Montaner.

Rasco había sido compañero de Fidel en el colegio de jesuitas de Belén, en La Habana, y posteriormente en la universidad. Residente en Venezuela, Rasco, al igual que Montaner, suele desplazarse a todos los lugares que Castro visita en el exterior, o donde los presidentes latinoamericanos celebran alguna de sus muchas cumbres siempre con el mismo objetivo: pedir democracia para Cuba.

En esta ocasión, Rasco había viajado a Madrid donde intentó colarse en la sede del Senado, donde se celebraban las sesiones de la II Cumbre Iberoamericana. Fue detectado por los servicios de seguridad españoles y se le impidió el paso.

No así en Sevilla. A pesar del fuerte despliegue de efectivos de seguridad, tanto cubanos como españoles, en torno al Pabellón de Cuba, Rasco consiguió colarse en el recinto cubano. Cuando Fidel, después de asistir junto a sus colegas al acto celebrado en la Plaza de América, donde el Rey Juan Carlos pronunció un breve discurso, llegó a su pabellón se topo de frente con Rasco.

Eran las 12.15 de la mañana, del domingo 25 de julio. El opositor democratacristiano le espetó a Castro a gritos:

—¡Fidel, tienes que cambiar!

Fidel se quedó unos segundos perplejo. ¿Cómo había podido penetrar en su pabellón aquel "gusano"?, se preguntaría. Fidel contestó zumbón:

—¿Hacia dónde? ¡Hacia una mayor revolución, claro!

Rasco insistió:

—¡Fidel, cambia, te lo digo por tu bien!

La seguridad cubana, que algunos opositores calcularon en unos 300 efectivos llegados de La Habana, se abalanzó rápidamente sobre Rasco. Cuando era sacado casi en volandas a la calle, Fidel dijo la última palabra:

—Hay que perfeccionar, Rasco, hay que perfeccionar.

Cuando Fidel abandonó el Pabellón cubano, austero comparado con el despliegue de medios y tecnología del resto de los recintos de la Expo, se encontró con la grata sorpresa de medio centenar de fieles que lo aplaudieron y vitorearon. También se topó con los periodistas y sus, a veces, pensaría, impertinentes preguntas:

—Comandante, ¿qué piensa de las palabra de Felipe en el sentido de que no debe haber presos políticos ni exiliados? —disparó uno.

—Presos hay en muchas partes, por ejemplo, en Estados Unidos. Hay muchos negros presos y contra ellos se usa constantemente la silla eléctrica.

El tema de los presos martilleó a Castro durante su estancia española. En la rueda de prensa que dos días antes había ofrecido Felipe González, se le preguntó al presidente español si le diría a Fidel en su propia cara, de mantener un encuentro privado, que liberara a los presos políticos. Felipe, que en otras ocasiones habría eludido la respuesta directa, dijo en esta ocasión:

—Si tengo una entrevista con él, desde luego. Si tengo ocasión de hablar personalmente con Castro, se lo recordaré, lo he hecho siempre y lo volveré a hacer. Soy tenaz cuando defiendo mis convicciones.

La otra palabra que martirizaría a Fidel sería elecciones. Inmediatamente después de visitar el Pabellón de Cuba, Castro se dirigió al de España, donde tendría lugar el almuerzo que el Gobierno español ofrecía a los ilustres visitantes. Quizás para compensar la frialdad de los días anteriores, Castro ocupó un asiento al lado del Rey. Habían sido también las Infantas españolas Elena y Cristina las que acompañaron a Fidel a su llegada a la Expo y también Castro había viajado en el monorraíl del recinto ferial sentado al lado del Rey.

Al término del almuerzo, Fidel agradeció al monarca el trato recibido en España. Eran ya los últimos minutos que los presidentes pasaban juntos, antes de partir cada cual a su país de origen o seguir viaje a otros lugares.

Como el ambiente era cordial y distendido, Castro se permitió una broma:

—Me he convertido en un realista.

Felipe González saltó como una pantera:

—Si te has hecho realista, lo que debes hacer es convocar elecciones, designar un primer ministro y convertirte en rey.

Los comensales soltaron una franca carcajada. Fidel no cedió:

—No me has entendido, Felipe, me hecho realista, pero no quiero ser rey.

La presidenta nicaragüense, Violeta Chamorro, más en serio, le reclamó a Castro que reinstaurara las libertades democráticas. Fidel, también en serio, le contestó escuetamente:

—Ya las tengo.

La Chamorro comentó en voz más baja:

—¿A dónde vamos a mandar a Fidel, a un psiquiatra?

En la II Cumbre, amén de los presidentes argentino y uruguayo, que desde hacía meses se mostraban duros con Castro, fueron los presidentes centroamericanos quienes pidieron de forma más vehemente cambios y reformas democráticas en Cuba.

El salvadoreño Alfredo Cristiani no dudó en afirmar en Sevilla lo que muchos telespectadores sospechaban después de seguir el desarrollo de la Cumbre a través de la televisión: "No dudo que Fidel ha sentido que está perfectamente solo". Y dijo más:

—Hasta ahora se le ha brindado a Castro el espacio que busca, pero a partir de este momento tendrá que permitir que la situación de Cuba evolucione hacia la democracia.

Las simpatías que al menos verbalmente mostró Castro hacia el Rey Juan Carlos tenían una segunda intención, según diplomáticos españoles: molestar a Felipe González. Alabando al Rey y no citando a Felipe, Fidel se ponía por encima de las opiniones del presidente del Gobierno español.

Recuerdo que cuando ya Castro había regresado a La Habana, hablé con dos personas de su séquito que aún estaban en Madrid. Les dije que tras la Cumbre, las relaciones entre Fidel y Felipe se habían deteriorado enormemente. Ambos estuvieron de acuerdo. Y me dijeron:

—Pero con el Rey son ahora excelentes.

Castro diría cuatro horas antes de volar a La Habana, en Santiago de Compostela, que si fuera español, "votaría al Rey Juan Carlos". Para Fidel, el Rey español es "honesto y noble y su familia me ha causado muy buena impresión". Deseó además que el Príncipe Felipe, que formaba parte del equipo olímpico español en la especialidad de vela, lograra al menos una medalla de bronce.

Salvo esos detalles del Rey, al sentarlo a su lado, Sevilla tampoco se le estaba dando muy bien a Fidel. A pesar de que el alcalde nacionalista Alejandro Rojas Marcos, del Partido Andalucista, lo invitó sorpresivamente a visitar el ayuntamiento, lo que le dio la oportunidad a Castro de pisar suelo sevillano y pronunciar un discurso en el que una vez más atacó a los Estados Unidos, la capital andaluza no se había volcado como él esperaba. Y además estaba llena de "gusanos", como llaman en Cuba a los cubanos de Miami.

Así que Fidel acortó su estancia en Sevilla un día. Tenía previsto celebrar el 27 de julio la fiesta nacional de su país en la sede de la Expo —la fiesta es el día 26, pero Cuba la retrasó un día para que no coincidiera con la visita de todos los presidentes a la feria.

En su Ilushiyin 62-M, Fidel volaba en la mañana del lunes 27 hacia Santiago de Compostela, donde le esperaba su nuevo, y desde luego mejor amigo, Manuel Fraga Iribarne. Llegó a las once de la mañana. Saludó al presidente de la Xunta de Galicia, que lo esperaba al pie del avión y dijo a los periodistas:

—¡Aquí estoy, a las órdenes de Fraga!

Un Fraga tan incansable como Fidel al que le había preparado un viaje de cinco días por la breve Galicia, recorriendo fábricas, puertos, conserveras y, cómo no, el pueblo y la casa, la "pazoya", como llaman en Galicia a esas rústicas y humildes construcciones de piedra y pizarra, donde había nacido su padre, Angel Castro.

Pero Fidel no estaba de humor para cinco días de correrías por la verde tierra de sus antepasados. Así que acortó el viaje a poco menos de dos días, 42 horas exactamente. A las cinco de la mañana del día 29, el Ilushiyin despegaría rumbo a La Habana.

En esas horas, Fidel recuperaría un poco la moral. Nadie lo insultó y muchos lo vitorearon y siguieron allá donde viajaba. Su anfitrión, el ex ministro de Franco y líder conservador Fraga Iribarne, sólo lanzaría breves punzadas.

Por ejemplo, en un par de ocasiones hablaría de la necesaria reconciliación de los cubanos. Dijo en el bello convento de San Francisco, en Santiago:

—Levanto mi copa en este viejo convento por Cuba, la isla hermana, por la reconciliación de todos los cubanos, por su independencia, su progreso, salud y solidaridad.

Fidel aprovecharía para resaltar el coraje de Fraga, al invitarlo en contra de la opinión, no sólo de muchos miembros del Partido Socialista, sino de líderes importantes de su propio partido.

Levantando su copa de vino albariño, Fidel contestó al brindis de Fraga así:

—Nuestro amigo Fraga supo resistir todas las presiones y hacer posible la presencia de nuestra delegación cubana aquí en Galicia.

En Láncara, el pueblecito donde nació el padre de su invitado, Fraga reflexionaría sobre el capitalismo, al afirmar que la sociedad gallega "es celosa de su propiedad, pequeña o mediana". Diría también:

—Nunca se ha confiado Galicia a la salvación utópica de los poderes públicos...Tampoco a las promesas excesivamente irrealistas en los planteamientos sociales. Creemos en el trabajo, en el ahorro y en la iniciativa individual.

Una frase muy gallega, por lo enrevesada y poco clara, daría pie a que algunos interpretaran —con mucha imaginación— que Fraga le había pedido a Fidel elecciones libres:

—Cuba debe dar todos los pasos que la realidad de los tiempos y la opinión universal demandan.

Fuera de eso, el viaje de Fidel por tierras gallegas fue un paseo triunfal. El mismo día de su llegada, el alcalde del pueblecito de Oleiros, Antxo García Seoane, atacaría a los socialistas, con el agrado cómplice de Fidel. Mientras, este alcalde, ex miembro del Partido Comunista, alababa la actitud "valiente y honesta de Fraga", acusaba a los socialistas:

—Enmascarados en un falso socialismo, sirven de alcahuetes para socavar los cimientos de la Revolución más digna y hermosa del presente siglo.

¿Se refería al secretario general del Partido Socialista gallego, rama local del español, Antolín Sánchez Presedo? Muy posiblemente, a él, y su jefe de filas, Felipe González.

Sánchez Presedo estaba furioso con Fraga. Y lo expresó así:

—Porque un dictador tenga origen gallego, no deja de ser un dictador. Una cosa es la hospitalidad y otra el compadreo.

Mientras Castro recorría Galicia de la mano de Fraga, el alcalde de La Coruña, la ciudad más importante de la región, Francisco Vázquez, recibía con todos los honores a los disidentes cubanos Carlos Alberto Montaner y Juan Suárez Rivas. Montaner, eufórico, porque sabía que en pocas horas sería recibido en el mismísimo Palacio de la Moncloa por el presidente Felipe González, declaraba en La Coruña:

—El Castro que regresa a Cuba es un Castro muchísimo más debilitado del que salió de la isla.

Y se atrevía a hacer un vaticinio:

—La situación económica en Cuba es tan grave que me sería difícil pensar que dentro de 18 ó 24 meses Castro siga en el poder.

Pero Castro disfrutaba aparentemente de su estancia en Galicia y no se privaba de una buena cena, en compañía de Fraga. En el restaurante Vilas de Santiago, uno de los mejores de la ciudad, cenaba la noche del 27 jamón, salpicón de mariscos, merluza a la romana, pimientos de Padrón y filloas con nata y miel. Todo ello regado con un buen albariño Val de Amor. Perfecto para la luna de miel que el conservador Fraga y el comunista Fidel habían iniciado en septiembre pasado en La Habana y continuaban ahora a este lado del Atlántico.

Un Fidel que decía sentirse feliz en Galicia, "hablando español y no en inglés". Y bromeaba sobre uno de los temas que lo han enfrentado en ocasiones con el Gobierno español: el famoso V Centenario del Descubrimiento o Encuentro de dos mundos —"a mí me da lo mismo", dijo entonces, pero no es cierto— y los viajes de Colón:

—En realidad, Colón no tenía la mala intención de descubrir América Latina. La descubrió por casualidad.

Los 300 presentes en el pequeño teatro del hotel donde se hospedaba Fidel, miembros de la Asociación de Amigos de Cuba de Oleiros, rieron de buena gana. Fidel siguió:

—Colón se encontró con un continente de por medio en su viaje a la India, luego la culpa no fue de él, sino nuestra por estar allí.

Hablando en una ocasión más en serio sobre este tema con su amigo el comandante sandinista Tomás Borge, dijo que, aunque no se podía "desconocer el mérito extraordinario de Colón", había que contemplar el V Centenario no como una celebración sino como una conmemoración crítica del hecho:

—Junto al descubrimiento vinieron asociados fenómenos tan terribles para los pueblos americanos como la conquista, el desalojo de sus tierras, la destrucción de sus civilizaciones, el exterminio de la población indígena (7).

Ese "descubrimiento" provocó también que millones de africanos "fueran arrancados a la fuerza de sus patrias" y en un "repugnante comercio" llevados a las plantaciones de las tierras americanas.

Fidel rechazó en esa conversación con Borge tanto la palabra descubrimiento, como los que "piadosamente" lo definen como "encuentro de dos culturas". Para el líder cubano, se trató de una imposición de una cultura sobre la otra.

De cualquier forma, Fidel se alegró de que fueran los españoles los que llegaran a su Cuba y a la América Hispana:

—Prefiero que Cuba haya sido colonizada por los españoles y no por europeos racistas, porque del carácter de esa colonización salió esta mezcla formidable que es nuestro actual pueblo.

Salieron, entre otras bellezas, las mulatas. Las "café con leche", como dicen en Cuba. El mejor invento español.

Cuando estaba a punto de concluir la recogida de datos para este libro, tuve una amplia conversación con un diplomático español que conoce bien las relaciones hispano-cubanas.

Faltaban aún cinco meses para la celebración de la II Cumbre Iberoamericana. El diplomático me anticipó un juicio que muy posiblemente comenzó a cumplirse nada más iniciarse la Cumbre de Madrid:

—El Gobierno español cuidará mucho las relaciones con Cuba hasta que se celebre la Cumbre y si me apuras un poco, hasta que sea clausurada la Expo de Sevilla, el 12 de octubre de 1992. Después, habrá una inflexión en esas relaciones y no precisamente para bien.

No le faltaba razón.

Durante todo el 91, al año siguiente de la importante crisis de las embajadas, las acusaciones mutuas, los reproches, la tensión, no dejaron de viajar de un lado a otro del océano, con el consiguiente deterioro de las relaciones. Era el preludio de la ruptura, o como mínimo del enfriamiento.

El Rey Juan Carlos, que ha visitado todos los países que pertenecieron a la antigua metrópoli española, sólo tiene una cuenta pendiente: Cuba. La invitación formal por parte del Gobierno cubano está cursada desde hace tiempo, pero el Rey, mejor dicho el Gobierno, que es quien decide estos temas, aún no ha aprobado ese viaje.

Pero es un tema siempre caliente, y con un ministro como Fernández Ordóñez, desaparecido ya tras su muerte en agosto de 1992, que no tenía pelos en la lengua, siempre se armaba un escándalo.

En el mes de abril de 1991, Ordóñez contestó a una pregunta sobre cuándo se produciría una visita del Rey a Cuba: "cuando la situación política interna se normalice".

En La Habana, en donde me encontraba en aquel momento, se volvió a desenterrar el hacha de guerra.

—Evidentemente es una injerencia en los asuntos internos de Cuba y una práctica, por decir lo menos, no muy profesional desde el punto de vista diplomático.

La frase le corresponde al actual ministro de Relaciones Exteriores, Ricardo Alarcón de Quesada, de cincuenta y cinco años, quien en ese momento era primer viceministro del mismo departamento.

Alarcón había convocado a los periodistas extranjeros que nos encontrábamos en La Habana para informar sobre los temas de su especialidad: las relaciones (mejor no-relaciones) con Estados Unidos y el bloqueo. Pero sobre la mesa estaba el tema Ordóñez y había que reventarlo. Mantuvo Alarcón:

—Sería una lástima que por una actitud prejuiciada o cierta vocación de antipatía hacia Cuba nos privara de la oportunidad de recibir a los Reyes de España en nuestro país.

En cierta ocasión, Juan Tomás de Salas, director de *Cambio 16* y presidente del Grupo 16, uno de los más importantes e influyentes en el mundo de la comunicación en España, me contó un par de anécdotas que había escuchado directamente de labios del fallecido Fernández Ordóñez.

Cuando se celebró la I Cumbre Iberoamericana, en julio de 1991, en Guadalajara, el Rey, compañado por Ordóñez, recibió a Fidel Castro. El presidente cubano le preguntó al monarca que cuándo pensaba visitar Cuba, cuyo Gobierno tenía mucho interés en esa visita. El Rey contestó que estaría encantado de realizar ese viaje, pero que debía ser el Gobierno quien tomara la decisión respecto a la fecha. Entonces, Castro se volvió hacia Fernández Ordóñez y dijo:

—Bueno, en ese caso ya se encargará éste de que el viaje no sea posible.

El viaje, casi a finales de 1992 aún no se había realizado y es muy dudoso que tenga lugar mientras el régimen cubano se mantenga en su posición numantina de partido único. Ningún presidente de gobierno español querrá autorizar esa visita real.

Una posición numantina que queda reflejada también en èsta segunda anécdota que Ordóñez le contó a Salas:

En la larga entrevista de dos horas que mantuvieron Felipe González y Fidel Castro en Guadalajara, el presidente español desarrolló toda una teoría de la necesidad de que su interlocutor introdujera cambios democráticos en su régimen. Después de la larga exposición, Fidel miró a Felipe y dijo:

—Sí, Felipe, todo eso está muy bien. Pero yo estoy ya demasiado viejo para cambiar.

Volviendo a la intervención de Alarcón ante la prensa extranjera, el 18 de abril de 1991, otra noticia española saltó en aquella casona cedida por la Unión de Escritores al viceministro Alarcón: la invitación que el Grupo Socialista del Congreso de Diputados español había hecho a la Plataforma Democrática de Cuba (PDC), que lidera Carlos Alberto Montaner, para que visitara España.

Y no fueron sólo los diputados socialistas los que dialogaron con Montaner y Enrique Baloyra, representante en la Plataforma de los grupos socialdemócratas. Sino que ambos fueron recibidos por altos dirigentes del Partido Socialista Obrero Español (PSOE), como Elena Flores, responsable del área internacional del PSOE, o Inocencio Arias, segundo hombre del Ministerio de Asuntos Exteriores español.

Le pregunté a Alarcón si pensaba que el PSOE había cambiado de bando. Respondió:

—El bando que quiera escoger el PSOE no me corresponde a mí detereminarlo, pero yo diría que es bastante poco sensato y bastante incoherente y desacertado que la señora Flores o cualquier otro dirigente español pierda su tiempo en reunirse con esos caballeros (Montaner y Baloyra).

Alarcón, al igual que otros funcionarios cubanos, estaba visiblemente irritado no sólo por la entrevista de Elena Flores con los opositores anticastristas, sino porque aquella calificó el proyecto de la Plataforma de "coherente, sensato y acertado".

Era un primer aprobado que recibía Montaner y su grupo por parte de los socialistas españoles. Más tarde vendría el notable, cuando fueran recibidos en la Moncloa, en julio de 1992.

Para Alarcón, estos dos personajes, no eran sino un fascista (Montaner) y un loco (Baloyra).

—Sin querer meterme en las interioridades de la diplomacia del PSOE, creo que si se ha llegado a identificar a personas de ese calibre como congéneres o camaradas de esta nueva orientación del socialismo español, pienso que hay que llamar a los psiquiatras.

Por último, Alarcón dijo:

—Si a Elena Flores le sobra tiempo para conversar con Montaner y Baloyra, sólo tengo que lamentar que haya perdido jerarquía e importancia su actividad política. Lamento que no tenga cosas más serias que hacer.

Unos meses más tarde, entrevisté a Sergio Corrieri, ex actor de cine y teatro (*Memoria del subdesarrollo, En silencio ha tenido que ser*), que retirado de los platós dirigía el Instituto Cubano de Amistad con los Pueblos (ICAP), un organismo que desde los primeros años de la Revolución había servido para canalizar las solidaridades que desde todo el mundo llegaban a la isla caribeña. También era un foco desde donde se emitían propaganda y orientaciones a las organizaciones procubanas repartidas por medio mundo.

Cuando visité a Corrieri, el 7 de febrero de 1992, lo primero que me sorprende es un gigantesco relieve en madera de Lenin. En una época en la que en casi todo el mundo se derriban sus estatuas, en Cuba se levantan nuevas, dijo en una ocasión Fidel.

Corrieri me ofreció los datos básicos del ICAP: en todo el mundo hay unas 500 asociaciones de amistad con Cuba, incluidas las filiales. España contaba en ese momento con 26. El ICAP, entre otras cosas, organiza viajes de los miembros de esas asociaciones a la isla, para que vean con sus propios ojos el desarrollo del socialismo cubano.

—Para muchos de los amigos de Cuba no es la defensa del socialismo lo que está en cuestión, sino el Derecho Internacional, el derecho contra la barbarie, el derecho a sobrevivir y a existir sin acosos.

Corrieri me diría una frase que resume la política exterior de Cuba en estos momentos:

—No podemos exigir la unanimidad en todo lo que hace Cuba, pero sí pedir que nos respeten y se manifiesten en contra del bloqueo yanqui.

En ese sentido, para el presidente del ICAP había "declaraciones de personalidades del Gobierno español que personalmente las considero inaceptables".

—Los juicios que hacen sobre nuestra realidad, nuestro futuro y nuestras perspectivas son equivocados, muchas veces descorteses y a veces groseros.

El año de 1991 iba a terminar con otros dos graves enfrentamientos verbales entre España y Cuba.

Precisamente un par de días antes de la reunión del Grupo de Río en Cartagena de Indias, Colombia, otro viceministro cubano de Relaciones Exteriores, Alcibíades Hidalgo, convocaba el 29 de noviembre en la Cancillería al embajador español, Gumersindo Rico, que había sustituido hacía un año a Serrano del Haro.

El funcionario cubano acusó a tres miembros de la Embajada española de alentar a los grupos opositores del interior de la isla. Concretamente, Hidalgo citó los nombres de Ignacio Rupérez, ministro consejero; Jorge de Orueta, primer secretario, que había sustituido a Fidel Sendagorta, y el funcionario Oscar Toribio, el cuarto hombre que durmió en la Embajada española la noche que pudo ser trágica del 21 de julio de 1990.

Rupérez había quedado seriamente herido en la refriega de la crisis de la embajada y los funcionarios cubanos no escatimaban acusaciones y ataques a su persona. Rupérez aguantaba·lo mejor que podía, en espera de un nuevo destino.

La respuesta del embajador Rico fue, por supuesto, la de rechazar la acusación que formulaba Hidalgo, que se resumía así:

—Injerencia de los tres citados funcionarios en los asuntos internos cubanos, así como la participación de los mismos en actividades de coordinación e incentivación de la disidencia (8).

La llamada de Alcibíades Hidalgo tenía su verdadero origen en la visita, recién concluida, del presidente del Principado de Asturias, Juan Luis Rodríguez-Vigil.

Vigil había tenido la osadía, según los cubanos, de entrevistarse con destacados representantes de la disidencia interna, como la poetisa María Elena Cruz Varela, días antes de su detención y condena a dos años de prisión, y Elizardo Sánchez, en la casa precisamente del diplomático español Orueta.

Unos días más tarde de esta protesta, viajé de nuevo a Cuba. Un diplomático español me dijo sin ambages:

—Si el Gobierno cubano piensa que el gesto de Vigil al entrevistarse con los disidentes es único, se equivoca. A partir de ahora, todos los políticos españoles que vengan a la isla, todos los presidentes autonómicos, seguirán su ejemplo.

Desde Madrid, el director general de la Oficina de Información Diplomática (OID), Juan Leña, declaraba:

—España va a continuar el diálogo con el Gobierno de Cuba y con los disidentes y la oposición política para propiciar una salida no traumática hacia la democracia (9).

Para el alto representante del Ministerio español de Asuntos Exteriores, "España tenía conocimiento de las actividades de los tres funcionarios citados" y éstas eran conformes con lo establecido en el Convenio de Viena.

Unos meses antes, el 30 de agosto exactamente, el propio Ignacio Rupérez había sido llamado por Alcibíades Hidalgo a la Cancillería. En aquella ocasión, el diplomático cubano se quejó por la misma causa: Rupérez, Orueta y Toribio estaban alentando a la disidencia interna.

Días antes, había llegado a la isla el periodista Xavier Domingo con una carta de Carlos Alberto Montaner dirigida a los disidentes. Una copia de la carta fue interceptada por la seguridad cubana (ver capítulo "Los disidentes"). Hidalgo acusó a Rupérez de estar relacionado con esta carta, en la que se proponía a la disidencia interna fundar una plataforma similar a la que existía en el exterior.

La base sobre la que Alcibíades Hidalgo sustentaba la acusación era una cena que había convocado en su residencia particular Rupérez, a la que había invitado a las dos figuras más representativas de la defensa de los Derechos Humanos en Cuba, Gustavo Arcos y Elizardo Sánchez. La cena fue cancelada.

El año 1991 iba a terminar con una dura andanada de un peso pesado del régimen, Carlos Aldana, responsable no sólo del área ideológica del Comité Central del PCC, sino también de las Relaciones Internacionales.

Al hablar ante el pleno de la Asamblea Nacional del Poder Popular, Aldana denunció que Xavier Domingo había contado "con la colaboración de un funcionario diplomático de una misión acreditada en nuestro país, que ha estado haciendo el papel de aglutinar estos grupos (de disidentes) y tratar de salvar las diferencias y asperezas entre ellos".

La reacción tanto de Rupérez, que sin nombrarlo era sin lugar a dudas "el funcionario diplomático", como del embajador Rico no se hizo esperar.

Rupérez consideró injustas y exageradas las palabras de Aldana y el embajador Rico aseguró:

—Si las autoridades cubanas creen que nosotros estamos dando instrucciones o consejos a estos grupos, se equivocan como se equivocaron en 1990, cuando se produjo la crisis de las embajadas.

El embajador Gumersindo Rico, que había llegado a ocupar su cargo en noviembre de 1990, había sido cuidadosamente seleccionado por el Gobierno español. Según sus más cercanos colaboradores, Rico era un liberal de talante abierto, seguidor del filósofo español Xavier Zubiri. Todo indicaba que podría contactar con más facilidad con miembros del Gobierno cubano que su antecesor, Serrano de Haro, que había salido muy quemado de la crisis de la embajada del mes de julio.

Pero no fue así en absoluto. De hecho, Rico se encontraba en una situación de cuasi aislamiento por parte del Gobierno cubano y algunos de los más destacados dirigentes del Partido. Antes de la crisis de las embajadas, Carlos Aldana había acudido a la residencia de un diplomático español, con el que llegó a tener una relación amistosa.

Pero los acontecimientos posteriores frustraron lo que podría haber sido un excelente canal de comunicación. Aldana nunca más volvió por aquella casa, a la que concurrían también destacados periodistas cubanos.

En su discurso ante la Asamblea, Aldana acusó a algunas embajadas de facilitar máquinas de escribir, papel, grabadoras, cintas, la valija diplomática para que las usen en contactos hacia el exterior, consejos políticos, asesoría y alimentos.

Funcionarios cubanos comenzaron en esa época a esparcir el rumor de que el Gobierno de Madrid había dado órdenes a sus diplomáticos "de joder a Cuba", palabra muy cubana, de sentido distinto al español. Estaban convencidos de que España quería fastidiar al Gobierno cubano.

Por su parte, los españoles se recluían cada vez más en su propia embajada o en sus residencias y apenas si había contactos, salvo los estrictamente formales y protocolarios, con sus colegas cubanos.

El año de 1991 terminaría con un ataque en toda regla no ya al

Gobierno español, sino a todos los gobiernos de América Latina que de una forma u otra están pidiendo cambios en Cuba.

La Asamblea Nacional del Poder Popular aprobó e hizo pública una "declaración" en la que denunciaba a quienes pretendían dictarle a Cuba el camino que debía seguir para homologarse con sus vecinos latinoamericanos.

El hecho mismo de la declaración era un reconocimiento por parte de La Habana de la existencia de una profunda irritación porque el régimen cubano fuera radiografiado en cuanta cumbre se celebraba en el continente y, desgraciadamente, puesto al lado de otros problemas hemisféricos, como el de Haití, o el fallido golpe de Venezuela.

La declaración cubana comenzaba así:

"Junto a crecientes manifestaciones de respeto y simpatía, así como acciones solidarias concretas verdaderamente alentadoras en Latinoamérica y en el mundo, son también frecuentes las declaraciones en reuniones de parlamentos y pronunciamientos de líderes políticos e incluso declaraciones conjuntas de jefes de gobierno en relación con la situación en nuestro país" (10).

No había que ser ningún adivino para ver detrás de esas "declaraciones conjuntas" la suscrita por los once presidentes más importantes de Latinoamérica en Cartagena de Indias unas semanas antes, el 3 de diciembre, en la que los mandatarios miembros del Grupo de Río "expresan su profunda preocupación por la situación y el porvenir de Cuba", en la que también se pide libertad, democracia y respeto a los Derechos Humanos.

"Tales deliberaciones, en ausencia de Cuba, conforman, cuando menos, un monólogo infecundo", mantiene la declaración cubana.

Lógicamente, la mano de Estados Unidos, para los parlamentarios cubanos, estaba detrás de estas declaraciones conjuntas de los presidentes latinoamericanos. Sigue la declaración cubana:

"Lo que no compete a los gobernantes norteamericanos, ni a aquéllos que amparándose a la sombra de la buena fe de genuinos líderes latinoamericanos buscan concesiones y favores de Estados Unidos, comportándose como agentes de la política yanqui, es trazar pautas al pueblo de Cuba sobre cómo conducir sus destinos".

Para los cubanos, es imposible "aceptar la pretensión de que se nos impongan normas de conducta o criterios sobre el contenido de nuestra democracia o el funcionamiento de nuestro sistema social".

Cuba desea desarrollar su propia vía al socialismo. Eso queda claro. Y Castro lo repite en cuentas ocasiones puede, tanto dentro como fuera de su país. El problema es que muchos de sus interlocutores, otrora amigos, a los que escuchaba con interés, están cada día más reticentes respecto a la viabilidad del proyecto cubano.

En un continente cada vez más homogéneo en lo político y más interrelacionado en lo económico, Cuba es una pieza que no encaja, de otro color, de color rojo comunista en un mundo en el que cada día priva más el liberalismo.

Ha sido una larga meditación sobre el papel de Cuba en el mundo, y muy especialmente en el mundo hispano, la que Fidel ha realizado posiblemente cuando se ha encontrado a oscuras en la vieja casona de su padre, Angel Castro y Argiz, aquel gallego que viajó a finales del siglo pasado a Cuba en busca de fortuna y la encontró.

Los escasos minutos que Fidel ha permanecido en el interior de la "pazoya", la humilde casa de un solo habitáculo, construida con piedra y techada con pizarra, han finalizado.

Fuera, le espera el griterío de los amigos gallegos que lo han seguido hasta Láncara que siguen gritando incansables "¡Fidel, Fidel!".

Fidel los mira con cierto cariño. Bueno, al menos le quedan algunos seguidores en este rincón de la vieja España, pensará. Da la vuelta a la "pazoya" mientras murmura "¡Estas son las tierras del viejo!". Se dirige a la zona trasera de la casa, donde hay un pequeño huerto de menos de cien metros cuadrados. Echa un vistazo y dice señalando un rincón:

—Allí debía tener sus animales.

Es el momento más emotivo, si no de su vida, sí de sus últimos años. Ahora comprenderá por qué "su viejo" emprendió como tantos otros miles de gallegos, de asturianos, de canarios el camino de Cuba. Esos emigrantes que poblaron la isla y se mezclaron con la población autóctona, muy diezmada, y sobre todo con los negros llegados esclavos de Africa y libres ahora en la Cuba Roja.

Su padre fue uno de esos emigrantes.

Pero, ¡lo que es el destino! Las más de 10.000 hectáreas que conseguirá reunir "el viejo" en Birán, una maravillosa tierra al noreste de la isla de Cuba, serán confiscadas por el Estado. Angel Castro habrá muerto para entonces. Pero será su esposa, Lina Ruz, una galleguiña que conoció a Angel cuando sólo contaba catorce años, la que sufrirá el golpe. Porque es su propio hijo, Fidel Castro Ruz, quien decreta la reforma agraria y expropia forzosamente a los terratenientes, entre ellos a su propia madre.

Fidel pensará en todo eso en su viaje de regreso de Láncara a Santiago de Compostela, cuando el Mercedes blindado atraviese las ya adormecidas colinas de Lugo.

El viejo soldado subirá horas después a su Ilushiyin 62-M soviético y seguramente pensará en que no hay que dejarse llevar por los sentimientos. Hace un par de meses, cesó a su hijo Fidel Castro Díaz-Balart, el único nacido en matrimonio, al frente de la Comi-

sión Nacional de Energía Nuclear. Esos "gusanos" de Miami le han
sacado el tema ahora, en Santiago, y ha debido decir que lo desti-
tuyó por "ineficiente". Malditos.

Y si no ha tenido que pensarlo dos veces a la hora de sustituir a
su hijo, tampoco dudará a la hora de prescindir de quienes aparentemente ya no quieren ser sus amigos. ¡Este Felipe!, pensará Fidel. ¿No podía haber seguido siendo el mismo Felipe de 1986
cuando tanto disfrutaron en el Tropicana, rodeados de bellas mulatas hijas de la mezcla de españoles y africanos?

Horas después de dejar Galicia, el avión se posa en el aeropuerto José Martí. Por la avenida Rancho Boyeros, tomada por elementos de la Policía Nacional Revolucionaria, que le recuerdan a los
guardias civiles que bordeaban la carretera de Santiago a Láncara,
el Mercedez Benz cubano matrícula HO-52264 se dirige como una
bala hacia La Habana.

El viejo soldado sigue en movimiento.

Pero cada vez se mueve más solo.

NOTAS

(1)   *Tiempo*, 10 de junio de 1991, Madrid

(2)   *Cuba Internacional*. Edición especial, julio de 1992, La Habana

(3)   *Cuba Internacional*. Edición especial, julio de 1992, La Habana

(4)   Todas las declaraciones realizadas por Francisco Fernández Ordóñez, Luis
       Yáñez y otros portavoces del Gobierno español en Madrid están recogidas
       de *Diario 16*.

(5)   Todas las citas sobre el discurso de Fidel el 26 de julio de 1990, están toma-
       das del diario *Granma*, del 5 de agosto de 1990, La Habana

(6)   Todas las citas sobre la Declaración de Cozumel están tomadas del comuni-
       cado oficial emitido por la Presidencia de la República de México, el 23 de
       octubre de 1991.

(7)   Tomás Borge: *Fidel Castro: Un grano de maíz*. Oficina de Publicaciones del
       Consejo de Estado. La Habana, 1992.

(8)   *El País*, 30 de noviembre de 1991, Madrid.

(9)   *ABC*, 1 de diciembre de 1991, Madrid.

(10)   *Bohemia*, 1 de enero de 1992, La Habana.

22

LOS SOVIETICOS

El tiempo está a favor de los pequeños
de los desnudos, de los olvidados
el tiempo está a favor de los buenos sueños
y se pronuncian a golpes apurados.
Silvio Rodríguez
(*El tiempo está a favor de los pequeños*)

Tiene a su derecha a Carlos Aldana. A la izquierda, a Carlos Rafael Rodríguez. A ambos lados de cada uno de estos destacados dirigentes cubanos se encuentran Ricardo Alarcón y Carlos Lage. Salvo el veterano Carlos Rafael, vicepresidente del Consejo de Ministros, de setenta y ocho años de edad, los demás representan las dos generaciones siguientes a la generación histórica que luchó en Sierra Maestra.

Consulta de vez en cuando a Aldana, responsable de Relaciones Internacionales del Partido Comunista de Cuba (PCC), antes de responder a alguna de las preguntas que le hacen los periodistas.

Estamos en un bello salón abovedado de la Quinta Pilar, desde el que se divisa el mar de verdes aguas que rodea a la isla mexicana de Cozumel, en el corazón del Caribe. Quinta Pilar es una residencia privada que ha sido cedida al presidente mexicano Carlos Salinas de Gortari para que reciba a sus ilustres huéspedes: los presidentes César Gaviria, de Colombia y Carlos Andrés Pérez, de Venezuela.

La noche anterior había recibido una llamada tardía en mi casa mexicana:

—Mañana sale un avión de la presidencia hacia Cozumel. Tienes una plaza.

Un sexto sentido me advirtió que la reunión del Grupo de los Tres (G-3), convocada para el 22 de octubre de 1991 en la isla mexicana situada frente a las famosas playas de Cancún, no iba a ser rutinaria. Esa llamada intempestiva tampoco era común.

El avión militar puesto a disposición de los periodistas mexicanos y media docena de corresponsales extranjeros nos llevó primero al Estado de Sonora, en la frontera con los Estados Unidos. El presidente Salinas debía asistir a la toma de posesión del nuevo gobernador del Estado. Nos metieron en el cuerpo 4.000 kilómetros extras, pero el esfuerzo mereció la pena.

En el vuelo de Sonora a Cozumel, un portavoz de la presidencia mexicana dio la noticia que algunos sospechábamos:

Fidel Castro ha sido invitado a la cumbre del Grupo de los Tres.

—Efectivamente, los presidentes de México, Colombia y Venezuela, que integran el Grupo de los Tres, habían invitado a última hora a Fidel Castro. Hacía sólo ocho días que el comandante cubano había clausurado en Santiago de Cuba el IV Congreso del Partido Comunista de Cuba (PCC) y sus vecinos y colegas querían conocer de primera mano el alcance de los cambios introducidos en el régimen cubano (ver capítulo "Los españoles").

De modo que un día después, el 23 de octubre, allí estaba el Comandante enfundado en su uniforme verde olivo, a pesar del pegajoso calor de Cozumel, dispuesto a responder a los periodistas cuantas preguntas le hicieran. Las conversaciones con sus colegas Salinas, Gaviria y Pérez ya habían finalizado.

Muchas de las preguntas se centraron en el punto más débil de la economía cubana: la falta de combustible.

Fidel explicó que no había pedido petróleo a sus colegas, dos de los cuales, Salinas y Carlos Andrés, presiden los dos países que más petróleo producen en América Latina.

La solución a la falta de combustible, que durante treinta años había llegado puntualmente desde la ex Unión Soviética, debe ser el ahorro, no la búsqueda de nuevos mercados, decía Fidel. Porque para comprar petróleo hace falta, en este mundo revuelto tras el derrumbe de los socialismos europeos, dólares. Contantes y sonantes. Algo que Cuba tampoco tiene.

Fidel Castro acaricia su barba y dice con cierta sorna:

—¿Qué vamos a hacer frente a estos problemas? ¿Echarnos a llorar como Magdalena? Y perdónenme que mencione a la Magdalena, que fue una señora que lloró con sentimiento, no lloró de rabia, no lloró por cobardía...

Los periodistas sonríen. Fidel, educado en dos colegios de jesuitas antes de ingresar en la Universidad de La Habana, cita con frecuencia hechos y personajes bíblicos a pesar de su ateísmo militante. Sigue hablando:

—... ¿ponernos a llorar de rabia?, ¿ponernos a llorar por cobardía?, ¿o ponernos a llorar por sentimiento? ¡Ni por eso vamos a llorar! Por muy sentimentalistas que seamos, procuramos ser realistas, ser revolucionarios realistas.

Fidel no llorará. Pocos han visto llorar al líder cubano en su ya larga vida. Pero la procesión irá por dentro.

Durante tres décadas, enormes petroleros soviéticos llegaban puntualmente a los puertos de La Habana o de Santiago cargados de crudo. Los cubanos pagaban con azúcar, níquel, cítricos. El teléfono rojo entre La Habana y Moscú funcionaba de forma impecable. Los 13 millones de toneladas de crudo que la isla necesitaba para mantener su nivel de vida sin problemas eran remitidos puntualmente por los soviéticos.

Pero entre Cuba y la Unión Soviética había habido ya problemas y discrepancias. La llegada de Mijail Gorbachov al Kremlin, el 11 de marzo de 1985, iba a producir un distanciamiento ideológico entre soviéticos y cubanos.

La perestroika y la glasnot, es decir los cambios económicos y políticos introducidos por Gorbachov en su inmenso país atentaban contra el cada vez más ortodoxo radicalismo de Castro, que había iniciado su propia "castroika": el Proceso de Rectificación de Errores y Tendencias Negativas, surgido del III Congreso del PCC.

Fidel gustaba de repetir una frase cuando algún periodista extranjero le preguntaba por la perestroika:

—La perestroika es la mujer de otro, y yo no quiero entrometerme en matrimonios ajenos.

Gorbachov y Castro tenían una visión distinta de cómo desarrollar el socialismo. Pero aun así, la colaboración en lo económico no se vio alterada hasta finales de 1989.

Ese año, Mijail Gorbachov había visitado Cuba. Era su primer viaje, no sólo a la isla, sino también a América Latina. La visita, de 55 horas de duración, había dado como resultado la firma del primer Tratado de Amistad y Cooperación entre los dos países, que tendría una validez de veinticinco años, a cuyo término se renovaría automáticamente por períodos de cinco años.

Cuando Fidel vio despegar del aeropuerto José Martí el Ilushiyin 60-M, con Mijail Gorbachov y su esposa Raisa a bordo, el 5 de abril de 1989, a las 9.27 de la mañana, respiró tranquilo. Ese tratado le garantizaba una colaboración económica por tiempo casi ilimitado.

El compañero Gorbachov a pesar de las diferencias ideológicas, cumpliría su palabra. El intercambio comercial interesaba a las dos partes. Las horas que Gorbachov había pasado en La Habana habían sido fructíferas y la sangre no había llegado al río, como vaticinaba la prensa extranjera, debió pensar Fidel.

El líder soviético tenía que haber visitado la isla el 7 de diciembre, dos días después de una visita a Nueva York, en donde intervino ante la Asamblea de las Naciones Unidas. Pero la tierra tembló en Armenia ese mismo día 7. Un intenso terremoto causó 70.000 muertos. Gorbachov canceló la visita a Cuba y se dirigió a su país.

Las visitas de los más altos dirigentes soviéticos a la isla caribeña no habían sido muy frecuentes. El último en pisar La Habana había sido Leónidas Breznev, en 1974. A pesar de todo, el puente Moscú-La Habana había registrado un constante flujo de visitas de ministros, viceministros, técnicos, asesores económicos y militares desde que el 4 de febrero de 1960 el viceprimer ministro Anastas A. Mikoyan aterrizó en la isla.

En esas fechas, cuando la Revolución cubana apenas si llevaba trece meses instalada en el poder, los soviéticos observaban con una mezcla de curiosidad y sorpresa el rumbo que tomaba el Gobierno del joven Fidel Castro.

Mikoyan encontró una excusa perfecta para visitar la isla: la inauguración de la Exposición de la Ciencia, la Tecnología y la Cultura Soviéticas, que daba la vuelta al mundo.

En esa visita, el dirigente soviético iniciará lo que con el tiempo se convertirá en una de las más firmes alianzas entre dos países separados por miles de kilómetros.

El 17 de abril de 1961 se produce la invasión de Bahía de Cochinos. Más de un millar de cubanos exiliados en Miami, entrenados y equipados por la CIA, desembarcan al sur de la isla, en la llamada por los cubanos Playa Girón. Castro rechaza la invasión en menos de 72 horas.

Cuando veintiocho años después Mijail Gorbachov visita la isla, Castro recordará que aquella victoria fue posible, entre otras cosas, gracias a las armas que poco antes habían sido enviadas por los soviéticos y los checos.

La colaboración entre Cuba y la URSS aumenta desde esta fecha, que marca el inicio del aislamiento de la isla de sus vecinos continentales. Estados Unidos provoca la expulsión de Cuba en 1962 de la Organización de Estados Americanos (OEA), y presiona a los países latinoamericanos para que rompan relaciones con la isla dos años después. Sólo México aguanta la ofensiva de Washington. Será, con España, uno de los pocos países occidentales que jamás rompan relaciones con Cuba.

Los historiadores han acuñado una sentencia a raíz de este aislamiento diplomático, al que se suma el bloqueo económico que Estados Unidos ejerce desde entonces sobre la isla: a Castro no le queda otra salida que echarse en manos de los soviéticos.

A principios de los años sesenta, las relaciones entre cubanos y soviéticos son a veces tirantes. Castro, y su amigo y cercano colaborador, Ernesto "Che" Guevara, pretenden exportar su triunfante y sorprendente revolución a otros países de América Latina. Se hace famosa la frase del "Che": "Crear uno, dos, muchos Vietnam".

Venezuela y Bolivia serán los puntos elegidos por los guerrilleros de Sierra Maestra. En Venezuela, la guerrilla local, apoyada con hombres y armas por La Habana, será destrozada precisamente por Carlos Andrés Pérez, entonces ministro de Interior, y después uno de los tres presidentes que escuchan a Castro en Cozumel.

Bolivia sería no sólo la tumba del "Che", capturado por el Ejército boliviano el 8 de octubre de 1967 y ejecutado al día siguiente. También significó el punto y final a las aventuras guerrilleras fuera de la isla. Fidel seguirá apoyando a los rebeldes latinoamericanos, pero de una forma más discreta, sin una intervención abierta de tropas cubanas.

Moscú no veía con buenos ojos estas incursiones de guerrilleros castristas que actuaban al margen muchas veces de los partidos comunistas oficiales de esos mismos países latinoamericanos. El tira y afloja entre cubanos y soviéticos termina en agosto de 1968, cuando Castro apoya sin remilgos la invasión soviética de Checoslovaquia y el derrocamiento de Alexander Dubcek, el hombre que inició una particular perestroika bautizada como "la primavera de Praga".

Mediada la década siguiente, tras el I Congreso del PCC, la influencia soviética alcanzará su punto culminante. Los cubanos adoptarán el sistema soviético —y búlgaro— tanto en la organización del Partido, como en la dirección de la economía. En la isla llega a haber más de 12.000 asesores soviéticos. Tropas cubanas pelearán en puntos estratégicos de Africa, Angola, Etiopía, lugares en los que Moscú tiene intereses que defender. Cuba pondrá los hombres. La URSS las armas.

Las relaciones comerciales funcionarán como un reloj. Los dos países firman convenios de cinco años de duración, siguiendo la tradición de los planes quinquenales a los que tan aficionados fueron los soviéticos.

El intercambio comercial se regirá por el trueque: la URSS enviará, además de petróleo, maquinaria, equipos, materias primas, productos químicos, fertilizantes, alimentos (trigo, leche, arroz, harina), electrodomésticos, papel... Los cubanos pagarán con azúcar, níquel, cítricos, ron y, al final de la década de los ochenta, con equipos médicos.

Los precios se fijarán por cinco años. Si en ese período de tiempo el petróleo, por ejemplo, sube de precio, en la misma proporción se elevará el precio del azúcar.

El mismo principio regirá con los entonces llamados "países satélites" de la URSS, todos los países comunistas detrás del telón de acero con los que Cuba comercia intensamente: Hungría, Checoslovaquia, la desaparecida República Democrática Alemana, Bulgaria, Polonia, Rumanía. Cuba se integrará en el Consejo de Ayuda Mutua Económica (CAME), el mercado común de los países socialistas.

Las grandes cifras de la economía cubana han sido siempre un secreto bien guardado. Los especialistas han tenido que ir recogiendo una cifra de un discurso, de un artículo en *Granma*, de alguna declaración de un alto funcionario. Las estadísticas son escasas y llevan considerable retraso. Los soviéticos también se mostraban herméticos en este tema. Por su parte, los Estados Unidos facilitaban de cuando en cuando estimaciones de lo que representaba "la ayuda" soviética a la isla caribeña, cifras decididamente interesadas.

Los datos que a continuación se ofrecen del intercambio comercial entre los dos países han sufrido todas las vicisitudes anteriores, aunque he procurado al máximo contrastarlas. Ese mismo caos en las cifras del comercio se produce a la hora de equiparar las tres monedas en que se fija el comercio cubano-soviético: rublo, peso cubano y dólar estadounidense. Oficialmente, al menos hasta finales de 1989, el rublo equivalía a 1,1 dólares. El peso cubano es equiparado por el Gobierno de la isla al dólar estadounidense.

Sin embargo, tanto funcionarios cubanos como soviéticos tienden a equiparar en la realidad el peso con el dólar y el rublo. Mantengo en este texto las cifras en la moneda en que me fueron facilitados los datos.

En 1989, el último año que puede considerarse todavía "normal" en las relaciones económicas entre ambos países, el intercambio comercial alcanzó los 8.500 millones de rublos (9.350 millones de dólares). Las exportaciones soviéticas a Cuba representaban 4.500 millones de rublos (4.950 millones de dólares) y las importaciones soviéticas de Cuba 4.000 millones de rublos (4.400 millones de dólares). Estos datos me fueron facilitados en la Embajada soviética de La Habana.

El volumen de las exportaciones soviéticas en 1990 fue ofrecido por Fidel Castro el 10 de octubre del año siguiente en la sesión de apertura del IV Congreso del PCC. Castro señaló que de los 5.131 millones de dólares sólo habían llegado 3.828 (un 74 por 100).

Para 1991, Fidel informó que se esperaban recibir mercancías por un valor de 3.940 millones de dólares (un 23 por 100 menos que el año anterior), pero que en la primera mitad del año no se habían recibido ni siquiera 1.000 millones.

Otro alto dirigente, Carlos Aldana, reveló ese año de 1991, tras un viaje realizado a Moscú en el mes de junio, que hasta ese mes, de los 2.300 millones de dólares que deberían haber suministrado los soviéticos en productos varios, sólo habían sido remitidos 710, de los que nada menos que 610 eran en petróleo.

Ello dejaba a la isla prácticamente desabastecida en los demás renglones de importación, como trigo, fertilizantes, maquinaria, repuestos, etc., etc.

Por último, es preciso reseñar los datos aparecidos en la revista *Cuba Internacional,* según los cuales la URSS habría enviado en 1991 a la isla mercancías por un valor de 1.673 millones de pesos, lo que representaba 2.150 millones menos de lo acordado para ese año. Y 4.150 millones de pesos menos que los recibidos en 1990 (1). La misma publicación cubana cifra en 500 millones de pesos los suministros que no llegaron del Este europeo, ya que el comercio con aquellos países ex socialistas prácticamente se paralizó.

La contradicción en las cifras es evidente: si se suman las cantidades ofrecidas por *Cuba Internacional,* entre lo recibido y el faltante se obtendría un total de 3.823 millones de pesos (igual en dólares) para 1991. Fidel Castro dio la cifra de 3.940 millones en la sesión del Congreso del PCC.

La diferencia es más notable si se suma lo que según Fidel estaba previsto que llegara en 1990, 5.131 millones de dólares, y lo que *Cuba Internacional* dice que faltó en 1991 respecto a 1990: 4.150 millones. Sumados éstos últimos y los 1.673 que llegaron en 1991, se logra una cifra total de 5.823 millones, es decir 692 millones menos que los citados por Fidel.

¿Error? En absoluto. Carlos Lage, responsable de la economía en 1992 en Cuba, así como del seguimiento del Período Especial, decía en mayo a un grupo de corresponsales extranjeros que el Gobierno cubano ocultaba determinadas cifras macroeconómicas para no dar pistas a sus enemigos.

En noviembre de 1991, la Embajada soviética en La Habana reconocía estas cifras: hasta el 1 de noviembre, la URSS había vendido a Cuba mercancías por 1.423 millones de rublos (un 30 por 100 de todo lo que se envió en 1989: 4.618 millones de rublos).

Esas mismas fuentes soviéticas informaron que la URSS había adquirido a Cuba sólo una cuarta parte de lo comprado en 1989. Si se tiene en cuenta que entre un 80 y un 85 por 100 del comercio exterior cubano se realiza con la Unión Soviética, es fácil establecer la magnitud de la catástrofe comercial.

En 1990, la URSS compró cuatro millones de toneladas de azúcar a Cuba, valoradas en 3.336 millones de rublos. Al año siguiente, y hasta el 1 de septiembre, la URSS había adquirido tan sólo 2,5 millones de toneladas, por un importe de 833 millones de rublos. Es decir, se compraba menos y además se pagaba un precio más bajo.

Con los mismos rublos con los que en 1990 los soviéticos compraron un millón de toneladas de azúcar, adquirirían al año siguiente dos millones y medio de toneladas.

El níquel, siempre según la Embajada soviética, segundo renglón exportador cubano a la URSS, se había reducido en 1991 en un 90 por 100 respecto a 1990. La perspectiva para los meses venideros era menos halagüeña: si a finales de 1991 los soviéticos pensaban pagar el azúcar cubano a 320 dólares, diplomáticos soviéticos destacados en La Habana creían que el precio final rondaría los 220 dólares por tonelada (ver anexo).

Eso se aproximaba peligrosamente a lo que Fidel Castro siempre ha llamado precios "del basurero" mundial del azúcar. Los países europeos pagan un precio subvencionado a sus ex colonias en virtud del acuerdo de Lomé, que en 1991 fue de 520 dólares por tonelada.

En diciembre de 1988 me encontraba en el salón Solidaridad del hotel Habana Libre. Eran los primeros días de diciembre. Una delegación soviética, llegada para preparar la visita de Mijail Gorbachov a la isla, ofreció una rueda de prensa. A trancas y barrancas, dieron la cifra de 2.500 millones de rublos (unos 2.750 millones de dólares al cambio de entonces) como equivalente de la ayuda que la URSS enviaba a Cuba cada año.

También informaron que en el quinquenio 1985/90, los soviéticos habían concedido dos créditos a la isla: uno de 4.500 y otro de 2.500 millones de rublos (5.000 y 2.750 millones de dólares respectivamente).

El Departamento de Estado de los Estados Unidos baraja desde esos mismos años una cifra que es invariablemente reproducida por los medios norteamericanos, pero que nadie explica cómo fue calculada: Cuba recibiría anualmente 5.000 millones de dólares en ayuda económica soviética más otros 1.500 millones de dólares en apoyo militar.

Ésta cifra ha sido siempre negada por las autoridades cubanas. Carlos Rafael Rodríguez, el veterano vicepresidente del Consejo de Ministros, responsable durante años de las relaciones económicas con la URSS, rechaza incluso el concepto de ayuda. "Donación gratuita no ha habido", afirma Rodríguez.

Para Rodríguez, lo que existe entre la URSS y Cuba es un comercio que no se rige por los precios del mercado, sino por los acuerdos entre ambos países. Unos precios que suben o bajan en ambos sentidos, según las fluctuaciones del mercado: si aumenta el precio del petróleo soviético, automáticamente sube la cotización del azúcar cubano.

Por otro lado, el sobreprecio que los soviéticos pagan por el azúcar es motivo de controversia. De los pocos datos oficiales disponibles, el Anuario Estadístico correspondiente a 1986 da estas cifras: Cuba vendía la tonelada de azúcar a la URSS en 862 dólares, mientras ese mismo azúcar se lo vendía a Canadá y Japón a 120 dólares tonelada.

Por su parte, Cuba pagaba el barril de petróleo a los soviéticos a 24,7 dólares, mientras España pagaba ese mismo petróleo a 15,6 dólares. Ese año, Cuba pagó un sobreprecio por el petróleo soviético de 910 millones de dólares.

—En estos años de Revolución Cuba no ha estado arando en el mar y en sus relaciones económicas con la URSS no sólo se ha beneficiado, también ha dado beneficios (2).

El párrafo anterior corresponde a un amplio extracto que *Granma* publicó de un encuentro entre altos dirigentes y docenas de jóvenes cubanos. Durante cuatro días, se mantuvieron un total de 50 horas de sesiones, y se hicieron 423 preguntas a los dirigentes.

Desde políticos como Carlos Aldana y Carlos Lage, a militares como Ulises Rosales del Toro, jefe del Estado Mayor, o miembros del Gobierno como Osmany Cienfuegos o Ricardo Cabrisas, todos ellos intervinieron en un inusitado debate en el que se habló de todo.

Por ejemplo, de la relaciones comerciales con la Unión Soviética.

—Nos presentan como subsidiados de la URSS, incapaces de sobrevivir sin ella —dirán.

Y ofrecen estos datos para demostrar que el desarrollo social cubano no se debe a los subsidios, ayudas, donaciones de los soviéticos.

Según cálculos de los tanques pensantes de la CIA, el subsidio soviético a Cuba alcanzó hasta 1990 los 43.000 millones de dólares. En esa aritmética hay no obstante un olvido: en ese mismo período el país dedicó más de 63.200 millones de pesos a inversiones brutas; a tres servicios básicos, Salud Pública, Educación y Seguridad Social, 53.600 millones, lo que hacen un total de 116.800 millones. Una simple operación matemática de resta, suponiendo la tasa oficial del cambio del dólar con el peso cubano (un peso igual a un dólar), deja fuera de las cuentas nada menos que 73.800 millones de pesos invertidos.

La producción industrial cubana, donde se concentra el mayor peso de la colaboración soviética, cubre sólo el 15 por 100 de esa producción, mantiene *Granma*. Los dirigentes cubanos valoran en unos 3.000 millones de dólares sus exportaciones a la URSS en ese momento (principalmente azúcar, níquel y cítricos), una cantidad que, afirman, sería muy difícil de poder ser pagada por los soviéticos en las circunstancias en que se encuentran.

Por ello, concluye el *Granma:*

—No somos hijos bobos de la URSS.

El acuerdo comercial firmado el 28 de diciembre de 1990 para que entrara en vigor en 1991 fijaba en 10 millones de toneladas de crudo (20 dólares el barril), y millón y medio de toneladas de trigo, el monto de los dos principales productos que los soviéticos enviarían a los cubanos. Por su parte, Cuba se comprometía a enviar 4 millones de toneladas de azúcar a 510 dólares tonelada (352 dólares menos que en 1989). En ninguno de los dos casos se cumplirá.

Los fletes además serían pagados por ambos países en dólares y al contado, lo que lógicamente perjudicaba a la economía cubana.

Al final del año estaba previsto sumar lo que cada cual había vendido al otro y la diferencia debería ser abonada por el que arrojara una cifra negativa, con toda seguridad, Cuba. Ese era el sistema utilizado en los planes quinquenales anteriores, con una salvedad: a final de año, la URSS concedía unos créditos de desbalance de aproximadamente unos 500 millones de rublos anuales.

Así se alcanzaría la cifra de 15.000 millones de rublos, considerados como la deuda cubana con la URSS que equivaldrían a unos 17.000 millones de dólares. Esa es la cifra de la deuda total cubana manejada por los especialistas norteamericanos. (Algunas fuentes elevan esa cantidad a 20.000 millones).

La situación se complica aún más si se tiene en cuenta que los 84 proyectos de colaboración cubano-soviéticos se encontraban prácticamente paralizados en octubre de 1991, según informó el propio Fidel al Congreso del PCC. Uno de ellos, importantísimo, el de la Central Nuclear de Juraguá de Cienfuegos. Los proyectos conjuntos con la RDA fueron cancelados sin que ni siquiera los alemanes avisaran previamente a los cubanos.

En el capítulo "La Opción Cero" se especifica por otra parte la bajísima proporción de envíos de bienes de primera necesidad a la isla, tales como el arroz, el azufre, la sosa cáustica, el algodón, el papel, el jabón o la leche.

Cuando Fidel espera en la pista del aeropuerto José Martí, junto a su hermano y número dos del régimen, Raúl Castro, que se abra la puerta del Ilushiyin 60-M y desciendan por la escalerilla Mijail Gorbachov y su esposa Raisa, el líder cubano no sospechará en absoluto la tragedia que caerá sobre su país en los próximos dos años.

Son las 5 de la tarde del 2 de abril de 1989. El máximo dirigente soviético pisará por primera vez Cuba y seguro que la isla se beneficiará con esta visita, pensarán por el contrario los hermanos Castro.

Durante meses, las diplomacias de los dos países han trabajado en la redacción del Tratado de Amistad y Cooperación. A pesar de las diferencias estratégicas que separan a Castro y Gorbachov, el primero confía en que las bases sobre las que se sustenta el comercio entre los dos países, muy favorable para la isla, permanezcan inalterables.

Sentados en la parte trasera de un automóvil descapotable de fabricación soviética, los dos líderes corresponden al aplauso del millón de cubanos apostados en los 30 kilómetros que separan el aeropuerto José Martí de El Laguito, la zona residencial al oeste de La Habana, en donde se encuentran las Casas de Protocolo, en una de las cuales se hospedará el ilustre visitante.

Gorbachov tendrá oportunidad de leer en ruso seis veces, en otras tantas vallas publicitarias, "Bienvenido, compañero Gorbachov". Su rostro acompaña al saludo. De la frente ha desaparecido, por obra y gracia del retocador, la famosa mancha que como un goterón empaña la brillante calvicie del líder soviético.

—La foto nos la mandaron así los soviéticos —me dirá un periodista cubano.

Gorbachov ha pedido a Castro que no quiere que le sean ofrecidas condecoraciones ni premios ni medallas. La austeridad parece presidir el viaje. El millón de cubanos repartidos a lo largo del trayecto en mil autobuses agitan algunas banderitas cubanas y soviéticas. No demasiadas.

Algunas pancartas cruzan el camino, que ha sido "barrido" por la policía, acompañada por perros, en la madrugada del domingo: "Viva la amistad entre Cuba y la URSS", "Viva la Unión Soviética", "Por siempre hermanos".

En su camino, Gorbachov se encontrará con un gigantesco póster con el retrato de Marx, Engels y Lenin. El periodista inglés con el que he realizado el trayecto horas antes de la llegada de Gorbachov me señala el extraordinario parecido —sobre todo en la frente y los ojos— del retrato de Engels con Castro. Con su humor británico, me dice:

—Parece un Fidengels.

"La prueba suprema de la democracia es armar al pueblo", se lee en otra valla. ¿Una casualidad?

Gorbachov había llegado a La Habana justo unos días después de que en la Unión Soviética hubieran tenido lugar elecciones al Parlamento en las que un entonces poco conocido en el exterior Boris Yeltsin, considerado como un aperturista, había derrotado a los candidatos más conservadores apoyados por el Partido Comunista. La democratización de la URSS daba así comienzo. El 26 de marzo, Boris Yeltsin obtenía más de 5 millones de votos.

Hablé ese día con algunos de los manifestantes apostados a lo largo de Rancho Boyeros, del malecón, de la Quinta Avenida que conduce al corazón de Siboney, la zona residencial al lado de la cual se encuentra El Laguito. Muchos confiaban en que Gorbachov influiría en Fidel para que los vientos de la perestroika refrescaran también a la isla.

Dos días después de la llegada de Gorbachov, siete disidentes cubanos, entre ellos el médico Samuel Martínez Lara, secretario

general del Partido Pro Derechos Humanos de Cuba, son detenidos. La noche del lunes 3 de abril, habían diseñado la estrategia
para celebrar una manifestación ante la sede de la Embajada soviética en La Habana. Ninguno de los siete pudo asistir. La policía
los detuvo en la madrugada del día 4.

Elizardo Sánchez Santa Cruz, uno de los dos activistas pro Derechos Humanos más respetados en la isla, me diría la tarde de
ese día 4, en su casa:

—La manifestación tenía como objetivo saludar a Gorbachov y
apoyar sus reformas en la Unión Soviética, así como en otros países del Este europeo. Al tiempo, iban a pedirle que apoyara reformas similares en Cuba.

La manifestación se convirtió en una exhibición de fuerzas policiales, observadas por algunos de los 550 periodistas extranjeros
que nos habíamos dado cita en La Habana. No hubo ni una docena de manifestantes. La policía los atrapó aun antes de que tuvieran tiempo de extender sus pancartas.

Cuando la comitiva oficial llegó a la Casa de Protocolo de El
Laguito, Fidel le dijo a su invitado en tono de humor:

—Lamentablemente la Revolución cubana no heredó un
Kremlin para poderlo albergar, ni un gran palacio como el que
dejó el emperador de Etiopía.

A cambio, Fidel le ofrecía una confortable Casa de Procolo:

—En estas casas vivía la alta burguesía —explicará Castro a
Gorbachov, ante la atenta mirada de Raisa.

Los dos dirigentes se mostraban sonrientes. Gorbachov declaró
estar "impactado" por la belleza de la ciudad, el recibimiento de
los habaneros y la energía que éstos ponían al gritar su nombre.
Sus conciudadanos soviéticos eran mucho menos expresivos.

Impactado también por las docenas de cámaras de televisión
apostadas a lo largo del camino. Sólo las tres grandes cadenas de
televisión norteamericanas habían transportado desde Miami, en
aviones de la Southern Air Transport, diez toneladas de material.
Llevaron desde cámaras y equipos de montaje a su propia agua
mineral y generadores eléctricos, por si fallaba la energía en La
Habana.

Cien millones de norteamericanos seguirían a través de sus
principales estrellas de los servicios informativos, Dan Rather, Peter Jenning y Tom Brokaw, las andanzas de Gorbachov en la isla.
Cada cadena ocupaba una planta entera del hotel Habana Libre,
antes Habana Hilton.

Recuerdo al entrañable reportero español, Manolo Alcalá, desesperado, que me decía en el bar ante su inseparable agua mineral:

—He subido a la planta donde está la CBS. Cuando llevaba
contadas 230 maletas de equipo, me he parado. ¡Es superior a
mis fuerzas!

El pobre Alcalá tenía que competir con un equipo de cuatro personas frente a las 70 personas de la CBS. En poco más de dos días, Alcalá debía enviar once crónicas y un *Informe Semanal* a Televisión Española (TVE). Lo conseguiría como siempre: privándose del sueño reparador.

Fidel conocía estos datos. Fidel sabía que la televisión norteamericana montaría el "Gorba-Show".

—Ningún recibimiento ha sido observado por tantos periodistas ni visto por tantos millones de personas —decía Castro a la televisión cubana, ante un todavía atónito Gorbachov.

Bromeando, Fidel siguió:

—¡Hasta yo, que casi nunca me peino, me peiné hoy! Me dije: voy a salir por la televisión en todas partes. Entonces, procuré vestirme bien.

Mientras Castro pronunciaba aquellas palabras, a su lado Gorbachov metió la mano en un bolsillo de su chaqueta y sacó... ¡un peine! Cuidadosamente lo pasó por la parte de la cabeza donde aún le quedaba algo de pelo. El viaje en coche descapotable había alborotado sus cabellos.

Después de guardar el peine, Gorbachov se dirigió a uno de los micrófonos que le tendía la televisión cubana y dijo escuetamente:

—Ya nos hemos encontrado con Cuba. Ahora, vamos a hablar.

Había acabado la fiesta. Comenzaba el trabajo. Era la cuarta ocasión en que ambos mandatarios se encontraban. Su agenda estaba repleta.

En los dos próximos días, amén de los actos oficiales en que participarían, debían encontrar tiempo para dialogar en privado. Cuatro temas centrarían su atención: las relaciones económicas entre los dos países; la situación en América Central, con especial referencia a Nicaragua, país que celebraría elecciones un año después (25 de febrero de 1990) y a El Salvador, naciones ambas a las que llegaba el brazo protector de Cuba; las relaciones entre Estados Unidos y la Unión Soviética, cada día más cordiales, y la retirada definitiva de las tropas cubanas de Angola.

Las especulaciones sobre el resultado de estas pláticas se habían disparado, sobre todo entre la prensa norteamericana. ¿Habría entendimiento? ¿Se produciría una ruptura entre estos dos hombres que veían el desarrollo del socialismo de una forma tan distinta?

Castro, aficionado a leer toneladas de prensa, se refirió a esas presuntas desavenencias en el acto público más importante protagonizado por ambos estadistas: los discursos del martes 4 ante los diputados de la Asamblea Nacional del Poder Popular.

—En muchos sitios en el mundo y entre muchas personalidades políticas, podríamos decir también que entre nuestros amigos periodistas, se han elaborado todo tipo de teorías y especulaciones en relación con la visita del compañero Gorbachov a Cuba, y yo no veo de donde podrían surgir esas crisis de relaciones entre la URSS y Cuba de que hablan o esas desavenencias entre el compañero Gorbachov y yo (3).

Para Castro, los analistas que predecían desavenencias, "parten de conceptos absolutamente erróneos, de conceptos absolutamente equivocados; parten del análisis simplista de la forma en que en la Unión Soviética llevan a cabo su proceso de reestructuración y la forma en que nosotros llevamos a cabo lo que hemos dado en llamar nuestro proceso de rectificación".

Es decir, mientras en la URSS Gorbachov ponía en práctica la perestroika, que conllevaba una liberalización de la rígida economía soviética, en Cuba se aplicaba la "castroika", de signo diametralmente opuesto.

Entre las primeras medidas tomadas tras el inicio del proceso de rectificación al que hacía referencia Castro, se encontraba la eliminación del llamado Mercado Libre Campesino, una pálida liberalización de la agricultura de Cuba. Los campesinos privados de la isla podían ofrecer en el mercado libre, y al precio que ellos mismos fijaran, los productos sobrantes después de haber cumplido con la cuota que debían vender obligatoriamente al Estado.

Aunque Castro insistía en que "ambos partidos parten de los mismos principios: de los principios de la aplicación del marxismo-leninismo, a las condiciones concretas de cada país", lo cierto es que la meta final era muy distinta.

Además, tanto Castro como Gorbachov habían pronunciado en los días previos a la visita sendos discursos que sirvieron para alimentar la especulación sobre el resultado del histórico encuentro.

El 7 de diciembre de 1988, dos días antes de la prevista llegada de Gorbachov a La Habana, el líder soviético habló ante la Asamblea de las Naciones Unidas en Nueva York. Aún no había tenido lugar el terremoto de Armenia y por tanto nadie sabía que la visita a Cuba se atrasaría hasta el siguiente año, en abril.

Gorbachov pronunció dos frases en ese discurso que no fueron muy bien acogidas en La Habana: pronosticó que "es poco probable que se conserven sociedades cerradas", y Cuba lo está. También dijo que como en ese año que finalizaba, 1988, se celebraba el aniversario de la Declaración de los Derechos Humanos, "lo más apropiado que puede hacer un Estado para conmemorar el 40 aniversario de dicha declaración es mejorar las condiciones para la observancia y la protección de los derechos de sus ciudadanos".

Ese discurso circuló profusamente entre los disidentes cubanos. En esa época, los días finales de 1988, me encontraba en La Habana. Los funcionarios cubanos no estaban precisamente eufóricos con lo dicho por Gorbachov en Nueva York.

Castro, por su parte, había convocado por esas mismas fechas a un millón de cubanos. Y había soltado también un par de andanadas que parecían destinadas al ilustre huésped que en breve recibiría en La Habana: la distensión entre las dos grandes potencias no favorece a los países pequeños como Cuba; por otro lado, Fidel afirmará que Cuba podría esperar dificultades y problemas incluso de sus amigos.

Las cincuenta y cinco horas de Gorbachov en La Habana transcurrieron no obstante sin mayores contratiempos. Fidel mostró a Gorbachov tres perlas de la obra de la Revolución: una microbrigada, un médico de la familia y un centro de investigación biotecnológica.

Las microbrigadas habían desaparecido precisamente a mediados de la década de los setenta, justo cuando Cuba copió el modelo soviético de desarrollo económico. El proceso de rectificación iba a recrear de nuevo las microbrigadas, conjunto de ciudadanos que, en sus horas libres o abandonando por un tiempo su ocupación principal, construían viviendas en todo el país. Para millones de cubanos, ser miembro de una microbrigada era prácticamente la única oportunidad que tenían para hacerse con una vivienda.

Gorbachov visitó una de ellas, en el barrio de La Güinera, así como un médico de la familia, instalado también en otro barrio popular de La Habana, Los Pinos.

Miles de médicos cubanos forman parte de una extensa red llamada "médicos de familia" que prácticamente abarca a todo el país, desde el barrio más deprimido, a la aldea más aislada. Muchos son recién graduados que cumplen así el Servicio Social, en sustitución del Servicio Militar.

Gorbachov felicitó a la médico de familia Raquel Candebat cuando ésta le dijo que en su barriada de Los Pinos la mortalidad infantil se situaba en el 6,1 por 1.000, una de las más bajas del mundo. Los países más industrializados tienen un índice por encima del 10 por 1.000.

—Cuando vayan a visitar a sus vecinos, hágánles llegar, en nombre de Fidel y mío, esta felicitación —dijo Gorbachov a la dóctora Candebat.

Más tiempo se detuvo el dirigente soviético en el Centro de Ingeniería Genética y Biotecnología, la niña bonita del comandante. Manuel Limonta, su director, entregó a Gorbachov un estuche con los 135 productos que allí se obtienen, "gracias al papel del comandante como maestro y orientador". Fidel replicó:

—¡Eso, sin culto a la personalidad!

Gorbachov metió baza:

—¡No! ¡Esa es la autoridad de la personalidad! (4).

La visita tendría su momento culminante en la sesión extraordinaria que celebró la Asamblea Nacional del Poder Popular la tarde del 4 de abril, precedida de la firma del Tratado de Amistad y Cooperación. En cuatro minutos, se sellaba el pacto que cubría las espaldas de la insuficiente economía cubana nada menos que por veinticinco años. El documento, que contiene un preámbulo y 14 artículos, parecía despejar el futuro de la isla.

El Tratado dejaba en claro que cada país tenía el derecho a desarrollar su particular socialismo. El artículo 1 decía textualmente:

"Las altas partes contratantes... ampliarán el intercambio de experiencias acerca de la edificación del socialismo en las esferas partidista, estatal y económica, teniendo en cuenta la diversidad de sus formas y de las condiciones específicas de cada país" (5).

En el aspecto económico, el Tratado fijaba que los dos países "continuarán coordinando sus planes económicos, buscando las formas y direcciones más eficientes de interacción bilateral".

Los dos presidentes estamparon su firma en el Tratado —uno en español y otro en ruso. Se levantaron casi al mismo tiempo y cuando Gorbachov inició un movimiento para abrazar a su Fidel, éste dijo:

—Primero intercambiamos los documentos... ahora vamos a abrazarnos.

Para la historia queda ese abrazo en un salón del Palacio de Congresos, situado en el barrio Siboney, cerca de la residencia ocupada por Gorbachov.

Fidel, más alto que el presidente soviético, lo abraza casi a la altura de los hombros, mientras Gorbachov rodea la cintura de Castro.

Eduard Shevardnadze, el entonces influyente ministro de Relaciones Exteriores soviético, aplaude a un metro escaso de los dos líderes. Todos sonríen. Minutos después se desplazan a la sala de plenos del Palacio de Congresos.

Fidel no tenía previsto hablar, afirma: "Siempre pensé que aquí no debían pronunciarse dos discursos, sino uno sólo, el de nuestro querido invitado, el compañero Gorbachov".

Pero ya que tiene la obligación de presentarlo a la Cámara "si es que hace falta presentar al compañero Gorbachov"—Fidel aprovechará para pronunciar cuatro palabras que considera importantes—. Como había declarado el día de la llegada de Gorbachov, mucha gente lo está viendo por televisión.

Le interesa resaltar que Cuba no tiene por qué hacer las cosas al estilo soviético.

—¿Cómo se puede suponer que las medidas aplicables en la URSS sean exactamente las medidas aplicables en Cuba o viceversa? ¿Cómo se puede suponer que dos países que tienen una enorme diferencia en extensión, en población; dos países que tienen historias muy distintas, culturas distintas; dos países que han tenido problemas distintos, tengan que aplicar exactamente las mismas fórmulas para la solución de los problemas, para la solución de diferentes problemas?

Castro viene a decirle a Gorbachov, que lo escucha desde la presidencia, que la perestroika es la mujer de otro, no la suya. Y no sólo marca diferencias. Como dicen que la mejor defensa es el ataque, Fidel aprovechará la ocasión para "analizar los errores de la Unión Soviética".

Así resaltará que Cuba no sufrió los errores de la época de Stalin, porque en Cuba no hubo un Stalin. "A no ser —dirá jocoso— que me consideren a mí una especie de Stalin, y en ese caso, yo diría que todas mis víctimas gozan en nuestro país de excelente salud".

Los diputados cubanos rompen en aplausos a su líder. Hay también sonrisas. Castro ha metido un gol en la portería del visitante. Sigue hablando de que Cuba no repartió la tierra en pedacitos, como la URSS; que Cuba no tiene problemas de independentismo, como los que comienza a enfrentar la URSS. Y con esa habilidad que tiene Castro para manejar los números, dirá que la URSS es muy, pero que muy distinta de Cuba: un país 200 veces más pequeño que la URSS. Con sus 110.000 kilómetros cuadrados, Cuba representa el 5 por 100 de la extensión territorial soviética, con más de 22 millones de kilómetros cuadrados; que la población cubana, de poco más de 10 millones de habitantes, representa sólo el 3,6 por 100 de los 285 millones de ciudadanos soviéticos.

Aplicar las mismas soluciones a los problemas de dos países tan distintos le hace exclamar a Castro:

—¡Cualquiera comprende que es un absurdo, cualquiera comprende que es una locura!

No cabe otra salida: que cada país aplique sus propias fórmulas para perfeccionar el socialismo

Lo dirá bien claro en la rueda de prensa multitudinaria que sigue a los discursos en la Asamblea:

—Gorbachov no vino a decirnos qué hacer. Creo que es una expresión de su genialidad.

Castro se mostrará agradecido. Recordará que los niveles de educación y de salud, el alto nivel de mecanización de la agricultura y el desarrollo científico alcanzados en la isla no habrían sido posibles "sin la generosa, sostenida y firme colaboración de la Unión Soviética".

Consciente de que esa ayuda aún es necesaria para la supervivencia de la isla, cederá la palabra a Gorbachov con esta última frase:

—Lo menos que podemos expresar en este día, desde lo más profundo de nuestros corazones, es nuestro deseo de éxito al compañero Gorbachov, al Partido Comunista y al pueblo soviético, porque ese éxito no sólo lo deseamos, sino que lo necesitamos... ese éxito lo necesita toda la humanidad.

Un gran aplauso y exclamaciones de ¡Viva, viva! resuenan en la sala de plenos del Palacio de Congresos. Los diputados, puestos en pie, esperan a que Gorbachov, que viste un terno azul, camisa blanca y corbata, ocupe la tribuna de oradores.

Del discurso del líder soviético, que lo lee, más largo que el de Fidel, que ha improvisado, como casi siempre, apenas si se entresacan algunos párrafos de una ligera crítica al modelo cubano. Apenas una insinuación velada a la falta de eficiencia del sistema cubano:

—Los vínculos económicos tienen que ser más dinámicos, más eficientes y reportar mayor rendimiento a nuestros dos países, a nuestros dos pueblos.

Gorbachov dejará claro que esa eficiencia sólo se logra con más rigurosidad y disciplina.

El presidente soviético no ha querido profundizar más. Lo ha hecho por él su portavoz, Gennady Guerasimov, en rueda de prensa:

—El desarrollo de nuestra colaboración económica prevé un equilibrio productivo de nuestros nexos comerciales. Pensamos en un aumento de las exportaciones cubanas.

Para Guerasimov, las relaciones entre los dos países deben ser realmente "en beneficio mutuo". Algo más que una frase hecha.

Gorbachov explicará el sentido de la perestroika, de los cambios que está introduciendo en su país: satisfacer las necesidades cotidianas de las personas. Se preguntará preocupado:

—¿Por qué en el cosmos hacemos milagros, mientras que en la vida cotidiana no garantizamos en ocasiones lo más imprescindible?

Hay que "devolver la economía al hombre" y dedicarse a la producción "de bienes de consumo para la población". ¿Cómo? Con una reforma económica radical, aplicando el principio socialista de la distribución según el trabajo, erradicando el parasitismo, "desarrollando el arriendo, la cooperación y otras formas económicas que estimulen la actividad creadora de la gente".

Una vez iniciada la reforma económica, quedó claro, afirma Gorbachov, la necesidad de "reorganizar los institutos políticos". Para ello era precisa "la reorganización de los órganos centrales de poder". El presidente soviético se referirá a las elecciones al Parlamento que acaban de tener lugar en su país, en donde ha triunfado el hombre que lo apuntillará un par de años más tarde: Boris Yeltsin.

Gorbachov afirmará que los cambios introducidos en el sistema soviético han "cambiado todo el clima de la vida social" y destacará "hasta qué punto las personas se sienten más libres" en la Unión Soviética.

Pero no pretende exportar la receta. Ya no es hora de hacer ese tipo de recomendaciones:

—Nuestros enfoques y soluciones no los vemos como una cierta receta universal. Por el contario, los problemas pueden ser similares, pero cada partido los resuelve de manera independiente, partiendo de sus concepciones y de las peculiaridades del país.

Era lo que Castro deseaba escuchar. Si además el líder soviético, así como su portavoz Guerasimov, se muestran contrarios a la exportación de revoluciones, contrarrevoluciones y a cualquier forma de injerencia en los asuntos internos, mejor que mejor.

Cuba ya no está en disposición de exportar guerrilleros. En todo caso, envía médicos y maestros. Cuando Gorbachov pronuncia las ultimas palabras, "les deseamos éxitos en la realización de la política de rectificación", los diputados vuelven a ponerse en pie y aplauden cerradamente al presidente soviético.

La visita está a punto de concluir. Castro ha salido indemne del encuentro con Gorbachov, con quien dirá habla de tú a tú. "Me trata de igual a igual". Por vez primera en las tres décadas de relaciones con la URSS, Castro tiene más edad que el dirigente de turno en Moscú. Cuatro años mayor que Gorbachov, cuando se encuentran en 1989 Fidel tenía sesenta y dos años y Gorbachov cincuenta y ocho.

Cuando el avión de Gorbachov despega al día siguiente a las 9.27 de la mañana del aeropuerto José Martí, Fidel hará balance internamente del paso del líder soviético por la isla. Todo ha ido bien. Según lo previsto. La isla, con ese Tratado de Amistad recién firmado se asegura su supervivencia. Cuando ese Tratado expire, él estará, con ochenta y siete años de edad, o jubilado o muerto.

Tres meses después, Fidel pronuncia el habitual discurso que conmemora el asalto al Cuartel Moncada. Ese 26 de julio de 1989 pasará a la historia de los seguidores de Castro como otra muestra de la visión de futuro de su líder. Fidel enfatizará que aunque en la Unión Soviética se produjera una guerra civil o incluso desapareciera, Cuba seguiría sola su camino hacia la construcción de una sociedad comunista.

De alguna manera, el líder cubano adivina nubarrones en el futuro soviético.

Pero jamás nadie pensaría, ni siquiera el propio Fidel, que dos años después de la visita de Gorbachov el Partido Comunista soviético sería ilegalizado y sus principales dirigentes perseguidos, enjuiciados y muchos encarcelados. Que ese Gorbachov seguro y tranquilo que acaba de pasar por La Habana será un perfecto don nadie en Moscú, sin ningún mando ni poder. Que la Madre Rusia, cuna de la primera revolución socialista, se echará en manos del capitalismo y se convertirá en uno de los más fieles aliados de Estados Unidos.

La historia iba a dar un salto gigantesco y en ese salto Cuba quedaría varada, aferrada al utópico proyecto socialista.

El famoso efecto dominó irá derribando uno a uno a todos los regímenes comunistas del Este europeo, Unión Soviética incluida. Día a día, Cuba asistirá entre incrédula y temerosa al desmantelamiento del férreo bloque político, económico y militar al que había pertenecido durante treinta años.

Desde el 5 de abril de 1989 en que Gorbachov abandona La Habana, hasta el 22 de agosto de 1991, día en que el líder soviético es liberado por los autores del golpe de Estado llevado a cabo contra él tres días antes, el planeta se ha transformado en otro.

Se pondrá de moda una palabra: el mundo unipolar. El mundo donde sólo queda una superpotencia, Estados Unidos, que instala un "nuevo orden" planetario.

Los primeros en dar síntomas de resquebrajamiento habían sido los húngaros —buenos proveedores de autobuses a los cubanos—. En febrero de 1989, poco antes de la llegada de Gorbachov a Cuba, el Gobierno húngaro admite el pluripartidismo. Janos Kadar, que había dirigido el país durante treinta años, era derrocado sin violencia en 1988. En julio del año siguiente, fallecía en la cama de un hospital.

Ese mismo mes, la oposición gana las elecciones en Polonia. En diciembre se decreta la abolición del Partido Comunista. El general Wojciech Jaruzelski es uno de los pocos ex dirigentes comunistas, junto a Gorbachov, que gozan de buena salud: en noviembre de 1990 se retira de la presidencia del país y vive modestamente con su pensión de general retirado. Protagonista de un golpe de mano en 1981, su propósito era acabar con el sindicato Solidaridad que lideraba Lech Walesa. Pero el mismo Jaruzelski promovió años más tarde reformas que conducirían a su ex enemigo Walesa a la presidencia.

La República Democrática Alemana (RDA), probablemente el país que mejores relaciones económicas había mantenido con Cuba, después de la URSS, comienza a tambalearse el mismo día que cae el muro de Berlín, el 10 de noviembre de 1989. Un mes más tarde, se acepta el pluripartidismo. En marzo de 1990 se celebran las primeras elecciones libres y en octubre las dos Alemanias integran un solo país.

El hasta entonces todopoderoso Erich Honecker, el hombre que construyó el muro, se refugia en un hospital de Berlín hasta que las tropas soviéticas lo rescatan y lo trasladan a Moscú. Cuando la URSS se derrumba, Honecker se asila en la Embajada de Chile. El 29 de julio de 1992 era entregado a las autoridades alemanas y encarcelado en la prisión de Moabit. En agosto de 1992, Honecker esperaba juicio en Berlín. Con ochenta años, se enfrentaba a una posible cadena perpetua.

En Checoslovaquia se forma un gobierno con minoría comunista en diciembre de 1989. Es el principio del fin. Vaclav Havel será nombrado presidente. Gustav Husak, máximo dirigente del Partido Comunista desde 1975 a 1989, aceptó la "revolución de terciopelo". Pudo morir en paz en la cama de un hospital.

En noviembre de 1989 le llega el turno al búlgaro Todor Yivkov, que había gobernado Bulgaria durante treinta y cinco años. Cuba había imitado el sistema organizativo del Partido Comunista búlgaro y copiado algunos otros esquemas de funcionamiento económico. Yivkov es derrocado por su ministro de Asuntos Exteriores y acusado ante un tribunal de Sofía por apropiación de fondos y abuso de poder.

El peor parado de todos estos procónsules de la pax soviética será el rumano Nicolae Ceaucescu. Después de gobernar con mano de hierro Rumanía durante casi tres décadas, es derrocado, detenido y ejecutado junto a su esposa Elena el 28 de diciembre de 1989.

El último en caer será el presidente albanés, Ramiz Alia. Hombre fuerte del país desde que en 1985 fallece el todopoderoso Enver Hoxha. En 1990, miles de albaneses huyen en todo lo que flote del país. Escapan del hambre. Se celebran por fin unas elecciones libres en las que Ramiz Alia ni siquiera consigue un escaño de diputado. Vive sencillamente como un observador más de los cambios que suceden en su país.

Por último, Gorbachov. Mijail Gorbachov. El hombre que quiso reformar el sistema, pero que terminó siendo devorado por sus propias reformas. Amén de la llegada al Parlamento ruso de renovadores como Boris Yeltsin, elegido posteriormente presidente de la poderosa Federación Rusa, Gorbachov asiste impávido al desmembramiento de la URSS: en mayo de 1990, las repúblicas bálticas, más Rusia y Ucrania declaran su soberanía. Poco más de un año después, en septiembre de 1991, las 15 repúblicas que formaban la Unión de Repúblicas Socialistas Soviéticas han declarado su independencia.

En el intermedio se ha producido un golpe de estado que conmovió al mundo. Durante tres días, del 19 al 21 de agosto de 1991, los duros del aparato soviético dan una asonada, secuestran a Gorbachov en su residencia de verano e inician la persecución de los reformistas.

Un Boris Yeltsin agresivo e insultante se sube a los carros de combate que rodean el Parlamento ruso. Con su humanidad y el apoyo de cientos de miles de moscovitas que lo habían elegido su presidente, los rebeldes no tienen más remedio que ceder. Su golpe es un rotundo fracaso.

La comunidad internacional los rechaza unánimemente. Los golpistas no tardan en liberar a Gorbachov. Un Gorbachov que sale tocado del golpe y que en pocos meses deberá dejar el poder, sencillamente porque es presidente de una entelequia: la URSS, y la URSS ya no existe. El 25 de diciembre de 1991, Gorbachov se convierte en un simple ciudadano.

Durante esos tres días de suspense, todas las miradas se volcaron sobre Cuba: ¿es cierto, como publicó alguna prensa anticastrista, que Fidel había brindado tras la detención de Gorbachov? ¿Le interesaba a Fidel el triunfo de los golpistas encabezados por Gannadi Yanayev, Valentin Paulov, Boris Pugo, Dimitri Yazov y Vladimir Kriuhkov?

Existen opiniones para todos los gustos. Pero resalta un hecho: un mes antes del golpe del 19 de agosto, los Siete Grandes celebraron una nueva cumbre en Londres.

Mijail Gorbachov se desplazó a la capital inglesa para exponer a los presidentes de los siete países más desarrollados del planeta la desesperada situación por la que atravesaba la Unión Soviética. Gorbachov se temía ya algo y sabía que sólo un apoyo incondicional de las grandes potencias occidentales, así como su ayuda económica, podían detener a posibles golpistas.

Los Estados Unidos se aprovecharon de la debilidad política interna por la que atravesaba el líder soviético y lo chantajearon con Cuba: si quiere ayuda nuestra, deje de ayudar a Castro.

El asesor especial de Gorbachov declaró a la prensa británica que "el Gobierno soviético no está en disposición de escuchar ningún ultimátum" por parte de los Estados Unidos en el asunto cubano.

Un periódico mexicano, *Excelsior,* publicó esos días una entrevista con Mijail Gorbachov en la que el presidente soviético defendía que la solución al conflicto de Cuba pasaba "por la normalización de las relaciones cubano-norteamericanas".

"La tensión existente en torno a Cuba es un anacronismo de los tiempos de la Guerra Fría", sostuvo Gorbachov. Así, el líder soviético se alineaba con quienes creían que lo mejor que podía hacer Estados Unidos si quería de verdad la caída de Castro, era abrirle las puertas y robarle al presidente cubano la última excusa que le quedaba para defender su régimen: el bloqueo económico.

La posición de Gorbachov parecía firme un mes antes del golpe: no sólo no presionará a Cuba, sino que en todo caso presionará a Washington para que normalice sus relaciones con la isla.

Gorbachov justificará el retraso en el envió de petróleo y otros productos imprescindibles para Cuba con los problemas derivados de la perestroika,que, "por ahora repercuten de manera desfavorable en los vínculos soviéticos-cubanos". Pero ese retraso era considerado por el dirigente soviético como algo "pasajero".

A lo más que llegó Gorbachov fue a prometer un recorte en la ayuda militar si Estados Unidos ofrecía garantías suficientes de que no atacarían ni amenazarían a la isla.

Esas eran las últimas declaraciones del dirigente soviético que Castro tenía sobre su mesa cuando se produjo el golpe de Estado del 19 de agosto.

Numerosos medios de comunicación en todo el mundo publicarán de inmediato que Fidel Castro, junto con Sadam Hussein de Irak y Muamar Gadafi, de Libia, habían felicitado a los golpistas.

De hecho, Fidel no sólo no los felicitó sino que mantuvo un prudente silencio durante casi todo el tiempo que los golpistas permanecieron en el poder. La diplomacia cubana es mucho más astuta que la de los impulsivos iraquíes o libios. También se jugaba mucho más que ellos.

Horas antes de que Gorbachov fuera liberado, el gobierno cubano hizo pública una nota, según la cual se abstenía "de cualquier juicio que entrañaría una intromisión" en los asuntos internos soviéticos. Cuba "hace votos para que ese gran país se mantenga unido". Y advierte que las dificultades que se venían sufriendo en el comercio con la URSS podrían verse agravadas por la nueva situación.

En La Habana, el ambiente no era desde luego de fiesta. Con Gorbachov se había llegado a un acuerdo entre caballeros: respeto mutuo, y continuación del comercio entre los dos países, con una variante. Ahora la relación comercial se contabilizaría en dólares. Cuba tendría que negociar en muchos casos no con el Estado soviético, sino con empresas que manejaban ya sus propias exportaciones. La situación se complicaba, pero para muchos dirigentes cubanos más valía lo malo conocido que lo bueno por conocer.

La breve nota cubana de ese 21 de agosto añadía poco más. Ocho días después, el 29 de agosto, apareció un artículo en la primera página del órgano oficial del Partido Comunista, el diario *Granma*. Allí se fijó más extensamente la posición cubana ante la ya práctica desarticulación de la Unión Soviética.

"Es imposible negar cuán aciagos son estos momentos que nunca hubiésemos deseado vivir", decía el periódico cubano. Pero a pesar de la tristeza que embarga a la dirección del país, Cuba mostró una vez más su firme deseo de proseguir, aunque fuera en solitario, con la construcción del socialismo,

Cuba seguirá "por la senda de las verdades universales, descubiertas por Marx y Engels". A ellas se sumarán "los geniales aportes de Lenin" y siempre con Fidel Castro "al frente hallaremos fuerzas y coraje para continuar la lucha". Castro hará una vez más público, esta vez a través de *Granma,* su deseo de hacer desaparecer la isla antes que renunciar al legado de la independencia y el socialismo.

Las cosas pues en Cuba seguían como estaban. Pero sólo en la esfera política. Si en los últimos meses los incumplimientos en los envíos de distintos productos, desde petróleo hasta trigo, provocaban serios desabastecimientos en la isla, así como paralizaciones y cierres de fábricas, la nueva situación entorpecerá más ese comercio que en muchos casos simplemente desaparecerá.

En las semanas siguientes, conforme la Unión Soviética se desvanece en el mapa y surgen repúblicas independientes por doquier, el mundo girará sus ojos hacia la pequeña isla del Caribe que sigue fiel a unos principios que se han revelado obsoletos en Europa.

Los ataques se multiplican. George Bush aprovecha para decir groseramente: "Alguien suda en estos momentos sangre en La Habana". Se demostraba una vez más que no se quiere que Castro cambie, sino que Castro perezca. Para Bush, como para sus antecesores, la permanencia de Castro en el poder es una bofetada a su orgullo de gran potencia que nunca han asimilado.

Esa humillación la debe pagar Castro muy cara. Se ha negociado con regímenes mucho más feroces que el cubano. Pero estaban a miles de kilómetros de Estados Unidos. No a 90 millas. No en la antigua finca de recreo de los gángsters y de los millonarios americanos.

La reacción es contraria a la que esperaba el inquilino de la Casa Blanca: Castro sensibilizó a su pueblo en torno a la ferocidad del imperialismo, que deseaba arrasar al país. El orgullo cubano, que es una de las cosas buenas que trajo la Revolución a la isla, se rebelará contra la arrogancia del imperio, como llaman en Cuba a los Estados Unidos.

Era una torpeza más de la diplomacia norteamericana.

Gorbachov, por otra parte, ha salido muy debilitado del fallido golpe de estado. Por el contrario, Boris Yeltsin, presidente de la Federación Rusa, la de mayor peso, tanto geográfico como económico y político de la antigua URSS, aparecía robustecido. Su decidida oposición a los golpistas le hizo subir muchos enteros.

Yeltsin llevaba ya varios meses apuntando a la línea de flotación de las relaciones con Cuba. En Washington declaraba en el mes de abril, cuatro meses antes del golpe, que su país era demasiado pobre para seguir ayudando a nadie. Cuba incluida. Bush se congratulaba y declaraba su fervor por Yeltsin "porque está de nuestra parte" en el pulso contra Castro.

Uno de los asesores militares de Yeltsin, Sergei Yushenkov, irá mucho más al grano, como todos los militares: "Quizás el mejor favor que podríamos hacer al pueblo cubano sería cortar por completo la colaboración con el régimen de Castro, para que así la isla pueda volver a la senda de la civilización occidental".

Gorbachov no quiso perder comba y declaró a Imevisión, una cadena de televisión hispana que emite desde los Estados Unidos:

—La situación ha cambiado en el mundo, en el hemisferio occidental y en América Latina. Creo que precisamente en este contexto deben cambiarse las relaciones con Cuba.

Unos días más tarde, el 11 de septiembre, y en presencia del secretario de Estado norteamericano, James Baker, Gorbachov anunciará en Moscú la retirada de las tropas soviéticas de Cuba.

La noticia estallará como una bomba y sus efectos se dejarán sentir en varios puntos del planeta, Washington y La Habana básicamente.

Gorbachov anunció que retiraría 11.000 soldados de una Brigada de Instrucción instalada cerca de La Habana. En realidad, Gorbachov, que en los primeros días que siguieron al golpe se mostró torpe, y a veces se quedaba mudo, sin que le saliera la voz, ante las cámaras de televisión, cometió un error importante: la Brigada de Instrucción está formada por 2.800 hombres y no por 11.000. De hecho, el total de soldados soviéticos en la isla es bastante menor.

Tanto el Instituto de Estudios Estratégicos de Londres, como el Departamento de Estado, registran que en esas fechas, septiembre de 1991, había en Cuba un total de 7.600 soviéticos, distribuidos de la siguiente forma: 2.800 militares que integran la Brigada de Instrucción, 1.200 técnicos civiles, 1.500 asesores militares y 2.100 técnicos instalados en la Base de Telecomunicaciones de Lourdes, cercana a La Habana.

Fue en 1962, cuando los soviéticos concentraron el mayor número de tropas en la isla, hasta un total de 42.000 hombres. En el mes de octubre de ese año tuvo lugar la llamada "crisis de los misiles". Los soviéticos habían desplegado cohetes nucleares en la isla. Durante once días, desde el 22 de octubre, el presidente John Kennedy y Nikita Kruschev echaron un pulso que pudo desembocar en la III Guerra Mundial. Finalmente, los soviéticos accedieron a retirar los misiles a cambio de una promesa de los Estados Unidos de no invadir Cuba.

La propia agencia oficial soviética, Tass, rectificará la cifra inicial dada por Gorbachov sobre el total de soldados que serían retirados de Cuba.

Gorbachov además utilizó el nombre en clave de "Brigada de Instrucción" para referirse en realidad a una bien preparada, mejor equipada y perfectamente entrenada Brigada de Fusilería Motorizada, lista para entrar en combate. Los cubanos la llaman "Centro de Estudios Número 2".

Pero dejando el lapsus a un lado, el simple hecho de anunciar el deseo de retirar soldados de Cuba provocó la euforia en el Gobierno norteamericano y en la densa colonia anticastrista de Miami.

—Me encantará que se apuren en la salida —dirá un exultante George Bush.

—La mejor forma de que la URSS disponga de más dinero es sacarlo de Cuba —apuntillará Marlin Fitzwater, portavoz de la Casa Blanca.

Será la agencia Tass también la que, ante la euforia despertada en Estados Unidos, puntualice que la salida de esos soldados debe ir acompañada de garantías: Estados Unidos no atacará a la isla y la base que este país posee en el extremo oriental de la isla, Guantánamo, deberá ser desmantelada.

Aun con tales precisiones, el anuncio de Gorbachov sonó como una bofetada en pleno rostro a sus ex camaradas cubanos. Lo que más irritó en La Habana fue que el anuncio se lanzara sin previo aviso al Gobierno de Cuba, y además en presencia de un representante del Gobierno norteamericano, Baker.

Cuba, que había sobrevivido treinta y tres años a un terrible cerco económico y diplomático, había desarrollado una astuta diplomacia. Su respuesta al anuncio de Gorbachov fue inteligente.

Primero, retrasarán meses y meses la salida de esas tropas. De hecho, Gorbachov tuvo que dejar el poder mucho antes de que las conversaciones para la retirada de esa brigada comenzaran a fructificar.

En el mes de septiembre, a los pocos días de ese inesperado anuncio de Gorbachov, me encontraba en La Habana. Con cuanto funcionario hablé me decía, como si fuera ya una consigna dictada desde la alta dirección del país:

—¿Qué se los quieren llevar? ¡Está bien! Pero, ¿por dónde piensan sacar a esos centenares de soldados? Necesitarán aviones, barcos... Y esos barcos necesitarán un permiso de entrada y salida de Cuba que deberá dar el Gobierno cubano...

Entendí la amenaza.

—Pero eso es una ruptura con los soviéticos —argumenté ante uno de mis interlocutores.

—¿Y qué crees que es lo que han hecho ellos? —me respondió.

En dos ocasiones distintas pregunté a Fidel Castro sobre la retirada de los 2.800 hombres de la Brigada de Fusilería Motorizada. Las visitas de los presidentes autonómicos españoles Manuel Fraga Iribarne, en septiembre, sólo unos días después del sorprendente anuncio hecho por Gorbachov, y de Juan Luis Rodríguez-Vigil coincidieron curiosamente con la presencia en La Habana de dos delegaciones soviéticas que iniciaban las negociaciones para la retirada de los hombres de la Brigada.

La respuesta que recibí de Castro en ambas ocasiones, en el Palacio de la Revolución, donde ofreció sendas recepciones en honor de los visitantes españoles, fue casi idéntica.

—Nuestra posición es muy clara: estamos absolutamente opuestos a la retirada de la unidad militar soviética mientras se mantenga en el país una base naval norteamericana contra la voluntad de nuestro pueblo.

Castro, al que por supuesto no le sorprendía la pregunta, pues era el tema del momento, pero también un asunto del que le costaba hablar, que se veía que le dolía profundamente, había actuado con inteligencia nada más conocer el anuncio de Gorbachov: si los rusos quieren irse, que se vayan los norteamericanos.

—Nuestra posición —me dijo Castro mirando como siempre fijamente a los ojos— es: ambas unidades deben retirarse simultáneamente. No tiene lógica que se retiren los amigos y se queden los enemigos. Eso incrementaría el peligro que pesa sobre nuestra patria.

Fidel había tenido la habilidad de mezclar las tropas de dos distintos países que en esta nueva etapa, en este mundo unipolar, eran ya casi una misma cosa. Cada vez menos dirigentes latinoamericanos están de acuerdo con la continuación del bloqueo por parte de Estados Unidos. Ahora, Cuba introducía este factor distorsionador que le servía para sumar solidaridades: la Base de Guantánamo.

La base está situada en el extremo oriental de la isla y ocupa una extensión de 117,5 kilómetros cuadrados. En 1901, la llamada Enmienda Platt le concede a los Estados Unidos el derecho a comprar o alquilar tierra cubana para establecer bases navales con el propósito de "mantener la independencia de Cuba y defender al pueblo cubano" (6).

Estados Unidos intentó instalar hasta tres bases, pero terminó por conformarse con ésta, que prácticamente tiene una concesión de por vida, ya que sólo sería abandonada por los Estados Unidos con el consentimiento de los dos gobiernos, el norteamericano y el cubano.

Y desde luego que esa no es la disposición de los Estados Unidos, que ven en Guantánamo una punta de lanza desde la que pueden aguijonear permanentemente al Gobierno revolucionario de Castro (ver capítulo "Los yanquis").

—Nuestra posición es justa, inobjetable, incuestionable —sigue diciéndome Castro.

Maestro de la dialéctica, Fidel refuerza sus argumentos:

—Si los filipinos no quieren bases norteamericanas, discuten y se retiran. Lo mismo los griegos, o vosotros, los españoles. ¿Por qué Cuba tiene que ser una excepción? ¿Por qué no se le va a reconocer el derecho a nuestro país a pedir que Estados Unidos retire esa base?

Valeri Nikolaienko, viceministro de Asuntos Exteriores soviético, fue el primer funcionario llegado desde Moscú a La Habana para iniciar la negociación que debería culminar con la retirada de las tropas soviéticas.

A las ocho de la mañana del 23 de septiembre, Nikolaienko se encontraba en el aeropuerto José Martí de la capital cubana acompañado por Alcibíades Hidalgo, su homólogo cubano. Los dos habían sido los jefes de las delegaciones que habían conversado durante tres días sobre la decisión tomada por Gorbachov sólo doce días antes.

Hablé con uno y otro. Escuché a Hidalgo y Nikolaienko. Con buenas palabras, como suele ser habitual entre diplomáticos, cada cual defendía su posición.

Lo que para los soviéticos era "una decisión", para los cubanos era "una propuesta". Los soviéticos habían "decidido" retirar los 2.800 hombres, "más unos 1.000 familiares", me dijo Nikolaienko. Los cubanos habían escuchado "la propuesta" soviética de iniciar negociaciones para retirar esos mismos hombres.

—La iniciativa de retirar la Brigada no va a significar la terminación de nuestra cooperación militar —decía Nikolaienko.

—La Brigada es un tema crucial para la seguridad nacional cubana —replicaba Hidalgo.

Nikolaienko subió al avión que lo llevaría a los brazos de Bernard Aronson, subsecretario del Departamento de Estado para América Latina, dejando en el aire sus últimas palabras:

—Me parece justa la demanda del pueblo cubano de pedir la retirada de la tropas de Guantánamo, pero nada tiene que ver con nuestra decisión de retirar los hombres de la Brigada.

Alcibíades Hidalgo, un cubano fibroso, curtido en misiones difíciles, como la del Líbano, sonreía. Uno de sus acompañantes me volvió a repetir al oído la consigna ya extendida entre los funcionarios cubanos:

—Para salir, necesitan un puerto, un aeropuerto. ¿Tienen los soviéticos puertos y aeropuertos en Cuba?

Dos meses después, en noviembre, cuando Rodríguez-Vigil se encontraba en La Habana, el embajador especial itinerante soviético Viacheslav Ustinov llegó a la capital cubana al frente de una delegación de su país. El impasible Hidalgo lo atendió y conversó con él. Pero Ustinov se marchó con las manos vacías. Ni siquiera se estableció un calendario para la negociación de la retirada de las tropas de la Brigada.

La noche del día 12, en el Palacio de la Revolución, Castro hilaba su respuesta a mi pregunta por esa retirada así:

—Se iniciarán ahora intercambios, análisis, conversaciones. Estamos en una fase muy preliminar en relación a este problema. Tampoco debemos esperar resultados inmediatos o precipitados. Es una cuestión de tiempo.

Casi un año después de lanzado el dardo por Gorbachov, los 2.800 hombres de la Brigada seguían en Cuba. Fidel seguía también recibiendo invitados en el Palacio de la Revolución. Gorbachov recorre incansable el mundo dando conferencias sobre cómo inició el camino de las reformas en la ex Unión Soviética.

En una ocasión, un amigo me preguntó si había visto emocionado a Castro. Le dije que sí. Que la vez que lo vi más emocionado, casi con los ojos acuosos, la voz quebrada, el corazón partido, fue cuando habló de los logros de la Unión Soviética, de cómo aquel inmenso país se recuperó dos veces de dos guerras mundiales, de cómo había pasado de la Edad Media a competir en el cosmos con la primera potencia mundial, los Estados Unidos. De cómo la Unión Soviética había sido durante treinta años un firme aliado de Cuba.

Fue en la sesión de apertura del IV Congreso del Partido Comunista de Cuba, en octubre de 1991. A Castro le dolía la Unión Soviética. Mejor aún, le dolía la desaparición de la Unión Soviética. Era como quedarse huérfano de padre y madre.

Y lo peor: los hijos de esa madre lo atacaban sin piedad. Incluso lo insultaban.

El 18 de octubre de 1990, cuando ya se podía vaticinar el desmembramiento de la URSS, el periódico moscovita *Komsomolskaya Pravda*, en aquel momento órgano oficial de la Juventud Comunista Leninista de la URSS, publicó un artículo que hirió especialmente a Castro.

Alexei Novikov, corresponsal del citado periódico, escribió sobre la vida privada de Castro. Las fuentes utilizadas por el periodista, según el propio Novikov, fueron agentes de la KGB, la policía política soviética que tantos desmanes protagonizó antes de su eliminación.

Novikov asegura que el hijo del líder cubano, Fidel Castro Díaz-Balart, nacido de su primer y único matrimonio, se casó con una soviética, después vivió con una cubana y en esa época tenía previsto casarse, "o ya está casado", con una aristócrata española.

Afirma también que Castro está casado en secreto con una cubana que trabaja en el Instituto Cubano de Oceanografía, con la que tiene cinco hijos a los que se les puso un nombre que comienza en todos los casos por la letra A: Alejo, Anatolio...

Comenta Novikov que Raúl Castro, quien se casó con Vilma Espín nada más terminar la guerra que derrocó a Fulgencio Batista, se separó de ella en 1986 y que se casó de nuevo con una búlgara. Vilma aparece de vez en cuando al lado de Raúl sólo para mantener las apariencias y por orden expresa de Fidel.

El tema de las casas de Fidel —¡cómo no!— es objeto de la "investigación" de Novikov: denuncia que el comandante tiene 30 casas distribuidas por todo el país, qué pertenecen al Estado, reconoce el periodista soviético, de ellas tres en La Habana, donde también tiene un búnker en el que podría refugiarse en caso de necesidad con su equipo de 27 generales.

Lo más sorprendente del artículo es la afirmación de que el servicio de seguridad personal de Fidel está formado por 9.700 hombres, de los que 2.800 están destinados en La Habana. Ese servicio de seguridad se eleva hasta 28.000 hombres cuando Fidel viaja por el interior de la isla (teóricamente mucho menos peligroso para Castro).

Dispone de tres yates, con los que sale de pesca. Un total de 122 buzos de su guardia personal "rastrean el fondo marino en busca de bombas sumergidas o de falsos peces capaces de explosionar si se les dispara".

Al reportero soviético le faltó añadir lo que se decía de Francisco Franco, el viejo dictador español: que esos buzos (que en la leyenda antifranquista también existían) le colocaban los salmones en el anzuelo.

Si todos los datos ofrecidos por Alexei Novikov son tan exactos como el del número de los hermanos de Fidel, los agentes de la KGB que le informaron debieron pasarse todo su tiempo de destino en Cuba en la playa de Varadero. Es bien sabido, y consta en todos los libros de historia escritos sobre Fidel Castro, que éste tiene dos hermanastros y seis hermanos. Su padre, Angel Castro y Argiz, se casó dos·veces. Novikov desconoce este dato y afirma que Fidel sólo tiene dos hermanos y una hermana.

Una persona que tiene acceso frecuente a Castro me dijo que este tipo de artículos molestan profundamente a Fidel. Aparte de que está lleno de inexactitudes, fue publicado por un periódico teóricamente aún amigo, portavoz de los jóvenes comunistas soviéticos.

Y es que en los últimos meses, la prensa soviética le había perdido el total respeto al dirigente cubano.

Castro y sus principales colaboradores contratacaron. A finales de 1991, en la última sesión plenaria de la Asamblea Nacional del Poder Popular, Carlos Aldana, responsable de ideología del PCC, hizo una confesión "a título exclusivamente personal" (7).

Aldana dirá en su discurso a la Asamblea que desde 1987 a 1989 "no pocos compañeros nuestros se hicieron perestrokianos, se hicieron gorbachianos". Ello se debió a que "idealizamos a la Unión Soviética, sublimamos a la Unión Soviética, la convertimos en el mismísimo Espíritu Santo y llevamos a la gente a pensar que todo lo que venía de allí, sea lo que fuere, era mejor, incluso, muchas veces, que lo nuestro".

El responsable ideológico del PCC revela que a finales de 1987, muchos dirigentes del Partido reclamaron que "explicáramos la perestroika, que diéramos sobre la misma una orientación" (en esa época el organismo que dirigía Aldana en el Comité Central se llamaba Departamento de Orientación Revolucionaria).

Aldana redactó un documento que proponía varias actitudes ante la perestroika: "Respeto, comprensión, confianza, análisis y simpatía".

Respeto, dirá el dirigente comunista, "porque cada cual tiene derecho, igual que nosotros lo reclamamos, a elegir su camino".

Comprensión, "porque sabíamos que la Unión Soviética distaba mucho de ser perfecta, aunque la admirábamos y era digna de admiración por su enorme proeza y su obra colosal".

Confianza, "porque veíamos en el Partido Comunista de la Unión Soviética (PCUS) al partido más maduro, más experimentado, con más historia, con más posibilidades de un empeño de renovación socialista".

Análisis, "porque necesariamente esa experiencia pensábamos que merecía ser analizada en aras de nuestra propia experiencia".

Simpatía, "porque aquel discurso inicial, que hablaba de ponerle fin a los beneficios que no vinieran del trabajo, de ponerle fin a la corrupción, de poner orden, disciplina social, de acelerar la economía... Todo aquello generaba simpatía".

Fidel conversó más tarde sobre ese documento con Aldana. Y el máximo líder le dijo:

—Respeto, sí, desde luego, respeto. Comprensión, sí, desde luego, comprensión. Confianza, bueno, hasta cierto punto, porque debemos observar muy bien todo. Análisis, creo que sí, que debemos hacer análisis. ¿Pero, por qué simpatía?

Quedaba así claro que desde su inicio Castro desconfió de la perestroika. Y como recordará Aldana en aquel discurso, estaba claro también que desde fecha muy temprana —26 de julio de 1989, aniversario del Moncada— Fidel advirtió de la posible desintegración de la Unión Soviética y comenzó a preparar a su pueblo para enfrentarse a una grave crisis derivada de tal desintegración.

Una crisis que para muchos cubanos habría sido responsabilidad de los "bolos", como despectivamente llaman en Cuba a los soviéticos. Cuenta Rafael del Pino, un general del Ejército cubano que escapó a Miami, en su libro *Proa a la Libertad* que fue el propio Fidel quien bautizó así a los soviéticos. "Bolo" significaría "tronco de madera sin procesar", y Castro llamaba "bolos" a sus socios soviéticos porque eran "gente tosca, inflexibles y sin ninguna cultura" (8).

La prensa cubana reaccionó también contra el viejo amigo, no ya soviético, sino ruso. La celebración del 1 de mayo de 1992, tradicional fiesta de exaltación del trabajador socialista en Moscú, se convirtió en esa última ocasión "en jornada de protesta contra el hambre, la corrupción y la injusticia" (9).

Así calificaba *Granma,* el órgano del PCC, las manifestaciones de los desencantados obreros rusos. El periódico comunista cubano advirtió contra "los que en Rusia creen al parecer que basta instaurar el capitalismo primitivo y entregar el país a los nuevos burgueses y mafiosos para que se haga el milagro de la abundancia".

Desde *Granma* también se vapuleaba a los nuevos dirigentes rusos. El 8 de marzo de 1992, bajo el título "Jolgorio apátrida en taberna rusa", el portavoz de los comunistas cubanos se refería a la recepción ofrecida por Serguei Kovaliev, embajador de la Federación Rusa ante la Comisión de Derechos Humanos de la ONU, con sede en Ginebra.

Kovaliev dio una recepción a miembros de la oposición anticastrista y funcionarios norteamericanos. La agencia británica Reuter calificó el acto como "uno de los cócteles más curiosos jamás celebrados en los circuitos diplomáticos de Ginebra" (10).

El disgusto que tal reunión causó a las autoridades cubanas se revela en este párrafo del artículo de *Granma:*

—Habría que preguntarse por qué representantes de una nación que todavía figura en las listas internacionales como una potencia y no como un país del Tercer Mundo, con cohetes nucleares, se comportan de modo tan vil y desleal con un pueblo (el cubano) al que lo unen no sólo vínculos diplomáticos, comerciales e incluso militares, sino también una amistad que ha pasado duras pruebas.

En aquella recepción ofrecida por el embajador soviético se podía acceder a "una amplia variedad de panfletos impresos en los Estados Unidos atacando al anterior aliado caribeño de la Unión Soviética". Ello le obliga a concluir al columnista de *Granma* así:

—La sede de la flamante Embajada rusa, convertida en simple estanquillo de publicaciones yanquis. En una taberna rusa.

Aun así, la dirigencia cubana no debía perder la cabeza. Sabía que, a la postre, los negocios están por encima de la ideología y los rusos, o los lituanos, o los georgianos necesitaban de su azúcar —una de cada tres cucharillas de azúcar que se consumen en la URSS es cubana—, de su níquel, o de sus cítricos. Y que a falta de dólares, pues todas esas repúblicas ex socialistas estaban en la bancarrota, podían pagar con petróleo.

Decía Fidel Castro en un discurso a finales de 1991:

—Reconoceremos a todos y cada uno de esos nuevos estados independientes y, en la medida de lo posible, desarrollaremos nuestras relaciones comerciales, diplomáticas y políticas con ellos, como con cualquier Estado independiente (11).

Siempre me pregunté si Castro odiaba a Mijail Gorbachov, aquel poderoso mandatario que visitaba La Habana en 1989 y firmaba un Tratado por veinticinco años con los cubanos. Un tratado que un par de años después era pura y simplemente papel mojado, tan sólo un documento digno para ser enviado a las bibliotecas para ser estudiado en el futuro por historiadores y politólogos.

Obtuve una respuesta a través del comandante Tomás Borge, uno de los líderes de la revolución sandinista, que como Castro expulsó del poder a otro dictador, Anastasio Somoza. Una revolución que debía mucho a Cuba, a Fidel, que había entrenado a sus hombres y los había apoyado con armas y dinero.

Castro había dicho en varias ocasiones en los meses finales de 1991 que el socialismo no había fallecido de muerte natural, sino asesinado por la espalda. Tomás Borge le preguntó a Castro si "en esta conjura de los puñales" estaba Gorbachov. Fidel respondió:

—No, no podría calificar a Gorbachov de esa manera, porque

tengo otro concepto de Gorbachov, y no es la de un asesino que premeditó la destrucción de la URSS (12).

Para Castro, la destrucción de la URSS fue realizada por los dirigentes soviéticos, unos de forma consciente, a los que califica de traidores y asesinos, y otros de forma inconsciente. Es el caso de Gorbachov:

—No puedo decir que Gorbachov haya realizado un papel consciente en la destrucción de la Unión Soviética, porque no tengo dudas de que Gorbachov tenía la intención de luchar por un perfeccionamiento del socialismo.

Culpable o no, Gorbachov fue el último zar del comunismo soviético. El último hombre que firmó casi de por vida un Tratado de Amistad y Cooperación con Cuba. El último dirigente soviético que se comprometió a seguir suministrando a la isla lo necesario para que sobreviviera de forma decorosa.

Pero si aquel 5 de abril de 1989, cuando Castro regresaba del aeropuerto José Martí y el cielo cubano era surcado por el Ilushiyin 60-M que llevaba a Gorbachov y su esposa de vuelta a casa, era un día feliz para Fidel, su felicidad iba a durar sólo unos meses.

Poco a poco, el entramado socialista del este europeo se descomponía. El Consejo de Asistencia Mutua Económica (CAME), el mercado común de los comunistas, fallecía de muerte natural, por falta de socios. Por último, la Unión Soviética desaparecía del mapa, siendo sustituida por 15 repúblicas independientes y capitalistas. El viejo camarada Gorbachov, como un Henry Kissinger que venía del frío, se dedicaba a dar conferencias en las mejores universidades del mundo, como medio de ganarse la vida.

¿Qué iba a hacer él, Fidel Castro, el último comunista de Occidente? ¿Llorar como una Magdalena?

NOTAS

(1)   *Cuba Internacional*, abril de 1992, La Habana.

(2)   *Granma Internacional*, 26 de mayo de 1991, La Habana.

(3)   *Una amistad inquebrantable*. Editora Política. La Habana, 1989.

(4)   *Granma*, 5 de abril de 1989, La Habana.

(5)   *Una amistad inquebrantable*. Editora Política. La Habana, 1989.

(6)   Jaime Suchlicki: *Historical Dictionary of Cuba*. The Scarecrow Press, Inc. Metuchen, N.J., & London, 1988.

(7)   *Leales a la verdad*. Editora Política. 1982, La Habana.

(8)   Rafael del Pino: *Proa a la Libertad*. Editorial Planeta Mexicana. México, 1991.

(9)   *Granma*, 6 de mayo de 1992, La Habana.

(10) *Granma Internacional*, 8 de marzo de 1992, La Habana.

(11) *Excelsior*, 24 de diciembre de 1991, México.

(12) *Excelsior*, 30 de mayo de 1992, La Habana.

23

LOS YANQUIS

Guerra de los garroteros,
uñas de yanquis ladrones
de ingenios azucareros:
¡a devolver los millones,
que son para los obreros!
La nube en rayo bajó,
ay, Cuba, que yo lo vi;
el águila se espantó,
yo lo vi;
la coyunda se rompió,
yo lo vi;
el pueblo canta, cantó,
cantando está el pueblo así:
Vino Fidel y cumplió
lo que prometió Martí.
Se acabó.
Nicolás Guillén
(*Se acabó*)

A la entrada de Caimanera hay un enorme cartel que dice:
—¡Bienvenidos a Caimanera, Primera Trinchera anti imperialista de Cuba!

Unos metros antes de la caseta custodiada por la policía, en la que han de detenerse todos los vehículos para ser registrados, leo otro cartel:

—Hay que aprender a tirar y tirar bien.

Un miliciano apunta con su rifle. El enemigo está a pocos kilómetros: 22 exactamente. En la Base de Guantánamo.

He viajado desde la ciudad de Guantánamo. Dejé a la derecha el poblado de Niceto Pérez y a la izquierda Paraguay, y entré en una de las dos pinzas del arco que forma la bahía de Guantánamo, del lado cubano: Caimanera. Enfrente se divisa perfectamente la otra pinza, Boquerón.

Conforme nos acercamos a Caimanera, la carretera corre paralela a una cerca metálica de dos metros y medio de alta, detrás de la cual hay otra de similares características. Una es cubana. La otra norteamericana. A un lado y otro, se levantan torretas de vigías que los cubanos llaman postas.

Las más chatas y construidas con madera son las de los Estados Unidos. Las más espigadas y metálicas, pintadas de color rojo y de unos 15 metros de altura son de Cuba. En ambas se divisan las siluetas de los soldados que montan guardia con el fusil en las manos.

Marcos Antonio Charón Frometa, un joven de unos treinta años, funcionario del Comité Provincial del Partido en Guantánamo, ex periodista que ha estudiado la historia de la base, dice:

—Por esas verjas se han colado muchos tiros.

Dos soldados cubanos fueron asesinados así. Otros resultaron heridos.

En las pequeñas unidades del Batallón Fronterizo al que pertenecieron los soldados Ramón López Peña y Luis Ramírez López se mantienen su cama y sus pertenencias en perfecto estado de revista. Aunque el primero falleció el 19 de julio de 1964 y el segundo el 21 de mayo de 1966, víctimas de disparos realizados por soldados norteamericanos, ambos son citados todos los días en primer lugar cuando se pasa lista a la tropa.

Cuando me cuentan la historia en el Batallón Fronterizo, dicen que ni Ramón López ni Luis Ramírez han fallecido:

—¿Quién ha dicho que están muertos? ¡Ellos están multiplicados en nosotros! —afirma un oficial.

El Batallón Fronterizo fue creado el 19 de noviembre de 1960, como réplica a la instalación por parte de los norteamericanos de una verja de dos metros y medio de alta que cercaba el territorio de la base. Un total de 15.000 jóvenes cubanos de ambos sexos han realizado su servicio militar en este Batallón.

Desde 1960, a una acción de un bando le correspondía una réplica del contrario: Cuba construyó su propia cerca metálica, a seis metros de distancia de la norteamericana.

Los norteamericanos replicaron minando la tierra inmediatamente detrás de su valla, una franja de unos siete metros. Tras la crisis de los misiles del año 62, Cuba minó también parte de su territorio.

Unos años más tarde, en los primeros setenta, los Estados Unidos electrificaron su alambrada. Cuba hizo lo mismo.

Ante la imposibilidad de cruzar dos verjas de considerable altura y dos campos minados, algunos cubanos se lanzaban al agua desde el llamado Puerto del Deseo, cerca de Boquerón, y nadaban hasta las aguas norteamericanas. Estos colocaron guardacostas para evitar una entrada masiva de cubanos a la base. Cuba hizo lo mismo, pero para evitar la salida de sus ciudadanos.

La última vez que se produjo un incidente con disparos de por medio fue el 7 de diciembre de 1990. Ese día el Ejército cubano rendía homenaje a sus soldados muertos en la guerra de Angola. Los marines dispararon sus fusiles contra dos postas cubanas. No hubo heridos de milagro. Los cristales de las postas 16 y 17 quedaron destrozados. Trozos de esos cristales se muestran ahora en el museo local, lleno de recuerdos de las agresiones yanquis:

—Nosotros nunca replicamos, porque eso es lo que ellos buscan —dice Charón.

Los habitantes de Caimanera viven en zozobra permanente por este tipo de agresiones. Además, han de soportar el ruido ensordecedor del continuo despegue y aterrizaje de los reactores norteamericanos, así como de los disparos de los aviones de combate y de la artillería cuando realizan ejercicios de tiro.

Por ello, los 8.000 habitantes de este pueblo fronterizo a la base, que debe su nombre a la existencia de numerosos caimanes de pequeño tamaño, tienen derecho a una ración alimenticia más abundante que el común de los cubanos.

Caimanera fue designado por Fidel Castro "Pueblo heroico" por sobrevivir pegado a la base norteamericana de Guantánamo. También fue el primer municipio cubano declarado "Listo para la Defensa en la II Fase", que integra la doctrina de "la guerra de todo el pueblo". En caso de una confrontación entre los dos países, está claro que los vecinos de Caimanera serían los primeros en entrar en combate y muchos de ellos serían también los primeros en caer bajo el fuego enemigo.

—El enemigo no está a 90 millas, sino a unos pocos centímetros, detrás de una cerca de pelo, como dicen ustedes los españoles.

He visitado al primer secretario del Partido del municipio de Caimanera, Ramón Chávez Rodríguez, de treinta y siete años. Su despacho está adornado con retratos de los más importantes líderes de la Revolución.

Todos los domingos los vecinos de Caimanera reciben entrenamiento militar, dice el secretario Chávez. Como en el cartel que hay a la entrada del pueblo, los vecinos aprenden a disparar y a protegerse de las bombas enemigas. Los mayores de edad cuentan en su casa con lo que Chávez llama "un módulo", que no es otra cosa que una mochila con una ración de comida en conserva, agua, una lona para dormir a la intemperie y una careta antigas.

Para escribir sobre las relaciones entre Cuba y Estados Unidos era imprescindible ver la Base de Guantánamo. Y al fin ahí está, a mis pies. Ahí están los 117 kilómetros cuadrados que los norteamericanos ocupan desde el 10 de diciembre de 1903.

He dejado mi coche en el aparcamiento del Batallón Fronterizo, uno de los primeros que incluyó mujeres en sus filas. Después de rodar en un jeep militar durante una media hora, he llegado a una construcción subterránea, en donde hay una maqueta gigantesca de toda la bahía de Guantánamo. Las cercas metálicas y las torres de los vigías o postas marcan perfectamente el territorio cubano y el ocupado por los norteamericanos.

Entre ambos, una zona de nadie, llena de minas, al igual que gran parte del terreno semidesértico que acabo de atravesar.

En una ocasión *Granma* publicó que éste era "uno de los campos minados más densos del mundo, con un número estimado de unas 70.000 minas antipersonales y antitanques". Las minas han reventado a más de un cubano que ha intentado escapar de Cuba por esta vía.

Después de que un oficial haya explicado sobre la maqueta las instalaciones de la base, me dirijo a la cima de El Picote. Los 147 escalones que he de subir para llegar al principal observatorio cubano se hacen pesados a las tres de la tarde y con un sol de justicia.

Pero cuando llego arriba y contemplo la entrada de la bahía pienso que el esfuerzo ha merecido la pena. Toda la base está rodeada de pequeños montículos. Los cubanos tienen siempre una perfecta visión de lo que allí abajo hacen los norteamericanos.

A mis pies contemplo la boca de la ensenada, por donde penetran todo tipo de naves norteamericanas: portaaviones, acorazados, cruceros, destructores, fragatas, submarinos, buques anfibios, portahelicópteros y guardacostas. Frente a la entrada de la bahía hay 42 zonas de anclaje, capaces para albergar a una poderosa flota de guerra.

La vista es maravillosa. Si no fuera porque unas tropas extranjeras ocupan territorio de un país soberano en contra de los deseos de éste.

La ensenada de Guantánamo está situada en el extremo suroriental de la isla, en las faldas de la sierra del Magüey. Es la tercera bahía más grande de Cuba, abrigada a los vientos y de profundas aguas. Guantánamo es uno de los vértices del misterioso Triángulo de las Bermudas.

De los 117,5 kilómetros cuadrados que ocupan los norteamericanos, 49,4 son tierra firme, 29,4 zona pantanosa y el resto, casi una tercera parte, 38,8 kilómetros agua. Cuando los Estados Unidos firmaron los acuerdos con Cuba para el arriendo de terrenos para construir bases, se hablaba también de "carboneras".

A comienzos del siglo, las carboneras eran importantes para una flota, ya que éstas se alimentaban a base de carbón. Las zonas pantanosas cubanas producen abundante madera de la que se extrae carbón vegetal. Hoy ya no son necesarias. El petróleo las ha hecho prácticamente inservibles.

Haitibonico, uno de los seis asentamientos del municipio de Caimanera, era una carbonera hace años. Todo el pueblo se movía en función del carbón y la cercana base. Cuando visito este asentamiento, al mediodía, el poblado esta casi vacío. Los niños están en la escuela. Los hombres en el campo, luchando contra la salinidad de la tierra. En esta zona se produce el 70 por 100 de toda la sal que consume Cuba. Las mujeres se distribuyen así: las mayores, en sus casas, donde realizan tareas domésticas. Las más jóvenes trabajan en el Taller de Confecciones Textiles.

La Revolución no quiere mujeres ociosas y las jóvenes con las que converso en Haitibonico, mientras cosen camisas, están encantadas de tener un trabajo fuera de la casa y aportar algún dinero a la familia.

Ni las 7.000 personas que viven en la base, ni los numerosos buques que a ella arriban necesitan ya del carbón de Haitibonico. A veces, la base tiene varios miles de marines más, miembros de las tripulaciones que van de paso o se quedan en la zona de maniobras.

Desde el privilegiado observatorio de El Picote, provisto de unos buenos prismáticos, uno puede ver hasta el jardín de la casa de los oficiales norteamericanos.

Frente a la posta norteamericana número 13, en el lado cubano, hay un enorme cartel que dice:

—República de Cuba. Primer Territorio Libre de América.

Esa es la única puerta de acceso a la base, por la que entran y salen las tres docenas de cubanos, ya muy mayores, que siguen trabajando en el interior. Nadie más puede utilizar esa vía.

Hay varias urbanizaciones en el interior de la base: Villamar, Bargo, Punta Deer. La avenida Sherman es la más importante del lugar. Une la zona residencial con las instalaciones portuarias y las demás dependencias de la base.

Se divisan perfectamente los dos aeropuertos: el McCall y el Leward Point, conocido popularmente como Tres Piedras. Este es el más importante de los dos y está situado al oeste del terreno ocupado por la base. En esa dirección se encuentra también el polígono de tiro de San Nicolás, donde se entrenan pilotos y artilleros.

Al este se levantan los edificios administrativos y el puesto de mando norteamericanos, así como potentes radares y puntos de observación.

La base cuenta con almacenes, un hospital, varios polvorines, campo de entrenamiento para la tropa y una planta desalinizadora de agua que puede procesar hasta un millón de galones de agua al día (algo más de cuatro millones y medio de litros).

El Gobierno de Cuba surtía de agua a la base hasta 1964. Ese año, los norteamericanos apresaron, sin razón alguna, en aguas internacionales, a 36 pescadores cubanos. La Habana reaccionó cortando el suministro de agua.

Los Estados Unidos ocupan aproximadamente la mitad de la rada o bahía de Guantánamo, que es precisamente la que está en la entrada.

El fondo de este cuello de botella es territorio cubano, perteneciente al municipio de Caimanera, que tiene una extensión de 362,9 kilómetros cuadrados.

—Más grande que la isla de Granada —me dice el secretario del Partido, Chávez Rodríguez. Y en efecto, Caimanera tiene 19 kilómetros más que la isla invadida por tropas norteamericanas en 1983, en donde combatieron algunos soldados y asesores cubanos.

Cuando un buque de cualquier nacionalidad —hasta hace pocos meses soviéticos, que transportaban gasolina y otras materias primas— pretende pasar a la zona cubana de la bahía de Guantánamo, ha de pedir permiso a las autoridades norteamericanas.

El buque extranjero, o cubano, es acompañado por patrullas de los Estados Unidos hasta el límite de sus aguas. Allí es recibido por el práctico del puerto cubano que lo guía hasta los muelles de Caimanera. Ha de manejarse con cuidado, pues la zona está llena de rocas.

Caimanera llegó a ser una ciudad de vida alegre y licenciosa antes de la Revolución. Prostíbulos y bares se contaban por docenas. En ellos se divertían los marines de la base y allí dejaban buena parte de su paga. Aquellas prostitutas fueron reeducadas por la Revolución y empleadas en talleres de artesanías, me dice la directora del museo local. Hace años que no queda ni una.

En el museo hay fotografías de la antigua calle Marina, donde se amontonaban los prostíbulos. Y en un lugar de honor, la famosa foto del marine sentado, con el fusil en una mano y su miembro erecto en la otra, provocando a los cubanos.

Desde violaciones al espacio aéreo a gestos obscenos como hacer el amor junto a la verja con prostitutas, el Gobierno cubano ha registrado 12.500 provocaciones de los norteamericanos desde 1962 hasta mediados de 1991. Además de los dos soldados asesinados, otros dos pescadores murieron a manos de marines.

El 10 de agosto de 1991, el Ministerio de Asuntos Exteriores de Cuba presentó una vez más al Gobierno de los Estados Unidos una queja por las provocaciones de los marines norteamericanos.

La nota denunciaba que los americanos "alumbran con sus potentes reflectores a los soldados cubanos, los apuntan con sus fusiles, muestran sus glúteos desnudos, gesticulan con sus genitales e insultan con palabras obscenas a los cubanos" (1).

Con los anteojos, me recreo desde la cima de El Picote en la vista de la base. Cuando llevamos en este privilegiado observatorio unos diez minutos, desde el que los cubanos vigilan todos los movimientos de los norteamericanos, un helicóptero levanta el vuelo en la base.

—¡Ya sale el chivato! —me dice un oficial.

En efecto, en cuanto los norteamericanos, que pasan también horas y horas observando los cerros ocupados por soldados cubanos, divisan movimiento en el observatorio principal, un helicóptero se pone en movimiento.

Bajamos los 147 escalones construidos rústicamente con piedras. He visto lo que quería. He visto la espina que Fidel Castro tiene clavada en su corazón desde que llegó al poder en enero de 1959: la Base de Guantánamo.

Había salido de La Habana tres días antes.

Día: 21 de abril de 1991. Cinco de la madrugada. Aeropuerto José Martí, terminal nacional. La Habana.

Llegué muy temprano al aeropuerto. Los vuelos en el interior de la isla son pocos y sufren continuos retrasos. Además, se practica de forma descarada el *overbooking* o venta de boletos por encima de la capacidad de la aeronave.

La azafata de atractivo rostro mulato levantó la voz y dijo:

—El vuelo a Holguín está sobrevendido. Tienen prioridad los que perdieron el vuelo de ayer. Y voy a ser rigurosa.

Una abigarrada multitud de blancos, negros, mulatos, niños, ancianos, bultos de tela, cajas de cartón atadas con cuerdas mugrientas y algunas maletas de la época batistiana se agolpan ante la aeromoza, como las llaman en estos lares.

—Primero, tienen derecho a embarcar los que presenten telegrama de defunción. ¡Pero los voy a comprobar! —amenaza la azafata—. Y aunque tengan telegrama, sólo viaja una persona por telegrama. Nada de niños acompañantes, compañeros. Porque el que va a una defunción no lleva niños.

A mi lado hay una anciana de blanco pelo y encorvada espalda. Me enseña un papel arrugado color marrón. Apenas si sabe leer. Le digo que ella sí puede entrar, pues en el telegrama le comunican "la defunción" de un pariente. La viejita cruza la barrera humana y se lo entrega a la azafata. Después, se encamina lentamente con su pase de abordar hacia el arco de seguridad que da acceso a la sala de salida de vuelos nacionales.

Ese día iniciaba un largo recorrido por la isla de Cuba, que atravesaría de punta a punta. Desde Punta Maisí a Cabo San Antonio: 1.120 kilómetros separan a los dos extremos de este caimán dormido, como lo bautizara el "Che" Guevara, que es la Cuba Roja de Fidel.

Serpenteando. Subí y bajé de la parte más ancha, de 200 kilómetros, a la más estrecha, de tan sólo 40 kilómetros: desde la Punta de Prácticos al Puerto de Mota, en el oriente; desde el famoso Puerto de Mariel a la Ensenada de Majana, en el occidente.

Recorrí más de 5.000 kilómetros.

Quise iniciar el viaje por el último reducto que queda en la Cuba Roja de la larga presencia norteamericana en la isla: los 117 kilómetros cuadrados de territorio cubano ocupado por su mayor enemigo, los Estados Unidos, en la provincia de Guantánamo.

Volaría hasta la ciudad de Guantánamo en un viejo armatoste soviético y luego regresaría hasta La Habana en automóvil. La terminal de vuelos nacionales del aeropuerto habanero es como una vieja estación de ferrocarril española: a hora tan temprana como las 5, está repleto. Muchos han dormido allí mismo, tirados en algún rincón.

Los efectos del Período Especial ya se hacen sentir y el transporte es cada vez más deficitario. Nadie se arriesga a perder un vuelo —¡quién sabe cuándo tendrán la oportunidad de conseguir plaza en otro!— y por ello se dirigen al José Martí con cuatro y cinco horas de anticipación.

Cuando he despachado mi equipaje, paso a la sala de espera. Hay una cafetería abierta. ¡Aleluya! Tomaré un café. Un letrero advierte:

—Raciones: dos bocaditos por pasajero.

El cubano come a cualquier hora y algunos son capaces de comerse una docena de bocaditos, especie de bocadillos de menor tamaño que los españoles, con jamón o queso. Hay también hamburguesas McCastro y unos peces enormes, fritos. Cuando estoy pensando quién es capaz de desayunarse uno de esos pescados a las 5 de la madrugada observo cómo una señora entrada en años y carnes muerde con ferocidad el pez, que parece pargo o huachinango. El cubano come por dos razones: cuando encuentra comida o cuando tiene hambre. No se ajusta a horarios fijos.

En el baño no hay papel higiénico. Hay que comprarlo a un anciano de unos 70 años. El servicio completo cuesta cinco centavos. Si sólo se hacen aguas menores, es gratuito. Un cliente protesta por lo que considera una cuota excesiva y el viejo se enoja:

—No es por mi gusto que cobro, compañero, sino por orden de la empresa.

Las cosas como son. El papel higiénico es un lujo en este país y el agua también. De modo que a pagar.

Guantánamo me recibe con una pertinaz lluvia que ha provocado el retraso del vuelo en un par de horas.

En la capital de la provincia más oriental del país no hay agencia de alquiler de coches. He de esperar a mi llegada a Santiago de Cuba para "rentar un carro", como dicen en este continente. Me conformo con un Moskovich que alquilo al Comité Provincial del Partido Comunista por 100 dólares diarios, chófer incluido.

Hace unos años, el Partido habría puesto a disposición de un periodista extranjero que quiere visitar la base de Guantánamo un automóvil gratis. Pero los tiempos han cambiado. Los días de invitaciones masivas también. El que quiera viajar por Cuba, que pague, piensan en el Comité Central.

Aunque había conseguido en La Habana el permiso para visitar el Batallón Fronterizo, que rodea la base norteamericana, tuve que esperar cuatro largos días antes de cumplir mi objetivo. Lo más curioso: al llegar a Santiago me entrevisté con directivos de Gaviota, una de las tres empresas turísticas del país. Me informaron que ellos llevan turistas al mismo lugar donde yo he estado, sin más requisito que pagar unos dólares.

Gaviota es una empresa dirigida por militares y la base se ha convertido en algo exótico: un polo de atracción turística.

Mientras llega la orden de La Habana al puesto de mando del Batallón Fronterizo, recorro parte la provincia de Guantánamo, que es montañosa y muy bella. Visito Baracoa, la primera ciudad fundada por los españoles en 1512 en la antigua Cubanacan o Coabaí, como la llamaban los indígenas que aquí encontró Colón, taínos al oriente y ciboneyes en occidente.

También estudié en las solitarias noches del hotel Guantánamo —todo aquí se llama Guantánamo— la convulsa historia de las relaciones entre Cuba y Estados Unidos, prácticamente los dos únicos países del mundo que aún siguen jugando a la Guerra Fría.

Comprobé en los libros de historia lo que muchos saben: Las apetencias de los Estados Unidos sobre la isla de Cuba comenzaron casi con la independencia del gigante del norte.

La revista *Bohemia* publicó en 1991 un artículo en el que se analizaban las relaciones entre los dos países. El texto comenzaba con este significativo párrafo:

—Cuando no existían Carlos Marx, ni Vladimir Ilich Lenin, cuando nadie podía avizorar ni tan siquiera la posibilidad de que el mundo pudiera tener un enfrentamiento tan serio como la Guerra Fría, o se pudiera hablar de desideologización, ya existía el litigio entre Cuba y Estados Unidos (2).

Para los historiadores cubanos, la antigüedad de este enfrentamiento muestra que la actual rivalidad por parte de Estados Unidos no está basada en un conflicto ideológico, socialismo versus capitalismo, sino puramente expansionista, independencia versus anexionismo.

De acuerdo con esta tesis, la estrategia de los Estados Unidos estaría basada en estos dos principios:

1. La fuerza militar es el medio fundamental de arreglar los problemas internacionales.

2. Estados Unidos no es un país corriente, sino exclusivo, destinado (*Manifiest Destiny*) a la misión civilizadora de llevar a otros pueblos el "modo de vida americano" (*American Way of Life*).

No es necesario ser cubano ni un especialista en historia norteamericana para saber que algo de lo apuntado por *Bohemia* es cierto. Sólo hay que recordar, como hechos más recientes, las intervenciones estadounidenses en la República Dominicana, Vietnam, Granada, Panamá o la de Irak, a la que arrastraron a algunos socios europeos.

El deseo norteamericano de apoderarse de Cuba se remonta a esta frase de Thomas Jefferson, tercer presidente de los Estados Unidos (1801-1809), escrita en 1807:

—Confieso sinceramente que siempre he considerado a Cuba como la adición más importante a nuestro sistema de Estados. El control que junto con Florida nos daría esta isla sobre el Golfo de México, y sobre los países e istmos que lo bordean, al igual que sobre aquellos cuyas aguas desembocan en él, tendría que colmar la medida de nuestro bienestar político" (3).

El sexto presidente, John Quincy Adams, siendo secretario de Estado con su antecesor en la Casa Blanca, James Monroe, escribía una nota a Hugh Nelson, embajador estadounidense en Madrid, el 28 de abril de 1823. El tema eran Cuba y Puerto Rico, entonces colonias hispanas:

—Estas islas, por su posición local, son apéndices naturales del continente norteamericano, y una de ellas, la isla de Cuba, casi a la vista de nuestras costas, ha venido a ser, por multitud de razones, de trascendental importancia para los intereses políticos y comerciales de nuestra Unión.

Adams no viviría para saber que una de las dos islas, la de Puerto Rico llegaría a ser parte de esa Unión que entonces comenzaba a expandirse, bajo el especialísimo régimen de Estado Libre Asociado.

De Cuba, el presidente Adams dirá maravillas: que está en el centro de las rutas comerciales y dispone, entre otras ventajas estratégicas, de un excelente y abrigado puerto, el de La Habana. Por ello, concluye Adams, "no hay ningún territorio extranjero que pueda comparársele".

Años más tarde, un influyente periodista, Moses Y. Beach, propietario del *Sun* neoyorquino, escribía sin rubor alguno el 23 de julio de 1847:

—Por su posición geográfica, por necesidad y derecho, Cuba pertenece a Estados Unidos, puede y debe ser nuestra. Ha llegado el momento de colocarla en nuestras manos y bajo nuestra bandera. Cuba está en venta, en el mercado... ¡Cuba debe ser nuestra!

A pesar de esta voracidad, y de los intentos de comprar la isla al

Gobierno español, gestión iniciada por el presidente James K. Polk en 1848, los norteamericanos tendrían que esperar hasta 1898 para izar la bandera de las barras y las estrellas en la conocida como la Perla de las Antillas.

Cuba mantuvo tres guerras contra la metrópoli, España, antes de lograr su independencia: la Guerra de los Diez Años (1868-1878), la Guerra Chiquita (1878) y la llamada por el régimen cubano la Guerra Necesaria (1895-98). Sería ésta última, preparada pacientemente por el héroe nacional cubano José Martí, quien caería sin embargo pronto víctima de las balas españolas el 19 de mayo de 1895, la definitiva.

A finales de siglo, el cónsul norteamericano en La Habana telegrafiaba a Washington diciendo:

—Comercialmente, Cuba se ha convertido en una dependencia de los Estados Unidos, aunque políticamente continúa dependiendo de España (4).

En efecto, para esa época Estados Unidos absorbía el 85 por 100 de las exportaciones cubanas. Los intereses económicos de los que hablaba Adams se cumplían. A ellos se sumaban los políticos, y en eso andaban los norteamericanos, observando con deleite cómo la insurgencia cubana iba ganando el pulso a una desangrada metrópoli, en el ocaso de su imperio colonial.

Un año antes del final de la contienda, el subsecretario de Guerra de los Estados Unidos, J. C. Breckenridge, envió una comunicación al teniente general N. S. Miles, jefe de las fuerzas norteamericanas en Cuba.

El documento lleva la fecha del 24 de diciembre de 1897, es decir, casi dos meses antes del hundimiento del Maine, que dará lugar a la entrada en la guerra de los Estados Unidos. El escrito revela la intención del país norteño de entrometerse en el conflicto, al tiempo que muestra el alto nivel de cinismo de los dirigentes norteamericanos.

Sus párrafos más significativos dicen:

"La anexión de territorios a nuestra República ha sido hasta ahora la de vastas regiones con muy escasa población y fue siempre precedida por la invasión pacífica de nuestros emigrantes, de modo tal que la absorción y amalgama de la población existente ha sido fácil y rápida".

"Cuba, con un territorio mayor, tiene una población mayor que Puerto Rico. Esta consiste de blancos, negros y asiáticos y sus mezclas. Los habitantes son generalmente indolentes y apáticos. Es evidente que la inmediata anexión de estos elementos a nuestra propia Federación sería una locura y, antes de hacerlo, debemos limpiar el país, aun cuando eso sea por la aplicación de los mismos métodos que fueron aplicados por la Divina Providencia en las ciudades de Sodoma y Gomorra" (5).

¿Cuáles serían esos métodos? ¿El fuego que consumió a las dos ciudades bíblicas en castigo por sus pecados? El propio Breckenridge se lo aclara al general Miles:

"Debemos destruir todo lo que esté dentro del radio de acción de nuestros cañones. Debemos concentrar el bloqueo, de modo que el hambre y su eterna compañera, la peste, minen a la población civil y diezmen al Ejército cubano".

La conclusión final no tiene desperdicio:

"Resumiendo: nuestra política debe ser siempre apoyar al más débil contra el más fuerte, hasta que hayamos obtenido el exterminio de ambos (cubanos y españoles) a fin de anexionarnos la Perla de las Antillas".

Es decir, hace ya casi un siglo, los norteamericanos usaban palabras que se convertirían en clásicas en su conflicto con Cuba, como "bloqueo" y "exterminio".

La guerra fue sangrienta por ambos bandos y tanto cubanos como españoles protagonizaron actos heroicos. Se saldó con 200.000 muertos entre unos y otros y España no pudo mantener su última colonia, descubierta en el primer viaje de Cristóbal Colón, en 1492.

Unos y otros, cubanos y españoles, habrían seguido unos meses o quizás años, matándose entre sí de no ser por la intervención de los Estados Unidos.

El 15 de febrero de 1898, el acorazado Maine, que había acudido a Cuba el mes anterior en defensa de los intereses norteamericanos —y en ayuda de los insurgentes cubanos— es misteriosamente destruido. Una explosión se cobró la vida de 260 de los 355 marinos norteamericanos del buque. Aunque está comprobado que no fueron los españoles quienes hundieron el navío —no les interesaba— los Estados Unidos le declararon la guerra a España.

Ante los norteamericanos y los cubanos, los españoles poco tenían ya que hacer. El 10 de diciembre se firma en París la paz entre Estados Unidos y España. La vieja metrópoli cede la soberanía de la isla al nuevo gigante del imperialismo.

El 1 de enero de 1899, a las doce en punto del mediodía, la bandera española es arriada en el Castillo del Morro, a la entrada del puerto de La Habana. En su lugar es izada no la cubana, país que teóricamente había alcanzado después de dura lucha su independencia, sino la de los Estados Unidos.

Veintiún cañonazos sonaron en honor de la bandera de las barras y las estrellas. Los patriotas cubanos sin duda se sintieron humillados y ofendidos.

El poeta y periodista Bonifacio Byrne (1861-1936), que había vivido los últimos años en el exilio tras ser encarcelado por los españoles, escribe estos versos al regresar a su patria:

Al volver de distantes riberas,
con el alma enlutada y sombría,
afanoso busqué mi bandera
y otra he visto, además de la mía.

La isla quedó bajo el mando del general John Rutter Brooke, nombrado gobernador por Washington. Moría un gran imperio y comenzaba a nacer otro que llegaría a tener un poder inmesurable.

Durante casi cuatro años, del 1 de enero de 1899 al 20 de mayo de 1902, los Estados Unidos ocuparán militarmente la isla, que estará dirigida por un gobernador norteamericano. El territorio será dividido en seis departamentos militares, tantos como provincias, más el de La Habana, al frente de los cuales estará un general de las tropas de ocupación.

Pero lo peor no fue eso.

Orville Platt, un oscuro senador por el Estado de Connecticut, se hará famoso al patrocinar y conseguir la aprobación en el Senado, el 25 de febrero de 1901, de una enmienda que llevará su nombre y que será incluida en la primera Constitución que se dio al pueblo cubano ese mismo año.

Dos días después, los miembros de la Asamblea Constituyente cubana, que habían comenzado sus trabajos el 5 de noviembre de 1900, y que habían alumbrado la primera Carta Magna que presentan al pueblo el 21 de febrero de 1901, rechazan las pretensiones de los Estados Unidos incluidas en la Enmienda Platt.

Entre otras cosas, la Enmienda Platt prohibía a los cubanos concertar tratados o pactos con países extranjeros, o la instalación de bases militares en su suelo. Salvo, claro está, las bases del amigo americano. A los Estados Unidos. Es así como nacerá la Base de Guantánamo.

El artículo tercero de la Enmienda, que consta de un total de ocho (ver anexos), concede el derecho a los Estados Unidos de intervenir militarmente en la isla si cree que peligra su independencia o para imponer un gobierno adecuado. Desde 1902 a 1917, Washington haría uso de esa facultad en tres ocasiones.

No es de extrañar que algunos constituyentes cubanos pusieran el grito en el cielo. Pero desde el momento en que el presidente William McKinley estampó su firma en el proyecto de ley que incluía la Enmienda Platt, "el dogal estaba preparado", en palabras del escritor cubano Gilberto Toste.

A pesar de que se celebran diversas manifestaciones en las calles de La Habana, y el gobernador Leonard Wood, que había sustituido a Brooke, tenga que escuchar gritos de "¡Viva Cuba Libre!" y "¡Nada de carboneras!", la presión de Washington es tal que la Enmienda termina siendo aceptada.

El propio Platt había advertido a los cubanos que si no aprobaban los ocho puntos de su enmienda, la isla sería invadida por las
tropas yanquis.

Los constituyentes cubanos capitulan y en sesión celebrada el
12 de junio de 1901 incluyen la Enmienda Platt como un anexo
de la primera Constitución de la República de Cuba.

La Enmienda Platt, leída noventa años después, no deja lugar a
dudas sobre el deseo irrefrenable de los Estados Unidos por controlar y manejar los asuntos cubanos. Una ambición que se mantendría en lo que quedaba de siglo.

El simple hecho de que el Congreso de un país extranjero introduzca una enmienda en la Constitución de otro país, es suficiente para calibrar el nivel real de independencia que disfrutó
Cuba después de tres sangrientos años de lucha contra los españoles. Y el nivel de injerencia de un país en los asuntos internos del
otro.

Cuba no iba a ser la única en sufrir esa influencia enorme de
Washington. Ya para comienzos de siglo, se había hecho famosa la
"Doctrina Monroe", que toma su nombre del quinto presidente de
los Estados Unidos, James Monroe (1817-25).

—¡América para los americanos!

Esa será la frase que resuma la teoría según la cual los Estados
Unidos son los garantes de que el resto del continente permanezca bajo su influencia. A nadie se le permitirá salirse de su seno, y
los países que lo intenten, Cuba, Nicaragua, Granada, lo pagarán
a un alto precio.

Monroe apoyó el proceso independentista de las colonias españolas del continente americano. En 1923, ante la posibilidad de que
las tropas europeas agrupadas en la llamada Santa Alianza ayudaran
a España a mantener sus colonias americanas, Inglaterra propuso a
los Estados Unidos la firma de un pacto oponiéndose a tal intento.

A los ingleses les guiaba, como siempre, su instinto comercial.
Una América repleta de nuevos países independientes sería mejor
mercado que una América sometida al yugo de Madrid.

Pero el presidente Monroe tampoco era un novato. Rechazó la
propuesta británica y a cambio, y por sugerencia de su secretario
de Estado, John Quincy Adams, que le sucedería en la presidencia, y uno de los más interesados en hincarle el diente a Cuba, definió lo que en adelante sería la política exterior norteamericana
en el discurso anual al Congreso del 2 de diciembre de 1823.

La alocución del presidente se resume en estos puntos que
conformarán la llamada "Doctrina Monroe":

1. Los Estados Unidos renuncian a intervenir en las disputas internas entre países europeos.

2. Los Estados Unidos reconocen la situación legal de las colonias existentes en ese momento en América.

3. El continente americano queda ya cerrado a nuevas intervenciones coloniales europeas.

4. Si un país europeo intenta oprimir o controlar a cualquier nación americana que hubiera alcanzado ya su independencia, sería considerado como un acto hostil contra los Estados Unidos.

La "Doctrina Monroe" comenzará a ser implacablemente aplicada a finales del siglo XIX, cuando ya Estados Unidos disponía de una flota poderosa. Precisamente por la falta de una Armada que pudiera hacer frente a la inglesa, unos años antes, permitió la ocupación británica en 1933 de las Islas Malvinas, al sur del continente, en territorio argentino.

A comienzos del siglo XX, otro presidente, Theodore Roosevelt, añadirá un nuevo ingrediente a la "Doctrina Monroe". Según Roosevelt (1901-1909), algunos de los países hispanoamericanos no estaban suficientemente desarrollados ni civilizados como para hacer frente a sus compromisos internacionales, como el pago de la deuda externa.

Si eso tenía lugar, Roosevelt temía que algún país europeo decidiera cobrarse la deuda con el uso de la fuerza. Para que eso no sucediera, el presidente americano proponía adelantarse a los europeos.

Esta nueva política norteamericana fue puesta en práctica por vez primera cuando la República Dominicana entró en bancarrota y dejó de pagar su deuda externa. Antes de que Alemania tomara represalias, Estados Unidos invadió la isla en 1905 y administró los ingresos aduaneros dominicanos con lo que amortizó la deuda de la isla.

Desde ese momento, las tropas norteamericanas se convertirían en "la policía de América". Nicaragua en 1912, Haití en 1915 y de nuevo la República Dominicana en dos ocasiones, 1916 y 1965 serán invadidas por Estados Unidos para poner en orden los asuntos internos de esos tres pequeños países.

Se abría paso a lo que se llamó la política del *Big Stick* (Gran Garrote) y la "Política de las cañoneras", y en el caso de Cuba, la "Política de la fruta madura". Panamá y Cuba serán prácticamente protectorados norteamericanos hasta mediado el siglo.

En la segunda mitad del siglo XX, la "Doctrina Monroe" deja de aplicarse de forma tan estricta, pero los Estados Unidos siguen interviniendo militarmente en terceros países: en 1961 tiene lugar la invasión de Cuba en Bahía de Cochinos. Aunque la fuerza expedicionaria no incluía soldados norteamericanos, fue entrenada y financiada por el Gobierno de Washington, a través de la CIA.

El 24 de abril de 1965 invadirán de nuevo la República Dominicana para desalojar del poder al coronel Francisco Caamaño, quien pretendía reinstalar en la presidencia al derrocado presidente constitucional Juan Bosch

Más tarde, los Estados Unidos armarán a la "Contra" nicaragüense, hasta que logran la derrota de los sandinistas, peligrosos aliados de los cubanos. Al tiempo financiaron al ultraderechista Ejército de El Salvador, para que frenara el crecimiento al grupo guerrillero izquierdista Frente Farabundo Martí para la Liberación Nacional (FMLN).

El 25 de octubre de 1983 tropas norteamericanas invaden la isla de Granada, para derrocar el régimen procubano de Hudson Austin.

El 18 de diciembre de 1989 le llega el turno a Panamá: en la madrugada centenares de paracaidistas caen del cielo con el objetivo de cazar al general Manuel Antonio Noriega e imponer al presidente Guillermo Endara, que jura la presidencia en una base norteamericana.

Si como se ha visto, tras la Enmienda Platt la dependencia política de Cuba respecto de Washington era enorme, mucho más lo será la económica. Como deseaba el presidente Adams desde principios del siglo XIX, Cuba se convertiría en un excelente negocio para los Estados Unidos.

Esa dependencia cubana sería además doble: de un lado toda su economía estaría subordinada a los Estados Unidos, quienes a su vez impondrían a la isla la condena del monocultivo: Cuba dependerá, y aún sigue dependiendo, del azúcar.

En la década de los cincuenta, cuando un joven Fidel Castro comenzaba sus primeros pasos para derribar al régimen de Fulgencio Batista, el 52 por 100 de toda la tierra cultivable de la isla se dedicaba a la caña. En ese momento, de las 173 centrales azucareras —en Cuba se habla del "central", en masculino, o del "ingenio" azucarero— 82 pertenecen a empresas cubanas, 59 son norteamericanas, 17 españolas, 8 canadienses, 3 inglesas, 2 holandesas y 2 francesas.

El monocultivo al que es forzada la isla se revela en estas cifras de comienzos de los cincuenta: el azúcar y sus derivados representan el 80 por 100 de todas las exportaciones de la isla, el azúcar ocupa el 78 por 100 del trabajo de los ferrocarriles. De los 1.000 millones invertidos en estas dos industrias en la isla, el 80 por 100 es capital extranjero.

Los historiadores norteamericanos Scott Nearing y Joseph Freeman escribieron en su libro *La diplomacia del dólar*:

—Desde la primera ocupación militar de Cuba por Estados Unidos, a principios de este siglo, a través del subsecuente control militar y civil, los intereses económicos norteamericanos han estado ensanchándose constantemente en la isla (6).

Al término de la Guerra de la Independencia, en 1898, las inversiones norteamericanas en la isla ascendían a 55 millones de dólares. Once años después, en 1909, se elevan a 141 millones de dólares y en la década de los veinte suman ya 1.250 millones de dólares.

Los citados historiadores señalan que las exportaciones de Estados Unidos a Cuba en 1902 llegaron a los 25 millones de dólares. Veintiún años después, ascendían a 193 millones. Ese año de 1923 Estados Unidos adquirió el 83 por 100 del total de las exportaciones cubanas.

Esta dependencia económica de los Estados Unidos y la cuasi sumisión política en la que vivió Cuba desde 1898 hasta 1959, se irían al traste cuando los barbudos de Sierra Maestra entraron triunfantes en La Habana.

De la Enmienda Platt, anulada en 1936 por el Senado de los Estados Unidos, sólo quedaba una reliquia de incalculable valor: la Base naval de Guantánamo, arrendada al Gobierno de Cuba por 2.000 dólares anuales, según el Reglamento que determina las bases del arrendamiento, firmado por los dos países el 12 de octubre de 1903.

El "importe del alquiler", esos "2.000 pesos en moneda de oro de los Estados Unidos", como consta en el Reglamento de arriendo, no los cobra Cuba desde 1959. Los Estados Unidos ingresan anualmente esa cantidad en un banco norteamericano, pero al igual que otros activos cubanos —unos 150 millones de dólares— están congelados.

La entrada oficial de las tropas norteamericanas en la base tiene lugar el 10 de diciembre de 1903. A las 12 en punto del mediodía, mientras se disparan 21 cañonazos, la bandera cubana es arriada del buque insignia. Otros tantos cañonazos se disparan cuando es izada la bandera norteamericana. Inmediatamente después 600 marines desembarcan de los distintos navíos y pisan tierra guantanamera.

No eran los primeros.

El 25 de abril de 1898 los Estados Unidos declaran la guerra a España. Su poderosa flota inicia el bloqueo de la isla. En la Bahía de Santiago de Cuba destrozarán la Armada española mandada por el almirante Pascual Cervera. El 10 de junio, el almirante norteamericano Simpson, que se ha apoderado el día anterior de la Bahía de Guantánamo, ordena el desembarco de 600 marines, curiosamente el mismo número que pisaran tierra guantanamera cinco años después.

El hombre que descubrió a los europeos la existencia del continente americano, Cristóbal Colón, pasó una noche fondeado en la Bahía de Guantánamo. Fue el 30 de abril de 1494. El almirante se dirigía desde el Puerto de San Nicolás, en la vecina isla Española (actual República Dominicana y Haití) hacia el extremo oriental de Cuba.

Colón cruzó el siempre peligroso Paso de los Vientos, que separa Cuba de Haití, ruta utilizada por los haitianos que escapan hoy del hambre y el terror de su país y fondea en una bahía de profundas y oscuras aguas. Por sus dimensiones, la bautiza como Puerto Grande.

Seis años más tarde, Juan de la Cosa, cartógrafo de Colón, incluye Puerto Grande en el mapa que dibuja de la América conocida ese año de 1500. Pero cambia el nombre que le dio el Almirante por el de Guantánamo, que es como llamaban los nativos indios taínos a la zona que rodea a la bahía. Esta a su vez es conocida como Joa, nombre de una planta espinosa que da un fruto parecido al tomate.

El escritor cubano Manuel Sanguily recordará años después de que los marines se instalan en la Base de Guantánamo:

—¡Han visto ya Guantánamo: jamás renunciarán a poseerla! Y, ¡la Bahía de Guantánamo ya es de los Estados Unidos! (7).

Ochenta y nueve años después, en 1992, los Estados Unidos siguen en la Base de Guantánamo. Y desde luego no tienen la menor intención de abandonarla. El convenio firmado entre ambos países el 16 de febrero de 1903 no contiene ninguna clausula que fije la temporalidad del acuerdo.

Al contrario, en su artículo I, se dice:

—La República de Cuba arrienda por el presente a los Estados Unidos por el tiempo que las necesitaren y para el objeto de establecer en ellas estaciones carboneras o navales, las extensiones de tierra y agua situadas en la isla de Cuba que a continuación se describen... (8).

En un principio, los norteamericanos solicitaron al Gobierno cubano el arriendo de tierras en cuatro puntos estratégicos de la isla: además de Guantánamo, la Bahía de Cienfuegos, al suroeste; la Bahía de Nipe al noreste (actual provincia de Holguín) y la Bahía Honda (provincia de Pinar del Río).

A la hora de concretar los arriendos, los Estados Unidos sólo reclamaron tierras en Guantánamo y Pinar del Río, mas nunca llegaron a establecerse en esta última provincia. Lo que hicieron fue solicitar años más tarde una ampliación del terreno ocupado en Guantánamo a cambio de no utilizar la zona de Bahía Honda.

El convenio que regula el arriendo, firmado por los presidentes Tomás Estrada Palma y Theodore Roosevelt, reconoce en su tercer y último artículo "la continuación de la soberanía definitiva de la República de Cuba sobre las extensiones de tierra y agua" ocupadas por las bases. Pero en el mismo artículo se estipula que durante el tiempo en que los Estados Unidos ocupen esas tierras ejercerán "jurisdicción y señorío completos sobre dichas áreas con derecho a adquirir... para los fines públicos de los Estados Unidos cualquier terreno u otra propiedad situada en las mismas por compra o expropiación forzosa indemnizando a sus poseedores totalmente".

El historiador Gilberto Toste señala en su obra *Guantánamo: USA al desnudo* que el Tratado de 1934, se suscribía "por el deseo de fortalecer los lazos de amistad entre los dos países" y eliminaba la ominosa Enmienda Platt de la Constitución cubana.

Toste concluye que "si la causa del contrato es el fortalecimiento de los lazos de amistad, cuando esta amistad no existe, se está violando el propio Tratado en la razón única establecida para su propia existencia".

El Gobierno revolucionario cubano reclamó desde su instalación en el poder en 1959 que los norteamericanos abandonaran la base. Inútilmente. Aunque se esgrimieron argumentos como el de Toste de que "es un absurdo jurídico que el propietario de una cosa arrendada no pueda recobrar, en ningún momento, la posesión y aprovechamiento directo de la cosa arrendada".

En la madrugada del 15 de noviembre de 1991, tuve la oportunidad de plantearle a Fidel Castro dos cuestiones: la decisión soviética de retirar sus tropas de Cuba tomada por el aún presidente, Mijail Gorbachov, en septiembre de 1991, y suspensión de una votación solicitada por Cuba condenando el bloqueo, en la Asamblea General de la ONU.

Castro había ofrecido una recepción al presidente del Principado de Asturias, Juan Luis Rodríguez-Vigil y ya en las primeras horas de la madrugada, conversó con un grupo de periodistas españoles. Fidel me contestó:

—Nuestra posición sobre la primera cuestión es muy clara: estamos absolutamente opuestos a la retirada de la unidad militar soviética, mientras se mantenga en el país una base naval norteamericana (la de Guantánamo) en contra de la voluntad de nuestro pueblo.

Los dos temas irritaban profundamente al líder cubano. Me dijo que si los filipinos, los griegos, "incluso ustedes los españoles", pudieron negociar con los Estados Unidos la retirada de sus respectivas bases norteamericanas, por qué no podían hacerlo los cubanos. No sin cierta razón añadió:

—¿Por qué Cuba tiene que ser una excepción? ¿Por qué no vamos a tener el derecho a pedir que se retire esa base?

Aunque muchos especialistas destacan que el valor estratégico de la base ya no es el que era, a los Estados Unidos les sigue siendo de enorme utilidad, aunque sólo sea para tensar los nervios de los cubanos.

El 10 de octubre de 1991, cuando Esteban Lazo, secretario general de los comunistas de Santiago de Cuba, pronunciaba el discurso que abría las sesiones del IV Congreso del PCC, excusó a Raúl Castro por su ausencia en el teatro Heredia.

Lazo señaló que el hermano de Fidel, ministro de las Fuerzas Armadas Revolucionarias (FAR), y varios de los generales de mayor responsabilidad en el país estaban en sus puestos de mando, por si la Patria tenía que ser defendida.

Aquello pareció una excusa de poca importancia. Sin embargo, días después se supo que coincidiendo con la apertura del Congreso grupos de aviones de transporte y helicópteros con infantes de marina despegaban de la Base de Guantánamo y sobrevolaban las costas cubanas.

En esos días de octubre, los norteamericanos realizaron diversas maniobras. Una de ellas simulaba la entrada masiva de disidentes cubanos a la zona de la base, por distintos puntos de la frontera cercada con la valla electrificada. La radio de la base, que se capta fácilmente en los alrededores, explicaba el sentido de la maniobra: entraban cubanos desafectos al régimen de Fidel y rápidamente eran evacuados por mar de la base.

Al tiempo, emisoras anticastristas de Miami afirmaban que el Gobierno cubano había limpiado de minas su franja fronteriza. El diario *Granma* afirmó días después que estas maniobras se enmarcan "en un plan único de desestabilización e intentos de crear un clima de gran tensión para presionar e intimidar a nuestro país" (9).

Los Estados Unidos realizan anualmente maniobras en el Caribe. La Base de Guantánamo es epicentro de esta guerra por ahora simulada.

Desde la década de los ochenta los Estados Unidos celebran indistintamente las llamadas *Ocean Venture, Solid Shield, Global Shield* y *Safe Harbour* (Escudo Sólido, Aventura Oceánica, Escudo Global y Puerto Seguro), maniobras militares que conllevan un despliegue espectacular de hombres, navíos y aviones.

Las operaciones se llevan a cabo en aguas del Caribe próximas a Cuba. En ocasiones estas maniobras se combinan con las llamadas Defex, un ejercicio de defensa que simula la evacuación del personal civil de Guantánamo.

Fue en 1990 cuando los Estados Unidos hicieron coincidir los operativos *Ocean Venture 90, Global Shield 90* y *Defex*. Las maniobras conjuntas comenzaron el 5 de mayo. El *Global Shield* simuló un bombardeo masivo de la isla, con una docena de B-52 que despegaron de las bases de Barksdale (Lousiana) y Eaker (Arkansas). Los bombarderos, según informaciones oficiales del Gobierno cubano, llegaron a situarse a 80 kilómetros de La Habana.

Cada año, importantes unidades del Ejército norteamericano toman parte en estos ejercicios, como la 82 División Aerotransportada (utilizada en las invasiones de Granada y Panamá), la 101 Aerotransportada de Asalto Aéreo (que tomó parte en la guerra contra Irak) o la 24 División de Infantería Mecanizada.

Cazas tácticos y bombarderos tipo B-1 y B-52, así como buques, acorazados y portaaviones, y alrededor de 20.000 hombres se movilizan durante dos o tres semanas.

Desde la Estación Aeronaval de Key West, al sur de la Florida, donde se encuentra la sede de la Fuerza de Tarea Conjunta de Contingencia del Caribe, se dirigen las maniobras.

Cada vez que esto sucede, el Ejercito cubano se sitúa en estado de alerta o reacciona con otras maniobras, como el llamado "Escudo Cubano".

En el "Escudo Cubano" desplegado en 1990 participaron "cientos de unidades tácticas de las diferentes armas y aseguramientos; alrededor de un millón de milicianos y combatientes de las Brigadas de Producción y Defensa; miles de medios de combate, incluyendo tanques, transportadores blindados, piezas de artillería y morteros, instalaciones coheteriles y de artillería antiaérea, aviones y helicópteros de combate y transporte, buques de la Marina de Guerra Revolucionaria y otra técnica de uso militar" (10).

Aunque en ocasiones los dirigentes cubanos han asegurado que este tipo de movilizaciones no resultan muy costosas al país, no cabe duda que poner en pie de guerra a cientos de miles de soldados y ciudadanos, así como miles de vehículos y artefactos de todo tipo, generan un gasto que la isla apenas si puede permitirse en una situación económica tan desesperada como la actual.

El propio Castro se refirió al costo de "Escudo Cubano" en 1990, tras la visita que realizó al Puesto de Mando del Consejo de Defensa, establecido en La Habana. Fidel aseguró que se trataba de "una movilización amplia, pero económica y puntualizó que es preferible movilizarse cien veces a que nos tomen una vez desprevenidos" (11).

Cuba contaba en esa época —y aún hoy— con importantes medios de ataque y defensa. Algunos muy modernos, como los Mig-29, que se sumaban a los Mig-21 y Mig-23 de fabricación soviética (ver capítulo "Los uniformados").

Además de las maniobras, Estados Unidos lleva a cabo numerosos vuelos de reconocimiento sobre la isla, como han denunciado en varias ocasiones las autoridades cubanas.

El diario *Granma* informó en mayo de 1992 que en tres años, de 1989 a 1991, la aviación norteamericana había realizado 523 vuelos de exploración militar sobre la isla y 83.000 vuelos de las fuerzas aéreas establecidas en Florida habían llegado a situarse a tan sólo 100 kilómetros de las costas cubanas (12).

En esa misma edición de *Granma* se informaba que los Estados Unidos habían utilizado la salida masiva de haitianos tras el golpe de Estado que derrocó a Jean Bertrand Aristide para "reforzar su presencia militar en el territorio (de Guantánamo) ocupado por Estados Unidos desde 1903, con fuerzas como artillería pesada e infantería de montaña que no se corresponden con su supuesta labor policial". Teóricamente, los norteamericanos patrullaban las aguas del Paso de los Vientos entre las dos islas para impedir la entrada masiva de refugiados haitianos en Florida.

La Base de Guantánamo fue visitada durante 1992 por altos jefes militares, como el general Colin Powell, presidente de la Junta de Jefes de Estado Mayor, quien llegó a la base el 6 de enero de ese año. Desde 1962 no se recibía en Guantánamo a un militar de ese rango.

Colin Powell, el general de color que dirigió la guerra contra Irak, habló sobre Cuba tras la operación "Tormenta del Desierto" que intentó derrocar a Sadam Hussein:

—Estoy saliendo de los demonios. Estoy saliendo de los villanos. Solo me quedan Castro y Kim Il Sung (presidente de Corea del Norte) (13).

Unos meses más tarde, Powell se dirigió a los soldados americanos de la Base de Guantánamo, en la Navidad de 1992:

—Es bueno tener amigos que cuentan con nosotros y es bueno tener enemigos que nos tienen miedo a muerte. Tenemos que mantenernos de esta forma.

Los amigos eran los cubanos del exilio. Los enemigos los cubanos fieles a Castro.

La visita de Powell también tenía otros objetivos, como el problema de los refugiados haitianos en la base, de los que llegó a haber más de 2.000, lo que pudo provocar un serio problema sanitario, en la zona cercana a la base.

Para el órgano del PCC, "el evidente objetivo del Pentágono es utilizar el pretexto haitiano para familiarizar a tropas de diversas especialidades con el escenario de un posible teatro de operaciones militares".

El jefe del Estado Mayor General de las Fuerzas Armadas Revolucionarias (FAR), general de División Ulises Rosales del Toro cree en la teoría de la provocación:

—Han convertido la base naval de Guantánamo, territorio cubano ocupado contra la voluntad de nuestro pueblo, en un centro de provocaciones constante. Allí se producen continuas visitas de altas personalidades civiles y militares, refuerzan la presencia de tropas bajo distintos pretextos, realizan ensayos de ejercicios militares, incrementan los vuelos aéreos contra nuestro territorio y el movimiento de barcos en los muelles de ese enclave (14).

A todo ello, afirma el general Rosales del Toro, hay que sumar:

—Los frecuentes vuelos de exploración de un extremo a otro de nuestro país, la frecuencia de barcos alrededor de Cuba con el pretexto del narcotráfico, los ejercicios de diferentes tipos que no han cesado en áreas cercanas, la existencia de una cuantiosa aviación de combate sobre portaaviones y en bases aéreas de la Florida, así como la concentración en territorio continental de varias de sus unidades, entre ellas la 82 División Aerotransportada.

Para el jefe del Estado Mayor cubano, todo ello no es sino una prueba del "ambiente de belicosidad con nuestro país". Los norteamericanos desean "provocar la tensión entre los combatientes cubanos y distraernos de los esfuerzos fundamentales en otras esferas". Pero lo peor de todo:

—Desean crear las premisas que, potencialmente, pudieran originar un conflicto que justificase la variante armada como vía para intentar derrocar a la Revolución.

Los cubanos, sigue el general Rosales del Toro, "no provocaremos la guerra, pero mantenemos la vigilancia, incrementamos la preparación y disposición combativas y, si se equivocan con nosotros, les haremos pagar bien caro el error".

Pocos dudan que ese error se vaya a cometer.

En realidad, lo que los Estados Unidos pretenden no es tanto prepararse para invadir a la isla —que recibiría una condena unánime en prácticamente todo el mundo— sino mantener en jaque permanente a los cubanos. Para el imperio más grande jamás conocido, los Estados Unidos, consumir unos cientos de miles de toneladas de petróleo al año en maniobras frente a las isla es una minucia. Para Cuba, que debe responder con maniobras similares, es una ruina.

No es descabellada tampoco la idea que mantienen algunos dirigentes cubanos, como el citado general Rosales del Toro, de que los Estados Unidos con todas esas maniobras y las continuas violaciones de sus espacios aéreo o naval, así como los disparos desde sus postas en la verja de la Base de Guantánamo, buscan una provocación. ¿Qué sucedería si un avión norteamericano es derribado cuando sobrevuela territorio cubano?

La reacción de Estados Unidos sería fulminante.

Ese mismo desgaste de nervios es el que iniciaron los Estados Unidos el día 27 de marzo de 1990 a las 01.45 minutos. Los cubanos dormían. La invasión se produjo a través de las ondas.

En ese instante, un proyecto que llevaba cinco años sobre la mesa del presidente de los Estados Unidos, primero Ronald Reagan y más tarde George Bush, se hizo realidad: la Televisión Martí.

Mediante un complejo sistema, la señal televisiva llegaba desde Washington por microondas a una estación terrestre de Miami. Desde allí se alzaba la señal a un satélite de comunicaciones, el Intersalt, que trasladaba la señal a otra estación terrena, Cudjoe Key, situada en el sur de la Florida. Por último, desde esta estación se levantaba de nuevo la señal a un "aerostato cautivo", es decir sujeto a tierra mediante un largo cable. El aerostato lanzaba la señal al territorio cubano.

—Los cubanos pueden ver el mundo desde ahora tal como es y no como Castro quiere que crean que es.

Con esas palabras, Bush se felicitaba por la puesta en marcha de Tele Martí. Pero a pesar de los medios millonarios destinados a la llamada "teleagresión", los cubanos no veían nada. Al menos, del mundo que Bush quería que vieran.

Como si de un parte de guerra se tratara, el domingo 2 de abril leí en la primera página del órgano de los sindicatos cubanos, *Trabajadores*, esta noticia:

—A las 03.28 fue lanzada la señal enemiga contra los receptores cubanos... Inmediatamente se activaron los circuitos de bloqueo... A las 03.48 la señal enemiga fue severamente degradada virtualmente en toda el área de cobertura... Los combatientes y trabajadores de Comunicaciones demostraron una alta disposición combativa... Las emisiones enemigas cesaron a las 6.45.

Al día siguiente, en compañía de un centenar de periodistas, visité la base aérea de Baracoa, a unos 40 kilómetros al oeste de La Habana. Sobre la pista, un helicóptero de fabricación soviética, artillado y con toda su munición cargada. Como aquel artefacto, otros muchos helicópteros despegaban todas las madrugadas, desde el 27 de marzo, y con la ayuda de emisores de interferencias "sellaban" la costa cubana y hacían imposible la penetración de la señal de Tele Martí.

Si el primer día tardaron casi 20 minutos en degradar la señal hasta el punto de que no se veía absolutamente nada en la pantalla de los televisores cubanos, salvo un montón de puntos y rayas, a la semana los pilotos cubanos sellaban la señal en menos de dos minutos.

¿Qué ganaban los norteamericanos emitiendo programas televisivos de las tres a las siete de la mañana? Una señal, además, que era inmediatamente interceptada.

El menú televisivo era absolutamente anodino: un informativo de cinco minutos y luego tres horas con la telenovela *Los ricos también lloran*, el programa infantil en inglés *La pandilla de béisbol*, unas *Crónicas del Siglo XX* con biografías de grandes personajes como Albert Einstein, *Cabalgata Deportiva* y *La feria de la alegría*, un programa concurso.

Ramón Gómez Barata, un alto funcionario que trabaja en el Departamento Ideológico del Comité Central me dijo en aquellos días de abril:

—Las noticias ofrecidas estos días por Radio Martí —él si conseguía ver completa la emisión— ya eran conocidas por los cubanos: la situación en Lituania, las manifestaciones en Eritrea, los problemas monetarios de la reunificación alemana o las manifestaciones en Gran Bretaña por la subida de impuestos.

Barata se moría de la risa.

—Es ridículo. ¿A quién se le ocurre emitir un programa infantil de dibujos animados a las cuatro de la mañana?

Ridículo sería. Pero el primer teniente cubano Gustavo Cisneros Soto, uno de los pilotos de los helicópteros que cada madrugada salían a sellar la señal telemartiana, me dijo:

—Cada hora, este helicóptero gasta 900 litros de gasolina.

Estados Unidos conseguía algo con su "Girón Electrónico", como bautizó el Gobierno de Cuba la puesta en funcionamiento de Tele Martí, en recuerdo a la victoria lograda en Playa Girón sobre las tropas invasoras entrenadas por la CIA: Washington obligaba a La Habana a un gasto de energía, tanto humana como petrolera si quería anular las emisiones de Tele Martí.

Durante un tiempo, las transmisiones se interrumpieron. Entre otras cosas, el aerostato se cayó, al romperse el cable que lo sujetaba a tierra.

El miércoles 1 de abril de 1992, los norteamericanos lo intentaron de nuevo, esta vez en un horario mucho más racional. De la 1.30 a las 4.00 de la tarde, Tele Martí emitió diversos programas que los cubanos no vieron. A los veintinueve segundos de "identificada la transmisión, fueron operados los sistemas que tornaron invisible la señal intrusa, tal como ha ocurrido cada madrugada desde el 27 de marzo de 1990", informó *Granma* (15).

El Gobierno recorrió los mismos pasos de 1990: presentó una denuncia ante la Comisión Federal de Comunicaciones de los Estados Unidos y ante la Junta Internacional de Registro de Frecuencias. También protestó oficialmente ante el Gobierno de los Estados Unidos.

La Unión Internacional de Telecomunicaciones (UIT), de la que forman parte los dos países en conflicto, había comunicado en marzo de 1990 al Gobierno de los Estados Unidos, tras la primera denuncia presentada por Cuba, que "el establecimiento de esta estación, considerando su locación, potencia relativa, altura de la antena y la directividad dada de la antena, según el criterio de la Junta no está de acuerdo con la intención y el espíritu de las regulaciones de radio" de la propia UIT (16).

La UIT solicitó al Gobierno norteamericano que modificara las características técnicas de la estación de Cudjoe Key, para que no perjudicara a una de las emisoras registradas legalmente por Cuba, Tele Rebelde, que emitía en los 213.0 MHZ, por donde se colaba la señal de Tele Martí.

El Gobierno norteamericano hizo caso omiso de este dictamen e intentó de nuevo penetrar en los hogares cubanos en abril del 92.

Los medios informativos cubanos denunciaron ante su opinión pública esa nueva batalla en la guerra de la Teleagresión. Con cierta sorna, *Granma* escribía el 3 de abril de 1992:

—El "espectacular" tema escogido para la "première vespertina" fue el derrumbe del socialismo en Europa Oriental, sucesos de los cuales nos suponen ajenos. Si en lugar de eso se hubiesen ocupado de informarnos de cómo les va ahora a esos países y cuál es su futuro, quizás hubiera valido la pena no perdérselo.

Granma aborda el tema del gasto que el Gobierno cubano ha de afrontar para sellar la señal de Tele Martí, que Estados Unidos calcula que es muy alto. Pero dice el órgano del PCC:

—Lo que ignora el imperio es que gracias al talento y la imaginación de nuestros ingenieros y trabajadores, se han creado dispositivos cuya eficacia no depende de los consumos elevados.

La insistencia en estas fallidas emisiones, continúa el portavoz de los comunistas cubanos, se debe a que "lo que los Estados Unidos no pueden comprender ni admitir es que Cuba no se haya derrumbado y que nuestro pueblo no se haya rendido, y que lejos a resignarse a poner la otra mejilla, está en condiciones de responder".

La guerra de las ondas entre Estados Unidos y Cuba había comenzado a los pocos meses de la llegada al poder de Fidel Castro.

En 1960 la CIA creaba Radio Swan, en la isla caribeña del mismo nombre. Al año siguiente, salta al aire *Cita con Cuba* a través de La Voz de las Américas (VOA), dependiente del organismo oficial del Gobierno de los Estados Unidos, USIA, por sus siglas en inglés (United States Information Agency, o Agencia de Información de los Estados Unidos).

En 1970 desaparece Radio Swan, que había cambiado su nombre por el de Radio de las Américas tras la fallida invasión de Bahía de Cochinos. Cuatro años más tarde, se suspende el programa *Cita con Cuba* y durante esos años, hasta 1981, que coinciden básicamente con la estancia en la Casa Blanca del presidente Jimmy Carter, más moderado hacia Cuba que sus colegas, hay un período de calma y no agresión.

Cuba Independiente y Democrática (CID), la organización que dirige el ex comandante guerrillero Hubert Matos, inicia su particular guerra de las ondas contra Castro en 1981 a través de *La Voz del Cid*. A lo largo de los años, otras organizaciones anticastristas de Miami, como la ultraderechista Fundación Nacional Cubano Americana o Alpha 66 comienzan a emitir por radio programas anticastristas.

A ellas habría que añadir emisoras locales de Miami, como Radio Mambí o La Cubanísima, que en ocasiones pueden ser captadas en la costa norte de la isla. Una y otra se discuten el honor de ser la más agresiva —y en ocasiones insultante— hacia el régimen castrista.

Pero ninguna de estas emisoras molesta tanto a Fidel Castro como Radio Martí. El simple hecho de que el Gobierno norteamericano escogiera el nombre del considerado Apóstol de la Independencia de Cuba, es un insulto para quienes han introducido el concepto martiano en el programa del Partido Comunista.

Tanto en la fundación de Radio Martí, como en Tele Martí, el

Gobierno de los Estados Unidos contó con el apoyo de los representantes más derechistas del exilio cubano, como el presidente de la Fundación Nacional Cubano Americana, Jorge Mas Canosa, presente en el nacimiento de Radio Martí y Tele Martí, de cuyos comités asesores forma parte.

Los presidentes norteamericanos cuentan con estos cubanos no porque tengan un especial cariño a los hispanos, que sufren constantemente el rechazo y el racismo de los anglos, sino porque les dan votos.

Desde Ronald Reagan a Bill Clinton, ningún aspirante a la Casa Blanca deja de visitar Miami y ofrecer mítines, cenas y otras actividades electorales. En la ciudad más grande de la Florida viven casi dos millones de cubanos —800.000 que llegaron de la isla y el resto nacidos ya en tierra norteamericana— que representan un buen puñado de votos.

El 20 de mayo de 1985 residía en Washington. Ese día, La Voz de América (VOA) abrió un nuevo departamento: el cubano. A sus emisiones en polaco, ruso, o alemán, dirigidos al todavía existente bloque comunista del Este europeo, se sumaba una especialmente concebida para luchar, a través de las ondas, contra Fidel Castro.

—¡Buenos días, Cuba! —fueron las primeras palabras del locutor que con indudable acento cubano se dirigía a sus compatriotas del interior de la isla.

La creación de Radio Martí había recibido el visto bueno del Congreso norteamericano en 1983, aprobándose un presupuesto de 14 millones de dólares para 1984, 10 millones para 1985 y entre 11 y 12 millones los años siguientes.

El Gobierno cubano ha calculado que las distintas emisoras anticastristas emiten unas 500 horas semanales de radio. El último alto dirigente en dar esa cifra fue el general de División Ulises Rosales del Toro, jefe del Estado Mayor de las (FAR), en el mes de junio de 1992. Otras fuentes, como la revista *Bohemia,* en su número del 1 de agosto de 1992, ofrecía la cifra de 200 horas diarias, lo que casi triplicaría la cifra del general Rosales.

Sea como fuere, es indudable que la isla es sistemáticamente bombardeada por las ondas hertzianas con la intención de socavar los apoyos al régimen castrista. Escribía *Bohemia* en el mes de agosto:

—Se promueve constantemente la subversión mediante llamados abiertos a la desobediencia civil, la realización de sabotajes a la economía nacional como forma de destrucción de toda la infraestructura del país, a la celebración de huelgas de brazos caídos, a incrementar el delito económico, colocar propaganda contra el régimen, etc. (17).

También se anima a la población a eliminar físicamente a Fidel Castro, como la mejor forma de desmontar su régimen, mantiene *Bohemia.*

Los dirigentes cubanos que se ocupan del seguimiento de estas centenares de horas de propaganda contra Cuba han llegado a contar las veces que han citado a su máximo líder, Fidel Castro. Durante las dos semanas en que se celebraron en La Habana los Juegos Panamericanos, en agosto de 1991, el presidente cubano fue nombrado por estas emisoras en 1.125 ocasiones, casi siempre "con epítetos y calificativos groseros y denigrantes".

¿Son objetivas las emisoras anticastristas de Miami? La respuesta es no. Las noticias se distorsionan y manipulan y los insultos son realmente impresentables. Aunque los medios cubanos también atacan con dureza e insultan a estos anticastristas, si hubiera que poner en una balanza quién es más grosero, sin duda el premio se lo llevarían los cubanos de Miami.

Larry Speakes atendía todos los días a las 12 del mediodía en la Casa Blanca a la prensa acreditada en Washington. El 20 de mayo de 1985 estaba radiante. Al fin, un viejo sueño de su patrón, el presidente Reagan, acariciado desde los inicios de su campaña electoral en 1980, se hacía realidad.

El llamado primer Documento de Santa Fe, redactado por un grupo de neoconservadores que apoyaban al entonces candidato Reagan, decía en uno de sus apartados:

—Cuba tendrá que responder en algún momento acerca de su colaboración con los soviéticos... Entre estas medidas estará el establecimiento de Radio Cuba Libre bajo el patrocinio abierto del Gobierno de Estados Unidos, que proporcionará información objetiva al pueblo cubano... Si fracasa la propaganda, hay que lanzar una guerra de liberación nacional contra Castro (18).

El nombre inicial de Radio Cuba Libre se cambiaría por el Radio Martí. El primer día de su salida al aire, dijo Speakes eufórico en su encuentro diario con los periodistas:

—Radio Martí sirve para equilibrar la información que recibe el pueblo cubano y hacerla más objetiva.

Cerca de donde yo residía, en Silver Spring, a las afueras de Washington D. C., vivía también un periodista español, Ramón Lobo.

Ramón era un joven con ganas de comerse el mundo. Cuando estaba dando sus primeros pasos en el periodismo, tuvo la oportunidad de conseguir un contrato con La Voz de América. Llegó desde Madrid cargado de ilusiones. Perfeccionaría su inglés y aprendería radio en el país más desarrollado informativamente del planeta.

Lo que Ramón Lobo no sabía cuando salió de Madrid es que su destino final no sería la VOA, sino Radio Martí. Aguantó unos meses hasta que logró ahorrar el suficiente dinero como para regresar a España. Si rompía el contrato unilateralmente, lo dejaban colgado en Washington, cargado de deudas.

Recuerdo su frustración profesional en largas conversaciones en las tardes invernales de Washington. Me explicó el funcionamiento de Radio Martí. De igual forma se trabajaba en las otras emisiones de La Voz de América dirigidas al mundo comunista.

—En la VOA hay una gran redacción central, a la que llegan las informaciones de todas las agencias internacionales del mundo. Pero de esa redacción sólo pueden formar parte ciudadanos norteamericanos. Ellos escogen las noticias que los distintos servicios han de emitir y te las dan reescritas. Nunca tienes acceso al texto original.

La objetividad de Radio Martí, como en las emisiones en checo, ruso, polaco o chino, llegaba hasta donde esa objetividad chocaba con los intereses de los Estados Unidos o la imagen del presidente de turno.

—Los editores norteamericanos nos ocultaban permanentemente toda noticia que fuera desfavorable para el presidente Reagan o su Administración.

El Gobierno cubano podría haber colocado una interferencia de tal calibre a Radio Martí que fuera inaudible en su territorio. Pero no lo hizo. Tan sólo un leve pitido sonaba junto a la voz de los locutores anticastristas, pitido al que el oyente terminaba acostumbrándose. Desde prácticamente cualquier punto de la isla, se podía escuchar la emisora de la VOA. Hasta el mes de abril de 1990.

Castro, en una multitudinaria rueda de prensa ofrecida el 3 de abril de ese año en La Habana, a la que acudimos 246 periodistas, de ellos 53 norteamericanos habló ampliamente de Radio Martí y su hermana más joven Tele Martí.

Fidel mostró su irritación por las emisiones de TV Martí y recordó que en su día no se decidió interferir Radio Martí, porque "con dolor, pero de una manera fría, decidimos priorizar la batalla de la deuda externa y no apartarnos de aquello para implicarnos al ciento por ciento en la batalla de Radio Martí".

En efecto, en aquel año de 1985 Castro estaba enfrascado en aglutinar a los países del Tercer Mundo en torno al problema de la deuda externa, un empeño que molestaba profundamente a los Estados Unidos. El planteamiento de Castro sobre el tema era y sigue siendo que la deuda de los países pobres de la tierra es impagable.

El líder cubano anunció en aquella rueda de prensa que la decisión sobre Radio Martí podría plantearse de nuevo y de hecho, a partir de aquella fecha y conforme fueron creciendo las dificultades en Cuba, era más difícil captar las emisiones de la emisora anticastrista.

Cuba había decidido interferirla de una manera más rotunda.

Cuando en la rueda de prensa se le preguntó a Fidel si no temía una "operación militar quirúrgica" por parte de los Estados Unidos contra las torres de interferencias de Tele Martí, Fidel afirmó con rotundidad:

—Trataríamos en ese caso de que el cirujano salga lo peor parado posible, que pague su precio por eso. Porque hacer cirugía no es tan fácil. Agarrar un tigre con la mano no es tan fácil... Nosotros podemos hacer también operaciones quirúrgicas en un terreno u otro.

En los treinta y tres años de vida de la Revolución ha habido, salvando la invasión de Bahía de Cochinos, pocos enfrentamientos entre los dos países en los que las armas hayan sido desenfundadas.

Algunos roces en Guantánamo. Algunos problemas entre navíos de los dos países, como el ametrallamiento que sufrió en febrero de 1990 en aguas del Golfo de México el mercante cubano Hermann, por parte de un guardacostas norteamericano. El capitán del guardacostas pretendía inspeccionar el navío cubano, bajo la sospecha de que transportaba droga, acusación que se demostró falsa.

Sin duda, ha sido el bloqueo norteamericano aplicado a Cuba la agresión más perjudicial para la economía de la isla. Como gusta repetir Castro, ningún país soportó un bloqueo durante tanto tiempo por el imperio más poderoso del mundo.

El primer bofetón que recibió Estados Unidos del joven barbudo de treinta y tres años que ocupaba el poder en La Habana y rechazaba de plano toda injerencia de Washington en lo que hasta entonces había sido su cuasi protectorado fue la Ley de Reforma Agraria promulgada el 17 de mayo de 1959. Cuando apenas si lleva el nuevo régimen cuatro meses y medio en el poder.

La ley entró en vigor pocos días después, el 4 de junio. Entre otras cosas, la revolucionaria medida disponía que ningún extranjero podía ser copartícipe de una central azucarera, ni podía heredar tierras. Sólo los cubanos podrían ser propietarios de terrenos.

Los ciudadanos norteamericanos se vieron seriamente afectados por esta ley, ya que en 1959 poseían 670.000 hectáreas de ricas tierras de cultivo. De los 173 ingenios azucareros existentes en la isla, 59 estaban en sus manos. Controlaban 30 de las 161 fábricas de azúcar. En fin, de 1.295.040 hectáreas dedicadas al cultivo de la caña de azúcar, algo más de la tercera parte, 485.640 hectáreas pertenecían a ciudadanos o empresas norteamericanas.

La cosecha de azúcar en los dos primeros años de la Revolución se acercaba a los 6 millones de toneladas de azúcar. Casi la mitad era adquirida por los Estados Unidos.

Los Estados Unidos eran también importadores de grandes cantidades de aguacates, tomates y pimientos. En los años cincuenta, un promedio de tres millones de aguacates eran enviados al vecino norteño.

A la expropiación de las tierras en manos de ciudadanos o compañías de los Estados Unidos siguió el 15 de octubre de 1960 la nacionalización de la propiedad urbana, que afectó a las fábricas, residencias y viviendas de miles de norteamericanos y cubanos que habían abandonado la isla en los primeros meses de la Revolución.

Los estudiosos no se ponen de acuerdo en el importe de las tierras, fábricas y residencias incautadas por el Gobierno cubano a ciudadanos o compañías norteamericanas. Las distintas cifras que he encontrado varían de los 1.000 a los 2.000 millones de dólares de la época. En 1992, la revista norteamericana *Newsweek* publicó que el Gobierno de los Estados Unidos cifraba en 5.800 dólares el valor actual de lo expropiado (19).

Entre las dos fechas, la expropiación de tierras y centrales azucareras y la de fábricas y bienes urbanos, se producen importantes hechos que alterarán drásticamente la historia de la isla y sus relaciones con el mundo exterior, de manera especial con Washington.

El 4 de febrero, el viceprimer ministro soviético Anastas Mikoyan llega a La Habana para inaugurar la Exposición Técnica itinerante de la URSS.

Cuando abandona la isla deja firmado un pacto por el que se le concede a Cuba un préstamo de 100 millones de dólares, al 2,5 por 100 de interés pagadero en doce años. El dinero se destinará a la compra de equipos y maquinaria soviéticos. Es el primer cheque soviético de una millonada que llegará en las próximas tres décadas.

Además, Mikoyan compromete a la URSS a adquirir cuatro millones y medio de toneladas de azúcar en cinco años. En mayo los dos países reanudarán oficialmente sus relaciones diplomáticas, interrumpidas desde la llegada de Batista al poder, en 1952.

Exactamente un mes más tarde de la llegada de Mikoyan, el 4 de marzo, la fragata francesa La Coubre, que transportaba armas belgas para Cuba, estalla en el puerto habanero. Fallecen 75 trabajadores portuarios y otros 200 resultan heridos. Castro vio la mano de Estados Unidos detrás de este atentado.

El Gobierno cubano confisca el 19 de junio la refinería de la Texas Oil Company y días más tarde las de la Shell y la Esso. Las tres se habían negado a refinar 70.000 toneladas de petróleo llegadas de la Unión Soviética en abril de 1960. Esas 70.000 toneladas pasarían a ser 13 millones de toneladas en 1989. Durante tres décadas el crudo soviético estaría engrasando la economía cubana.

Washington observaba este acercamiento a Moscú con suspicacia. El entonces presidente Dwight Eisenhower decretó la reducción de la cuota azucarera asignada a Cuba. La isla dejó de vender por este motivo 700.000 toneladas de azúcar.

Al duro golpe de la nacionalización de la propiedad urbana los Estados Unidos reaccionan de manera fulminante abriendo el camino a lo que será el mayor golpe que sufrirá La Habana: el 20 de octubre de 1960 Eisenhower ordena la suspensión indefinida de todas las exportaciones norteamericanas a la isla, excepto algunos alimentos, medicinas y equipos médicos.

Comienza la primera fase del bloqueo, en palabras de La Habana, y embargo en boca de Washington. Desde esa fecha, el calendario irá registrando un toma y daca de una y otra parte, siempre con Cuba como principal perjudicado (ver en anexos, "Cronología de un enfrentamiento").

Los datos más significativos son la firma de un acuerdo comercial cubano-soviético a finales de 1960. El entonces todopoderoso Nikita Kruschov y el cubano-argentino Ernesto "Che" Guevara ponen su firma al pie de un compromiso por el que los soviéticos comprarán 2,7 millones de toneladas de azúcar anualmente, construirán una acería y enviarán técnicos en mineralogía a la isla del Caribe, el nuevo socio y aliado que Moscú perfila en el horizonte.

El 3 de enero, Estados Unidos rompe sus relaciones diplomáticas con Cuba. En abril se produce la invasión de Bahía de Cochinos. Castro declara el carácter socialista de su régimen. El 4 de septiembre el Congreso autoriza al presidente a ejecutar un embargo total del comercio, medida que se toma el 3 de febrero de 1962.

Basándose en dos leyes, la Ley de Comercio con el Enemigo y la Ley de Poderes Especiales en Casos de Emergencia, el presidente John Kennedy estampaba su firma en el Decreto 3447, que condenaba a Cuba al aislamiento económico de su hasta entonces principal socio comercial, los Estados Unidos.

A partir de ese 3 de febrero del 62, ningún ciudadano americano podrá comprar o vender nada a los cubanos, excepto medicinas y algunos alimentos, que serán incluidos muy pronto en el embargo, en mayo de 1964.

La presión sobre Cuba sigue: en 1962 Estados Unidos consigue que sea expulsada de la Organización de Estados Americanos (OEA). Dos años más tarde, la inmensa mayoría de los países latinoamericanos romperán sus relaciones diplomáticas con la isla.

Los ciudadanos norteamericanos ven violado uno de sus derechos fundamentales: su Gobierno les prohíbe viajar a la isla. Estados Unidos presiona sobre medio universo para que ni comercie con Cuba, ni vuele a Cuba, ni transporte en sus buques mercancías de o para Cuba.

La isla caribeña, 84 veces más pequeña que el gigante con el que quiere echarse un pulso, está cada vez más aislada.

Para Washington, la "Doctrina Monroe" ha sido violada. Cuba se ha convertido en un país comunista. Sus lazos con Moscú son algo más que fraternales. En octubre tiene lugar la llamada crisis de los misiles. Los soviéticos habían instalado en la isla hasta 40 proyectiles balísticos con cabezas atómicas dirigidos contra Estados Unidos.

Para colmo, ese barbudo de Castro, claman en Washington, se dedica a exportar la revolución al continente americano: Bolivia, Venezuela, Colombia, Centroamérica. La venganza del gigante del norte será terrible.

En los primeros años de la Revolución, Fidel Castro es víctima de varios atentados que pudieron costarle la vida. Al menos siete de ellos están organizados por la CIA, y así ha sido reconocido por las autoridades norteamericanas.

Cada atentado exasperaba más a Fidel y radicalizaba más su Revolución. El abismo entre ambos países era cada vez más insondable y las relaciones comerciales antaño tan beneficiosas para ambas partes, aunque mucho más para la norteamericana —como en toda relación metrópoli/colonia— desaparecieron en un par de años.

Arthur T. Downey, subsecretario de Comercio de los Estados Unidos, responsable de las llamadas transacciones este-oeste, presentó el 11 de junio de 1975 un largo informe ante la Cámara de Representante, de su país titulado "Las relaciones comerciales de los Estados Unidos con Cuba: un escrutinio" (20).

Los datos que se ofrecen a continuación corresponden a ese informe: Estados Unidos era el socio comercial número uno de Cuba, las importaciones y exportaciones se movían tradicionalmente entre el 60 y el 70 por 100 (algún año llegó a rozar el 80 por 100).

En 1958, el azúcar representaba el 79 por 100 del valor de las exportaciones de Cuba en dólares. En 1927, la mitad de la industria azucarera cubana estaba dominada por los Estados Unidos. El 22 por 100 de toda la tierra cubana y el 90 por 100 de su capacidad generadora de energía eléctrica eran propiedad de los Estados Unidos en los primeros años de la década de los treinta.

De acuerdo con el informe de Downey, el comercio entre los dos países alcanzó en 1958 un valor de 1.000 millones de dólares. Los Estados Unidos acapararon el 71 por 100 de las exportaciones cubanas y el 64 por 100 de sus importaciones. (Otras fuentes citan un 74 y un 70 por 100 respectivamente, lo que no es extraño: las estadísticas referidas a estos temas varían sensiblemente según la fuente utilizada).

Los otros socios comerciales cubanos eran Japón, que adquirió el 6 por 100 de las exportaciones cubanas seguido del Reino Unido con un 5 por 100 y España y Holanda con un 2 por 100 cada uno. Las ventas del Reino Unido a Cuba representaron el 3 por 100 de las importaciones de la isla y las de España y la India un 2 por 100 cada una.

La excesiva dependencia de Cuba respecto de su gigantesco vecino fue analizada por Fidel en su histórico discurso "La Historia me absolverá", que le sirvió como alegato en el juicio que se le siguió por el asalto, en 1953, del Cuartel Moncada en Santiago de Cuba. Dijo Fidel:

—Más de la mitad de las mejores tierras de producción cultivadas están en manos extranjeras. En Oriente, que es la provincia más ancha, las tierras de la United Fruit Company y la West Indian unen la costa norte con la costa sur... Salvo unas cuantas industrias alimenticias, madereras y textiles, Cuba sigue siendo una factoría productora de materia prima. Se exporta azúcar para importar caramelos, se exportan cueros para importar zapatos, se exporta hierro para importar arados... (21).

El primer año de la Revolución, 1959, el comercio entre los dos países pareció resentirse poco.

Los Estados Unidos adquirieron el 74 por 100 de las exportaciones cubanas y exportaron a la isla el 72 por 100 de lo que ésta compró.

Fue al año siguiente, alarmados los Estados Unidos por el rumbo que tomaba el régimen de Castro, cuando el intercambio comercial comenzó a debilitarse. Ese año de 1960, los Estados Unidos vendieron a Cuba productos por un valor total de 260 millones de dólares, frente a los 433 del año anterior. Un 40 por 100 menos.

Claro que ese año, concretamente el 20 de octubre, fue cuando se decretó la prohibición de las exportaciones norteamericanas a la isla, excepto medicinas y algunos alimentos.

Cuba se movió rápidamente y firmó acuerdos comerciales con la Unión Soviética, que sería su principal socio en los próximos treinta años, y varios países situados tras el entonces llamado Telón de Acero: Checoslovaquia, Polonia, China, Hungría, la República Democrática Alemana. También alcanzó acuerdos con la República Árabe Unida y Japón.

La dependencia económica de Cuba respecto de los Estados Unidos abarcaba a todos los campos. Pero había algunos, como el de la caña de azúcar, vitales para el funcionamiento del país.

Nicanor León Cotayo, periodista cubano de cincuenta y tres años, ha dedicado los últimos treinta años de su vida al estudio del bloqueo de los Estados Unidos hacia Cuba.

Lo entrevisté en mayo de 1991, cuando acababa de salir a la primera edición de *Sitiada la esperanza: bloqueo económico de Estados Unidos a Cuba*. Un año después, Nicanor ha enriquecido su libro y prácticamente duplicado el número de sus páginas. Es autor también de otro libro sobre el bloqueo, *Sin ramo de olivo*, que estudia las relaciones cubano-americanas bajo la administración Reagan.

Cotayo ha contado con la valiosa colaboración de los principales ministerios y organismos oficiales cubanos que le han facilitado la relación de gastos extras que debieron realizar al modificarse el epicentro de su comercio en varios miles de kilómetros: de transportar crudo o trigo desde la Florida, a 144 kilómetros de las costas cubanas —las famosas 90 millas— se pasó a transportarlo desde la Unión Soviética, debiendo atravesar todo un océano, el Atlántico y algunos otros pequeños mares, alargando el recorrido a más de 10.000 kilómetros.

En base a los datos que recibió de los distintos departamentos cubanos, desde el Ministerio de Agricultura al de Sanidad, Nicanor León Cotayo calculó que hasta 1981 el costo del bloqueo le había supuesto a Cuba unas pérdidas de 9.081 millones de dólares. Para mediados de 1991, fecha en que finalizó su último estudio, esa cifra se había duplicado: 20.124 millones de dólares.

Esas cifras incluyen lo que Cuba perdió por dos conceptos: lo que debió gastar de más y lo que dejó de ingresar.

Ejemplo: el costo del transporte del trigo soviético obviamente era mucho más elevado que el de los norteamericanos.

En segundo lugar, Cuba dejó de ingresar docenas de millones de dólares de los Estados Unidos. Sólo en turismo, Cotayo calcula unas pérdidas de 3.507 millones de dólares.

Esta cifra fue obtenida por el escritor cubano de esta forma: en 1957 visitaron Cuba 272.266 turistas, de los que el 86,8 por 100 eran estadounidenses. Esa cifra representó el 20 por 100 del total de turistas que visitaron el Caribe en ese año. "En los últimos treinta y dos años, el Caribe insular recibió 175 millones de pasajeros, por lo que, de acuerdo con la práctica, debió representar la llegada a La Habana de más de 30 millones de turistas norteamericanos" desde que se inició el bloqueo, sostiene Cotayo.

De la noche a la mañana, Cuba se veía huérfana comercialmente hablando. Por citar un ejemplo: sólo en lo que se refiere a la industria azucarera, Cotayo ofrece esta lista de productos que Estados Unidos dejó de enviar a la isla:

"Metales de todo tipo, combustibles, lubricantes, oxígeno, acetileno, soldadura y tornillos; piezas de repuesto para diversa maquinaria: industrial, transporte, agrícola; fertilizantes, herbicidas, carbón activado, sosa cáustica, productos químicos, limas, mochas, machetes, guantes y otros artículos para la protección del campesino".

El diario *The New York Times*, poco sospechoso de procastrismo, condenó duramente el bloqueo. Al día siguiente de decretarse el embargo total, medicinas incluidas, el 14 de mayo de 1964, se leía en el periódico neoyorquino:

—No es esta la manera de ganar la Guerra Fría contra Cuba, ni es el modo de presentar al mundo una imagen de los Estados Unidos como país humanitario y magnánimo. Los Estados Unidos nada ganarán hambreando más a los cubanos, ni ganarán amigos en Cuba haciéndolos sufrir por falta de medicinas (22).

La inmoralidad de embargar la venta de medicinas, como señala el periódico estadounidense, tendría un reflejo dramático en 1981. Ese año, Cuba sufrió una fuerte epidemia de dengue hemorrágico, una enfermedad febril, altamente contagiosa, que se manifiesta por fuertes dolores en los miembros. Un total de 344.230 personas quedaron contagiadas. De las 158 víctimas mortales, 101 fueron niños.

En ese momento, los Estados Unidos disponían de un producto de gran efectividad frente a esta terrible enfermedad, el Abate. El Departamento de Estado no autorizó la venta del medicamento a Cuba.

Dicen que el tiempo enfría pasiones y los odios. No puede aplicarse el cuento a los Estados Unidos.

Cuantas más voces se escuchan en el mundo en contra del bloqueo, incluso de políticos tan conservadores como el español Manuel Fraga Iribarne, en Estados Unidos aumenta el número de quienes desean endurecer el bloqueo contra la isla.

Connie Mack es uno de ellos. Senador republicano por la Florida, fuertemente relacionado con los grupos más conservadores del exilio, como la Fundación Nacional Cubano-Americana (FNCA) que preside Jorge Mas Canosa, Mack libró una particular batalla contra Castro.

El 20 de julio de 1989 el Senado estadounidense aprobaba una enmienda que lleva su nombre por la que se prohibía que firmas subsidiarias de compañías norteamericanas establecidas en terceros países realizaran operaciones comerciales con Cuba.

El senador Mack sin embargo no tuvo mucha suerte. Primero el Departamento de Estado y más tarde la propia Casa Blanca rechazaron la Enmienda Mack. Las protestas de aliados tan importantes para los Estados Unidos como Canadá o algunos países de la Comunidad Económica Europea pesaron más que el odio a Castro.

Al tenaz Mack, que presentó su enmienda en tres ocasiones ante el Senado, lo sustituyó en su guerra contra Castro otro político norteamericano: Robert Torricelli. Esta vez no se se trataba de un republicano residente de Florida, llena de cubanos, sino de un demócrata de New Jersey con escaño en la Cámara de Representantes

El 5 de febrero de 1992, Torricelli presentaba ante el Comité de Relaciones Exteriores de la Cámara de Representantes una llamada "Acta de Democracia en Cuba" en la que básicamente se recogían los puntos claves de las sucesivas enmiendas Mack: prohibición del comercio con Cuba a las subsidiarias de compañías norteamericanas en terceros países, así como represalias económicas contra los países que mantengan lazos comerciales con la isla roja.

—El cambio en Cuba es inevitable, pero esta Administración (de Bush) no tiene una política para promover ese cambio —decía el demócrata Torricelli los días previos a la presentación de su Acta (23).

Su iniciativa, afirmaba el representante por New Jersey, "reforzará el embargo estadounidense contra Cuba, creará una apertura al pueblo cubano, a los grupos disidentes y a la oposición democrática".

El intenso trabajo de Torricelli rindió sus frutos: el 4 de junio de 1992, el Comité de Relaciones Exteriores de la Cámara de Representantes aprobaba la propuesta de Torricelli que se convertía en proyecto de ley. Una iniciativa que seguía un curso paralelo en el Senado, de la mano de otro político de Florida, el senador Robert Graham.

Torricelli no sólo sacó adelante su proyecto de ley, sino que anuló una enmienda aprobada por el representante demócrata Ted Weiss según la cual se excluían del embargo norteamericano medicinas, equipos médicos y alimentos.

Mientras que Weiss declaraba anonadado que "consideraba injusto castigar al pueblo de Cuba con semejante maltrato a causa de la dictadura que los gobierna", un eufórico Torricelli afirmaba que "el tiempo se le está acabando a Fidel Castro y esta ley acortará aún más sus días en el poder" (24).

El proyecto pactado con la Casa Blanca y la Fundación de Jorge Mas Canosa, quien asistió a la votación en el Capitolio, recogía la prohibición de comerciar con Cuba a todas las subsidiarias de compañías norteamericanas establecidas en cualquier parte del globo. Los países que violaran esta norma, serían "castigados" por Washington: los Estados Unidos les negarán toda ayuda o beneficio comercial.

El proyecto de ley Torricelli contempla también mayores facilidades para las comunicaciones telefónicas entre Estados Unidos y la isla, así como los viajes entre ambos países. Promete ayuda a Cuba en el momento en que se realicen elecciones libres supervisadas internacionalmente.

Para que la iniciativa Torricelli se convierta en ley necesita ser aprobada por la Cámara y el Senado, lo que aún podría alargar su entrada en vigor —de ser aprobada por los dos cuerpos legislativos— unos meses.

El destino de la iniciativa de Torricelli habría sido el mismo de la Enmienda Mack, es decir el olvido, si el autor del proyecto no hubiera pactado con la Casa Blanca y con los cubanos de Miami previamente.

Richard Gelbarg, subsecretario de Estado adjunto para Asuntos Interamericanos, había mantenido reuniones con Torricelli y Mas Canosa con el objeto de limar el proyecto y hacerlo asimilable para la Casa Blanca.

Torricelli cedió en una palabra clave: "obligar" por "poder aplicar". El proyecto original "obligaba" al presidente de los Estados Unidos a sancionar a cualquier nación que ofreciera algún tipo de asistencia a Cuba. Tras la negociación, el proyecto se cambió por la frase "el presidente podrá aplicar" sanciones.

Ello deja las manos libres a la Casa Blanca para aplicar esas sanciones o no, según el momento y el país de que se trate.

Al tiempo, el proyecto prevee no aplicar sanciones a las empresas que ya tenían contratos con Cuba. Cuando éstos finalicen, no podrán renovarlos.

¿Saldrá adelante este proyecto que significa un brutal endurecimiento del bloqueo?

Todo parece indicar que así será. Tanto el Senado como la Cámara de Representantes aprobaban en septiembre el proyecto de ley. Tan sólo quedaba que ambas cámaras se pusieran de acuerdo en un texto conjunto. Sólo un milagro o la fuerte oposición de los principales aliados de los Estados Unidos, podrían evitar lo inevitable: que se endureciera el bloqueo.

Ni siquiera un cambio de inquilino en la Casa Blanca parece que influirá en la iniciativa de Torricelli.

El aspirante a la presidencia Bill Clinton, como todos los políticos en campaña electoral, visitó Miami y declaró ante unos enfervorecidos votantes cubano-americanos:

—He leído el proyecto legislativo Torricelli-Graham y me gusta (25).

También le debieron gustar los dos cheques que se embolsó tras dos mítines electorales en la ciudad de Miami: uno de 125.000 dólares y otro de 150.000. Dispuesto a ganar votos a toda costa, Clinton acusó de debilidad al duro Bush, quien no había dudado en invadir Panamá o declararle la guerra a Irak.

—Pienso que este Gobierno ha perdido una gran oportunidad para bajar el martillo sobre Fidel y Cuba.

No dijo dónde debía golpear el martillo. Pero todos se lo imaginaron.

Los cheques en miles de dólares no fueron sólo a los bolsillos del gobernador de Arkansas, Bill Clinton.

Torricelli, Graham, y otros muchos congresistas norteamericanos, tanto demócratas como republicanos, se vieron favorecidos por las aportaciones de los cubano-americanos, especialmente por el clan de Mas Canosa.

En Estados Unidos funcionan unas peculiares organizaciones no gubernamentales denominadas PAC, por sus siglas en inglés *Political Committee Action* (Comité de Acción Política) que pueden aportar legalmente fondos a los políticos para su campaña electoral, o para que promocionen leyes que defiendan sus intereses en las Cámaras. Uno de esos PAC, controlado por Mas Canosa, recibe el nombre de Cuba Libre.

El PAC Cuba Libre dedicó 50.000 dólares en aportaciones a congresistas para que el Comité de Relaciones Exteriores de la Cámara de Representantes aprobara el Proyecto Torricelli.

El más beneficiado lógicamente fue el propio Torricelli, con

10.000 dólares. Otros influyentes miembros del Comité, como Stephen Solarz o Mel Levine recibieron 5.000 dólares.

El prestigioso diario financiero *The Wall Street Journal* había publicado que la alianza entre el representante por New Jersey y el clan liderado por Mas Canosa se fraguó antes de que Torricelli fuera elegido miembro del Congreso americano.

Torricelli visitó Miami y recolectó en un solo mitin electoral —en un Estado en el que no presentaba candidato— 26.750 dólares. El citado periódico norteamericano afirma que las aspiraciones, por el momento, de Robert Torricelli son las de conseguir la presidencia del Comité de Campaña del Congreso Demócrata, es decir ser el principal recaudador de fondos del partido.

¿Se aprobó el proyecto por los dólares, o por los votos que esperaban recibir en su día esos políticos? ¿Se aprobó por las dos cosas a la vez? ¿Se aprobó porque sinceramente la mayoría de los congresistas norteamericanos creen que sólo apretándole más el cuello a Castro pueden derrocarlo?

Sea como fuere, el proyecto dio su primer paso para convertirse en ley. Pero tanto el vecino del norte, Canadá, como del sur, México, como la influyente Comunidad Económica Europea se muestran en desacuerdo con una legislación que claramente viola sus propias soberanías nacionales.

Canadá y México, países con los que Estados Unidos están en el proceso de negociación de un Tratado de Libre Comercio que convertiría a esos tres países en el más gigantesco mercado del mundo, así se lo han hecho saber a Washington.

En 1990, el ministro de Relaciones Exteriores de Canadá, Joe Clark señaló que prohibir el comercio a compañías canadienses mediante leyes estadounidenses era "claramente inaceptable". El portavoz de la cancillería, Denis Laliberte, fue más explícito:

—No se trata de dinero, sino de principios. Se trata del respeto a la soberanía canadiense. Las leyes que se refieren a las exportaciones canadienses se hacen en Canadá (26).

México expresaba su punto de vista a través de su embajador en La Habana, Mario Moya Palencia, ex secretario de Gobernación con el muy nacionalista presidente Luis Echeverría:

—Nosotros creemos firmemente en el sistema de libre comercio... A eso hay que agregar las disposiciones del GATT (Acuerdo General de Comercio y Aranceles) que son muy claras: no debe haber ninguna restricción al libre comercio y menos aún prohibiciones de tipo político para comerciar (27).

La Comunidad Europea daba a conocer su posición mediante una nota verbal al Departamento de Estado norteamericano el 7 de abril. Si el proyecto Torricelli, que entonces se maduraba en el Comité de Relaciones Exteriores, se convertía en ley, las relaciones comerciales entre la CEE y Estados Unidos tendrían "efectos graves y lesivos" (28).

Los europeos rechazaban también la inclusión en ese proyecto de ley de la sanción en que incurrirían todos los buques que transportaran mercancías de o hacia Cuba: no podrían tocar puertos norteamericanos.

Lógicamente, los cubanos eran los más agresivos en las primeras reacciones ante la aprobación del Proyecto Torricelli. El viceministro de Relaciones Exteriores, Ramón Sánchez Parodi, decía en La Habana:

—Estados Unidos comete un genocidio económico contra Cuba tratando de rendir por hambre al pueblo (29).

Los norteamericanos, sin embargo, seguían presionando sobre las principales agencias turísticas que trasladan veraneantes a Cuba para que eligieran otros puntos en el Caribe. Canadá, Alemania, México, España e Italia, que tienen vínculos comerciales estrechos con los cubanos, son también los que más turistas envían, precisamente por ese orden, a la mayor de las Antillas.

Con sigilo, pero implacables, los diplomáticos y agentes norteamericanos intentaban evitar por todos los medios que, una vez quebrada la Unión Soviética, principal abastecedora de crudo a la isla, los cubanos pudieran adquirirlo en otros mercados. Esos mismos agentes hacían todo lo posible para que Cuba no pudiera colocar en el mercado su principal producto exportador, el azúcar.

Torricelli mientras tanto gozaba con sus dólares y el reconocimiento de los cubano-americanos. La comunidad anticastrista de Orlando, Florida, lo designaba "Hombre del Año". Seguro de llegar a la meta victorioso en unos meses más, cuando ya su proyecto fuera ley, declaraba a finales de agosto:

—Se endurecerá el embargo. Fidel Castro está muy próximo a su fin. Hemos visto con gusto que Rusia paró su asistencia. Pero compañías norteamericanas estuvieron negociando con él (Castro) por valor de 300 millones de dólares. Vamos a interrumpir esto.

En efecto, subsidiarias de compañías norteamericanas hacían negocios con Castro y Castro tenía agentes y canales para violar el embargo. En más de una ocasión tuve que beber cerveza norteamericana en restaurantes y hoteles de La Habana, porque la cubana se había agotado.

Panamá, y su Zona Libre, especialmente cuando el general Manuel Antonio Noriega estaba en el poder, eran un excelente punto desde el que se enviaban diversos productos norteamericanos a la isla.

La revista norteamericana *Newsweek* publicaba en junio de 1992 que a través principalmente de Canadá compañías norteamericanas llegaron a comerciar por valor de 700 millones de dólares anuales, el doble de lo que pensaba Torricelli. Las ventas se producían básicamente en granos (trigo), pero también perforadoras o máquinas para hacer hielo.

Coca-Cola, Budweiser o Heinz Ketchup son marcas usuales de refrescos, cerveza y salsa de tomate en las mesas de los restaurantes. Muchos de los ascensores de los modernos hoteles que se construyen en Cuba llevan la marca Otis, perteneciente a la Otis Elevator Co., de Estados Unidos. Los ascensores, o elevadores, como son llamados en Cuba, llegan a la isla a través de la subsidiaria mexicana.

La televisión oficial pasa películas recién estrenadas en el mercado norteamericano. Normalmente, son pirateadas en vídeo, aunque en una ocasión un miembro del Comité Central me dijo que esas películas llegaban "porque tenemos muchos amigos en el extranjero".

Empresarios norteamericanos han expresado en numerosas ocasiones su interés en que se levante el bloqueo. Piensan que todo lo que no están haciendo ahora es terreno que están dejando a sus competidores europeos, canadienses o mexicanos.

Algunos han visitado la isla de forma privada, como el presidente de la cadena hotelera Hyatt Hotels, una de las compañías más interesadas en las maravillas turísticas que encierra la Perla de las Antillas. La compañía de comunicaciones Bell South o la Cruceros Royal Caribbean Cruise, están con un pie en el avión para comenzar a negociar en La Habana si el embargo se levanta.

El dinero, para éstos y otros muchos empresarios, no tiene ideología. Ni siquiera para Fidel Castro, que ha modificado sensiblemente la Constitución para hacer compatible el socialismo con las inversiones capitalistas.

Otros empresarios han visitado la isla en grupo. La última ocasión, cuando la empresa editorial británica Euromoney convocó a una conferencia de tres días sobre el comercio con Cuba.

Un total de 115 empresarios representando compañías de 18 países acudieron a la cita. De ellos, 78 eran ciudadanos norteamericanos y 20 mexicanos. Pasaron dos días en Cancún, México y el último, el 10 de junio, en La Habana.

Representante de firmas de renombre mundial como IBM, Boeing o Alcatel tomaron buena nota de lo que tanto el vicepresidente como el secretario del Consejo de Ministros, Osmani Cienfuegos y Carlos Lage, respectivamente, explicaron: Cuba necesita imperiosamente inversiones en campos tan diversos como el turismo, las industrias farmacéutica, básica, y ligera; la electrónica, metalmecánica, biotecnología o la exploración petrolera

Un filón.

Porque esos empresarios saben lo que están perdiendo.

De los diversos estudios realizados sobre las pérdidas que los empresarios norteamericanos sufren por el bloqueo, citaré dos.

Uno de ellos fue realizado en 1987 por los investigadores norteamericanos Kirby Jones y Donna Rich, titulado "Oportunidades
para el Comercio cubano-norteamericano".

Jones y Rich tomaron para su investigación ocho ramas cuyos
productos eran vendidos tradicionalmente por compañías norteamericanas a Cuba. Concluyeron con que en veinticinco años, los
empresarios estadounidenses habían dejado de vender a Cuba
11.500 millones de dólares sólo en estos ocho campos: herbicidas
y pesticidas, granos, arroz, hierro y aceros, medicinas y equipos
médicos, textiles y transporte (30).

Otro estudio de la Universidad John Hopkins de Washington
D. C. afirma que de levantarse el bloqueo, los empresarios norteamericanos venderían productos a Cuba por un valor de 1.800 a
2.000 millones de dólares. Los beneficios anuales que obtendrían
serían del orden de 750 millones de dólares. En treinta años de
bloqueo, habrían perdido 22.500 millones en beneficios (31).

Torricelli quiere evitar que esa riada de dinero se mueva de un
lado a otro del estrecho brazo de mar que separa a Cuba de Estados Unidos. Los empresarios norteamericanos se enfrentan a condenas de hasta diez años de cárcel por comerciar con Cuba.

Los países que lo hagan, advierte Torricelli al periódico argentino *Página 12* recibirán el justo castigo de Washington. La periodista argentina Mónica Fiurre le pregunta a Torricelli:

—¿Usted no llama a eso intervención?

—Estados Unidos tiene el derecho de dar ayuda a quien quiera
—responde el congresista—. Si usted tiene hambre, me puede pedir plata y yo se la doy. Pero si usted después va y se la da a gente
que a mí no me gusta, estoy en mi perfecto derecho de no darle mi
plata. No estoy en contra de la ayuda humanitaria al pueblo cubano, pero sí en contra de comerciar y darle subsidios al Gobierno.

Hay importantes personalidades norteamericanas del lado de
Torricelli y de Mas Canosa, que piensan que Fidel Castro está acabado. Bill Clinton ha dicho:

—Este no es el momento de rebajar la tensión contra el régimen de Castro, porque sus días están contados.

Un político más ducho en temas internacionales, Henry Kissinger, ex secretario de Estado y Premio Nobel de la Paz, augura un
final cercano, aunque reconoce que "Castro es una figura fascinante". Decía Kissinger al periódico mexicano *El Norte* en junio de
1992:

—Respeto su valentía, pero por otro lado creo que Castro pertenece a otra época, a una época que ya terminó. Creo que su sistema tendrá que ser reemplazado, ya sea durante este período o
bien cuando él desaparezca, porque haya fallecido o haya una revolución.

El brujo Kissinger le auguraba en ese momento dos o tres años más de vida política a Castro y comprendía perfectamente que éste se negara a hacer concesiones:

—Castro puede haber aprendido de Europa Oriental que si empiezas a hacer concesiones en un sistema comunista, éste se derrumba y tal vez prefiera caer de pie que de rodillas (32).

La inmoralidad política y jurídica de este bloqueo es diáfana para gran parte de la opinión pública mundial. Salvo la disidencia anticastrista más recalcitrante que cree que mediante el bloqueo Castro será derribado —llevan treinta y tres años y no lo han conseguido; "ha durado treinta años, eso lo dice todo", afirma acertadamente el presidente venezolano Carlos Andrés Pérez— inteligentes políticos y pensadores norteamericanos creen en otras vías más civilizadas para resolver los conflictos a estas alturas de siglo.

Dos ejemplos: Robert McNamara, ex secretario de Defensa, y Arthur Schlesinger Jr, historiador. Ambos vivieron junto al presidente John Kennedy los tensos días de la crisis de los misiles, cuando en octubre del 62 el mundo estuvo a punto de saltar por los aires.

McNamara y Schlesinger formaron parte de un panel de políticos norteamericanos, soviéticos y cubanos, protagonistas de aquella crisis. Todos ellos se reunieron en La Habana en enero de 1992 para aportar nuevas luces sobre la misma.

Un mes después, Schlesinger escribió un ensayo en *The New York Times Review* muy esclarecedor sobre lo que "otros americanos" piensan de Cuba y el conflicto con los Estados Unidos. Escribe Schlesinger:

—La última sesión de la conferencia se inicia puntualmente a las tres de la tarde. McNamara lo repite: espera que, en un mundo que ha cambiado fundamentalmente con el fin de la Guerra Fría, las diferencias entre Cuba y Estados Unidos se puedan manejar a través de los canales diplomáticos normales. Y agrega: "Déjenme decirles —aunque usted, Fidel Castro, tal vez no esté de acuerdo— que yo me considero un revolucionario. Yo creo que el derecho a vivir una vida productiva es fundamental para todos los demás derechos. Aplaudo lo que Cuba ha hecho en educación y salud. McNamara destaca también que la tasa de mortandad infantil es inferior en Cuba que en el distrito de Columbia (la capital de Estados Unidos) (33).

Si ésa es la opinión sobre el bloqueo y la forma en que los últimos presidentes manejan la política con Cuba del que fuera responsable del poderoso Ejército americano, la de Schlesinger es mucho más radical aún:

—Inundar Cuba con turistas norteamericanos y bienes de consumo norteamericanos contribuiría mucho más a subvertir la Revolución que cualquier idea que haya podido concebir la CIA.

El ex asesor de Kennedy arremete duramente contra la existencia de Radio Martí, a la que califica como "emisora indignamente anticastrista de Ronald Reagan", y contra la Fundación Nacional Cubano-Americana de Jorge Mas Canosa, a la que acusa de estar "dominada por antiguos colaboradores de la odiada dictadura de Batista".

—Por muy represor que sea el régimen de Castro —insiste Schlesinger— muchos cubanos, incluidos disidentes, consideran que la alternativa que ofrece la Fundación Nacional Cubano-Americana es peor.

Efectivamente, los más conocidos líderes de la disidencia interna, como Gustavo Arcos y Elizardo Sánchez, que dirigen a las dos principales organizaciones de defensa de los Derechos Humanos y que han sufrido años de cárcel bajo Castro, consideran que el diálogo es mejor que el bloqueo. Arcos y Sánchez suscribieron el 19 de enero de 1992 una "Declaración de Buena Voluntad", en la que además de pedir la reconciliación de todos los cubanos, mantienen que "el aislamiento y la privación no contribuiría a que el pueblo cubano pudiera, en libertad y paz, dar los pasos que desea y necesita para superar la crisis que está soportando".

Los disidentes piden a Estados Unidos que inicie conversaciones con Cuba como la mejor vía para la democratización de la isla.

De la misma opinión eran otros opositores a Castro en Miami, como Ramón Cernuda, representante en la ciudad americana de la Comisión Nacional Cubana de Derechos Humanos y Reconciliación Nacional que preside Elizardo Sánchez.

Para Cernuda y otros líderes liberales del exilio, Torricelli se negó a escuchar a los disidentes del interior de la isla sabiendo que su proyecto de ley va en contra de las opiniones y convicciones de los que teóricamente pretende ayudar.

Sánchez autorizó a Cernuda para que utilizara la Declaración de Buena Voluntad para oponerse en el Congreso de los Estados Unidos a la Ley Torricelli.

El editor Cernuda acudió en efecto a una reunión del Comité de Relaciones Exteriores de la Cámara baja, al igual que otros opositores a Castro.

Cernuda declaró ante los congresistas norteamericanos que consideraba el proyecto Torricelli como "una declaración de guerra contra el pueblo cubano". Cernuda, hablando en nombre de la Comisión Nacional de Derechos Humanos de Elizardo Sánchez, cuyos intereses representa en el exterior, dijo:

—Es una propuesta para que Estados Unidos use todo su poder diplomático, económico y político para la imposición de un embargo global contra mi pueblo. Para matar de hambre a mi pueblo en nombre de los Derechos Humanos y de los ideales democráticos. Esto no lo podemos tolerar.

Cernuda expresó a los congresistas su preocupación de que se cubanizaran las relaciones entre Estados Unidos y los países latino-americanos y que éstos últimos sufrieran represalias según su comportamiento en el caso cubano.

—Países importantes como España y Alemania o pequeños como Panamá y las Bahamas han rechazado por décadas participar en las políticas de aislamiento y prohibición contra Cuba.

Cernuda, un anticastrista como el que más, de los muchos que hay en Miami, pero opuesto al bloqueo, concluyó:

—La iniciativa Torricelli no contribuye a crear un clima de no violencia en la isla. Fortalecer el embargo no promoverá la democracia o la libertad en Cuba, pero sí el caos y la violencia catastrófica (34).

El mismo Cernuda intervino ante el Subcomité para el Hemisferio Occidental que preside precisamente Torricelli, en una sesión celebrada a finales de julio de 1991.

Cernuda expresó no sólo su oposición al endurecimiento del bloqueo que pretende el congresista de New Jersey, sino su deseo de que los Estados Unidos abandonen la Base de Guantánamo. Para Cernuda la solución pasa por la normalización de relaciones entre los dos países y por el llamamiento a un gran debate nacional, en el que intervengan todos los sectores políticos cubanos.

En esa misma sesión, Enrique Baloyra, representante del ala socialdemócrata en la Plataforma Democrática de Cuba (PDC), en la que también milita Carlos Alberto Montaner, se opuso al endurecimiento del embargo, que llevaría a la isla a un colapso económico. La consecuencia: "Una masiva pérdida de vidas y la desintegración nacional", afirmó Baloyra (35).

Al cumplirse casi los treinta años del bloqueo, el Gobierno cubano solicitó y logró, a pesar de la feroz oposición de Estados Unidos, que la Asamblea General de la Organización de Naciones Unidas (ONU) debatiera el problema del embargo norteamericano.

La idea original de La Habana era solicitar la votación de una resolución en la que se condenaba a Estados Unidos por violación de los Derechos Humanos del pueblo cubano durante treinta años.

Pero vistas las presiones que la diplomacia norteamericana ejerció entre todos sus aliados, y muy especialmente entre los más débiles, los países de América Latina, a los que amenazaba con suspenderle la ayuda y los créditos, Cuba decidió no solicitar la votación en el 46 plenario de la ONU.

El entonces viceministro de Relaciones Exteriores, Ricardo Alarcón, ascendido a ministro meses más tarde, expuso el 13 de noviembre de 1991 ante la asamblea los principales argumentos por los que el bloqueo es un acto ilegal y digno de ser condenado. Anunció también que Cuba dejaba para el próximo período de sesiones, es decir el otoño de 1992, la votación condenatoria.

Así, el 26 de agosto de 1992, el Gobierno cubano volvía a la carga con el bloqueo. Mediante una carta enviada al secretario general de la ONU, Boutros Ghali, Cuba solicitaba que el tema fuera incluido ·de nuevo en la agenda de la Asamblea General, que se celebra todos los otoños.

La carta, firmada por el embajador interino Carlos Zamora, recordaba al secretario general Ghali que el bloqueo no sólo persiste treinta años después, sino que Estados Unidos lo endurece por días. Zamora ponía como ejemplo que en abril de 1992 el presidente George Bush ordenó que se cerraran todos los puertos norteamericanos a aquellos navíos que comerciaran o llevaran pasajeros desde o hacia la isla caribeña.

Unos días después de que en noviembre de 1991 Cuba aplazara la votación condenatoria contra Estados Unidos, tuve la oportunidad de volver a preguntarle a Fidel Castro los motivos de ese aplazamiento. El comandante contestó:

—Seguir adelante con la votación habría sido perjudicial para muchos países amigos del área.

Pero eso no significaba rendición. Añadió Fidel:

—Vemos esta batalla no como la batalla de un día, ni de un año, sino larga. Y conforme a esa concepción, hemos elegido esta estrategia.

La estrategia no es otra que la de martillear en todos los foros internacionales sobre la irracionalidad y la injusticia del bloqueo. En la II Cumbre Iberoamericana de jefes de Estado y presidentes de Gobierno, celebrada en julio de 1992 en Madrid, Castro dedicó parte de su discurso al problema.

Después de condenar el hecho de que "la mayor potencia militar de la historia" haya proclamado "el derecho bárbaro a secuestrar ciudadanos de cualquier nación", en referencia al secuestro de ciudadanos mexicanos llevados a cabo por agentes norteamericanos para ser juzgados en Estados Unidos, Fidel dijo:

—Ese mismo imperio, hace más de treinta años, bloquea despiadadamente a Cuba, pequeño país latinoamericano. Ni siquiera los alimentos y medicamentos están excluidos. Se intenta rendir por asfixia económica y hambre a un pueblo que se niega a renunciar a su independencia y a sus ideas: un genocidio, un ultraje a la humanidad.

Ricardo Alarcón afirma que antes o después Cuba ganará esa batalla en la ONU.

—Puedo asegurar que esta denuncia va a perseguir al imperialismo yanqui como una maldición gitana —decía en el otoño de 1991 este diplomático descendiente de malagueños y granadinos, donde tanto gitano hay.

Casi un año después, ya ministro, entrevisté a Alarcón en Madrid en las vísperas de la II Cumbre Iberoamericana. Por perjudicial que haya resultado el bloqueo a Cuba, ¿se le pueden achacar al bloqueo todas los problemas que padece la isla? ¿No ha fallado también el propio sistema, no hay errores estrictamente cubanos?

Alarcón sonrió:

—No podemos negar que ha habido problemas o dificultades que son culpa nuestra, que no obedecen al bloqueo como tal. Esos problemas tienen que ver con la copia de algunos procedimientos de la Europa Oriental.

Esas copias —de la URSS, de Bulgaria— se produjeron en la mitad de los años setenta y dieron luego paso al llamado Proceso de Rectificación de Errores y Tendencias Negativas. La copia de esos modelos no puede, en palabras de Alarcón, aislarse del contexto histórico determinado en que vivía Cuba que sí se había iniciado con el bloqueo.

Alarcón, filosofo y periodista, reconoce la dificultad para dar una respuesta justa a este tema: "No estamos analizando una experiencia que se ha desarrollado en condiciones normales".

—Cuba ha sido un país sometido a una situación totalmente anormal, sin paralelo en la historia. No ha habido nunca ningún bloqueo como éste que afecta a nuestro país. Un bloqueo de esa intensidad y universalidad. Un bloqueo que ha sido ejercido con tanta saña, a través de todo el mundo, con funcionarios norteamericanos persiguiendo toda vinculación externa de Cuba.

Alarcón recuerda que Cuba carece de toda posibilidad de acceso al crédito internacional: no puede solicitar ayudas ni al Banco Mundial, ni al Banco Interamericano de Desarrollo (BID), ni al Fondo Monetario Internacional (FMI).

—Tenemos que llevar a la práctica nuestro comercio exterior enfrentados a este Torquemada con sus millones de dólares y sus agentes persiguiendo por todo el mundo el tabaco, el marisco, cualquier producto cubano.

¿Por qué en última instancia Estados Unidos persiste en su idea del bloqueo violando todo principio del derecho internacional?

Porque, salvo que se aplique en defensa propia, la represión económica, la coacción económica de un Estado sobre otro es un acto ilegal cuando el propósito es el de socavar la soberanía de ese Estado y derribar a sus dirigentes.

Por otro lado, es evidente también que los Estados Unidos no aplican el bloqueo en defensa propia: no pueden argumentar que Cuba es una amenaza para su seguridad nacional, no pueden alegar, que se siente amenazado por un país 84 veces menor que su territorio. Tan pequeño que cabe todo él en el Estado de Tennessee.

El 9 de enero de 1989, la revista española *Cambio 16* publicó un número especial dedicado a los treinta años de la Revolución castrista, en el que escribieron Tad Szulc, autor de una de las mejores biografías sobre Castro, el periodista colombiano Antonio Caballero y el autor de este libro.

Recuerdo un brillante párrafo de Antonio Caballero que podría contestar a esa eterna pregunta: ¿por qué el bloqueo?, ¿por qué ese odio mortal de los ocho inquilinos que tuvo la Casa Blanca en las tres últimas décadas hacia Castro?, ¿porque es un dictador?, ¿acaso no lo fueron todos los líderes soviéticos y chinos y argentinos y chilenos con los que Estados Unidos no sólo negoció, sino que apoyó y financió?

Esto escribía Caballero:

"Durante los sesenta años de 'independencia formal' éstos (Estados Unidos) habían mantenido a Cuba como una colonia 'de facto', apoyando los sucesivos gobiernos (por lo general dictatoriales) y respaldando los sucesivos golpes contra esos mismos gobiernos, dentro de la amplia capacidad de intervención que les permitía, de acuerdo con la Constitución (no cubana, sino norteamericana) la célebre Enmienda Platt. Y la economía cubana era suya: el 75 por 100 de la tierra cultivable, el 90 por 100 de los servicios (electricidad, transporte) estaban en manos de ciudadanos o empresas norteamericanas, así como la mitad de la principal industria (la azucarera), que dependía además de la cuota de importación estadounidense, la totalidad del importante sector turístico (hoteles, casinos, burdeles), todo el abastecimiento de combustible (petróleo venezolano refinado en Cuba por compañías norteamericanas) y la gran masa (más del 80 por 100) del comercio de exportación e importación. Entre los petroleros, los azucareros, los hoteleros, la mafia del juego y la prostitución (Sam Giancana, el enemigo del ya electo presidente Kennedy), se empezó a rumorear que Castro y sus barbudos eran comunistas porque pretendían hacer una reforma agraria, nacionalizar las refinerías y moralizar las costumbres. Y el Gobierno norteamericano reaccionó en consecuencia: con el bloqueo económico primero y el aislamiento diplomático y la invasión militar a continuación. Con lo cual, la Revolución cubana, local y nacionalista, se vio irresistiblemente empujada hacia el 'internacionalismo', es decir, hacia los brazos de la Unión Soviética, que le compró su azúcar y le vendió petróleo para funcionar y armas para defenderse, y hacia los del partido comunista local, que acabó por confiscarla.

Dentro de esta óptica, poco importan ya los logros locales de esa Revolución: se la juzga con referencia al mundo. ¿La educación? Es mejor en Suiza. ¿La cobertura sanitaria? Es mejor en Holanda. ¿Las libertades individuales? No se comparan con Canadá. ¿La renta *per cápita*? Está muy lejos de la de los Estados Unidos. Y a nadie se le ocurre comparar esos índices con los de otros países parecidos a Cuba: la renta *per cápita* en el Perú, la cobertura sanitaria en Guatemala, la educación en Venezuela, las libertades en Argentina.

Es natural: nada de eso es interesante fuera del ámbito local. Lo interesante no es comprender la Revolución cubana sino encarnar en ella los ángeles y los demonios de la propia imaginación, el infierno en la Tierra o el paraíso terrenal" (36).

Para unos Cuba es un paraíso. Para un millón de cubanos que se marcharon desde que Castro subió al poder, un infierno.

La salida de esos cubanos, y de otros miles que aguardan desesperados en la isla, plantea otro grave problema en las de por sí tensas relaciones entre Estados Unidos y Cuba.

La salida de cubanos anticastristas se inició incluso antes de que la Revolución triunfara y el derrotado Fulgencio Batista escapara, el 31 de diciembre de 1958, a la República Dominicana.

Lógicamente, quienes primero se fueron —la inmensa mayoría hacia la cercana Miami— eran los más adinerados. Pensaban que el asunto de Castro se solucionaría en un par de meses.

Luego se marcharon miles de profesionales, casi todos los ejecutivos de las grandes compañías norteamericanas. Y muchos médicos: más de 3.000. Además de Miami, Nueva York, el Estado de New Jersey, Puerto Rico, y en un nivel mucho menor España y Venezuela eran los puntos de destino.

Hasta 1962 la salida era libre. Sólo que el que se marchaba sabía que se arriesgaba a perder sus pertenencias, como la vivienda que ocupara, y que posiblemente no podría regresar mientras viviera Fidel.

A partir de ese año, y salvo en dos excepcionales momentos, en 1965 cuando mediante un acuerdo entre los dos gobiernos se estableció un puente aéreo La Habana-Miami, y en 1980, con la masiva salida de 125.000 personas por el puerto de Mariel, las autoridades de uno y otro país establecieron rígidos controles para la emigración.

En 1984 se firmaron unos importantes acuerdos migratorios que sin embargo eran congelados por La Habana al año siguiente, como represalia por la salida al aire de Radio Martí.

El acuerdo volvió a restablecerse en 1987. Estados Unidos fijó una cuota de hasta 20.000 cubanos que podrían emigrar de forma permanente cada año. Además, se establecieron acuerdos para viajar en un sentido u otro por razones humanitarias y para visitas temporales a familiares.

Durante muchos años, se acusó a Cuba de poner excesivas trabas a los ciudadanos que querían abandonar la isla. Salvo los mayores de sesenta y cinco años, los cubanos debían esperar meses antes de conseguir, primero el pasaporte y después "la carta blanca". Luego, el visado del país de destino, usualmente Estados Unidos.

En 1990 el Gobierno cubano inició una política progresiva de reducción de la edad de quienes querían viajar temporalmente al exterior. En febrero de ese año los hombres mayores de cincuenta y cinco años y las mujeres por encima de los cincuenta podían salir sin más requisito que contar con la visa del país de destino y que algún familiar u organismo exterior les pagara los gastos del viaje.

Un año más tarde, en marzo de 1991, se rebaja la edad, para hombre y mujeres, a los veinte años.

Castro había elegido cuidadosamente esta fecha: julio de 1991, en vísperas de la celebración de los IX Juegos Panamericanos que debían celebrarse en La Habana y para los que estaban inscritos más de mil periodistas, varios centenares de ellos, norteamericanos.

Si en los años anteriores se había acusado al Gobierno de Castro de impedir la salida de sus ciudadanos, con esta última decisión se le atacaba por todo lo contrario: Fidel preparaba un nuevo Mariel, decían en Miami.

Esa era la opinión por ejemplo de Gene McNary, director del Servicio de Inmigración y Naturalización de los Estados Unidos:

—Castro prepara una segunda invasión antes de los Panamericanos para librarse de los activistas de los Derechos Humanos, criminales y otras personas que no simpatizan con su régimen.

La primera "invasión" había sido la de Mariel. El 20 de abril de 1980 el Gobierno cubano autorizó la salida por este puerto situado a unos 50 kilómetros al oeste de La Habana de todos los cubanos que quisieran abandonar el país. El único requisito: que alguien llegara desde el exterior en un yate, barco o cualquier cosa que flotara y se lo llevara.

De esa forma salieron 125.000 personas en 2.011 embarcaciones que tocaron el puerto cubano en los 159 días que duró el puente marítimo, que se cerró el 25 de septiembre de ese año (37).

La firma del acuerdo de 1984 entrañaba para Cuba el compromiso de aceptar a algunos centenares de "marielitos", como se bautizó a los que salieron por ese puerto, considerados "indeseables" por las autoridades norteamericanas.

Los Estados Unidos no estaban dispuestos en 1991 a una segunda "invasión". Por ello, pocos días después de que se rebajara el límite de edad a los veinte años, el Departamento de Estado comunicaba a las autoridades cubanas que el servicio consular de la Sección de Intereses de Estados Unidos en La Habana suspendía temporalmente la concesión de visados.

Washington afirmó que tomaba esa medida ante "el colapso administrativo" que había en sus oficinas de La Habana. Unas 30.000 personas, según los norteamericanos —cifra que coincidía con la ofrecida por los cubanos— esperaban a que se les estampara el visado en el pasaporte de la República de Cuba.

Washington informó que desde octubre del 90 a julio del 91 había recibido 70.000 peticiones de visados temporales o turísticos.

¿Colapso administrativo? ¿Falta de medios en el sinónimo de embajada norteamericana? ¿Alguien podía creerse esa excusa?

Por supuesto que no. Esos días me encontraba en La Habana y mantuve una larga conversación con un diplomático europeo. Me quedé con esta idea:

—Estados Unidos pretende añadir a su bloqueo comercial un bloqueo humano.

En efecto. Los Estados Unidos se habían comprometido a conceder 20.000 visados por año en 1984, pero en ningún año llegaron a conceder más de 10.000.

Conversé con David Evans, portavoz de la Sección de Intereses en La Habana:

—Que se hable de 20.000 visados no quiere decir que estemos obligados a concederlos todos los años. Significa que ésa es la cifra tope, no que haya que agotarla.

Para conseguir el visado norteamericano, el cubano debe presentar en la Sección de Intereses, además de su pasaporte, un certificado policial extendido por las autoridades cubanas, así como datos sobre su actividad laboral.

Los que solicitan visado por motivos políticos, deben sufrir además una entrevista personal. Cinco funcionarios del Servicio de Emigración y Naturalización viajan desde Miami a La Habana, cada dos o tres meses, y mantienen una larga conversación con el cubano teóricamente perseguido por sus ideas políticas.

—Los documentos ayudan, pero no deciden. Decide la entrevista —apunta Evans.

Evans por supuesto rechazó la acusación cubana: "La política migratoria norteamericana hacia Cuba se usa como un instrumento de la hostilidad estadounidense, cuyo propósito final es el derrocamiento del Gobierno cubano" (38).

Un libro, *El Gobierno de Estados Unidos contra Cuba,* editado por La Habana, en el que se recogen las agresiones sufridas por la isla, añade:

—Estados Unidos pretende que aquellas personas que en Cuba desean emigrar por razones muchas veces económicas o por reunificación familiar, se vean imposibilitadas de hacerlo y se queden irritadas y descontentas dentro del país, para estimular de esa manera que se conviertan en una posible fuerza antigubernamental en Cuba.

Datos oficiales del Gobierno cubano revelan que aunque Cuba autorizó en 1990 la salida de 62.117 cubanos, los Estados Unidos sólo concedieron 4.018 visados. Ese mismo año, llegaron por vía marítima ilegalmente a las costas de Florida 467 cubanos. Otros 14.674 cubanos que se encontraban temporalmente en Estados Unidos rehusaron regresar. En total, 15.141 ciudadanos de Cuba "fueron aceptados por las autoridades estadounidenses a pesar de no haber sido procesados y desconocerse si cumplían los requisitos del acuerdo migratorio".

Cuba siempre acusó a los Estados Unidos de fomentar la fuga de cubanos y no le falta cierta razón. He visto en Miami cómo los llamados "balseros", jóvenes que llegan en balsas caseras arriesgando sus vidas, son recibidos con los brazos abiertos y entrevistas en los periódicos, en la radio y la televisión.

También he visto en la misma Miami cómo se expulsa a puntapiés a los emigrantes ilegales haitianos, especialmente tras el golpe que derrocó a Jean Bertrand Aristide.

Y también he visto cómo la Border Patrol (patrulla fronteriza) de los Estados Unidos detiene, golpea y hasta dispara y mata a los espaldas mojadas mexicanos cuando intentan cruzar Río Grande.

Ningún otro emigrante goza de los privilegios que tiene un cubano cuando llega a Miami por la vía que sea —si es ilegal mejor—. El Acta de Reajuste Cubano de 1966 concede a todos los cubanos que llegan a Estados Unidos el estatuto de refugiado político.

Un cubano-americano, Jaime Suchlicki, partidario del bloqueo, profesor en la Universidad de Miami y estudioso de los temas cubanos, ha escrito:

—Desde que Miami se convirtió en el destino de la mayoría de los refugiados, fueron concedidos subsidios federales especiales para la salud y la educación de los niños cubanos a través del Sistema Escolar Local (39).

Son muchos los diplomáticos que residen en La Habana que coinciden con el Gobierno cubano en ese tema: Estados Unidos, al tiempo que aprieta el cerco comercial, cierra sus puertas a los que quieren emigrar legalmente —no va a expulsar a los que llegan en balsas, medio muertos, a sus costas del sur de la Florida—. El bloqueo humano es una realidad.

Porque lo que Estados Unidos espera es que Cuba, la Cuba Roja de Fidel, estalle en mil pedazos. Y pronto.

En eso confía al menos el presidente George Bush.

—Fidel Castro caerá por su propio peso. Caerá porque no puede nadar contra la corriente de la libertad y la democracia.

La frase está recogida de unas declaraciones a la cadena televisiva CBS, pero Bush la repitió incansablemente desde que entró en campaña electoral a finales de 1991.

Vestido con una impecable guayabera blanca, el pelo a juego, y con algún kilo de más, Raúl Roa Kouri ha dedicado a la diplomacia treinta y dos de sus cincuenta y cinco años. Hijo del famoso ministro de Relaciones Exteriores de Cuba, Raúl Roa García, Roa hijo iba para periodista, pero la Revolución lo empujó a la diplomacia. Conversé con Raúl Roa Kouri, viceministro de Relaciones Exteriores en noviembre del 91 y le pedí una opinión sobre el George Bush adivino:

—¿Le queda tan poco tiempo a Castro como piensa Bush?

Sonríe Roa:

—Bush, al igual que sus antecesores, tiene una información errónea de nuestro país. Fue jefe de la CIA y es quien más estupideces dice y quien más profecías incumplidas ha vaticinado respecto a nuestro país. La CIA es una organización que le cuesta mucho dinero a los contribuyentes norteamericanos, pero que se equivoca siempre en lo que respecta a Cuba: dijeron cuando la invasión de Playa Girón que el pueblo cubano se sumaría a los mercenarios; después, no sé cuántas veces han dicho que caería Fidel...

Raúl Roa recuerda los meses iniciales de 1990. A la cancillería cubana acudieron más de 200 periodistas extranjeros para acreditarse. Yo entre ellos.

—Todos esos periodistas venían porque pensaban que esto se caía en días. Pero se marcharon y esto sigue. Ni se cae ni se va a caer.

Pero los Estados Unidos, mantiene Roa, "están muy ilusionados" porque el comunismo soviético y del Este de Europa ha sido barrido. Además, los norteamericanos creen que el régimen está al borde del colapso por lo que los cubanos han bautizado como "el doble bloqueo", que no es otro que "el bloqueo involuntario a que nos somete la ex Unión Soviética, por el caos que hoy existe en aquel país y las dificultades que tienen para cumplir sus compromisos".

Roa cita, como tantos otros cubanos, a José Martí:

—Martí creía en el derecho a hablar y pensar sin hipocresía y los cubanos, con nuestra Revolución, nos hemos ganado ese derecho. Hoy podemos decirle a las claras a los Estados Unidos lo que pensamos de su sistema. Hoy somos más independientes que nunca. No dependemos de nadie.

—Pero esa independencia ¿no es en realidad un aislamiento cada día mayor?

Sonríe Roa de nuevo. Sorbe un poco de café de las minúsculas tazas a las que tan aficionados son los cubanos:

—No, aislamiento no. En 1959, antes del triunfo de la Revolución, Cuba mantenía relaciones diplomáticas con un reducido grupo de países de América Latina, con Japón, Taiwán y pare usted de contar. Hoy mantenemos relaciones con más de cien países.

Pero no con Estados Unidos.

Bush condiciona el restablecimiento de las relaciones con Cuba a la existencia de una democracia del tipo occidental en la isla. Cuando en junio de 1991 dirigió un mensaje a los cubanos de Miami en el que exponía esa teoría, así como la del respeto a los Derechos Humanos en la isla, condiciones indispensables para la vuelta a la normalidad entre ambos países, el órgano del Partido Comunista de Cuba (PCC) saltó como una fiera herida y escribió una página que no tiene desperdicios... ni escatima adjetivos.

—¿Qué extraño mandato divino posee el presidente ñorteame-
ricano en virtud del cual se permite condicionar las relaciones con
Cuba; qué complejo de pueblo elegido le hace creer que puede
dictar requisitos a los cubanos?

El periódico *Granma* recordaba que mientras exige condiciones a Cuba para el restablecimiento de esas relaciones, "está por
verse el primer caso en que Estados Unidos condicione el mantenimiento de vínculos diplomáticos normales al desmantelamiento
del *apartheid*, a la devolución de los territorios ocupados por Israel
o la abolición de la monarquía saudita".

Al auditorio de Miami, *Granma* le dedicaba esta parrafada:

—Miami, tradicional guarida de la contrarrevolución, sede de
los centros de sabotaje y subversión contra Cuba, refugio de esbirros, traidores y criminales, cuando no de fantoches, de ninguna
manera pudiera ser escogido como escenario para un pronunciamiento constructivo (40).

Mucho se ha especulado sobre el momento en que Fidel Castro
inició su distanciamiento de Washington o viceversa: el instante en
que los Estados Unidos dieron por perdido a Castro. No son pocos
por otra parte los que acusaron al presidente Eisenhower de blandura frente al guerrillero barbado que amenazaba en 1958 con derribar a un firme aliado de los Estados Unidos, Fulgencio Batista.

Es en ese año de 1958, a pocos meses del triunfo revolucionario, cuando el Departamento de Estado hace pública una nota, indirectamente dirigida a Fidel, en la que anuncia la posibilidad de
intervenir militarmente en apoyo de Batista.

Fidel replicó desde la Sierra Maestra, el 25 de octubre de 1958:

—Bueno es advertir que Cuba es un país libre y soberano; deseamos mantener con los Estados Unidos las mejores relaciones
de amistad... Pero si el Departamento de Estado incurre en el
error injustificable de llevar a su país a un acto de agresión contra
nuestra soberanía, la sabremos defender dignamente (41).

Unos meses antes, el 5 de junio, un humilde bohío perteneciente a Mario Sariol, un campesino de la Sierra Maestra colaborador de la guerrilla, fue bombardeado. Sariol recogió, cuando el
fuego se extinguió, entre los escombros de su casa, unos trozos de
metralla que llevó al campamento de Castro. Algunos de ellos tenían grabada la inscripción USAF (United States Air Force, o
Fuerza Aérea de los Estados Unidos).

Fidel, indignado, exclamó:

—¡Esto lo van a pagar bien caro los americanos!

Para muchos historiadores, en ese momento Fidel juró vengarse del gigante del norte. Una carta a Celia Sánchez, su principal
confidente y colaboradora en esa época, escrita momentos después de este incidente, así lo revela:

—Al ver los cohetes que tiraron en casa de Mario, me he jurado que los americanos van a pagar bien caro lo que están haciendo. Cuando esta guerra se acabe, empezará para mí una guerra mucho más larga y grande: la guerra que voy a echar contra ellos, Me doy cuenta que ése va a ser mi destino verdadero (42).

Para que los yanquis no olviden esas palabras de Fidel, frente al edificio de la Sección de Intereses de los Estados Unidos en La Habana, en el bello malecón, hay desde hace años un enorme letrero que en las noches se ilumina eléctricamente con esta leyenda:

—¡Señores imperialistas: no les tenemos absolutamente ningún miedo!

Mi memoria retrocede al Palacio de la Revolución. Noviembre de 1991. Ya pasada la media noche, Fidel contesta a una de mis preguntas sobre el odio y la presión norteamericanos hacia su persona y su régimen. Me dice:

—Los Estados Unidos han entablado con Cuba una lucha a muerte. La quieren borrar del mapa. Mas nosotros preferimos ver nuestros huesos fertilizando la tierra a que este país sea un nuevo Miami.

El viaje ha terminado. Recuerdo al poner el punto y final a este libro otro cartel que leí allá en Caimanera, donde comencé mi largo camino sobre la historia de Cuba:

—¡Aquí no se rinde nadie!

Esto es Cuba. La estrella roja solitaria del Caribe.

NOTAS

(1)   *Granma Internacional,* 10 de noviembre de 1991, La Habana.
(2)   *Bohemia,* 27 de diciembre de 1991, La Habana.
(3)   Juan G. Tokatlian: *Cuba-Estados Unidos: dos enfoques.* Cerec Grupo Editor Latinoamericano. Bogotá, 1984.
(4)   *Bohemia,* 27 de diciembre de 1991, La Habana.
(5)   Gilberto Toste Ballart: *Guantánamo: USA al desnudo.* Editora Política. La Habana, 1990.
(6)   Nicanor León Cotayo: *Sitiada la esperanza.* Editora Política. La Habana, 1992.
(7)   Gilberto Toste Ballart: *Guantánamo: USA al desnudo.* Editora Política. La Habana, 1990.
(8)   Gilberto Toste Ballart: *Guantánamo: USA al desnudo.* Editora Política. La Habana, 1990.
(9)   *Granma Internacional,* 10 de noviembre de 1991, La Habana.
(10) *Granma Internacional,* 25 de mayo de 1990, La Habana.
(11) *Granma Internacional,* 25 de mayo de 1990, La Habana.
(12) *El Día,* 6 de mayo de 1992, México D. F.
(13) *El Gobierno de los Estados Unidos contra Cuba.* Ediciones Entorno. La Habana, 1992.

(14)   *Cuba Internacional*, junio de 1992, La Habana.

(15)   *Granma, 3* de abril de 1992, La Habana.

(16)   *Tele Crack. Dossier de una agresión*. Editorial José Martí. La Habana, 1990.

(17)   *Bohemia*, 1 de agosto de 1992, La Habana.

(18)   Juan G. Tokatlian: *Cuba y Estados Unidos: dos enfoques*. Cerec Grupo Editor Latinoamericano. Bogotá, 1984.

(19)   *Newsweek*, 29 de junio de 1992, Nueva York.

(20)   Nicanor León Cotayo: *Sitiada la esperanza*. Editora Política. La Habana, 1992.

(21)   Nicanor León Cotayo: *Sitiada la esperanza*. Editora Política. La Habana, 1992.

(22)   Nicanor León Cotayo: *Sitiada la esperanza*. Editora Política. La Habana, 1992.

(23)   *La Jornada*, 13 de enero de 1992, México D. F.

(24)   *La Jornada*, 5 de junio de 1992, México D. F.

(25)   *La Jornada*, 5 de junio de 1992. México D. F.

(26)   Nicanor León Cotayo: *Sitiada la esperanza*. Editora Política. La Habana, 1992.

(27)   *Granma Internacional*, 21 de junio de 1992, La Habana.

(28)   *La Jornada*, 19 de junio de 1991, México D. F.

(29)   *Excelsior*, 9 de junio de 1992, México D. F.

(30)   *Granma Internacional*, 31 de marzo de 1991, La Habana.

(31)   *El Día*, 1 de septiembre de 1992, México D. F.

(32)   *El Norte*, 8 de junio de 1992, Monterrey.

(33)   *Nexos*, junio de 1992, México D. F.

(34)   *La Jornada*, 26 de marzo de 1992, México D. F.

(35)   *The Miami Herald*, 1 de agosto de 1991, Miami.

(36)   *Cambio 16*, 9 de enero de 1989, Madrid.

(37)   Luis Báez: *Los que se fueron*. Editorial José Martí.

(38)   *El Gobierno de Estados Unidos contra Cuba*. Ediciones Entorno. La Habana, 1992.

(39)   Jaime Suchlicki: *Historical Dictionary of Cuba*. The Scarecrow Press Inc., Metuchen, N.J. & London.

(40)   *Granma Internacional*, 2 de junio de 1991, La Habana.

(41)   Nicanor León Cotayo: *Sitiada la esperanza*. Editora Política. La Habana, 1992.

(42)   Nicanor León Cotayo: *Sitiada la esperanza*. Editora Política. La Habana, 1992.

IRE AIKU LESE ORUNMILA

> Primero fui el notario
> polvoriento y sin prisa,
> que inventó el inventario.
> **Nicolás Guillén**
> (*Avisos, mensajes, pregones*)

Ire Aiku Lese Orunmila. La mágica frase no sólo corrió de boca en boca. La Asociación Cultural Yoruba de Cuba repartió una hoja perfectamente impresa con el futuro que los sagrados orishas reservaban al país. Era una señal de los nuevos tiempos: los practicantes de la Regla de Ocha no tenían ya que esconderse. Los casi 300 babalawos se habían reunido en los últimos días de 1992 y sus sagrados caracoles habían hablado:

Ira Aiku Lese Orunmila.

Es decir: La suerte nos viene por la tierra y la mano de Orula.

No era un mal presagio. Si la palabra Oturaniko que definió a 1991 significaba «pérdida de estabilidad», la correspondiente a 1993 dejaba entrever un futuro mejor. La suerte llegaría por la tierra. ¿Habría más comida?

La suerte, además, llegaría de la mano de Orula, nombre con el que también se conoce a Orunmila, el orisha Ifá, dios santero de la adivinación. Orula es el par sincrético de San Francisco de Asís. La leyenda afirma que protege de la locura.

¿Más comida? ¿Más cordura? ¡Quién podría decirlo!

Regresé a Cuba en agosto de 1993, cuando ya las primeras ediciones de este libro habían salido al mercado. El año había comenzado convulso e incierto. La desgracia se abatía sobre la isla: a la brutal escasez de petróleo, con la consiguiente paralización de fábricas y empresas, se sumaron catástrofes naturales y epidemias masivas.

La llamada tormenta del siglo destrozaba ocho provincias y dejaba unas pérdidas de mil millones de dólares. Cincuenta mil personas se veían afectadas por una epidemia de neuritis óptica. La zafra retrocedía a los niveles de 1963.

A partir de agosto, el Gobierno comenzó a tomar una serie de drásticas medidas: despenalizó la posesión de divisas, autorizó el trabajo por cuenta propia y arrendó tierras a los campesinos.

¿El comienzo del fin o una inteligente puesta al día de los principios revolucionarios para salvar las conquistas del socialismo?

Tengo la sensación de estar comiendo un trozo de suela de zapato. Me han invitado a cenar en mi primera noche en La Habana, el domingo 29 de agosto. Celia se ha esmerado lo indecible. En el centro de la mesa, cuidadosamente ordenada, hay una gran fuente con suculentas tajadas de carne. Miro a mis anfitriones, Celia y Ernesto. No puedo resistir la curiosidad:

—¿De dónde sacaron esta pierna de cordero? —interrogo.

Celia mira a Ernesto. Los dos sonríen:

La cambié por un par de zapatos nuevos —dice, entre pícara, cohibida y triste, mi anfitriona.

La cena me sentó mal. Durante toda la noche tengo la sensación de que estoy comiendo un trocito de suela, un cachito de tacón.

El trueque sigue. Aunque el dólar, bautizado en Cuba como el «guasintón», el «verdolaga» y el «fula», circula ya libremente en los bolsillos de los cubanos. También le llaman Élleguá, que es el orisha de los caminos: el dólar abre toda las puertas. Pero quien no tiene dólares sigue comerciando de la forma más antigua del mundo: cambia zapatos por comida.

Mi primer día en La Habana está lleno de extrañas sensaciones. A la salida del aeropuerto José Martí me abofetea una valla enorme, de más de 20 metros de larga. Sobre un intenso fondo verde se lee: United Colors of Benetton. El midas de la moda italiana —uno de los signos más llamativos del capitalismo— es quien primero saluda a los que llegan a esta Cuba roja.

La valla publicitaria de Benetton no es la única que me sorprende en esta Habana atiborrada de bicicletas y gentes que piden «botella» a los pocos automóviles que circulan por sus calles. Las viejas consignas revolucionarias, los rostros de los viejos líderes han sido sustituidos. «Floridita: la cuna del daiquiri», se lee camino de las playas del Este. Antes se leía «Seremos como él», en referencia al mítico «Che».

Antes de salir del hotel, camino de mi filete de suela de zapato, me proponen comprar una casa por 7.000 dólares. Pido un mojito en el bar.

Recorro con la mirada las mesas atestadas de cubanos. Andan tomando tragos que ya pueden pagar en dólares sin necesidad de que ningún extranjero los invite. Treinta y dos años después, la posesión y uso de dólares es legal. El artículo 235 del Código Penal incluía desde 1961 condenas de varios años por tener un pequeño puñado de dólares.

Una pareja está junto a la barra, a sólo medio metro de un televisor.

—Chico, se sientan ahí y se quedan embobados horas y horas —me dice el camarero.

Lo último en La Habana si se tiene un par de «fulas» es tomarse un traguito mientras se ven los *videoclips* de More Music, un canal que se capta mediante antena parabólica. Aparece la cubana exiliada Gloria Stefan cantando *Mi tierra* y la barra se estremece. Mueve la cintura, Iné.

Tomo un trago en la siempre bulliciosa barra circular del Habana Libre que ha cambiado de nombre, ahora es Guitart Habana Libre. El mítico Hotel Hilton que fue nacionalizado y sirvió de cuartel general a los barbudos de Sierra Maestra cuando entraron triunfantes en la capital es administrado ahora por una empresa catalana. Junto a la entrada principal han instalado una enorme máquina frigorífica con Coca-Cola y cerveza. A dólar la lata.

Benetton. Guitart. Coca-Cola. Dólares. Los signos de los tiempos que se avecinan. ¿Un exótico cóctel de capitalismo y socialismo sabor tropical?

Enfilo el malecón al anochecer en busca de mi filete de suela de zapato. Frente al Hotel Riviera, sentados en la muralla bañada por el mar, docenas de jóvenes de ambos sexos charlan, juegan, se besan. Algunas chicas embutidas en coloristas *lycras* —prendas sintéticas que se pegan al cuerpo como una segunda piel— dan un golpe de cadera pidiendo «botella» en cuanto detectan un coche de alquiler.

Carne joven para turistas desesperados.

Algunos lo pagarán caro. Un alto funcionario del régimen me dirá que en el plazo de una semana tres cincuentones españoles han sido desplumados cuando estaban a punto de entrar en el cielo con una mulata en sus brazos. Otros empresarios han sido asaltados nada más salir del aeropuerto José Martí con su coche recién alquilado y los bolsillos llenos de «fulas» y tarjetas de crédito. A la luz del día.

Ernesto se deprime, y yo también, ante el alarmante crecimiento de la prostitución. Son prostitutas «estrictamente voluntarias» y

de «alto nivel escolar». Recuerdo las palabras de Fidel en el IV
Congreso de los jóvenes comunistas, en abril del 92. Un par de
días después me dice el nuevo primer secretario de la UJC, Juan
Continuo:

—Igual que los actos delictivos y de vandalismo, el jineteo es
una actividad muy repudiada por la población.

Continuo es un tipo alto, fuerte, de 52 años, que ha sustituido
al carismático Robertico Robaina, ascendido a ministro de Relaciones Exteriores.

La situación a todos los niveles es cada día más desesperada. El
desmerengamiento del bloque socialista europeo, como lo llama
Castro, Unión Soviética incluida, obligó al país a subsistir con menos de la cuarta parte de lo que adquiría en 1989. Si en aquel año
Cuba importaba productos por un total de 8.139 millones de dólares, el pasado año esta cifra se reducía a 2.236 millones. El presente año, los cubanos sólo dispondrán de 1.719 millones.

La mala fortuna se cebaba también con la pequeña isla caribeña. El 13 de marzo, el Caribe se rebeló. Ocho provincias, además
de la capital, fueron barridas por una fortísima lluvia que destrozó
casas y campos. Cinco muertos, cien heridos, 150.000 damnifica-
dos, 40.000 viviendas destruidas y mil millones de dólares en pérdidas. Más de la mitad de todo el dinero que este año tiene el Gobierno para importar bienes.

La cosecha de azúcar, popularmente conocida como zafra,
cuya mayor intensidad se concentra entre los meses de enero a
abril, bajaba a límites históricos: 4.280.000 toneladas. Igual que 30
años atrás, en 1963.

Comparada con la zafra del año anterior, 2.750.000 toneladas
menos. Un Fidel Castro desolado decía el 26 de julio en su Santiago natal, malcelebrando el XXX aniversario del asalto al Moncada, que «este año tenemos en azúcar, solamente en azúcar, 450 millones de dólares menos». Han faltado repuestos para la maquinaria, lubricante, neumáticos, fertilizantes.

Las cosechas de tabaco y plátano sufrieron considerables mermas. El precio del sulfuro de níquel —Cuba es uno de los grandes
productores mundiales— bajó en 2.000 dólares la tonelada. La tonelada de camarón cayó en 1.600 dólares. La langosta, otros 500
millones.

La escasez de petróleo paralizaba la isla, que pasaba de consumir 13 millones de toneladas en 1989 a poco más de 4 en 1993.
Docenas de fábricas eran cerradas. Otras trabajaban a medio gas.
Miles de trabajadores eran enviados a sus casas con el 60 por ciento del salario. O incorporados a la agricultura.

Sin embargo, las calles de La Habana están bulliciosas y a las
puertas de las diplotiendas se forman largas colas de cubanos con
dólares frescos. Junto a la máquina de Coca-Cola instalada a la

puerta del Habana Libre hay un policía nacional. Observa cómo docenas de chicos introducen un dólar y se llevan una lata de cola o de cerveza. Le pregunto que de dónde sacan esa plata.

—Compañero: hay dólares bien habidos y mal habidos.

Me coloca el dedo índice sobre el pecho, simulando que es el cañón de una pistola y añade:

—Estos son los mal habidos, ¿entiende?

Días después escucho en Radio Rebelde la misma frase:

—... violencia, intimidación en las personas y receptación de bienes mal habidos...

La radio informa el 7 de septiembre sobre la condena impuesta a Manuel Sánchez y Adrián Collazo por robar bicicletas, una de ellas a golpe de pistola: 15 años de cárcel.

Estos días, la población está sobrecogida por el caso de la Ruta 84. El 2 de agosto, a las 2 de la madrugada, un grupo de jóvenes asaltó la guagua (bus) de la Ruta 84, atraparon a un chico de 22 años, le dieron una soberana paliza, lo quitaron la ropa y lo obligaron a bajar de la guagua. Repitieron la hazaña con otro chaval de 17 años. Al arrojarlo del autobús en marcha sufrió un traumatismo cerebral que le provocó la muerte.

Visito al vicepresidente del Consejo de Ministros, José Ramón Fernández, uno de los históricos de la Revolución. Comenta que los hechos delictivos, «no por ser aislados dejan de ser preocupantes». La dirigencia del país ha mantenido en los últimos días reuniones para analizar la situación», «intolerable para nosotros».

En los días que permanezco en La Habana, tanto en entrevistas con dirigentes, como en los medios de difusión, la radio básicamente, escucho la misma explicación: La Policía cubana era excesivamente blanda con este tipo de delitos; los jueces, poco severos. Se impone la mano dura.

Una mañana un irritado locutor de Radio Rebelde me saca del sopor cuando grita al referirse a los asesinos de la Ruta 84.

—¡A las alimañaaaas, aplastarlaassss! —y arrastra las aes y las eses para darle más vigor a la frase.

El ministro de Educación, Luis Ignacio Gómez, ha hablado de utilizar el «puño duro» de los revolucionarios contra los delincuentes.

Gustavo Arcos, secretario general del Comité Cubano Pro Derechos Humanos y uno de los disidentes más conocidos en el exterior, está preocupado por la frase que le ha escuchado al general Sixto Batista, coordinador nacional de los Comités de Defensa de la Revolución (CDR):

—Batista dijo en la televisión, yo lo oí, que a los delincuentes hay que romperles la cabeza.

El segundo de Batista, Vicente Pineda Vasallo, me confiesa en su despacho, «el pueblo no se dejará doblegar por el crimen o el bicho buey». Curiosa palabra: bicho buey, nombre con el que se conocía a la porra que utilizaba la guardia de los dictadores Machado y Batista.

Pineda afirma que es la hora de que los cederistas tengan sus ojos y oídos más prestos que nunca para salvar, como siempre, la Revolución. Pero «ahora, con los apagones, hay que fortalecer la guardia y cuidar más el picadillo (carne picada) de la tienda». La gente asalta para robar ropa y comida.

Pregunto al vicepresidente Fernández si con tanto llamamiento a combatir a mamporrazo limpio a los ladrones no se corre el riesgo de que se produzcan altercados serios.

—No, porque estos grupúsculos no obedecen a ninguna plataforma política. Sencillamente cometen actos vandálicos. Son gente desclasada que lo mismo asaltan para robar ropa que destruyen un almacén del Estado.

Al gallego Fernández no le consta que haya una relación entre delincuentes y disidentes. Pero sí que las emisoras anticastristas de la Florida estimulan los robos y asaltos a establecimientos públicos.

Granma denuncia que las emisoras anticastristas han difundido rumores sobre «falsos disturbios en distintas regiones del país», que han querido presentarlos como pruebas de «una rebelión popular generalizada».

Elizardo Sánchez Santa Cruz, presidente de la Comisión Cubana de Derechos Humanos y Reconciliación Nacional, acaba de regresar de un viaje de 57 días por distintos países europeos, más los Estados Unidos.

El conocido disidente califica los incidentes como una «pequeña intifada». El Gobierno, dice, «se vio sorprendido por la magnitud del descontento». En el mes de agosto, con apagones de hasta 16 horas en diversos barrios de la capital, grupos de personas lanzaron piedras y botellas rellenas de arena contra autobuses, automóviles privados y establecimientos públicos.

No sólo hubo piedras en agosto. La escalera de un bloque de viviendas populares cercana a la Plaza de la Revolución, donde se encuentra el corazón del poder cubano, con el palacio, la sede del Comité Central y de la presidencia del Gobierno, amaneció un buen día de agosto con pintadas de "abajo Fidel". Lo mismo sucedió en otras muchas casas y paredes.

Una vecina me dijo:

—En otra ocasión, las pintadas hubieran sido borradas en la madrugada. Los vecinos habrían mostrado su indignación. Pero esta vez duraron casi hasta el mediodía. Y nadie dijo nada. Ni un comentario.

¿Cansancio? ¿Descontento? ¿Desánimo?

Para el vicecoordinador de los CDR, Pineda, simplemente hay

gente que «se atemoriza o se le aflojan las piernas». Pero, sostiene, no se puede hablar de relajo o desánimo generalizado.

El régimen se ha inyectado una fuerte dosis de moral a comienzos de año. El 24 de febrero, el 98 por ciento de la población en edad de votar acudió a las urnas. Por vez primera desde el triunfo revolucionario se designaban mediante voto directo y secreto los diputados nacionales y provinciales.

El rostro de la Asamblea Nacional cambió radicalmente: de los 589 diputados, el 84 por ciento eran caras nuevas. Incluido su presidente, Ricardo Alarcón de Quesada, quien ocupaba el cargo de ministro de Relaciones Exteriores desde junio del año anterior.

Le pregunto a Alarcón, meses después, si cree que la Asamblea es ahora más democrática. El nuevo presidente, un hombre de prestigio dentro y fuera de la isla, hace un repaso del concepto democracia desde los clásicos griegos a los franceses.

—Platón y Rousseau dijeron claramente: el problema es que el sistema representativo pueda tener un carácter democrático allí donde unos pocos tienen mucho y unos muchos carecen de todo.

Para el flamante presidente de la Asamblea, a la que le ha infundido nuevos aires creando comisiones que recorren el país recogiendo las opiniones de la base, quizás porque en lo fundamental Cuba abolió las desigualdades, «seamos más democráticos».

Al disidente Arcos, lógicamente, este argumento no le convence. Califica las elecciones de pasos tímidos y confía en que se dé una salida civilizada al conflicto: que «alguien de entre ellos mismos (el Gobierno de Castro) sustituya a la figura histórica".

Comento con Arcos los recientes cambios económicos.

—El régimen se ha visto obligado a la dolarización. Ya estamos en el umbral de la libertad. Pero quiero controlar mi deseo de despertarme y escuchar que Fidel ha dimitido, que se ha marchado...

En Miami se exhibe una obra teatral con el título *En los 90, Fidel revienta*, mientras que en los bares se ha cambiado la manida frase de «estas Navidades en La Habana» por la de «primero la dolarización y después el reventón».

El día que Fidel firmó el decreto de despenalización la posesión de divisas cumplía 67 años. Era el 13 de agosto. No fue una medida que le gustara, ni mucho menos.

La despenalización llevaba aparejada otras medidas que iban a cambiar radicalmente la imagen externa del régimen; además de la posesión de dólares, los cubanos podrían recibir dinero de sus familiares del exterior y abrir cuentas corrientes en divisas. Hasta hacía unos pocos años, a un militante del Partido se le expulsaba si mantenía correspondencia con los familiares del exterior.

Para el joven ministro de Relaciones Exteriores, Roberto Robaina, la despenalización era un paso amargo, pero necesario:

—Las consecuencias de la despenalización habrían sido peores si hubiéramos dado la espalda al problema. Es mejor que cuatro o cinco millones de cubanos puedan resolver sus problemas a que no los pueda resolver nadie.

Fidel comenta con tristeza estas medidas que se ve forzado a tomar. En Santiago de Cuba dirá el 26 de julio que las remesas de dinero enviadas por los emigrantes son cosa común en todos los países del área: México, los vecinos son dominicanos.

Robaina me dice en su despacho, en donde un canario y un perico ponen la música de fondo:

—¿Qué necesidad tendríamos de estar viviendo de la caridad, como dicen fuera, si los Estados Unidos nos respetaran como país independiente, si nos dejaran tener como todo el mundo unas relaciones comerciales normales, incluida la comunidad cubana de Miami?

Con más amargura quizá, Castro se lamentaba de la caza y captura de inversores extranjeros emprendida por su gobierno:

—¡Quién nos lo iba a decir! Nosotros, tan doctrinarios y tanto que combatimos la inversión de capital extranjero, verla ahora como una necesidad imperiosa...

Lo mismo sucede con las propinas. Dice Fidel: una costumbre universal y contra la cual luchamos nosotros durante mucho tiempo, fue una realidad que al fin y al cabo se impuso.

Y se impuso porque eran ya miles las personas que manejaban dólares. Reconocerlo, decía Fidel, evitaba «un gran trabajo policiaco». Lo mismo que reconocer la existencia de cubanos que trabajaban por su cuenta en las más diversas actividades.

El 8 de septiembre, casi al mismo tiempo en que me encamino hacia el aeropuerto de vuelta a casa, el presidente Fidel Castro estampa su firma en el Decreto Ley número 141. Un decreto histórico que trata «sobre el ejercicio del trabajo por cuenta propia».

El decreto 141 establece las condiciones por las que 117 oficios pueden ser ejercidos por los cubanos, sin otro requisito que darse de alta en el Registro de Contribuyentes y pagar los correspondientes impuestos.

Los trabajos liberados fueron clasificados por grupos: transporte, reparación de viviendas, agricultura, necesidades familiares, el hogar.

La lista hecha pública por la *Gaceta Oficial de la República* el 9 de septiembre especifica todos y cada uno de los oficios liberados. Los hay clásicos: cocheros, electricistas, barberos, bordadoras, fotógrafos, zapateros, cocineros, vendedores de prensa.

Otros abren unas inusitadas expectativas, como: elaborador de productos lácteos, productor de conservas, productor y/o vendedor de flores y plantas ornamentales, recolector/vendedor de productos del agro (frutas, etc.), programador de equipos de cómputo (técnico medio), productor de productos ligeros (refrescos, durofríos, que es como llaman al polo, churros, etc.). Cualquiera de estas actividades podría dar lugar de inmediato a la formación de pequeñas empresas, aunque el decreto rechaza terminantemente que el autorizado tenga empleados asalariados. No se dice nada sobre si dos o más personas se unen para, por ejemplo, montar una industria de quesos.

Un tercer grupo de actividades pertenece a la época colonial: forradores de botones; criador, vendedor o entrenador de animales afectivos (¿es un pollo un animal querido por alguien que está hambriento?); afinador y reparador de instrumentos musicales o transportador de carga en bicicleta o triciclo.

Habrá impuestos. Al principio, los trabajadores pagarán una cuota fija mensual que varía según el oficio elegido. Los más humildes, como «reparador de espejuelos» (gafas) o de fosforeras, pagarán 20 pesos al mes. Los que más pagarán serán los «animadores infantiles», como payasos o magos, o los fabricantes de quesos y conservas. Les corresponde una cuota mensual de 50 pesos. Los salarios en Cuba van desde los 100 a los 400 pesos mensuales.

Ningún licenciado universitario, médico, dentista, maestro, profesor, investigador, puede optar por la vía del trabajo individual, ya que, dice el decreto, «deben entregar sus conocimientos a las necesidades del país y en beneficio de toda la sociedad que ha costeado de forma total y gratuita su formación».

Los impuestos no serán progresivos, «por considerarse un procedimiento excesivamente complejo en esta primera fase». Pero en absoluto se descarta su implantación más adelante para gravar más a quien más gana. Los precios de los productos los fijará el mercado.

La espectacular medida se completaba con otra no menos deseada. El 15 de septiembre, el Buró Político del Partido aprobaba la mayor reforma agraria en 30 años. El Estado arrendará enorme extensiones de tierra en manos de las granjas estatales a los campesinos que lo soliciten. Por tiempo ilimitado.

Tras dos reformas agrarias de signo opuesto, en 1959 y 1963, el Estado se incautó la mayor parte de los terrenos agrícolas. Pasó a ser propietario del 74,17 por ciento de las tierras cultivables.

El Estado cederá las tierras a los campesinos para que éstos constituyan «unidades básicas de producción» en forma de cooperativas. Usufructuarán la tierra por tiempo indefinido, serán dueños de la producción, pagarán al Estado los suministros técnicos, podrán manejar cuentas bancarias y pedir créditos para la adquisición de equipos. Los cooperativistas se repartirán los beneficios y pagarán impuestos.

Tendrán una limitación importante: no pueden vender directamente sus productos. Deberán entregarlos al Estado, que se ocupará de la comercialización. Los cubanos confiaban en que aumentará sensiblemente la oferta agrícola.

¿Crecer lo suficiente como para que mi amiga Celia no tenga que cambiar más zapatos por comida?

Cuando finalicé la cena en la casa de Celia y Ernesto, regresé al Victoria. Muchas de las jineteras enfundadas en sus *lycras* coloristas habían desaparecido. Seguro que llenaban las discotecas distribuidas por la ciudad.

Frente a donde estaba el centro nocturno El Gato Tuerto, en la calle O, veo una inusual aglomeración de· gente. Centellean en la noche los focos giratorios de dos coches de la Policía. En el suelo hay un hombre tendido, cubierto con una tela blanca. Un aprendiz de John Brown me dice:

—La guagua atropelló a un hombre de medio tiempo.

Así llaman a las personas que rondan los 50. El infeliz viajaba, como tantos otros miles de cubanos, colgado literalmente de la puerta de la guagua, que iba repleta. Cuando ésta giró en la esquina de la calle 17 para enfilar la O, el hombre de medio tiempo cayó al suelo. Las ruedas traseras del Pegaso destrozaron su cabeza.

Del cercano Hotel Nacional llegaba cadencioso el sonido del Son de la Loma.

Esa primera noche en La Habana apenas si pude conciliar el sueño. Las palabras de Ire Aiku Lese Orunmil daban vueltas en mi cabeza. La suerte nos viene de la tierra. Orula protege de la locura. Castro que firma la autorización del trabajo por cuenta propia el 8 de septiembre, día de la Patrona de Cuba, la Virgen de la Caridad del Cobre. La orisha Oshún, quien gobierna este año junto con Changó. El dólar legal. El dólar al que llaman Elleguá, el dios de los caminos, porque abre todas las puertas.

Definitivamente, Cuba ha iniciado un nuevo camino en el que tres palabras son claves: trabajo, tierra y dólar.

INDICE ONOMASTICO

A

Aber Guerra, Rodolfo, 265
Abí Cobas, Hirám, 341, 346, 380
Abierno Gobín, Rosa María, 98
Abrams, Elliot, 105, 387
Abrantes Fernández, José, 98, 103-105, 146, 148, 221
Acevedo, Rogelio, 50
Acosta, Gustavo, 702
Acosta, Juan José, 297
Acosta Velasco, Ernesto, 214
Acuña Núñez, Vitalo, 138
Afganistán, 204
Africa, 76, 114-115, 197, 245, 265, 556, 580, 606, 613, 779, 785
Agnelli, Fiorenzo, 595
Agramonte, Ignacio, 235
Aguascalientes, 762
Agüero, Cecilia, 603, 612-622, 624, 626, 629, 630-631
Aguilar, Miguel Angel, 455
Aguirre Sarmiento, Norberto, 136, 141
Al Capone, 368

Alamar, 299, 305, 348, 354
Alarcón de Quesada, Ricardo, 154, 238, 773, 774, 781, 859-861, 877
Alayo Antonmarchi, Jorge, 483-485
Albania, 239
Alberti, Rafael, 103, 223, 721
Albornoz Escofet, Odalys, 660-663
Alcalá, Manolo, 792-793
Aldama, Gerardo, 79
Aldana Escalante, Carlos, 16, 31-33, 38-39, 41, 43-47, 50-55, 63, 76, 82-84, 87, 107-108, 123-124, 144, 146, 166, 208, 212, 222, 232-245, 252, 255, 277, 285-292, 295, 297, 298, 301-302, 306, 313, 337-338, 340, 352-354, 403, 409, 412, 439, 476, 508-509, 540-543, 588-590, 600, 652, 720, 740-741, 750, 755, 757, 776-777, 781, 786, 789, 810-811
Aldana Ruiz, Miguel Angel, 740-741, 750, 755
Alejandro Magno, 677
Alemán, Alfonso, 766

Alemania, 294, 523, 567-568, 829, 854, 859
Alfonso García, Yanetsy, 213
Alia, Ramiz, 801
Almeida, Juan, 177, 220
Almeida Pérez, Luis Miguel, 312-313
Alonso, Alicia, 679, 695
Alonso Martínez, Obdulio, 116
Baracoa, serranía de, 564
Alvarez, Paulina, 685
Allende, Salvador, 99, 106, 195
Allés, Agustín, 194, 195
Amaro Potts, José Raúl, 545
Amaro Salup, José Raúl, 541
Amat, Carlos, 528, 530-531
América, 169, 179, 347, 548, 656, 726, 761, 766, 828
América Central, 793
América Latina, 37, 76, 110, 113, 137, 152, 195, 197, 239, 316, 329, 384, 387, 404, 409, 459, 522, 548, 556, 567, 570, 572, 651, 707, 728, 745, 753, 755-756, 759-760, 762, 765, 771-772, 778, 782-783, 785, 804, 859, 867
Andalucía, 726
Anderson, Perry, 396
Andrés, Cecilia, 331
Andújar, Gustavo, 587, 589
Angola, 23, 48, 52, 93, 95-97, 100-102, 107, 114-115, 117, 126, 139-140, 148, 150, 154, 160, 197, 236-237, 245, 249, 297, 316, 382, 513, 520, 553, 643, 700, 785, 817
Aníbal el Cartaginés, 677
Araya, Armando, 296
Arce Valentín, Dora, 600
Arcos Bergnes, Gustavo, 29, 36, 82, 177, 288-290, 292, 295-297, 300-301, 308, 310-311, 318, 325, 333,-340, 343, 375, 378-380, 386, 411, 596, 776, 858, 875, 877
Arcos, Luis, 335
Arcos, Sebastián, 310-311, 335, 337-339

Arenas, Reynaldo, 678
Argelia, 115, 197, 553
Argentina, 316, 502, 643, 723, 756, 763, 862
Argote, María, 173-174
Argüelles Madero, Aníbal, 605
Arias, Inocencio, 742, 774
Arias Mato, Jerónimo, 513
Arias, Oscar, 196
Arija, José Manuel, 191
Aristide, Jean Bertrand, 763, 835, 866
Arizona, 563
Arkansas, 834, 852
Armauer Hansen, Gerhard, 582
Armenia, 784, 794
Aronson, Bernard, 808
Artemisa, 530
Auserón, Santiago, 685
Austin, Hudson, 830
Austria, 550
Ayén Sargen, Yolanda, 137
Azoy Quintana, Gilda Glenda, 152

B

Babbit, Harriet, 305
Bacardí y Mazó, Facundo, 726
Báez, Carmen Rosa, 264-265, 267, 269, 565-566
Baéz, Luis, 182, 225, 410
Bagdag, 429
Baguán, 137
Bahamas, 859
Bahamonte, Roberto, 79-80
Bajtin, 704
Baker, James, 804, 806
Balaguer, José Ramón, 233
Balaguer, Néstor E., 303
Baliño, Carlos, 33
Baloyra, Enrique, 288-289, 377, 411, 774, 859
Ballester Parra, Alfredo, 136, 137, 140, 142, 143
Bangladesh, 76, 239

Baracoa, base aérea, 121, 838
Baracoa, 513, 703, 823
Baraguá, 25
Barajuá, 578
Barceló, Julia, 560, 561
Barcelona, 567, 568, 609, 723
Barco, Virgilio, 196
Bariay, bahía de, 670
Barnet, Miguel, 212, 365, 673, 677, 679, 698, 699, 700
Barredo, Lázaro, 712, 713
Barroso, Abelardo, 684, 685
Basabe Cruz, Guillermo Enrique, 533
Batista, Fulgencio, 33, 35, 37, 50, 52, 75, 99, 103, 106, 108, 109, 112-113, 125, 136, 147, 158, 175-176, 178, 183, 218-221, 223, 225, 279, 307, 322-323, 329, 334-335, 342, 365, 372, 375, 511, 557, 559, 578, 592, 595, 665, 680, 705, 708, 711, 726, 749, 809, 830, 845, 858, 863, 868, 876
Batista Santana, Sixto, 160-161, 163-164, 467, 875
Bayamo, 195, 223, 474, 556
Bayamo, cuartel de, 222
Bayo, Alberto, 220
Beach, Moses Y., 824
Becerra Torres, Teresa, 559
Bélgica, 316, 335, 438, 550
Benes, Bernardo, 99, 391, 392
Benin, ciudad, 115, 587
Berlanga, Luis G., 701
Berlin, 440
Bernal Soto, Carlos, 584-585
Betancourt, Ernesto, 204
Betancourt, Juan, 296
Betancuort, Urbelino, 50
Bichó Figueredo, Marta, 622
Birán, 173, 176, 218, 227, 779
Blanco, Amado, 522, 523
Blanco Pegó, Manuel, 427
Blandón, José, 106
Boca Chica (base norteamericana en La Florida), 364

Boccaccio, Giovanni, 683
Bofill, Ricardo, 202-203, 296, 336-337, 343, 378-380, 680
Bogotá, 175
Bolívar Arostegui, Natalia, 586-587, 620-621, 627, 630, 684
Bolívar, Simón, 167, 179, 186, 676-677
Bolivia, 211, 551, 785, 847
Bonaparte, Napoleón, 17, 74, 133, 142, 168, 170, 677
Boniato, cárcel de, 336, 578
Boquerón, 816, 817
Borau, Luis, 701
Borge, Tomás, 74, 118, 167, 185-186, 202, 676-677, 692, 771-772, 812
Borrego, Roberto, 451-452
Bosch, Juan, 829
Bounza, 101
Brasil, 117-118, 141, 168, 316, 455, 487, 501-502, 505, 593, 598, 723, 755, 756
Breckenridge, J. C., 825-826
Breznev, Leónidas, 784
Brokaw, Tom, 792
Brouwer, Leo, 679
Bruselas, 335, 741, 751
Buenos Aires, 388, 727
Buergo, Adriano, 702
Bulgaria, 15, 39, 316, 439, 452, 470, 476, 505, 786, 801, 861
Buñuel, Luis, 701
Bush, George, 16-17, 198, 209, 317-318, 387, 40-402, 439, 594, 712, 804-805, 837, 850, 852, 860, 866-867
Byrne, Bonifacio, 826

C

Caamaño, Francisco, 829
Caballero, Antonio, 18, 190, 862
Cabo Verde, 115
Cabrera Alvarez, Guillermo, 314

Cabrera Infante, Guillermo, 335, 678

Cabrera, Lydia, 606, 608, 678, 684

Cabrisas, Ricardo, 789

Cadaqués, 661

Cádiz, 474, 726

Caibarien, 334

Caimanera, 135, 815-817, 819-820, 869

Calderio, Francisco, 304, 521

Calella de Palafrugell, 742

Calero, Adolfo, 386

Camacho Aguilera, Julio, 52

Camagüey, 109, 118, 195, 234-235, 261, 361, 388-389, 458, 473

Camarioca, puerto de, 383

Camayd, Raúl, 669-670, 673, 679

Camino de Sabana, 517

Campa Huergo, Concepción, 50, 500

Campos, Roberto F., 126

Canadá, 294, 360, 391, 436, 438, 484, 523, 548, 741, 789, 850, 853-854, 862

Canal de Panamá, 198

Cancún, 758, 782, 855

Candebat, Raquel, 795

Cano, Leonardo, 368-369, 384-385

Capote, Reynaldo 510

Caracas, 167, 289, 414, 727

Carchenilla, Angel, 191,

Cardenas, municipio de, 286, 393

Caribe, el, 48, 76, 83, 179, 193, 223, 237, 409, 431, 464, 548, 578, 580, 615, 634, 689, 730, 758-760, 804, 846, 849, 854, 869, 874

Caribe, mar, 118, 119, 436, 834

Carlos III, 214

Carneado, José Felipe, 591-593, 629-630

Carpentier, Alejo, 682, 684

Cartagena de Indias (Colombia), 409, 763-764, 775, 778

Carter, Jimmy, 287, 392, 840

Carvajal, Oswaldo, 474

Casares, Julio, 680

Casas Regueiro, Julio, 221

Casas Regueiro, Senén, 221

Casin, Roberto, 710, 711

Castelar, Emilio, 194

Castellano, Jesús, 600

Castillo de los Tres Santos Reyes Magos del Morro, 209, 256, 329, 417, 653, 732, 826

Castillo de San Carlos de la Cabaña, 209, 211, 215, 231

Castro Argiz, Angel, 173-174, 176, 178, 218-219, 227, 718, 721, 729, 769, 779, 810

Castro Argote, Lidia, 173-174

Castro Argote, Pedro Emilio, 173

Castro Díaz-Balart, Fidel (hijo del comandante), 779, 809

Castro Ruz, Agustina, 174

Castro Ruz, Angela, 174

Castro Ruz, Enma, 174

Castro Ruz, Fidel:

    Abrantes Fernández, José, 104-105

    Aldana, Carlos, 237-239

    Alimentación, 429, 433-434

    América Latina, 759-761, 763-766, 769, 782

    Angola, 117

    Baile, 695-696

    Castro, Raúl, 154, 207-208, 211, 215-216, 220, 226-231, 558

    "Che" Guevara, Ernesto, 114

    De la Guardia, hermanos, 98-99, 103

    Delincuencia, 526, 528, 530, 546

    Democracia, 74-75, 762, 778

    Derechos Humanos, 315, 320, 324, 328

    Deporte. 224, 568-571

    Dictador, 18, 53, 86-89

    Disidencia, 262-263, 293-294, 298, 306, 309-310, 337-338, 344, 347, 349, 350, 352, 876-877

    Drogas, 101, 106

    Economía (investigación, medi-

cina, agricultura), 25, 488, 499-
504, 507-508, 510, 515-516, 522,
788, 830, 874, 877-878, 880
Educación, 556, 558-559, 562,
566-567, 682
Elecciones, 24, 77, 83, 219, 265,
267, 290
Ejército, Defensa, Policía, 119-
120, 133, 145-147, 149-150, 153,
158-159, 162, 217, 222
España, 741, 743-745, 750-751,
753-754, 772-773
Estados Unidos, 199-200, 259,
393, 726, 752, 804, 817, 821,
833-836, 840-844, 846-847, 850-
854, 856-858, 860, 862, 864, 866-
869
Exilio, 100, 359, 363, 365, 367,
370-375, 379, 381, 386, 388-392,
394-397, 399-405, 408-411, 413-
414, 416-417, 420, 767, 863
Familia, 174-179, 181, 218, 718-
719, 721, 779, 810
Feminismo, 635, 644, 650
Fraga Iribarne, Manuel, 730,
732-734, 770-771
González, Felipe, 354, 723-724,
728-729, 736, 755-758, 768, 780
Historia, 24, 142, 168-169
Intelectuales, 671-672, 674-676,
679-680, 686, 704, 714
Jóvenes (UJC, Lage, Robaina),
47-50, 244-247, 249, 251, 254-
258, 261, 266, 268-269, 273, 275
Lector, 67
Liderazgo, 32, 41-42, 46, 54, 61-
62, 65, 84, 107, 204
Martí, José, 34
Marxismo, socialismo, comunis-
mo, revolución, 35, 68-69, 76,
131-132, 193, 203, 677, 775, 855
Movimiento 26 de Julio, 33, 52,
749
Moncada, Cuartel, 29, 124, 296,
322, 329, 334-336, 665, 874
Música, 692

Ochoa, Arnaldo T., 91-94, 96-97,
102, 108
Orador/hablador, 71-72, 192,
194
Partido Comunista, 22-23, 26,
28, 34, 36, 39
Período Especial, 428, 430, 442,
456, 458, 461, 471-472, 476, 481
Personalidad, 166-167, 170-173,
182, 184-191, 195-198, 224-225,
279
Petróleo, 480, 506
Playa Girón, 110, 212, 366, 591
Prensa, 587, 705, 707-708, 712-
713
Prostitución, 260, 278, 874
Religión, 584-585, 588, 590, 593-
594, 596, 598-600
Residencia/domicilio, 37-38,
183
Sanidad, 549-551, 555
Santería, 626-628
Sierra Maestra y triunfo, 109,
112-113, 125, 221, 223, 234, 287
Turismo, 485-486, 489-491
URSS, ex, 25, 202, 243, 248, 439,
478-479, 523, 783-787, 790-799,
802-803, 806-809, 811-813
Varios, 14, 17, 37, 56, 73, 116,
232, 307, 592, 822, 874
Castro Ruz, Juana, 174, 218, 227
Castro Ruz, Ramón, 174, 202, 218,
396
Castro Ruz, Raúl, 17, 23, 26, 34, 38-
39, 49, 52, 80, 91, 93-94, 96-97,
101-105, 107-117, 121-123, 125-
126, 132-133, 143, 146, 148, 153-
154, 174, 177, 207-232, 235, 238,
245, 249, 251, 254, 256, 267,
294, 298, 330, 403-404, 416, 442,
546, 558, 593, 637, 675, 700,
710, 790, 809, 833
Castro Villar, Manuel, 729
Catoche, cabo, 496
Cayo Hueso, 119, 416
Cayo Piedra, 182, 183

Ceaucescu, Elena, 801
Ceaucescu, Nicolae, 67, 204, 395, 801
Ceballos, 563, 564
Celina, María, 299
Centroamérica, 847
Cernuda, Ramón, 381, 385-386, 858-859
Cervera y Topete, Pascual, 661, 831
Céspedes García-Menocal, Carlos Manuel, 24, 578, 585-588, 592, 597, 630
Cevallos, Rodrigo Borja, 195-196, 197, 721, 755
Ciego de Avila, 81, 85, 118, 151, 266, 268-269, 429, 536, 561, 563-564, 636, 643-644, 646, 665, 706-707
Ciénaga de Zapata, 35, 110, 591, 690
Cienfuegos, 84, 438, 471-472, 474-475, 518, 532, 543-545, 559, 606, 660-661, 663-665, 705
Cienfuegos, bahía de, 832
Cienfuegos, Camilo, 24, 58, 95, 108-109, 129, 151, 158, 183, 195, 211, 220, 225, 260-261, 389, 426, 469
Cienfuegos, Osmany, 278, 789, 855
Cienfuegos (provincia), 118
Cinco Palmas, 109
Cintras Frías, Leopoldo, 50, 102, 221
Cisneros Soto, Gustavo, 122, 838
Ciudad de La Habana, 118, 132, 530-531, 536, 626, 636
Ciudad de México, 114
Ciudad Libertad, 35, 626
Clark, Joe, 853
Clark, Juan, 319-320, 382-383, 384-385
Clinton, Bill, 841, 852, 856
Cochinos, bahía de 110, 158, 199, 212-213, 365, 385, 391, 401, 515,

591, 690, 756, 784, 829, 840, 844, 846 (ver Girón, Playa de)
Colombia, 76, 100, 117, 237, 246, 316, 468, 548, 551, 567, 651, 758, 761, 764, 765, 775, 781-782, 847
Colomé Ibarra, Abelardo (El Furry), 50, 94, 96, 104, 146, 148, 153, 221, 278
Colón, Cristóbal, 417, 489, 670, 726, 771, 823, 826, 831-832
Collazo, Adrián, 875
Collor de Mello, Fernando, 168, 197, 598, 755
Combinado del Este, prisión, 328, 337
Congo, 114, 540
Connecticut, 725, 827
Continuo, Juan, 263, 874
Córdoba, Abel, 512-513
Corea del Norte, 570, 836
Corea del Sur, 74
Corojo, 513
Corrieri, Sergio, 774-775
Costa Rica, 196, 316, 342, 643
Cozumel, isla de, 76-77, 86, 88, 237-239, 246, 758-760, 762, 763, 781-782, 785
Crespo, Moisés, 106
Cristiani, Alfredo, 768
Cristina (infanta de España), 768
Cristo, 72, 588, 607
Crombet, Jaime, 278
Cruz, Soledad, 534
Cruz Varela, María Elena, 14, 242, 288, 290-295, 297-300, 305-306, 310, 333-334, 343, 347-354, 375, 409, 675, 679, 710, 733, 776
Cruz, Celia, 366, 678, 685
Cucala Santana, Bienvenida, 299
Cuenca Martínez, Raúl, 128-131
Cuesta, Tony, 286, 392, 394
Cuitat, Francisco, 110
Curras Valdés, Tania, 499

CH

Chamorro, Violeta, 292, 294, 352-353, 386, 768

Chanes de Armas, Mario, 177, 220, 320-324, 327-328, 359

Charlot, 607

Charón Frometa, Marcos Antonio, 41, 42, 816, 817

Chávez Rodríguez, Ramón, 817, 820

Chavián, Francisco, 297

Checoslovaquia, 296, 301, 316, 470, 739, 750, 754, 785-786, 800, 848

Chernobyl, 553

Chibás, Eduardo, 174, 176

Chile, 74, 99, 106, 195, 199, 307, 316-317, 723, 756, 758

Chimbote, puerto peruano, 548

China, 76, 200, 456, 459, 572, 648, 848

D

D'Alessio, Lupita, 376

Dade, condado de, 369, 390, 394, 396

Dahomey, 605, 608

Darién, selva del, 179

De Armiñán, Jaime, 701

De Beauvoir, Simone, 187

De Cervantes Saavedra, Miguel, 186

De Córdova, José, 166, 224-225, 404

De Hoyos, Juan, 577

De Hoyos, Rodrigo, 577-578

De la Caridad Alvarez Pedroso, Pedro, 286, 338, 394

De la Colina, Lolita, 378

De la Cosa, Juan, 832

De la Cruz Ochoa, Ramón, 528-529, 546

De la Dehesa, Guillermo, 728

De la Guardia Font, Antonio, 97-101, 103, 105, 148, 221

De la Guardia, Patricio, 98-100, 105, 221

De la Luz Sotomayor, Lázaro Manuel, 532

De las Casas, Bartolomé, 426

De Leitao, Virginia, 416

De Melo, Teresa, 674-675

De Orueta, Jorge, 775-776

De Salas, Juan Tomás, 762, 773

De Unamuno, Miguel,

Debray, Regis, 315

Del Olmo, Luis, 455

Del Pino, Rafael, 149-151, 811

Del Pozo, Omar, 301

Del Río, Zaida, 641

Del Valle, Manuel, 376

Delgado Rodríguez, Eduardo, 299

Delice Martínez, Andrés, 431-432, 517

Díaz, Adolfo, 449, 511

Díaz, Aurora, 729

Díaz Balart, Mirta, 175, 179

Díaz Betancourt, Eduardo, 16, 286, 312-313, 338, 393-394

Díaz, Carlos, 697

Díaz Castro, Tania, 296, 301

Díaz, Ernesto, 323

Díaz Iuzurrun, Eduardo, 727

Díaz Izquierdo, Eduardo, 98, 101

Díaz Lanz, Pedro, 722

Díaz Martínez, Manuel, 303, 305, 348, 679

Díaz Rodríguez, Ernesto, 359

Díaz Vázquez, Julio A., 477

Díez, Barbarito, 684

Domingo, Xavier, 288, 290, 776-777

Domínguez, Jorge, 377

Dorticós Torrado, Oswaldo, 671

Dos Santos, José Eduardo, 116

Dostoievski, Fiodor, 186

Doval, Bárbara, 647

Downey, Arthur T., 847

Duani Muñoz, Angel, 136

Dubcek, Alexander, 785

Duero, río, 168

E

Eco, Umberto, 691
Ecuador, 195, 548, 728
Echeverría, Luis, 853
Estados Unidos (EE.UU.), 15, 17-
   18, 23, 27, 31, 33-35, 65-66, 73-
   74, 85, 87, 96, 99, 101, 106, 115-
   116, 118-119, 120-122, 129, 133,
   140, 149, 154, 168-169, 175, 194,
   197-198, 200-201, 210, 224-225,
   227, 229, 230, 236, 239, 240-241,
   246-248, 253, 259, 268-269, 287,
   291-292, 301, 305, 311, 313, 316-
   318, 324, 342, 354, 362-363, 366,
   368-370, 374, 376-378, 381-385,
   387, 391-393, 399, 400, 402, 406,
   412-414, 417-420, 442, 447, 480,
   485, 488, 500-501, 504, 510, 522,
   534, 542, 548-549, 550-551, 557,
   568-569, 572, 593, 598-599, 609,
   616, 636, 649, 656-657, 661, 678,
   695, 705, 710, 713, 722-726, 739,
   741, 752, 754, 756, 759, 761,
   764, 766-767, 769, 773, 778, 782,
   784, 788, 793, 799-800, 802, 804-
   805, 807, 809, 812, 816-818, 820,
   822-835, 837, 839, 840, 842-857,
   859-869, 878
Egipto, 505
Einstein, Albert, 838
Eisenhower, Dwight D., 198-199,
   845-846, 868
El Cacahual, 114, 116-117
El Cobre, 578, 580, 612
El Laguito, 729, 735-736, 791-792
El Picote, 818-819, 821
El Salvador, 317, 427, 723, 744,
   765, 793, 830
Elena (infanta de España), 768
Endara, Guillermo, 198, 757, 830
Engels, Federico, 186, 627, 677,
   718-719, 791, 803
Eritrea, 838
Escalona Reguera, Juan, 77, 100-
   101, 543

Escambray, 515, 683, 690
Escobar Gaviria, Pablo, 97, 100
Escofet Escofet, Nemesio, 661
Escofet, Jorge, 661
España, 24, 34, 75, 78, 89, 170, 194,
   214, 240, 252, 269, 286, 294,
   316, 318, 344, 354, 359, 371,
   399-400, 467, 487, 502, 517, 523,
   534, 550, 567-568, 606, 609, 629,
   643, 660, 679, 684, 686, 691,
   698, 700, 707, 719, 723-727, 729,
   731, 733-735, 737-738, 740-741,
   743, 745-747, 749-750, 752-757,
   762, 766, 773, 775, 777, 779,
   784, 789, 825-826, 828, 831, 842,
   847, 854, 859, 863
Espín, Vilma (Deborah), 34-36, 52-
   53, 73-74, 80, 112-113, 212, 224-
   225, 267, 330, 530, 552, 637,
   643, 650, 675, 809
Espinosa Martín, Ramón, 50
Estévez Soto, Leonel, 98
Estocolmo, 180
Estrada Palma, Tomás, 832
Etiopía, 95-96, 115, 126, 138, 140,
   160, 197, 246, 297, 553, 570,
   785, 792
Europa, 22, 25, 75, 167, 200, 203,
   219, 239-240, 252, 259, 267, 347,
   555, 638, 718, 751-753
Europa del este, 31, 33, 46, 76, 118,
   127, 201, 239, 248, 258, 287,
   299, 308, 324, 328, 371, 389,
   405, 439, 470, 505, 540, 572,
   736, 787, 792, 800, 839, 841,
   857, 861, 867
Europa Occidental, 335
Evans, David, 292, 295, 865

F

Fahd, rey de Arabia, 87
Fears, Stephen, 701
Federación Rusa, 801, 804, 811
Felipe (príncipe de España), 769

Fellini, Federico, 377
Fermoselle, Rafael, 96
Fernán Gómez, Fernando, 701
Fernandez Gondín, Carlos, 50
Fernández, José Ramón, 730, 734, 875-876
Fernández, Joseíto, 684-685
Fernández López, Pedro Rafael, 660, 662
Fernández, Mario, 722
Fernández Ordóñez, Francisco , 313, 728, 741, 744-745, 751, 753-754, 757, 772-773
Fernández Revuelta, Alina, 180-181
Fernández, Rigoberto, 373
Fernández Romero, Israel, 136
Figueroa Laredo, Ricardo, 755
Filipinas, 725
Fitzwater, Marlin, 805
Fiurre, Mónica, 856
Fleitas Posada, Félix, 296
Fletcher, Pascal, 166, 210, 506
Flores, Elena, 774
Flores, Margarita, 638, 644, 650, 651, 653, 654
Florida, La (EE.UU.), 17, 34, 78, 99, 100-101, 118-119, 121, 214, 300, 312, 362, 364-365, 377, 381-382, 389, 392-393, 395, 416, 469, 534, 548, 720, 824, 835-837, 841, 848, 850-851, 854, 865-866
Fonda, Jane, 484
Fonts, Ramón, 568
Ford, John, 700
Fornell, Juan, 212
Fraga Bello, Manuel, 727
Fraga Iribarne, Manuel, 36, 52, 74, 88, 183-184, 187, 189, 631, 718, 726-728, 730-735, 744, 769-771, 806, 850
Francés, cayo, 577-578
Francia, 133, 141, 181, 438, 486, 523, 568
Franco, Francisco, 74, 79, 142, 144, 187, 446, 681, 721-722, 730, 734, 754, 770, 810
Franqui, Carlos, 174, 178, 555, 680
Frayde, Martha, 318-319, 336
Freeman, Joseph, 830
Friedman, Milton, 404
Frometa Matos, Nidia, 512
Fuentes, José Lorenzo, 305, 679
Fujimori, Alberto, 749, 765

G

Gable, Clark, 707
Gadafi, Muamar, 803
Gaitán, Jorge E., 175
Galicia, 173, 187-188, 718, 720, 727, 729, 731-733, 769-771, 780
Garci, José Luis, 701
García, Calixto, 706
García de la Cruz, Andrés, 175
García Delgado, Eduardo, 35
García Fernández, Rigoberto, 221
García Lorca, Federico, 696-697, 726
García Luis, Julio, 168, 707-710
García Márquez, Gabriel, 89, 179, 182, 186-187, 190, 193, 200, 203, 676, 758, 761-762
García Moriarte, Teresa (Teresita), 276-277
García Olivera, Julio, 730
García Santamaría, Alfredo, 180
García Seoane, Antxo, 719, 770
García, Yadira, 50, 267
Gaviria, César, 76, 237, 755, 758, 761, 763-765, 781-782
Gelbarg, Richard, 851
Geyer, Georgie Anne, 174, 177-178
Ghali, Boutros, 860
Ghana, 586
Giancana, Sam, 862
Ginebra, 316-318, 402, 811-812
Giral, Sergio, 701
Girón, playa de, 24, 35, 110, 158,

212, 214, 245, 319, 366, 401, 480, 515, 552, 591, 690, 730, 784, 839 (ver Cochinos, bahía de)

Godoy, Virgilio, 292, 294

Goebbels, Joseph, 680

Golfo de México, 382, 824, 844

Gómez, Andrés, 376

Gómez Barata, Jorge, 362, 364-365, 368, 384-385, 389-390, 596-597, 599, 838

Gómez, José Miguel, 711

Gómez, Luis Ignacio, 875

Gómez, Máximo, 114, 211, 214-216, 244, 286, 365

Gómez, Tito, 684

González Aruca, Francisco, 17, 362, 400, 408, 410, 414-421

González, Felipe, 168-169, 190-191, 344, 354, 721-724, 727-729, 735-736, 749, 753-755, 757-758, 764-765, 767, 769-771, 773, 780

González, Gerardo, 166, 739

González González, Esteban, 296

González Jiménez, Oscar, 703-704

González, Mariela, 137

González Millián, Antonia, 661-662

González, Reynaldo, 607, 628-629, 640

González, Rodolfo, 336, 339

González Suárez, Idalia, 330-331

González, Susana, 636

Gorbachov, Mijail, 16, 67, 79, 96, 243, 301, 312, 437, 439, 480, 674, 783-784, 788, 790-808, 812-813, 833

Gorbachov, Raisa, 783, 790, 792

Graham, Robert, 851-852

Grajales, Mariana, 112, 114

Gran Bretaña, 316, 490, 838

Granada, isla, 204, 418, 726, 820, 824, 828, 830, 834

Granados, Manuel, 305, 679

Granados, Otto, 760, 762, 763

Granma, barco, 24, 58, 104, 106-107, 112, 117, 143, 145, 176, 193, 223, 227, 234, 279, 322, 335

Granma, provincia, 118, 222

Grecia, 74

Greene, Graham, 187

Grimau, Julián, 187, 734

Guadalajara (México), 191, 194, 198, 246, 409, 634, 723-724, 755-758, 765, 773

Guanabacoa, 82, 432, 461-462, 616, 621, 628, 631, 644

Guanajay, 321

Guanes, 321

Guantánamo, bahía de, 816, 818, 831

Guantánamo, base de, 31, 41, 112, 119, 301, 382, 431, 725, 806,-808, 816-818, 821, 823, 827, 831-837, 844, 859

Guantánamo, ciudad de, 42, 136, 140, 518, 664-665, 816, 822

Guantánamo, provincia, 118, 135, 663, 822-823

Guantiguanico, 515

Guatemala, 220, 223, 317, 723, 862

Guayasamín, Oswaldo, 196-197

Guerasimov, Gennady, 798-799

Guernica, 141-142

Guerra, Alfonso, 197, 721, 740

Guerra, Juan, 740

Guerra, Juan Luis, 474, 506

Guevara, Ernesto "Che", 17, 24, 37, 58, 83, 87, 106, 109, 113-114, 129, 138, 147, 158, 181, 195, 203, 207, 211, 220, 223, 225, 247, 256, 260-261, 322, 369, 371, 384, 389, 487, 529, 573, 708, 711, 749, 785, 822, 846, 872

Guillén, Nicolás, 35, 186, 213, 675, 677, 695

Guinea Bissau, 115

Guinea Ecuatorial, 115, 743

Guinnes, Alec, 187

Guira de Melena, 595

Gutiérrez, Marilyn, 694

Gutiérrez Menoyo, Eloy, 392, 680

Gutiérrez Salamanca, Roberto, 535

H

Habana, provincia, 621
Haile Mariam, Mengistu, 117
Haití, 113, 426, 551, 564-565, 608, 763, 778, 829, 831-832
Hart Dávalo, Armando, 52-53, 212, 224, 267, 675
Hatuey, 113
Havel, Vaclav, 290, 800
Hemingway, Ernest, 187, 363, 492, 597
Hernández Armenteros, Enrique (Enriquito), 627
Hernández, Ezequiel, 15, 128
Hernández, Pedro, 713
Hernández, Ricardo, 624-625
Herrera Collado, Gonzalo, 268-269
Herrera Hernández, Hermés, 598
Herrera, Juan, 478
Herrera, María Cristina, 376-377
Herrera Medina, José , 121-122
Hidalgo, Alcibíades, 222, 775-776, 807-808
Hidalgo, Ariel, 335, 377-378, 379-380
Hijuelos, Oscar, 648
Hilario, Manuel, 597
Hogde Limonta, Ileana, 605
Holanda, 473, 847, 862
Holguín, 15, 118, 128, 130, 136, 138, 141-142, 144, 173, 195, 280, 563, 669, 670, 672-673, 678, 706, 714, 821-832
Hollywood, 700
Honda, bahía, 832
Hondal González, Alfredo, 81, 85
Honduras, 150
Honecker, Erich, 800
Houston, 405
Hoxha, Enver, 801

Hugo, Víctor, 322
Hungría, 316, 786, 848
Husak, Gustav, 801
Hussein, Sadam, 185, 803, 836

I

Ibsen, Henrik, 697
Iglesias, Gerardo, 190
Il-Sung, Kim, 185, 836
India, 239, 502, 771, 847
Indurain, Miguel, 718
Infante Dilu, Juan Bautista, 540
Inglaterra, 495, 828
Irak, 139-140, 316, 368, 389, 505, 553, 803, 824, 834, 836, 852
Irán, 316
Iribarne, María, 727
Isla de la Juventud, 177, 735
Isla de Pinos, 215, 321, 329, 735
Israel, 550, 868
Italia, 294, 523, 550, 754, 854

J

Jaén, Yolay, 663-664
Jaguá, 469
Jalisco (México), 723, 756
Japón, 316, 456, 505, 523, 789, 847, 867
Jara, Víctor, 692
Jaraguá, 660
Jaruzelski, Wojciech, 800
Jefferson, Thomas, 824
Jenning, Peter, 792
Jerez Merinos, Hubert, 296, 341, 346
Jobabo, 430, 431
Johnson, Howard, 99
Johnson, Lyndon, 384
Jones, Kirby, 856
Jordán Morales, Alfredo, 50, 431
Jordania, 185
Juan Carlos I (rey de España),

266, 555, 724, 733, 735, 767-768-769, 772-773
Juan Pablo II, 593-596, 598
Juantorena, Alberto, 122
Julio César, 677
Juragua de Cienfuegos, 468-470, 479, 790
Justicia, José Miguel, 139

K

Kadar, Janos, 800
Kenia, 579
Kennedy, Edward, 342
Kennedy, Jonh F., 199-200, 229, 230, 384, 401, 549, 805, 846, 857, 858, 862
Kessell, Magaly, 649
Kissinger, Henry, 96, 813, 856-857
Knight, James L., 420
Kovaliev, Serguei, 811
Kriuhkov, Vladimir, 802
Kruschov, Nikita, 229-230, 805, 846
Kruschov, Sergei, 230
Kurchatov, 469

L

La Cabaña, cárcel de, 321, 329, 362, 414-415, 417
La Habana, 16, 23-24, 26, 29, 31, 35, 47, 56-57, 80, 82, 85-86, 88-89, 93, 96, 100-102, 106, 109, 114-115, 118, 121-122, 129, 132, 142, 149, 151, 157-158, 160, 162-163, 165-166, 170, 173-176, 180, 183, 187-188, 191-193, 195, 197, 202204, 208, 212, 215-220, 224, 229-232, 234-236, 245,-248, 256-258, 262-263, 266, 268, 270-273, 275-277, 280, 288-293, 295, 299, 302-304, 306, 311-312, 316, 318, 320-322, 325, 327, 329, 332-333, 337, 339,

348, 351, 353, 359-361, 363-366, 369, 371-374, 376-380, 382-384, 386, 389-392, 395-396, 399-400, 403, 405, 407-410, 414-421, 425-427, 429, 432-435, 437-438, 441-442, 451-452, 454-455, 457-458, 460-461, 466, 468-469, 471-473, 475-476, 484, 488, 491-495, 498-500, 502, 504, 506, 509-511, 513, 516-522, 526-527, 529-530, 532-536, 538-540, 543, 549, 551, 553-554, 556-558, 566, 571-573, 578-579, 583-585, 587, 590-595, 597-600, 605, 609, 612, 616, 621, 624, 628, 631, 635, 644-646, 649, 651-655, 658, 673, 675, 678, 680, 684, 686-688, 691, 694, 698-699, 701, 703, 705-706, 708-709, 711-712, 720-722, 725-729, 731-732, 737, 739, 740-750, 753-754, 767, 769-771, 773, 778, 780, 783-788, 791-792, 794-795, 799-800, 803-809, 812, 820-827, 831, 834-835, 838-839, 842-846, 849, 853-855, 857, 859, 863-866, 869, 872-875, 880
La Habana Vieja, 37, 250, 535, 580-581, 584, 702, 704, 732
La Máquina, 564-565
La Pequeña Habana, 357-358, 363, 365, 416
La Plata, 511
Lacalle, Luis Alberto, 755
Lage Dávila, Carlos, 50, 76, 208, 214, 237-238, 244-252, 254, 267, 277, 479-480, 487, 516, 523, 652, 781, 787, 789, 855
Lago Arocha, Alexis, 98, 101
Laliberte, Denis, 853
Lam, Wilfredo, 702
Láncara, 770, 779-780
Láncara, concejo de, 173, 718, 720, 729,
Landaburu, Ander, 190
Las Coloradas, playa, 220
Las Tunas, provincia, 118, 331-332, 430, 458, 727

Las Vegas, 569
Las Villas, 325, 334
Lazo Hernández, Esteban, 23, 833-834
Le Carré, John, 739
Lecuona, Ernesto, 363
Lee, Susana, 438, 439
Leigh, Vivian, 707
Leitao Dacunha, Vasco, 416
Lemmon, Jack, 187
Lenin, Vladimir Ilich, 34, 58, 117, 128, 131, 175, 186, 203, 213, 230, 565, 592, 627, 677, 718-719, 775, 791, 803, 823
Lennon, John , 272
Leña, Juan, 776
León Cotayo, Nicanor, 849
Letonia, 439
Levine, Mel, 853
Leyva, Waldo, 348
Lezcano, Jorge, 519-520
Líbano, 808
Libia, 115, 316, 803
Lima, 181
Limonta, Manuel, 795
Lincoln, 74
Lituania, 439, 838
Lobo, Ramón, 842
Lojendio, Juan Pablo, 721-722
Loma de la Cabaña, 215, 246
Loma del Chivo, 140
Lope de Vega, Félix, 697
López, Maribel (esposa de Sergio Wong), 744, 755
López Calleja, Silvia, 331
López Fernández, Antonio (Ñico), 222-223
López Miró, Sergio, 364, 392, 395-396, 420
López Mola, Ernesto, 265
López Morales, Eberto, 232
López, Nestor, 50
López Peña, Ramón, 816
Los Angeles (EE.UU.), 318, 363
Los Cayuelos, 176, 322
Los Laureles, 215

Louisiana (EE.UU.), 99, 834
Luanda, 93, 96, 102, 114
Lugo, 173, 718, 720, 727, 729, 779
Lugo Fonte, Orlando, 519, 530
Lumumba, Patricio, 114
Luna, Carlos, 702
Luque Escalona, Roberto, 288, 294-295, 297, 305, 349, 350

M

Maceo Grajales, Antonio (El Titán), 25, 67, 69, 112, 114, 366, 376
Maceo, Marcos, 112
Maciques, Abraham, 276, 491, 493
Mack, Connie, 850
Machado, Gerardo, 557
Machado Rodríguez, Darío, 26-27, 31-32, 37, 40, 43, 46, 57-58, 62-66, 85, 344
Machado, Teté, 377-379
Machado Ventura, José Ramón (Machadito), 21-22, 26, 37, 39, 51, 53, 55, 61, 238
Madrid (España), 122, 164, 179, 203-204, 209, 215, 288-291, 305, 307, 318, 360, 375, 407, 409, 411-412, 414, 491, 527, 550, 629, 681, 721-724, 738-739, 744-745, 747-748, 754, 756, 765-767, 769, 772, 777, 824, 828, 842, 860
Magdalena Ruiz, Eduardo, 742, 755
Magüey, Sierra, 431, 435, 564, 818
Majana, ensenada de, 822
Malmierca, Isidoro, 41, 222
Malta, 439
Malvinas, islas (Gran Bretaña), 388, 829
Manatí, 727
Mandela, Nelson, 115-116
Manrique, Jorge, 671
Manuit, Elías, 95
Manzanillo, 322

Margarita, isla (Venezuela), 410
Mari Becerra, Jorge Luis, 296
Marianao, 626
Mariel, puerto de, 149, 268, 383-384, 395, 822, 863-864
Marina Hemingway, 653, 655, 742, 748
Marqués Ravelo, Bernardo, 302
Márquez, Maurilio, 722
Márquez Ranelo, Bernardo, 305
Martí, José, 14, 22, 24, 34, 36-37, 78, 88, 109, 124, 126, 142, 183, 186, 191, 200, 211, 215-216, 230, 233, 244, 266, 281, 286, 339-340, 366, 371, 378, 400, 407, 459, 521, 561, 564, 580, 588, 590, 676-677, 704-705, 708, 718, 749, 766, 825, 867
Martín, José Antonio, 393
Martín Medem, José Manuel, 598
Martín Patino, Basilio, 701
Martínez, Angel, 109
Martínez Campos, Arsenio, 25
Martínez Corona, Conrado, 569
Martínez Lara, Samuel, 296, 300, 301, 339, 341, 346, 791
Martínez Montalbo, Iván César, 540
Martínez, Roberto (Bob), 395
Martínez, Rubén, 50
Martínez Valdés, Jorge, 93, 97, 98, 100-101, 103
Marx, Carlos, 16, 22, 186, 211, 428, 485, 561, 627, 677, 686, 718-719, 791, 803, 823
Mas Canosa, Jorge, 17, 105, 287, 291, 311, 348, 373-374, 376, 386-387, 390, 395, 400-408, 410, 416, 840, 850-853, 856, 858
Massachusetts, 224
Matanzas, 110, 118, 195, 209, 212, 329, 382, 471-472, 515, 530, 591, 605, 608, 630, 674, 705
Mateo, María Asunción, 103, 117, 223, 228, 721-722
Matos, Andrea, 514

Matos, Hubert, 17, 109, 203, 230-231, 375, 387-389, 840
Matthews, Herbert L., 224
Mauritania, 743
Mayá, 288
Mayarí, 173
McKinley, William, 827
McNamara, Robert, 230, 549, 857
McNary, Gene, 864
Medellín (Colombia), 97
Mediterráneo, mar, 169, 485
Mejía Godoy, Carlos, 692
Mejides, Miguel, 348
Mella, Julio Antonio, 23, 33, 69, 260-262, 264
Méndez, Luis, 75
Mendoza, Hermi, 517
Menem, Carlos Saúl, 317, 705
Menéndez, Aldito, 703
Mesa Lago, Roberto, 377
Mestre, Carmen, 646
Mestre, Ramón, 368
México, 15, 17, 76, 105, 118, 176, 178, 181-182, 184, 220, 223-224, 227, 232, 237, 246, 262, 289, 294, 316, 329, 335, 350, 361, 391, 413, 485, 487, 490, 492, 496, 505, 533, 548, 551, 588, 595, 608, 610, 651, 661, 689, 691, 708, 710-711, 723-724, 734, 754, 756-758, 761, 764-765, 782, 784, 853-855, 878
Miami (EE.UU.), 17, 83, 96, 99-101, 104-105, 115, 118, 149, 160, 166, 173, 176, 202-204, 218, 224, 226-227, 231, 236, 280, 286-291, 296, 298, 299, 301, 304-307, 311-312, 318-319, 324, 333, 335, 337, 339, 340-341, 343-346, 348-349, 357, 359, 360-386, 388-396, 399-401, 407-408, 414, 416-417, 419, 499, 504, 534, 548-549, 587, 590, 598-599, 606, 637, 664, 669-670, 679-680, 684, 705, 707, 710-711, 720, 723, 738, 746, .757, 769,

784, 792, 811, 834, 837, 840-842, 851-853, 858-859, 863-869
Mikoyan, Anastas A., 784, 845
Milanés, Pablo, 268, 420, 604, 679, 687, 689, 692
Miles, N. S., 825, 826
Miná, Gianni, 96, 98, 101, 104, 106, 182, 186, 191, 228, 315, 323, 325, 328, 337, 388, 549, 571, 713-714
Miret Prieto, Pedro, 52
Miriam, Idamira, 636, 643
Miró Cardona, José, 365
Misisippi, río, 649
Mitterrand, François, 190, 315, 387
Moa, 487
Moncada, Cuartel, 24, 29, 33, 41, 52, 104, 118, 124, 147, 176-177, 180, 186, 215, 219, 222, 227, 296, 322, 329, 335-337, 578, 580, 665, 671, 676, 741, 749, 799, 811, 847
Monroe, James, 824, 828
Montand, Yves, 680, 681
Montaner, Carlos Alberto, 17, 202, 231, 287, 288-291, 298-299, 305-306, 334, 350, 352, 375, 400, 402, 407-414, 416, 679, 722, 764, 767, 771, 773, 776, 859
Montaner, Ernesto, 413
Monteagudo Rodríguez, Luis, 739, 750, 755
Montel, Máximo, 265, 270
Morán, Ofelia, 560, 561
Moré, Bartolomé Maximiliano (Benny), 359, 428, 685
Moreno, Juan, 577, 578, 600
Morera Córdoba, Vivian, 499
Morodo, Raúl, 731
Moscú (Rusia), 52, 109, 144, 160, 175, 208, 213, 219, 230-231, 235, 240, 289, 375, 382, 439-440, 477, 555, 572, 783-785, 787, 799, 804, 807, 811, 845-846
Mosquera, Gerardo, 703-705

Mota, puerto de, 822
Moya Palencia, Mario, 853
Mozambique, 115
Municipio Cerro, 532
Muñiz, Carlos, 417

N

Namibia, 115, 236, 700
Navarro Vall, Joaquín, 595
Nearing, Scott, 830
Nelson, Hugh, 824
Nerey Fonseca, Felipe, 755
Neruda, Pablo, 186, 677
Neto, Agostino, 114
New Jersey (EE.UU.), 15, 766, 850, 853, 859, 863
Newfoundland, isla (Canadá), 382
Nicaragua, 91, 95-96, 115, 117, 167, 200, 352, 366, 386, 405, 418, 553, 673, 756, 828, 829
Niceto Pérez·(poblado), 816
Nieves Cruz, Mario, 670-672
Nieves Martínez, Santa, 137
Níger, Valle del, 586
Nigeria, 540, 605
Nikolaienko, Valeri, 807-808
Nipe, bahía de, 577, 832
Nordé Rojas, Gilberto, 58
Noriega, Manuel Antonio, 106, 370, 830, 854
Novikov, Alexei, 809-810
Novo Muñoz, Carlos Manuel, 535
Nuestra Señora de la Asunción de Baracoa, 41
Nueva York (EE.UU.), 116, 199, 235, 405, 415, 418, 464, 563, 726, 743, 784, 794, 863
Núñez Portuondo, Eurípides, 327

O

Ochoa Sánchez, Arnaldo T, 16, 77, 91, 93-97, 99-100, 102-103, 105,

107-108, 138, 146, 148, 153, 221, 286, 298, 312, 341, 343, 348, 510, 544

Ojeda, Fabricio, 95

Oleiros (España), 719, 770-771

Olmedo, Francisco, 58-59

Oriente, provincia, 181, 219, 221, 224, 336, 342, 472, 557, 848

Orlando (EE.UU.), 854

Orozco, Román, 140-142

Ortega, Jaime, 302, 310, 488, 583, 590, 593-594, 628

Ortega Piñeiro, Carlos, 262-263

Ortiz y Fernández, Fernando, 605-606, 640, 683-684

Orville, Platt, 725, 827-828

Osmai, Isaac, 626

Otero, Lisandro, 307-308, 310, 312

P

Padilla, Elso, 704-705

Padilla, Heberto, 307, 410, 678

Padrón Pereira, Lázaro, 561-562

Padrón Trujillo, Amado, 98, 101, 103, 106

País, Frank, 58, 224

Palestina, 317

Palmero, Cándido, 521

Panamá, 31, 93-94, 106, 142, 198, 316, 378, 405, 673, 743, 756, 824, 829-830, 834, 854, 859

Panero, Melvis, 582

Paraguay, 197, 548, 723, 756, 758

Paraguay (poblado), 816

París (Francia), 179, 181, 522, 568, 718, 725, 826

Paris, Rogelio, 698-701

Partagás, Jaume, 726

Paso de los Vientos, 832, 836

Pastora, Edén, 204

Patterson, Enrique Julio, 303

Paulov, Valentin, 802

Payá Sardiñas, Oswaldo, 296, 301, 596

Paz Ferrer, Julio, 469-470

Paz, Octavio, 680

Paz, Senel, 672-673, 679

Paz Zamora, Jaime, 755

Peláez, Amelia, 702

Penton, Delfín, 166

Peña, Antonio, 530

Peña, Miguel Angel, 663-664

Peña, Nena, 431

Peña, Oscar, 339

Pereña, Mercedes, 15

Pérez, Alicia, 687-689

Pérez Avila, Antonio, 681

Perez Betancourt, Pedro, 107

Pérez Capo, Gilberto, 471-472

Perez, Carlos Andrés, 76, 95, 168, 237, 344, 520, 755, 758-761, 763-765, 781-782, 785, 857

Pérez, Eduardo, 565

Pérez García, Raúl, 56, 59-61

Pérez Leyva, 136

Pérez Lezcano, Sergio, 40

Pérez, Lisandro, 389

Pérez, Manuel, 699

Perez Matos, Magda, 62

Pérez, Omar, 302-303

Pérez Orestes Lorenzo, 381

Pérez, Pedro Miguel, 50

Pérez, Pilar, 361, 762

Pérez Roura, Armando, 173, 370-373, 386, 388, 395, 416-417, 420

Pérez Valdés, Nelson, 377

Perón, Juan Domingo , 175

Perú, 316, 384, 723, 728, 747, 749, 862

Petrov, Yuri, 215, 231, 256

Picasso, Pablo Ruiz, 141

Pichardo, Esteban, 15, 643

Pichardo, Jorge Luis, 383

Pichardo Rangel, Otoniel, 743, 755

Pidaluja, Julio Luis, 323

Pinar del Río, 99, 118, 127, 174, 250, 321, 322, 496, 502, 520, 705, 832

Pineda Barnet, Enrique, 212, 216, 698-699, 701

Pineda Bermúdez, José Luis, 98

Pineda Vasalló, Vicente, 875-876

Pinochet, Augusto, 74, 317, 680-681, 723

Piñeiro, Ignacio, 684

Pita Astudillo, Félix, 212, 214, 299, 317, 634, 680

Plasencia, Alfredo, 268

Playa (La Habana) municipio, 560, 612

Polk, James K., 825

Polo, Orlando, 297

Polonia, 316, 596, 786, 800, 848

Pomar, Jorge, 307

Porcallo de Figueroa, Vasco, 179

Portocarrero, René, 702

Portugal, 194, 643, 756

Posada, Alejandro, 334

Powell, Colin, 836

Prácticos, punta de, 822

Prats, Delfín, 348

Prats, Ronaldo, 302

Prendes Gómez, Gabriel, 98

Prieto Jiménez, Abel, 267, 307, 672-677, 679, 681

Principado de Asturias (España), 89, 182, 427, 735, 776, 833

Prío Socarrás, Carlos, 174, 375

Puebla de Caramiñal (España), 719

Puebla de San Julián (España), 720

Puerto Cabezas (Nicaragua), 366

Puerto Rico, 114, 119, 342, 368, 408, 417, 636, 725, 824-825, 863

Pugo, Boris, 802

Pujol Irízar, José Luis, 294-295, 297, 299, 349, 351

Punta de la Hembra, 565

Punta Maisí, 14, 426, 496, 564-565, 821

Q

Querejeta, Alejandro, 678-679

Quincy Adams, John, 824-825, 828, 830

Quintana Silva, Jorge, 262-265, 299-300

Quintas Sola, Joaquín, 50

Quirot, Ana Fidelia, 569-571

R

Rabel, Ed, 166

Ramírez Cruz, José, 223, 376, 379, 387, 390-391, 400, 402, 420

Ramírez López, Jesús, 816

Ramírez, Merlys, 84

Ramírez, Vladimir, 376

Ramos Morejón, Juan de Dios, 694

Rancho Luna, 469

Rangel, Charles, 106

Raphael, 378

Rasco, José Ignacio, 288, 411

Rasco, José Ramón, 767

Rather, Dan, 792

Ray Charles, 623

Reagan, Ronald, 122, 198, 200, 365, 392, 400-401, 610, 837, 841-842, 848, 858

Redford, Robert, 350

Regueiro, Antonio, 139

Reino Unido, 307, 847

Rengifo Inciarte, Marcia, 604, 609-610

República Arabe Unida, 848

República Democrática Alemana, 790, 800, 848

República Dominicana, 113, 468, 824, 829, 831, 863

República Federal Alemana, 316, 380, 437, 440, 452, 741

República Popular Democrática de Corea, 185, 470, 786

Restano, Yndamiro, 297, 298

Revuelta, Natividad, 178, 180, 414

Revuelta, Raquel, 696-698
Reyes, Pablo, 301
Ricardo, Eloísa, 136, 141
Rico Rodríguez, Gumersindo, 731, 732, 775, 777
Rich, Donna, 856
Rieff, David, 367-368
Ríos Cruz, Sergio, 81, 85
Risquet Valdés-Saldaña, Jorge, 40, 52, 237
Rivas Posada, Rafael, 317
Rivero Castañeda, Raúl, 305
Rivero, Roberto, 266
Rizo Alvarez, Julián, 39-40, 55, 238
Roa García, Raúl, 866
Roa Kouri, Raúl, 99, 317-318, 866-867
Robaina, Roberto, 16-17, 24, 47-50, 53-54, 56, 75-76, 87, 91, 127, 131, 141, 171-172, 191, 200, 208, 212, 227, 229, 232-233, 237, 244-247, 249-259, 261-264, 267, 269-271, 273, 275, 276-277, 279-281, 440, 447-448, 455, 461-462, 486, 546, 874, 877-878
Roberto Carlos, 130
Roblejo Lorié, Jorge, 410
Robreño, Roberto, 706-707, 709, 711
Roca, Blas, 303-304, 521
Roca, Roberto, 109
Roca, Vladimiro, 303-304
Rodiles, Samuel, 50
Rodríguez Almeida, Mery Margarita, 543-544
Rodríguez, Andrés, 197, 758
Rodríguez Balari, Eugenio, 448-453, 456, 459, 480, 473, 474
Rodríguez, Carlos Rafael, 41, 91, 322-323, 428-429, 757, 781, 788
Rodríguez Espinar, Jeannette, 267
Rodríguez Estupiñán, Antonio, 98
Rodríguez, Evidio, 531
Rodríguez González, Migdalia, 331-332
Rodríguez, Pascual, 530

Rodríguez, Rodolfo, 657-660
Rodríguez Rodríguez, Carlos Rafael, 238
Rodríguez, Silvio, 256, 420, 674, 679, 687690, 692
Rodríguez-Vigil, Juan Luis, 89, 182-183, 189, 733-776, 806, 808, 833
Roig, Joan Tomás, 427
Rojas, Elisa, 137
Rojas Marcos, Alejandro, 769
Rojas, Pedro, 712
Rolland, Romain, 186
Roma (Italia), 595, 598, 718
Román, Enrique, 166, 711
Roosevelt, Theodore, 829, 832
Roque Izquierdo, Ricardo, 499
Rosales del Toro, Ulises, 50, 68, 94, 145, 212, 221, 277, 789, 836-837, 841
Ross Leal, Pedro, 214, 308, 309, 457-458
Rother, Larry, 105
Ruiz Po, Miguel, 98
Ruiz, Reynaldo, 106
Rumanía, 67, 72, 204, 344, 394-395, 471, 786, 801
Rupérez, Ignacio, 738, 742, 746, 748-750, 754-777
Rusia, 25, 79, 316, 437, 801, 811, 854
Rutter Brooke, John, 827
Ruz, Lina, 174, 176, 218, 584, 779

S

Sabana, 512, 514
Sagua-Baracoa, cordillera, 515
Sainz Blanco, Alfredo, 670-671, 678
Sainz Muñoz, Faustino, 593, 599
Saldaña, Exilia, 348
Salinas de Gortari, Carlos, 76, 181, 193, 195, 237, 755, 757-758, 760, 762-765, 781

Salmerón Mendoza, René, 312-313
San Antonio, Cabo de, 14, 496, 821
San Antonio del Sur, 431, 512-513
San Antonio, valle de, 517
San Felipe, 595
San Luis (EE.UU.), 219, 568
Sancti Spiritu, 606
Sánchez, Alfonso, 139
Sánchez, Alfredo, 288
Sánchez, Bárbaro, 532-533
Sánchez, Celia, 178, 180-181, 183, 187, 224, 868
Sánchez, Manuel, 875
Sánchez Lima, Antonio, 98, 101
Sánchez Parodi, Ramón, 854
Sánchez Presedo, Antolín, 770
Sánchez Santa Cruz, Elizardo, 29, 43, 79, 82, 288-292, 294-300, 302-303, 310, 321, 325, 327-329, 332-333, 336-337, 339, 341-346, 348, 375, 380-381, 386, 776, 792, 858, 876
Sánchez, Tomás, 704
Sandino, Augusto, 95
Sandoval, Arturo, 678-679
Sanguily, Manuel, 832
Sanguinetti, Julio María, 196
Santa Clara, 147, 195, 435, 557
Santa Fe, 383
Santa María, 655
Santamaría, Haydée, 224, 691
Santiago de Compostela (España), 610, 722, 769, 771, 779-780
Santiago de Cuba, 22-23, 25-26, 33, 37, 56, 68, 109, 118, 124, 134, 170-171, 174, 177, 184, 195, 218-219, 221-222, 224, 228, 234, 265, 269, 270-271, 280, 291, 325, 334-336, 401, 468, 471-472, 476, 478, 494, 511, 529, 557, 569, 578-580, 584, 588, 597, 603-605, 612, 626, 642, 652, 661, 665, 686, 688, 708, 749, 770, 782-783, 823, 831, 833, 847, 874, 878
Santiago de las Vegas, 581, 658

Santiago del Prado, 578
Santo Domingo (República Dominicana), 468
Santovenia Fernández, Daniel, 286, 394
Santuario de la Virgen de la Regla, 631
Santuario del Cobre, 578-579, 583, 631
Santuario del Rincón, 581, 582, 631, 658
São Paulo (Brasil), 593, 598
Sariol, Mario, 868-869
Sartre, Jean Paul, 187, 697
Schlesinger Jr., Arthur, 230, 857
Sed Pérez, Rafael, 489
Sendagorta, Fidel, 737- 738, 746, 754-755, 775
Sargen, Nazario, 17, 392-394
Serpa, Víctor Manuel, 305
Serrano de Haro, Antonio, 738, 742, 744, 746-749, 775, 777
Seúl (Corea del Sur), 570
Sevilla (España), 577, 606, 684, 723, 726, 762, 766-769, 772
Shevardnadze, Edvard, 796
Shultz, George, 197
Sierra Cristal, 148, 221
Sierra de Guantánamo, 426-427
Sierra Maestra, 14, 31, 35, 50, 52, 80, 109, 125, 195, 220-221, 322, 335, 371, 435, 504, 508, 511, 515, 530, 577-578, 595, 637, 683, 686, 708, 781, 785, 831, 868, 873
Silva, Norge, 56, 61
Simeón, Rosa Elena, 502
Smith, Wayne, 84
Soares, Mario, 196
Sofía, 801
Solana, Javier, 728
Solarz, Stephen, 853
Solchaga, Carlos, 728
Soler Hidalgo, Marina Magaly, 533
Soliva, Ramón, 110
Soljenitzin, 386
Somalia, 95

Somoza, Anastasio, 401, 812
Soria, Arturo, 455
Sotomayor García, Romarico, 50
Sotomayor, Javier, 570
Speakes, Larry, 842
Springteen, Bruce, 430
Stalin, José, 259, 797
Stevenson, Teófilo, 568, 751
Stevie Wonder, 623
Stroessner, Alfredo, 758
Suárez, Adolfo, 721, 731, 754
Suárez Delgado, Manuel, 564
Suárez, Olga, 636
Suárez Ramos, Raúl, 599
Suárez Rivas, Juan, 771
Suchlicki, Jaime, 150, 174, 307,
    368, 504, 550, 557, 866
Sudáfrica, 93, 116, 235, 317
Suecia, 447, 487, 742
Suiza, 754, 862
Suquía, Angel, 731
Süskind, Patrick, 186
Szulc, Nicole, 172
Szulc, Tad, 172, 174, 176, 178,
    181, 200, 336, 626, 861

T

Taiwán, 74, 867
Tanzania, 114-115
Tarará, 312
Teja, Julio, 550
Tennessee (EE.UU.), 861
Thatcher, Margaret, 387, 402
Togo, 605
Tokio (Japón), 570
Toledo, 164, 274
Tolkien, J. R., 686
Toribio, Oscar, 738, 746, 775-776
Toronto (Canadá), 483-484, 494
Torralba, Diocles, 221
Torrejón, base de, 122
Torricelli, Robert, 15, 850-856,
    858-859
Torrijos, Omar, 179

Toste, Gilberto, 827, 833
Tse Tung, Mao, 195, 627
Turquino, pico, 125, 184
Tuxpan (México), 220, 335

U

Ucrania, 553, 801
Uganda, 115
Unión Soviética, 22, 25, 79, 96,
    107, 115, 133, 140, 150, 172,
    197, 200, 202-203, 215, 229-230,
    239, 243-244, 248-249, 260, 266,
    287, 307, 316, 328, 330, 372,
    408, 412, 436-440, 442, 452, 468,
    470, 476-478, 480, 503-506, 516-
    518, 522, 536, 568, 579, 636,
    662, 673, 782-794, 796-800, 802-
    805, 808-813, 845, 848-849, 854,
    861-862, 867, 874
Uranga, René, 565
Urías, Roberto, 673
Uruguay, 316, 548, 643, 756, 763
Ustinov, Viacheslav, 808

V

Valderrábano, Azucena, 184-185
Valdés, Beatriz, 698
Valdés Domínguez, Fermín, 233
Valdés, Ramiro, 104, 147-148, 177,
    220, 225, 334-335
Valladares, Armando, 315-316,
    375, 680
Vallejo, René, 181
Varadero, playa de, 100-101, 286,
    383, 393, 490-491, 494, 497-498,
    608, 652, 735, 810
Varela, Carlos, 269, 674, 685-686,
    691, 713
Varela, Emilio, 429
Vargas Llosa, Mario, 680
Varona, Manuel Antonio, 375-376
Vasallo, Norma, 272

Vázquez, Carmen, 636
Vázquez, Francisco, 771
Vázquez, Juan Antonio, 258
Vázquez Raña, Mario, 232
Vecino Alegret, Fernando, 555-556, 562-563, 566
Veigas, José, 702
Velázquez Medina, Fernando, 306
Venezuela, 25, 76, 95-96, 118, 150, 179, 237, 246, 316, 408, 410, 551, 567, 651, 723, 758, 761, 764, 767, 778, 781-782, 785, 847, 862-863
Veracruz (México), 220
Verano, Adriana, 636
Vicent, Mauricio, 217, 581-582
Viena (Austria), 219
Viera, José Raúl, 746-747
Vietnam, 113, 167, 169, 785, 824
Vila Sosa, Manuel, 446-447, 452-453
Villa Clara, 118
Villa Marista, 149, 299, 301, 311, 327, 343
Viñales, valle de, 496
Virginia, estado (EE.UU.), 680

W

Walesa, Lech, 290, 596, 800
Walter, Barbara, 200
Washington (EE.UU.), 15, 99, 121, 172, 199, 204, 241, 289, 316-317, 363, 375, 386-387, 391, 401, 417, 419, 551, 725, 784, 802, 804-805, 825, 827-830, 837, 839, 841-847, 851, 853, 856, 864, 868
Weiss, Ted, 851
Wells, Herbert George, 234
Williams, Tenesse, 697
Wong, Elisabeth, 744, 748, 755
Wong, Sergio, 744, 755
Wood, Leonard, 827

Y

Yagüe, María Eugenia, 88-89
Yanayev, Gannadi, 802
Yanes Pelletier, Jesús, 336-340
Yáñez Barnuevo, Luis, 745, 752-753
Yara, 24
Yazov, Dimitri, 802
Yeltsin, Boris, 67, 79, 215, 230-231, 316, 387, 439, 791, 798, 801, 804
Yemen del Sur, 204, 553
Yivkov, Todor, 801
Yucatán, península (México), 496
Yugoslavia, 239
Yushenkov, Sergei, 804

Z

Zaldívar, Pire, 15
Zamora, Carlos, 860
Zaragoza (España), 639-640
Zenea, Juan Clemente, 215
Zubiri, Xavier, 777

Vázquez Carmelo, 656
Vázquez Francisco, 771
Vázquez Juan Antonio, 658
Vázquez Raúl Mario, 237
Vecino Alcázar Fernando, 558,
559, 567, 665, 506
Veiga José, 702
Velázquez Medina Fernando, 566
Venezuela, 75, 76, 96-99, 118, 170,
170, 237, 246, 316, 408, 410,
551, 567, 651, 752, 768, 761,
769, 770, 773, 781, 782, 783, 847,
...868
Veracruz (México), 220
Verapo Antonio, 656
Vicén Mauricio, 212, 581, 582
Viena (Austria), 216
Viera José Raúl, 746, 747
Vietnam, 113, 167, 169, 763, 821,
Vila Sosa, Manuel, 410-412, 414,
415
Villa Clara, 118
Villa Marist, 143, 299, 301, 311,
382, 414
Viñales valle de, 496
Virginia, estado (EE.UU.), 680

W

Wheat, Leith, 200, 598, 800
Walter, Bárbara, 200
Washington (EE.UU.), 45, 99, 191,
172, 190, 204, 211, 280, 316-317,
362, 375, 380, 387, 401, 419, 417,
419, 551, 752, 781, 802, 803-804,
805, 827-830, 837, 838, 841, 847,
871, 898, 886, 894, 868
Weiss, Ted, 881
Wells, Herbert George, 234
Williams, Teresse, 697
Wong, Elizabeth, 754, 755, 756
Wong, Sergio, 754, 755
Wood, Leonard, 527

Y

Yagüe, María Eugenia, 88-89
Yáñez Conradi, 802
Yáñez Pelletier Jesús, 550-560
Yáñez Barquero o Luis, 745, 752,
753
Yara, 24
Yárov Dimitri, 805
Yelcin Boris, 63, 79, 213, 230-231,
316, 387, 439, 791, 798, 801, 804
Yemen del Sur, 204, 655
Yhone, Todor, 801
Yucatán, península (México), 406
Yugoslavia, 236
Yushenkov, Sergei, 804

Z

Zakharan, Eric, 15
Zamora, Carlos, 660
Zaragoza (España), 659-660
Xenon Juan Clemente, 215
Zíquil, Xavier, 774

INDICE DE SIGLAS

AIN, Agencia de Información Nacional.

ANAP, Asociación Nacional de Agricultores Pequeños.

ANPP, Asamblea Nacional del Poder Popular.

APAL, Asociación Pro Arte Libre.

BID, Banco Interamericano de Desarrollo.

BJT, Brigadas Juveniles de Trabajo.

CAME, Consejo de Ayuda Mutua Económica.

CC, Comité Central.

CCDHRC, Comisión Cubana Pro Derechos Humanos y Reconciliación Nacional.

CCS, Cooperativas de Créditos y Servicios.

CDC, Coalición Democrática Cubana.

CDR, Comités de Defensa de la Revolución.

CEC, Consejo Ecuménico de Cuba.

CEE, Comunidad Económica Europea.

CENSEX, Centro Nacional de Educación Sexual.

CEPAL, Comisión Económica para America Latina.

CETSS, Comité Estatal de Trabajo y Seguridad Social.

CIA, Agencia Central de Inteligencia.

CID, Cuba Independiente y Democrática.

CIGB, Centro de Ingeniería Genética y Biotecnología.

CIPS, Centro Cubano de Investigaciones Psicológicas y Sociológicas.

CPA, Cooperativa de Producción Agropecuaria.

CPI, Centro de Prensa Internacional.

CTC, Central de Trabajadores de Cuba.

DEA, Agencia Antidrogas Americana.

DEM, Dirección Especial del Ministerio del Interior.

DGI, Dirección General de Inteligencia.

DIER, Departamento de Inteligencia del Ejército Rebelde.

DOR, Departamento de Orientación Revolucionaria.

DRE, Dirección Revolucionaria Estudiantil.

DSG, Departamento de la Seguridad del Estado.

DTI, Departamento Técnico de Investigaciones.

EGREM, Empresa de Grabaciones Musicales.

EJT, Ejército Juvenil de Trabajo.

ENEC, Encuentro Nacional Eclesial Cubano.

FAO, Organización de las Naciones Unidas para la Agricultura y la Alimentación.

FAR, Fuerzas Armadas Revolucionarias.

FBI, Federal Bureau International.

FEEM, Federación de Estudiantes de Enseñanza Media.

FEU, Federación de Estudiantes Universitarios.

FMC, Federación de Mujeres de Cuba.

FMI, Fondo Monetario Internacional.

FMLN, Frente Farabundo Martí para la Liberación Nacional.

GATT, Acuerdo General de Comercio y Aranceles.

GEO, Grupo Especial de Operaciones.

ICA, Instituto de Ciencia Animal.

ICAIC, Instituto Cubano de las Artes y la Industria Cinematográfica.

ICAP, Instituto Cubano de Amistad con los Pueblos.

ICL, Instituto Cubano del Libro.

ICM, Instituto Cubano de la Música.

ICRT, Intituto Cubano de Radio y Televisión.

INTUR, Instituto Nacional de Turismo.

IPUEC, Instituto Preuniversitario en el Campo.

ISA, Instituto Superior del Arte.

KGB, Agencia de Inteligencia Soviética.

LJC, Liga Juvenil Comunista.

MC, Moneda Convertible.

MINFAR, Ministerio de las Fuerzas Armadas Revolucionarias.

MININT, Ministerio del Interior.

MINREX, Ministerio de Relaciones Exteriores.

MNR, Milicias Nacionales Revolucionarias.

MPLA, Movimiento Popular para la Liberación de Angola.

MTT, Milicias de Tropas Territoriales.

OEA, Organización de Estados Americanos.

OID, Oficina de Información Diplomática.

ONU, Organización de Naciones Unidas.

ORI, Organizaciones Revolucionarias Integradas.

OTAN, Organización del Tratado del Atlántico Norte.

PAC, Comité de Acción Política.

PAIS, Proyecto Alternativo para la Isla.

PCC, Partido Comunista Cubano.

PCE, Partido Comunista de España.

PCUS, Partido Comunista de la Unión Soviética.

PDC, Plataforma Democrática Cubana.

PEC, Población Económicamente Activa.

PMI, Preparación Militar Inicial.

PNR, Policía Nacional Revolucionaria.

PRC, Partido Revolucionario Cubano.

PSP, Partido Socialista Popular.

PURS, Partido Unido de la Revolución Socialista.

RDA, República Democrática Alemana.

RETOMED, Revolución En Todos los Ordenes de la Medicina.

SEPMI, Sociedad de Educación Patriótica Militar.

SIDA, Síndrome de Inmunodeficiencia Adquirida.

SVUP, Sistema Unico de Vigilancia y Protección.

TOM, Teatro de Operaciones Militares.

UJC, Unión de Jóvenes Comunistas.

ULC, Unión Liberal Cubana.

UNEAC, Unión Nacional de Escritores y Artistas de Cuba.

UNICEF, Fondo de la Naciones Unidas para la Infancia.

UNITA, Unión Nacional para la Independencia Total de Angola.

UPEC, Unión de Periodistas de Cuba.

URSS, Unión de Repúblicas Socialistas Soviéticas.

USAF, Fuerza Aérea de los Estados Unidos.

USIA, Agencia de Información de los Estados Unidos.

VIH, Virus de Inmunodeficiencia Humana.

VOA, Voz de las Américas.

VR, Vigilantes Revolucionarios.

ANEXOS

CAPITULO 1: EL PARTIDO

El IV Congreso: estructura del Comité Central y el Buró Político

El IV Congreso
– Delegados: 1.800.
– Elegidos en los núcleos del Partido: 1.200.
– El resto proceden de organismos especiales: Ministerio del Interior, Fuerzas Armadas Revolucionarias, científicos, o son delegados automáticos por el puesto que ocupan en el PCC.
– El 78 por 100, hombres. El 22 por 100, mujeres.
– El 69 por 100 está entre los 35 y los 55 años.

El Comité Central
Estructura:
– Total de miembros: 225.
– Hombres: 188.
– Mujeres: 37.

Trabajo actual:
– Gobierno (1): 70.
– Funcionarios del Partido: 63.
– Militares: 29.
– Trabajadores: 26.
– Científicos: 13.

– Sanidad: 8.
– UJC: 9.
– FMC: 3.
– CDR: 1.
– FEU: 1.
– Prensa: 1.
– Escritores: 1.
(1) Se incluyen todo tipo de funcionarios del aparato del Estado, por ejemplo, los destinados en centros de enseñanza.

Los históricos:
– 26 de 225 pertenecen al Comité Central desde 1965.
– 43 miembros lucharon contra la dictadura de Fulgencio Batista.
– 7 miembros tomaron parte en el asalto al Cuartel Moncada.
– 5 miembros integraron la expedición del Granma.
– 23 son jefes de organismos estatales (ministerios).
(Fuente: Elaboración propia en base a: Agencia de Información Nacional (AIN); Manuel Sánchez Pérez: *¿Quién manda en Cuba?*, y Pablo Alfonso: *Los fieles de Castro*.

Buró Político
Estructura:
– Total de miembros: 25.
– Hombres: 22.
– Mujeres: 3.

Trabajo actual
– Partido Comunista: 10 (1).
– Gobierno: 5.
– Militares: 5.
– Trabajadores: 2.
– Intelectuales: 1.
– Científicos: 1.
– UJC: 1.
(1) Fidel Castro ha sido incluido en el apartado de "Partido Comunista" por ser su primer secretario. Pero también podría estar en "Gobierno" o "Militares", ya que es presidente de los Consejos de Estado y de Ministros, así como comandante en jefe de las FAR.
Igual sucede son su hermano Raúl, que es segundo secretario del PCC, primer vicepresidente de los Consejos de Estado y de Ministros y ministro de las FAR. Por este último cargo ha sido incluido en el apartado de "Militares".

Edad de los miembros del Buró Político:
– Edad media: 49,4 años.
          Más de 60 años:
1. Carlos Rafael Rodríguez, 79 años
Vicepresidente de los Consejos de Estado y de Ministros.

2. Fidel Castro, 66 años
Primer secretario del Partido, presidente de los Consejos de Estado y de Ministros y comandante en jefe de las FAR.
3. Juan Almeida, 65 años
Vicepresidente del Consejo de Estado.
4. José Ramón Machado, 62 años
Dirigente del Partido.
5. Raúl Castro, 61 años
Segundo Secretario del Partido, ministro de las FAR y primer vicepresidente de los Consejos de Estado y de Ministros.
6. Osmany Cienfuegos, 61 años
Vicepresidente de los Consejos de Estado y de Ministros.
7. Julián Rizo, 60 años
Dirigente del Partido.

Entre 50 y 60 años
8. Jorge Lezcano, 56 años
Primer secretario del Partido en Ciudad Habana.
9. Julio Casas, 56 años
General de División y primer sustituto del ministro de las FAR.
10. Abelardo Colomé, 53 años
General de Cuerpo de Ejército y ministro del Interior.
11. Pedro Ross, 53 años
Secretario general de la Central de Trabajadores de Cuba.
12. Leopoldo Cintras, 51 años
Jefe del Ejército Occidental.
13. Alfredo Hondal, 50 años
Primer secretario del Partido en Ciego de Avila.
14. Ulises Rosales, 50 años
General de División, primer sustituto del ministro de las FAR y jefe del Estado Mayor General.
15. Nelson Torres, 50 años
Primer secretario del Partido en Cienfuegos.
16. Carlos Aldana, 50 años
Dirigente del Partido.

Entre 40 y 50 años
17. Esteban Lazo, 48 años
Primer secretario del Partido en Santiago de Cuba.
18. Cándido Palmero, 45 años
Jefe del Contingente Blas Roca Calderío.
19. María de los Angeles García Alvarez, 44 años
Miembro del Buró Ejecutivo Provincial del Partido en Santiago de Cuba.
20. Alfredo Jordán, 42 años
Primer secretario del Partido en Las Tunas.
21. Carlos Lage, 41 años

Miembro del Consejo de Estado.
22. Abel Prieto, 41 años
Presidente de la Unión Nacional de Escritores y Artistas de Cuba.
23. Concepción Campa, 41 años
Presidenta-directora general Instituto Finlay.

<u>Entre 30 y 40 años</u>
24. Yadira García, 37 años
Miembro del Equipo de Coordinación y apoyo del comandante en jefe.
25. Roberto Robaina, 36 años
Primer secretario de la Unión de Jóvenes Comunistas (UJC).
Fuente: Elaboración propia.

Encuesta: ¿Qué piensan los cubanos?

Reproducimos los cuadros de la encuesta publicada en *El Militante Socialista*, del mes de septiembre de 1990, que responde globalmente a la pregunta: "¿Cuál es nuestro clima sociopolítico?". Fue realizada por el Equipo Nacional de Estudios de Opinión del Pueblo, perteneciente al Departamento de Orientación Revolucionaria (DOR), del Comité Central. Hoy, el nombre de este instituto de opinión es el de Centro de Estudios Sociopolíticos y de Opinión, dependiente del Departamento Ideológico del Comité Central. Su director es Darío Machado Rodríguez, miembro del Comité Central.

<u>El clima sociopolítico de Cuba</u>

	Mayo 1989	Nov. 1989	Mayo 1990
Valoración sobre la esfera económica	3,3	3,00	3,3
Valoración sobre la esfera laboral	3,9	3,50	4,1
Valoración sobre la esfera social	3,7	3,00	3,7
Valoración sobre la esfera política	4,2	4,00	4,1
Estado de ánimo	4,6	4,40	4,2
Expectativas	4,7	4,30	4,3
Puntuación del clima sociopolítico	4,3	4,00	4,1

(La puntuación va del 1 al 5, siendo el 5 "muy favorable")

Valoraciones en las esferas económica-laboral y política (%)

	De buena a regular	Regular	De regular a mala	No responden
Valoración del estado de los abastecimientos de productos:				
Alimenticios	47	37	12	4
Industriales	44	35	16	5
Electrodomésticos	56	27	12	5
Materiales de construcción	30	39	34	6*
Valoración de la calidad de los productos:				
Alimenticios	63	23	9	5
Industriales	68	20	7	5
Electrodomésticos	78	14	2	5*
Valoración sobre la eficiencia en los servicios de:				
Gastronomía	27	30	38	5
Comercio minorista	48	27	20	5
Transporte	26	29	41	4
Valoración sobre la participación de los trabajadores en:				
Discusión y control de los planes	80	11	4	12*
Soluciones a problemas del centro	81	12	5	10*
Valoración de los encuestados sobre:				
Disciplina laboral	78	12	0,9	9*
Aprovechamiento de la jornada	74	13	2,7	10*
Valoración de los trabajadores sobre atención al hombre:				
Condiciones de trabajo	62	22	8	8
Protección e higiene	68	16	7	9
Estímulos morales	65	15	11	9
Estímulos materiales	55	18	16	11
Correspondencia trabajo y salario	72	10	9	9
Valoración sobre la eficiencia en la producción y los servicios:				
En el ahorro	73	10	4	13
Cumplimiento del plan de trabajo	73	12	4	10*
ATM	56	19	16	9
Gestión administrativa	68	17	5	10
Calidad servicios y productos	77	13	1	9
Valoración sobre la eficiencia de los servicios de:				
Salud	77	18	2	3
Educación	83	12	1	4

Valoración sobre la calidad de las ofertas:

Deportivas	65	24	5	6
Culturales	48	37	9	6
Recreativas	33	45	16	6

Valoración sobre las construcciones:

Viviendas (cantidad)	40	39	15	6
Calidad de las construcciones	44	45	6	5

Valoración sobre participación de los vecinos de la cuadra en:

Reuniones del PP	80	12	3	6*
Problemas de la comunidad	70	16	9	5
Reuniones del CDR	68	21	7	4
Guardias del CDR	70	16	9	5
Disposición a ocupar cargos	61	22	13	4
Trabajo voluntario	64	22	9	5
Tareas de la defensa	80	11	3	6

Valoración sobre la eficiencia:

Medios de información	87	11	1	1

	Aumentan	Se mantienen	Bajan	NR
Valoración sobre situación de:				
Indisciplinas sociales	38	31	23	8
Actividades delictivas	34	30	28	9*
Combatividad de la gente	55	29	10	6
Eficiencia de la policía	55	30	9	6

(*) Los sumandos no dan 100. Pero así aparecen en *El Militante Comunista*.

<u>Tres cualidades fundamentales que deben tener los dirigentes</u>

Cualidad	%
Revolucionario	43
Honesto	27
Cumplidor, serio, responsable	20
Respetuoso	19
Exigente	18
Ejemplo	17
Vinculado con la masa	11
Capaz, inteligente	11
Tener moral, dignidad	10
Modesto	10
Humano	10

¿Ve usted esas palabras entre los dirigentes que le rodean? (%)

	Dirigentes políticos	Dirigentes administrativos
Las tres están presentes	68	61
Sólo algunas están presentes	24	29
Ninguna está presente	7	8

El ejercicio de la democracia (%)

Esta valoración se recoge preguntando si son verdaderas o falsas un conjunto de proposiciones. Los resultados obtenidos fueron los siguientes:

Proposición En nuestro país:	V	F	N R
La gran mayoría de los ciudadanos se sienten libres	95	2	3
Se puede decir lo que uno piensa sin ningún tipo de temor	86	10	4
La prensa refleja los verdaderos problemas que existan	92	4	4
Se respetan los derechos de los ciudadanos	94	3	3
Todo el mundo tiene derecho al trabajo	83	12	5
En la Asamblea Nacional del Poder Popular la gente se siente representada	92	4	4
En las asambleas de rendición de cuenta se ofrecen generalmente respuestas que satisfacen los planteamientosde los electores	69	26	5
Se cumple correctamente la política de cuadros	74	19	7
El nivel de vida de las personas depende de su salario y no de privilegios y amiguismos	87	12	1
Existen oportunidades y facilidades iguales para todos los ciudadanos	85	14	1

V: Verdadero. F: Falso. N R: No responde.

El estado de ánimo (%)

Se sienten:	Sí	En parte	No	N R
Satisfechos materialmente	61	29	2	8
Seguros de su bienestar y su tranquilidad	87	6	-	7
Confiados en la Revolución	93	1	-	6
Satisfechos en el trabajo o en el estudio	83	13	-	4
Orientados en la política de la Revolución	91	2	-	7
Confiados en el socialismo mundial	49	28	14	9

¿Qué expectativas tiene la población? (%)

	Mejorará	Igual	Empeorará	N R
A juicio de los encuestados la situación en:				
Abastecimientos	70	17	7	6
Calidad de los productos	71	21	3	5
Funcionamiento del transporte	58	23	12	7
Eficacia de la gastronomía y el comercio	63	25	5	7
Disciplina laboral	80	10	1	9
Participación en los planes y la solución de problemas	79	10	1	10
Eficiencia de la producción	78	13	1	8
Atención al hombre	78	12	2	8
Eficacia en la educación y la salud	84	9	1	6
Cantidad y calidad de las construcciones	74	17	3	6
Enfrentamiento al delito	84	8	2	6
Calidad de actividades deportivas, recreativas y culturales	77	16	1	6
Ejercicio de democracia socialista	82	9	1	8
Participación de masa en tareas	86	8		6
Eficacia y prestigio de cuadros	85	8	1	6
El estado de ánimo	81	12	2	6

Abuso del cargo (%)

	Sí	No	No sabe	N R
¿Existen entre los dirigentes cubanos estos defectos?				
Privilegios	26	61	11	2
Acomodamiento	42	46	10	2
Ostentación	29	55	13	3

CAPITULO 2: EL PODER DEL PUEBLO

Encuesta: Los cubanos y el poder popular

Estas son las respuestas a la encuesta que la revista *Bohemia* realizó en junio de 1990 sobre el poder popular.

Se entrevistó a un total de 957 personas de nueve provincias del país. Entre los encuestados había trabajadores de la producción y los servicios, de la educación y la salud pública, científicos, estudiantes, militares jubilados, campesinos e intelectuales.

Los datos están tomados de la reproducción efectuada por *Granma Internacional*, del 5 de agosto de 1990.

Los resultados fueron los siguientes:

1. ¿Conoces el nombre de tu delegado?
   Sí: 72,2%. No: 12,9%. No me acuerdo: 11,9%. No sabe: 3%.

2. ¿Confías en tu delegado?
   Sí: 50,1%. No: 17,6%. A medias: 23,3%. No sabe: 9%.

3. ¿Ha demostrado tu delegado tener autoridad para gestionar los problemas de tu circunscripción?
   Sí: 51,4%. No: 16,5%. A medias: 32,1 %.

4. ¿Aceptarías ser delegado de tu circunscripción?
   Sí: 31,3%. No: 40,8%. No sé: 27,9%.

5. ¿Qué opinas del poder popular como forma de gobierno?
   Sirve: 40,6%. No sirve: 3,6%. Necesita mejorías: 55,8%.

6. ¿Sientes que participas en el gobierno del país?
   Sí: 60,7%. No: 13%. A medias: 26,3%.

7. ¿Qué propones para mejorar el poder popular?
   70,5%: Buscar métodos más ágiles y eficientes en la gestión del gobierno, sin cambiar sus estructuras actuales.
   10%: Cambiar el actual sistema electoral y las estructuras del poder popular por otro más eficiente.
   11,4%: Cambiar tanto los métodos como las estructuras.
   7,5%: Otras medidas.
   0,6: No sabe, no contesta.

CAPITULO 3: LOS UNIFORMADOS

La publicación española *Ejército, Balance militar, Revista de las Armas y Servicios* publicó en en su número 603, de abril de 1990 el "Balance 1989-1990" realizado por el Instituto de Estudios Estratégicos de Londres sobre las Fuerzas Armadas Revolucionarias de Cuba.

La revista está editada por el Servicio de Publicaciones del Estado Mayor del Ejército español. Transcribimos íntegro ese informe.

Las Fuerzas Armadas Revolucionarias de Cuba

Generalidades:
Población: 10.479.000.

	Edades		
	De 13 a 17	De 18 a 22	De 23 a 32
Hombres	552.000	596.000	936.000
Mujeres	530.000	570.000	932.000

(Con este dato los expertos pueden analizar con cuantos efectivos cuenta cada país y los que habrá en los años siguientes. Como puede observarse, hay un descenso importante en el índice de natalidad. Ver capítulo "El amor").

– Producto Social Bruto (PSB), en millones de pesos cubanos:
26.500 (1987), 27.030 (1988) (1).
– Producto Social Bruto (PSB), en millones de dólares:
33.810 (1987), 35.420 (1988) (2).
– Crecimiento estimado: Producto Material Neto (PMN):
0% (1987), 2,5% (1988).
– Deuda Externa en millones de dólares:
5.500 (1987), 6.400 (1988) (3).

Presupuesto de Defensa (estimado) (4)
– En millones de pesos cubanos:
1.300 (1987), 1.700 (1988).
– En millones de dólares:
1.680 (1987), 2.240 (1988).
– Tipo de conversión:
1 dólar equivale a 0,7839 pesos cubanos
en 1987; a 0,7484 en 1988, y a 0,7642 en 1989.

Efectivos totales de las Fuerzas Armadas

– Ejército Regular: 180.500 efectivos. De ellos, 15.000 pertenecerían
a las reservas de primera urgencia y 79.500 al reclutamiento forzoso.
– Tiempo de servicio: 2 años (Hasta 1991 era de tres años).
– Reservas: 130.000 efectivos en total.
Se distribuyen así:
– Ejército de Tierra: 110.000 de reservistas de primera urgencia, que
sirven 45 días al año, para completar las unidades Regulares.
– Armada: 8.000.
– Ejército del Aire: 12.000.
(Véase también el apartado de Fuerzas Paramilitares).

Efectivos del Ejército de Tierra

– Total: 145.000 efectivos, incluidos un estimado de
15.000 reservistas de primera urgencia.
– Estimado: 60.000 de reclutamiento forzoso.
– Hay tres Cuerpos de Ejército: el Occidental, con sede en
La Habana; el Central, en Matanzas; el Oriental, en Santiago de Cuba.
– Hay efectivos especiales en el municipio Isla de la Juventud.
– 3 Divisiones Acorazadas, una de nivel A y dos de nivel C.
El sistema de puesta a punto para el combate de las Fuerzas cubanas se inspiró en
el de la ex Unión Soviética. Las divisiones de nivel A se encuentran dotadas al
completo con personal de dedicación permanente; las de nivel B están dotadas en
parte y se refuerzan con reservistas una vez movilizados; las de nivel C sólo cuentan en activo con los cuadros de mando y tras la movilización se completarían totalmente con reservistas.
Se desconoce el tiempo que se invertiría en completar las unidades.
– 9 Divisiones Mecanizadas de nivel B.
– 3 RIMZ.
– 1 RIAC,
– 1 Regimiento de Artillería de Campaña (RACA), un Regimiento de Artillería
Antiaérea (RAAA).
– 13 Divisiones de Infantería (5 de nivel B, 8 de nivel C), 3 Regimientos de Infantería, un Regimiento de Artillería de Campaña, un Regimiento de Artillería Antiaérea.
– 8 Regimientos de Infantería Independientes (niveles B y C).
– Defensa Aérea: Regimiento de Artillería Antiaérea y Brigada Misil Superficie-
Aire.(SAM). Los niveles son variables: se estima que las unidades de Misil Superficie-Aire (SAM) son de nivel A, las de Cañón B o C.
– Fuerza de operaciones especiales: Estimado: 2.500 efectivos encuadrados en dos
Batallones de nivel A.
– 1 Brigada de asalto aéreo de nivel A.

Material

– Hay 1.100 carros de combate medio entre 800 T-54/55 y 300 T0-62. Unos 150 T-
34 se encuentran en parque o dedicados a la defensa de costas fija.
– 60 carros de combate ligero PT-76.

– Reconocimiento: 100 BRDM-1/-2
– AIFV: 50 BPM
– Artillería remolcada: M-1942 de 67 mm; M1931/37 (A-19) D-74 de 122 mm; M-46 de 130 mm; M-1937 (ML-20) D-20, D-1 de 152 mm.
– Lanchas de desembarco de medios mecanizados: BM-21 de 122 mm; BM-14 de 140 mm; BM-24 de 240 mm.
– Morteros: M-41/43 de 82 mm, y M-38/43 de 120 mm.
– Artillería de defensa fija: se tienen noticias de unos 15 en carros pesados JS-2 (cañón de 122 mm), T-34 (cañón 85 mm) y SU-100 (cañón 100 mm) situados todos en asentamientos fijos.
– 65 misiles superficie-superficie Frog-4/-7.
– Misiles contra carro: AT-3 Sagger, AT-1 Snapper.
– Cañones contra carro: D-44 de 85 mm, SU-100 autopropulsado de 100 mm.
– 1.600 cañones antiaéreos entre: ZU-23, ZSU-23/44 autopropulsado de 23 mm; M-53 biturbo/BTR-60 P autopropulsado de 30 mm.; M-1939 de 37 mm; S-660 remolcado, ZSU 52-2 autopropulsado de 57 mm; KS-12 de 85 mm; KS-19 de 100 mm.
– 12 misiles superficie-aire SA-6, SA-7/-9/-13/-14.

Efectivos de la Armada
– Total: 13.500 de los cuales 8.500 son de reclutamiento forzoso: 3 flotillas territoriales, 4 operativas con submarinos, lanchas rápidas patrulleras lanzamisiles, lanchas rápidas patrulleras torpederas y lucha antisubmarina.
– Bases: Cienfuegos, Cabanas, Habana, Mariel, Punta Movida y Nicaro.
– 3 submarinos soviéticos Foxtrot con lanzatorpedos de 533 y 406 mm.
– 3 fragatas Mariel (Koni soviética) con dos lanzacohetes de lucha antisubmarina.
– 58 buques de combate y vigilancia costera.
– 18 lanchas lanzamisiles Osa -I/-II soviéticas con cuatro lanzadores de misil superficie-superficie SS-N-2 Styx.
– 40 patrulleros de bajura: 9 PHI Turya soviéticos, 3 Stenka, 4 PFI SO-1 PCI Lig.
– 14 buques de guerra de minas: 4 dragaminas Sonya soviéticos, 10 MSI Yevgenya soviéticos.
– 2 buques de desembarco medio Polnocny anfibios soviéticos con capacidad para seis carros y 200 soldados.
– 4 buques de apoyo y 46 diversos: un AO, un buque buscador de información, un remolcador oceánico y un buque-escuela.

Efectivos de la Infantería de Marina
– Total: Más de 550, un batallón de asalto anfibio.

Efectivos de la Defensa de Costa
– Artillería: M-1931/37 de 122 mm, M-1937 de 152 mm, M-46 de 130 mm.
– 2 sistemas de misiles superficie-superficie SS-C-3.

Efectivos del Ejército del Aire
– Total: Más de 22.000, incluidas las fuerzas de la Defensa Aérea. 11.000 de reclutamiento forzoso. 206 aviones de combate. 41 helicópteros armados.

– 3 cazas ataque a tierra, SCUAD con 36 Mig-23BN, 2 con 24 Mig 17F.
– 8 SCUAD de caza: 2 con 30 Mig 21F, 2 con 30 Mig-21 PFM, 2 con 20 Mig-21 PFMA, 1 con 17 Mig 21 bis, 1 con 15 Mig-23 Flegger E.
– 16 helicópteros de ataque MI-17 y 20 MI-25.
– 5 helicópteros para lucha antisubmarina MI-14.
– 4 SCUAD de transporte con 30 An-2, 3 An-24, 22 An-26, 2 An-32, 20 ll-14, 4 Yac-40, 2 ll-76 (aviones de las fuerzas aéreas con designaciones civiles.
– Entrenamiento: helicóptero de transporte: 2 Mi-2, 30 Mi-4, 36 Mi-8. Entrenamiento 15 Mi G-15, 15 Mig-15 UTI, 10 Mig 21 U, 4 Mig-23 U, 20 Z 326.
– Misiles aire-aire: AA-1 Alkali, AA-2 Afoll, AA-8 Aphid.
– La defensa aérea tiene más de 200 lanzadores de misil superficie-aire SA-2, SA-3, SA-6, SA-9, SA-13.
– Líneas aéreas civiles: 10 Il-62, 7 Tu 154 utilizados para transporte de tropas.

Efectivos de las fuerzas paramilitares
– Ejército Juvenil del Trabajo (EJT): 100.000.
– Fuerzas de Defensa Civil: 50.000.
– Milicia de Tropas Territoriales: 1.300.000 (el Gobierno cubano reconoce 1.500.000).
– Tropas de Seguridad del Estado (independientes del Ministerio del Interior): 15.000
– Guardias Fronterizos (dependientes del Ministerio del Interior): 4.000, 4 lanchas patrulleras Lig de bajura.

Fuerzas Extranjeras
– EE UU: 435 efectivos. 1 compañía reforzada de la Infantería de Marina en la Bahía de Guantánamo.
– URRS: 7.700. 1 brigada de fusileros motorizados (2.800), personal de comunicaciones e inteligencia (2.100), asesores militares (2.800).
En la actualidad, Cuba negocia con los rusos la retirada de las tropas ex soviéticas. Ya se han marchado, a mayo de 1992, la gran mayoría de los asesores.

Juramento del miliciano de las milicias de tropas territoriales

El juramento militar es un compromiso de honor que hacemos con la Patria, con la Revolución, con los héroes, con los mártires y con la tradición combativa de nuestros "Cien años de lucha".

Al expresar tu disposición de ingresar a las Milicias de Tropas Territoriales durante la preparación preliminar, te enseñaron a manejar tu arma y a tirar con ella, también te explicaron el concepto de disciplina, el significado de la bandera de combate y otros aspectos de la vida en las Milicias. Y con qué emoción recordarás el día que prestaste el Juramento Militar, después de cumplido este período de instrucción.

Sin embargo, ese momento trascendental en la vida de cada miliciano debe estar latente en todas la actividades de la vida en las Milicias de Tropas Territoriales, para que seas un celoso cumplidor de tus deberes y demostrar que has adquirido verdadera conciencia de lo que juraste.

Con el propósito de que puedas recordar tan solemne momento, a continuación aparece el contenido del Juramento del Miliciano:

Yo, _____ , ciudadano de la República de Cuba, estoy consciente de que prepararme para la defensa de la Patria, de que la obra del Socialismo y del poder revolucionario constituyen el más sagrado de mis deberes.

Ese deber dimana de mi lealtad a los principios de la Revolución Cubana, a la tradición mambisa de nuestro pueblo, al legado de los luchadores obreros y populares por la verdadera independencia y la emancipación social, y al ejemplo del glorioso Ejército Rebelde, de las milicias obreras y campesinas, de los combatientes internacionalistas y de los heroicos miembros de las Fuerzas Armadas Revolucionarias.

Como ha dicho el comandante en jefe, Fidel Castro, en nuestra Patria cada soldado es un revolucionario y cada revolucionario es un soldado.

En las Milicias de Tropas Territoriales, los hombres y mujeres del pueblo que estamos eximidos de obligaciones militares por razón de edad o sexo, o que no estamos integrados a las formaciones de la Reserva, podemos mantenernos preparados y organizados, de forma voluntaria y respondiendo a un dictado de nuestra conciencia, para cumplir la misión que se nos asigne y defender al precio que sea necesario la soberanía de la Patria y la obra revolucionaria.

Con esta firme convicción, juro:

Primero: Cumplir los deberes de miliciano de Tropas Territoriales, los reglamentos y disposiciones que normen su organización y funcionamiento, las órdenes y misiones que me asignen mis jefes y oficiales; mantener en correcta conservación el armamento que se me confíe y guardar celosamente el secreto militar.

Segundo: Ceder parte de mi tiempo libre o de mis vacaciones para la preparación que realice la unidad de milicias a la que pertenezca.

Tercero: Esforzarme por elevar constantemente mi preparación política e ideológica, mantener una conducta política y moral que contribuya la prestigio de las Milicias de Tropas Territoriales; actuar en todo momento como un firme defensor de la línea de la Revolución que traza el Partido Comunista de Cuba.

Cuarto: Defender cada pulgada del suelo patrio frente a una agresión imperialista, no darle un minuto de tregua la invasor, aniquilarlo implacablemente por cualquier medio, de día y de noche, en todos los lugares que me encuentre, utilizando las más diversas formas de lucha que impongan las circunstancia, pelear hasta el último enemigo o el postrer alimento como lo hicieron Céspedes y Agramonte, Martí, Maceo y Gómez, Mella y Guiteras, Camilo y Che, como nos enseña Fidel.

Al suscribir de modo espontáneo y consciente este juramento, asumo las responsabilidades que de su incumplimiento pueden derivarse.

Patria o muerte

Venceremos

Firma: _____   Fecha: _____

(Nota: tomado del libro *Manual Básico del Miliciano de Tropas Territoriales*. Editorial Orbe. Ciudad de La Habana, 1981.

CAPITULO 8: LOS DISIDENTES

Concertación Democrática Cubana

Propuesta de la Concertación Democrática Cubana al IV Congreso del Partido Comunista de Cuba.

Muchos compatriotas presienten que se nos agota velozmente el tiempo como sociedad. Es manifiesto el proceso de descomposición y depauperación de lo que fue, aun con sus problemas, un bello y alegre país. Esto nos atañe a todos los cubanos.

Pocos en nuestras calles, en nuestros centros de trabajo y de estudio o en la intimidad del hogar albergan esperanzas de que el IV Congreso del Partido Comunista de Cuba produzca resultados positivos.

Como ha sucedido con frecuencia alarmante desde hace unos años, el hombre que por espacio de un tercio de siglo ha decidido los destinos de nuestras nación, parece dispuesto nuevamente a desestimar los reclamos de la mayoría, a desafiarla y persistir en su andar inconsulto y dañino que lo ha alejado irremediablemente del pueblo.

La Concertación Democrática Cubana, inspirada en la tradición cívica y patriótica de tan hondo arraigo en nuestra nacionalidad, eleva al pueblo de Cuba a los hombres y mujeres honestos que estarán presentes en el IV Congreso, y a toda la opinión pública mundial una propuesta que, de aprobarse y ponerse en práctica, abriría las puertas del futuro al país hoy abocado al desastre.

Proponemos:

1. Amnistía general inmediata para todos los presos por motivo político y otras personas injustamente condenadas.

2. Derogar el artículo 5 de la actual Constitución de la República de Cuba.

3. Reconocer a las asociaciones políticas, religiosas y de derechos humanos independientes.

4. Reconocer a la emigración como parte intrínseca de la nación cubana.

5. Reconocer aquellas organizaciones políticas y sociales del exilio que se plantean contribuir a la reconstrucción de Cuba.

6. Convocar en La Habana un Encuentro Nacional con plena representación del espectro político y social cubano, con una amplia cobertura de la prensa nacional e internacional y en presencia de observadores de reconocido prestigio, para considerar:

– La reconciliación nacional y la gradual democratización de Cuba.

– Un proyecto de estructura política para el país sobre la base del pluripartidismo.

– La conformación de un Consejo Provisional de Gobierno.

– La convocatoria a una Asamblea Constituyente que, en el espíritu de la Declaración Universal de Derechos Humanos, redactará la nueva Constitución de la República de Cuba, la cual se someterá a un referéndum nacional.

7. Celebrar elecciones generales, directas y secretas, para los cargos ejecutivos y legislativos del país.

Si el IV Congeso del Partido Comunista de Cuba desestimara la esencia y propósitos de esta propuesta estaría rechazando uno de las últimas oportunidades de evitar el colapso económico, el caos social y un derramamiento de sangre como no ha conocido Cuba en toda su historia. Estaría rechazando el último puente tendido a la razón.

La militancia honesta del Partido Comunista de Cuba y los delegados conscientes de la gravedad del momento, tendrán que demostrar su valentía y decisión. La mayoría del pueblo estará espectante. Y los respaldará.

Dada en La Habana, el 7 de octubre de 1991.

Firman:

Luis A. Pita. Asociación Defensora de los Derechos Políticos (ADEPO).

Juan de Betancourt. Partido Pro-Derechos Humanos de Cuba (PPDHC).

María Elena Cruz Varela. Criterio Alternativo (CA).

José Luis Pujol. Proyecto Apertura de la Isla (PAIS).

Yndamiro Restano. Movimiento Armonía (MA).

Elizardo Sánchez. Comisión Cubana de Derechos Humanos y Reconciliación Nacional (CDHRN).

CAPITULO 13: LA LIBRETA DE ABASTECIMIENTOS Y OTRAS ESTADISTICAS SOBRE EL CONSUMO

<u>Libreta de Abastecimientos. Cantidades que el Estado entrega a cada miembro del núcleo familiar</u>

Producto	UM	MAYO-1991				ENERO-92			
		PE (días)	Cantidad UM	GR	Valor (pesos)	Cantidad UM	GR	PE (días)	Valor (pesos)
Arroz	libra	30	5	2.300	1,20	6	2.760	30	1,44
Azúcar	libra	30	4	1.840	0,56	5	2.300	30	0,70
Café	onza	28	4	115	0,26	4	115	28	0,26
Carne (1)	libra	9	3/4	345	2,07				
Picadillo (1)	libra					3/4	345	30	0,62
Pollo	libra	9	1	460	2,33	1	460	30	0,70
Aceite y manteca	libra	30	1,5	690	0,53	1/2	230	30	0,18
Granos (2)	onza	30	20	575	0,38	10	288	30	0,19
Pan	1 pieza	1	1	80	3,00	1	60	1	3,00
Huevos	1 pieza	7	5		3,21	4		7	2,57
Pescado	libra	21	1	460	0,79	1	460	30	0,55
Con. de tomate (3)	lata	30	1		0,25	1		30	0,25
Leche enlatada	lata	30	3		0,90				
Detergente (4)	onza	30	7	201	0,26	5	144	30	0,19
Jabón lavar (5)	1 pieza	30	1		0,20	1		30	0,20
Jabón tocador (5)	1 pieza	30	1		0,38	1		30	0,38
Cigarrillos	cajetilla	28	4		1,28	4		28	6,40
Tabacos (puros)	1 pieza	28	4		0,69	4		28	2,40
Leche (6)	litro	1	1		7,50	1		1	7,50
Cerelá (7)	libra					1		30	
Harina de maíz (8)	libra	30	1	460	0,20	1		30	0,20
Sal	libra	30	1/2	230	0,30	1/2	230	30	0,30
Compotas (hasta 3 años)	lata	30	20		3,00	20	230	30	3,00
Viandas (9)		Se entrega según existencias. No tienen periodicidad.							
Ron o aguardiente (10)	botella	No tiene racionamiento				2		30	22,40
Papel higiénico	rollo	30	1		No hay desde comienzos de 1991.				
			Total mes		29,29	**Total mes**			53,42

Fuente: ICIOD. Elaboración propia.
UM: Unidad de medida. PE: Período de racionamiento.

(1) La carne no ha aparecido en muchos mercados de La Habana desde el mes de enero. Ha sido sustituida por picadillo, compuesto de un 60 por 100 de carne picada, un 30 por 100 de soja y sangre de cerdo.

(2) Los granos son indistintamente fríjol, garbanzo o judía. Los más frecuentes son los fríjoles.

(3) En numerosas bodegas de La Habana, no hubo latas de tomate desde enero a junio de 1992. Se entrega una lata de tomate por cada núcleo de cuatro personas, si hay más de cuatro, se da una segunda lata hasta ocho, y luego sucesivos múltiplos de cuatro.

(4) No ha aparecido en el mercado desde el mes de febrero de 1992.

(5) En La Habana se entrega una pieza de cada jabón (lavar y tocador), en el interior 1/2 pastilla. En 1992 en una ocasión se entregó un líquido detergente, de fabricación cubana, llamado Jabolina.

(6) Se ha reducido en una año la edad de los niños que la reciben, hasta enero de 1992, la recibían los menores de siete años, a partir de esa fecha, serán los menores de seis años. Por otro lado, si la leche se encuentra en mal estado, la bodega no entrega un nuevo litro. Con el fuerte calor y los apagones, la leche se estropea con frecuencia. Cuando no hay leche fresca de vaca, la sustituyen por condensada.

(7) Los niños de siete a catorce años y los ancianos mayores de sesenta y cinco, ya no reciben leche condensada o en polvo, sino un producto cubano llamado Cerelá. Los ancianos están acogidos al llamado plan "Dieta 14", en número de la ley por el que se autorizó la entrega. Muchos cubanos rechazan la Cerelá como polvo para hacer leche, porque dicen que no tiene buen sabor, pero las amas de casa le han encontrado un nuevo destino: hacer dulce y "panetelas". No es lo mismo que el arroz con leche, pero menos es nada.

(8) En junio de 1992, hacía más de un año que no se habían entregado harina de maíz ni harina de trigo.

(9) Las viandas que en el verano de 1992 llegaban con cierta regularidad a La Habana eran el llamado plátano fruta, que es el más pequeño de todos, verde puede ser cocinado, si se deja madurar se come crudo. En segundo lugar llegaba la patata. Las viandas son también: boniato, yuca, cebolla, malanga, entre otras.

(10) Se entregan dos botellas por núcleo familiar.

Precios de los productos básicos

Productos	Mercado normal	Mercado paralelo
Huevos	0,15/u	-
Pan	0,44/kg	-
Pescado	0,77-1,65/kg	-
Papa	0,26/kg	-
Carne de res	1,32-1,54/kg	-
Pollo	1,54/kg	8,80/kg
Carne de cerdo	2,20/kg	9,35/kg
Fríjoles	0,66/kg	3,30/kg
Arroz	0,53/kg	3,26/kg
Harina de maíz	0,44/kg	1,32/kg
Harina de trigo	0,22/kg	1,65/kg
Manteca	0,66/kg	-
Aceite	0,88/kg	6,60/kg
Azúcar	0,24/kg	0,88/kg
Café	2,09/kg	52,8/kg
Leche	0,25/litro	1,00/litro
		1,20/lata
Compota	0,15/lata	0,50/lata
Yogurt	1,00/litro	-
Mantequilla	5,28/kg	-
Jabón baño	0,25/past.	-
Jabón lavar	0,20/past.	-
Detergente	1,32/kg	-

Fuente: Instituto Cubano de Investigaciones y Orientación
de la Demanda Interna (ICIOD).

Alimentos: Consumo per cápita diario de nutrientes

Año	Calorías	Proteínas (gramos)	Grasas (gramos)	Carbohidratos (gramos)
1970	2.565	69	60	441
1975	2.622	71	70	435
1980	2.867	75	72	479
1986	2.948	80	78	482
1988	2.908	78	78	481
1989	2.845	77	74	466
Normas racionales	2.802	86,1	83,2	-

Fuente: Instituto Cubano de Investigaciones y Orientación
de la Demanda Interna (ICIOD).

Producción de productos básicos (kg. per cápita)

	1975	1986	1988	1989
Carne deshuesada de res	7,3	8,2	7,7	7,5
Carne de cerdo	2,6	6,2	6,1	6,1
Carne fresca de ave	1,4	6,1	7,1	7,2
Carne en conserva	2,8	6,5	6,0	6,4
Leche fluida	67,3	75,9	72,9	72,1
Yogurt	4,3	5,7	6,0	5,8
Quesos	0,7	1,5	1,5	1,5
Arroz consumo	24,0	23,3	24,8	23,5
Pescados y mariscos	1,9	6,1	7,2	5,2
Viandas	42,8	71,1	67,4	92,1
Hortalizas	55,1	59,4	69,7	57,8
Fríjoles	1,1	1,9	1,9	1,3
Cítricos	19,6	77,8	94,9	78,2
Otras frutas	27.5	22,9	28,8	20,7
Huevo (uno)	215,3	261,7	250,6	239,0

Fuente: ICIOD.

Importación de productos básicos (kg. per cápita)

	1975	1986	1988	1989
Carne de aves	3,3	1,9	2,2	3,6
Carne en conserva	3,5	3,3	3,5	4,1
Leche condensada	1,5	2,1	2,1	2,0
Leche en polvo	5,4	3,6	3,3	3,4
Mantequilla	2,0	1,7	1,5	1,5
Quesos	0,4	0,6	0,7	0,7
Pescados y mariscos	6,7	4,9	4,5	3,9
Trigo en grano	54,0	118,3	108,8	104,0
Arroz consumo	21,3	18,4	19,2	23,0
Harina de trigo	34,2	17,2	17,8	17,0
Conservas de frutas y vegetales	0,7	0,6	0,6	0,5
Fríjoles	8,2	9,2	10,4	12,1

Fuente: ICIOD.

Evolución histórica de la tenencia de confecciones de uso personal en poder de la población (prendas per cápita)

	Sexo	1974	1978	1982	1987	Indice 87/74(*)
Ropa exterior						
Blusas	(F)	3,40	5,80	7,33	7,70	2,26
Camisas	(M)	4,90	7,62	8,36	8,61	1,76
Camisetas	(AS)	0,43	0,95	1,51	2,34	5,49
* De mujer	(F)	0,39	1,11	1,43	2,29	5,87
* De hombre	(M)	0,46	0,78	1,59	2,38	5,17
Faldas	(F)	2,48	3,18	2,67	2,86	1,15
Pantalones	(AS)	2,78	4,52	5,24	5,35	1,93
* De mujer	(F)	1,46	3,29	4,39	4,46	3,05
* De hombre	(M)	4,09	5,75	6,09	6,23	1,52
Vestidos	(F)	3,92	3,50	2,52	2,86	0,73
Otros	(AS)	2,44	4,09	6,00	7,72	3,16
Total	(AS)	12,99	19,61	23,19	26,42	2,03
Ropa interior						
Sujetadores	(F)	2,03	3,45	4,16	4,61	2,27
Camisetas	(M)	0,87	1,22	1,64	1,94	2,23
Calzoncillos	(M)	NR.	4,25	5,23	6,26	-
Bragas	(F)	NR	5,26	5,53	7,44	-
Medias	(AS)	2,34	3,35	3,75	4,14	1,77
* De mujer	(F)	1,60	2,12	2,15	2,65	-
* De hombre	(M)	3,08	4,57	5,34	5,63	-
Otros	(AS)	0,56	1,54	2,14	2,85	5,09
Total	(AS)	4,35	11,98	14,17	17,12	3,93
Total confecciones	(AS)	17,34	31,58	37,36	43,53	2,51

Fuente: Encuestas Nacionales de Vestuario. ICIOD, 1974, 1978, 1982 y 1987. Elaboración propia.

NR: Datos No Registrados. (AS): Ambos sexos. (F): Femenino. (M): Masculino.

(*) Los índices mayores de uno, indican crecimiento. Los menores de uno indican disminución. Iguales a uno significarían mantenimiento.

Las cantidades que llevan su lado (AS) se encuentran ya promediadas. Las que llevan al lado (F) o (M) han de ser divididas por dos, para obtener el promedio y ser sumadas al resto. Las sumas que aparecen son sumas de promedios.

La disminución en índice de vestidos de mujer y el aumento de los pantalones de mujer se deben achacar a la influencia de la moda. Las mujeres comienzan a utilizar pantalones (sobre todo en este área) en los años setenta.

Tenencia per cápita de ropa y calzado

	Ropa (m^2)	Calzado n.º de pares
1974	24	3,04
1978	48	3,16
1982	58	3,55
1987	69	4,49

Fuente: ICIOD.

Producción de confecciones y calzado

Años	Ropa interior (miles de unidades)	Ropa exterior (miles de unidades)	Calzado (en miles de pares)
1970	39	26	12
1975	67	47	16
1980	64	44	13
1986	76	58	14
1988	70	61	13
1989	45	55	11

Fuente: ICIOD.

Producción e importación de tejidos (en miles de metros cuadrados)

Años	Producción	Importación	Total
1970	78	71	149
1975	144	96	240
1980	159	123	282
1986	281	87	368
1988	260	68	328
1989	220	62	282

Fuente: ICIOD.

Electrodomésticos (unidades por 100 viviendas)

	1953	1974	1984	1987
Refrigerador	17,5	29,9	64,9	75,0
Televisor	6,3	24,4	75,5	86,0
Radio	49,4	74,7	110,9	120,0
Batidora	-	14,1	35,2	43,0
Plancha eléctrica	-	67,1	94,7	100,0
Máquina de coser	-	48,2	55,4	60,0
Ventilador	-	22,0	70,9	44,0
Lavadora	-	1,7	43,8	53,0

Fuente: ICIOD.

Alimentación social (número de establecimientos)

Años	Restaurantes y cafeterías	Comedores obreros y escolares(*)
1970	5.393	565
1975	7.351	1.400
1980	6.067	12.023
1985	6.387	16.276
1989	6.928	18.622

(*) 3,2 millones de raciones diarias.
Fuente: ICIOD.

Red gastrónomica (unidades)

	1980	1985	1989
Restaurantes	1.321	1.547	1.649
Cafeterías	4.746	4.840	5.279
Comedores	135	446	414
Bares	1.337	1.813	2.140
Cabarets	489	527	488
Otros	825	1.200	1.311
Total	8.853	10.373	11.281

Fuente: ICIOD.

Red comercial (unidades minoristas)

	1980	1985	1989
Productos alimenticios	17.001	17.317	17.732
Productos industriales	2.680	3.498	3.227
Farmacias	1.414	1.556	1.776
Servicentros	774	809	831
Otros	6.850	5.413	5.956
Total	28.719	28.593	29.522

Fuente: ICIOD.

CAPITULO 14: EL TURISMO

Turismo. Turistas extranjeros que visitan Cuba (miles)

	1980	1986	1988	1989
Países capitalistas	79,5	157,7	213,2	243,2
Países socialistas	21,4	30,7	29,1	27,2
Total	100,9	188,4	242,3	270,4

Fuente: ICIOD.

Turismo. Turismo de ciudadanos cubanos

	1988	1989	1990
Países extranjeros	13.325	14.241	12.276
Giras por Cuba	63.300	70.200	80.200
Total	76.625	84.441	92.476

Fuente: ICIOD.

Turismo. Visitantes que arriban a Cuba (según Estadísticas de Fronteras)

	1988	1989	1990
Países capitalistas	246.900	289.370	310.298
Países socialistas	62.300	36.934	30.031
Total	309.200	326.304	340.329

Fuente: ICIOD.

CAPITULO 16: ESTADISTICAS SOCIOCULTURALES

Tasas de mortalidad (por cada 10.000 nacidos vivos) (%)

Año	Materna	Infantil
1958	-	60,0
1959	11,5	-
1979	4,5	19,4
1980	-	19,6
1981	-	18,5
1982	-	17,3
1983	-	16,8
1986	3,7	13,6
1988	2,6	11,4
1989	2,9	11,1
1990	3,1	10,7

Fuente: ICIOD.

Tasas de crecimiento vegetativo de la población (natalidad y mortalidad) (%)

Quinquenio	Natalidad	Mortalidad	Crecimiento
1950-1955	2,97	1,10	1,87
1955-1960	2,82	0,96	1,86
1960-1965	3,53	0,88	2,65
1965-1970	3,20	0,74	2,46
1970-1975	2,58	0,64	1,94
1975-1980	2,03	0,63	1,41
1980-1985	1,88	0,66	1,23
1985-1990	1,88	0,68	1,21
1990-1995	1,76	0,71	1,06
1995-2000	1,58	0,73	0,85

Fuente: ICIOD.

Salud pública. Recursos humanos

Conceptos	1958	Relación 1986	86/58	1988	Relación 1989	89/58
Médicos	6.286	25.567	4,1%	31.229	34.752	5,5%
Estomatólogos	250	5.752	23,0%	6.134	6.482	25,9%
Enfermeras y auxiliares	826	48.339	58,5%	58.589	64.510	78,1%
Técnicos auxiliares	157	45.647	290,7%	55.966	49.848	317,5%

Fuente: ICIOD.

Salud pública. Recursos humanos por cada 10.000 habitantes

Conceptos	1958	1984	1986	1988	1989
Médicos	1,7	20,4	25,6	29,8	32,9
Estomatólogos	0,4	4,7	5,7	5,9	6,1
Enfermeras y auxiliares	1,2	38,6	48,3	56,0	61,1
Técnicos auxiliares	0,2	38,8	45,6	53,4	47,2

Fuente: ICIOD.

Salud pública. Recursos materiales

Conceptos	1958	1986	1988	1989
Hospitales	95	261	265	265
Policlínicos	52	669	675	650
Clínicas estomatológicas	-	155	161	163
Bancos de sangre	1	22	23	23
Hogares maternos y de ancianos	-	238	282	301
Total de camas	25.905	65.824	74.407	77.739
De asistencia médica	21.780	54.028	61.235	64.129
De asistencia social	4.125	11.796	13.172	13.610

Fuente: ICIOD.

Educación (total de escuelas)

	1958	1980	1986	1988	1989
Primaria	7.567	12.675	9.837	9.522	9.417
Media	81	1.802	2.130	2.150	2.175
Adultos	-	2.113	766	612	628
Superior	3	29	35	35	35
Otros	28	398	593	623	653
Total	7.679	17.017	13.361	12.942	12.908

Fuente: ICIOD.

Se aprecia un descenso del número de Escuelas Primarias, esto sucede así en todos los países modernos donde existe un control de la natalidad. Las escuelas de Grado Medio aumentan a ritmo muy lento o casi se mantienen igual que las escuelas de Enseñanza Superior. La tendencia lógica sería un pequeño ascenso, leve y sostenido, durante los próximos años, para descender posteriormente, como en el caso de la Enseñanza Primaria. todos estos parámetros son los normales en países donde existe control de la población, en definitiva, en todos los países modernos.

Lo mismo se podría aplicar al descenso de las Escuelas para Adultos, éstas obviamente descenderán hasta ser inexistentes, en aquellos países donde el analfabetismo esté erradicado o en vías de extinción, cuando no hay analfabetos funcionales, deja de tener sentido la escolarización de adultos.

Otro parámetro de "modernidad" es el incremento de Escuelas de Educación Especial, Escuelas de Idiomas, etc., que se agrupan en "Otros".

Círculos infantiles (guarderías)

	1970	1975	1980	1986	1988	1989
Número de círculos	606	658	832	854	1.021	1.072
Capacidad (miles)	47,2	47,1	87,9	95,8	125,6	135,1
Asistencia promedio anual (miles)		33,7	40,4	59,3	76,5	89,6	100,2
Madres beneficiadas (miles)	32,3	54,2	83,0	101,5	131,8	136,5

Fuente: ICIOD.

Deporte (número de instalaciones deportivas)

	1981	1986	1988	1989
Piscinas	171	257	255	259
Campos de atletismo	503	528	-	-
Campos de tiro	100	116	-	-
Tabloncillos de gimnasia	48	104	-	-
Salas de ajedrez	172	236	-	-
Salas deportivas	-	-	1.717	1.765
Terrenos aire libre	-	-	8.430	8.666

Fuente: ICIOD.

Vivienda (viviendas terminadas)

	1984	1985	1986	1988	1989
Sector estatal	22.829	24.195	23.132	28.958	28.296
Cooperativas(*)	2.564	2.053	2.709	3.127	2.899
Población (**)	43.570	45.119	45.073	7.364	8.394
Total	68.963	71.367	70.914	39.449	39.589

(*) Excluye vivienda rústica.
(**) Con certificado de habitabilidad.
Fuente: ICIOD.

Vivienda (electrificación)

Censo	Viviendas (miles)	Viviendas electrificadas (%)
1953	1.256,6	55
1970	1.904,8	71
1981	2.364,8	85
1984	1.568,5	86
1989	2.430,5	92

Fuente: ICIOD.

Transporte (en millones de pasajeros transportados)

	1981	1986	1988	1989	1990
Ferroviario	20,1	23,4	25,2	26,3	25,9
Omnibús	2.746,1	3.010,0	2.765,5	2.803,4	2.522,2
Automóviles	124,5	188,1	191,1	192,0	154,6
Aéreo	0,8	1,0	1,1	1,2	1,2

Fuente: ICIOD.

Transporte (cantidad de vehículos públicos existentes)

	1981	1986	1988	1989	1990
Omnibús	11.628	14.616	15.093	15.543	15.864
Taxis	16.612	15.767	16.268	15.712	15.490
Vagones ferrocarril	397	431	504	539	583
Aviones	32	40	43	42	43

Fuente: ICIOD.

Transporte (cantidad de vehículos privados existentes)

	1986	1988
Automóviles	131.775	149.323
Jeeps	7.638	7.602
Motos	118.976	142.285
Triciclos (bicicletas)	8.177	10.838

Fuente: ICIOD.

Comunicaciones

	1980	1986	1988	1989	1990
Cartas(*)	8,6	11,3	11,1	10,5	8,5
Telegramas (*)	1,6	1,7	1,7	1,7	1,7
Periódicos(*)	38,0	40,0	43,7	47,8	44,8
Teléfonos (**)	40,1	53,3	51,5	52,3	56,4

(*) Unidades por habitante.
(**) Unidades por mil habitantes.
Fuente: ICIOD.

CAPITULO 20: EL TIEMPO LIBRE

Tiempo promedio de las actividades de presupuesto de tiempo en las capitales de provincia (lunes a viernes) (en horas y minutos)

Actividades	Categorías ocupacionales					
	HT	MT	MNT	E	JyP	Otras
Trabajo o estudio	07:13	06:14	00:00	04:00	00:19	01:23
Transporte	02:01	01:42	01:00	01:41	01:28	01:24
Actividades fisiológicas	09:18	09:02	10:18	10:31	11:10	10:27
Actividades generales	00:18	00:12	00:07	00:11	00:07	00:13
Tareas domésticas	01:03	03:54	07:51	01:16	04:13	04:30
Tiempo libre	04:07	02:55	04:42	06:20	06:41	06:02
Tiempo no registrado	00:00	00:01	00:02	00:01	00:02	00:01
Total	24:00	24:00	24:00	24:00	24:00	24:00

Fuente: ICIOD, Encuesta Nacional sobre Presupuesto de Tiempo Libre de la Población cubana, 1979.
Elaboración propia.
HT: hombres trabajadores. MT: mujeres trabajadoras. MNT: mujeres no trabajadoras. E: estudiantes. JyP: jubilados y pensionistas.
Los datos presentados, tienen sólo carácter indicativo, no representativo de la población urbana estudiada.

Tiempo promedio de las actividades de presupuesto de tiempo en las capitales de provincia (sábados y domingos) (en horas y minutos)

Actividades	Categorías ocupacionales					
	HT	MT	MNT	E	JyP	Otras
Trabajo o estudio	03:45	02:37	00:00	01:22	00:15	00:17
Transporte	01:50	01:22	00:39	01:50	01:05	01:39
Actividades fisiológicas	09:47	09:36	10:26	10:44	11:00	10:54
Actividades generales	00:26	00:12	00:04	00:17	00:09	00:02
Tareas domésticas	01:31	05:45	07:27	00:58	03:41	03:19
Tiempo libre	06:41	04:27	05:24	08:48	07:50	07:49
Tiempo no registrado	00:00	00:01	00:00	00:01	00:00	00:00
Total	24:00	24:00	24:00	24:00	24:00	24:00

Fuente: ICIOD, Encuesta Nacional sobre Presupuesto de Tiempo Libre de la Población cubana, 1979.
Elaboración propia.
Los datos presentados tiene sólo carácter indicativo, no representativo de la población urbana estudiada.

Tiempo promedio de las actividades de tiempo libre en las capitales de provincia
(lunes a viernes) (en horas y minutos)

Actividades	Categorías ocupacionales					
	HT	MT	MNT	E	JyP	Otras
Ver televisión	01:27	01:02	01:46	02:06	01:42	01:19
Oír radio	00:18	00:10	00:21	00:40	00:32	00:44
Ir al cine	00:04	00:03	00:01	00:04	00:01	00:00
Leer	00:13	00:09	00:09	00:16	00:27	00:43
Estudiar	00:13	00:21	00:02	01:01	00:00	00:00
Descanso pasivo	00:46	00:32	01:04	00:31	02:08	01:25
Actividades con niños	00:02	00:04	00:08	00:02	00:01	00:05
Encuentro con familiares y amigos	00:40	00:27	00:58	00:51	01:21	00:56
Actividades recreativas	00:14	00:01	00:01	00:21	00:06	00:23
Otras	00:10	00:06	00:12	00:28	00:23	00:27
Total	04:07	02:55	04:42	06:20	06:41	06:02

Fuente: ICIOD, Encuesta Nacional sobre Presupuesto de Tiempo Libre
de la Población cubana, 1979.
Elaboración propia.
Los datos presentados tienen sólo carácter indicativo, no representativo de la población urbana estudiada.

Tiempo promedio de las actividades de tiempo libre en las capitales de provincia
(sábados y domingos) (en horas y minutos)

Actividades	Categorías ocupacionales					
	HT	MT	MNT	E	JyP	Otras
Ver televisión	02:18	01:57	02:08	03:23	02:21	02:49
Oír radio	00:21	00:12	00:14	00:26	00:30	00:21
Ir al cine	00:06	00:05	00:02	00:11	00:03	00:21
Leer	00:14	00:08	00:06	00:11	00:31	00:16
Estudiar	00:12	00:09	00:01	00:17	00:04	00:00
Descanso pasivo	00:58	00:37	01:14	00:36	02:37	01:14
Actividades con niños	00:09	00:07	00:09	00:04	00:03	00:00
Encuentro con familiares y amigos	01:21	00:55	01:14	02:17	01:12	02:24
Actividades recreativas	00:42	00:04	00:03	00:45	00:11	00:23
Otras	00:20	00:13	00:13	00:38	00:18	00:01
Total	06:41	04:27	05:24	08:48	07:50	07:49

Fuente: ICIOD, Encuesta Nacional sobre Presupuesto de Tiempo Libre
de la Población cubana, 1979.
Elaboración propia.
Los datos presentados tienen sólo carácter indicativo, no representativo
de la población urbana estudiada.

Actividades culturales

	1970	1980	1986	1988	1989
Danza					
Funciones	324	673	896	766	814
Asistentes (miles)	0,2	0,3	0,4	0,3	0,3
Música					
Conciertos	24.312	28.181	61.101	56.046	51.727
Bibliotecas					
Cantidad	51	196	319	325	333
Visitantes (miles)	2,2	5,3	12,9	6,5	6,1
Teatros					
Funciones	1.562	7.492	11.301	7.657	7.005
Asistentes (miles)	0,5	1,5	2	1,5	1,1

Fuente: ICIOD.

Oferta cultural a la población

Actividades	1980	1985	1989
Funciones de cine 35 mm	567.839	489.886	434.551
Funciones de cine 16 mm	338.503	447.840	314.627
Funciones en salas de vídeo	-	-	100.346
Total actividades cinematográficas	906.342	937.726	849.524
Funciones de música	28.181	57.180	51.727
Funciones de espectáculos	601	845	1.229
Funciones de teatro	7.492	9.617	7.007
Funciones de danza	673	845	767
Funciones de circo	2.548	2.358	2.169
Total manifestaciones profesionales	39.495	70.845	62.899
Exposiciones profesionales	1.012	2.124	1.467
Servicios prestados			
en bibliotecas públicas	5.214.500	14.448.100	7.786.100

Fuente: Estadísticas Culturales del Ministerio de Cultura de la República de Cuba.

Instalaciones culturales en servicio

Instalaciones (a 31-12-1989)	1980	1985	1989
Cines de 35 mm	515	510	500
Cines de 16 mm	692	931	680
Bibliotecas públicas	196	312	333
Casas de cultura	132	232	262
Casas de la trova	22	30	27
Museos	79	245	211
Galerías de arte	28	139	136
Teatros y salas de teatro	48	42	49
Librerías	252	316	340
Salas de vídeo	-	-	225
Total	1.964	2.757	2.763

Nota: Cuba tiene 169 municipios.
Fuente: Estadísticas culturales del Ministerio de Cultura de la República de Cuba.
Elaboración propia.

Asistentes a instalaciones y actividades culturales (en miles de personas)

Instalación/actividad	1980	1985	1989
Espectadores de cine 35 mm	47.410,4	38.190,1	25.591,7
Espectadores de cine 16 mm	33.634,4	38.304,0	19.196,4
Espectadores en salas de vídeo	-	-	1.157,4
Total actividad cinematográfica	81.044,8	76.494,1	45.945,5
Asistentes a funciones de música	9.541,1	21.358,2	17.734,9
Asistentes a funciones de espectáculos	542,5	917,7	946,7
Asistentes a funciones de teatro	1.481,2	1.791,9	1.115,9
Asistentes a funciones de danza	351,2	391,8	322,4
Asistentes a funciones de circo	2.516,1	2.466,7	1.935,1
Total manifestaciones profesionales	14.432,1	26.926,3	22.055,0
Visitantes a exposiciones profesionales	1.298,0	3.602,2	2.695,2
Visitantes a museos	2.609,1	8.918,1	7.101,4
Usuarios de bibliotecas públicas	5.268,7	12.680,3	6.110,4

Fuente: Estadísticas Culturales del Ministerio de Cultura de la República de Cuba.
Elaboración propia.

CAPITULO 22 : LOS SOVIETICOS

Comercio URSS-Cuba
(en millones de dólares en precios corrientes) (*)

	1989	1990	1991 (6 meses)
Total intercambio comercial	7.857,1	6.967,5	1.517,2
Total exportación a Cuba	4.198,2	3.642,5	857,3
Total importación de Cuba	3.658,9	3.325,0	659,9
Exportación a Cuba			
1. Máquinas, equipos y medios de transporte	1.045,5	1.148,5	329,1
2. Combustibles, materia prima, minerales, metales	2.186,5	1.715,5	287,3
Petróleo y sus derivados (**)	1.934,2	1.488,2	269,0
3. Productos químicos, fertilizantes, caucho	162,3	72,6	8,7
4. Materiales de construcción	15,3	17,0	2,7
5. Materia prima forestal y productos de elaboración, algodón	223,2	134,5	33,5
6. Materia prima alimenticia	124,8	232,7	61,8
7. Productos alimenticios	215,7	139,2	18,2
8. Artículos industriales de amplio consumo	148,6	124,3	-
9. Otros artículos no mencionados	76,3	58,2	116,0
Importación de Cuba			
1. Azúcar	3.371,9	3.032,6	597,7
2. Níquel	193,6	192,0	6,6
3. Cítricos frescos y elaborados	54,8	80,1	33,3
4. Bebidas alcohólicas	5,1	3,5	0,5
5. Tabacos	6,2	3,9	-
6. Productos electrónicos	15,2	-	-
7. Otros	12,1	12,9	21,8

(*) Los datos originales estaban en rublos. Para convertirlos en dólares se ha tomado el cambio oficial al que se establecían las comerciales entre la URSS y Cuba: 1 rublo = 1,1 U.S. dólar.

(**) La cifra de exportaciones de petróleo a Cuba está incluida, a efectos de la suma total de exportaciones, dentro de la cifra general de combustibles y materias primas, es decir, en 1989 el resto de combustible y materias primas sería de 252,4 millones de dólares, en 1990 sería 227,3 millones de dólares y en 1991, 18,3 millones de dólares.

Fuente: Elaboración propia. En base a datos de la Embajada de la ex URSS en La Habana.

Comercio URSS-Cuba
(año 1991, seis meses, valores y cantidades)

	Cantidad (miles toneladas)	Valor (*) (millones U.S. $)
Exportación a Cuba		
Máquinas, equipos y medios de transporte	...	329,09
Antracita	-	-
Coque metalúrgico	-	-
Petróleo crudo	2.370,00	178,18
Derivados de petróleo	1.262,00	90,91
Azufre	0,20	0,03
Metales ferrosos	-	-
Madera acerada	20,00	2,36
Pulpa	-	-
Papeles	1,80	0,73
Cartones	-	-
Algodón	-	-
Trigo	330,00	27,27
Maíz forrajero	40,00	2,64
Arroz	-	-
Harina de trigo	22,30	2,91
Importación de Cuba		
Equipo médico	-	-
Productos con níquel y cobalto	3,20	6,64
Mármol	-	-
Glicerina refinada	-	-
Azúcar crudo	1.800,00	597,73
Cítricos	96,50	29,36
Productos de elaboración de cítricos	4,90	3,91
Caramelos	-	-
Miel de abejas	-	-
Licores y ron	0,40	0,45
Cigarrillos	-	-
Tabacos retorcidos	-	-
Reparaciones de buques	...	0,09

(*) Los datos originales estaban en rublos. Para convertirlos en dólares se ha tomado el cambio oficial al que se establecían las comerciales entre la URSS y Cuba: 1 rublo = 1,1 U.S. dólar.

Fuente: Elaboración propia. En base a datos de la Embajada de la ex URSS en La Habana.

CAPITULO 23: LOS YANQUIS

Cronología de un enfrentamiento

1959:

– 15 de abril: Fidel Castro viaja a Estados Unidos, invitado por la Sociedad Norteamericana de Directores de Periódicos. Permanece en el vecino país doce días, hasta el 27 de abril. Declara que desea un "buen entendimiento económico" con Estados Unidos.

– 17 de mayo: Se promulga en Cuba la primera Ley de Reforma Agraria.

1960

– 4 de febrero: El viceprimer ministro soviético Anastas Mikoyan visita Cuba para
visitar la Exposición Técnica de la URSS. Firma un pacto comercial con Cuba: se
concede a la isla un crédito al 2,5 por 100 de interés y a doce años por valor de
100 millones de dólares para la adquisición de equipos y maquinaria. Se compromete a comprar cuatro millones y medio de toneladas de azúcar en cinco años.

– 4 de marzo: La fragata francesa La Coubre, que portaba armas belgas para
Cuba, estalla en el puerto de La Habana. Murieron 75 trabajadores y 200 más resultaron heridos. Castro acusó a Estados Unidos de estar detrás de este acto de sabotaje.

– 7 de mayo: Cuba y la URSS reanudan relaciones diplomáticas interrumpidas
desde 1952, el año que el ex sargento Fulgencio Batista da un golpe de Estado.

– 29 de junio: El Gobierno cubano confisca la refinería de la Texas Oil Company
de Santiago de Cuba por negarse a refinar petróleo soviético. Dos días después
son confiscadas las refinerías de la Shell y de la Esso.

– 6 de julio: El presidente Dwight Eisenhower reduce la cuota azucarera cubana.
Cuba deja de vender 700.000 toneladas de azúcar a Estados Unidos, de la cuota
original de 3.119.665 toneladas.

– 15 de octubre: El Gobierno cubano nacionaliza la propiedad urbana, que afecta
a ciudadanos norteamericanos y a muchos cubanos que habían abandonado la
isla.

– 20 de octubre: Estados Unidos prohíbe las exportaciones norteamericanas a
Cuba, salvo algunos alimentos, medicinas y suministros médicos.

– 16 de diciembre: El presidente norteamericano reduce a cero la cuota azucarera
para el primer trimestre de 1961.

– 19 de diciembre: Nikita Kruschov y Ernesto "Che" Guevara anuncian en Moscú
la firma de un acuerdo comercial cubano-soviético. Entre otras cosas, la URSS se
compromete a comprar 2,7 millones de toneladas de azúcar anualmente, a construir una acería y al envío de especialistas en la búsqueda de minerales.

1961

– 3 de enero: Estados Unidos rompe relaciones diplomáticas con Cuba.

– 16 de enero: Estados Unidos prohíbe a sus ciudadanos viajar a Cuba, salvo que
cuenten con un permiso especial.

– 31 de marzo: La Casa Blanca determina que la cuota azucarera para 1961 será
cero.

– .17 de abril: Tropas anticastristas entrenadas por la CIA salen de Puerto Cabezas, en Nicaragua, e invaden Cuba por la Bahía de Cochinos.
– 1 de mayo: Fidel Castro proclama la República Socialista de Cuba.
– 4 de septiembre: El Congreso autoriza al presidente norteamericano a establecer y mantener un embargo total sobre todo el comercio con Cuba.
– 1 de diciembre: Se declara anulada la cuota azucarera hasta el 30 de junio de 1962.

1962
– 31 de enero: La Organización de Estados Americanos (OEA) expulsa a Cuba de su seno.
– 3 de febrero: El presidente norteamericano John Kennedy ordena poner en practica el bloqueo total a la isla: encarga al Departamento del Tesoro suspender las importaciones de la isla y al de Comercio continuar con el embargo previamente impuesto a las exportaciones norteamericanas.
– 22 de octubre: El presidente John Kennedy ordena un bloqueo naval a la isla para impedir la llegada de armamento nuclear soviético. La URSS había instalado 40 proyectiles balísticos capaces de transportar una carga atómica dirigidos contra los Estados Unidos. Los misiles son retirados y el presidente Kennedy se compromete a no invadir la isla.
– 21 de diciembre: Los dos países firman un acuerdo para la devolución de los 1.179 prisioneros anticastristas capturados tras la fallida invasión de Playa Girón. Estados Unidos paga un precio por su libertad de 48 millones de dólares, entregados en los meses siguientes en alimentos, medicinas, suministros médicos y tractores.

1963
– 8 de julio: Estados Unidos decreta el bloqueo de los activos cubanos en su territorio, valorados en ese momentos en unos 30 millones de dólares.
- 14 de octubre: Estados Unidos presiona a varios países para que suspendan sus vuelos a Cuba. España no sólo no los suspende sino que incrementa el número de vuelos.
– 21 de diciembre: Estados Unidos presiona a España para que deje de comerciar con Cuba. Amenaza al Gobierno de Madrid con suspender la ayuda económica, que incluiría créditos a largo plazo por 100 millones de dólares.

1964
– Enero: Cuba decomisa la sede de la Embajada de Estados Unidos en represalia por la congelación de fondos cubanos decretada por Washington el 6 de julio anterior. Estados Unidos captura cuatro pesqueros cubanos. Cuba reacciona cortando el suministro de agua a la Base de Guantánamo, dejando sin el imprescindible líquido a los 10.500 norteamericanos, entre soldados y familiares.
– 11 de febrero: Estados Unidos declara que los 2.500 cubanos que trabajan en la Base de Guantánamo deben convertirse en residentes permanentes o bien gastar todos sus ingresos en dólares en la propia base.
– 14 de febrero: Estados Unidos suspende la ayuda a los países que realizaban

transportes, aéreos o marítimos, a Cuba. España continuó con ellos y prácticamente le fue cancelada toda ayuda, salvo la militar. Estados Unidos estaba muy interesado en seguir manteniendo sus bases militares en España.

– 14 de mayo: Estados Unidos decreta el embargo de alimentos y medicinas a Cuba.

– 26 de julio: Venezuela acusa en el seno de la OEA a Cuba de apoyar a la guerrilla que actúa en su país. Después de varios días de debates, 15 países votan en favor de suspender las relaciones diplomáticas con La Habana. Cuatro votan en contra, entre ellos México, que nunca cortó sus lazos diplomáticos con Cuba. Se suspende también el tráfico marítimo y aéreo con la isla.

1975

– La OEA autoriza a sus Estados miembros a determinar por sí mismos la naturaleza de sus relaciones con Cuba. Varios países latinoamericanos reanudan sus lazos diplomáticos.

1977

– 12 de mayo: Estados Unidos autoriza los vuelos chárter desde su territorio a Cuba. Los vuelos regulares no son autorizados.

– 22 de diciembre: Estados Unidos autoriza a personas que residen en ese país a enviar un máximo de 500 dólares trimestrales a sus familiares en Cuba. Por una sola vez, aprueba el envío de otros 500 dólares para cubrir los gastos de emigración de la isla.

1982

– 19 de abril y 22 de julio: Estados Unidos limita los viajes a Cuba a personas que viajen por motivo oficial, visitas a familiares cercanos y viajes relacionados con actividades periodísticas o profesionales.

1984

– Marzo: Cuba y Estados Unidos suscriben unos acuerdos migratorios por los que el segundo país se compromete a conceder hasta 20.000 visados permanentes para ciudadanos cubanos.

1985

– 20 de mayo: Comienzan las emisiones de Radio Martí, emisora anticastrista financiada por los Estados Unidos. Poco después, Cuba suspende los acuerdos migratorios.

1987

– Noviembre: Se reanudan los acuerdos migratorios. Radio Martí sigue emitiendo.

1988

– 22 de noviembre: Estados Unidos prohíbe a las personas que viajan a Cuba utilizar para sus gastos las tarjetas de crédito expedidas por entidades financieras norteamericanas.

<u>1989</u>
– 20 de julio: El Senado de los Estados Unidos aprueba una enmienda del republicano Connie Mack por la que se prohíbe a compañías subsidiarias de firmas norteamericanas comerciar con Cuba.
– 25 de agosto: Estados Unidos limita a 100 dólares diarios la cantidad que sus ciudadanos pueden gastar en Cuba en hotel, alimentación, entretenimiento y compra de artículos cubanos.
– 24 de octubre: Estados Unidos limita al horario nocturno los vuelos chárter a La Habana, encareciendo el precio del pasaje.
– 7 de noviembre: El Departamento de Estado elimina la Enmienda Mack que prohíbe el comercio a las compañías subsidiarias, ante la presión de varios países con los que Estados Unidos mantiene buenas relaciones (Canadá, por ejemplo).

<u>1990</u>
– Febrero: Cuba reduce la edad de los cubanos que desean viajar temporalmente a los Estados Unidos a 50 años las mujeres y 55 años los hombres.
– 27 de marzo: Estados Unidos comienza a emitir programas desde Tele Martí. Cuba bloquea la señal.
– 17 de mayo: El Senado de los Estados Unidos vuelve a aprobar una enmienda presentada por Connie Mack, similar a la ya aprobada y luego cancelada el año anterior.
– 18 de octubre: La Conferencia Bicameral del Congreso de Estados Unidos aprueba la inclusión de la Enmienda Mack como parte de la legislación norteamericana.
– 16 de noviembre: El presidente George Bush niega su aprobación a la ley que incluye la Enmienda Mack.

<u>1991</u>
– 20 de febrero: El Senado de los Estados Unidos vuelve a aprobar la Enmienda Mack.
– Marzo: Cuba reduce la edad para viajar al exterior a los 20 años. Las únicas condiciones para salir al extranjero son: conseguir una visa del país de destino y que algún familiar u organismo costee el viaje.

<u>1992</u>
– 5 de febrero: El Comité de Relaciones Exteriores de la Cámara de Representantes de los Estados Unidos aprueba un proyecto de ley presentado el representante demócrata por Ney Jersey Robert Torricelli. El proyecto contempla la cancelación de la ayuda de Estados Unidos a los países que comercien con Cuba, la prohibición a las subsidiarias de compañías norteamericanas de que compren o vendan algo a Cuba y la prohibición de tocar puertos norteamericanos a todos los buques que transporten algo de o para Cuba

La Enmienda Platt

Texto de la Enmienda que lleva el nombre del senador por el Estado de Connecticut Orville Platt, aprobada por el Senado de los Estados Unidos el 25 de febrero de 1901 e incorporada textualmente como apéndice a la primera Constitución cubana, el 12 de junio de 1901.

Que en cumplimiento de la declaración contenida en la Resolución conjunta aprobada en veinte de abril de mil ochocientos noventa y ocho, intitulada "Para el reconocimiento de la independencia del pueblo cubano", exigiendo que el Gobierno de España renuncie a su autoridad y gobierno de la isla de Cuba, y retire sus fuerzas terrestres y marítimas de Cuba, y de las aguas de Cuba y ordenando al presidente de los Estados Unidos que haga uso de las fuerzas de tierra y mar de los Estados Unidos para llevar a efecto estas resoluciones, el presidente, por la presente, queda autorizado para dejar el gobierno y control de dicha isla a su pueblo, tan pronto como se haya establecido en esa isla un Gobierno bajo una Constitución, en la cual, como parte de la misma, o en una Ordenanza agregada a ella se definan las futuras relaciones entre Cuba y los Estados Unidos, sustancialmente, como sigue:

Artículo 1: Que el Gobierno de Cuba nunca celebrará con ningún poder o poderes extranjeros ningún tratado u otro convenio que pueda menoscabar o tienda a menoscabar la independencia de Cuba, ni en manera alguna autorice o permita a ningún poder o poderes extranjeros obtener por colonización o para propósitos militares o navales, o de otra manera, asiento en o control sobre ninguna porción de dicha isla.

Artículo 2: Que dicho Gobierno no asumirá o contraerá ninguna deuda pública para el pago de cuyos intereses y amortización definitiva, después de cubiertos los gastos corrientes del Gobierno, resulten inadecuados los ingresos ordinarios.

Artículo 3: Que el Gobierno de Cuba consiente que los Estados Unidos puedan ejercitar el derecho de intervenir para la conservación de la independencia cubana, el mantenimiento de un Gobierno adecuado para la protección de vidas, la propiedad y libertad individual, y para cumplir las obligaciones que, con respecto a Cuba, han sido impuestas a los Estados Unidos por el Tratado de París y que deben ahora ser asumidas y cumplidas por el Gobierno de Cuba.

Artículo 4: Que todos los actos realizados por los Estados Unidos en Cuba durante su ocupación militar sean tenidos por válidos, ratificados, y que todos los derechos legalmente adquiridos a virtud de ellos sean mantenidos y protegidos.

Artículo 5: Que el Gobierno de Cuba ejecutará y en cuento fuese necesario cumplirá los planes ya hechos y otros que mutuamente se convengan para el saneamiento de las poblaciones de la isla, con el fin de evitar el desarrollo de enfermedades epidémicas e infecciosas, protegiendo así al pueblo y al comercio de Cuba, lo mismo que al comercio y al pueblo de los puertos del sur de los Estados Unidos.

Artículo 6: Que la isla de Pinos será omitida de los límites de Cuba propuestos por la Constitución, dejándose para un futuro arreglo por Tratado la propiedad de la misma.

Artículo 7: Que para poner en condiciones a los Estados Unidos de mantener la Independencia de Cuba y proteger al pueblo de la misma, así como para su propia defensa, el Gobierno de Cuba venderá o arrendará a los Estados Unidos las tierras necesarias para carboneras o estaciones navales en ciertos puntos determinados, que se convendrán con el presidente de los Estados Unidos.

Artículo 8: Que para mayor seguridad en lo futuro, el Gobierno de Cuba insertará las anteriores disposiciones en un tratado permanente con los Estados Unidos.

(Tomado de *Guantánamo: USA al desnudo*, de Gilberto Toste Ballart. Editora Política. La Habana, 1990.)

**Convenio entre Cuba y Estados Unidos para el arrendamiento a
Estados Unidos de tierras en Cuba para estaciones carboneras y navales**

Deseando la República de Cuba y los Estados Unidos de América ejecutar en todas sus partes lo prevenido en el Artículo 7 de la Ley del Congreso que fue aprobada el 2 de marzo de 1901, y en el Artículo 7 del Apéndice a la Constitución de la República de Cuba promulgada el 20 de mayo de 1902, en los cuales se dispone:

Artículo 7: Que para poner en condiciones a los Estados Unidos de mantener la independencia de Cuba y proteger al pueblo de la misma, así como para su propia defensa, el Gobierno de Cuba venderá o arrendará a los Estados Unidos las tierras necesarias para carboneras o estaciones navales en ciertos puntos determinados que se convendrán con el presidente de los Estados Unidos.

Han celebrado con ese objeto el siguiente Convenio:

Artículo 1: La República de Cuba arrienda por el presente a los Estados Unidos por el tiempo que las necesitaren y para el objeto de establecer en ellas estaciones carboneras o navales, las extensiones de tierra y agua situadas en la isla de Cuba que a continuación se describen:

1ª En Guantánamo (véase la Carta 1857 de la Oficina Hidrográfica). Partiendo de un punto de la costa sur a 4,37 millas marítimas al este del Faro de la Punta de Barlovento, una línea que corre en dirección norte (franco) por una distancia de 4,25 millas marítimas.

Partiendo de la extremidad norte de esta línea, una línea de 5,87 millas marítimas hacia el oeste (franco).

Partiendo de la extremidad occidental de esta línea, una línea de 3,31 millas marítimas hacia el sudoeste (franco).

Partiendo de la extremidad sudoeste de esta última línea, una línea de dirección sur (franco) hasta la costa.

Este arrendamiento quedará sujeto a todas las condiciones que se mencionan en el artículo 2 de este convenio.

Artículo 2: La concesión del artículo anterior incluirá el derecho a usar y ocupar las aguas adyacentes a dichas extensiones de tierra y agua, y a mejorar y profundizar las entradas de las mismas y sus fondeaderos y —en general— a hacer todo cuanto fuere necesario para poner dichos lugares en condiciones de usarse exclusivamente como estaciones carboneras y navales y para ningún otro objeto.

Los buques dedicados al comercio con Cuba gozarán de libre tránsito por las aguas incluidas en esta concesión.

Artículo 3: Si bien los Estados Unidos reconocen por su parte la continuación de la soberanía definitiva de la República de Cuba sobre las extensiones de tierra y agua arriba descritas, la República de Cuba, consiente, por su parte, en que, durante el período en que los Estados Unidos ocupen dichas áreas, a tenor de las estipulaciones de este Convenio, los Estados Unidos ejerzan jurisdicción y señorío completos sobre dichas áreas con derecho a adquirir (bajo las condiciones que más adelante habrán de convenirse por ambos Gobiernos) para los fines públicos de los Estados Unidos cualquier terreno u otra propiedad situada en las mismas por compra o expropiación forzosa indemnizando a sus poseedores totalmente.

Hecho por duplicado en La Habana y firmado por el presidente de la República de Cuba, hoy día 16 de febrero de 1903.
Firmado: T. Estrada Palma (manuscrito).
Firmado por el presidente de los Estados Unidos, hoy día veinte y tres de febrero de 1903. Theodore Roosevelt.

(Tomado de *Guantánamo: USA al desnudo*, de Gilberto Toste Ballart. Editora Política, La Habana, 1990.)

Kennedy decreta el embargo/bloqueo

Decreto Nº 3447
Febrero 6, 1962, 27 Resolución federal Nº 1085
Embargo sobre el comercio con Cuba

Considerando: Que la Octava Reunión de los Ministerios de Relaciones Exteriores, sirviendo como Organo de Consulta en la Aplicación del Tratado Interamericano de Asistencia Recíproca (TIAR), en su Declaración Final resuelve que el actual Gobierno de Cuba es incompatible con los principios y objetivos del Sistema Interamericano; y a la luz de la ofensiva subversiva del comunismo chino-soviético con la cual el Gobierno de Cuba está públicamente alineada urgió a los estados miembros a tomar aquellos pasos que ellos puedan considerar apropiados para su autodefensa individual y colectiva;

Considerando: Que el Congreso de los Estados Unidos, en la sección 120 (a) del Acta de Asistencia Extranjera de 1961 (75 Estatuto 445) que fuera enmendada, subsección (a) de esta sección, ha autorizado al presidente establecer y mantener un embargo sobre todo el comercio entre los Estados Unidos y Cuba; y

Considerando: Que los Estados Unidos, de acuerdo con sus obligaciones necesarias para promover la seguridad nacional y hemisférica mediante el aislamiento del actual Gobierno de Cuba y, por tanto, reducir la amenaza que deriva de su lineamiento con las potencias comunistas:

Por cuanto: Yo, John F. Kennedy, presidente de los Estados Unidos de Norteamérica, actuando bajo la autoridad de la sección 620 (a) del Acta de Asistencia Extranjera de 1961 (75 Estatuto 445) que fue enmendada, subsección (a) de esta sección.

1) Proclamo el embargo sobre el comercio entre los Estados Unidos y Cuba de acuerdo con los párrafos 2 y 3 de este decreto;

2) Por lo tanto, prohíbo, para hacerse efectivo a las 12:01 a.m. hora estándar del este, de febrero 7 de 1962, la importación a los Estados Unidos de todos los productos de origen cubano, además de todos los productos importados desde o a través de Cuba, y por lo tanto, autorizo y ordeno al secretario del Tesoro el cumplimiento de dicho prohibición, y para que exista una excepción para ello, sea a través de una licencia u otra forma, que él determine conveniente con la operación efectiva del embargo que por este medio se proclama, y de promulgar dichas medidas y regulaciones como sea necesario para ejercer tales funciones.

3) Por tanto: Yo, por este medio, ordeno al secretario de Comercio, bajo las medidas del Acta de Control de Exportaciones de 1949, como fuera enmendada (50 Código de los Estados Unidos In.2021-2032) (secciones 2021-2032 del apéndice al Título 50, Defensa Nacional y Guerra) que continúe llevando a cabo la prohibición de todas las exportaciones de los Estados Unidos a Cuba, y, por lo tanto, autorizo al secretario de Comercio, bajo dicha Acta, que continúe, efectúe, modifique o revoque las excepciones de tales prohibiciones.

En testimonio de lo cual: Yo he, para ello, puesto mi mano en el sello de los Estados Unidos de Norteamérica para que sea fijado.

Dado en la ciudad de Washington en el tercer día de febrero, en el año de nuestro Señor mil novecientos sesenta y dos, y en el aniversario ciento ochenta y seis de la Independencia de los Estados Unidos de Norteamérica.

John F. Kennedy

(Tomado del libro: *Agresiones de Estados Unidos a Cuba Revolucionaria*. Editorial de Ciencias sociales, La Habana, 1989.)

Portada:
Jordi Socías y Mikel Garay

Primera edición: **Noviembre, 93**
Javier Vergara, Editor

Editado por Información y Revistas S.A. Cambio 16
C/ Hermanos García Noblejas 41. 28037 Madrid

Portada:
Jordi Socías y Mikel Garay

Primera edición: Noviembre, 93
Javier Vergara, Editor

© 1993, Roman Orozco

Editado por Información y Revistas S.A./Cambio 16
C/ Hermanos García Noblejas 41, 28037 Madrid